CW00683995

ΕΛΛΗΝΟΑΓΓΛΙΚΟ ΛΕΞΙΚΟ

GREEK – ENGLISH DICTIONARY

ISBN 960-7650-47-6

Επιμέλεια: Νίκη Χειλάκη
Διορθώσεις: Σοφία Σουλέλε
Φωτοσύνθεση: Κομπιουσύνθεση Ο.Ε., Τηλ: 3640-372

ΠΡΟΛΟΓΙΚΟ ΣΗΜΕΙΩΜΑ

Αναγνωρίζοντας το σπουδαιότατο ρόλο της Αγγλικής γλώσσας ως μέσον επικοινωνίας σε διεθνές επίπεδο, ο εκδοτικός μας οίκος επιχειρεί την έκδοση του νέου αυτού ΑΓΓΛΟ-ΕΛΛΗΝΙΚΟΥ και ΕΛΛΗΝΟ-ΑΓΓΛΙΚΟΥ λεξικού, με το οποίο επιθυμούμε ν' ανταποκριθούμε στις συνεχώς αυξανόμενες απαιτήσεις όσων ασχολούνται με την Αγγλική γλώσσα.

Το νέο αυτό εγχειρίδιο με τον πλούτο του λεξιλογίου που περιέχει, την ακρίβεια και σαφήνεια στην ερμηνεία των λέξεων, την αξιοπιστία και την πρακτικότητά του, μπορεί ν'αποτελέσει πολύτιμο βοήθημα των σπουδαστών όλων των βαθμίδων, των εκπαιδευτικών κι επιστημόνων και κάθε ατόμου που επιθυμεί να επικοινωνήσει αλλά και να κατέχει τη διεθνή αυτή γλώσσα.

Group of English Colleges

ENGLISH – GREEK DICTIONARY

ΑΓΓΛΟΕΛΛΗΝΙΚΟ ΛΕΞΙΚΟ

Το Ελληνικό Λεξιλόγιο στη ΔΗΜΟΤΙΚΗ

 ΕΛΛΗΝΟΕΚΔΟΤΙΚΗ

Κάθε γνήσιο αντίτυπο
φέρει την υπογραφή του εκδότη

A

A, a (έï) το πρώτο γράμμα του Αγγλικού αλφαβήτου, νότα Δυτικής μουσικής

a, an (α, αν) ένας, κάποιος (αορ. αρθ.)

a (α) (πρόθεμα) a-back

ab (αμπ) (πρόθεμα) μακρυά, χώρια

aback (αμπάκ) προς τα πίσω, ξαφνικά / be taken aback: ξαφνιάζομαι, εκπλήσσομαι (συχνά από κάτι δυσάρεστο)

abacus (άμπακας) αβάκιο, πλάκα

abaft (αμπάφτ ή αμπάαφτ) προς την πρύμνη, προς τα πίσω

abalone (αμπαλόουνι) σαλιγκάρι

abandon (αμπάντον) εγκαταλείπω, παρατάω, αφήνω, -ment εγκατάλειψη, -ed παρατημένος, -er αυτός που εγκαταλείπει / abandon (oneself) to smth: κυριεύομαι, ελέγχομαι απο (θυμό, επιθυμία, κ.τ.λ.)

abandon (αμπάντον) απελευθέρωση, αφροντισιά

abase (αμπέïς) ταπεινώνω, χαμηλώνω, -ment ταπείνωση

abasing (αμπέïσινγκ) ταπεινωτικός

abash (αμπάσσ) καταντροπιάζω, ατιμάζω, -ment ντρόπιασμα, -ed ντροπιασμένος

abate (αμπέïτ) υποβιβάζω, λιγοστεύω, μετριάζω, ακυρώνω (νομ.), -ment ελάττωση, έκπτωση

abatable (αμπάταμπλ) ελαττώσιμος

abater (αμπάτερ) μετριαστής

abatis, abattis (άμπατις) φράγμα από πεσμένα δέντρα

abattoir (αμπατουάρ) σφαγείο

abbacy (άμπασι) ηγουμενία

abbe (άμπε) ηγούμενος

abbess (άμπες) ηγουμένη

abbey (άμπι) μοναστήρι

abbot (άμποτ) ηγούμενος

abbreviate (αμπρέβιέϊτ) συντομεύω, κονταίνω

abbreviation (αμπρέβιέϊσσον) συντομία, κόντεμα, συντόμευση

aBC (έϊμπίσί) το αλφάβητο, αρχές ενός θέματος / ABC book: αλφαβητάριο

abdicate (αμπντικέϊτ) παραιτούμαι, αποκηρύσσω, απαρνούμαι

abdication (αμπντικέϊσσον) παραίτηση, αποκήρυξη

abdicator (αμπντικέϊτορ) παραιτούμενος

abdomen (άμπντομεν) κοιλιά

abdominal (αμπντόμιναλ) υπογάστριος

abdominous (αμπντόμινας) κοιλαράς

abduct (αμπντάκτ) απάγω, -ion απαγωγή, -or απαγωγέας

abeam (αμπίμ) εγκάρσια στην τρόπιδα πλοίου

abed (αμπέντ) κρεβατωμένος

abele (αμπίλ) λεύκα

aberrance (άμπερανς) λοξοδρόμηση, τρέλα

aberrant (άμπεραντ) πλανώμενος, ιδιόμορφος, παρεκκλίνων απ' το συνηθισμένο

aberration (αμπερέϊσσον) παρέκ-

κλιση, τρέλα / In a moment of aberration: σε στιγμή παραφοράς
abet (αμπέτ) παρακινώ, **-tor, -ter** υποκινητής, **-ment** υποκίνηση
abeyance (αμπέϊανς) εκκρεμότητα, αχρηστία
abhor (αμπχόορ) αποστρέφομαι, σιχαίνομαι
abhorrence (αμπχόορανς) αποστροφή, σιχασιά
abhorrent (αμπχόρεντ) απεχθής, μισητός
abide (αμπάϊντ) διαμένω, κατοικώ, ανέχομαι, αντέχω / abide by: υπακούω, μένω πιστός, δέχομαι χωρίς παράπονο
abiding (αμπάϊντινγκ) σταθερός, μόνιμος
abigail (άμπιγκελ) θαλαμηπόλος
ability (αμπίλιτι) ικανότητα / to the best of my ability: όσο πιο καλά μπορώ
abject (άμπτζεκτ) ταπεινωτικός, αγενής, **-ion** ταπείνωση, **-ness** αγένεια
abjectly (αμπτζέκτλι) εντελώς
abjure (αμπτζούρ) αρνούμαι
abjuration (αμπτζουρέϊσσον) άρνηση
ablation (αμπλέϊσσον) αφαίρεση
ablaze (αμπλέϊζ) φλεγόμενος, εξοργισμένος
able (έϊμπλ) ικανός, άξιος
ably (έϊμπλι) ικανά, επιδέξια
abnegate (άμπνιγκέϊτ) απαρνούμαι
abnegation (άμπνιγκέϊσσον) απάρνηση
abnormal (αμπνόρμαλ) ανώμαλος, άτακτος, **-ly** αντικανονικά
abnormality (άμπνορμάλιτι) ανωμαλία
abo, abos (αμπό) αυτόχθονας κάτοικος της Αυστραλίας
aboard (αμπόαρντ) στο πλοίο
abode (αμπόουντ) διαμονή, κατοικία / of / with no fixed abode: χωρίς

μόνιμη κατοικία
abolish (αμπόλισσ) καταργώ, ακυρώνω, **-ment** κατάργηση, **-er** καταργητής
abolition (αμπολίσσον) ακύρωση
abolitionist (αμπολίσσονιστ) ακυρωτής
abomb (εμπόμπ) ατομική βόμβα
abominable (αμπόμιναμπλ) απεχθής, βδελυρός
abominably (αμπόμινάμπλι) μισητά, με απέχθεια
abominate (αμπόμινέϊτ) απεχθάνομαι
abomination (αμπόμινέϊσσον) απέχθεια
aboriginal (άμπορίτζιναλ) πρωτόγονος, ιθαγενής
aborigine (αμπόρετζιν) αυτόχθονας, γηγενής
abort (αμπόρτ) κάνω έκτρωση, διακόπτω, σταματώ κάτι πρόωρα εξαιτίας δυσχερειών
abortion (αμπόρσσον) έκτρωση, έκτρωμα, **-ist** αυτός που επιχειρεί έκτρωση, **-al** εκτρωματικός
abortive (αμπόρτιθ) ανεπιτυχής
abound (αμπάουντ) είμαι πλούσιος / abound in / with: έχω κάτι σε μεγάλη ποσότητα
about (αμπάουτ) περί, γύρω, περίπου, εδώ κι εκεί / not about to: πολύ απρόθυμος να / be about to: είμαι έτοιμος να / be up and about: είμαι υγιείς και δραστήριος
aboutface (αμπάουτφέϊς)'μεταβολή
above (αμπάθ) πάνω από, τα ουράνια, **-board** ανοιχτά, χωρίς περιστροφές / above all: το σπουδαιότερο, πάνω απ' όλα / to get above oneself: εμπιστεύομαι υπερβολικά την εξυπνάδα μου
abrade (αμπρέϊντ) τρίβω, φθείρω από το τρίψιμο
abraham (έϊμπραχάμ) Αβραάμ
abrasion (αμπρέϊζον) τρίψιμο, από-

A

ξεση
abrasive (αμπρέϊσιθ) αποξεστικός, υλικό που χρησιμοποιείται για γυάλισμα επιφανειών
abreast (αμπρέστ) παράπλευρα / to keep / be abreast of: γνωρίζω τα πιο πρόσφατα γεγονότα
abridge (αμπρίτζ) συντομεύω, ελαττώνω, **-d** σύντομος
abridg(e)ment (αμπρίντζμεντ) συντόμευση
abroad (αμπρόοντ) στο εξωτερικό, απ' έξω, παντού, σε μεγάλη έκταση
abrogate (αμπρογκέϊτ) ακυρώνω, καταργώ
abrogation (άμπρογκέϊσσον)κατάργηση
abrupt (αμπράπτ) απότομος, **-ly** απότομα, **-ness** σκαιότητα
abscess (άμπσες) απόστημα
abscind (άμπσιντ) αποκόπτω
abscission (αμπσίσσον) αποκοπή
abscond (αμπσκόντ) φυγοδικώ
abseil (αμπσέϊλ) αναρριχώμαι σε απότομη πλαγιά με σχοινί
absence (άμπσενς) απουσία, στέρηση
absent (άμπσεντ) απών, αφηρημένος / I absent myself: απουσιάζω
absentee (αμπζεντίι) απών
absenteeism (άμπζεντίιζμ) συχνή απουσία απο τη δουλειά
absent-minded (άμπζεντ μάϊντιντ) αφηρημένος
absinth(e) (άμψινθ) δυνατό αλκοολούχο ποτό
absolute (άμπσολιουτ) τέλειος, απόλυτος, αγνός, θετικός, δεσποτικός, **-ly** απόλυτα / the absolute: το απόλυτο / the absolute zero: η χαμηλότερη δυνατή θερμοκρασία
absolution (άμπσολιούσσον) άφεση, απόλυση
absolutism (άμπσολιούτισμ) απολυταρχία, **-ist** απολυταρχικός
absolutory (άμπσολιούτορι) απαλ-

λαχτικός
absolve (αμπσόλβ) συγχωρώ, αθωώνω
absolvable (αμπσόλβαμπλ) συγχωρητός
absolvatery (αμπσόλβατρι) αθωωτικός
absonant (αμπσόουνεντ) παράφωνος, παράλογος
absorb (αμπσόορμπ) απορροφώ, **-ent** απορροφητικός
absorption (αμπσόορπσιον) απορρόφηση
absquatulate (αμπσθέτουλέϊτ) το σκάω
abstain (αμπστέϊν) απέχω, **-er** αυτός που απέχει (από ποτά), εγκρατής
abstemious (αμπστίμιες) ασκητικός, εγκρατής
abstention (αμπστένσσον) αποχή
absterge (αμπστέρτζ) καθαρίζω
abstinence (άμπστινενς) αποχή, εγκράτεια
abstinent (άμπστινεντ) εγκρατής, ο απέχων
abstract (αμπστράκτ) αφαιρώ, αποσύρω, επιτομή, περίληψη, αφηρημένος / In the abstract: γενικά, αφηρημένα
abstraction (αμπστράκσσον) αποχωρισμός, αφαίρεση, αφηρημάδα
abstruse (αμπστρούς) δυσνόητος, δύσκολος, ασαφής, **-ness** ασάφεια
absurd (αμπσέρντ) γελοίος, παράλογος, **-ity** παραλογισμός, ανοησία
abundance (αμπάντανς) αφθονία
abundant (αμπάντανт) άφθονος
abuse (αμπιούζ) καταχρώμαι, βρίζω, κατάχρηση, ύβρις
abusive (αμπιούσιβ) υβριστικός, διεφθαρμένος
abut (αμπάτ) συνορεύω προς, καταλήγω
abutment (αμπάτμεντ) στήριγμα, άκρο
abysmal (αμπίζμαλ) πολύ άσχημος,

κακός
abyss (άμπις) άβυσσος, κόλαση
acacia (ακέσσα) ακακία
academic (ακαντέμικ) ακαδημαϊκός,
-ally σε ακαδημαϊκά θέματα
academician (ακαντεμίσαν) ο ακαδημαϊκός
academy (ακάντεμι) ακαδημία
acatelepsy (ακατάλιπσι) ακατανόητο
accede (ακσίντ) προσχωρώ, αποδέχομαι
accelerate (ακσέλερέϊτ) επιταχύνω
acceleration (ακσέλερέϊσσον) επιτάχυνση
accelerator (ακσέλερέϊτορ) επιταχυντής, ο επιταχύνων
accendible (αξέντιμπλ) ευέλικτος,
που ανάβει εύκολα
accent (ακσέντ) τόνος, τονίζω
accentual (ακσέντσουαλ) τονικός
accept (αξέπτ) αποδέχομαι, -able ευπρόσδεκτος, -ance αποδοχή, -ation
σημασία, εκδοχή
access (ακσές) προσέλευση, είσοδος
accessary (ακσέσαρι) συνένοχος
accessible (ακσέσιμπλ) προσιτός
accessibility (ακσέσιμπίλιτι) το ευπρόσιτο
accessibly (ακσέσιμπλι) προσιτά
accession (ακσέσσον) απόκτηση δικαιώματος, προσθήκη, -al πρόσθετος, της ανόδου
accessories (ακσέσοριζ) εξαρτήματα
accident (άκσιντεντ) δυστύχημα, τυχαίο συμβάν, -al τυχαίος / by accident: τυχαία / accident prone: άτομο
πολύ επιρρεπές σε ατυχήματα
acclaim (ακλέϊμ) αναφωνώ, ζητοκραυγάζω, -er αυτός που επευφημεί,
-able επευφημητός
acclamation (ακλαμέϊσσον) επευφημία
acclimate (ακλάϊμέϊτ) εγκλιματίζομαι
acclimatize (ακλάϊματάϊζ) εγκλιμα-

τίζω
acclimation, acclimatization (ακλαϊμέϊσσον, ακλάϊματαϊζέϊσσον)
εγκλιματισμός
acclivity (ακλίβιτι) ανηφοριά
acclivitous (ακλίβιτας) ανηφορικός
accolade (άκολέϊντ) ισχυρή επιδοκιμασία, έπαινος
accommodate (ακόμοντέϊτ) συμβιβάζω, οικονομώ, διευκολύνω
accommodation (ακόμοντέϊσσον)
διευκόλυνση, κατάλυμα, συμβιβασμός
accompaniment (ακομπάνιμεντ)
συνοδεία
accompanist (ακόμπανιστ) συνοδός
μουσικού οργάνου, τραγουδιστής
accompany (ακόμπανι) συνοδεύω,
συνεταιρίζομαι
accompanier (ακομπάνιερ) ο συνοδός
accomplice (ακόμπλις) συνένοχος
accomplicity (ακομπλίσιτι) συνενοχή
accomplish (ακόμπλισσ) συμπληρώνω, μορφώνω, -ment εκπλήρωση,
επίκτητο προσόν, -ed μορφωμένος,
τελειωμένος, τέλειος
accord (ακόρντ) συμφωνώ, κουρδίζω, -ance συμφωνία, ομοφωνία, -ant
σύμφωνος, αρμονικός / according
as: ανάλογα με τις καιρικές συνθήκες / according to: σύμφωνα με
accordingly (ακόρντινγκλι) επομένως
accordion (ακόρντιον) ακορντεόν,
φυσαρμόνικα
accost (ακόστ) πλησιάζω, απευθύνομαι
account (ακάουντ) λογαριασμός,
αίτιο, σημασία, δίνω λογαριασμό,
θεωρώ, -able υπεύθυνος, -ancy λογιστική, -ant λογιστής / account
for: δίνω εξηγήσεις για, είμαι
υπαίτιος για
accountant general (ακάουνταντ

τζένεραλ) αρχιλογιστής

accountability (ακάουνταμπίλιτι) ευθύνη

accouter (ακιούτερ) εφοδιάζω, **-ments** τα χρειαζούμενα, τα εφόδια

accredit (ακρέντιτ) επικυρώνω, πιστώνω, **-ed** διαπιστευμένος

accretion (ακρίσσον) επαύξηση

accrue (ακριού) επαυξάνω, προέρχομαι, προσγίνομαι

accrual, accruement (ακριουάλ, ακριούμεντ) αύξηση

accubation (ακιουμπέϊσσον) κατάκλιση

accumbent (ακούμπεντ) πλαγιασμένος

accumulate (ακούμιουλέϊτ) αθροίζω, συσσωρεύω

accumulation (ακιούμιουλέϊσσον) συσσώρευση

accumulative (ακιούμιουλέϊτιβ) συσσωρευτικός

accumulator (ακιούμιουλέϊτορ) συσσωρευτής

accuracy (άκιουρασι) ακρίβεια, σαφήνεια

accurate (άκιουρετ) τέλειος, ορθός, ακριβής, **-ly** ορθά, τέλεια

accursed (ακέρζντ) καταραμένος

accusation (άκουζέϊσσον) κατηγορία

accusative (ακιούζατιβ) κατηγορηματικός, αιτιατική πτώση

accusatory (ακιουζάτορι) κατηγορητικός

accuse (of) (ακιούζ οφ) κατηγορώ, **-d** υπεύθυνος, ένοχος

accuser (ακιούζερ) κατήγορος

accustom (ακάστομ) συνηθίζω, εξοικειώνω, **-ed** συνηθισμένος, τακτικός / be accustomed to: συνηθίζω να

ace (έϊς) άσσος, άτομο

acephalous (ασέφαλας) ακέφαλος

acerbate (ασερμπέϊτ) πικραίνω, εξαγριώνω

acerbic (ακέρμπικ) έξυπνος και καυστικός, δριμύς

acerbity (ασέρμπιτι) δριμύτητα

acescent (ασέσεντ) που ξυνίζει

acetate (ασιτέϊτ) χημική ουσία φτιαγμένη από οξικό οξύ

acetic (ασέτικ) οξικό οξύ

acetify (ασέτιφάϊ) καθιστώ τοξικό, οξοποιώ

acetylene (ασέτιλίιν) ασετυλίνη

acetylsalicylis acid (ασετιλσαλίσιλ άσιντ) ασπιρίνη

ache (εϊκ) πονώ, πόνος

achieve (ατσίβ) κατορθώνω, πετυχαίνω, **-ment** κατόρθωμα

aching (έϊκινγκ) αυτός που πονάει

achromatic (ακρομάτικ) αχρωμάτιστος

acicular (ασίκιουλαρ) λεπτός σα βελόνα

acid (άσιντ) οξύς, το οξύ, **-ity, -ness** οξύτητα

acidify (ασίντιφάϊ) καθιστώ όξινο

acid rain (άσιντ ρέϊν) όξινη βροχή

acid test (άσιντ τέστ) τελική ανάλυση

acidulous (ασίντζουλους) υπόξινος, καυστικός

acknowledge (ακνόλετζ) ομολογώ, αναγνωρίζω, **-ment** ομολογία, αναγνώριση

acme (άκμι) ακμή, κορυφή

acne (άκνι) ακμή (σπιθούρια)

acolyte (ακολάϊτ) ακόλουθος, βοηθός, αρχάριος

acorn (έϊκορν) βελανίδι

acoustic(al) (ακούστικ, -αλ) ακουστικός

acoustics (ακούστικς) η ακουστική

acquaint (ακουέϊντ) γνωρίζω, γνωστοποιώ, **-ance** γνωριμία, γνώριμος, **-ed** αυτός που γνωρίζει / acquaint with: γνωστοποιώ, πληροφορώ / be acquainted with: είμαι κοινωνικά αποδεκτός

acquaintanceship (ακουεϊντανσσίπ) κοινωνική αποδοχή

acquiesce (ακουιές) παραδέχομαι, στέργω, συναινώ
acquiescent (ακουιέσεντ) συγκαταβατικός
acquire (ακουάιαρ) αποκτώ, κερδίζω, -ment απόκτηση, επίκτητο προσόν
acquirable (ακουάιαραμπλ) επίκτητος, αποκτητός
acquisition (ακουιζίσσον) απόκτηση
acquisitive (ακουζίτιθ) φιλοκτήμων, φιλοκερδής, -ly φιλοκερδώς, -ness φιλοκέρδεια
acquit (ακουίτ) απαλλάσσω, αθωώνω, -tal αθώωση, απαλλαγή
acre (έικρ) στρέμμα
acreage (έικριτζ) εμβαδό γης μετρημένης σε στρέμματα
acrid (άκριντ) στυφός, -ness, -ity δριμύτητα, πικρότητα
acrimonious (είκριμόνιος) καυστικός, πικρός
acrimony (άκριμόνι) δριμύτητα, αυστηρότητα
acrobat (άκρομπατ) ακροβάτης, -tic ακροβατικός, -s ακροβασίες
acrolith (άκρολιθ) πέτρινο άγαλμα
acronym (άκρονιμ) ακροστοιχίδα
across (ακρός) διά μέσου, εγκάρσια / across the board: σε όλα τα επίπεδα
acrylic (ακρίλικ) ακρυλικό
act (άκτ) πράξη, ενέργεια, εκτέλεση, -ing αυτός που πράττει, ηθοποιία, υπόκριση
actinium (ακτίνιομ) ραδιενεργός
actinoid (άκτινόϊντ) ακτινοβόλος
action (άκσον) πράξη, δράση, λειτουργία
activate (άκτιβέιτ) δραστηριοποιώ, θέτω σε λειτουργία, επιταχύνω (χημική αντίδραση)
activatation (ακτίβετέισσον) δραστηριοποίηση
activist (άκτιβιστ) πολύ δραστήριο άτομο (ειδ. στην πολιτική ζωή)
activity (ακτίβιτι) δραστηριότητα, κίνηση
act of God (άκτ οφ γκόντ) φυσικό φαινόμενο που δε μπορεί ν' αντιμετωπιστεί ή να ελεγχθεί
actor (άκτορ) ηθοποιός
actress (άκτρες) η ηθοποιός
actual (άκτσουαλ) πραγματικός, τωρινός, παρών, -ness πραγματικότητα
actuality (ακτσουάλιτι) πραγματικότητα
actualize (άκτσουαλάιζ) πραγματοποιώ, περιγράφω
actually (άκτσουαλι) πραγματικά, τωρινά
actuate (άκτσουέιτ) παρακινώ
actuation (ακτσουέισσον) παρακίνηση
acuity (ακιούιτι) οξύτητα
aculeate (ακιούλιετ) αγκαθωτός
acumen (ακιούμεν) οξύνοια
acuminate (ακιούμινετ) οξύς, μυτερός
acumination (ακιούμινέισσον) οξύνοια
acupuncture (ακιούπανκτσερ) βελονισμός
acute (ακιούτ) μυτερός, έξυπνος, -ness εξυπνάδα
ad (άντ) διαφήμιση (advertisement)
adage (άντετζ) παροιμία, γνωμικό
adagio (αντάτζιο) αργός
adam (άντεμ) Αδάμ / not know someone from Adam: δεν γνωρίζω ποιός είναι κάποιος
adamant (αντάμαντ) διαμάντι
adapt (αντάπτ) προσαρμόζω, -able προσαρμόσιμος, -ability προσαρμοστικότητα, -ation προσαρμογή, -ive προσαρμοστός
add (αντ) προσθέτω, -able προσθετός, -er αυτός που προσθέτει / add to: αυξάνω, / add up: έχω λογική εξήγηση / add up to: ανέρχομαι σε
addict (αντίκτ) συνηθίζω σε κάτι κακό, -ed επιρρεπής, έκδοτος, -ion επιρρέπεια, κλίση στο κακό

addict (αντίκτ) ο έκδοτος σε κάτι κακό, -ive αυτός που προκαλεί ισχυρό εθισμό κι εξάρτηση
addition (αντίσσον) πρόσθεση, προσθήκη, -al πρόσθετος
addle (άντλ) συγχέω, κλούβιος, -d κλούβιος, μπερδεμένος
address (αντρές) διεύθυνση, αίτηση, -er, -or ο διευθύνων
addressee (αντρεσί) παραλήπτης
adduce (αντιούς) παραθέτω, προσάγω
ademption (αντέμπσον) αναίρεση
adenoid (αντινόϊντ) αδενοειδής
adept (αντέπτ) ειδικός, έμπειρος, -ness εμπειρία, -ly εξειδικευμένα, έμπειρα
adequacy (άντικουάσι) επάρκεια, αναλογία
adequate (άντικουετ) αρκετός
adhere (αντχίαρ) είμαι πιστός, εμμένω
adherence (αντχίρενς) προσκόληση
adherent (αντχίρεντ) οπαδός, αφοσιωμένος
adhesion (αντχίιζον) αφοσίωση, εμμονή
adhesive (αντχέσιθ) κολλώδης
adhoc (αντχόκ) φτιαγμένος γιά κάποιο συγκεκριμένο σκοπό
adieu (αντιούου ή αντού) αντίο
ad infinitum (άντ ινφινάϊτεμ) γιά πάντα, ατελείωτα
adipic (αντίπικ) λιπαρός
adipose (αντιπόουζ) παχουλός, λιπώδης, -ness, -adiposity πάχος, λιπαρότητα
adjacency (ατζέϊσενσι) γειτνίαση
adjacent (ατζέϊσεντ) ο διπλανός, -ly δίπλα
adjectival (ατζέκτιβαλ) επιθετικός, -ly επιθετικά
adjective (ατζεκτιβ) επίθετο
adjoin (ατζόϊν) προσκολλώ, συνορεύω, -ing γειτονικός
adjourn (ατζέρν) αναβάλλω, -ment

αναβολή
adjudge (ατζάτζ) κατακυρώνω, θεωρώ
adjudicate (ατζούντικέϊτ) επιδικάζω
adjudication (ατζούντικέϊσσον) επιδίκαση
adjudicator (ατζούντικέϊτορ) δικαστής
adjunct (ατζάνκτ) προσδιορισμός
adjuration (ατζουρέϊσσον) εξορκισμός
adjure (ατζούρ) διατάζω, εξορκίζω
adjust (ατζάστ) ρυθμίζω, κανονίζω, -ment διευθέτηση, -able ευκανόνιστος, -er αυτός που διευθετεί
adjutancy (ατζούτανσι) υπασπιστία
adjutant (άτζουταντ) υπασπιστής
adjurvant (άτζουρθαντ) βοηθητικός
adlib (αντλίμπ) αυτοσχεδιάζω στη σκηνή
adman (άντμαν) διαφημηστής
admeasure (αντμέζουρ) καταμετρώ
admeasuration (αντμέζουρέϊσσον) καταμέτρηση
adminicle (αντμίνικλ) μαρτυρία
administer (αντμίνιστερ) διαχειρίζομαι, διοικώ
administration (αντμίνιστρέϊσσον) διαχείρηση, διοίκηση
administrative (αντμίνιστρέϊτιθ) διαχειριστικός, διοικητικός
administrator (αντμίνιστρέϊτορ) διαχειριστής
administratrix (αντμίνιστράτριξ) διαχειρίστρια
admirable (αντμάϊραμπλ) θαυμάσιος
admirably (αντμάϊράμπλι) θαυμάσια
admiral (άντμιραλ) ναύαρχος, -ty ναυαρχείο, ναυαρχία
admiration (άντμιρέϊσσον) θαυμασμός, αντικείμενο θαυμασμού / note of admiration: αντικείμενο θαυμασμού
admire (αντμάϊαρ) θαυμάζω
admirer (αντμάϊρερ) θαυμαστής
admiringly (αντμάϊρινγκλι) με θαυ-

μασμό
admissible (αντμίσιμπλ) παραδεκτός
admission (αντμίσσον) είσοδος, άδεια εισόδου, αποδοχή
admit (αντμίτ) παραδέχομαι, αναγνωρίζω, επιτρέπω την είσοδο, **-tance** είσοδος
admix (αντμίξ) αναμιγνύω, ανακατεύω
admixture (αντμίξουρ) μίγμα, μίξη
admonish (αντμόνισσ) νουθετώ, προειδοποιώ
admonitory (αντμονίτορι) παραινετικός
adnauseam (αντνουζίεμ) συνεχώς κι ενοχλητικά
adnominal (αντνόμιναλ) επιθετικός
adnoun (αντνάουν) το επίθετο
ado (αντού) ενέργεια, θόρυβος
adobe (αντόουμπι) τούβλο
adolescence (αντόλεσενς) εφηβία
adolescent (αντόλεσεντ) έφηβος
adonize (άντονάϊζ) καλλωπίζομαι
adopt (αντόπτ) παραδέχομαι, υιοθετώ, ενστερνίζομαι, **-ed** θετός, **-er** αυτός που υιοθετεί, **-ion** υιοθεσία
adorable (αντόουραμπλ) λατρευτός
adoration (αντορέϊσσον) λατρεία
adore (αντόουρ) λατρεύω, **-r** λάτρης
adorn (αντόορν) στολίζω, **-ment** στολισμός, κόσμημα, **-er** στολιστής
adown (αντάουν) προς τα κάτω
adrenaline (αντρέναλίν) αδρεναλίνη
adrift (αντρίφτ) έρμαιο
adroit (αντρόϊτ) επιδέξιος, **-ly** επιδέξια, **-ness** επιδεξιότητα
adry (αντράϊ) ξηρός, διψασμένος
adscititious (αντσιτίσσας) συμπληρωματικός
adulate (άτζουλέϊτ) κολακεύω
adulation (ατζουλέϊσσον) κολακεία
adulatory (ατζούλατόρι) κολακευτικός
adult (αντάλτ) ενήλικος, ώριμος, **-ness** ενηλικίωση, **-hood** ωριμότητα
adulterate (αντάλτερέϊτ) νοθεύω

adulteration (αντάλτερέϊσσον) νοθεία
adulterator (αντάλτερέϊτορ) νοθευτής
adulterer (αντάλτερερ) μοιχός
adulteress (ανταλτέρεσσ) η μοιχαλίς
adultery (αντάλτερι) μοιχεία
adumbral (αντάμπραλ) σκιερός
adumbrate (ανταμπρέϊτ) επισκιάζω, σκιαγραφώ
adumbration (ανταμπρέϊσσον) σκιαγραφία
adust (αντάστ) φλογερός, καιόμενος
advance (αντβάνς) ωφελώ, προάγω, πρόοδος, **-d** αναπτυγμένος, προηγμένος, μοντέρνος, **-ment** προαγωγή, ανάπτυξη, βελτίωση
advantage (αντβάντετζ) πλεονέκτημα, όφελος / take advantage of: επωφελούμαι από
advantageous (αντβαντέϊτζους) πλεονεκτικός, επωφελής
advent (άντβεντ) προσέλευση, άφιξη
adventitious (αντβέντιτες) τυχαίος, απροσδόκητος
adventure (αντβέντσουρ) διακινδυνεύω, τολμώ, περιπέτεια
adventurer (αντβέντσουρερ) τυχοδιώκτης
adventuress (αντβέντσουρες) τυχοδιώκτρια
adventurous (αντβέντσουρας) ριψοκίνδυνος
adverb (άντβερμπ) επίρρημα, **-ial** επιρρηματικός
adversary (άντβερσέρι) αντίπαλος, ανταγωνιστής
adverse (άντβερς ή αντβέρς) αντίθετος, εχθρικός
adversity (αντβέρσιτι) ατυχία, αναποδιά
advert (αντβέρτ) αναφέρομαι σε κάτι, προσέχω, **-ence** προσοχή, **-ent** προσεκτικός

advertise (άντβερτάϊζ) γνωστοποιώ, διαφημίζω, -r διαφημιστής, -ment αγγελία, διαφήμιση
advice (αντβάϊς) συμβουλή, πληροφορία, είδηση
advisable (αντβάϊσαμπλ) φρόνιμος, συνετός, αξιοσύστατος
advise (αντβάϊζ) συμβουλεύω, ειδοποιώ, -ment σκέψη, μελέτη, -dly εσκεμμένα / well-advised: συνετός, έξυπνος / ill-advised: ασύνετος, ανόητος
adviser, advisor (αντβάϊζερ, -or) **symboylow**
advisory (αντβάϊζορι) συμβουλευτικός
advocacy (αντβόκασι) συνηγορία
advocate (άντβοκέϊτ) συνηγορώ, υπερασπίζω (αντβοκίτ) συνήγορος
advowee (αντβάουί) προστάτης
adynamia (αντινέμια) αδυναμία
adytum (άντιταμ) το ιερό, το άδυτο
adze (άντζ) σκεπάρνι
aegean (ιτζίαν) Αιγαίο
aegis (ίτζις) αιγίδα
aeon (ίεν) το αέναο, πολύ μεγάλη χρονική περίοδος
aerate (έαρέϊτ) αερίζω, -d αεριούχος
aeration (έαρέϊσσον) αερισμός
aerial (αήριαλ) αέριος, κεραία, -ist ακροβάτης
aerify (έϊερφάϊ) γεμίζω με αέρα
aerobatics (έάρεμπάτικς) αεροβασίες
aerobics (εαρόμπικς) αεροβική γυμναστική
aerodrome (έϊεροντρόουμ) αεροδρόμιο
aerodynamic (έϊεροουνταϊνάμικ) αεροδυναμικός, -s η αεροδυναμική
aerolite (έϊεροουλάϊτ) αερόλιθος
aerometer (έϊερόμετερ) αερόμετρο
aeronaut (έϊρονόοτ) αεροναύτης, πιλότος
aeronautics (έϊερονόοτικς) αεροναυτική

aeroplane (άϊροπλέϊν) αεροπλάνο
aerospace (έαρεσπέϊς) ατμόσφαιρα, το διάστημα
aerostat (έϊεροστάτ) αερόστατο, -ics αεροστατική
aesthete (έσθιιτ) αισθητικός
aesthetic (εσθέτικ) καλαίσθητος, -s καλαισθησία, αισθητική
aestival (έστιβαλ) καλοκαιρινός
afar (αφάρ) μακρυά
affability (αφαμπίλιτι) καταδεκτικότητα
affable (άφαμπλ) καταδεκτικός, γλυκομίλητος
affably (άφαμπλι) καταδεκτικά
affair (αφέαρ) υπόθεση, γεγονός, γιορτή
affect (αφέκτ) επηρρεάζω, υποκρίνομαι, συγκίνηση, -ing συγκινητικός, -ation επιτήδευση, -ed επιτηδευμένος
affection (αφέκσσον) αγάπη, στοργή, -ate φιλόστοργος, -ately τρυφερά
affective (αφέκτιβ) συγκινητικός
affeer (αφίαρ) επικυρώνω
affianced (αφάϊενστ) αρραβωνιασμένος
affidavit (άφιντέϊβιτ) γραπτή ομολογία
affiliate (αφίλιέϊτ) οργανώνομαι, υιοθετώ
affiliation (αφίλιέϊσσον) υιοθεσία
affinity (αφίνιτι) συγγένεια, σχέση, έλξη
affirm (αφέρμ) επιβεβαιώνωω, παραδέχομαι, -ation διαβεβαίωση, -ative καταφατικός, -ively καταφατικά, -er επιβεβαιωτής
affix (αφίξ) επισυνάπτω, σφραγίζω, επικολλώ, -ion επισύναψη
afflation (αφλέϊσσον) πνοή, φύσημα
afflatus (αφλέϊτος) έμπνευση
afflict (αφλίκτ) πικραίνω, θλίβω, -ion πίκρα, θλίψη, -ions βάσανα, -ive θλιβερός, -er βασανιστής

affluence (άφλουενς) αφθονία
affluent (άφλουεντ) άφθονος, -ly
άφθονα
afflux (άφλαξ) συρροή
afford (αφόουρντ) παρέχω / afford
to: έχω την (οικονομική) δυνατό-
τητα να
afforest (αφόριστ) αναδασώνω, -a-
tion αναδάσωση
affray (αφρέϊ) διαπληκτισμός, καυ-
γάς στο δρόμο, φοβερίζω
affranchise (άφρεντζάϊζ) ελευθερώ-
νω, χειραφετώ, -ment απελευθέρω-
ση, χειραφέτηση
affreight (αφρέϊτ) ναυλώνω πλοίο, .
-ment ναύλωση
affright (αφράϊτ) φοβερίζω, φοβέρα
affront (αφράντ) προσβολή, βρισιά,
βρίζω, προσβάλλω
afghan (αφγκάν) κάτοικος του Αφ-
γανιστάν, κυνηγετικό σκυλί
aficionado (αφίσενάντο) οπαδός, εν-
διαφερόμενος για κάτι
afield (αφίλντ) μακριά απ' το σπίτι
afire (αφάϊαρ) καιόμενος, φλεγό-
μενος
aflame (αφλέϊμ) φλεγόμενος, στη
φωτιά
aflat (αφλάτ) επίπεδα
afloat (αφλόουτ) στα νερά, αυτός
που επιπλέει
afoot (αφούτ) με τα πόδια
afore (αφόουρ) πριν, προ, -mentio-
ned προαναφερθείς, -thought προ-
μελέτη, προμελετημένος, -time άλ-
λοτε, προηγούμενα
afortiori (αφόρτιόρι) επιπλέον, πο-
λύ περισσότερο
afoul (αφάουλ) σε σύγκρουση / run
afoul of: φέρω σε αντίθεση
afraid (αφρέϊντ) φοβισμένος / afraid
of one's own shadow: μόνιμα φοβι-
σμένος και νευρικός
afresh (αφρέσσ) ξανά, πάλι, απ'
την αρχή
africa (άφρικα) αφρική, -n Αφρι-

κανός
after (άφτερ) κατόπιν, μετά, -effect
επακόλουθο, -most τελευταίος,
-noon απόγευμα, -thought δεύτερη
σκέψη, -wards κατόπιν
afterages (άφτερέϊτζις) κατοπινό-
τερος
afterclap (άφτερκλάπ) το ανα-
πάντεχο
afterglow (άφτεργκλόου) λυκόφως
aftertossing (άφτερτόουσινγκ) φου-
σκοθαλασσιά
again (αγκέν ή αγκέϊν) πάλι, ξανά
against (αγκένστ ή αγκέϊνστ)
εναντίον
agape (αγκέϊπ) με ανοιχτό στόμα,
ολάνοιχτος, ολάνοιχτα
agate (άγκιτ) αχάτης
age (έϊτζ) ηλικία, γερνάω, παλιώνω,
-d ηλικιωμένος, -less αγέραστος,
-long αιώνιος, αγέραστος / age of
consent: ηλικία γάμου
agency (έϊτζενσι) πρακτορείο, αντι-
προσωπία
agenda (ατζέντα) σημειωματάριο
agent (έϊτζεντ) πράκτορας, αντι-
πρόσωπος
agglomerate (αγκλόμερέϊτ) συσσω-
ρεύω
agglomeration (αγκλόμερέϊσσον)
συσσώρευση
agglutinate (αγλούτινέϊτ) συγκολλώ
agglutination (αγκλούτινέϊσσον)
συγκόλληση
aggrandize (άγκραντάϊζ) μαγεθύνω,
μεγαλώνω, -ment αύξηση
aggravate (άγκραβέϊτ) χειροτερεύω,
εξερεθίζω
aggravation (άγκραβέϊσσον) επι-
δείνωση
aggregate (άγκρεγκέϊτ) συναθροίζω,
άθροισμα
aggregation (άγκρεγκέϊσσον) σύνο-
λο, άθροισμα
aggress (αγκρές) επιτίθεμαι, -ion
επίθεση, -or επιτιθέμενος, -ive επι-

A

θετικός, **-iveness** επιθετικότητα
aggrieve (αγκρίιβ) καταπιέζω, θλίβω, αδικώ, **-d** κακοποιημένος
aggro (αγκρόου) συμπλοκές μεταξύ ομάδων νεαρών ατόμων
aghast (αγκάστ) κατάπληκτος
agile (αγκάϊλ) ευκίνητος
agility (αγκίλιτι) ευκινησία, ευστροφία
agitate (άγκτέϊτ) ταράσσω, συζητώ, ανησυχώ
agitation (άγκιτέϊσσον) ταραχή, εξέγερση
agitator (άγκιτέϊτορ) ταραχοποιός, δημαγωγός
aglow (αγκλόου) λαμπερός, φωτοβόλος
agnostic (αγκνάστικ) αγνωστικιστής, **-ism** αγνωστικισμός
ago (αγκόου) περασμένος, πριν, προηγουμένως
agog (αγκώγκ) ανυπόμονος
agonize (άγκονάϊζ) αγωνιώ, **-d** εναγώνιος, που εκφράζει πόνο
agonizing (άγκοναϊζινγκ) αγωνιώδης
agony (άγκονι) αγωνία, ατελείωτος πόνος / agony column: στήλη σ' εφημερίδα ή περιοδικό με συμβουλές γιά προσωπικά προβλήματα αναγνωστών
agrarian (αγκρέριαν) αγροτικός
agree (αγκρίι) συμφωνώ, συμβιβάζομαι, **-ment** συμφωνία, **-able** ευχάριστος, **-d** σύμφωνος
agriculture (αγκρικάλτσαρ) γεωργία, γεωπονία
agricultural (αγκρικάλτσουραλ) γεωργικός
agronomics (αγκρονόμικς) αγρονομική
agronomy (αγκρόνομι) αγρονομία
aground (αγκράουντ) στην ξηρά
ague (εϊγκιού) πυρετός με σπασμούς
ahead (αχέντ) εμπρός
aid (έϊντ) βοηθώ, βοήθεια

ail (έϊλ) ενοχλώ, στενοχωρώ, **-ment** ασθένεια
aim (έϊμ) σημαδεύω, σκοπός, **-less** άσκοπος
air (έαρ) ατμόσφαιρα, αέρας, αερίζω, **-less** χωρίς αέρα
airballoon (έαρμπαλούν) αερόστατο
airconditioning (έαρκοντίσσονινγκ) κλιματολογική εγκατάσταση
airgas (έαργκάς) φωτιστικό αέριο
airport, airfield, airdrome (έαρπόρτ, έαρφίλντ, έαρντρόουμ) αεροδρόμιο
airman (έαρμαν) αεροπόρος
airily (έϊριλι) χαρούμενα
airlift (έαρλίφτ) αερογέφυρα
airplane (έαρπλέϊν) αεροπλάνο
airpump (έαρπάμπ) αεραντλία
airscrew (έαρσκριού) έλικας αεροπλάνου
airsick (έαρσίκ) αεροναυτία
airstone (έαρστόουν) μετεωρόλιθος
airtight (έαρτάϊτ) άτρωτος, αεροστεγής
airway (έαρουέϊ) αεροπορικό δρομολόγιο
airy (έϊρι) αερώδης, άϋλος, εύθυμος
akin (ακίν) συγγενής, παρόμοιος
alabaster (αλαμπάαστερ) αλάβαστρο
alacrity (αλάκριτι) προθυμία
alarm (αλάρμ) συναγερμός, προειδοποίηση, **-ing** τρομαχτικός, **-ist** αυτός που σκορπάει φόβο / alarm clock: ξυπνητήρι
alarum (άλαρομ) συναγερμός
alas (αλάς) αλλοίμονο
alb (άλμπ) λευκό άμφιο ιερέα
albatross (αλμπατρός) είδος πτηνού
alcohol (αλκοχόολ) οινόπνευμα, αλκοόλ, **-ic** οινοπνευματώδης, αλκοολικός, **-ism** αλκοολισμός
alcove (άλκΰοοθ) παραθάλαμος
alderman (όολντερμαν) δημοτικός σύμβουλος
ale (έϊλ) μπύρα, ζύθος
alembic (αλέμπικ) αποσταλκτήριο

alert (αλέρτ) γοργός, ευκίνητος, αιφνιδιαστικός, -ness γρηγοράδα, ετοιμότητα

alfalfa (αλφέλφα) τριφύλλι

alga (άλγκα) θαλάσσιο φύκι

algebra (άλτζιμπρα) άλγεβρα

algebraic (αλτζιμπρέϊκ) αλγεβρικός

alias (έϊλιας) αλλιώς, ψεύτικο όνομα

alibi (άλιμπάϊ) άλλοθι, δικαιολογία

alien (έϊλιεν) ξένος, εχθρικός, -able απαλλοτριώσιμος, -ate αποξενώνω, απαλλοτριώνω, -ation αποξένωση

alienist (έϊλιενιστ) ψυχίατρος

aliferous (αλίφερας) πτερωτός

alight (αλάϊτ) αναμμένος, αφιππεύω

align (αλάϊν) ευθυγραμμίζω, -ment ευθυγράμμηση, -er αυτός που ευθυγραμμίζει

alike (αλάϊκ) κατά τον ίδιο τρόπο, ομοίως, (επιθ.) όμοιος

aliment (άλιμεντ) τροφή, -ary θρεπτικός, -ation θρέψη

alimony (αλιμόνι) επίδομα διατροφής συζύγου στο διαζύγιο

alive (αλάϊβ) ζωντανός

alkali (άλκαλι) αλκάλι, -ne αλκαλικός, -nity αλκαλικότητα

alkalize (αλκαλάϊζ) καθιστώ αλκαλικό

all (όουλ) όλος / at all: καθόλου

allaround (όουλαράουντ) τριγύρω

allay (αλέϊ) ανακουφίζω, μετριάζω, ησυχάζω, κατευνάζω, -er κατευναστής

allegation (αλιγκέϊσσον) ισχυρισμός

allege (αλίτζ) ισχυρίζομαι

allegiance (αλίτζανς) πίστη, υποταγή

allegoric (al) (αλιγκόρικ, -αλ) αλληγορικός, -ly αλληγορικά

allegory (αλιγκόουρι) αλληγορία

allegro (αλέϊγκροου) γρήγορος ρυθμός, ζωηρός, γοργά

alleluia (αλελούγια) Αλληλούϊα

allergic (αλέρτζικ) αλλεργικός

allergist (άλερτζιστ) αλλεργικός γιατρός

allergy (άλερτζι) αλλεργία

alleviate (αλιβιέϊτ) ανακουφίζω

alleviation (αλίβιέϊσσον) ανακούφηση

alley (άλι) αλέα, στενός διάδρομος

alliance (άλιανς) συμμαχία, συμπεθεριό

allied (αλάϊντ) συμμαχικός, σύμμαχος

allies (αλάϊζ) σύμμαχοι (πληθ. του ally)

allision (αλίζαν) χτύπημα

alliterate (αλίτερέϊτ) παρηχώ

alliteration (αλίτερέϊσσον) παρήχηση

allocate (άλοκέϊτ) κατανέμω, διανέμω

allocation (αλοκεϊσσον) διανομή, κατανομή

allot (αλότ) διανέμω, παραχωρώ, -ment απονομή, κατανομή, μερίδιο

allout (όλάουτ) τέλειος

allow (αλάου) επιτρέπω, χορηγώ, παραδέχομαι, -able επιτρεπόμενος, -ance επίδομα, έκπτωση, χορήγηση

alloy (αλόϊ) κράμα μετάλλων, αναμιγνύω

all right (όλ ράϊτ) ναί, βέβαια, σωστά

allround (όλράουντ) τριγύρω

allspice (όλσπάϊς) αρωματικό πιπέρι

allude (αλιούντ) υπαινίσσομαι, αναφέρω

allumette (αλιουμέτ) σπίρτο

allure (αλιούρ) δελεάζω, προσελκύω, σαγηνεύω, -ment δελεασμός, δέλεαρ, θέλγητρο

allusion (αλιούζον) υπαινιγμός, νύξη

allusive (αλιούσιβ) υπαινικτικός

alluvium (αλιούβιουμ) λάσπη

almanac (όολμανακ) ημερολόγιο γεγονότων, καζαμίας

almighty (ολμάϊτι) παντοδύναμος

almond (άλμοντ) αμύγδαλο
almoner (άλμφνερ) ελεήμονας,
ελεοδότης
almost (όολμοουστ) σχεδόν, περί-
που
alms (άαμζ) ελεημοσύνη, **-house**
πτωχοκομείο
aloe (ολόου) αλόη
aloft (αλόοφτ) ψηλά, πάνω
alone (αλόουν) μόνος
along (αλόνγ) απ' άκρη σ' άκρη, κα-
τά μήκος, **-side** παράπλευρα / get
along: διάγω, περνώ
aloof (αλούφ) στ' ανοιχτά, μακριά,
χωριστά
aloud (αλάουντ) μεγαλόφωνα
alp (άλπ) πολύ ψηλό βουνό
alpha (άλφα) το άλφα, ο πρώτος
alphabet (άλφαμπετ) το αλφάβητο,
-ical αλφαβητικός, **-ize** κατατάσσω
αλφαβητικά
alps (άλπς) οι Άλπεις
alpine (αλπάϊν) Αλπικός
already (ολρέντι) ήδη, κιόλας
also (όλσοου) επίσης
alt (άλτ) το ψηλότερο μέρος της
σκάλας
altar (άλταρ) βωμός, Αγία Τράπεζα
alter (όολτερ) μεταβάλλω, αλλάζω,
-able μεταβλητός, **-ation** μεταβολή,
-ative αλλοιωτικος, μετατρεπτικός
altercate (όολτερκέϊτ) φιλονικώ
altercation (όολτερκέϊσσον) φιλο-
νικία
alternate (όολτερνέϊτ) αλλοιώνω,
μετασχηματίζω, εναλλασσόμενος
alternation (όολτερνέσσον) εναλ-
λαγή
alternative (όολτερνατιθ) εναλ-
λάσσω, εναλλασσόμενος, εκλογή
μεταξύ δύο
alternator (όολτερνέϊτορ) μετασχη-
ματιστής
althorn (αλτχόορν) το κόρνο (μου-
σικό όργανο)
althought (ολδόου) αν και

altiloquence (αλτιλόκουενς) στόμ-
φος, μεγαλοστομία
altimeter (αλτίμιτερ) υψόμετρο
altitude (άλτιτιούντ) ύψος
altogether (όλτουγκέδερ) εντελώς
altruism (άλτρουισμ) αλτρουισμός,
φιλαλληλία
altruist (άλτρουιστ) αλτρουιστής,
-ic αλτρουιστικός
aluminium (αλούμινουμ) αλουμίνιο
always (όλγουέϊς) πάντοτε
am (άμ) είμαι
amain (αμέϊν) αιφνιδιαστικά
amalgam (αμάλγκαμ) αμάγαλμα, **-ate**
συγχωνεύω, ενώνω, **-ation** συγχώνευ-
ση, ένωση, **-ative** συγχωνευτικός
amanuensis (αμάνιουένσις) γρα-
φέας, αντιγραφέας
amaranth (άμαρανθ) αμάραντος
amaryllis (αμαρίλις) αμαρυλλίδα
amass (αμάς) συσσωρεύω, **-ment**
συσσώρευση, σωρός, **-er** συσσω-
ρευτής
amateur (άματσουρ ή αματέρ) ερα-
σιτέχνης, **-ish** ερασιτεχνικός
amatory (άματόρι) ερωτικός, ερω-
τομανής
amative (αμάτιθ) ερωτιάρης, ερω-
τόληπτος
amaurosis (άμοορόουσις) τύφλωση
amaze (αμέϊζ) καταπλήττω, εκπλήσ-
σω, **-ment** κατάπληξη, **-d** έκθαμβος
amazing (αμέϊζινγκ) καταπληκτι-
κός, **-ly** καταπληκτικά
ambages (αμπέϊτζιζ) τα διφορούμε-
να
ambassador (αμπάσαντορ) πρε-
σβευτής
amber (άμπερ) κεχριμπάρι, κε-
χριμπαρένιος
ambidexter (αμπιντέξτερ) διπρό-
σωπος
ambidextrous (αμπιντέξτρος) αμ-
φιδέξιος
ambient (άμπιεντ) αυτός που περι-
κλείει

ambigu (άμπιγκιου) γεύμα ποικιλίας
ambiguous (αμπίγκιους) αμφίβολος,
διφορούμενος, ασαφής
ambiguity (αμπιγκιούιτι) αμφιλογία
ambit (άϊμπιτ) περίμετρος, όριο
ambition (αμπίσσον) φιλοδοξία
ambituous (αμπίσσους) φιλόδοξος
amble (άμπλ) ελαφρό βάδισμα,
περπατώ
ambry (όομπρι) σκευοφυλάκιο
ambulance (άμπιουλανς) ασθενο-
φόρο, φορείο νοσοκομείου
ambulate (άμπιουλέϊτ) περπατώ
ambulatory (αμπιούλατόρι) περιπα-
τητικός
ambuscade (αμπόσκέϊντ) ενέδρα,
ενεδρεύω
ambush (άμπουσσ) ενέδρα, ενε-
δρεύω
ambustion (αμπούστιον) κάψιμο
amebe, amoeba (αμίιμπα) αμοιβάδα
ameliorate (αμίλιορέϊτ) βελτιώνω
amelioration (αμέλιορέϊσσον) βελ-
τίωση
ameliorative (αμέλιορέϊτιβ) βελ-
τιωτικός
ameliorator (αμέλιορέϊτορ) βελ-
τιωτής
amen (εϊμέν ή αμέν) αμήν
amenability (αμίναμπίλιτι) το υπό-
λογο
amenable (αμίναμπλ) υπεύθυνος,
υπόλογος
amend (αμέντ) επανορθώνω, τρο-
ποποιώ, σωφρονίζω, -able τροπο-
ποιήσιμος, -ment τροποποίηση,
διόρθωση
amends (αμέντς) αποζημίωση
amenity (αμένιτι ή αμίνιτι) φιλο-
φροσύνη, αβρότητα
amentia (αμένσσα) ηλιθιότητα
america (αμέρικα) Αμερική, -n Αμε-
ρικανός, Αμερικανικός
americanization (αμερικανιζέϊσσον)
εξαμερικανισμός
americanize (αμέρικανάϊζ) εξαμερι-

κανίζω
amethyst (άμεθιστ) αμέθυστος
amiability (εϊμιαμπίλιτι) ερασμιό-
τητα
amiable (εϊμιαμπλ) αξιαγάπητος
amianthus (αμίανθος) αμίαντος
amicable (άμικαμπλ) φιλικός
amid, amidst (αμίντ, αμίντστ) μετα-
ξύ, ανάμεσα, στο μέσο
amiss (αμίς) λανθασμένα, άπρεπα
amity (άμιτι) φιλία, αρμονία
ammeter (αμίιτερ) αμπερόμετρο
ammonia (αμόουνια) αμμωνία, -cal
αμμωνιακός
ammunition (αμιουνίσσον) πυρομα-
χικά, πολεμοφόδια
amnesia (αμνίζια) αμνησία
amnesty (άμνεστι) αμνηστία
amok (αμόκ) τρέλα
among, amongst (αμόνγκ,
αμόνγκστ) μεταξύ
amoral (αμόραλ) χωρίς ηθική αξία
amorous (άμορος) ερωτευμένος,
ερωτόληπτος
amorphous (αμόρφος) άμορφος
amortization (αμόρτιζέϊσσον) πλη-
ρωμή με δόσεις
amortize (αμορτάϊζ) πληρώνω με
δόσεις, -ment πληρωμή με δόσεις
amotion (αμόουσσον) αποστέρηση
αξιώματος
amount (αμάουντ) ποσό, ποσότητα,
συμποσούμαι, συνυπολογίζομαι
amour (αμούρ) ερωτοδουλειά
amperage (άμπιρετζ) ρεύμα αμπε-
ρίων
amper (αμπίρ) αμπέρ
amphibian (αμφίμπιαν) το αμφίβιο,
αμφίβιος
amphibious (αμφίμπιος) αμφίβιος
amphitheatre (αμφιθίατερ) αμφι-
θέατρο
amphora (άμφορα) αμφορέας
ample (άμπλ) ευρύχωρος, επαρκής,
-ness ευρύτητα, αφθονία
amply (άμπλι) ευρέως, ευρύχωρα,

άνετα
amplify (άμπλιφάϊ) ευρύνω, αυξάνω, επεξηγώ
amplifier (άμπλιφάϊερ) αυτός που διευρύνει, ενισχυντής ήχου
amplification (αμπλιφικέϊσσον) διεύρυνση, ενίσχυση
apmlitude (αμπλιτιούντ) έκταση, εύρος, αφθονία
amputate (αμπιουτέϊτ) ακρωτηριάζω
amputation (αμπιουτέϊσσον) αποκοπή, ακρωτηριασμός
amputee (αμπιουτίι) ανάπηρος, ακρωτηριασμένος
amuck (αμόκ) έξω φρενών
amulet (άμιουλιτ) φυλακτό
amuse (αμιούζ) διασκεδάζω, **-ment** διασκέδαση
amusing (αμιούζινγκ) διασκεδαστικός
amyl (άμιλ) άμυλο
an (άν) κάποιος, ένας (αορ. αρθρ.)
anachronism (ανάκρονισμ) αναχρονισμός
anachronistic (ανακρονίστικ) αναχρονιστικός
anaemia (ανίμια) ανεμία
anal (έϊναλ) κωλικός
analeptic (αναλέπτικ) δυναμωτικός
analgesic (αναλτζίζικ) αναλγητικός
analogous (ανάλογκας) ανάλογος
analogy (ανάλογκι) αναλογία
analysis (ανάλισις) ανάλυση
analyst (άναλιστ) αναλύτης
analytical (αναλίτικαλ) αναλυτικός
analyze (άναλάϊζ) αναλύω
anana (ανάνα ή ανέϊνα) ανανάς
anarch (άναρκ) αναρχικός, **-ism** αναρχία, **-ist** αναρχικός
anarchy (άναρκι) αναρχία
anathema (ανάθιμα) ανάθεμα, αφορισμός
anathematize (ανάθεματάϊζ) αναθεματίζω
anatomic(al) (ανατόμικ, -αλ) ανατομικός

anatomist (ανάτομιστ) ανατόμος
anatomy (ανάτομι) ανατομία
ancestor (άνσεστορ) πρόγονος
ancestral (ανσέστραλ) προγονικός
ancestry (άνσεστρι) γενεαλογία
anchor (άνκορ) άγκυρα, αγκυροβολώ, **-age** αγκυροβολείο
anchoret (άνκορετ) αναχωρητής, ασκητής
anchoress (άνκορες) ασκήτρια
anchorite (ανκοράϊτ) αναχωρητής
anchovy (άντσοβι) σαρδέλλα
ancient (έϊνσσαντ) αρχαίος, παλαιός
and (έντ) και
andante (αντάντε) αργά, ρυθμός μέτριος
andiron (αντάϊρον) πυροστάτης
anear (ανίαρ) κοντά
anecdote (άνεκντόοτ) ανέκδοτο
anemia (ανίμια) ανεμία
anemic (ανέμικ) ανεμικός
anemometer (ανεμόμιτερ) ανεμόμετρο
anemone (ανέμονι) ανεμώνη
anesthesia (ανεσθίζα) αναισθησία
anesthetic (ανασθέτικ) αναισθητικός, αναισθητικό
anesthetist (ανεσθέτιστ) αναισθησιολόγος
anesthetize (ανέσθετάϊζ) καθιστώ αναίσθητο
anew (ανιού) πάλι
angel (έντζελ) άγγελος, **-ical** αγγελικός
anger (άνγκερ) θυμός, οργή
angina pectoris (αντζάϊνα πεκτόρις) στηθάγχη
angle (άνγκλ) ψαρεύω, εκμαιεύω, γωνία
angle worm (άνκλ γουόρμ) σκουλήκι γιά ψάρεμα
angler (άνγκλερ) ψαράς, αυτός που ψαρεύει με αγκίστρι
angling (άνγκλινγκ) ψάρεμα με αγκίστρι
angor (άνκορ) πονόκαρδος

angrily (άγκριλι) θυμωμένα, οργισμένα

angry (άγκρι) θυμωμένος, οργισμένος

anguish (άνγκουιςς) αγωνία, οδύνη

angular (άνγκιουλαρ) γωνιώδης

anhydrous (ανχάϊντρος) άνυδρος

anile (ανάϊλ) γηραιώδης

aniline (ανιλίν) ανιλίνη

anility (ανάϊλιτι) το γήρας, τα γηρατειά

animadversion (ανιμαντβέρζιον) επίκριση

animadvert (ανιμαντβέρτ) επιτιμώ, επικρίνω

animal (άνιμαλ) ζώο, ζωικός, ζωώδης, -ism κτηνωδία

animalcule (άνιμαλκιούλ) ζωύφιο

animate (άνιμέϊτ) ενθαρρύνω, ζωογονώ, έμψυχος

animation (ανιμέϊσσον) ζωογόνηση, ζωή

animism (άνιμιζμ) ανιμισμός

animosity (ανιμόσιτι) εχθροπάθεια, μίσος

animus (άνιμος) έχθρα, σκοπός

ankle (άνκλ) αστράγαλος

anklet (άνκλετ) κοντή κάλτσα

annalist (άναλιστ) χρονογράφος

annals (άναλζ) χρονικά

annexation (ανεξέϊσσον) προσάρτηση

annexe (ανέξ) προσαρτώ

annihilate (ανάϊλέϊτ) καταστρέφω, εκμηδενίζω

annihilation (ανάϊλέϊσσον) εκμηδένηση, αφανισμός

anniversary (ανιβέρσαρι) επέτειος

annotate (ανόουτέϊτ) σχολιάζω

annotation (ανόουτέϊσσον) σχόλιο

annotator (ανόουτέϊτορ) σχολιαστής

announce (ανάουνς) αναγγέλλω, -ment αγγελία, άγγελμα

announcer (ανάουνσερ) εκφωνητής ραδιοφώνου, αυτός που αναγγέλλει

annoy (ανόϊ) ενοχλώ, ενόχληση, -ing ενοχλητικό

annoyance (ανόϊανς) ενόχληση

annoyer (ανόϊερ) αυτός που ενοχλεί

annual (άνιουαλ) ετήσιος, -ly ετησίως

annuitant (ανιούιταντ) αυτός που έχει ετήσιο εισόδημα

annuity (ανιούιτι) ετήσιο επίδομα

annul (ανάλ) καταργώ, ακυρώνω, -able ακυρώσιμος, -ment ακύρωση, κατάργηση

annunciate (ανόνσιέϊτ) αναγγέλλω

annunciation (ανόνσιέϊσσον) αναγγελία

anode (άνοοντ) άνοδος, θετικό ηλεκτρόδιο

anodyne (ανοντάϊν) ανώδυνος

anoint (ανόϊντ) χρίω, μυρώνω, -ment χρίσμα

anomalous (ανόμαλας) ανώμαλος, -ly ανώμαλα

anomaly (ανόμαλι) ανωμαλία

anon (ανόν) γρήγορα, σε λίγο, ξανά

anonimity (ανονίμιτι) ανωνυμία

anonymous (ανόνιμας) ανώνυμος

another (ανάδερ) άλλος, διαφορετικός

answer (άνσερ) απαντώ, απάντηση, -able υπόλογος

ant (άντ) μυρμήγκι, -eater μυρμηγκοφάγος

antagonism (αντάγκονιζμ) ανταγωνισμός

antagonist (αντάγκονιστ) ανταγωνιστής

antagonize (αντάγκονάϊζ) ανταγωνίζομαι

antarctic (αντάρκτικ) ανταρκτικός

ante (άντε) πριν, προ

antebellum (άντιμπέλομ) αντιπολεμικός

antecedence (αντεσίντενς) προτεραιότητα

antecedent (αντεσίντεντ) προηγούμενος

antecessor (αντισέσορ) προκάτοχος
antechamber (αντισέϊμπερ) προθάλαμος
antedate (αντιντέϊτ) προχρονολογώ
antelope (αντιλόουπ) αντιλόπη
antemeridiem (άντεμερίντιεμ) προ μεσημβρίας
antenna (αντένα) κεραία (εντόμου, ασυρμάτου κ.τ.λ.)
antepast (άντιπαστ) ορεκτικό
antepenult (αντιπίναλτ) προπαραλήγουσα
anterior (αντίριορ) προηγούμενος
anteroom (αντιρούμ) προθάλαμος
anthem (άνθεμ) ύμνος
anther (άνθερ) γύρη
anthology (ανθόλοτζι) ανθολογία
anthracite (άνθρασάϊτ) ανθρακίτης
anthropoid (άνθροποϊντ) ανθρωποειδής (πίθηκος)
anthropologist (ανθροπόλοτζιστ) ανθρωπολόγος
anthropology (άνθροπόλοτζι) ανθρωπολογία
anthropometry (ανθροπόμετρι) ανθρωπομετρία
anti- (άντι-) αντί, εναντίον, **-aircraft** αντιαεροπορικός, **-body** αντίσωμα, **-christ** αντίχριστος, **-febrile** αντιπυρετικός, **-freeze** αντιψυκτικός, **-histamine** αντιαλλεργικός
antibiotic (αντιμπάϊοτικ) αντιμικροβιακός
antic (άντικ) χοροπηδώ
anticipate (αντίσιπέϊτ) προλαβαίνω, προβλέπω
anticipation (αντίσιπέϊσσον) πρόβλεψη
anticipator (αντίσιπέϊτορ) αυτός που προβλέπει
anticlimax (αντικλάϊμαξ) γελοία ή απροσδόκητη κατάπτωση
antics (άντικς) γελοία παιχνίδια
anticyclone (αντισάϊκλοουν) αντικυκλώνας
antidote (αντιντόουτ) αντίδοτο

antimony (αντιμόουνι) αντιμόνιο
antinomy (αντίνομι) αντινομία
antipathy (αντίπαθι) αντιπάθεια
antipodes (αντιποντίζ) οι αντίποδες
antiquarian (αντικουέριαν) αρχαιολόγος, αρχαιολογικός
antiquary (αντικουέρι) αρχαιολόγος
antiquate (αντίκουέϊτ) παλιώνω, αχρηστεύω, απαρχαιώνω
antique (αντίκ) αρχαίο, αρχαιότητα, αντίκα
antiquity (αντίκουιτι) αρχαίοι χρόνοι
antisemite (άντισέμιτ) αντισημίτης
antisepsis (αντισέπσις) αντισηψία
antiseptic (αντισέπτικ) αντισηπτικός
antisocial (αντισόσσιαλ) αντικοινωνικός
antistrophe (αντιστρόουφ) αντίστροφος, αντιστροφή
antithesis (αντίθισιζ) αντίθεση
antitrust (αντιτράστ) αντιεπιχειρηματικός
antler (άντλερ) κέρατο ελαφιού
antonym (άντονιμ) αντίθετη λέξη
anus (έϊνος) πρωκτός
anvil (άνβιλ) αμόνι
anxiety (ανγκζάϊτι) ανησυχία, ανυπομονησία
anxious (άνγκσας) ανήσυχος, ανυπόμονος
any (ένι) ένας, κάποιος, **-body**, **-one** οποιοσδήποτε, **-how**, **-way**, **-wise** οπωσδήποτε, **-thing** οτιδήποτε, κάτι, **-where** οπουδήποτε
aorta (εόρτα) αορτή
apace (απέϊς) με ταχύτητα, γρήγορα
apart (απάρτ) χωριστά
apartment (απάρτμεντ) διαμέρισμα
apathetic (απαθέτικ) απαθής
apathy (άπαθι) απάθεια
ape (έϊπ) μιμούμαι, πιθηκίζω, πίθηκος
apercu (απερσιού) σκαρίφημα
aperient (απήριεντ) καθαρτικός, **-ό**

aperitif (απεριτίφ) ποτό ορεκτικό
aperture (άπερτσουρ) άνοιγμα
apex (έϊπεξ) κορυφή, αιχμή
aphasia (αφέϊζα) αφασία
aphelion (αφήλιαν) αφήλιο
aphorism (άφορισμ) απόφθεγμα, γνωμικό
apiary (έϊπιαρι) κυψέλη
apical (άπικαλ) της κορυφής
apiculture (έϊπικάλτσερ) μελισσοκομία
apiece (απίς) κομμάτι-κομμάτι, καθένας, καθετί
aplomb (απλόμπ) αταραξία, απάθεια, αυτοπεποίθηση, θάρρος
apocalypse (απόκαλιπς) αποκάλυψη
apogee (άποτζι) απόγειο
apologetic (απόλοτζέτικ) απολογητικός
apologist (απόλοτζιστ) συνήγορος
apologize (απόλοτζάϊζ) απολογούμαι, ζητώ συγνώμη
apology (απόλοτζι) απολογία, δικαιολογία
apoplectic (αποπλέκτικ) αποπληκτικός
apoplexy (απόπλεξι) αποπληξία
aport (απόρτ) προς τ' αριστερά
apostasy (απόστασι) αποστασία
apostate (απόστετ) αποστάτης
apostatize (απόστατάϊζ) αποστατώ
apostil (απόστιλ) σχόλιο
apostle (απόσλ) απόστολος
apostles' Creed (απόσλς κρίιντ) το Σύμβολο της Πίστεως
apostolic (αποστάλικ) αποστολικός
apostrophe (απάστροφι) απόστροφος, αποστροφή
apothecary (απαθικέρι) φαρμακοποιός
apothegm (άποθεμ) απόφθεγμα, σύντομος
apotheosis (αποθίοσις) αποθέωση
apotheosize (αποθιοσάϊζ) αποθεώνω
appall (απόλ) τρομάζω, -ing τρομακτικός, φρικτός

apparatus (απαρέϊτας) συσκευή
apparel (απάρελ) ντύνω, ενδύματα
apparent (απάρεντ) φανερός, καθαρός, -ly φαινομενικά, προφανώς
apparition (απαρίσσον) φάντασμα, οπτασία
appeal (απίλ) έφεση, έκκληση, επικαλούμαι
appear (απίαρ) εμφανίζομαι, φαίνομαι, -ance εμφάνιση, παρουσιαστικό
appease (απίζ) καταπραΰνω, καθησυχάζω, -ment κατευνασμός, -r κατευναστής
append (απέντ) προσαρτώ, -age προσάρτημα, -ix παράρτημα
appendicitis (απέντισάϊτις) σκωληκοειδίτιδα
apperception (απερσέπσον) συνείδηση, συναίσθηση
appertain (απερτέϊν) ανήκω
appetence (άπετανς) όρεξη
appetite (άπετάϊτ) επιθυμία, όρεξη
appetizer (άπετάϊζερ) ορεκτικό
appetizing (άπετάϊζινγκ) ορεκτικός
applaude (απλόοντ) επευφημώ, χειροκροτώ
applause (απλόοζ) επευφημία, -ες
apple (έϊπλ) μήλο, μηλιά, -jack οινοπνευματώδες ποτό από μήλα
appliance (απλάϊανς) εφαρμογή, όργανο, συσκευή
applicable (άπλικαμπλ) εφαρμόσιμος
applicant (άπλικαντ) αυτός που κάνει αίτηση
application (απλικέϊσσον) εφαρμογή, αίτηση, επίθεση, επίδοση
applier (απλάϊερ) εφαρμοστής, αυτός που κάνει αίτηση
apply (απλάϊ) εφαρμόζω, χρησιμοποιώ, απευθύνομαι, κάνω αίτηση
appoint (απόϊντ) προσδιορίζω, διορίζω, -ee αυτός που διορίζεται -ment διορισμός, συνέντευξη, -ments εφόδια

A

appose (απόουζ) παραθέτω, βάζω κοντά-κοντά
apposite (άποζιτ) κατάλληλος, αρμόδιος
apposition (αποζίσσον) παράθεση, προσθήκη
appraise (απρέϊζ) εκτιμώ, διατιμώ, -**ment**, **appraisal** εκτίμηση, -**r** διατιμητής
appreciable (απρέσιαμπλ) εκτιμητός
appreciate (απρέσιέϊτ) εκτιμώ
appreciation (απρέσιέϊσσον) εκτίμηση
apprehend (απριχέντ) κατανοώ, καταλαβαίνω, φομάμαι
apprehensible (απριχένσιμπλ) καταληπτός
apprehension (απριχένσον) κατανόηση, αντίληψη, σύλληψη, φόβος
apprehensive (απρεχένσιθ) νοήμων, αυτός που φοβάται
apprentice (απρέντις) μαθητευόμενος
apprise, apprize (απράϊζ) πληροφορώ, ειδοποιώ, εκτιμώ, -**ment** εκτίμηση
approach (απρόουτσ) πλησιάζω, προσέγγιση, -**able** προσιτός
approbation (απρομπέϊσσον) έγκριση, επιδοκιμασία
appropriate (απρόπριετ) κατάλληλος, προορίζω, σφετερίζομαι, -**ness** καταλληλότητα, αρμοδιότητα
appropriator (απροπριέϊτορ) σφετεριστής, κλέφτης
approval (απρούθαλ) επιδοκιμασία
approve (απρούθ) επιδοκιμάζω
approximate (απρόξιμετ) αυτός που πλησιάζει (απρόξιμέϊτ) πλησιάζω, προσεγγίζω
appui (απουί) στήριγμα
appurtenance (απέρτενανς) εξάρτημα
appurtenant (απέρτεναντ) αυτός που ανήκει
apricot (έϊπρικοτ) βερύκοκο

April (έϊπριλ) Απρίλιος
apron (έϊπρον) ποδιά
apropos (απροπόο) με την ευκαιρία
apt (άπτ) κατάλληλος, επιρρεπής, ικανός
aptitude (άπτιτιούντ ή άπτιτούντ) στάση, ταλέντο, επιδεξιότητα, αρμοδιότητα
aqua (άκουα) νερό
aquafortis (άκου φόρτις) νιτρικό οξύ
aquamarine (άκουαμαρίν) κυανοπράσινος
aquarelle (ακουαρέλ) ακουαρέλα, υδατογραφία
aquarium (ακουέριομ) ιχθυοτροφείο
aquatic (ακουάτικ) υδρόβιος, υδάτινος
aqueduct (άκουιντάκτ) υδραγωγείο
aqueous (έϊκουιας ή άκουιας) νερουλός, υδάτινος
aquiline (άκουιλιν) γρυπός, αέτειος
Arab (άραμπ) Άραβας
arabesque (αραμπέσκ) αραβούργημα
Arabia (αρέϊμπια) Αραβία
arable (άραμπλ) αρόσιμος
arbiter (άρμπιτερ) διαιτητής
arbitrament (αρμπίτραμεντ) διαιτησία
arbitrariness (άρμπιτρέρινες) αυθαιρεσία
arbitrary (άρμπιτρέρι) αυθαίρετος
arbitrate (άρμπιτρέϊτ) κρίνω, δικάζω ως διαιτητής
arbitration (αρμπιτρέϊσσον) διαιτησία
arbitrator (άρμπιτρέϊτορ) διαιτητής
arbor (άρμπορ) κρεβατίνα, κληματαριά
arbutus (άαρμπιούτας) κούμαρο, κουμαριά
arc (άρκ) τόξο, αψίδα
arcade (αρκέϊντ) στοά
arcanum (αρκέϊναμ) μυστικό, μυστήριο

arch (άαρτσ) καμάρα, αψίδα, πανούργος, αρχηγός, -deacon αρχιδιάκονος, -priest πρωτόπαπας
archaeologic(al) (αρκιολότζικαλ) αρχαιολογικός
archaeologist (αρκιόλοτζιστ) αρχαιολόγος
archaeology (αρκιόλοτζι) αρχαιολογία
archaic (αρκέϊκ) αρχαϊκός
archaism (άρκιιζμ) αρχαϊσμός
archangel (αρκέϊντζελ) αρχάγγελος
archbishop (αρτσμπίσοπ) αρχιεπίσκοπος, -ric αρχιεπισκοπή
archiocese (αρτσάϊοσίζ) αρχιεπισκοπή
archer (άαρτσερ) τοξότης, -y τοξευτική
archetype (άαρκιτάϊπ) αρχέτυπο, πρωτότυπο
arching (άαρτσινγκ) αψιδωτός
archimandrite (άρκιμαντράϊτ) αρχιμανδρίτης
archipelago (άρκιπέλαγκόου) αρχιπέλαγος
architect (άαρκιτέκτ) αρχιτέκτονας, -ure αρχιτεκτονική, -ural αρχιτεκτονικός
architrave (άρκιτρέϊβ) επιστήλιο
archives (άρκαϊβς) αρχεία
archivist (άρκιβιστ) αρχειοφύλακας
archly (άρτσλι) πανούργα (επιρ.)
archness (άρτσνες) πανουργία, πονηριά
arctic (άαρκτικ) αρκτικός, -s ο βορράς
ardent (άρντεντ) διακαής, φλογερός
ardor (άρντορ) ζέση, ζήλος
arduous (άαρτζουας) δραστήριος, αυστηρός, δυσχερής
are (άρ) είμαστε, είστε, είναι
are (έρ ή άρ) εκτάριο (100 τ.μ)
area (έρια) έκταση, εμβαδόν
arena (αρίνα) αρένα, στίβος, παλαίστρα, κονίστρα
argental (άαρτζενταλ) ασημένιος

Argentina (αρτζεντίνα) Αργεντινή
Argentinian (αρτζεντίνιαν) Αργεντινός
argil (άαρτζιλ) ασπρόχωμα
argon (άαργκον) αργό (στοιχείο)
argosy (άαργκοσι) εμπορικό πλοίο
argot (άαργκοου) αργκώ
argue (άργκιου) συζητώ, αμφισβητώ
argument (άργκιουμεντ) επιχείρημα, -ation συζήτηση, -ative συζητήσιμος
argus eyed (άργκας άϊντ) άγρυπνος φρουρός
aria (άρια ή έϊρια) μελωδία, άρια, μονωδία
arid (άριντ) στεγνός, άγονος, ξερός, -ity, -ness ξηρασία
aright (αράϊτ) σωστά, ορθά
aril (άριλ) περικάρπιο
arise (αράϊζ) σηκώνομαι
aristocracy (αριστόκρασι) αριστοκρατία
aristocrat (αρίστοκρατ) αριστοκράτης, -ic (al) αριστοκρατικός, -ically αριστοκρατικά
arithmetic (αρίθμετικ) αριθμητική, -al αριθμητικός
ark (άρκ) κιβωτός
arm (άρμ) βραχίονας, δύναμη, οπλίζω, -chair πολυθρόνα, -ful αγκαλιά, -let βραχιόλι, -pit μασχάλη, -s όπλα
armada (αρμάντα) αρμάδα, στόλος
armament (άρμαμεντ) εξοπλισμός
armature (αρματσιούαρ) πανοπλία, οπλισμός
Armenia (αρμίνια) η Αρμενία, -n Αρμένιος, Αρμενικός
armholl (αρμχόουλ) μασχάλη
armistice (άρμιστις) ανακωχή
armor (άρμορ) οπλισμός, πανοπλία, -clad θωρηκτό, -er οπλοποιός
armory (άρμορι) οπλοστάσιο, στρατός
army (άρμι) στρατός, στρατιά, πλήθος

aroma (αρόουμα) άρωμα, **-tic (al)** αρωματικός

around (αράουντ) τριγύρω

arousal (αράουζαλ) εξέγερση

arouse (αράουζ) εξεγείρω, αφυπνίζω

arquebus (άρκουιμπας) καριοφίλι

arrack (άρακ) ρακή

arraign (αρέϊν) κατηγορώ, ενάγω, εγκαλώ, **-ment** κλήση, κατηγορία

arrange (αρέϊντζ) διευθετώ, κανονίζω, **-ment** διευθέτηση, κανονισμός, συμφωνία

arrant (άραντ) διαβόητος, τέλειος

array (αρέϊ) παράταξη, παρατάσσω, στολίζω, στολή, **-al** στολισμός, παράταξη

arrear (αρίαρ) πίσω, **-s** καθυστερούμενα

arrest (αρέστ) φυλακίζω, συλλαμβάνω, κράτηση, σύλληψη

arris (άρις) γωνιά

arrival (αράϊβαλ) άφιξη, έλευση

arrive (αράϊβ) έρχομαι, φτάνω

arrogance (άρογκανς) αλαζονία, περηφάνεια

arrogant (άρογκαντ) αλαζόνας, αυθάδης

arrogate (αρογκέϊτ) διεκδικώ άδικα

arrogation (αρογκέϊσσον) υπερβολική αξίωση

arrow (άρο) βέλος

arsenal (άρσεναλ) οπλοστάσιο

arsenic (άρσενικ) αρσενικό, δηλητήριο

arson (άαρσον) εμπρησμός, **-ist** εμπρηστής

art (άρτ) τέχνη

arterial (αρτήριαλ) αρτηριακός

arteriosclerosis (αρτήριοσκλιρόσις) αρτηριοσκλήρωση

artery (άρτερι) αρτηρία

artful (άρτφουλ) πανούργος, επιδέξιος, **-ness** πανουργία, επιδεξιότητα, τέχνη

arthritic (αρθρίτικ) αρθριτικός

arthritis (αρθράϊτις) αρθρίτιδα

artichoke (άρτιτσόουκ) αγκινάρα

article (άρτικλ) άρθρο, είδος, αντικείμενο, πράγμα

articular (αρτίκιουλαρ) αρθρικός

articulate (αρτίκιουλέϊτ) αρθρώνω, μιλώ καθαρά (αρτίκιουλετ) έναρθρος

articulation (αρτίκιουλέϊσσον) προφορά, άρθρωση

artifact (άρτιφάκτ) τεχνούργημα

artifice (άρτιφις) τέχνασμα, **-r** τεχνίτης

artificial (αρτιφίσσαλ) τεχνητός, **-ity** το τεχνητό

artillery (αρτίλερι) πυροβολικό

artisan (άρτιζαν) τεχνίτης, βιοτέχνης

artist (άρτιστ) καλλιτέχνης, ηθοποιός, **-ic (al)** καλλιτεχνικός, **-ry** καλλιτεχνία

artless (άρτλες) άτεχνος, αφελής, **-ly** αφελώς, **-ness** αφέλεια, απλότητα

as (αζ) όπως, σαν, επειδή

asbestos (ασμπέστος) αμίαντος, ασβέστης

ascend (ασέντ) ανεβαίνω, **-ant, -ent** κυρίαρχος, επικρατής, **-ency** υπεροχή, κυριαρχία, **-able** αναβατός

ascension (ασένσον) ανάβαση, ανάληψη

ascent (ασέντ) ανάβαση, ύψωμα

ascertain (ασέρτεν) εξακριβώνω, **-able** εξακριβώσιμος, **-ment** εξακρίβωση, βεβαίωση

ascetic (ασέτικ) ασκητής, **-ism** (ασέτισιζμ) ασκητισμός

ascribe (ασκράϊμπ) αποδίδω, απονέμω

ascription (ασκρίπσον) απόδοση

asepsis (ασέπσις) ασηψία

aseptic (ασέπτικ) ασηπτικός

ash (άσσ) στάχτη

ashamed (ασσέϊμντ) ντροπιασμένος

ashen (άσσεν) σταχτερός, γκρίζος

ashes (άσσεζ) τέφρα, στάχτη

ashore (ασσόρ) στην παραλία

Asia (έϊζα) η Ασία, **-tic** ασιατικός, ασιανός

aside (ασάϊντ) κατά μέρος

asinine (ασινάϊν) ανόητος, πεισματάρης

asininity (ασινίνιτι) γαϊδουριά

ask (άσκ) ρωτώ, ζητώ, παρακαλώ

askant, askance (ασκέντ ή ασκένς) λοξά

askew (ασκιού) λοξός

aslant (ασλάντ) πλάγιος, πλάγια

asleep (ασλίπ) κοιμισμένος

aslope (ασλόουπ) κατηφορικός

asparagus (ασπάραγκας) σπαράγγι

aspect (άσπεκτ) όψη, ύφος, άποψη

asperity (ασπέριτι) τραχύτητα, οξύτητα

asperse (ασπέρς) ραντίζω, κακολογώ

aspersion (ασπέρσον) κακολογία, ράντισμα, συκοφαντία

asphalt (άσφαλτ) άσφαλτος

asphyxia (ασφίξια) ασφυξία

asphyxiate (ασφίξιέϊτ) πνίγω από ασφυξία

aspic (άσπικ) πηχτή, λεβάντα

aspirant (ασπάϊραντ) υποψήφιος, φιλόδοξος

aspiration (ασπαϊρέϊσσον) φιλοδοξία

aspirator (ασπιρέϊτορ) εισπνευστήρας, αντλία εισπνοής

aspire (ασπάϊαρ) φιλοδοξώ

aspiring (ασπάϊρινγκ) φιλόδοξος

aspirin (άσπιριν) ασπιρίνη

ass (άς) γάϊδαρος

assail (ασέϊλ) προσβάλλω, επιτίθεμαι, **-ant, -er** επιτιθέμενος, επιδρομέας

assassin (ασάσιν) δολοφόνος, **-ate** δολοφονώ, **-ation** δολοφονία

assault (ασόολτ) επίθεση, έφοδος, προσβολή, προσβάλλω, **-er** επιτιθέμενος

assay (ασέϊ) δοκιμάζω, χημική δοκιμή, **-er** δοκιμαστής

assemblage (ασέμπλετζ) συνάθροιση

assemble (ασέμπλ) συναθροίζω, συναθροίζομαι, συναρμολογώ

assembler (ασέμπλερ) συναρμοστής

assembly (ασέμπλι) συνέλευση, **-man** βουλευτής

assent (ασέντ) συγκατάθεση, συναινώ

assert (ασέρτ) βεβαιώνω, ισχυρίζομαι, διεκδικώ, **-ion** ισχυρισμός, **-ive** θετικός, **-er** ισχυριζόμενος, αυτός που βεβαιώνει

assess (ασές) διατιμώ (γιά φορολογία), **-ment** διατίμηση, **-or** διατιμητής

asset (ασέτ) κεφάλαιο, προσόν

asseverate (ασέβερέϊτ) βεβαιώνω επίσημα

asseveration (ασέβερέϊσσον) διαβεβαίωση

assiduity (ασιντιούιτι) επιμέλεια

assiduous (ασίντζουας) επιμελής, φίλεργος

assign (ασάϊν) ορίζω, εκχωρώ, απονέμω, μεταβιβάζω, **-ment** μεταβίβαση, εκχώρηση, εντολή, έργο που ανατίθεται σε κάποιον, **-able** εκχωρητός, **-er, -or** εντολοδότης

assignation (ασιγκνέϊσσον) συνέντευξη, διορισμός, εντολή

assimilate (ασίμιλέϊτ) αφομοιώνω, **-ομαι**

assimilation (ασίμιλέϊσσον) αφομοίωση

assimilative (ασίμιλεϊτιβ) αφομοιωτικός

assist (ασίστ) βοηθώ, **-ance** βοήθεια, **-ant** βοηθός, βοηθητικός

associate (ασόουσιέϊτ) συνδέω, συνδέομαι, συνεταιρίζομαι, συναναστρέφομαι, σύντροφος

association (ασόουσιέϊσσον) εταιρεία, συνεταιρισμός, σχέση, σύνδεσμος

assort (ασόρτ) ταξινομώ, ξεχωρίζω,

-ment ταξινόμηση
assuage (ασουέϊτζ) μετριάζω, καταπραΰνω
assuasive (ασούασιθ) κατευναστικός
assume (ασιούμ) σφετερίζομαι, έχω την αξίωση, αναλαμβάνω, προσλαμβάνω, υποθέτω
assumption (ασάπσιον) ανάληψη, υπόθεση, αξίωση, κοίμηση (της Θεοτόκου)
assurance (ασσιούρανς) βεβαίωση, ασφάλεια
assure (ασσούρ) βεβαιώνω, ασφαλίζω
asteism (άστεϊσμ) αστεϊσμός
asterisk (άστερισκ) αστερίσκος
astern (άστερν) προς την πρύμνη
asthma (άζμα) άσθμα, **-tic** ασθματικός
astigmatism (αστίγκματίζμ) αστιγματισμός
astir (αστέρ) σθέλτος, σε κίνηση
astonish (αστόνιςς) εκπλήττω, **-ment** έκπληξη, **-ingly** καταπληκτικά
astound (αστάουντ) καταπλήττω, φοβερίζω, **-ing** καταπληκτικός
astragalus (αστράγκαλος) αστράγαλος
astral (άστραλ) αστρικός
astray (αστρέϊ) έξω απ' το σωστό δρόμο
astrologer (αστρολότζερ) αστρολόγος
astrology (αστρόλοτζι) αστρολογία
astronomer (αστρόνομερ) αστρονόμος
astrophysics (άστροουφίζικς) αστροφυσική
astute (αστιούτ) πανούργος, οξύνους
asunder (ασάντερ) χώρια, χωριστά
asylum (ασάϊλαμ) άσυλο
at (άτ) σε, κατά / at a loss: σε αμηχανία / at all: καθόλου / at last: τελικά / at large: ελεύθερα / at once: αμέσως, κατευθείαν

atabal (άταμπαλ) νταούλι, τύμπανο
atavism (άταβισμ) αταβισμός
atelier (ατέλιέϊ) ατελιέ
atheism (εϊθίιζμ) αθεΐα, αθεϊσμός
atheist (έϊθίιστ) αθεϊστής
Athens (άθενς) η Αθήνα
athirst (αθέρστ) διψασμένος
athlete (άθλιτ) αθλητής
athletic (αθλέτικ) αθλητικός, **-s** αθλητισμός
athwart (αθουόρτ) εγκάρσια, πλάγια
atilt (ατίλτ) επικλινής
atlas (άτλας) χάρτης
atmosphere (άτμοσφίαρ) ατμόσφαιρα
atmospheric (άτμοσφέρικ) ατμοσφαιρικός
atom (άτομ) άτομο, μόριο, **-ic** ατομικός
atomic bomb (ατόμικ μπόμπ) ατομική βόμβα
atomic energy (ατόμικ ένερτζι) ατομική ενέργεια
atomize (ατομάϊζ) μικραίνω, ραντίζω, ψεκάζω
atone (ατόουν) αποζημιώνω, εξιλεώνω, **-ομαι**, εξαγνίζομαι, **-ment** εξιλέωση
atony (άτονι) ατονία
atop (ατόπ) στην κορυφή
atrabilarian (ατραμπιλάριαν) μελαγχολικός
atramentale (ατραμένταλ) μαύρος
atrocious (ατρόσιος) στυγερός, αισχρός, μιαρός, βδελυρός
atrocity (ατρόσιτι) θηριωδία, φρικαλεότητα
atrophy (άτροφι) ατροφία, ατροφώ
atropine (άτροπίν) ατροπίνη
attach (ατάτς) προσδένω, συνάπτω, προσαρτώ, φυλακίζω, **-ment** σύνδεση, προσήλωση, κατάσχεση, **-able** προσαρτητός, κατασχέσιμος, συνδετός
attachω (ατασσέ) ακόλουθος
attack (ατάκ) επιτίθεμαι, επίθεση,

προσβάλλω, προσβολή, -er επιτι-
θέμενος
attain (ατέϊν) φθάνω, επιτυγχάνω,
κατορθώνω, -able εφικτός, -ment
επίτευγμα
attaint (ατέϊντ) ατιμάζω, κηλιδώνω
attemper (ατέμπερ) μετριάζω
attempt (ατέμπτ) προσπαθώ, επι-
χειρώ, απόπειρα, -er αυτός που
επιχειρεί
attend (ατέντ) παρακολουθώ, ακο-
λουθώ, υπηρετώ, προσέχω, -ance
ακολουθία, παρουσία, ακροατήριο,
-ant ακόλουθος
attention (ατένσιον) προσοχή
attentive (ατέντιβ) προσεκτικός
attenuate (ατένιουέϊτ) λιγοστεύω,
εξασθενώ, αραιώνω
attenuation (ατένιουέϊσσον)
αραίωση
attest (ατέστ) πιστοποιώ, -ation πι-
στοποίηση
attic (άτικ) υπόστεγο, σοφίτα
attire (ατάϊαρ) ντύνω
attitude (άτιτιούντ) θέση, στάση,
συμπεριφορά
attorn (ατόρν) μεταβιβάζω
attorney (ατέρνι) δικηγόρος, πληρε-
ξούσιος, φόρος, -general υπουργός /
district attorney: εισαγγελέας
attract (ατράκτ) προσελκύω, έλκω,
-ion έλξη, θέλγητρο, θέαμα, -ive ελ-
κυστικός
attribute (ατρίμπιουτ) αποδίδω,
(άτριμπιουτ) ιδιότητα, κατηγο-
ρούμενο
attribution (ατριμπιούσσον) από-
δοση
attributive (ατριμπιούτιβ) προσδιο-
ριστικός
attrition (ατρίσσαν) τριβή, φθορά
atune (ατιούν) κουρδίζω
auction (όοκσον) δημοπρασία, πλει-
στηριάζω, -eer πλειστηριαστής
audacious (οοντέϊσος) θρασύς, αυ-
θάδης

audacity (οντέσιτι) θράσος, αυθά-
δεια
audible (όντιμπλ) ακουστός
audience (όντιενς) ακροατήριο,
ακρόαση
audition (οντίσσον) ακρόαση, δοκι-
μή καλλιτέχνη
auditor (όντιτορ) ακροατής,
ελεγκτής
auditorium (οντιτόριουμ) αίθουσα
ακροατών
auditory (όντιτόρι) ακουστικός
augment (ογκμέντ) αυξάνω, -able
αυξητός, -ation αύξηση, -ative αυ-
ξητικός, -er αυξητής
augur (όγκερ) μαντεύω, προφητεύω,
προοιωνίζομαι, μάντης, -y οιωνός
August (όογκοστ) Αύγουστος (μή-
νας)
aunt (άντ) θεία
aura (όορα) αύρα
aurelia (οορέλια) πεταλούδα
aureole (οριόουλ) φωτοστέφανο
aureomycin (οριοουμάϊσιν) χρυσο-
μυκίνη
auricle (όρικλ) κόλπος της καρδιάς
auriferous (ορίφερος) χρυσοφόρος
aurum (όοραμ) χρυσός
auscultation (όσκολτέϊσσον) στηθο-
σκόπηση
auspicious (οσπίσσος) αίσιος, ευ-
οίωνος
austere (οστίαρ) αυστηρός, απέριτ-
τος
austerity (οστέριτι) αυστηρότητα,
απλότητα
autarchy (όταρκι) απολυταρχία
autarkical (οτάρκικαλ) αυτάρκης
autarky (όταρκι) αυτάρκεια
authentic (al) (οθέντικ, -αλ) αυθεντι-
κός, -ate πιστοποιώ την αυθεντικό-
τητα, -ity αυθεντικότητα
author (όθορ) συγγραφέας, -ess η
συγγραφέας, -ship συγγραφή
authoritarian (οθόριτέριαν) απολυ-
ταρχικός

A

authoritative (οθόριτέϊτιβ) εξουσιαστικός, αυθεντικός

authority (οθόριτι) εξουσία, αυθεντία, κύρος

authorize (όθοράϊζ) εξουσιοδοτώ

authorization (όθοραϊζέϊσσον) εξουσιοδότηση

auto (όοτο) αυτοκίνητο, **-biography** αυτοβιογραφία, **-suggestion** αυθυποβολή

autocracy (οτόκρασι) απολυταρχία

autocrat (ότοκρατ) απόλυτος μονάρχης

autograph (ότογκραφ) αυτόγραφος, -ο

automatic (ότομάτικ) αυτόματος

automation (οτομέϊσσον) αυτοματισμός

automaton (οτόματον) αυτόματο

automobile (οτομόμπιλ) αυτοκίνητο

automobilist (οτομόμπιλιστ) αυτοκινητιστής

automotive (οτομότιβ) αυτοκίνητος

autonomous (οτόνομος) αυτόνομος

autonomy (οτόνομι) αυτονομία

autopsy (όοτοπσι) αυτοψία, νεκροψία

Autumn (ότομ) Φθινόπωρο, **-al** Φθινοπωρινός

auxiliary (ογκξίλαρι) βοηθητικός

avail (αβέϊλ) ωφελώ, ωφελούμαι, χρησιμεύω, όφελος, **-able** διαθέσιμος, **-ability** διαθεσιμότητα

avalanche (αβαλάντς) χιονοστιβάδα

avarice (άβαρις) φιλαργυρία

avaricious (αβαρίσσος) φιλάργυρος

avenge (αβέντζ) εκδικούμαι, **-r** εκδικητής, **-ment** εκδίκηση

avenue (αβένιου) λεωφόρος

average (άβερετζ) μέσος όρος, μέσος, υπολογίζω το μέσο όρο, αναλογώ

averment (αβέρμεντ) διαβεβαίωση

averse (αβέρς) ακούσιος, αυτός που αντιπαθεί

aversion (αβέρσσον) αποστροφή, αντιπάθεια, μίσος

avert (αβέρτ) αποτρέπω, **-ible** αποτρεπτός

aviation (εϊβιέϊσσον) αεροπορία

aviator (εϊβιέϊτορ) αεροπόρος

aviculture (εϊβικάλτσουρ) πτηνοτροφία

avid (άβιντ) άπληστος, **-ity** απληστία

avocation (αβοκέϊσσον) απασχόληση, ασχολία

avoid (αβόϊντ) αποφεύγω, **-ance** αποφυγή, **-able** αποφευκτός

avouch (αβάουτς) εγγυώμαι, δηλώνω

avow (αβάου) ομολογώ, **-al** ομολογία, **-er** ομολογητής

await (αγουέϊτ) περιμένω

awake (αγουέϊκ) άγρυπνος, ξύπνιος, ξυπνώ

award (αγουόρντ) απονέμω, επιδικάζω, βραβείο

aware of (αγουέαρ όφ) ενήμερος, γνώστης

away (αγουέϊ) μακρυά / right away: αμέσως

awe (όο) φοβίζω, φόβος, **-some** φοβερός, δεινός

awful (όφουλ) τρομερός, κακός, τρομαχτικός

awhile (αγουάϊλ) γιά λίγο χρόνο

awkward (όκουαρντ) αδέξιος, άτεχνος, **-ness** αδεξιότητα

awless (όλες) άφοβος

awn (όον) άγανο από στάχυ

awning (όονινγκ) τέντα, στέγασμα

ax, axe (άξ) τσεκούρι

axial (άξιαλ) αξονικός

axilla (αξίλα) μασχάλη, **-ry** της μασχάλης

axiom (άξιομ) αξίωμα, **-atic** αξιωματικός, αυταπόδεικτος

axis (άξις) άξονας

axle (άξλ) άξονας τροχού

axunge (άξαντζ) ξύγκι, λίγδα

ayle (άϊλ) πάππος

ayry (άϊρι) αλώνι
azimuth (άζιμαθ) αζιμούθιο
azote (άζοουτ) άζωτο

azour (άζιουαρ) γαλάζιος ουρανός
azym (άζιμ) άζυμο

B

B, b (μπί) το δεύτερο γράμμα στο
Αγγλικό αλφάβητο
baa (μπάα) βελάζω, βέλασμα
babble (μπάμπλ) φλυαρία, μωρολο-
γία, φλυαρώ, -ment φλυαρία
babbler (μπάμπλερ) φλύαρος
babe (μπέϊμπ) νήπιο, βρέφος
Babel (μπέϊμπελ) Βαβυλωνία, Βα-
βέλ, σύγχυση
baby (μπέϊμπι) νήπιο, βρέφος,
-hood νηπιακή ηλικία, -ish νηπιώ-
δης, -sitter γυναίκα που φροντίζει
το βρέφος όταν απουσιάζουν οι γο-
νείς του
baccalaureate (μπάκαλόοριτ) απο-
λυτήριο φοίτησης, απόφοιτος
bacchanal (μπάκαναλ) μέθυσος,
βακχικός, -ian βακχικός
bacchic (μπάκικ) Βακχικός, μέθυσος
Bacchus (μπάκους) ο Βάκχος
bachelor (μπάτσελορ) άγαμος, από-
φοιτος, τελειόφοιτος / old bachelor:
γεροντοπαλίκαρο
bacillus (μπασίλας) μικρόβιο, βα-
κτήριο, βάκιλλος
back (μπάκ) ράχη, τα νώτα, οπισθο-
χωρώ, -er υποστηρικτής, -ing υπο-
στήριξη
backbite (μπάκμπάϊτ) κακολογώ
backbone (μπάκμπόουν) σπονδυλι-
κή στήλη
backfire (μπάκφάϊαρ) ανάφλεξη
backgammon (μπάκγκάμον) τάβλι

background (μπάκγκράουντ) φόντο,
καταγωγή, υπόβαθρο
backhanded (μπάκχάντιντ) αντικρι-
νός, πλάγιος
backset (μπάκσετ) οπισθοχώρηση
backside (μπάκσάϊντ) όπισθεν, από
πίσω
backslide (μπάκσλάϊντ) ξανακυλώ,
αμαρτάνω, αποστατώ
backstage (μπάκστέϊτζ) παρασκήνια
backtalk (μπάκτόκ) αναιδής ομιλία
backwards (μπάκουορντς) προς τα
πίσω
bacon (μπέϊκον) καπνιστό ή παστό
χοιρινό
bacteria (μπακτήρια) βακτηρίδια,
μικρόβια
bacteriologist (μπακτιριόλοτζιστ)
μικροβιολόγος
bacteriology (μπακτιριόλοτζι) μι-
κροβιολογία
bacterium (μπακτήριομ) βακτήριο
bad (μπάντ) κακός, άσχημος, -ness
κακία, -ly κακά, άσχημα, -blood μί-
σος, έχθρα
badge (μπάτζ) σήμα, έμβλημα
badger (μπάτζερ) κουνάβι, ενοχλώ
badinage (μπαντινάτζ) αστεϊσμός,
πείραγμα, πειράζω
baffle (μπάφλ) ανατρέπω, ματαιώνω,
φέρνω σε αμηχανία, -ment ματαίω-
ση, -r απατεώνας
bag (μπάγκ) σάκκος, σακκούλα,

σακκουλιάζω, φουσκώνω, θαλάντιο
bagatelle (μπάγκατέλ) ασήμαντο
πράγμα
Bagdade (μπαγκντάντ) η Βαγδάτη
baggage (μπάγκατζ) αποσκευές
bagging (μπάγκινγκ) καραβόπανο,
σακκόπανο
baggy (μπάγκι) σακκουλιαστός
bagnio (μπάνιο) λουτρό
bagpipe (μπάγκπάϊπ) γκάϊδα
bail (μπέϊλ) εγγύηση, εγγυώμαι, εγ-
γυητής, **-er** εγγυητής / bail out: απο-
φυλακίζω με εγγύηση / on bail: με
εγγύηση
bailiff (μπέϊλιφ) δικαστικός κλητή-
ρας, επιστάτης
bailiwick (μπέϊλιγουίκ) δικαιοδοσία
κλητήρα
bairn (μπέαρν) παιδί
bait (μπέϊτ) δολώνω αγκίστρι, δε-
λεάζω, παιδεύω, **-er** δελεαστής
baize (μπέϊζ) μαλακό μάλλινο ύφα-
σμα, τσόχα
bake (μπέϊκ) ψήνω στο φούρνο, ψη-
τό, **-d** ψητός, **-r** αρτοποιός, αρτο-
πώλης, **-ry** αρτοποιείο
baking (μπέϊκινγκ) φουρνιά
balalaika (μπαλαλάϊκα) μπαλαλάϊκα
balance (μπάλανς) ζυγαριά, ισορρο-
πία, ζυγίζω, ισολογισμός, ισορροπώ
balcony (μπάλκονι) μπαλκόνι, εξώ-
στης, υπερώο
bald (μπόουλντ) φαλακρός, ψυ-
χρός, **-ly** ψυχρά, **-ness** φαλάκρα,
ψυχρότητα
balderdash (μπόουλντερντάςς) μω-
ρολογία, μικρολογία, ανοησίες
baldric (μπόλντρικ) διαγώνια ζώνη
bale (μπέϊλ) μεγάλο δέμα, δεμα-
τιάζω
baleen (μπαλίιν) μπαλένα (οστό
φάλαινας)
baleful (μπέϊλφουλ) οδυνηρός,
ολέθριος, απαίσιος, πονηρός, **-ly**
απαίσια
baline (μπαλίιν) καναβάτσο

balk (μπόοκ) εμπόδιο, σταματώ
μπροστά σε εμπόδιο, ματαιώνω, αρ-
νούμαι να προχωρήσω, **-er** αυτός
που εμποδίζει
Balkans (μπόολκανς) τα Βαλκάνια
ball (μπόολ) σφαίρα, μπάλα, ουρά-
νιο σώμα, η γή
ballad (μπάλαντ) μπαλάντα
ballast (μπάλαστ) έρμα, σαβούρα
ball-room (μπόολ ρούμ) αίθουσα
χορού
ballerina (μπαλερίνα) μπαλαρίνα
ballet (μπαλέ) το μπαλέτο
ballistics (μπαλίστικς) βλητική,
βληματολογία
balloon (μπαλούν) αερόστατο, μπα-
λόνι, **-ist** αεροναύτης
ballot (μπέϊλοτ) ψηφίζω, ψηφοδέλ-
τιο, ψηφοφορία, **-ing** ψηφοφορία
ballyhoo (μπέϊλιχούου) υπερβολι-
κή διαφήμιση, θόρυβος, διαφη-
μίζω πολύ
balm (μπάλμ) βάλσαμος, βάλσαμο,
-y βαλσαμώδης, γλυκός
balneum (μπάλνιαμ) βαλανείο, λου-
τρό, **-ation** λούσιμο
baloney (μπαλόνι) ανοησία
balsam (μπάλσαμ) βάλσαμο
Baltic (μπόλτικ) η Βαλτική
baluster (μπάλοοστερ) κάγκελο,
στύλος
balustrade (μπάλαστρέϊντ) κιγκλί-
δωμα
bam (μπάμ) απάτη, κατεργαριά
bambino (μπαμπίνο) μωρό
bamboo (μπαμπού) μπαμπού, ινδο-
κάλαμο
bamboozle (μπαμπούζλ) απατώ, ξε-
γελώ
ban (μπάν) απαγορεύω, απαγόρευ-
ση, προκηρύσσω, προκήρυξη, κα-
τάρα
banal (μπέϊναλ) κοινός, χυδαίος, τε-
τριμμένος, **-ity** κοινοτυπία
banana (μπανάνα) μπανάνα
band (μπάντ) δεσμός, όμιλος, θία-

σος, συμμορία, ορχήστρα, ταινία, κορδέλλα, υποχρέωση, συνδέω / band together: συνενώνομαι γιά κάποιο σκοπό
bandage (μπάντιτζ) επίδεσμος, επιδένω, φασκιά
bandanna (μπαντάνα) χρωματιστό μαντήλι
bandbox (μπάντμπόξ) πιλοθήκη
bandeau (μπαντό) κορδέλα της κεφαλής
band-master (μπάντ μάστερ) διευθυντής ορχήστρας
banderole (μπάντερολ) σήμα, ταινία
bandit (μπάντιτ) ληστής, -ry ληστεία
bandsman (μπάντσμαν) μέλος ορχήστρας
bandy (μπάντι) αντικρούω, φιλονικώ, κυρτός, ανταλλάσσω, -legged στραβοπόδης
bane (μπέϊν) θανατηφόρο δηλητήριο, δηλητηριώδης, όλεθρος, -ful ολέθριος, οδυνηρός
bang (μπάνγκ) κρότος, εκπυρσοκρότηση, -er παλιό αυτοκίνητο σε άσχημη κατάσταση
bangle (μπάνγκλ) βραχιόλι
banian (μπέϊνιαν) χιτώνας Ινδού
banish (μπάνιςς) εξορίζω, -ment εξορία, -ed εξορισμένος
banister (μπάνιστερ) κιγκλίδωμα σκάλας
banjo (μπάντζοου) ταμπουράς (μουσ. όργανο)
bank (μπάνκ) τράπεζα, κάβα, αποταμίευση, όχθη, αναχώνω (φωτιά), -er τραπεζίτης, -ing τραπεζικές εργασίες, -bill, -note τραπεζικό γραμμάτιο, -book βιβλιάριο τράπεζας, -credit τραπεζική πίστωση, -interest τραπεζικός τόκος, -stock τραπεζική μετοχή
bankrupt (μπανκράπτ) χρεωκοπώ, χρεωκοπία, χρεωκοπημένος
bankruptcy (μπάνκράπσι) χρεοκο-

πία
banner (μπάνερ) λάβαρο, σημαία
banns (μπάνς) αγγελτήριο γάμων
banquet (μπάνκουίτ) συμπόσιο, γιορτή, γλεντώ
banshee (μπέϊνσσι) θρυκόλακας
bantam (μπάνταμ) είδος μικρής κότας
banter (μπέϊντερ) αστεϊσμός, πειράζω
bantling (μπάντλινγκ) μωρό
baptism (μπάπτισμ) βάπτιση, -al βαπτιστικός
baptist (μπάπτιστ) βαπτιστής, -ery βαπτιστήριο, κολυμπήθρα
baptize (μπαπτάϊζ) βαπτίζω
bar (μπάρ) αμπαρώνω, φράζω, εμποδίζω, δοκός, εμπόδιο, φράγμα, μοχλός, μπάρ, ποτοπωλείο, δικηγορικό σώμα, -man σερβιτόρος σε μπάρ, -keeper ποτοπώλης, -maid σερβιτόρα, -tender πωλητής ποτών
barb (μπάρμπ) αιχμή αγκιστριού ή βέλους
barbarian (μπαρμπέριαν) βάρβαρος, αμόρφωτος, απολίτιστος
barbaric (μπαρμπάρικ) βαρβαρικός
barbarism (μπάρμπαρισμ) βαρβαρισμός
barbarity (μπαρμπάριτι) βαρβαρότητα
barbarize (μπάρμπαράϊζ) κάνω βαρβαρότητες, κάνω κάποιον βάρβαρο
barbarous (μπάρμπαρος) απολίτιστος
barbecue (μπάρμπικιού) ψητό ζώο, εξοχικό συμπόσιο με ψητά
barbed wire (μπάρμπντ γουάϊαρ) συρματόπλεγμα
barbel (μπάρμπελ) "μουστάκια" ψαριών, μπαρμπούνι
barber (μπάρμπερ) κουρέας, -shop κουρείο
barbital (μπαρμπιτέϊλ) υπνωτικό φάρμακο
barbiturate (μπαρμπίτσουρετ) βαρ-

βιτουρικό άλας, υπνωτικό
barcarole (μπάρκαρόουλ) βαρκα-
ρόλα (ερωτικό τραγούδι)
bard (μπάρντ) βάρδος, ποιητής,
ραψωδός
bare (μπέαρ) γυμνώνω, γυμνός, επί-
πεδη επιφάνεια, απλότητα, φτώ-
χεια, **-ly** μόλις, **-foot** ξυπόλυτος, **-fa-
ced** αναιδής, **-ness** γυμνότητα, **-back**
ξεσέλωτος
bargain (μπάργκιν) παζάρι, παζα-
ρεύω, συμφωνία, συμφωνώ, **-er** πω-
λητής
barge (μπάρτζ) μαούνα, **-man** μαου-
νιέρης / barge in: διακόπτω, ορμώ,
εισβάλλω
baritone (μπάριτόουν) βαρύτονος
barium (μπάριαμ) βάριο
bark (μπάρκ) γαύγισμα, γαυγίζω,
φλοιός, πλοίο με τρία κατάρτια, ξε-
φλουδίζω, **-ing** ξεφλούδισμα, **-er** αυ-
τός που γαυγίζει, αυτός που καλεί
πελάτες
barley (μπάρλι) κριθάρι, **-wine**
μπύρα
barm (μπάρμ) μαγιά μπύρας
barn (μπάρν) σταύλος, σιταποθήκη,
-floor αλώνι
barnacle (μπάρνακλ) είδος οστρα-
κόδερμου
barnyard (μπάρνιγιάρντ) αλώνι
barometer (μπαρομίτερ) βαρόμετρο
barometric (al) (μπαρομέτρικαλ) βα-
ρομετρικός
baron (μπάρον) βαρώνος, **-ess** η βα-
ρώνη, **-age** βαρωνία, **-et** βαρωνί-
σκος, **-ial** βαρωνικός
barony (μπάρονι) βαρωνία
barouche (μπαρούσσ) είδος άμαξας
baroque (μπαρόουκ) παράξενος
barque (μπάρκ) τρικάταρτο πλοίο
barrack (μπάρακ) φωνάζω, διακό-
πτω, επευφημώ, **-s** στρατώνας
barrage (μπαράαζ) φράγμα
barratry (μπέϊρατρι) ναυταπάτη
barred (μπάρντ) ξεγραμμένος, άκυ-

ρος
barrel (μπάρελ) βαρέλι, χωρητικό-
τητα, σωλήνας όπλου, **-ful** ποσότη-
τα υγρού που περιέχει ένα βαρέλι
barren (μπάρεν) άκαρπος, στείρος,
ανόητος, επίπεδος, **-ly** άκαρπα, **-ness**
στείρωση, ακαρπία
barricade (μπάρικέϊντ) οδόφραγ-
μα, φράζω
barrier (μπάριερ) φραγμός, φράγμα,
εμπόδιο
barring (μπάρινγκ) αυτός που απο-
κλείει ή που φράζει, παρεμπόδιση,
εκτός
barrister (μπέϊριστερ) δικηγόρος
barrow (μπάροου) φορείο, χειρά-
μαξα
barter (μπάρτερ) συναλλάσσομαι,
συναλλαγή
baryta (μπαράϊτα) ο βαρύτης, **-es**
θεϊκό βάριο
barytone (μπάριτόουν) βαρύτονος
basal (μπέϊζαλ) βασικός, **-ly** βασικά
base (μπέϊζ) βάση, βασίζω, οχυρό,
βαθύφωνος, μικροπρεπής, ταπεινός,
-less αβάσιμος, **-ness** μικροπρέπεια,
ποταπότητα
baseball (μπέϊζμπόλ) μπέϊζμπολ (εί-
δος παιχνιδιού)
baseline (μπέϊζλάϊν) τελική γραμμή
γηπέδου τέννις
basement (μπέϊζμεντ) υπόγειο ή
ισόγειο
bash (μπάσσ) χτυπώ δυνατά
bashful (μπάσσφουλ) ντροπαλός
basic (μπέϊσικ) βασικός, θεμελιώ-
δης, **-ally** βασικά, θεμελιωδώς
basil (μπέϊζιλ) βασιλικός (φυτό)
basilica (μπασίλικα) βασιλική (χρι-
στιανικός ναός)
basin (μπέϊζιν) νιπτήρας, λεκάνη,
δεξαμενή, πεδιάδα τριγυρισμένη
από υψώματα, **-ed** λεκανοειδής
basis (μπέϊσις) βάση
bask (μπάσκ) ξαπλώνω στον ήλιο,
θερμαίνομαι, λουφάζω

basket (μπάσκετ) καλάθι, -ilt λαθή σπαθιού, -ry καλαθοπλεκτική, -ball καλαθοσφαίρηση
basrelief (μπασριλίφ) ανάγλυφο
bass (μπάσ) φιλύρα (δέντρο), πέρκα (ψάρι)
bass (μπέϊς) βαθύφωνος, μπάσος
basset (μπέϊσιτ) είδος σκυλιού
bassinet (μπέϊσινετ) κούνια μωρού, καλάθι
bassist (μπέϊσιστ) μουσικός που παίζει μπάσο ή ηλεκτρική κιθάρα
basso (μπάσο) βαθύφωνος, μπάσος
basswood (μπάσγούντ) ξόβεργα
bast (μπάστ) εσωτερικός φλοιός δέντρου
bastard (μπάσταρντ) νόθος, νοθευμένος, -y νοθεία
baste (μπέϊστ) περιαλείφω κρέας με σάλτσα, ραβδίζω, τρυπώνω, βελονιάζω
bastinade (μπάστινέϊντ) τυμπανισμός, ξυλοκόπημα, φάλαγγα
bastion (μπάστον) έπαλξη, προμαχώνας
bat (μπάτ) νυχτερίδα, ρόπαλο, ραβδίζω, κλείνω το μάτι
batch (μπάτς) φουρνιά, ποσότητα
bate (μπέϊτ) μετριάζω, ελαττώνω
bath (μπάθ) λουτρό, -room δωμάτιο λουτρού
bathe (μπέϊθ) λούζομαι, λούζω, κολυμπώ
bather (μπέϊθερ) λουόμενος
bathing (μπέϊθινγκ) λουτρό, κολύμβηση
bathos (μπέϊθος) βάθος, κατάπτωση
bathrobe (μπαθρόουμπ) μπουρνούζι
batiste (μπατίστ) βατίστα (ύφασμα)
baton (μπατόν) ράβδος αρχιμουσικού
battalion (μπατέϊλιον) τάγμα
batten (μπέϊτεν) παχαίνω, στερεώνω, σκαλωσιά
batter (μπάτερ) χτυπώ σκληρά, συντρίβω, μίγμα αυγών γιά τηγάνι-

σμα, ροπαλοφόρος, -ed τσαλακωμένος, γερασμένος / battering ram: κριός (πολιορκητική μηχανή)
battery (μπάτερι) μπαταρία, πυροβολαρχία, χτύπημα
batting (μπάτινγκ) πεπιεσμένο βαμβάκι (βάτα), κτύπημα με ρόπαλο
battle (μπάτλ) μάχη, πολεμώ, -ment έπαλξη, -ship θωρηκτό, -field πεδίο μάχης, -royal σκληρή μάχη
batty (μπάτι) τρελός
bauble (μπόμπλ) μπιχλιμπίδι
baulk (μπόοκ) δοκάρι
bauxite (μποξάϊτ) βωξίτης
Bavaria (μπαβέρια) Βαβαρία
bawd (μπόντ) μαστροπός, «ρουφιάνος», -y ανήθικος
bawl (μπόολ) κραυγή, φωνάζω, μαλώνω, -er φωνακλάς, -ing φωνές, μάλωμα
bawn (μπόον) μάντρα
bay (μπέϊ) κόλπος, όρμος, δάφνη, κοκκινόχρωμος, -rum δαφνέλαιο, -window παράθυρο που εξέχει απ' τον τοίχο / to keep at bay: κρατώ σε απόσταση / bay at the moon: καταβάλλω μεγάλη προσπάθεια γιά κάτι ανώφελο
bayonet (μπέϊονιτ) ξιφολόγχη
bayou (μπάϊοου) τμήμα λίμνης με υδρόβια φυτά
bazaar, bazar (μπαζάρ) αγορά
bazooka (μπαζούκα) όπλο που εκσφενδονίζει μικρό πύραυλο
be (μπί) είναι, υπάρχει
beach (μπίτς) παραλία, -ball ελαφριά μπάλα γιά παιχνίδι στην παραλία, -chair καρέκλα παραλίας γιά ηλιοθεραπεία, -comber αλήτης της παραλίας, -head η πρώτη εχθρική ακτή που καταλαμβάνεται κατά την απόβαση, -wear ρουχισμός θαλάσσης
beacon (μπίικον) φάρος, πυρσός
bead (μπίντ) χάντρα / string of beads: κομπολόϊ

beadle (μπίντλ) ταξιθέτης, επίτροπος

beagle (μπίγκλ) κυνηγετικός σκύλος

beak (μπίκ) ράμφος

beaker (μπίκερ) κύπελο, δοχείο

beam (μπίμ) δοκός, ακτίνα, ακτινοβολώ

bean (μπίν) κουκί, φασόλι

bear (μπέαρ) άρκτος, φέρω, υποφέρω, γεννώ, **-able** υποφερτός, **-ish** αρκτοειδής, υποτιμητικός, αγενής, τραχύς

beard (μπέαρντ) γένι, αψηφώ, **-ed** αυτός που έχει γένια, **-less** αυτός που δεν έχει γένια

bearing (μπέαρινγκ) συμπεριφορά, υπομονή, σχέση, στήριγμα άξονα

beast (μπίστ) κτήνος, ζώο, **-ly** κτηνώδης

beat (μπίτ) δέρνω, κτυπώ, νικώ, υπερτερώ, κτύπος, **-en** ηττημένος, **-ing** χτύπημα, **-er** αυτός που χτυπάει / off the beaten track: ασυνήθιστος, απόμερος

beateous (μπιούτιας) ωραιότητα

beatific (μπιατίφικ) αυτός που ευλογεί, ευλογημένος, **-ation** ευλόγηση

beatify (μπιατιφάϊ) μακαρίζω

beatitude (μπιατιτιούντ) μακαριότητα

beatnik (μπίτνικ) υπαρξιστής

beau (μπώ) κομψευόμενος, εραστής

beauteous (μπιούτιους) ωραίος

beautification (μπιουτιφικέϊσσον) καλλωπισμός

beautiful (μπιούτιφουλ) ωραίος

beautify (μπιουτιφάϊ) καλλωπίζω, -ομαι

beauty (μπιούτι) ομορφιά

beauty parlour (μπιούτι πάρλορ) ινστιτούτο ομορφιάς

beauty queen (μπιούτι κουίν) νικήτρια καλλιστείων ομορφιάς

beaver (μπίιβερ) κάστορας

becalm (μπικάλμ) καθησυχάζω, ειρηνεύω

because (μπικόουζ) επειδή, διότι, **-of** εξαιτίας του

bechance (μπιτσάνς) τυχαίνω

beck (μπέκ) νεύμα

beckon (μπέκον) νεύω, κάνω σήμα

bacloud (μπικλάουντ) συννεφιάζω, σκοτίζω, συγχέω, συγχύζω

become (μπικάμ) γίνομαι, αρμόζω

becoming (μπικάμινγκ) ταιριαστός, θελκτικός

bed (μπέντ) κρεβάτι, **-bug** κοριός, **-clothes** κλινοσκεπάσματα, **-pan** ουροδοχείο, **-ridden** κατάκοιτος, **-room** υπνοδωμάτιο, **-stead** σκελετός κρεβατιού, **-time** ώρα γιά ύπνο / bed and board: τροφή και στέγη

bedaub (μπιντόμπ) επιχρίω, πασαλείφω

bedazzle (μπιντάζλ) καταθαμπώνω

bedeck (μπιντέκ) στολίζω

bedevil (μπιντέβιλ) ταράζω, ζαλίζω, βασανίζω

bedew (μπιντιού) δροσίζω, μουσκεύω

bedim (μπιντίμ) αμαυρώνω, σκοτίζω

bedizen (μπιντίζν) κατεστολίζω

bedlam (μπένλαμ) φρενοκομείο

bedraggle (μπιντρέϊγκλ) λερώνω, διασύρω

beduck (μπιντάκ) βυθίζω

bedust (μπιντάστ) σκονίζω

bedye (μπιντάϊ) βάφω

bee (μπίι) μέλισσα, **-hive** κυψέλη, **-line** ευθεία γραμμή

beech (μπίτς) οξυά, **-en** από ξύλο οξυάς

beef (μπίφ) βοδινό κρέας, παράπονο, παραπονιέμαι, **-steak** μπριζόλα βοδινή, **-y** χοντρός, βαρύς

beer (μπίρ) μπύρα

beeswax (μπίιζουάξ) κυρήθρα

beet (μπίτ) κοκκινογούλι, τεύτλο

beetle (μπίτλ) σκαθάρι, προεξέχω, αυτός που προεξέχει

beetroot (μπίτρούτ) κοκκινογούλι

befall (μπιφόλ) τυχαίνω, συμβαίνω

befit (μπιφίτ) αρμόζω, -ting ταιριαστός
beflatter (μπιφλάτερ) κολακεύω
befog (μπιφόγκ) συννεφιάζω, συσκοτίζω
befool (μπιφούλ) περιγελώ
before (μπιφόρ) πριν, -hand εκ των προτέρων
befoul (μπιφάουλ) λερώνω
befriend (μπιφρέντ) κάνω φίλο, υποστηρίζω, ευνοώ
befuddle (μπιφόντλ) μεθάω, ζαλίζω
beg (μπέγκ) παρακαλώ, ζητώ, ζητιανεύω
beget (μπιγκέτ) γεννώ, -ter γεννήτορας
beggar (μπέγκαρ) ζητιάνος, -ly ζητιάνικος, ελεεινός, -liness αθλιότητα, -y ζητιανιά
begin (μπεγκίν) αρχίζω, -er αρχάριος, -ning αρχή
begird (μπιγκέρντ) περιζώνω, περικυκλώνω
begone (μπιγκόουν) φύγε αμέσως
begonia (μπιγκόουνια) μπιγκόνια
begot (μπιγκότ) αορ. του beget
begrime (μπιγκράϊμ) λερώνω
begrudge (μπιγκράτζ) φθονώ
beguile (μπιγκάϊλ) προσελκύω, γοητεύω, διασκεδάζω, εξαπατώ, -ment δόλος, απάτη
beguine (μπιγκίν) μουσική και χορός της Ν. Αμερικής
behalf (μπιχάφ) πλευρά, συμφέρον / on behalf of: εκ μέρους κάποιου
behave (μπιχέϊβ) συμπεριφέρομαι
behaviour (μπιχέβιορ) συμπεριφορά, -ism μπιχεβιορισμός, -ist μπιχεβιοριστής / to be on one's best behaviour: συμπεριφέρομαι άψογα
behead (μπιχέντ) αποκεφαλίζω
behest (μπιχέστ) διαταγή
behind (μπιχάϊντ) πίσω, τα οπίσθια, -hand καθυστερημένος
behold (μπιχόλντ) βλέπω, παρατηρώ

beholden to: υπόχρεος σε
behove, behoove (μπιχούβ) χρειάζομαι, αρμόζω
beige (μπέϊζ) μπέζ χρώμα
being (μπίινγκ) ύπαρξη, το όν / to come into being: γεννιέμαι, γίνομαι υπαρκτός
bejewel (μπιτζούελ) κατακοσμώ
belabor (μπιλάμπορ) ξυλοκοπώ, κουράζω
belated (μπιλέϊτιντ) αργοπορημένος, καθυστερημένος
belay (μπιλέϊ) περιδένω, σταματώ
belch (μπέλτς) ρεύομαι, κάνω εμετό, εκχύνω
beldam (μπέλνταμ) γριά, μάγισσα
beleaguer (μπιλίγκερ) πολιορκώ
belfry (μπέλφρι) καμπαναριό
Belgian (μπέλτζιαν) Βέλγος, Βελγικός
Belgium (μπέλτζιομ) το Βέλγιο
Belgrade (μπέλγκρέϊντ) το Βελιγράδι
belie (μπιλάϊ) διαστρέφω, διαψεύδω
belief (μπιλίφ) πίστη, δοξασία / beyond belief: απίστευτος, απίθανος / to shake one's belief: κλονίζω την πίστη κάποιου
believe (μπιλίβ) πιστεύω, -r πιστός
belittle (μπιλίτλ) υποτιμώ, σμικρύνω, -ment υποτίμηση, δυσφήμηση
bell (μπέλ) καμπάνα, κουδούνι, -boy, -hop υπηρέτης ξενοδοχείου, -bottoms παντελόνι με καμπάνα, -wether κριάρι με κουδούνι
belladonna (μπελαντάνα) στρύχνος (φυτό)
belle (μπέλ) καλλονή
belles-letters (μπέλ λέτρ) φιλολογία
bellicose (μπέλικόουζ) φιλοπόλεμος
belligerence (μπελίτζερενς) εμπόλεμη κατάσταση
belligerent (μπελίτζερεντ) εμπόλεμος
bellow (μπέλοου) βελάζω, μουγκρίζω

belly (μπέλι) κοιλιά, **-ache** πονόκοιλος, παραπονιέμαι, **-button** αφαλός / belly out: γεμίζω, φουσκώνω
belock (μπιλόκ) κλειδώνω
belong (μπιλόνγκ) ανήκω, **-ings** τα υπάρχοντα
beloved (μπιλάβντ) πολυαγαπημένος
below (μπιλόου) από κάτω
belt (μπέλτ) ζώνη, ζώνω, περιζώνω
bemean (μπιμίιν) εξευτελίζω
bemire (μπιμαϊαρ) λασπώνω
bemoan (μπιμόαν) θρηνώ
bemused (μπιμιούζντ) ζαλισμένος
bench (μπέντς) παγκάκι, τραπέζι εργασίας, δικαστήριο
bend (μπέντ) λυγίζω, κάμπτω, -ομαι, καμπή, **-able** καμπτός, **-er** αυτός που κλίνει
beneath (μπινίθ) από κάτω, κάτω από
benedict (μπενεντίκτ) νεόνυμφος, νιόπαντρος, **-ion** ευλογία
benefaction (μπενεφάκσον) ευεργεσία
benefactor (μπενεφέϊκτορ) ευεργέτης
benefactress (μπενεφέκτρες) η ευεργέτιδα
benefice (μπένεφις) εκκλησιαστικό χορήγημα
beneficence (μπινέφισενσ) αγαθοεργία
beneficent (μπινέφισεντ) αγαθοεργός
beneficial (μπένιφισαλ) ευεργετικός
beneficiary (μπενεφίσερι) ευεργετούμενος, κληρονόμος, δικαιούχος
benefit (μπένεφιτ) ευεργετώ, όφελος, ευεργέτημα, ωφελώ, -ούμαι, **-er** αυτός που ωφελεί
benevolence (μπενέβολενς) φιλανθρωπία
benevolent (μπενέβολεντ) φιλάνθρωπος, φιλάγαθος

Bengal (μπενγκώλ) Βεγγάλη
benjamin (μπέντζαμιν) μοσχολίβανο
benighted (μπινάϊτεντ) νυχτωμένος, σκοτεινιασμένος
benign (μπινάϊν) αγαθός, ευνοϊκός, **-ant** καλοκάγαθος, **-ity** καλοκαγαθία
bent (μπέντ) κλίση, κυρτός
benumb (μπινόμπ) ναρκώνω
benzene, benzine (μπένζιν) βενζίνη
benzoin (μπένζοϊν) μοσχολίβανο
bepaint (μπιπεϊντ) βάφω, μπογιαντίζω
bequeath (μπικουίδ) κληροδοτώ
bequest (μπικουέστ) κληροδότημα
berate (μπιρέϊτ) επιτιμώ, μαλώνω
bereave (of) (μπιρίβ οφ) αποστερώ από, **-ment** στέρηση, απώλεια
beret (μπερέ) σκούφος, μπερές
berg (μπέργκ) παγόβουνο
bergamot (μπέργκαμοτ) είδος πορτοκαλιού
beriberi (μπέριμπέρι) ασθένεια των νεύρων
Berlin (μπέρλιν) Βερολίνο
Bermuda (μπερμιούντα) η Βερμούδα
Bern, Berne (μπέρν) η Βέρνη
berry (μπέρι) μούρο, σπυρί
berserk (μπέρσορκ) έξαλλος, τρελός
berth (μπέρθ) κρεβάτι πλοίου ή τρένου
beryl (μπέριλ) βήρυλλος (πέτρωμα)
bescreen (μπισκρίιν) κρύβω
beseech (μπισίτς) ικετεύω, παρακαλώ
beseem (μπισίμ) αρμόζω, ταιριάζω
beset (μπισέτ) περιστοιχίζω, πολιορκώ
beside (μπισάϊντ) κοντά, δίπλα σε, εκτός, **-s** επιπλέον
besiege (μπισίτζ) πολιορκώ
besmear (μπισμίαρ) λερώνω, αλείφω
besmirch (μπισμίρτς) ρυπαίνω
besoil (μπισόϊλ) λερώνω

besom (μπίσομ) σκούπα
besot (μπισότ) μωραίνω
besought (μπισότ) αορ. του beseech
bespangle (μπισπάνγκλ) στολίζω
bespatter (μπισπάτερ) δυσφημώ, λερώνω
bespeak (μπισπίκ) μηνύω, προπαραγγέλλω
bessextile (μπισέξτιλ) δίσεκτος
best (μπέστ) άριστος, κάλλιστος, υπερτερώ, νικώ, **-man** παράνυμφος
bestead (μπιστέντ) βοηθώ, ανακουφίζω
bestial (μπέστσαλ) κτηνώδης, **-ity** κτηνωδία
bestir (μπιστέρ) κινώ, κινούμαι ζωηρά, ανακατεύομαι
bestow (μπιστόου) δαπανώ, απονέμω, **-al**, **-ment** χορήγηση
bestrew (μπιστρού) στρώνω, σκορπίζω
bestride (μπιστράϊντ) διασκελίζω, ιππεύω
best-seller (μπέστ σέλερ) βιβλίο που σημειώνει πολύ μεγάλες πωλήσεις, ο συγγραφέας ενός τέτοιου βιβλίου
bet (μπέτ) στοίχημα, στοιχηματίζω, **-ter**, **-tor** αυτός που στοιχηματίζει
betake (μπιτέϊκ) προσφεύγω
bethel (μπέθελ) εκκλησία ναυτικών
bethink (μπιθίνκ) σκέφτομαι, θυμάμαι, συλλογίζομαι
Bethlehem (μπέθλιεμ) η Βηθλεέμ
betide (μπιτάϊντ) συμβαίνω
betimes (μπιτάϊμς) εγκαίρως, νωρίς, γρήγορα
betoken (μπιτόουκεν) προαναγγέλλω, δηλώνω
beton (μπέτον) μπετόν, σκυρόδερμα
betray (μπιτρέϊ) προδίδω, απατώ, **-al** προδοσία, **-er** προδότης
betroth (μπιτρόουθ) αρραβωνιάζω, **-ed** αρραβωνιασμένος, μνηστήρας, μνηστή, **-al**, **-ment** οι αρραβώνες
better (μπέτερ) καλύτερος, βελτιώνω, καλυτερεύω, **-ment** καλυτέρευ-

ση
between (μπιτουίν) μεταξύ
bevel (μπέβελ) λοξός, πλάγιος, γωνιόμετρο, λοξεύω, γωνιάζω
bever (μπέβερ) κολατσιό
beverage (μπέβερετζ) ποτό
bevy (μπέβι) σμήνος, πλήθος
bewail (μπιγουέϊλ) θρηνώ
beware (μπιγουέαρ) προσέχω, προφυλάσσομαι
bewilder (μπιγουάϊλντερ) συγχέω, ζαλίζω, **-ment** σύγχυση, αμηχανία, απορία
bewitch (μπιγουίτς) μαγεύω, **-er** μάγος
bewray (μπιρέϊ) προδίδω
bey (μπέϊ) μπέης
beyond (μπιγιόντ) πέρα
biannual (μπιάνιουαλ) ημιετήσιος
bias (μπάϊας) κλίση, προκατάληψη, προκαταλαμβάνω, προδιαθέτω, λοξά
bib (μπίμπ) σαλιάρα μωρού
bibber (μπίμπερ) μέθυσος, πότης
Bible (μπάϊμπλ) η Βίβλος, Αγία Γραφή
Biblical (μπίμπλικαλ) Βιβλικός
bibliography (μπιμπλιόγκραφι) βιβλιογραφία
bibliomania (μπιμπλιομάνια) βιβλιομανία
bibliophile (μπίμπλιοφιλ) βιβλιόφιλος
bibulous (μπίμπιουλας) απορροφητικός, σπογγώδης, πότης
bicameral (μπαϊκέμεραλ) με δύο βουλές
bicarbonate (μπαϊκάρμπονετ) δισανθρακικός
bicentennial (μπαϊσεντένιαλ) διακοσαετής, διακοσαετία
biceps (μπάϊσεπς) δικέφαλος μύς
bichloride (μπάϊκλοράϊντ) διχλωριούχος
bicipital (μπαϊσίπιταλ) δικέφαλος
bicker (μπίκερ) λογομαχία, φιλονι-

κώ
bicuspid (μπαϊκόσπιντ) με δόντια σκύλου
bicycle (μπάϊσικλ) ποδήλατο, ποδηλατώ, **-r** ποδηλάτης
bicyclist (μπάϊσικλιστ) ποδηλάτης
bid (μπίντ) διατάζω, προσφέρω, καλώ, προσφορά, διαταγή, προσπάθεια, απόπειρα, **-dable** ευεπηρρέαστος, **-der** πλειοδότης, **-ding** προσφορά, διαταγή, πρόσκληση
bide (μπάϊντ) υπομένω, περιμένω
bidet (μπιντέτ) αλογάκι
biennial (μπαϊένιαλ) διετής
bier (μπίαρ) νεκροκρέβατο, φέρετρο
biferous (μπίφερας) δίφορος
biff (μπίφ) χτύπημα, χτυπώ
bifid (μπάϊφιντ) διχαλωτός
bifocal (μπαϊφόκαλ) φακός με δύο εστίες
bifurcate (μπάϊφερκέϊτ) χωρίζω, διχαλωτός, διχαλώνω
bifurcation (μπάϊφερκέϊσσον) διχάλωση
big (μπίγκ) μεγάλος, **-ness** μέγεθος, όγκος
bigamous (μπίγκαμοους) δίγαμος
bigamy (μπίγκαμι) διγαμία
bigamist (μπίγκαμιστ) δίγαμος
bight (μπάϊτ) κολπίσκος, θηλειά σχοινιού
bigot (μπίγκοτ) φανατικός, **-ry** φανατισμός
bijou (μπιζού) κόσμημα, στολίδι
bike (μπάϊκ) ποδήλατο
bilabial (μπαϊλέϊμπιαλ) δίχειλος
bilateral (μπαϊλάτεραλ) δίπλευρος
bilberry (μπίλμπερι) βατόμουρο
bile (μπάϊλ) χολή
bilge (μπίλτζ) διαρρέω, πυθμένας πλοίου
biliary (μπίλιαρι) χολικός
bilingual (μπαϊλίνγκουαλ) δίγλωσσος
bilious (μπίλιος) χολερικός, **-ness** χολερικότητα, δυστροπία

bilk (μπίλκ) αποφεύγω πληρωμή, ξεφεύγω, απατώ, απάτη, απατεώνας
bill (μπίλ) λογαριασμός, τιμολόγιο, νομοσχέδιο, γραμμάτιο, ράμφος, στέλνω λογαριασμό, **-fold** πορτοφόλι, **-head** φύλλο λογαριασμού / bill of fare: κατάλογος φαγητών / bill of exchange: συναλλαγματική / bill of rights: καταστατικός χάρτης, σύνταγμα / bill of sale: πωλητήριο
billboard (μπιλμπόρντ) πίνακας αγγελιών
billet (μπίλετ) δελτίο καταυλισμού, καταυλίζω (στρατιώτη), κομμάτι ξύλου
billet-doux (μπίλεντού) ραβασάκι
billiards (μπίλιαρντς) μπιλιάρδο, σφαιριστήριο
billing (μπίλινγκ) χάδια
billingsgate (μπίλινγκσγκέϊτ) θωμολοχίες, ύβρεις
billion (μπίλιον) δισεκατομμύριο
billow (μπίλο) μεγάλο κύμα, φουσκώνω
billy (μπίλι) κλόμπ, ρόπαλο
billy goat (μπίλι γκόουτ) τράγος
bimetallic (μπαϊμέταλικ) διμεταλλικός
bimonthly (μπαϊμόνθλι) ανά δύο μήνες
bin (μπίν) αποθήκη, αποθηκεύω, κελάρι
binary (μπάϊναρι) δυαδικός
bind (μπάϊντ) δένω, δεσμεύω, υποχρεώνω, φασκιώνω, **-er** βιβλιοδέτης, **-ery** βιβλιοδετείο, **-ing** δέσιμο, βιβλιοδεσία, δεσμευτικός
bingo (μπίνγκο) τυχερό παιχνίδι
binnacle (μπίνακλ) θήκη πυξίδας
binocular (μπινόκιουλαρ) κυάλι, διοπτρικός
binomial (μπαϊνόμιαλ) διώνυμος
biographer (μπαϊόγκραφερ) βιογράφος
biography (μπαϊόγκραφι) βιογραφία
biological (μπαϊολότζικαλ) βιολο-

γικός
biologist (μπαϊόλοτζιστ) βιολόγος
biology (μπαϊόλοτζι) βιολογία
bipartisan (μπαϊπάρτιζαν) δικομματικός, που ανήκει σε δύο κόμματα
bipartite (μπαϊπαρτάϊτ) διμερής
biped (μπάϊπιντ) δίποδο
biplane (μπαϊπλέϊν) διπλάνο, διπτέρυγο αεροπλάνο
bipolar (μπαϊπόουλαρ) διπολικός
birch (μπέρτς) σημύδα (δέντρο), ξυλίζω, **-en** από ξύλο σημύδας
bird (μπέρντ) πτηνό, πουλί / bird's eye view: θέα από ύψος, γενική άποψη / bird of passage: αποδημητικό πτηνό / bird of pray: αρπακτικό πτηνό
birdlime (μπέρντλάϊμ) ιξός, ιξόβεργα
biretta (μπιρέτα) σκούφος καθολικού ιερέα
birth (μπέρθ) γέννηση, καταγωγή, **-day** γεννέθλια, **-right** πρωτοτόκια
biscuit (μπίσκιτ) μπισκότο
bisect (μπαϊσέκτ) χωρίζω, διχοτομώ, **-ion** διχοτόμηση, **-ional** διχαστικός
bise (μπίιζ) ψυχρός
bishop (μπίσσοπ) επίσκοπος, **-ric** επισκοπή
bismuth (μπίζμοθ) βισμούθιο
bison (μπάϊσον) βόνασος, βούβαλος
bistoury (μπίσταρι) νυστέρι
bit (μπίτ) κομματάκι, τρυπάνι, κοπτήρας, χαλιναγωγώ
bitch (μπίτσ) σκύλα, παλιογυναίκα
bite (μπάϊτ) δαγκώνω, δαγκωματιά
biting (μπάϊτινγκ) δριμύς, δηκτικός, σαρκαστικός
bitter (μπίτερ) πικρός, **-ness** πικρία, **-s** πικρό ποτό, **-ish** υπόπικρος
bittern (μπίτερν) είδος ερωδιού (πτηνό)
bittersweet (μπίτερσουίτ) στρύχνος (φυτό)
bitumen (μπιτιούμεν) άσφαλτος, πίσσα, κατράμι

bituminous (μπιτιούμινους) ασφαλτώδης
bivalve (μπιβάλθ) δίλοβο (όστρακο)
bivouac (μπίβουακ) νυχτοφυλακή, διανυκτερεύω στην ύπαιθρο, κατασκήνωση
biweekly (μπαϊγουίκλι) ανά δύο εβδομάδες
bizarre (μπιζάρ) αλλόκοτος, παράξενος
blab (μπλάμπ) φλυαρώ, **-ber** φλύαρος
black (μπλάκ) μαύρος, **-ball** καταψηφίζω, **-berry** βατόμουρο, **-bird** κοτσύφι, **-board** μαυροπίνακας, **-head** μαύρη ελιά του δέρματος -**jack** κοντό ρόπαλο δεμένο με λουρί, **-lead** γραφίτης, **-leg** απατεώνας, **-list** προγράφω, προγραφή, **-mail** εκβιάζω, εκβιασμός, **-smith** σιδηρουργός, πεταλωτής, **-widow** δηλητηριώδης αράχνη, **-en** μαυρίζω, **-guard** παλιάνθρωπος, **-ing** βαφή παπουτσιών, **-ish** μαυριδερός, **-ness** μαυρίλα, **-out** συσκότιση
Black Sea (μπλάκ σίι) η Μαύρη Θάλασσα
bladder (μπλάντερ) κύστη
blade (μπλέϊντ) λεπίδα, ξίφος, φύλλο
blain (μπλέϊν) φουσκάλα
blamable (μπλέϊμαμπλ) μεμπτός
blame (μπλέϊμ) μέμφομαι, μομφή, κατηγορώ, **-less** άμεμπτος, **-ful**, **-worthy** αξιόμεμπτος
blanch (μπλάντς) λευκαίνω, ωχριώ, ασπρίζω
blancmange (μπλαμάνζ) πηκτή, γλυκό
bland (μπλάντ) ήπιος, ευγενικός, **-ness** ηπιότητα
blandish (μπλάντιςς) θωπεύω, κολακεύω, **-er** κόλακας, **-ment** κολακεία, φροντίδα
blank (μπλάνκ) λευκός, κενός, άγραφος, κενό, ασυμπλήρωτο δελ-

τίο, ακατέργαστο υλικό, **-ly** χωρίς περιστροφές, **-verse** ανομοιοκατάληκτος στίχος
blanket (μπλάνκετ) κουβέρτα
blare (μπλέρ) σαλπίζω, μουγκρίζω, βρυχώμαι, σάλπισμα, τραχύς ήχος
blarney (μπλάρνι) κολακεία, δελεάζω
blase (μπλαζέ) αδιάφορος, κορεσμένος
blaspheme (μπλασφίμ) βλαστημώ, **-r** βλάσφημος
blasphemous (μπλάσφιμος) βλάσφημος
blasphemy (μπλάσφιμι) βλασφημία
blast (μπλάστ) φύσημα, έκρηξη, καταστρεπτικός άνεμος ή επιδημία, φυσώ, ανατινάζω, καταστρέφω, **-er** αυτός που ανατινάζει, **-ing** ανατίναξη, έκρηξη
blatant (μπλέϊταντ) θορυβώδης, βρυχώμενος
blaze (μπλέϊζ) φλόγα, φλέγομαι, διακηρύττω, σημειώνω σε δέντρο, γυαλίζω, **-r** χρωματιστή ζακέτα
blazon (μπλέϊζον) οικόσημο, διαφημίζω, επιδεικνύω, **-ry** οικοσημολογία
bleach (μπλίτς) λευκαίνω, λευκαντικό
bleachers (μπλίτσερς) εξέδρα
bleak (μπλίκ) ψυχρός, γυμνός, έρημος
blear (μπλίρ) τσιμπλιάρης, θολός, θολώνω τα μάτια, **-iness** θολότητα
bleat (μπλίτ) βελάζω, βέλασμα
bleed (μπλίντ) αιματώνω, αιμορραγώ, **-ing** αιμορραγία, αφαίμαξη
blemish (μπλέμιςς) κηλίδα, ελάττωμα, κηλιδώνω, λερώνω, **-er** κηλιδωτής
blench (μπλέντς) δειλιάζω, υποχωρώ, λευκαίνω
blend (μπλέντ) μιγνύω, **-ομαι**, συγχωνεύω, **-ομαι**, μίγμα, συγχώνευση
bless (μπλές) ευλογώ, **-ing** ευλογία,

-ed ευλογημένος
blessedness (μπλέσεντνις) μακαριότητα, ευδαιμονία
blight (μπλάϊτ) ερυσίβη (νόσος των φυτών), μαραίνω,**-ομαι**, καταστρέφω
blimp (μπλίμπ) μικρό αερόστατο
blind (μπλάϊντ) τυφλός, σκιά παραθύρου, γρίλια, πρόσχημα, τυφλώνω, **-fold** σκεπάζω τα μάτια, **-ness** τυφλότητα, **-er** παρωπίδα / blind man's buff: τυφλόμυγα
blink (μπλίνκ) ανοιγοκλείνω τα μάτια, αγνοώ, **-ers** παρωπίδες
bliss (μπλίς) μακαριότητα, **-ful** μακάριος
blister (μπλίστερ) φουσκάλα, φουσκαλιάζω
blithe (μπλάϊθ) εύθυμος, χαρούμενος, **-some** χαρωπός
blitz (μπλίτζ) αιφνίδια και βίαια επίθεση
blizzard (μπλίζαρντ) χιονοστρόβιλος
bloat (μπλόουτ) φουσκώνω, φυσώ
blob (μπλόμπ) σταγόνα, κάτι το ελάχιστο
bloc (μπλόκ) συνασπισμός
block (μπλόκ) τροχαλία, τετράγωνο οικοδομών, εμπόδιο, φραγμός, φράζω, εμποδίζω, **-buster** μεγάλη βόμβα, **-head** βραδύνους, **-house** ξύλινο φρούριο
blockade (μπλόκεϊντ) αποκλεισμός, αποκλείω, μπλόκάρω, **-r** αυτός που αποκλείει
blond (μπλόντ) ξανθός, **-e** ξανθιά
blood (μπλάντ) αίμα, **-ed** ματωμένος, **-less** αναίμακτος, **-hound** λαγωνικό, **-shed** αιματοχυσία, **-shot** αιματόχρους, **-sucker** βδέλλα, **-thirsty** αιμοδιψής, **-y** αιματηρός
bloom (μπλούμ) ακμή, άνθηση, ανθώ, άνθος
bloomers (μπλούμερς) γυναικείο παντελόνι γυμναστικής

bossom (μπόσομ) άνθος, ανθώ
blot (μπλότ) κηλίδα, μουντζούρα, κηλιδώνω / blot out: εξαλείφω / blotter ή blotting paper: στουπόχαρτο
blotch (μπλότς) μουντζούρα, μεγάλη κηλίδα, κηλιδώνω, -y κηλιδωμένος
blouse (μπλάουζ) μπλούζα
blow (μπλόου) χαστούκι, χτύπημα, φύσημα, φυσώ, ανατινάζω, ξοδεύω, -y ανεμώδης, -out ξεφούσκωμα, -up ανατίναξη, έκρηξη, -pipe ή torch καμινευτικός φυσητήρας, -er φυσερό, -hole εξαεριστήρας / blow out: σβήνω
blowzy (μπλάουζι) ατημέλητος, κοκκινοπρόσωπος
blubber (μπλάμπερ) λίπος φάλαινας, κλαίω, κλάμα
bludgeon (μπλότζον) κοντόχοντρο ρόπαλο, απειλώ, -er ψευτοπαλίκαρο
blue (μπλού) γαλανός, λιπόψυχος, μελαγχολικός, λουλάκι, -berry είδος μούρου, -jacket ναύτης, -print φωτογραφικό σχεδιάγραμμα, -law αυστηρός νόμος, -s ακεφιά, λιποψυχία, -vitriol θειικός χαλκός, -bell καμπανούλα (φυτό)
bluff (μπλάφ) τραχύς, χοντρός, απότομος, απατώ, καυχιέμαι, βράχος, γνώμη, -ness τραχύτητα, σκαιότητα
bluing (μπλούινγκ) λουλάκι, γαλάζιο
blunder (μπλάντερ) λάθος, κάνω λάθος
blunderbuss (μπλάντερμπος) όπλο πλατύστομο
blunt (μπλάντ) αμβλύς, αμβλύνω, απότομος-ness αμβλύτητα, το απότομο
blur (μπλέρ) κηλίδα, κηλιδώνω, αμαυρώνω, -ry θαμπός, λερωμένος
blurb (μπλέρμπ) υπερβολική αγγελία
blurt (μπλέρτ) φλυαρώ, φλυαρία
blush (μπλόςς) κοκκινίλα, κοκκινί-

ζω
bluster (μπλόστερ) κομπάζω, περηφανεύομαι, θορυβώ, -er καυχησιάρης, αλαζόνας, -ous, -y θορυβώδης, περήφανος
boa (μπόα) βόας, γούνα του λαιμού
boar (μπόορ) κάπρος, αγριόχοιρος
board (μπόρντ) σανίδα, οικοτροφία, χαρτόνι, επιτροπή, κατάστρωμα, σανιδώνω, επιβαίνω, οικοτροφώ, -ούμαι, -er οικοτρόφος, -ing οικοτροφία, σανίδες, -walk σανίδωμα γιά παραλιακό περίπατο / boarding house: οικοτροφείο
boast (μπόουστ) καυχιέμαι, περηφάνια, -er καυχησιάρης, -ful κομπαστικός, -fulness κομπασμός
boat (μπόουτ) βάρκα, -man βαρκάρης, -swain ναύκληρος
bob (μπόμπ) σείω, -ομαι, βαρίδι, βολίδα, -tail κοντή ουρά
bobbed hair (μπόμπντ χέαρ) κοντά μαλλιά
bobbin (μπόμπιν) κουβαρίστρα, μασούρι
bobby (μπόμπι) Άγγλος αστυφύλακας, -pin φουρκέτα, -socks κοντές κάλτσες, -soxer ονειροπόλος
bock beer (μπόκ μπίιρ) είδος δυνατής μπύρας
bode (μπόουντ) προμαντεύω, προμηνύω, προοιωνίζομαι
bodice (μπόντις) μπούστος, περιστήθιο, εσώρουχο
bodied (μπόντιντ) αυτός που έχει σώμα
bodiless (μπόντιλες) ασώματος
bodily (μπόντιλι) σωματικός, σωματικά
bodkin (μπόντκιν) σουβλί, τρυπητήρι, χοντρή βελόνα
body (μπόντι) σώμα, -guard σωματοφύλακας, σωματοφυλακή
bog (μπόγκ) βάλτος, τέλμα, τελματώνω, -ομαι, -gish ή -gy βαλτώδης
bogey (μπόγκι) στοιχειό, φάντασμα

boggle (μπόγκλ) δειλιάζω, διστάζω, **-r** δειλός

bogus (μπόγκος) κίβδηλος, ψεύτικος

bogy (μπόγκι) στοιχειό, φάντασμα

boil (μπόιλ) βράζω, βρασμός, πυώδες εξάνθημα, **-er** λέβητας, καζάνι

boisterous (μπόϊστερος) θορυβώδης, ταραχώδης

bold (μπόουλντ) τολμηρός, θρασύς, **-ness** τόλμη, θράσος

bole (μπόουλ) κορμός δέντρου

bolero (μπολέρο) είδος Ισπανικού χορού, είδος γυναικείας ζακέτας

boll (μπόλ) περικάρπιο, σποριάζω

bolo (μπόλο) μεγάλο μαχαίρι

bologna (μπολόονια) μεγάλο λουκάνικο

bolster (μπόλστερ) υποστηρίζω, μαξιλάρα, **-er** βοηθός, προστάτης

bolt (μπόλτ) μάνταλο, μανταλώνω, βίδα, βιδώνω, αποσκιρτώ, ορμώ, κοσκινίζω, κεραυνός, κεραυνοβολώ / bolt of cloth: τόπι πανί

bolus (μπόουλος) μεγάλο χάπι, βώλος

bomb (μπόμπ) βόμβα, βομβαρδίζω

bombard (μπομπάρντ) βομβαρδίζω, βομβαρδισμός, **-er ή ier** βομβαρδιστής, **-ment** βομβαρδισμός

bombast (μπόμπαστ) στόμφος, μαγαληγορία, **-ic (al)** στομφώδης

bomber (μπόμπερ) βομβαρδιστικό αεροπλάνο

bombshell (μπομσσέλ) εκρηκτική βόμβα

bonanza (μπονένζα) πλούσιο μεταλλείο

bonbon (μπονμπόν) ζαχαρωτό

bond (μπόντ) δεσμός, ομολογία, υποθηκεύω, εγγυητής, θέτω υπό εγγύηση, υποθήκη, **-age** δουλεία, **-man** δούλος, **-woman** δούλα, **-sman** εγγυητής

bone (μπόουν) κόκκαλο, ξεκοκκαλίζω, **-less** χωρίς κόκκαλα

boner (μπόονερ) βλακεία, μεγάλο σφάλμα

bonfire (μπόνφάϊαρ) πυρά θριάμβου

bon mot (μπον μο) ευφυολογία, εξυπνάδα

bonnet (μπόνετ) γυναικείο καπέλο

bonnily (μπόνιλι) εύθυμα

bonus (μπόνους) δώρο, επιχορήγημα

bonny, bonie (μπόνι) όμορφος

bony (μπόουνι) κοκκαλιάρης

boo (μπόουου) γιουχαΐζω, γιουχάϊσμα

boob, booby (μπούμπ, -ι) βλάκας

booby trap (μπούμπι τράπ) κρυμμένη βόμβα

boodle (μπούντλ) χρήματα δωροδοκίας

book (μπούκ) βιβλίο, εγγράφω, **-binder** βιβλιοδέτης, **-case** βιβλιοθήκη, **-ful** σχολαστικός, **-hunter** βιβλιόφιλος, **-keeper** καταστιχογράφος, λογιστής, **-worm** βιβλιοφάγος, **-notice** βιβλιογραφία, **-stand** αναλόγιο, **-ie** εκδότης, **-let** βιβλιάριο, **-seller** βιβλιοπώλης, **-store, -shop** βιβλιοπωλείο

boom (μπούμ) ευδοκιμώ, βοή, βοώ, προάγω, υπερτίμηση, βόμβος, κεραία

boon (μπούν) κέρδος, δώρο, ευεργέτημα, ανοιχτόκαρδος

boondoggle (μπούντόγκλ) κάνω άχρηστη εργασία, **-r** χαραμοφάγος

boor (μπούρ) χωριάτης, άξεστος, **-ish** αγροίκος

boost (μπούστ) προωθώ, προάγω, ώθηση, προαγωγή, **-er** βοηθός, αυτός που προάγει

boot (μπούτ) μπότα, κλοτσώ, ωφελώ, **-black** λούστρος, **-leg** πουλώ λαθραία ποτά, **-legger** λαθρέμπορος ποτών

booth (μπούθ) παράπηγμα

bootless (μπούτλες) ανώφελος

booty (μπούτι) λεία, λάφυρο

booze (μπούζ) μεθυστικό ποτό
boracic (μπορέσικ) βορικός
borate (μποράϊτ) άλας βορικού οξέος
border (μπόρντερ) άκρο, όριο, πλευρά, περιθώριο, σύνορο, συνορεύω, **-line** μεθόριος
bore (μπόορ) τρυπώ, προξενώ ανία, τρύπα, διάτρημα, **-dom** ανία
borer (μπόουρερ) τρυπάνι
boring (μπόουρινγκ) ανιαρός
borough (μπόρο) δήμος, περιφέρεια
borrow (μπόροου) δανείζομαι, **-er** ο δανειζόμενος
bosh (μπόςς) σαχλαμάρα
bosky (μπόσκι) δασώδης
bosom (μπόσομ) στήθος, επιστήθιος
boss (μπός) διευθυντής, αφεντικό, διευθύνω, εξέχων όγκος, **-y** αυταρχικός, κυρτός
botanic, -al (μποτάνικ, -αλ) βοτανικός
botanist (μποτάνιστ) φυτολόγος
botany (μπότανι) βοτανική, φυτολογία
botch (μπότς) μπάλωμα, μπαλώνω, κακοτεχνώ, **-y** κακότεχνος, **-er** κακοτέχνης
bote (μπόουτ) αμοιβή, πρόστιμο
bot-fly (μπόουτ φλάϊ) αλογόμυγα
both (μπόθ) αμφότεροι
bother (μπάδερ) ενοχλώ, ενόχληση, σκοτίζω, σκοτίζομαι, **-some** ενοχλητικός
bottle (μπότλ) μποτίλια, φιάλη, εμφιαλώνω
bottom (μπότομ) βυθός, κάτω μέρος, **-less** απύθμενος
boudoir (μπουντουάρ) ιδιαίτερο δωμάτιο κυρίας
bough (μπόου) κλωνάρι δέντρου
bouillon (μπούλιον) ζωμός κρέατος
boulder (μπόλντερ) μεγάλος λίθος
boulevard (μπούλεβαρντ) λεωφόρος
bounce (μπάουνς) αναπηδώ, πήδημα, εξορία

bouncing (μπάουνσινγκ) ζωηρός
bound (μπάουντ) πηδώ, αναπηδώ, πήδημα, περιορισμένος, προορισμένος, όριο
boundary (μπάουνταρι) σύνορο
bounder (μπάουντερ) αγροίκος
boundless (μπάουντλες) απεριόριστος, απέραντος
bounteous (μπάουντιας) γενναιόδωρος
bounty (μπάουντι) γενναιοδωρία, αμοιβή
bouquet (μπουκέϊ) μπουκέτο
bourgeois (μπουρζουα) αστός
bourn (μπόορν) όριο, τέρμα, προορισμός
bourse (μπουαρς) χρηματιστήριο
bout (μπάουτ) πάλη, αγώνας
bovine (μποβάϊν) βοδινός
bow (μπάου) λυγίζω, υποκλίνομαι, υπόκλιση, υποχωρώ, υποκύπτω
bow (μπόου) τόξο, δοξάρι, φιόγκος, κυρτώνω, **-legged** στραβοπόδης, **-man** τοξότης, **-backed** καμπούρης, **-net** απόχη
bowels (μπάουελζ) σπλάχνα, έντερα
bower (μπάουερ) κληματαριά, **-y** δενδρώδης, σκιερός
bowl (μπόουλ) μπώλ, γαβαθίτσα, σφαίρα, κυλώ, πετώ σφαίρα, **-er** σφαιριστής, **-ing** το παιχνίδι μπόουλινγκ
bowlder (μπόουλντερ) ογκόλιθος, μεγάλη πέτρα
bowline (μπόουλάϊν) κόμβος
bowling alley (μπόουλινγκ άλεϊ) αίθουσα μπόουλινγκ
box (μπόξ) κιβώτιο, θεωρείο, χτύπημα, βάζω σε κιβώτιο, πυγμαχώ **-er** πυγμάχος, είδος σκύλου, **-ing** πυγμαχία / box office: θυρίδα εισητηρίων
boy (μπόϊ) αγόρι, παιδί, **-ish** παιδικός, παιδαριώδης, **-hood** παιδική ηλικία, **-scout** πρόσκοπος

boycott (μπόϊκοτ) μποϊκοτάρω, μποϊκοτάζ
bra (μπρά) αντί brassiere: μαστόδεσμος
brace (μπρέϊς) στήριγμα, δεσμός, ζεύγος, στηρίζω, συνδέω / brace up: τονώνω
bracelet (μπρέϊσλιτ) βραχιόλι
bracer (μπρέϊσερ) στηρικτής, τονωτικό
brachial (μπράκιαλ) βραχιόνιος
bracket (μπράκετ) υποστήριγμα, αγκύλη, βάζω αγκύλες
brackish (μπράκιςς) αλμυρός, **-ness** αλμυρότητα
brad (μπράντ) ακέφαλο καρφί
brae (μπρέϊ) βουνοπλαγιά
brag (μπράγκ) καυχιέμαι, καυχησιάρης, καύχημα, **-ger** καυχησιάρης, **-ging** κομπορρημοσύνη
braggadocio (μπρεγκαντόσιο) καυχησιάρης
braid (μπρέϊντ) πλέκω, πλεξίδα, υφαίνω
braille (μπρέϊλ) αναγλυφική εκτύπωση για τυφλούς
brain (μπρέϊν) εγκέφαλος, μυαλό, **-less** άμυαλος, **-y** πνευματώδης, έξυπνος, **-iness** ευφυία, **-pan** κρανίο, **-storm** ιδέα
braise (μπρέϊζ) σιγοψήνω
brake (μπρέϊκ) φρένο, φρενάρω
bramble (μπράμπλ) βάτος
brambly (μπράμπλι) βατώδης
bran (μπράν) πίτουρο
branch (μπράντς) κλάδος, υποκατάστημα, διακλαδίζομαι
brand (μπράντ) μάρκα, είδος, δαυλός, στίγμα, στιγματίζω, **-new** ολοκαίνουριος
brandish (μπράντιςς) επισείω, πάλλω, κραδαίνω
brandy (μπράντι) οινοπνευματώδες ποτό, είδος κονιάκ
brash (μπράσς) ορμητικός, αυθάδης
brass (μπράς) μπρούντζος, ορείχαλ-

κος, πνευστό όργανο, αναίδεια
brassiere (μπρασίρ) στηθόδεσμος
brassy (μπράσι) ορειχάλκινος, ραβδί του γκόλφ, αναιδής, ηχηρός
brat (μπράτ) παλιόπαιδο
brave (μπρέϊβ) γενναίος, αψηφώ, **-ness** γενναιότητα, **-ry** ανδρεία
bravo (μπράβοου) μπράβο, μπράβος
brawl (μπρόολ) καυγάς, φιλονικώ, **-er** καυγατζής
brawn (μπρόον) μυϊκή ρώμη, **-y** ρωμαλαίος
bray (μπρέϊ) γκαρίζω, γκάρισμα, κοπανίζω
braze (μπρέϊζ) επιχαλκώνω, χαλκοκολλώ
brazen (μπρέϊζν) ορειχάλκινος, αυθάδης, **-ness** αναίδεια
Brazil (μπραζίλ) Βραζιλία, **-ian** Βραζιλιάνος
breach (μπρίτς) ρήγμα, ρήξη, θραύση, παράβαση νόμου
bread (μπρέντ) ψωμί, **-stuff** υλικά γιά κατασκευή ψωμιού
breadth (μπρέντθ) πλάτος, ευρύτητα
break (μπρέϊκ) σπάζω, παραβιάζω, θραύω, διάσπαση, διάσπαση, **-able** εύθραστος, **-age** θραύση, αποζημίωση θραύσης, **-down** σπάσιμο, συντριβή, **-er** θραύστης, **-ing** διάρρηξη, **-up** διάσπαση, **-water** κυματοθραύστης, **-neck** παράτολμος / break down: καταστρέφω, καταρρέω / break into: διακόπτω, κάνω διάρρηξη / break off: χωρίζω, σταματώ / break out: δραπετεύω, αρχίζω / break up: τελειώνω, τεμαχίζω
bream (μπρίμ) είδος κυπρίνου
breast (μπρέστ) στήθος, μαστός, αντιμετωπίζω, **-bone** στέρνο, **-plate** θώρακας, **-work** προμαχώνας
breath (μπρέθ) πνοή, αναπνοή, **-ing** αναπνοή
breathe (μπρήδ) αναπνέω
breather (μπρίδερ) παύση, διακοπή
breathless (μπρίδλες) δύσπνους, αυ-

B

τός που δεν αναπνέει, **-ly** ασταμάτητα, χωρίς ανάσα
breech (μπρίτς) τα οπίσθια
breeches (μπρίτσεζ) παντελονάκια
breed (μπρίντ) ανατρέφω, γεννώ, γένος, **-er** κτηνοτρόφος, **-ing** ανατροφή
breeze (μπρίζ) αύρα, αεράκι
breezily (μπρίζιλι) δροσερά, ζωηρά
breeziness (μπρίζινες) δροσερότητα
breezy (μπρίζι) δροσερός, ζωηρός
brent (μπρέντ) ορμή
brevet (μπρεβέτ) προάγω, τίτλος αξιωματικού
breviary (μπρίβιερι) σύνοψη προσευχών
brevity (μπρέβιτι) συντομία
brew (μπρού) μπύρα, κατασκευάζω μπύρα, **-er** ζυθοποιός, **-ery** ζυθοποιείο
bribe (μπράϊμπ) δωροδοκώ, δωροδοκία, **-ry** δωροδοκία
brick (μπρίκ) τούβλο, **-layer** πλιθοκτίστης
bridal (μπράϊνταλ) νυφικός, γάμος
bride (μπράϊντ) νύφη
bridegroom (μπράϊντγκρούμ) γαμπρός
bridesmaid (μπράϊντσμέϊντ) παράνυμφος
bridewell (μπράϊντουέλ) σωφρονιστήριο
bridge (μπρίτζ) γέφυρα, γεφυρώνω, **-work** γεφύρωμα, γέφυρες δοντιών
bridge (μπρίτζ) χαρτοπαίγνιο
bridle (μπράϊντλ) χαλινάρι, χαλιναγωγώ
brief (μπρίφ) περίληψη, σύντομος, συνοψίζω, **-ness** συντομία / brief case: χαρτοφύλακας
brig (μπρίγκ) βρίκιο (πλοίο), φυλακή
brigade (μπρίγκέϊντ) ταξιαρχία
brigadier (μπριγκαντίαρ) ταξίαρχος
brigand (μπρίγκαντ) ληστής, **-age** ληστεία, **-ish**, **-like** ληστρικός

bright (μπράϊτ) λαμπρός, ευφυής, **-en** λαμπρύνω, **-ness** λάμψη, εξυπνάδα
brilliance, brilliancy (μπρίλιανς, -ι) στιλπνότητα, λαμπρότητα
brilliant (μπρίλιαντ) λαμπρότατος, φωτεινός, είδος διαμαντιού
brim (μπρίμ) χείλος, άκρο, γύρος, ξεχειλίζω, **-ful** υπερπλήρης, ξέχειλος
brimstone (μπρίμστόουν) θειάφι
brindle (μπρίντλ) στικτός, **-d** παρδαλός
brine (μπράϊν) σαλαμούρα, άλμη
bring (μπρίνκ) φέρνω / bring back: επιστρέφω, ξαναθυμάμαι / bring down: ελαττώνω / bring up: ανατρέφω / bring on: προκαλώ / bring in: κερδίζω, εισάγω / bring over: παραδίδω
brininess (μπράϊνινες) αλμυρότητα
brink (μπρίνκ) χείλος γκρεμού
brisk (μπρίσκ) ζωηρός, **-ness** ζωηρότητα
brisket (μπρίσκετ) στήθος ζώου
bristle (μπρίσλ) ανατριχιάζω
bristly (μπρίσλι) σκληρότριχος
Britain (μπρίτν) Βρετανία
British (μπρίτισσ) Βρετανικός, Βρετανοί
Briton (μπρίτον) Βρετανός
brittle (μπρίτλ) εύθραυστος, **-ness** το εύθραυστο
broach (μπρόουτς) σουβλί, σουβλίζω, καρφίτσα, τρυπώ, αναφέρω γιά πρώτη φορά, **-er** εισηγητής, αυτός που τρυπάει
broad (μπρόουντ) ευρύς, πλατύς, μεγάλος, **-en** ευρύνω, πλαταίνω, **-cast** πρόγραμμα ραδιοφώνου, μεταδίδω ραδιοφωνικά, **-cloth** λεπτό μάλλινο ύφασμα, **-minded** ανοιχτόμυαλος, **-side** ομοβροντία
brocade (μπροκέϊντ) κεντώ, χρυσοποίκιλτο ύφασμα
broccoli (μπρόκολι) μπρόκολο (εί-

δος λάχανου)
brochure (μπροσσούρ) φυλλάδιο
brodekin (μπρόουντκιν) πασουμάκι
brogan (μπρόγκαν) χονδροπάπουτσο
broil (μπρόϊλ) ψήνω στη σχάρα, ψητό σχάρας, φιλονικία, **-er** σχάρα, καυγατζής
broke (μπρόουκ) αορ. του break / to be broke: απένταρος, χωρίς χρήματα
broken (μπρόουκεν) σπασμένος (παθ. μτχ. του break), **-hearted** καρδιοπαθής
broker (μπρόουκερ) μεσίτης, **-age** μεσιτεία
bromide (μπρόμάϊντ) βρωμιούχο χλώριο
bromine (μπρόμιν) βρώμιο
bronchial (μπρόνσιαλ) βρογχικός
bronchitis (μπρονκάϊτις) βρογχίτιδα
bronchus (μπρόνκους) βρόγχος (πληθ. bronchi)
brontosaurus (μπροντοσόουρους) βροντόσαυρος
bronze (μπρόνζ) μπρούντζος, επικαλύπτω με μπρούντζο
brooch (μπρούτς) πόρπη, καρφίτσα
brood (μπρούντ) κλωσώ, συλλογίζομαι, γένος, **-y** σκεπτικός, **-er** εκκωλαπτική συσκευή
brook (μπρούκ) ποταμάκι, ανέχομαι, **-let** ρυάκι
broom (μπρούμ) σκούπα, σάρωμα, **-stick** σκουπόξυλο
broth (μπρόθ) ζωμός κρέατος
brothel (μπράδελ) οίκος ανοχής
brother (μπράδερ) αδελφός, **-hood** αδελφότητα, **-in-law** αδαλφός εξ αγχιστείας, **-ly** αδελφικά
brow (μπράου) μέτωπο, φρύδι, άκρο
browbeat (μπράουμπίτ) φοβίζω
brown (μπράουν) καστανός, καφέ (χρώμα)
brownie (μπράουνι) νεράϊδα
browse (μπράουζ) βόσκω, φυλλομετρώ

bruise (μπρούιζ) μώλωπας, μωλωπίζω
bruit (μπρούτ) διαδίδω, φήμη
brumal (μπρούμαλ) χειμωνιάτικος
brunch (μπρούντς) ελαφρό πρωινό γεύμα
brunet (μπρουνέτ) μελαγχρινός
brunette (μπρουνέτ) μελαγχρινή
brunt (μπράντ) μεγάλη ορμή, μέγιστο βάρος (επίθεσης κτλ.)
brush (μπράς) βούρτσα, βουρτσίζω, τρίβω, χαμόκλαδα, αψιμαχία, **-wood** χαμόκλαδα / brush off: αποπέμπω
brusk, brusque (μπράσκ) απότομος, τραχύς, **-ness** τραχύτητα, το απότομο
Brussels (μπράσελς) οι Βρυξέλλες
brutal (μπρούταλ) κτηνώδης, **-ity** κτηνωδία, **-ize** αποκτηνώνω, **-ization** αποκτήνωση
brute (μπρούτ) κτήνος, ζώο, απάνθρωπος, κτηνώδης
brutish (μπρούτιςς) κτηνώδης
bubble (μπάμπλ) μπουρμπουλήθρα, παφλάζω, κοχλάζω, αφρίζω, φουσκαλίδα
bubonic (μπουμπόνικ) βουβωνικός
buccaneer (μπουκανίαρ) πειρατής
Bucharest (μπουκαρέστ) Βουκουρέστι
buck (μπάκ) αρσενικό ελάφι, τράγος, δολάριο, κομψός νέος, ανατρέπω, εναντιώνομαι
bucket (μπάκετ) κουβάς, κάδος
buckle (μπάκλ) πόρπη, κόπιτσα, κουμπί, κουμπώνω, κάμπτω, -ομαι, ετοιμάζομαι
buckler (μπάκλερ) ασπίδα
bucksaw (μπάκσό) πριόνι με δύο λαβές
buckshot (μπάκσσότ) βόλι, σκάγι
buckwheat (μπάκγουίτ) σίκαλη
bucolical (μπουκόλικαλ) βουκολικός
bud (μπάντ) μπουμπούκι, κάλυκας,

βλαστάνω, μπουμπουκιάζω, **-ding** βλάστηση
Budapest (μπούνταπεστ) Βουδαπέστη
Buddha (μπούντα) ο Βούδας
Buddhist (μπούντιστ) Βουδιστής
buddy (μπάντι) σύντροφος
budge (μπάτζ) σαλεύω, κινώ, κινούμαι
budget (μπάτζετ) προϋπολογισμός, προϋπολογίζω
buff (μπάφ) κιτρινωπός, κατεργασμένο δέρμα βουβάλου
buffalo (μπάφαλο) βούβαλος
buffet (μπαφέ) κυλικείο, μπουφές
buffet (μπάφετ) ράπισμα, γροθιά, κτυπώ
buffoon (μπαφούν) παλιάτσος, γελωτοποιός
bug (μπάγκ) κοριός
bugbear, bugaboo (μπαγκμπίαρ, μπαγκαμπού) φόβητρο
bugle (μπάγκλ) σάλπιγγα, σαλπίζω, **-r** σαλπιγκτής
bulb (μπάλμπ) βολβός, **-ous, -ar** βολβοειδής
build (μπίλντ) χτίζω, σχεδιάζω, **-er** οικοδόμος, **-ing** κτίριο, οικοδομή
Bulgaria (μπουλγκέρια) Βουλγαρία
bulge (μπάλτζ) εξόγκωμα, εξογκώνομαι
bulgy (μπάλτζι) εξογκωμένος
bulk (μπάλκ) όγκος, χονδρικός, το μεγαλύτερο μέρος, **-y** ογκώδης, **-iness** το ογκώδες
bull (μπούλ) ταύρος, ασυναρτησία, καυχησιολογία, παπικό διάταγμα **-dog** είδος σκύλου
bulldoze (μπούλντόουζ) φοβερίζω, **-r** μπουλντόζα
bullet (μπούλετ) σφαίρα, βόλι
bulletin (μπούλετιν) δελτίο
bullfight (μπούλφάϊτ) ταυρομαχία
bullheaded (μπούλχέντιντ) πεισματάρης
bullion (μπούλιον) όγκος, ράβδος

χρυσού ή αργύρου
bull's eye (μπούλς άϊ) κέντρο στόχου
bully (μπούλι) ψευτοπαλίκαρο, φοβερίζω
bulrush (μπούλροςς) βούρλο
bulwark (μπούλουαρκ) οχύρωμα
bum (μπάμ) τεμπέλης, αλήτης
bump (μπάμπ) τίναγμα, πρήξιμο, χτυπώ, προσκρούω, **-ομαι**
bumper (μπάμπερ) προφυλακτήρας αυτοκινήτου
bumpkin (μπάμπκιν) χωριάτης
bumptious (μπάμπσιος) φαντασμένος
bumpiness (μπάμπινες) ανωμαλία εδάφους
bumpy (μπάμπι) ανώμαλος
bun (μπάν) κουλούρι, γλυκό ψωμί
bunch (μπάντς) δέσμη, όγκος, δεματιάζω, **-y** σε δέσμες, φουντωτός
buncombe (μπάνκαμ) δημοκοπία
bundle (μπάντλ) δέσμη, δέμα, τυλίγω
bung (μπάνγκ) πώμα, βουλώνω
bunk (μπάνκ) κρεβάτι πλοίου, ανοησία, **-er** ανθρακαποθήκη
bunny (μπάνι) λαγουδάκι
bunting (μπάντινκ) ύφασμα σημαιών
buoy (μπόϊ) σημαδούρα, επιπλέω, στηρίζω **-ancy** πλευστότητα, ζωηρότητα, **-ant** ζωηρός, ελαφρός
bur (μπόρ) αγριάδα, κολλιτσίδα
burden (μπάρντεν) βάρος, φορτίο, επιβαρύνω, **-some** φορτικός
bureau (μπιούρο) γραφείο, κομμό
bureaucracy (μπιουράκρασι) γραφειοκρατία
bureaucrat (μπιουρόκρατ) γραφειοκράτης
burg (μπέργκ) κωμόπολη
burgeon (μπέρζον) μπουμπούκι, βλαστός, βλαστάνω, ανθώ
burglar (μπέργκλαρ) διαρρήκτης, **-y** διάρρηξη

burial (μπάριαλ) κηδεία, ταφή
burier (μπάριερ) ενταφιαστής
burin (μπιούριν) γλυφίδα χαράκτη
burl (μπέρλ) κόμπος σε πανί ή μαλλί
burlap (μπέρλαπ) λινάτσα
burlesque (μπερλέσκ) γελοία παράσταση, παρωδία, γελοιοποιώ
burly (μπέρλι) μεγαλόσωμος, χοντρός
burn (μπέρν) καίω, καίγομαι, κάψιμο, **-er** καυστήρας, αυτός που καίει
burnish (μπέρνιςς) γυαλίζω, στιλβώνω
burro (μπούρο) γάϊδαρος
burrow (μπέρο) υπόγεια τρύπα, τρώγλη, τρυπώνω, κρύβομαι υπογείως
bursar (μπέρσαρ) ταμείας, υπότροφος
burst (μπέρστ) εκρήγνυμαι, ξεσπώ, έκρηξη
bury (μπέρι) θάβω, χώνω
bus (μπάς) λεωφορείο, **-boy** βοηθός σερβιτόρου
bush (μπούςς) θάμνος, χαμόκλαδα, **-y** θαμνώδης, **-iness** πυκνότητα
busily (μπίζιλι) πολυάσχολα
business (μπίζνες) εργασία, ενασχόληση, εμπόριο, υπόθεση, **-man** έμπορος, **-like** πρακτικός, μεθοδικός
buskin (μπάσκιν) μπότα
buss (μπάς) φίλημα
bust (μπάστ) προτομή, στήθος, σπάζω
bustle (μπάστλ) ταραχή, φασαρία, σπεύδω, πολυάσχολα

busy (μπίζι) απασχολημένος, απασχολώ, **-body** αυτός που ασχολείται με πολλά πράγματα
but (μπάτ) αλλά, εκτός, πλήν, μόλις
butcher (μπάτσερ) κρεοπώλης, σφάζω, **-y** σφαγή
butler (μπάτλερ) αρχιυπηρέτης
butt (μπάτ) τέρμα, άκρη, στόχος, βαρέλι
butte (μπιούτ) απότομος λόφος
butter (μπάτερ) βούτυρο, βουτυρώνω, **-milk** τυρόγαλο, **-fish** είδος τσιπούρας, **-y** βουτυρώδης, κολακευτικός
butterfly (μπάτερφλάϊ) πεταλούδα
buttock (μπάτοκ) γλουτός
button (μπάτον) κουμπί, κουμπώνω, **-hole** κουμπότρυπα
buttress (μπάτρες) αντιτείχισμα, στηρίζω
butts (μπάτς) σημάδι
buxom (μπάξαμ) ελκυστικός, ζωηρός
buy (μπάϊ) αγοράζω, αγορά, **-er** αγοραστής
buzz (μπάζ) θόρυβος, βόμβος, θορυβώ, **-er** αυτός που βουίζει
by (μπάϊ) διά, με, υπό, κοντά, **-gone** περασμένος, **-law** κανονισμός, **-path**, **-pass**, **-road** πάροδος, πλάγιος δρόμος, **-product** δευτερεύον προϊόν, **-stander** θεατής, **-street**, **-way** πάροδος, **-word** παροιμιώδης έκφραση / by the way: με την ευκαιρία
Byzantine (μπιζαντίν) Βυζαντινός
Byzantium (μπιζένσιομ) Βυζάντιο

C

C, c (σι) το τρίτο γράμμα του Αγγλικού αλφαβήτου

cab (κάμπ) αμάξι, ταξί, **-man** αμαξάς

cabal (κάμπελ) σκευωρώ, σκευωρία

cabalistic (καμπαλίστικ) μυστηριώδης, κρυφός

cabaret (καμπαρέϊ) καμπαρέ, νυχτερινό κέντρο

cabbage (κάμπετζ) λάχανο

cabby (κάμπι) σωφέρ, αμαξάς

caber (κάμπερ) κοντάρι

cabin (κάμπιν) καμπίνα, καμπίνα πλοίου

cabinet (κάμπινετ) ντουλάπι, υπουργείο, **-maker** επιπλοποιός

cable (κέϊμπλ) τηλεγραφώ, καλώδιο, **-gram** τηλεγράφημα διά καλωδίου, **-car** τελεφερίκ

caboos (καμπούς) βαγόνι σιδηροδρομικών υπαλλήλων

cabriolet (καμπριολέ) είδος αμαξιού

cacao (κακέϊο) κακάο, κακαόδεντρο

cachalot (κάσαλοτ) είδος φάλαινας

cache (κάς) κρύπτη, κρύβω

cachet (κασέ) σφραγίδα

cack -handed (κάκ χάντιντ) άτεχνος, αδέξιος

cackle (κάκλ) κακαρίζω, κακάρισμα

cacophony (κακόφονι) κακοφωνία

cactus (κάκτους) κάκτος

cacumen (κακιούμεν) κορυφή, ακμή

cad (κάντ) αγενής άνθρωπος

cadaver (καντέϊβερ) πτώμα, **-ous** νεκρόμορφος

caddie (κέϊντι) παιδί που υπηρετεί αυτούς που παίζουν γκόλφ

caddish (κέϊντιςς) αγενής, πρόστυχος

caddy (κέϊντι) κουτί ή θήκη τσαγιού

cadence (κέϊντενς) ρυθμός

cadenza (καντένζα) ωραία μελωδία

cadet (καντέτ) μαθητής στρατιωτικής ή ναυτικής σχολής

cadge (κεϊτζ) πουλώ περιφερόμενος, **-r** γυρολόγος, ζητιάνος

cadre (καντρ) πλαίσιο, κορνίζα, στέλεχος στρατού

Caesar (σίζαρ) ο Καίσαρας

caesarean (σιζέριαν) καισαρική τομή

cafω (καφέϊ) καφενείο

cafeteria (καφετέρια) εστιατόριο όπου οι πελάτες σερβίρονται μόνοι τους

caffein (e) (κάφιιν) καφεΐνη

caftan (κάφταν) χιτώνας

cage (κέϊτζ) κλουβί, εγκλωβίζω

cagey (κέϊτζι) πονηρός, φιλύποπτος

cahoot (καχούτ) συνεταιρισμός

caique (καϊκ) καΐκι, μικρό καράβι

cairn (κέρν) μνημείο σχηματισμένο από σωρό πέτρες, ορόσημο

Cairo (κάϊρο) το Κάϊρο

caisson (κέϊσον) υδατοστεγές κιβώτιο, κιβώτιο ή άμαξα πολεμοφοδίων

caitiff (κέϊτιφ) άχρηστος, τιποτένιος, χαμερπής

cajole (κατζόουλ) κολακεύω, δελεάζω

cajolery (κατζόουλερι) ψευτοκολακεία, θωπεία

cake (κέϊκ) κέϊκ, γλυκό, συμπιέζω,

C

καλύπτω πυκνά, **-walk** είδος χορού
calabash (κάλαμπασς) τσότρα
(καρπός τροπικού Αμερικάνικου
δέντρου)
calaboose (κέϊλαμπούζ) φυλακή
calamitous (καλάμιτας) ολέθριος
calamity (καλάμιτι) συμφορά, όλεθρος
calash (καλάςς) είδος άμαξας
calcareous (καλκέριους) ασβεστώδης
calciferous (καλσίφερους) ασβεστώδης
calcify (κάλσιφάϊ) σκληρύνω,
οστεοποιώ, απολιθώνω
calcimine (καλσιμάϊν) ασβεστόνερο, ασβεστώνω, σοβαντίζω
calcine (καλσάϊν) ασβεστοποιώ,
αποτεφρώνω
calcite (καλσάϊτ) ασβεστίτης
calcitrate (κάλκιτρέϊτ) κλοτσώ
calcium (κάλσιουμ) ασβέστιο
calculable (κάλκιουλαμπλ) υπολογίσιμος
calculate (κάλκιουλέϊτ) υπολογίζω
calculating (καλκιουλέϊτινκ) υπολογισμένος, σχεδιασμένος
calculation (καλκιουλέϊσσον) υπολογισμός
calculator (καλκιουλέϊτορ) αριθμομηχανή, υπολογιστής
calculus (κάλκιουλους) διαφορικός
λογισμός, λιθίαση
Calcutta (καλκούτα) η Καλκούτα
caldron (κόλντροουν) καζάνι, λέβητας
calefaction (καλιφάκσον) θερμότητα
calefy (καλεφάϊ) θερμαίνω, -ομαι
calendar (κάλενταρ) ημερολόγιο
calender (κάλεντερ) κυλινδρικός
πιεστήρας ή στιλβωτήρας, σιδερώνω, πιέζω
calf (κάλφ) μοσχάρι, γάμπα (πληθ
calves)
calibrate (κάλιμπρέϊτ) μετρώ τη

διάμετρο
calibre (κάλιμπρ) ολκή, διαμέτρημα
calico (κάλικο) τσίτι, ύφασμα
caligo (κάλιγκο) θαμπάδα
caliper (κάλιπερ) διαβήτης
caliph (κάλιφ) χαλίφης
caliphate (κάλιφέϊτ) χαλιφάτο
calisthenic (καλισθένικ) γυμναστικός, **-s** γυμναστική
calk (κώκ) καλαφατίζω, βουλώνω,
-er καλαφάτης, **-ing** καλαφάτισμα
call (κόλ) καλώ, ονομάζω, επισκέπτομαι, επίσκεψη, πρόσκληση, **-er**
επισκέπτης, **-ing** επάγγελμα, κλίση
/ call at: επισκέπτομαι (τόπο) / call
for: απαιτώ, περνώ και παίρνω κάποιον / call up: στρατολογώ, τηλεφωνώ / call off: αναβάλλω / call
out: καλώ, φωνάζω calling card:
επισκεπτήριο
calligrafer (καλίγκραφερ) καλλιγράφος
calligrafy (καλίγκραφι) καλλιγραφία
callosity (καλόσιτι) σκλήρυνση,
φούσκωμα
callous (κάλους) σκληρός, αναισθησία
callow (κάλοου) αδαής, άπτερος
callus (κάλους) κάλος
calm (κάλμ) γαλήνη, ηρεμία, ήσυχος, ήρεμος, ησυχάζω, **-ness** ησυχία, **-ant** καταπραϋντικό
caloric (καλόρικ) θερμαντικός
calorie (κάλορι) θερμαντική μονάδα, θερμίδα
calorific (καλορίφικ) θερμαντικός,
παχυντικός
calumet (κάλιουμετ) πίπα Αμερικανοϊνδού
calumniate (καλούμνιέϊτ) συκοφαντώ
calumniation (καλούμνιέϊσσον) συκοφαντία
calumniator (καλούμνιέϊτορ) συκοφάντης

calumnious (καλούμνιος) συκοφαντικός
calumny (κάλαμνι) συκοφαντία, διαβολή
Calvary (κάλβαρι) ο Γολγοθάς
calve (κάλθ) γεννώ (γιά βόδια)
calves (κάλθς) βόδια (ενικ. calf)
calx (κάλξ) ασβέστης, γύψος
calyx (κέϊλιξ) κάλυκας, μπουμπούκι
cam (κάμ) οδοντωτός τροχός, καρδιά μηχανής
camaraderie (καμαράντερι) συναδελφοσύνη
camarilla (καμαρίλα) κλίκα, συμμορία
camber (κάμπερ) κύρτωμα, κυρτώνω
cambric (κέϊμπρικ) βατίστα (ύφασμα)
camel (κάμελ) καμήλα
camellia (καμίλια) καμέλια
cameo (κάμιο) ανάγλυφο κόσμημα
camera (κάμερα) φωτογραφική μηχανή
camian (κάμιαν) καμιόνι, φορτηγό
camisole (καμισόλ) χιτώνας, καμισόλα
camomile (καμομάϊλ) χαμομήλι
camouflage (καμουφλάζ) απατηλή εμφάνιση, συγκάλυψη, καμουφλάρισμα
camp (κάμπ) στρατόπεδο, στρατοπεδεύω, κατασκηνώνω, -er κατασκηνωτής
campaign (καμπέϊν) εκστρατεία
campanile (καμπανίλ) κωδωνοστάσιο
camphor (κάμφορ) καμφορά
camp-site (κάμπ σάϊτ) χώρος γιά κατασκήνωση
campus (κάμπους) γήπεδο και κτίρια πανεπιστημίου ή κολλεγίου
camstairy (καμστέϊρι) ανώμαλος
can (κάν) μπορώ, μεταλλικό δοχείο, κονσερβοκούτι, διατηρώ σε τενεκέδες, απολύω από εργασία
canal (κάναλ) διώρυγα, κανάλι, σω-

λήνας, αγωγός, -boat μακρόστενη βάρκα γιά πλεύση σε κανάλι
canalize (κάναλάϊζ) διοχετεύω
canape (καναπέ) ορεκτικό σάντουιτς
canard (κανάρντ) πλαστή διάδοση
canary (κάναρι) καναρίνι
canasta (κανάστα) κανάστα (παιχνίδι)
cancel (κάνσελ) ακυρώνω, ακύρωση, -lation διαγραφή, ακύρωση
cancer (κάνσερ) καρκίνος, -ous καρκινώδης
candelabrum (καντιλάμπρουμ) κηροπήγιο, πολυέλαιος
candid (κάντιντ) ειλικρινής, άδολος
candidacy (κάντιντάσι) υποψηφιότητα
candidate (κάντιντέϊτ) υποψήφιος
candied (κάντιντ) ζαχαρωμένος
candle (κάντλ) κερί, -stick κηροπήγιο
candor, candour (κάντορ) ειλικρίνια
candy (κάντι) ζαχαρωτό, γλύκισμα
cane (κέϊν) βέργα, μπαστούνι
canine (κανάϊν) σκυλίσιος
canister (κάνιστερ) μεταλλικό δοχείο τσαγιού, καφέ
canker (κάνκερ) γάγγραινα, έλκος του στόματος, -ous διαβρωτικός
cankerworm (κάνκερουόρμ) κάμπια
canned (κάντ) συσκευασμένος μέσα σε μεταλλικό κουτί, φωνογραφημένος
cannel coal (κάνελ κόουλ) λαμπαδάνθρακας
cannelure (κάνελιουρ) ράβδωση
canner (κάνερ) συσκευαστής τροφίμων, -y εργοστάσιο συσκευάσεως τροφίμων σε μεταλλικά κουτιά
cannibal (κάνιμπαλ) κανίβαλος, ανθρωποφάγος, -ism κανιβαλισμός, ανθρωποφαγία
canning (κάνινγκ) συσκευασία τροφίμων
cannon (κάνον) πυροβόλο κανόνι,

-ade κανονιοβολώ, κανονιοβολισμοί, **-eer** πυροβολητής, πυροβολικό, **-ry** κανονιοβολισμοί
cannot (κάνοτ) δε μπορώ
cannula (κάνγιουλα) σωλήνας
canny (κάνι) έξυπνος, πανούργος
canoe (κανού) κανό, μονόξυλο, κωπηλατώ
canon (κάνον) κανόνας εκκλησίας, κανονισμός / canon law: εκκλησιαστικό δίκαιο
canonical (κανόνικαλ) σχετικός με το εκκλησιαστικό δίκαιο, **-s** άμφια
canonization (κανοναϊζέϊσσον) αγιοποίηση
canonize (κανονάϊζ) κατατάσσω μεταξύ των αγίων
canopy (κάνοπι) ουρανός, μαρκίζα, τέντα, κουνουπιέρα
cant (κάντ) ψευτοκλαίω, υποκρίνομαι, χυδαία γλώσσα, κλίση, κλίνω
cantabile (κάνταμπιλ) μελωδικός
cantaloupe (κανταλούπ) πεπονάκι
cantankerous (καντάνκερας) δύστροπος, στρυφνός, **-ness** στρυφνότητα
cantata (καντάτα) καντάτα, τραγούδι
cantatrice (κάντατρις) τραγουδίστρια
canteen (καντίιν) καντίνα, καπηλειό στρατοπέδου
canter (κάντερ) αργός καλπασμός, καλπάζω
canticle (κάντικλ) ύμνος, άσμα
cantle (κάντλ) μερίδα ψωμιού, κομμάτι, πίσω μέρος σαμαριού
canto (κάντο) ωδή
canton (κάντον) νομός, επαρχία
cantonment (κάντονμεντ) κατασκήνωμα
cantor (κάντορ) πρωτοψάλτης
canvas (κάνβας) καραβόπανο
canvass (κάνβας) ψηφοθηρία, έρευνα, ψηφοθηρώ, ζητώ πελάτες, **-er** αυτός που ζητά πελατεία

canyon (κάνιον) βαθύ φαράγγι
caoutchouc (καουτσούκ) καουτσούκ
cap (κάπ) σκούφος, κάλυμμα, καλύπτω, υπερτερώ
capability (κέϊπαμπίλιτι) ικανότητα
capable (κέϊπαμπλ) ικανός
capacious (καπέϊσοος) ευρύχωρος
capacity (καπάσιτι) χωρητικότητα, ικανότητα, θέση, αξίωμα
caparison (καπάρισον) στολίζω, επιστρώνω, χάμουρα αλόγου
cape (κέϊπ) κουκούλα, μπέρτα, ακρωτήριο
caper (κέϊπερ) χοροπηδώ, σκίρτημα
capillary (κάπιλέρι) τριχοειδής
capital (κάπιταλ) κεφάλαιο, πρωτεύουσα, κεφαλαίος, κεφαλικός, εξαίρετος, κύριος, **-ist** καπιταλιστής, κεφαλαιούχος, **-ism** κεφαλαιοκρατία, **-istic** κεφαλαιοκρατικός, **-ly** έξοχα
capitalize (κάπιταλάϊζ) κεφαλαιοποιώ
capitation (καπιτέϊσσον) κεφαλικός φόρος
capitol (κάπιτολ) καπιτώλιο
capitulate (κάπιτσουλέϊτ) συνθηκολογώ
capitulation (καπιτσουλέϊσσον) συνθηκολόγηση
capon (κέϊπον) κόκκορας
caprice (καπρίς) ιδιοτροπία
capricious (καπρίσσους) ιδιότροπος
capriole (κάπριολ) αναπήδηση αλόγου
capsicum (κάπσικουμ) κοκκινοπίπερο
capsize (κάπσάϊζ) ανατρέπω, **-ομαι**
capsular (κάπσουλαρ) θυλακώδης, σακκουλωτός
capsule (κάπσουλ) κάψουλα, περικάρπιο
captain (κάπταν) καπετάνιος, αρχηγός, λοχαγός, **-cy**, **-ship** αρχηγία
caption (κάπσαν) επικεφαλής, τίτλος, λεζάντα
captious (κάπσους) φιλόψογος

captivate (κάπτιβέϊτ) αιχμαλωτίζω, σαγηνεύω, δελεάζω
captivation (καπτιβέϊσσον) σαγήνη
captive (κάπτιβ) αιχμάλωτος
captivity (καπτίβιτι) αιχμαλωσία
captor (κάπτορ) αυτός που σαγηνεύει ή αιχμαλωτίζει
capture (κάπτσουρ) σύλληψη, άλωση, συλλαμβάνω, κυριεύω
car (κάρ) αυτοκίνητο, βαγόνι, άμαξα
carabao (καραμπάο) είδος βουβαλιού
caracul (καρακούλ) γούνα αρνιού
carafe (καράφ) καράφα
caramel (κάραμελ) καραμέλα
carapace (καραπέϊς) σκέπασμα
carat (κάρατ) καράτιο
caravan (κάραβαν) καραβάνι
caravansery (καραβάνσερι) ξενοδοχείο για καραβάνια
caravel (κάραβελ) είδος ιστιοφόρου
caraway (κάραουέϊ) αγριοκίμινο
carbine (καρμπάϊν) καραμπίνα
carbohydrate (καρμποχάϊντρέϊτ) υδατάνθρακας
carbolated (καρμπολέϊτιντ) αυτός που περιέχει φαινικό οξύ
carbolic acid (καρμπόλικ άσιντ) φαινικό οξύ
carbon (κάρμπον) άνθρακας, κάρβουνο, -ate καθιστώ ανθρακικό, ανθρακικό άλας / carbon paper: καρμπόν, χαρτί αντιγραφής
carbonation (καρμπονέϊσσον) ανθράκωση
carbonic (καρμπόνικ) ανθρακικός, -acid ανθρακικό οξύ
carbonization (καρμποναϊζέϊσσον) ανθρακοποίηση
carbonize (κάρμπονάϊζ) ανθρακοποιώ
carboy (κάρμποϊ) νταμιζάνα, δοχείο όπου φυλάσσονται χημικά υγρά
carburet (καρμπουρέτ) αναμιγνύω αέρα με καύσιμα, -tor συσκευή αναμίξεως αέρα και καυσίμων

carcass (κάρκας) πτώμα ζώου
card (κάρντ) κάρτα, καρτ-ποστάλ, τραπουλόχαρτο, ξαίνω, -board χαρτόνι, -sharp χαρτοκλέφτης
cardamom (κάρνταμουμ) κάρδαμο
cardiac (κάρντιακ) καρδιακός
cardigan (κάρντιγκαν) πλεκτή ζακέτα
cardinal (κάρντιναλ) κύριος, θεμελιώδης, καρδινάλιος, αρχηγός, -number απόλυτος αριθμός, -points τα τέσσερα σημεία του ορίζοντα
cardiogram (κάρντιογκραμ) καρδιογράφημα
cardiograph (κάρντιογκραφ) καρδιογράφος
care (κέαρ) φροντίζω, φροντίδα, προσοχή, -free αμέριμνος, ξένοιαστος, -ful προσεκτικός, -fulness προσοχή, -fully προσεκτικά, -less απρόσεκτος, -lessly απρόσεκτα, -lessness απροσεξία, -taker επιστάτης / take care of: φροντίζω, προσέχω
careworn (κέαρουόρν) κουρασμένος απ' τις φροντίδες, ταλαιπωρημένος ψυχοσωματικά
careen (καρίν) γέρνω, κλίνω, κλίση
career (καρίαρ) καριέρα, σταδιοδρομία
caress (καρές) χάδι, χαϊδεύω, περιποιούμαι, περιποίηση, -ingly περιποιητικά, με φροντίδα
carfare (κάρφεαρ) εισητήριο λεωφορείου
cargo (κάργκο) φορτίο πλοίου, αεροπλάνου ή οχήματος
caricature (καρικατσούρ) καρικατούρα, γελοιογραφία, γελοιγραφώ
caricaturist (καρικατούριστ) γελοιογράφος
caries (κερίζ) τερηδόνα δοντιών
carillon (καριλόν) μουσικά κουδούνια, ήχος κουδουνιών
cariole (καριόλ) καροτσάκι, δίτροχο όχημα

carious (κέριους) σάπιος
carload (κάρλόουντ) φορτίο βαγο-
νιού
carlock (κάρλοκ) ψαροκόκκαλα
carman (κάρμαν) αγωγιάτης
carmine (κάρμιν) βαθύ κόκκινο
χρώμα
carnage (κάρνιτζ) σφαγή
carnal (κάρναλ) ασελγής, σαρκικός,
αδιάντροπος, **-ity** ασέλγεια
carnary (κάρναρι) νεκροταφείο
carnation (καρνέϊσσον) γαρύφαλλο
carnival (κάρνιβαλ) Απόκριες,
καρναβάλι
carnivore (κάρνιβορ) σαρκοφάγο
ζώο
carnivorous (καρνίβορους) σαρκο-
φάγος
carob (κάρομπ) ξυλοκέρατο, καρ-
πός Μεσογειακού δέντρου
carol (κάρολ) τραγουδώ ζωηρά, τρα-
γούδι χαράς, θρησκευτικός ύμνος
carom (κάρομ) καραμπόλα
carotide (κάροτιντ) καρωτίδα
carousal (καράουζαλ) γλέντι, ξε-
φάντωμα
carouse (καράουζ) ξεφαντώνω,
γλεντώ
carousel (καρουζέλ) αλογάκια του
λούνα πάρκ, κινούμενος διάδρομος
αεροδρομίου όπου μεταφέρονται οι
αποσκευές των επιβατών
carp (κάρπ) διαμαρτύρομαι, κατη-
γορώ, κυπρίνος, **-ingly** παραπονετι-
κά, κατηγορικά, κατακριτικά
carpal (κάρπαλ) καρπικός
carpenter (κάρπεντερ) ξυλουργός,
μαραγκός
carpentry (κάρπεντρι) ξυλουργική
carpet (κάρπετ) τάπητας, χαλί, απο-
δοκιμάζω, επικρίνω, **-ing** ύφασμα
γιά κατασκευή χαλιών, **-bagger** ψευ-
τοπολιτικός
carping (κάρπινγκ) μομφή, φιλό-
ψογος
carport (κάρπορτ) γκαράζ, στέγα-

σμα γιά αυτοκίνητο
carpus (κάρπος) καρπός χεριού
carriable (κάριαμπλ) φορητός
carriage (κάριτζ) άμαξα, βαγόνι,
μεταφορά, στάση, βάδισμα, κορ-
μοστασιά
carrier (κάριερ) μεταφορέας, **-bag**
πλαστική ή χάρτινη σακούλα γιά
ψώνια, **-pigeon** είδος περιστεριού
ασκημένου να μεταφέει μηνύματα
carrion (κάριον) ψοφίμι
carrot (κάροτ) καρότο
carroty (κάροτι) πορτοκαλί, κοκ-
κινωπός
carry (κάρι) βαστάζω, φέρω, μετα-
φέρω, **-all** είδος άμαξας, μεγάλη
τσάντα / carry on: συνεχίζω / carry
over: μεταφέρω / carry away: παρα-
σύρομαι (από συναισθήματα) / carry
off: εκτελώ μ' επιτυχία, καταφέρνω
/ carrying on: άπρεπη συμπεριφορά
/ carry over: απομεινάρι
carrycot (κάρικοτ) πορτ-μπεμπέ
cart (κάρτ) κάρο, χειράμαξα, μετα-
φέρω με κάρο, καροτσάκι
cartage (κάρτιτζ) μεταφορικά
carte (κάρτ) κατάλογος φαγητών
carte blanche (κάρτ μπλάντσ)
πλήρης εξουσία, πλήρης ελευθε-
ρία δράσης
cartel (κάρτελ) εμπορικό συνδικάτο
carter (κάρτερ) αμαξάς
cartilage (κάρτιλετζ) χόνδρος (μα-
λακό οστό)
cartilaginous (καρτιλάτζινος) χόν-
δρινος, τραγανός
cartografer (καρτόγκραφερ) χαρ-
τογράφος
cartografy (καρτόγκραφι) χαρτο-
γραφία
carton (κάρτον) χαρτοκιβώτιο
cartoon (καρτούν) γελοιογραφία,
γελοιογραφώ, **-ist** γελοιογράφος
cartridge (κάρτριτζ) φυσίγγι
carttrack (κάρττρακ) μονοπάτι με
ανώμαλο έδαφος

cartwheel (κάρτουίλ) «τροχός», κυκλική κίνηση εδάφους στην ενόργανη γυμναστική
carve (κάρβ) χαράζω, κόβω κρέας, -r αυτός που χαράζει
carving (κάρβινγκ) χαρακτική τέχνη, το ανάγλυφο
caryatid (καριάντιτ) καρυάτιδα
cascada (κασκέϊντ) καταρράκτης
cascara (κασκέρα) είδος καθαρτικού
case (κέϊς) θήκη, κιβώτιο, κατάσταση, περίπτωση, υπόθεση, βάζω σε θήκη / case history: ιστορικό αρρώστου
casein (κέϊσεϊν) καζεϊνη, τυρίνη
casemate (κέϊσμέϊτ) υπόγειο καταφύγιο
casement (κέϊσμεντ) παραθυρόφυλλο
caseous (κέσιους) τυρώδης
caserne (κέϊσερν) στρατώνας
cash (κάςς) μετρητά χρήματα, εξαργυρώνω / cash desk: πάγκος πληρωμής σε κατάστημα
cashew (κέσσου) είδος τροπικού καρυδιού
cashier (κασσίαρ) ταμίας, αποπέμπω, απολύω, διώχνω
cashmere (κάσμιρ) κασμήρι
casing (κέϊσινγκ) θήκη, πλαίσιο
casino (κασίνο) λέσχη, καζίνο
cask (κάσκ) βαρέλι, κάδος
casket (κάσκετ) φέρετρο, μικρό κουτί
cassava (κασάβα) μανίοκο (τροπικό φυτό)
casserole (κάσεροουλ) κατσαρόλα
cassia (κάσα) κασσία (φυτό)
cassimere (κασίμιρ) κασμήρι
cassino (κασίνο) χαρτοπαίγνιο
cassock (κάσοκ) χιτώνας, ράσο
cast (κάστ) ρίχνω, χύνω μέταλλο, απορρίπτω, βλήμα, ηθοποιοί έργου, -ing χύσιμο, αντίτυπο / cast away: ναυαγός / cast off: απόβλητος, ρίχνω στο νερό πλεούμενο

castanets (κάστανετς) κρόταλα, ζίλια (μουσικό όργανο)
caste (κέϊστ) κοινωνική τάξη
castellated (καστελέϊτεντ) πυργωτός, που μοιάζει με κάστρο
caster (κάστερ) αυτός που ρίχνει, μικρές ρόδες επίπλων
castigate (καστιγκέϊτ) τιμωρώ, παιδεύω
castigation (καστιγκέϊσσον) τιμωρία
castiron (κάστιρον) χυτοσίδηρος
castle (κάστλ) φρούριο, πύργος, κάστρο
castor (κάστορ) κάστορας, το καστόρι / castor oil: ρετσινόλαδο
castrate (καστρέϊτ) ευνουχίζω
castration (καστρέϊσσον) ευνουχισμός
casual (κάζουαλ) τυχαίος, αδιάφορος, καθημερινός, περιστασιακός
casualty (κάζαλτι) δυστύχημα, θύμα
casuist (κάζουιστ) ηθικολόγος σοφιστής, -ry σοφιστική ηθικολογία
cat (κάτ) γάτος
catabolism (καταμπόλισμ) καταβολισμός
cataclysm (κάτακλισμ) κατακλυσμός, -ical κατακλυσμικός
catacomb (κατακόουμπ) κατακόμβη
catafalque (καταφάλκ) βάση φερέτρου
catalepsy (κατάλεπσι) καταληψία
cataleptic (καταλέπτικ) καταληπτικός
catalogue (κάταλογκ) κατάλογος, κατατάσσω σε κατάλογο, -r, cataloguist αυτός που κατατάσσει
catalysis (κατάλυσι) κατάλυση
catalyst (κάταλιστ) καταλύτης
catamaran (καταμαράν) είδος σχεδίας
catamount (καταμάουντ) αγριόγατος
catapult (κάταπολτ) καταπέλτης
cataract (κάταρακτ) καταρράκτης
catarrh (κατάρ) συνάχι, -al ο πά-

σχων από συνάχι
catastrophe (κατάστροφι) κατα-
στροφή
catastrophic (καταστρόφικ) κατα-
στροφικός, **-ally** καταστροφικά
catcall (κατκόλ) σφύριγμα, αποδο-
κιμασία, αποδοκιμάζω σφυρίζοντας
catch (κάτς) πιάνω, συλλαμβάνω,
προλαβαίνω (τραίνο, κτλ.), σύλλη-
ψη, **-er** αυτός που συλλαμβάνει /
catch sight of: προσέχω, κοιτάζω
γιά μια στιγμή / catch one's breath:
μου κόβεται η ανάσα (από φόβο
κτλ) / catch penny: μικρής αξίας
που πουλιέται εύκολα / catch word:
σύνθημα / catch up: φτάνω στο ίδιο
επίπεδο, προλαβαίνω
catchall (κατσώλ) δοχείο μικρο-
πραγμάτων
catching (κάτσινγκ) μεταδοτικός (α-
σθένειες), ελκυστικός
catchy (κάτσι) συναρπαστικός, εύ-
κολος να τον θυμάσαι
catechism (κάτικιζμ) κατήχηση
catechist (κάτικιστ) κατηχητής
catechize (κάτικάϊζ) κατηχώ
catechumen (κατικιούμεν) κατη-
χούμενος
categorical (κατιγκόρικαλ) κατηγο-
ρηματικός, απόλυτος, ρητός
category (κάτιγκόρι) κατηγορία
cater (κάτερ) προμηθεύω, **-er** τρο-
φοδότης, προμηθευτής
caterpillar (κατέρπιλαρ) κάμπια
catgut (κατγκότ) χορδή
catharsis (κάθαρσις) κάθαρση
cathartic (καθάρτικ) καθαρτικό, **-al**
καθαρτικός
cathedral (καθίντραλ) καθεδρικός,
καθεδρικός ναός
catheter (κάθιτερ) καθετήρας
cathode (κάθοουντ) κάθοδος
catholic (κάθόλικ) καθολικός,
παγκόσμιος, **-ism** καθολικισμός,
-ity καθολικότητα
catkin (κάτκιν) ίουλος (άνθος με
χνούδι)

catlike (κάτλάϊκ) όμοιος με γάτα
catnip (κάτνιπ) είδος δυόσμου
cat's paw (κάτς πό) άβουλο όργανο
κάποιου σε επικίνδυνα έργα
catsup (κέτσεπ) κέτσαπ, σάλτσα
ντομάτας
cattish, catty (κάτισσ, κάτι) γατίσιος
cattle (κάτλ) βόδια, αγελάδες, ζώα,
-man κτηνοτρόφος, αγελαδάρης
catwalk (κάτγουόκ) στενή δίοδος
caucus (κόουκες) συνέδριο πολιτι-
κών, συνεδριάζω
caudal (κόνταλ) ουραίος, της ουράς
caudate (κόντέϊτ) αυτός που έχει
ουρά
cauldron (κόουλντρον) λέβητας,
καζάνι
cauliflower (κουόλιφλάουερ) κου-
νουπίδι
causal (κόουζαλ) αιτιολογικός, **-ity**
αιτιολογία
causation (κοουζέϊσσον) αιτία,
αφορμή
causative (κόουζατιθ) αίτιος, αιτιο-
λογικός
cause (κόουζ) προξενώ, αιτία, αφορ-
μή, σκοπός, υπόθεση, **-way** υπερυ-
ψωμένος δρόμος
causerie (κοουζερί) κουβέντα
caustic (κόουστικ) καυστικός, δη-
κτικός, **-ity** καυστικότητα
cauterize (κόουτεράϊζ) καυτηριάζω
cautery (κόουτέρι) καυτηρίαση
caution (κόσσον) προφύλαξη,
πρόνοια, προσοχή, προειδοποιώ,
καθιστώ προσεκτικό, **-ary** προει-
δοποιητικός
cautious (κόσσος) προσεκτικός
cavalcade (καβαλκέϊντ) έφιππος
παρέλαση
cavalier (καβαλιάρ) ιππέας
cavalry (κάβαλρι) ιππικό
cave (κέϊβ) σπήλαιο, βουλιάζω,
-man αγριάνθρωπος
caveat (κέϊβιατ) ανακοπή δίκης

cavern (κάβερν) μεγάλη σπηλιά, -ous σπηλαιώδης
caviar (κάβιαρ) χαβιάρι
cavil (κάβιλ) μικρολογώ, λεπτολογία, -er λεπτολόγος
cavity (κάβιτι) κοιλότητα
cavort (καβόρτ) χοροπηδώ
caw (κό) κράζω, κραυγή
cayenne (κείέν) κόκκινο πιπέρι
cease (σίζ) παύω, -less ασταμάτητος / cease fire: παύση του πυρός, συμφωνία γιά σταμάτημα πολέμου
cedar (σίνταρ) κέρδος
cede (σίντ) παραχωρώ, ενδίδω
ceiling (σίλινγκ) ταβάνι, οροφή, όριο
celanese (σελανίζ) τεχνητό μεταξωτό
celebrant (σέλεμπραντ) εορταστής, ιεροτελεστής
celebrate (σέλεμπρέϊτ) γιορτάζω, πανηγυρίζω, εξυμνώ, -d περίφημος
celebration (σελεμπρέϊσσον) γιορτή, πανηγυρισμός
celebrity (σελέμπριτι) εξοχότητα, φήμη
celerity (σελέριτι) ταχύτητα
celery (σέλερι) σέλινο
celeste (σέλεστ) γαλάζιος
celestial (σελέτσαλ) ουράνιος
celibacy (σέλιμπάσι) αγαμία
celibate (σέλιμπάϊτ) άγαμος
cell (σέλ) κελί, κύτταρο, στοιχείο, κυψελίδα
cellar (σέλαρ) κελάρι, υπόγειο
cellist (τσέλιστ) μουσικός που παίζει βιολοντσέλο
cello (τσέλο) βιολοντσέλο
cellophane (σέλοφέϊν) σελοφάνη, διαφανές περίβλημα
cellular (σέλιουλαρ) κυτταρώδης, πορώδης, αραιά υφασμένος ή πλεγμένος
cellule (σέλιουλ) μικρό κύτταρο
celluloid (σέλιουλόϊντ) ταρταρούγα
cellulose (σελιουλός) κυτταρίνη

cement (σιμέντ) τσιμέντο, κολλώ σταθερά, -er κολλητής, λιθοκολλητής
cemetery (σέμιτέρι) νεκροταφείο
cenobite (σίνομπάϊτ) μοναχός κοινοβίου
cenotaph (σένοταφ) κενοτάφιο
cense (σένς) θυμιάζω, λιβανίζω, -r θυμιατήρι
censor (σένσορ) λογοκριτής, λογοκρίνω, -ious επικριτικός, -ship λογοκρισία
censure (σένσουρ) επίκριση, επικρίνω
census (σένσους) απογραφή
cent (σέντ) 1 / 100 του δολαρίου / per cent: τοις εκατό
centaur (σέντορ) κένταυρος
centenarian (σεντινέριαν) άτομο ηλικίας εκατό χρόνων
centenary (σεντίνερι) εκατονταετηρίδα
centennial (σεντένιαλ) εκατονταετηρίδα, εκατονταετής
center (σέντερ) κέντρο, συγκεντρώνω
centesimal (σεντέσιμαλ) εκατοστός
centigrade (σεντιγκρέϊντ) εκατονταβάθμιος
centigram (σέντιγκραμ) εκατοστό γραμμαρίου
centiliter (σεντιλίτερ) εκατοστόλιτρο
centime (σαντίμ) εκατοστό, λεπτό
centimeter (σαντιμίτερ) εκατοστόμετρο
centipede (σεντιπίντ) σαρανταποδαρούσα
central (σέντραλ) κεντρικός, -ism συγκεντρωτισμός, -ize συγκεντρώνω, -ization συγκέντρωση
centre (σέντερ) κέντρο, άξονας
centric (al) (σέντρικ, -αλ) κεντρικός
centrifugal (σεντρίφιουγκαλ) φυγόκεντρος
centrifuge (σεντριφιούτζ) μηχανή

που χρησιμοποιώντας φυγόκεντρο δύναμη διαχωρίζει τα βαρύτερα σωματίδια από τα ελαφρότερα
centripetal (σεντρίπεταλ) κεντρομόλος
centrum (σέντρεμ) επίκεντρο σεισμού, κέντρο εγκεφάλου
centuple (σέντιουπλ) εκατονταπλάσιος
century (σέντσουρι) αιώνας
cephalic (κέφαλικ) κεφαλικός
ceramic (κέραμικ) κεραμικός, **-s** κεραμευτική τέχνη, κεραμικά είδη
cere (σίιρ) κερώνω
cereal (σίριαλ) δημητριακός, **-s** σιτηρά
cerebellum (σεριμπέλουμ) παρεγκεφαλίδα
cerebral (σέριμπραλ) εγκεφαλικός, διανοούμενος
cerebrate (σεριμπρέϊτ) διανοούμαι
cerebration (σερεμπρέϊσσον) σκέψη, διανόηση
cerebrum (σέριμπραμ) εγκέφαλος
cerecloth (σίερκλόθ) μουσαμάς
ceremonial (σεριμόουνιαλ) τυπικός, τελετουργικός, τελετή
ceremony (σεριμόουνι) τελετή, εθιμοτυπία
cerise (σερίζ) κεράσι
certain (σέρτεν) βέβαιος, σίγουρος, κάποιος, **-ly** βεβαίως, **-ty** βεβαιότητα
certificate (σερτίφικετ) πιστοποιητικό, πιστοποιώ, βεβαιώνω
certification (σερτιφικέϊσσον) πιστοποίηση, βεβαίωση
certifier (σερτιφάϊερ) αυτός που πιστοποιεί
certify (σερτιφάϊ) πιστοποιώ, βεβαιώνω
certitude (σερτιτιούντ) βεβαιότητα
cerulean (σιρούλιαν) κυανός, γαλάζιος
cervical (σέρβικαλ) αυχενικός
cervix (σέρβιξ) τράχηλος, αυχένας

cessation (σεσέϊσσον) διακοπή, σταμάτημα
cession (σέσσον) εκχώρηση, δώσιμο
cesspool (σέσπουλ) βόθρος, λάκκος
cetacean (σιτέϊσαν) κητοειδής
Ceylon (σηλάν) Κεϋλάνη
chad (τσάντ) τσιπούρα
chafe (τσέϊφ) προστρίβω, -ομαι, ερεθίζω, -ομαι, ερεθισμός, τρίψιμο, γδάρσιμο
chaff (τσάφ) αστεϊσμός, αστειεύομαι, άχυρο, **-y** αχυρένιος, τιποτένιος
chaffer (τσάφερ) παζαρεύω, παζάρι, χωρατατζής
chaffinch (τσέφιντσ) σπίνος
chagrin (σαγκρίν) θλίψη, πικρία, απογοήτευση, θλίβω
chain (τσέϊν) αλυσίδα, αλυσοδένω, **-less** χωρίς αλυσίδες / chain gang: αλυσοδεμένοι, δεσμώτες / chain store: ένα απ' τα καταστήματα κεντρικής εταιρείας
chair (τσέαρ) καρέκλα, ηγούμαι, **-man** πρόεδρος συνεδριάσεως, **-manship** προεδρία, αρχηγία, **-woman** η πρόεδρος
chaise (σέζ) αμάξι
chaise-long (σέζ λόνγκ) ξαπλωτούρα
chalcedony (καλσέντονι) χαλκηδόνιος λίθος
chalet (σαλέ) ξύλινα Ελβετικά σπιτάκια, μικρό σπίτι γιά διακοπές
chalice (τσάλις) κύπελλο, δισκοπότηρο
chalk (τσόοκ) κιμωλία, σημειώνω με κιμωλία, **-y** ασβεστολιθικός
challenge (τσάλετζ) προκαλώ, πρόκληση, **-r** προκλητικός, **-d** ανάπηρος, με μειωμένη κάποια ικανότητα
challenging (τσάλεντζινγκ) προκλητικός, δυσκολοεπίκτητος, που παρακινεί σε δράση
chamber (τσάμπερ) δωμάτιο, θάλαμος
chamberlain (τσάμπερλιν) αρχιθα-

λαμηπόλος, οικονόμος
chambermaid (τσαμπερμέϊντ) η αρχιθαλαμηπόλος, καμαριέρα
chameleon (καμίλιον) χαμαλέων
chamois (σάμι) αίγαγρος ή το δέρμα του
chamomile (κάμομάϊλ) χαμομήλι
champ (τσάμπ) δαγκώνω, μασώ θορυβωδώς
champagne (σαμπέϊν) σαμπάνια
champaign (σαμπέϊν) πεδιάδα
champion (τσάμπιον) πρωταθλητής, υπέρμαχος, προασπίζω, **-ship** πρωταθλητεία, πρωτάθλημα, υπεράσπιση
chance (τσάνς) τύχη, ευκαιρία, τυχαίος, συμβαίνω / by chance: τυχαία / chance on (upon): συναντώ τυχαία
chancel (τσάνσελ) το ιερό
chancellery (τσάνσελρι) αρχιγραμματεία, κτίριο πρεσβείας
chancellor (τσάνσελορ) αρχιγραμματέας, καγγελάριος
chancery (τσάνσερι) ανώτατο δικαστήριο / in chancery: σε δύσκολη θέση
chancre (σάνγκερ) συφιλιδικό έλκος
chancy (τσάνσι) ριψοκίνδυνος, με αβέβαιο αποτέλεσμα
chandelier (τσαντελίαρ) πολυέλαιος
chandler (τσάντλερ) έμπορος, κηροποιός, κηροπώλης, **-y** κηροπωλείο
change (τσέϊντζ) αλλάζω, μεταβάλλω, αλλαγή, ανταλλάσσω, εξαργυρώνω, **-r** αυτός που αλλάζει, **-less** αμετάβλητος / change places with (someone): βρίσκομαι στη θέση κάποιου / change hands: αλλάζω ιδιοκτήτη / change one's mind: αλλάζω γνώμη / change into: μετατρέπομαι
changeable (τσέϊντζαμπλ) μεταβλητός, **-ness, changeability** μεταβλητότητα, το ευμετάβλητο
channel (τσάνελ) πορθμός, αυλάκι, αγωγός, αυλακώνω, μεταφέρω, κα-

νάλι
chant (τσάντ) ψάλλω, ψαλμός, άσμα, **-er** ψάλτης
chantey (σάντι) τραγούδι ναυτικών
chanticleer (τσαντικλίαρ) κόκκορας
chaos (κέϊος) χάος
chaotic (καϊότικ) χαώδης
chap (τσάπ) σκάζω, ραγίζω, σκάσιμο, άνθρωπος
chaparral (τσαπαράλ) δάσος
chapel (τσάπελ) παρεκκλήσι
chaperon (σσαπερόουν) συνοδός, συνοδεύω
chaplain (τσάπλιν) ιερέας που εκτελεί καθήκοντα σε σχολεία, φυλακές κ.τ.λ
chaplet (τσάπλετ) κομπολόϊ, στεφάνι
chaps (τσάπς) περικνημίδες ιππέων και βουκόλων
chapter (τσάπτερ) κεφάλαιο βιβλίου, τμήμα / chapter of accidents: σειρά ατυχών γεγονότων που συμβαίνουν το ένα μετά το άλλο
char (τσάρ) απανθρακώνω
character (κάρακτερ) χαρακτήρας, **-istic** χαρακτηριστικός, **-ό, -ize** χαρακτηρίζω, **-ization** χαρακτηρισμός, **-less** με αδύναμο χαρακτήρα
charade (σαρέϊντ) εμφανέστατα λανθασμένος ή ανόητος
charades (σαρέϊντες) γρίφος, είδος παιχνιδιού με λέξεις
charcoal (τσαρκόουλ) ξυλάνθρακας
charge (τσάρτζ) γεμίζω, κατηγορώ, φορτίζω, φορτώνω, εφαρμόζω, κατηγορία, κηδεμονία, έξοδα, χρέωση, γόμωση, **-able** οφειλόμενος, που πρέπει να πληρωθεί, **-d** επιφορτισμένος, που προκαλεί αψιμαχίες, **-r** πολεμικό άλογο / charge d' affairs: επιτετραμμένος πρεσβείας
charily (τσέριλι) προσεκτικά
chariness (τσέρινες) προσοχή
chariot (τσάριοτ) άρμα, δίτροχη άμαξα, **-eer** αρματηλάτης

charitable (τσάριταμπλ) ελεήμων, φιλάνθρωπος, **-ness** φιλανθρωπία

charitably (τσαριτάμπλι) φιλάνθρωπα, με οίκτο

charity (τσάριτι) ελεημοσύνη, φιλανθρωπία, φιλανθρωπικό ίδρυμα

charlatan (σάρλαταν) αγύρτης, **-ism**, **-ry** αγυρτεία

charm (τσάρμ) θέλγω, μαγεύω, γοητεία, θέλγητρο, φυλακτό (γιά καλοτυχία), **-er** γόης, **-ing** θελκτικός / like a charm: έξοχα, τέλεια

charnel house (τσάρνελ χάουζ) οστεοφυλάκιο

charon (χέϊρον) χάρος

chart (τσάρτ) πίνακας, χάρτης, σχεδιάζω

charter (τσάρτερ) καταστατικός χάρτης, προνόμιο, ναυλώνω, νοικιάζω

chartreuse (τσαρτρέεζ) είδος αρωματικού ποτού

charwoman (τσαργούμαν) ξενοδουλεύτρα

chary (τσέρι) προσεκτικός

chase (τσέϊζ) διώκω, καταδιώκω, σκαλίζω, κυνήγι, ορμώ, βιάζομαι, λαξεύω, **-r** κυνηγός, ελαφρό ποτό

chasm (κάζμ) χάσμα

chassis (σάσι) σασσί, σκελετός αυτοκινήτου

chaste (τσέϊστ) αγνός, παρθένος

chasten (τσέϊσν) εξαγνίζω, παιδεύω

chastise (τσαστάϊζ) τιμωρώ, παιδεύω, **-ment** τιμωρία

chastity (τσάστιτι) αγνότητα

chasuble (τσάζουμπλ) κοντό άμφιο (σάκκος) ιερέα

chat (τσάτ) κουβέντα, ομιλία, κουβεντιάζω, φλυαρώ

chateau (σατόου) έπαυλη, πύργος

chatelaine (σατελέν) πυργοδέσποινα, αλυσίδα, καδένα

chattel (τσάτελ) κινητή περιουσία

chatter (τσάτερ) φλυαρώ, φλυαρία, **-box** πολύ φλύαρο άτομο

chatty (τσάτι) φλύαρος, πολυλογάς, φιλικός

chauffeur (σοουφέρ) σωφέρ, οδηγός αυτοκινήτου

chauvinism (σόουβινισμ) σωβινισμός

chauvinist (σόουβινιστ) σωβινιστής

cheap (τσίπ) φθηνός, πρόστυχος, τσιγκούνης, φθηνά, **-en** φθηναίνω, **-ness** φθήνεια, προστυχιά

cheap-skate (τσίπ σκέϊτ) τσιγκούνης

cheat (τσήτ) απάτη, απατεώνας, εξαπατώ

check (τσέκ) ελέγχω, συγκρατώ, ανακόπτω, σημειώνω, επιταγή, σταμάτημα / check up: γενική ιατρική εξέταση

checked (τσέκντ) αυτός που έχει τετράγωνα σχέδια

checker (τσέκερ) διακοσμώ με τετράγωνα, **-s** ντάμα, τάβλι

checkmate (τσέκμέϊτ) το τελευταίο κτύπημα, κατανικώ

cheek (τσίκ) μάγουλο, αναίδεια, **-y** αναιδής, **-iness** αναίδεια

cheep (τσίπ) κελαηδώ, τιτιβίζω

cheer (τσίαρ) ευθυμία, επευφημία, χαροποιώ, επευφημώ, ενθαρρύνω, **-ful** χαρούμενος, πρόθυμος, **-fulness** φαιδρότητα, χαρά, **-less** σκυθρωπός, **-lessness** κατήφεια **-y** εύθυμος, ζωηρός, **-iness** ευθυμία / cheer up!: ζωντανέψτε, γίνετε χαρούμενοι

cheerio (τσίριο) χαίρετε, ζήτω

cheese (τσίιζ) τυρί, σταματώ, φύγε

cheesy (τσίζι) τυρώδης

chef (σεφ) αρχιμάγειρας

chela (κίλα) δαγκάνα αστακού

chemical (τσέμικαλ) χημικός, χημική ουσία, **-ly** χημικά

chemise (σεμίζ) γυναικείο πουκάμισο

chemist (κέμιστ) χημικός, φαρμακοποιός, **-ry** χημεία

chemotherapy (κιμοουθέραπι) χημειοθεραπεία

C

cherish (τσέρις) αγαπώ, περιθάλπω
cheroot (σερούτ) είδος πούρου
cherry (τσέρι) κεράσι
cherub (τσέρουμπ) χερουβίμ, -ic χερουβικός, -ically αγγελικά
chess (τσέσ) σκάκι, -board σκακιέρα, -man πιόνι
chest (τσέστ) στήθος, κιβώτιο, κομμό
chestnut (τσέσνατ) κάστανο, καστανιά
chevalier (σεβαλίαρ) ιππότης
chevron (σέβρον) γαλόνι αξιωματικού
chew (τσού) μασώ, μάσημα, -er αυτός που μασάει / chewing gum: τσίχλα
chic (σσίκ) κομψός, χάρη
chicanery (σικέϊνερι) στρεψοδικία
chick (τσίκ) νεοσσός, -pea ρεβίθι
chicken (τσίκεν) κότα, -pox ανεμοβλογιά, -hearted δειλός
chicle (τσίκλ) παράγωγο τροπικού Αμερικάνικου φυτού που χρησιμοποιείται γιά παρασκευή τσίχλας
chicory (τσίκορι) ραδίκι
chide (τσάϊντ) επιπλήττω
chief (τσίφ) αρχηγός, πρώτος, κύριος, -ly κυρίως / chief of staff: υψιλόβαθμος αξιωματούχος στρατού ή αεροπορίας
chieftain (τσίφτεν) αρχηγός, οπλαρχηγός, -cy, -ship αρχηγία
chiffon (σιφόνου) σιφόνι (ύφασμα)
chiffonier (σιφονίαρ) κομμό
chilblain (τσιλμπλέϊν) χιονίστρα
child (τσάϊλντ) παιδί, -bed κυοφορία, -benefit επίδομα παιδιών, -birth τοκετός, -hood παιδική ηλικία, -ish παιδαριώδης, -less άτεκνος, -like παιδικός, παιδιάστικος, -minder αυτός που φροντίζει τα παιδιά όταν απουσιάζουν οι γονείς / child's play: κάτι πολύ εύκολο να το κάνεις
children (τσίλντρεν) παιδιά
chili (τσίλι) κόκκινο πιπέρι

chill (τσίλ) ρίγος, κρυάδα, ψυχρός, δροσίζω, ψύχω, αποθαρρύνω, ψυχρότητα (στη συμπεριφορά κτλ.), -y ψυχρός, -iness ψυχρότητα
chime (τσάϊμ) κωδονοκρουσία
chimera (κιμίρα) χίμαιρα
chimerical (κιμέρικαλ) χιμαιρικός, φανταστικός
chimney (τσίμνι) καπνοδόχος / chimney corner: κάθισμα δίπλα σε τζάκι / chimney sweep: καπνοδοχοκαθαριστής
chimpanzee (τσιμπανζί) χιμπαντζής
chin (τσίν) σαγόνι, πηγούνι
china (τσάϊνα) πορσελάνη, -ware πορσελάνινα σκεύη
China (τσάϊνα) Κίνα
chine (τσάϊν) σπονδυλική στήλη ζώου
chinese (τσαϊνίζ) Κινέζος, Κινέζικος, Κινέζικα
chink (τσίνκ) χαραμάδα, ήχος μετάλλου, κροτώ
chintz (τσίντζ) ύφασμα με σχέδια απ' το οποίο φτιάχνονται κουρτίνες, καλύμματα επίπλων κτλ.
chinwag (τσίνγουαγκ) φιλική συζήτηση, κουβεντούλα
chip (τσίπ) απόκομμα, κόβω, πελεκώ, λεπτοκομμένη μαγειρεμένη πατάτα / a chip off the old bock: άτομο που μοιάζει πολύ στους γονείς του ως προς το χαρακτήρα / chip in: παρεμβαίνω σε συζήτηση διατυπώνοντας τη γνώμη μου
chipper (τσίπερ) ζωηρός
chirographer (καϊρόγκραφερ) χειρογράφος
chirography (καϊρόγκραφι) χειρογραφία
chiropodist (καϊρόποντιστ) ποδίατρος
chiropody (καϊρόποντι) ποδιατρική
chiropractic (καϊροπράκτικ) χειροπρακτική
chiropractor (καϊροπράκτορ) χειρο-

πράκτορας
chirp (τσέρπ) τιτιβίζω, τιτίβισμα
chirpy (τσέρπι) χαρούμενος, ζωηρός
chirrup (τσίρουπ) τερετίζω, κελαηδώ
chisel (τσίζελ) σμίλη, λαξεύω, εξαπατώ, αποκτώ με αθέμιτα μέσα, -er απατεώνας, λαξευτής
chit (τσίτ) αυθάδες κορίτσι, παιδί, απόδειξη χρέους
chitchat (τσίτσατ) φλυαρία, κουτσομπολιό
chivalric (σίβαλρικ) ιπποτικός
chivalrous (σίβαλρες) ιπποτικός (ως προς το χαρακτήρα)
chivalry (σίβαλρι) ιπποτισμός
chive (τσάϊβ) είδος κρεμμυδιού
chloral (κλόουραλ) χλωράλη (χημεία)
chlorate (κλόουρέϊτ) χλωρικό άλας
chloric (κλόουρικ) χλωρικός
chloride (κλόουράϊντ) χλωριούχος
chlorin (e) (κλόουριν) χλώριο
chlorinate (κλόουρινέϊτ) αναμιγνύω με χλώριο
chloroform (κλόουροφορμ) χλωροφόρμιο
chlorophyll (κλόουροφιλ) χλωροφύλλη
chock (τσόκ) σφήνα, στήριγμα, στηρίζω, -ful υπερπλήρης
chocolate (τσόκολετ) σοκολάτα
choice (τσόϊς) εκλογή, εκλεκτός, δικαίωμα επιλογής
choir (κουάϊαρ) χορωδία, τμήμα ναού γιά τη χορωδία, -boy αγόρι, μέλος εκκλησιαστικής χορωδίας, -master ο διευθύνων εκκλησιαστική χορωδία
choke (τσόουκ) πνίγω, -ομαι, -d θυμωμένος, ανήσυχος, -r σφιχτό περιδέραιο
choky (τσόουκι) αποπνικτικός
choler (κόλερ) θυμός, χολή
cholera (κόλερα) χολέρα
choleric (κόλερικ) χολερικός, θυμώδης

choose (τσούζ) διαλέγω, προτιμώ
choosy (τσούζι) εκλεκτικός, που ικανοποιείται δύσκολα
chop (τσόπ) λιανίζω, φέτα, μπριζόλα, -per λιανιστής, -py με μικρά κύμματα
chop-chop (τσόπ τσόπ) γρήγορα, χωρίς καθυστέρηση
chop-stick (τσόπ στίκ) ξύλινο κινέζικο πηρούνι
chop-suey (τσόπ σούι) Κινέζικο φαγητό με κρέας και χορταρικά
choral (κόουραλ) χορικός, ψαλτικός
chord (κόουρντ) χορδή
chore (τσόουρ) μικροδουλειά, αγγαρεία
choreography (κοουριόγκραφι) χορογραφία
choreographer (κοουριόγκραφερ) χορογράφος
choreographic (κοουριόγκραφικ) χορογραφικός
chorister (κόουριστερ) μέλος χορωδίας
chortle (τσόορτλ) καγχάζω
chorus (κόουρους) χορωδία
chow-chow (τσάου τσάου) τουρσιά ανάμικτα
chowder (τσάουντερ) σούπα από στρείδια
chrism (κρίζμ) άγιο μύρο, χρίσμα
Christ (κράϊστ) Χριστός
christen (κρίσν) βαφτίζω, χρησιμοποιώ γιά πρώτη φορά, -ing βάφτιση
christendom (κρίσντομ) χριστιανοσύνη
christian (κρίστσαν) χριστιανός, -ize εκχριστιανίζω, -ity Χριστιανισμός
Christine (κριστίν) Χριστίνα
Christmas (κρίστμας) Χριστούγεννα -box χρηματικό ποσό ως Χριστουγεννιάτικο δώρο στους εργαζόμενους, -eve παραμονή Χριστουγέννων

chromate (κρόομετ) χρωμικό άλας
chromatic (κρομάτικ) χρωματικός
chrome (κρόουμ) χρώμιο / chrome yellow: φωτεινό κίτρινο
chromic (κρόουμικ) χρωμικός
chromium (κρόμιουμ) χρώμιο
chromolithograph (κρομολι-θόουγκραφ) χρωμολιθογραφική εικόνα, -y χρωμολιθογραφία
chromosome (κρομοσόουμ) χρω-μόσωμα
chronic (al) (κρόνικ, -αλ) χρόνιος
chronicle (κρόνικλ) χρονικό, -r χρο-νικογράφος
chronological (κρονολότζικαλ) χρο-νολογικός, χρονολογία
chronology (κρονόλοτζι) χρονολο-γία
chronometer (κρονόμιτερ) χρονό-μετρο
chrysalis (κρίσαλις) χρυσαλίδα (έντομο)
chrysanthemum (κρισάνθιμομ) χρυ-σάνθεμο
chub (τσόμπ) είδος κυπρίνου
chubbiness (τσόμπινεσ) χονδρότητα
chubby (τσόμπι) χοντρός
chuck (τσόκ) χτυπώ ελαφρά, σφίγ-γω, ελαφρό χτύπημα, σταματώ, φεύγω
chuckfull (τσόκφουλ) υπερπλήρης
chuckle (τσάκλ) σιγογελώ, καγχάζω
chug (τσάγκ) κρότος έκρηξης, κροτώ
chum (τσάμ) σύντροφος, συγκάτοι-κος, συντροφεύομαι, -my συντροφι-κός, κοινωνικός, -mily συντροφικά
chump (τσάμπ) κούτσουρο
chunk (τσάνκ) μεγάλο κομμάτι, -y κοντόχοντρος, πυκνός και βαρύς (γιά ρούχα, υφάσματα)
church (τσέρτσ) εκκλησία, -man κληρικός, -yard νεκροταφείο
churl (τσέρλ) χωρικός, αγροίκος, -ish βάναυσος, -ishness χωριατιά
churn (τσέρν) καρδάρα, φτιάχνω

βούτυρο από γάλα, κινώ βίαια
chute (σούτ) αυλάκι
chyle (κάϊλ) χυλός
chylous (κάϊλους) χυλώδης
chyme (κάϊμ) χυμός
chymous (κάϊμους) χυμώδης
ciborium (σιμπόριουμ) στέγασμα βωμού, ιερό σκεύος
cicada (σικέϊντα) τζίτζικας
cicatrix, cicatrice (σίκατριξ) ουλή
cicatrize (σικατράϊζ) επουλώνω, -o-μαι
cider (σάϊντερ) κρασί από μήλα
cigar (σιγκάρ) πούρο
cigarette (σιγκαρέτ) τσιγάρο
cilia (σίλια) βλεφαρίδες
cinch (σίντσ) κάτι σίγουρο ότι θα συμβεί
cincture (σίνκτσουρ) ζώνη, περι-ζώνω
cinder (σίντερ) στάχτη
cinderella (σιντερέλα) στακτοπούτα
cinema (σίνεμα) κινηματογράφος
cinematograph (σινεμάτογκραφ) κι-νηματογράφος
cinerarium (σινερέριαμ) τεφροφυ-λάκιο
cinnamon (σίναμον) κανέλλα
cipher (σάϊφερ) μηδενικό, κρυπτο-γραφία, κρυπτογραφώ
circle (σέρκλ) κύκλος
circlet (σέρκλιτ) κυκλίσκος
circuit (σέρκιτ) περιστροφή, περι-φέρεια, τροχιά, ηλεκτρικό κύκλω-μα, -ous περιστροφικός
circular (σέρκιουλαρ) εγκύκλιος, κυκλικός, περιστροφικός
circularization (σερκιουλαριζέϊσ-σον) διαφήμηση με αποστολή εγκυκλίων
circularize (σέρκιουλαράϊζ) στέλνω εγκυκλίους
circulate (σέρκιουλέϊτ) κυκλοφορώ
circulation (σερκιυλέϊσσον) κυ-κλοφορία
circulative, circulatory (σερκιουλέϊ-

τιβ, σερκιουλέϊτορι) κυκλοφορια-
κός
circumambient (σερκουμάμπιεντ)
αυτός που περικυκλώνει
circumcise (σιρκουμσάϊζ) περιτέμνω
circumcision (σιρκουμσίζαν) περι-
τομή
circumference (σερκόμφερενς) πε-
ριφέρεια
circumflex (σρκομφλέξ) περισπω-
μένη
circumlocution (σερκομλοκούσσον)
περίφραση
circumnavigate (σερκομνάβιγκέϊτ)
περιπλέω
circumnavigation (σερκομνά-
βιγκέϊσσον) περίπλους
circumscribe (σερκομσκράϊμπ)
γράφω τριγύρω, περιορίζω
circumscription (σερκομσκρίπσον)
ορισμός
circumspect (σερκομσπέκτ) προφυ-
λακτικός, **-ion** προσοχή
circumstance (σερκομστάνς) περί-
σταση, κατάσταση / in (under) the
circumstances: κάτω απ' αυτές τις
συνθήκες
circumstantial (σερκομστάνσσιαλ)
τυχαίος, περιστατικός, επουσιώδης
circumvent (σερκομβέντ) κατα-
στρατηγώ, απατώ, **-ion** παράκαμ-
ψη, απάτη
circus (σέρκους) τσίρκο
cirrhosis (σιρόουσις) κίρρωση,
ασθένεια του ήπατος
cistern (σίστερν) δεξαμενή
citadel (σίταντελ) ακρόπολη
citation (σιτέϊσσον) περικοπή,
μνεία, τμήμα κειμένου, κλήση
citatory (σιτέϊτορι) κλητευτικός
cite (σάϊτ) παραθέτω, αναφέρω, συ-
νιστώ, καλώ στο δικαστήριο
citizen (σίτιζεν) πολίτης, **-ship** πολι-
τικά δικαιώματα, **-ry** οι πολίτες
citrate (σίτρετ) κιτρικό άλας
citric acid (σίτρικ άσιντ) κιτρικό

οξύ
citron (σίτρον) κίτρο
citrous (σίτρους) κιτροειδής
citrus (σίτρος) κιτριά
city (σίτι) πόλη, **-father** μέλος του
κυβερνητικού σώματος πόλης, **-hall**
ϑημαρχείο
civet, civet cat (σίβετ, -κατ) μικρό
αιλουροειδές ζώο
civic (σίβικ) αστικός, **-s** αστικό δί-
καιο
civies (σίβιζ) πολιτικά ρούχα
civil (σίβιλ) πολιτικός, ευγενής, εμ-
φύλιος, **-ian** πολίτης μη ανήκων στο
στρατό, ιδιώτης, **-ity** ευγένεια / keep
a civil tongue in your head: μη μιλάς
με αγένεια
civilization (σιβιλιζέϊσσον) πολιτι-
σμός, εκπολιτισμός
civilize (σιβιλάϊζ) εκπολιτίζω, **-d** πο-
λιτισμένος, εξευγενισμένος
civil law (σίβιλ λό) νομικό σώμα
που εκδικάζει ιδιωτικές υποθέσεις
civil liberty (σίβιλ λάϊμπερτι) ελευ-
θερία λόγου, σκέψης, κτλ.
civilly (σίβιλι) πολιτισμένα, ευγενι-
κά, νόμιμα
civil servant (σίβιλ σέρβαντ) δημό-
σιος υπάλληλος
civil service (σίβιλ σέρβις) δημόσια
υπηρεσία
civil war (σίβιλ γουόρ) εμφύλιος
πόλεμος
clabber (κλάμπερ) πηκτό ξυνόγα-
λο, πήζω
clack (κλάκ) κρότος, κροτώ, χτυπώ
clad (κλάντ) ντυμένος
claim (κλέϊμ) έχω την αξίωση,
απαιτώ, διεκδικώ, απαίτηση, ισχυ-
ρισμός, αξίωση, **-ant, -er** αυτός
που απαιτεί
clairvoyant (κλερβόϊαντ) μάντης
clam (κλάμ) μύδι, συλλέγω μύδια
clamber (κλάμπερ) σκαρφαλώνω
clammy (κλάμι) γλοιώδης
clamor, clamour (κλάμορ) κραυγή,

κατακραυγή, κραυγάζω, -ous μεγα-
λοφώνως, θορυβωδώς
clamp (κλάμπ) σφίγγω, σφιγκτήρας
clan (κλάν) φυλή, οικογένεια, σόϊ
clandestine (κλαντέστιν) λαθραίος,
μυστικός, -ly λαθραία
clang (κλάνγκ) κρότος, κροτώ, χτυ-
πώ κουδούνι
clanger (κλάνγκερ) πολύ εμφανές
λάθος, ανόητη παρατήρηση
clangor, clangour (κλάνγκορ) κρό-
τος, -ous αυτός που προξενεί κρότο,
-ously θορυβώδικα
clank (κλάνκ) κροτώ, οξύς και
σύντομος ήχος
clannish (κλάνισσ) φυλετικός,
απρόθυμος να δεχτεί ξένους ή άτο-
μα διαφορετικού ποιού, -ness φυ-
λετισμός
clansman, clanswoman (κλάνσμαν,
κλάνσγούμαν) ομόφυλος, -η, συγ-
γενής
clap (κλάπ) χειροκροτώ, χειροκρό-
τημα, κρότος / clapped out: φθαρ-
μένος, πολύ κουρασμένος (γιά αν-
θρώπους) / clap-trap: τέχνασμα,
φλυαρία, ανοησία
claque (κλακ) μισθωτοί χειροκρο-
τητές
claret (κλάρετ) είδος κόκκινου
κρασιού
clarification (κλαριφικέϊσσον) διευ-
κρίνηση
clarifier (κλαριφάϊερ) αυτός που
διευκρινίζει
clarify (κλάριφάϊ) διευκρινίζω
clarinet (κλάρινετ) κλαρινέτο, -ist
κλαρινοπαίκτης
clarion (κλάριον) σάλπιγγα
clarity (κλάριτι) διαύγεια, καθα-
ρότητα
clash (κλάσς) συγκρούω, -ομαι, κά-
νω πάταγο, πάταγος, σύγκρουση
clasp (κλάσπ) σφίγγω, αγκαλιάζω,
πόρπη, καρφίτσα / clasp knife:
σουγιάς

class (κλάς) τάξη, κλάση, ώρα μα-
θήματος, κατατάσσω, -room σχολι-
κή αίθουσα, -conscious αυτός που
έχει ταξική συνείδηση, -consciou-
sness ταξική συνείδηση
classic (κλάσικ) κλασικός, κλασικό
έργο, -al κλασικός, -ally κλασικά,
-ism κλασικισμός, -ist κλασικιστής
classification (κλασιφικέϊσσον) τα-
ξινόμηση
classified (κλάσιφάϊντ) ταξινομη-
μένος / classified ad: αγγελία στην
εφημερίδα γιά αγοραπωλησία ειδών
ή ζήτηση εργασίας
classifier (κλάσιφάϊερ) ταξινομητής
classify (κλάσιφάϊ) ταξινομώ
class-less (κλάσ λές) αταξικός
class- struggle (κλάς στράγκλ) πάλη
κοινωνικών τάξεων
classy (κλάσι) μοντέρνος, ποιοτικός
clatter (κλάτερ) κρότος, κάνω κρό-
το, -er αυτός που χτυπάει
clause (κλόοζ) πρόταση, όρος, πα-
ράγραφος
claustrophobia (κλοστροφόμπια)
κλειστοφοβία
clavicle (κλάβικ) κόκκαλο της
κλείδας
clavier (κλαβίρ) πλήκτρα μουσικού
οργάνου
claw (κλό) νύχι ζώου, δαγκάνα,
γδέρνω με τα νύχια
clay (κλέϊ) πηλός, λάσπη
clean (κλιν) καθαρός, καθαρίζω, -er
καθαριστής, -cut καλοκαμωμέ-
νος, -liness καθαρότητα, -ly κα-
θαρός, ξεκάθαρα, -ness καθαριότη-
τα
cleanse (κλίνς) καθαρίζω, -er καθα-
ριστής, το καθαριστικό
clear (κλίαρ) καθαρός, καθαρίζω,
σαφής, διαυγής, φωτεινός, βέβαιος,
ελεύθερος (από υποχρεώσεις κτλ.),
καθαρά, εντελώς, -ance εκκαθάριση,
άνοιγμα, κενός χώρος, -cut σαφής,
ευδιάκριτος, οριστικός, -ing εκκα-

θάριση, ξέφωτο (δάσους), **-ness** ευκρίνεια, διαύγεια, **-out** το καθάρισμα / clearing house: γραφείο ανταλλαγής, ή εκκαθαρίσεως τραπεζικών επιταγών

cleat (κλίτ) σφήνα, στήριγμα

cleavage (κλίβετζ) σχίσιμο

cleave (κλίβ) σχίζω, κολλώ, **-r** σχίστης, μπαλντάς

clef (κλέφ) μουσικό κλειδί

cleft (κλέφτ) αορ. του cleave, σχισμή

clematis (κλέματις) είδος αναρριχητικού φυτού

clemency (κλέμενσι) επιείκεια

clement (κλέμεντ) επιεικής, ήπιος, πράος

clench (κλέντς) σφίγγω (γροθιά ή τα δόντια), σφίξιμο

clergy (κλέρτζι) κλήρος, **-man** κληρικός, ιερέας

clerical (κλέρικαλ) κληρικός, γραφικός, υπαλληλικός

cleric (κλέρικ) κληρικός

clerk (κλέρκ) γραμματέας, υπάλληλος, ιερέας, γραφέας, **-ship** γραμματεία

clever (κλέβερ) έξυπνος, επιτήδειος, επιδέξιος, **-ly** έξυπνα, **-ness** εξυπνάδα, επιδεξιότητα

clew (κλού) νήμα, ένδειξη, οδηγός

click (κλίκ) χτυπώ, κροτώ, κρότος

client (κλάϊεντ) πελάτης δικηγόρου

clientele (κλάϊεντελ) πελατεία

cliff (κλίφ) γκρεμός

climacteric (κλαϊμάκτερικ) κλιμακτήριος, κρίσιμη περίοδος αλλαγών

climactic (κλαϊμέκτικ) αυτός που σχηματίζει ή αποτελεί μέρος κλίμακας, άκρος

climate (κλάϊμετ) κλίμα

climatic (κλαϊμέτικ) κλιματικός

climatology (κλαϊματόλοτζι) κλιματολογία

climax (κλάϊμαξ) κορυφή, αποκορύφωση, οργασμός, κορυφώνω, **-ομαι**

climb (κλάϊμπ) αναρριχώμαι, αναρρίχηση, απότομη πλαγιά γιά αναρρίχηση

clime (κλάϊμ) χώρα, κλίμα

clinch (κλίντς) καρφώνω στέρεα, σφίγγω, **-er** καρφί, κάτι αποφασιστικό

cling (to) (κλίνγκ) συνδέομαι, προσκολλώμαι, **-ingly** προσκολλητικά, **-stone** πυρήνας προσκολλημένος στον καρπό

clinic (κλίνικ) κλινική, **-al** κλινικός

clink (κλίνκ) ηχώ, κουδουνίζω, φυλακή

clinker (κλίνκερ) καμμένο κάρβουνο

clip (κλίπ) ψαλιδίζω, περικόπτω, συγκρατώ, **-ping** απόκομμα

clipper (κλίπερ) είδος ιστιοφόρου, **-s** ψαλίδι

clique (κλίκ) κλίκα

cliquish (κλίκιςς) της κλίκας, συμμοριακός

cloak (κλόουκ) μανδύας, σκεπάζω, κρύβω

clobber (κλόμπερ) χτυπώ, κοπανώ

clock (κλόκ) ρολόϊ τοίχου, **-wise** κατά τη φορά των δεικτών του ρολογιού

clod (κλόντ) σβώλος χώματος, ανόητος, βλάκας, **-dish** βλακώδης, ανόητος

clog (κλόγκ) τσόκαρο, εμπόδιο, φράζω, εμποδίζω

cloister (κλόϊστερ) μοναστήρι

close (κλόουζ) κλείνω, τελειώνω, στενός, κοντά, **-by** πάρα πολύ κοντά, **-fisted** τσιγγούνης, **-ness** στενότητα, εγγύτητα, **-down** γενικό σταμάτημα εργασιών / closed shop: κατάστημα που προσλαμβάνει μόνο εργάτες εργατικής ένωσης / closed book: κάτι τελείως άγνωστο, κάτι συμπληρωμένο / close knit: που συνδέεται στενά με κοινωνικές, πολιτικές, θρησκευτικές δραστηριότη-

τες και πίστεις / close season: περίο-
δος που απαγορεύεεται το κυνήγι

closet (κλόζετ) ντουλάπι, θαλαμί-
σκος

closure (κλόζουρ) κλείσιμο συζή-
τησης, κλείνω συζήτηση με ψηφο-
φορία

clot (κλοτ) θρόμβος αίματος, πήζω

cloth (κλόθ) ύφασμα, κλήρος, το
επάγγελμα του κληρικού

clothe (κλόουδ) ντύνω, σκεπάζω, -s
ρουχισμός, καλύμματα / clothes
line: μπουγαδόσχοινο / clothes pin:
μανταλάκι

clothier (κλόδιερ) κατασκευαστής ή
πωλητής ρούχων

clothing (κλόουδινγκ) ενδύματα,
ρουχισμός

cloud (κλάουντ) σύννεφο, συννε-
φιάζω, -burst ξαφνική ραγδαία βρο-
χή, -less χωρίς σύννεφα, -y συννε-
φιασμένος, -iness συννέφιασμα

clout (κλάουτ) χτυπώ, γροθιά, ρα-
πίζω

clove (κλόουβ) κανελλογαρύφαλλο,
σκελίδα σκόρδου

cloven (κλόουβν) σχισμένος

clover (κλόουβερ) τριφύλλι

clown (κλάουν) παλιάτσος, γελω-
τοποιός, -ish γελοίος, αδέξιος,
αγροίκος

cloy (κλόϊ) χορταίνω, αηδιάζω

club (κλάμπ) ενώνω, ρόπαλο, λέ-
σχη, σύλλογος

clubbable (κλάμπαμπλ) κοινωνικός

clubfoot (κλάμπφουτ) στραβοπόδης

clubhouse (κλάμπχάουζ) λέσχη

cluck (κλάκ) κακαρίζω, κακάρισμα

clue (κλού) νήμα, ίχνος, ένδειξη,
νύξη, -less αυτός που αγνοεί, ανόη-
τος / not have a clue: δεν έχω ιδέα,
δε γνωρίζω τίποτα

clump (κλάμπ) σύνολο δέντρων,
όγκος

clumsiness (κλάμσινες) αδεξιότητα

clumsy (κλάμσι) αδέξιος, χωρίς χά-

ρη

cluster (κλάστερ) ομάδα, άθροισμα,
σωρός, σύμπλεγμα, συλλέγω

clutch (κλάτς) άρπαγμα, σφιγκτή-
ρας, συμπλέκτης, αρπάζω

clutter (κλάτερ) αταξία, σύγχυση,
επιφέρω αταξία

coach (κόουτς) άμαξα, προπονητής,
προπονώ, -man αμαξάς

coadjutor (κοέτζουτορ) βοηθός

coagulate (κοάγκιουλέϊτ) πήζω

coagulation (κοάγκιουλέϊσσον) πή-
ξη, πήξιμο

coagulative (κοάγκιουλέϊτιβ) πη-
κτικός

coal (κόουλ) άνθρακας, κάρβουνο,
-gas αέριο παραγόμενο απ' την
καύση του άνθρακα, -oil πετρέλαιο,
-tar πίσσα, άσφαλτος

coalesce (κοουλές) συνενώνω, αυ-
ξάνω, ενώνομαι, -nce αύξηση, συ-
νένωση, -nt συμφυής

coalition (κοουαλίσσον) συνασπι-
σμός

coarse (κόουρς) άτεχνος, ακατέργα-
στος, τραχύς, αγενής, -ness τραχύ-
τητα, αγένεια

coarsen (κόουαρσεν) εκτραχύνω

coast (κόουστ) ακτή, παραλία, πλέω
κοντά στην ακτή, κατηφορίζω, -al
παράκτιος, παραλιακός, -er πλοίο
που ταξιδεύει από λιμάνι σε λιμάνι
κοντά στην ακτή, -guard ακτοφύλα-
κας, ακτοφυλακή, -line το σχήμα
της ακτής όπως φαίνεται στο χάρτη
ή από απόσταση

coat (κόουτ) σακκάκι, ζακέτα, κά-
λυμμα, καλύπτω, αλείφω, -ing επι-
κάλυψη / coat of arms: οικόσημο

coax (κόουξ) καλοπιάνω, παροτρύ-
νω, αποκτώ καλοπιάνοντας

cob (κόμπ) καρπός καλαμποκιού

cobalt (κόουμπολτ) κοβάλτιο

cobble (κόμπλ) μπαλώνω (παπού-
τσια), πέτρα λιθόστρωτου, -stone λι-
θόστρωμα, -r μπαλωματής

C

cobra (κόμπρα) κόμπρα
cobweb (κόμπγουέμπ) ιστός αράχνης
cocaine (κόκαϊν) κοκαΐνη
coccyx (κόκσιξ) κόκκυγας (οστό)
cochineal (κοτσινίλ) κόκκινη βαφή
cochlea (κόκλια) κοχλίας του αυτιού
cock (κόκ) πετεινός, σκανδάλη, κάνουλα, ανορθώνομαι, υπερηφανεύομαι
cockade (κοκέϊντ) κονκάρδα
cockatoo (κοκατού) είδος παπαγάλου
cockboat (κόκμπόουτ) ελαφριά βάρκα
cockchafer (κοκτσέϊφερ) μηλολάνθη (έντομο που προσβάλλει τα φυτά)
cockerel (κόκερελ) κοκοράκι
cockeyed (κοκάϊντ) αλλοίθωρος, λοξός
cockle (κόκλ) κοχύλι, ζαρώνω
cockney (κόκνι) Λονδρέζος που ανήκει στις φτωχότερες τάξεις
cockpit (κόκπιτ) θέση αεροπόρου
cockroach (κοκρότς) κατσαρίδα
cockscomb (κοκσκόμ) λειρί πετεινού
cocksure (κοκσούρ) απολύτως βέβαιος, με πολύ αυτοπεποίθηση
cocktail (κοκτέϊλ) μίγμα ποτών
cocky (κόουκι) υπερβολικά υπερήφανος, με πολύ αυτοπεποίθηση
coco (κόουκο) κακάο, κοκκοφοίνικας
cocoa (κόουκο) κακάο
coconut (κόκονατ) καρύδα
cocoon (κοκούν) κουκούλι
cod (κόντ) βακαλάος
cod-liver -oil (κόντ λίβερ όϊλ) μουρουνόλαδο
coddle (κόντλ) παραχαϊδεύω, μισοβράζω
code (κόουντ) κώδικας, κρυπτογράφημα, κρυπτογραφώ

codex (κόουντεξ) κώδικας
codger (κότζερ) ιδιότροπος, ηλικιωμένος
codification (κοουντιφικέϊσσον) κωδικοποίηση
codify (κόουντιφάϊ) κωδικοποιώ
codling (κόντλινγκ) ξυνό, άγουρο μήλο
coed (κόουεντ) κορίτσι που φοιτά σε μικτό σχολείο
coeducation (κοετζουκέϊσσον) μικτή εκπαίδευση (θηλέων και αρρένων)
coefficient (κοουεφίσσεντ) συντελεστής
coequal (κοουίκουαλ) ίσος, ισότιμος, ισάξιος
coerce (κοέρς) εξαναγκάζω, πιέζω
coercion (κοέρσον) εξαναγκασμός
coercive (κοουέρσιβ) καταναγκαστικός
coeval (κοουίβαλ) ομήλικος, σύγχρονος
coexist (κοουεγκξίστ) συνυπάρχω, **-ence** συνύπαρξη, **-ent** αυτός που συνυπάρχει
coextend (κοουεξτέντ) συνεκτείνω, -ομαι
coextension (κοουεξτένσιον) συνέκταση
coextensive (κοουεξτένσιβ) συνεκτεινόμενος
coffee (κόφι) καφές, **-house** καφενείο, **-pot** μπρίκι γιά καφέ, **-shop** κατάστημα, όπου πωλούνται διάφορα είδη καφέ, μικρό εστιατόριο, **-table** χαμηλό τραπέζι
coffer (κόφερ) χρηματοκιβώτιο
coffin (κόφιν) φέρετρο
cog (κόγκ) δόντι τροχού, **-wheel** οδοντωτός τροχός
cogency (κόουτζενσι) πειστικότητα
cogent (κόουτζεντ) πειστικός
cogitate (κοτζιτέϊτ) σκέπτομαι, συλλογίζομαι
cogitation (κοτζιτέϊσσον) συλλογι-

σμός
cogitative (κοτζιτέίτιθ) σκεπτικός
cognac (κόνιακ) κονιάκ
cognate (κόγκνετ) συγγενής
cognition (κογκνίσσον) γνώση,
πείρα
cognitive (κόγκνιτιθ) αντιληπτός
cognizance (κόγκνιζανς) ενημέρωση
cognizant (κόγκνιζαντ) ενήμερος
cognomen (κογκνόουμεν) επώνυμο
cohabit (κοουχάμπιτ) συζώ, -ation
συμβίωση, συνοίκηση
coheir (κοέρ) συγκληρονόμος
cohere (κοχίαρ) συνέχομαι, έχω συ-
νάφεια, είμαι ενωμένος, -nt συνα-
φής, -nce συνάφεια
cohesion (κοχίζον) συνοχή
cohesive (κοχίσιθ) συνεκτικός
cohort (κοχόορτ) συντροφιά, πα-
ρέα, λόχος, σύνολο ατόμων με κά-
ποια κοινή ιδιότητα
coif (κόϊφ) κάλυμμα κεφαλιού κα-
λογρεών
coiffure (κουαφιούρ) χτένισμα
coign (κόϊν) λίθος, γωνία / coign of
vantage: πλεονεκτική θέση
coil (κόϊλ) τυλίγω, περιτυλίγομαι,
συσπειρώνομαι, ταραχή
coin (κόϊν) νόμισμα, κόβω νομίσμα-
τα, επινοώ, -age νομισματοκοπία
coincide (κόουινσάϊντ) συμπίπτω,
-nce σύμπτωση, -nt αυτός που
συμπίπτει, -ntal συμπτωματικός,
τυχαίος
coition, coitus (κοϊσον, κόϊτας) συ-
νουσία
coke (κόουκ) κάρβουνο
colander (κόλαντερ) σουρωτήρι,
στραγγιστήρι
cold (κόλντ) κρύος, κρύο, ψύχος,
-blooded σκληρός, χωρίς αισθήμα-
τα, ευαίσθητος στο κρύο, -cream
κρέμα δέρματος, -ness ψυχρότητα,
-shoulder αδιαφορία, ψυχρότητα,
-war ψυχρός πόλεμος
cole (κόουλ) λάχανο, -slaw ψιλο-

κομμένη σαλάτα από λάχανο, -wort
λάχανο
colic (κόλικ) κολικόπονος
coliseum (κολισίομ) το Κολοσσαίο
colitis (κολάϊτις) κολίτιδα
collaborate (κολάμπορέϊτ) συνερ-
γάζομαι
collaboration (κολάμπορέϊσσον) συ-
νεργασία
collaborative (κολάμπορέϊτιθ) συ-
νεργατικός
collapse (κολάπς) κατάρρευση, πτώ-
ση, λιποθυμία, καταρρέω, πέφτω
collapsible (κόλαπσιμπλ) αυτός
που μπορεί να διπλωθεί γιά να γί-
νει μικρότερος και να μεταφέρεται
ευκολότερα
collar (κόλαρ) κολάρο, περιλαίμιο,
πιάνω απ' το λαιμό, -bone κόκκαλο
του τραχήλου
collate (κολέϊτ) αντιπαραβάλλω, συ-
ναρμολογώ
collation (κολέϊσσον) σύγκριση,
σύνθεση
collateral (κολάτεραλ) παράλληλος,
εγγύηση, εγγυητής
collator (κολέϊτορ) συλλέκτης
colleague (κόλιγκ) συνάδελφος
collect (κολέκτ) εισπράττω, συλλέ-
γω, -ion συλλογή, είσπραξη, -ive
συλλογικός, ομαδικός, -or εισπρά-
κτορας, συλλέκτης, -able, -ible
εισπράξιμος, που μπορεί να συλλε-
χθεί
collected (κολέκτιντ) ήρεμος, -ness
ψυχραιμία
collectivism (κολέκτιβισμ) κολε-
κτιβισμός
college (κόλιτζ) κολέγιο
collegian (κολίτζαν) φοιτητής ή
απόφοιτος κολεγίου
collegiate (κολίτζιετ) ακαδημαϊκός
collide (κολάϊντ) συγκρούω, -ομαι
collier (κόλιερ) ανθρακωρύχος,
πλοίο που μεταφέρει άνθρακα
colliery (κόλιερι) ανθρακωρυχείο

collimate (κολιμέϊτ) ευθυγραμμίζω

collision (κολίζαν) σύγκρουση

collocate (κολοκέϊτ) τακτοποιώ, παραθέτω, τοποθετώ

collocation (κολοκέϊσσον) τοποθέτηση, συγκατάταξη

colloquial (κολόκουιαλ) της καθομιλουμένης (λέξεις ή φράσεις), **-ism** λαϊκή λέξη ή φράση

colloquy (κολόκουι) συνομιλία

collude (κολιούντ) δρώ σε συνενόηση με κάποιον άλλο

collusion (κολούζον) συνενόηση (για παρανομία)

collusive (κολούζιβ) συνεπιβουλευτικός

cologne (κολόουν) κολώνια

colon (κόουλον) διπλή στιγμή, μεγάλο έντερο

colonel (κόλονελ) συνταγματάρχης

colonial (κολόνιαλ) αποικιακός

colonist (κόλονιστ) άποικος

colonize (κόλονάϊζ) αποικίζω

colonization (κολοναϊζέϊσσον) αποίκηση

colonizer (κολονάϊζερ) αποικιστής

colony (κόλονι) αποικία, παροικία

color, colour (κόλορ) χρώμα, χρωματίζω, **-able** απατηλός, που μπορεί να χρωματιστεί, **-ed** έγχρωμος, νέγρος, **-er** χρωματισμός, **-ation** χρωματισμός, **-ful** γραφικός, χρωματιστός, **-ist** ζωγράφος, **-blind** αυτός που πάσχει από αχρωματοψία, **-fast** αυτός που δεν ξεβάφει στο νερό, **-less** άχρωμος, χλωμός

coloring (κόλορινγκ) χρωστική ουσία, χρώμα επιδερμίδας

colors (κόλορς) σημαία, σήμα

coloratura (κολορατούρα) υψίφωνος ταγουδίστρια λυρικής σκηνής

colossal (κολόσαλ) κολοσσιαίος, γιγάντιος

colossus (κολόσας) ο Κολοσσός

colt (κόλτ) πουλάρι

colter (κόλτερ) υνί αρότρου

column (κόλαμν) στήλη, κίονας, **-ar** κιονοειδής, **-ist** χρονογράφος

colza (κόλζα) γογγύλι

coma (κόουμα) κώμα, λήθαργος

comatose (κοματόοζ) κωματώδης

comb (κόουμπ) χτένα, χτενίζω, ερευνώ

combat (κόμπατ) μάχη, αγώνας, πολεμώ, **-ant** μαχητής, αγωνιστής, **-ive** μαχητικός

comber (κάμπερ) άτομο ή μηχάνημα που χτενίζει (μαλλί ή βαμβάκι), μεγάλο κύμα

combination (κομπινέϊσσον) συνδιασμός, **-lock** κλειδαριά που ανοίγει με συγκεκριμένο συνδιασμό

combine (κομπάϊν) συνδιάζω, **-r** συνδιαστής

combustible (κομπάστιμπλ) καύσιμος, το καύσιμο

combustion (κομπάστσιον) καύση

come (κάμ) έρχομαι, φτάνω, συμβαίνω / come to power: καταλαμβάνω την εξουσία / come across: βρίσκω, συναντώ τυχαία / come along: αναπτύσσω, προοδεύω, προάγω / come away: ξεκολλώ / come back: επιστρέφω, ανακαλώ στη μνήμη / come down: κατέρχομαι, μειώνομαι

come-back (κάμ μπάκ) επάνοδος, απάντηση

comedian (κομίντιαν) κωμικός, κωμωδός

comedienne (κομίντιεν) η κωμικός

comedy (κόμιντι) κωμωδία

comeliness (κόμλινες) ομορφιά

comely (κόμλι) κομψός, κόσμιος, χαριτωμένος

comestible (κομέστιμπλ) φαγώσιμος

comet (κόμετ) κομήτης

comfit (κόμφιτ) ζαχαρωτό

comfort (κόμφορτ) ανακουφίζω, παρηγορώ, αναπαύω, άνεση, παρηγοριά, **-able** αναπαυτικός, **-er** παρηγορητής, που ανακουφίζει, **-less** απαρηγόρητος, **-ably** αναπαυτικά

comic (al) (κόμικ, -αλ) κωμικός
coming (κάμινγκ) ερχομός, ερχόμενος
comity (κόμιτι) ευγένεια, λεπτότητα
comma (κόουμα) κόμμα
command (κομάντ) διαταγή, προσταγή, προστάζω, -ant διοικητής, φρούραρχος, -ing διοικών, επιβλητικός, -ment εντολή
commandeer (κομαντίαρ) διατάζω, επιτάσσω
commander (κομάντερ) διοικητής, αρχηγός, υποπλοίαρχος / commander in chief: αρχιστράτηγος
commando (κομάντο) επιδρομέας, κομάντο
commemorate (κομέμορέϊτ) γιορτάζω τη μνήμη
commemoration (κομέμορέϊσσον) εορτασμός, μνημόσυνο
commemorative (κομέμορέϊτιβ) αναμνηστικός, εορταστικός
commence (κομένς) αρχίζω, -ment έναρξη, απονομή διπλωμάτων
commend (κομέντ) συνιστώ, -able αξιοσύστατος, -ation σύσταση, -atory συστατικός, επαινετικός
commensurable (κομένσουραμπλ) ισόμετρος
commensurate (κομένσουρέϊτ) ισόμετρος, ανάλογος
comment (κόμεντ) σχόλιο, σχολιάζω, -ary σχόλια, ερμηνεία, -ator σχολιαστής
commerce (κομέρς) εμπόριο
commercial (κομέρσαλ) εμπορικός, -ism εμπορικότητα, -ize εμποροποιώ, -ization εμποροποίηση
commingle (κομίνκλ) ανακατεύω, -ομαι, αναμιγνύω
commiserate (κομίζερέϊτ) συμπαθώ, συμπονώ
commiseration (κομιζερέϊσσον) συμπόνια
commissar (κόμισαρ) κομμισάριος
commissariat (κομισέριατ) επιμελητεία
commissary (κόμισέρι) επιμελητής, τροφοδότης, επίτροπος, επιμελητεία
commission (κομίσσον) παραγγελία, εντολή, προμήθεια, αξίωμα, επιτροπή, -er επίτροπος
commit (κομίτ) διαπράττω, παραδίδω, παραπέμπω, -ment διάπραξη, υπόσχεση / to commit oneself: υπόσχομαι, δεσμεύομαι
committal (κομίτλ) φυλάκιση ή παραπομπή σε ψυχιατρείο
committee (κομίτι) επιτροπή, -man μέλος επιτροπής
commode (κομόουντ) κομοδίνο
commodious (κομόντιους) ευρύχωρος
commodity (κομόντιτι) εμπόρευμα, κάτι χρήσιμο, ευκολία
commodore (κομοντόορ) ανώτατος αξιωματικός του ναυτικού
common (κάμον) κοινός, -place κοινοτυπία, -wealth η κοινοπολιτεία, -law άγραφος νόμος / in common: από κοινού, μαζί
commonalty (κομόναλτι) λαός, απλοί πολίτες
commoner (κάμονερ) κοινός πολίτης, που δεν έχει ευγενική καταγωγή
commonly (κάμονλι) γενικά, συνήθως
common market (κάμον μάρκετ) κοινή αγορά
commons (κάμονς) το πλήθος, ο λαός, σισσύτιο
commotion (κομόσσον) συγκίνηση, ταραχή, οχλαγωγία
communal (κόμουναλ) κοινός, κοινοτικός
commune (κομιούν) κοινωνώ, επικοινωνώ, επικοινωνία, δήμος, συσκέπτομαι
communicable (κομιούνικαμπλ) μεταδόσιμος

communicant (κομιούνικαντ) ο μετέχων, αυτός που μεταλαμβάνει
communicate (κομιούνικέϊτ) επικοινωνώ, μεταδίδω (συναισθήματα κτλ.), ανακοινώνω, κοινωνώ
communication (κομιούνικέϊσσον) συγκοινωνία, επικοινωνία, ειδοποίηση, ανακοίνωση
communicative (κομιούνικέϊτιβ) ομιλητικός
communicator (κομιούνικέϊτορ) αυτός που μεταδίδει
communion (κομιούνιον) επικοινωνία, μετάδοση, σχέση, ομιλία
communique (κομιουνικέ) το ανακοινωθέν
communism (κόμουνιζμ) ο κομμουνισμός
communist (κόμουνιστ) κομμουνιστής
community (κομιούνιτι) κοινότητα
commutation (κομιουτέϊσσον) μετατροπή, ανταλλαγή, μείωση της ποινής, **-ticket** εισητήριο διαρκείας
commutator (κομιουτέϊτορ) μετασχηματιστής
commute (κομιούτ) ανταλλάσσω, χρησιμοποιώ εισητήριο διαρκείας
commuter (κομιούτερ) αυτός που ταξιδεύει χρησιμοποιώντας εισητήριο διαρκείας
compact (κόμπακτ) σύμβαση, συμβόλαιο, θήκη πούδρας
compact (κομπάκτ) συμπαγής, συμπιέζω, συμπυκνώνω
companion (κομπάνιον) σύντροφος, **-able** κοινωνικός, **-ate** συντροφικός, **-ship** συντροφιά, **-way** σκάλα που οδηγεί από ένα κατάστρωμα πλοίου σ' ένα άλλο
company (κόμπανι) εταιρεία, όμιλος, συντροφιά, λόχος / to be in good company: βρίσκομαι στην ίδια κατάσταση με κάποιον άλλο
comparable (κομπάραμπλ) συγκρίσιμος

comparative (κομπάρατιβ) συγκριτικός, **-ly** συγκριτικά
compare (κομπέαρ) συγκρίνω, **-r** αυτός που συγκρίνει
comparison (κομπάριζον) σύγκριση, ομοιότητα / draw a comparison: κάνω σύγκριση
compartment (κομπάρτμεντ) διαμέρισμα, **-alize** χωρίζω σε τμήματα, κατηγοριοποιώ
compass (κόμπας) πυξίδα, περιοχή, περιφέρεια, περικυκλώνω
compassion (κομπάσσον) συμπόνια, οίκτος, **-ate** εύσπλαχνος
compassionate leave (κομπάσιονετ λίβ) άδεια απ' την εργασία λόγω πένθους
compatible (κομπάτιμπλ) συμβιβάσιμος, αρμονικός
compatibility (κομπατιμπίλιτι) αρμονία
compatriot (κομπάτριοτ) συμπατριώτης
compeer (κομπίιρ) ισότιμος
compel (κομπέλ) εξαναγκάζω, εξωθώ, βιάζω, **-ling** εξαναγκαστικός, παρωθητικός, συναρπαστικός
compendious (κομπέντιας) συνοπτικός
compendium (κομπέντιομ) επιτομή
compensate (κόμπενσέϊτ) αποζημιώνω, ισοφαρίζω, ισοζυγίζω
compensation (κομπενσέϊσσον) αποζημίωση
compensator (κομπενσέϊτορ) αυτός που αποζημιώνει
compensatory (κομπενσέϊτορι) αποζημιωτικός, ικανοποιητικός
compete (κομπίτ) συναγωνίζομαι, **-nce** επάρκεια, ικανότητα, **-nt** ικανός, αρμόδιος, ικανοποιητικός
competition (κομπετίσσον) συναγωνισμός
competitive (κομπέτιτιβ) συναγωνιστικός
competitor (κομπέτιτορ) συναγωνι-

ζόμενος, αντίπαλος
compilation (κομπιλέϊσσον) απάνθι-
σμα, σύνθεση βιβλίου με συλλογή
πληροφοριών από διάφορες πηγές
compile (κομπάϊλ) συλλέγω
complacency (κομπλέϊσενσι) ευα-
ρέσκεια, αυταρέσκεια
complacent (κομπλέϊσεντ) αυτάρε-
σκος
complain (κομπλέϊν) παραπονιέ-
μαι, **-er** παραπονούμενος, **-ing** πα-
ράπονο, **-ingly** παραπονιάρικα,
-ant ο ενάγων
complaint (κομπλέϊντ) παράπονο,
κατηγορία, αρρώστια
complaisance (κομπλέϊζανς) ευγέ-
νεια, διάθεση να ευχαριστήσεις
τους άλλους
complaisant (κομπλέϊζαντ) αυτός
που τείνει να ευχαριστεί τους άλ-
λους
complement (κόμπλιμεντ) συμπλή-
ρωμα, συμπληρώνω, **-ary, -al**
συμπληρωματικός
complete (κομπλίτ) συμπληρώνω,
τελειώνω, συμπληρωμένος, επαρ-
κής, ολοκληρωτικός, **-ly** ολοκλη-
ρωτικά, εντελώς, **-ness** πληρότητα
completion (κομπλίσσον) συμπλή-
ρωση, τελειοποίηση, τελείωμα
complex (κόμπλέξ) σύνθετος, πολύ-
πλοκος, **-ity** περιπλοκότητα, συνθε-
τότητα, **-ion** επιδερμίδα
compliable (κομπλάϊαμπλ) αυτός
που μπορεί να συμμορφωθεί
compliance (κομπλάϊανς) συμμόρ-
φωση
compliant (κομπλάϊαντ) συμβιβα-
στικός, που συμμορφώνεται
complicate (κομπλικέϊτ) περιπλέκω
complication (κομπλικέϊσσον) πε-
ριπλοκή
complicity (κομπλίσιτι) συνενοχή
compliment (κόμπλιμεντ) φιλοφρό-
νηση, κοπλιμέντο, **-ary** κολακευτι-
κός, φιλοφρονητικός / complimen-

tary ticket: τιμητικό εισητήριο
complot (κόμπλοτ) συνωμοτώ, συ-
νωμοσία
comply (κομπλάϊ) συμμορφώνομαι
component (κομπόνεντ) συνθετικός,
συστατικό, μέρος
comport (κομπόρτ) συμπεριφέρο-
μαι, **-ment** συμπεριφορά
compose (κομπόουζ) συνθέτω,
συντάσσω, **-r** συνθέτης / be com-
posed of: αποτελούμαι από
composite (κόμποζιτ) σύνθεκτος,
μικτός
composition (κομποζίσσον) σύνθε-
ση, ένωση, σύνταξη, έκθεση
compositor (κομπόζιτορ) στοιχειο-
θέτης
compost (κόμποστ) λίπασμα, λιπαί-
νω, φτιάχνω λίπασμα
composure (κομπόζουρ) αταραξία,
ηρεμία
compote (κόμποτ) κομπόστα
compound (κομπάουντ) σύνθετος,
συνθέτω, αναμιγνύω, συμβιβάζω,
χημική ένωση / compound interest:
επιτόκιο
comprehend (κομπριχέντ) εννοώ,
καταλαβαίνω, περιλαμβάνω
comprehensible (κομπρεχένσιμπλ)
κατανοητός, αντιληπτός
comprehension (κομπρεχένσον)
αντίληψη, νόηση
comprehensive (κομπρεχένσιβ) πε-
ριεκτικός, νοήμων
compress (κομπρές) πιέζω, συνθλίβω,
συμπυκνώνω, **-ible** συμπιεστός
compress (κόμπρες) κατάπλασμα
compression (κομπρέσον) συμπίεση
compressive (κομπρέσιβ) συμπιε-
στικός
compressor (κομπρέσορ) συμπιε-
στής
comprisal (κομπράϊζαλ) περίληψη
comprise (κομπράϊζ) περιέχω,
συμπεριλαμβάνω, αποτελούμαι από
compromise (κομπρομάϊζ) συμβι-

βάζω, -ομαι, εκθέτω, συμβιβασμός
comptroller (κοντρόλερ) ελεγκτής
compulsion (κομπάλσον) κατα-
ναγκασμός, εξαναγκασμός
compulsive (κομπάλσιθ) εξαναγκα-
στικός, ανεξέλεγκτος
compulsory αναγκαστικός
compunction (κμπάνκσαν) μεταμέ-
λεια
computation (κομπιουτέϊσαν) υπο-
λογισμός
compute (κομπιούτ) υπολογίζω
computer (κομπιούτερ) υπολογι-
στής
comrade κάμραντ) σύντροφος
concatenation (κονκατινέϊσσαν) αλ-
ληλουχία
concave (κονκέϊβ) κοίλος, βαθουλός
concavity (κονκάβιτι) κοιλότητα
conceal (κονσίλ) κρύβω, -ment
απόκρυψη
concede (κονσίντ) παραδέχομαι, πα-
ραχωρώ
conceit (κονσίτ) έπαρση, -ed επαρ-
μένος
conceivable (κονσίβαμπλ) κατα-
νοητός
conceive (κονσίβ) συλλαμβάνω, εν-
νοώ
concentrate (κονσεντρέϊτ)
συγκεντρώνω
concentration (κονσεντρέϊσσον)
συγκέντρωση
concentric (κονσέντρικ) ομόκεντρος
concept (κόνσεπτ) ιδέα, σχέδιο
conception (κονσέπσαν) αντίληψη,
σύλληψη
concern (κονσέρν) αφορώ, ενδια-
φέρω
concert (κόνσερτ) συναυλία
concertina (κονσερτίνα) φυσαρ-
μόνικα
concerto (κονσέρτοου) συναυλία
concession (κονσέσσαν) παραχώ-
ρηση
conch (κόνκ) κοχύλι

conciliate (κονσιλιέϊτ) συμβιβάζω
conciliation (κονσιλιέϊσσον) συν-
διαλλαγή
concise (κονσάϊζ) σύντομος, περι-
ληπτικός
conclude (κονκλιούντ) συμπεραίνω
conclusion (κονκλιούζον) συμπέ-
ρασμα
concoct (κονκόκτ) ετοιμάζω,
σκευωρώ, -**ion** σκευωρία, σκευασία
concord (κόνκορντ) συμφωνία, -**an-
ce** αρμονία, -**ant** σύμφωνος
concourse (κόνκοουρς) συρροή, τό-
πος συγκέντρωσης
concrete (κονκρίτ) συμπαγής, τσι-
μέντο
concretion (κονκρέσσαν) σύμπηξη
concupiscent (κονκιούπισεντ) λά-
γνος
concur (κονκέρ) συντρέχω, συμπί-
πτω, -**rence** σύμπτωση
concussion (κονκούσσαν) κλονι-
σμός, διάσειση
condemn (κοντέμν) καταδικάζω
condemnation (κοντεμνέϊσσαν) κα-
ταδίκη
condemnatory (κοντεμνατόρι) κατα-
δικαστικός
condense (κοντένς) συμπυκνώνω
condescend (κοντισέντ) καταδέχο-
μαι
condescension (κοντισένσσαν) κα-
ταδεκτικότητα
condiment (κόντιμεντ) καρύκευμα
condition (κοντίσσον) κατάσταση,
όρος, -**al** υποθετικός
condole (κοντόουλ) συλλυπούμαι,
-**nce** συλλυπητήρια
condone (κοντόουν) συγχωρώ
conduce (κοντιούς) συντελώ, οδηγώ
conducive (κοντιούσιβ) συντελε-
στικός
conduct (κόντακτ) διαγωγή, οδηγία
conduct (κοντάκτ) οδηγώ, άγω, φέ-
ρω, -**ion** μεταβίβαση
conduit (κάντιτ) αγωγός

cone (κόουν) κώνος
coney (κόνεϊ) κουνέλι
confabulate (κονφαμπιουλέϊτ) κουβεντιάζω
confection (κονφέκσαν) ζαχαρωτό, -er ζαχαροπλάστης, -ery ζαχαροπλαστείο
confederacy (κονφεντεράσι) ομοσπονδία
confederate (κονφέντερετ) ομόσπονδος
confederation (κονφεντερέϊσσον) ομοσπονδία
confer (κονφέρ) απονέμω, συνδιασκέπτομαι, -ment απονομή, -ence συνδιάσκεψη
confess (κονφές) ομολογώ, εξομολογούμαι, -ion εξομολόγηση
confetti (κονφέτι) κονφετί
confidant (κόνφινταντ) έμπιστος, φίλος
confide (κονφάϊντ) εμπιστεύομαι
confidence (κόνφιντενς) εμπιστοσύνη, πεποίθηση
configuration (κονφιγκιουρέϊσσον) διαμόρφωση, σχηματισμός
confine (κονφάϊν) περιορίζω, όριο, -ment περιορισμός
confirm (κονφέρμ) επιβεβαιώνω, -ation επιβεβαίωση, -ative επιβεβαιωτικός
confiscate (κονφισκέϊτ) δημεύω
confiscation (κονφισκέϊσσον) δήμευση
conflict (κόνφλικτ) σύγκρουση, πάλη, (κονφλίκτ) συγκρούομαι
conflux (κόνφλαξ) συρροή
conform (κονφόρμ) συμμορφώνω, -ομαι, -ation συμμόρφωση, διαμόρφωση
confound (κονφάουντ) συγχέω, ανακατεύω
confront (κονφρόντ) αντιμετωπίζω, αντικρύζω, -ment αντιμετώπιση
confuse (κονφιούζ) συγχέω, συγχύζω

confusion (κονφιούζον) σύγχυση
congeal (κοντζίιλ) πήζω, παγώνω
congenial (κοντζίνιαλ) συμπαθής, ευχάριστος
congenital (κοντζένιταλ) σύμφυτος
congest (κοντζέστ) υπερπληρώ, προξενώ συμφόρηση, -ion συμφόρηση
conglomerate (κονγκλομερέϊτ) συνενώνω, συσφαιρώνω
congratulate (κονγκρατσουλέϊτ) συγχαίρω
congratulation (κονγκρατσουλέϊσσον) συγχαρητήριο
congregate (κονγκριγκέϊτ) συναθροίζω, -ομαι
congregation (κονγκριγκέϊσσον) συνάθροιση, εκκλησίασμα
congress (κόνγκρες) κονγκρέσσο, συνέδριο
congruent (κόνγκρουεντ) σύμφωνος
congruity (κονγκρούιτι) αρμονία
congruous (κόνγκρουας) αρμονικός
conic(al) (κίνικαλ) κωνικός
conifer (κόνιφερ) κωνοφόρο δέντρο, -ous κωνοφόρων
conjectural (κοντζέκτσουραλ) εικαστικός
conjecture (κοντζέκτσαρ) εικασία, εικάζω
conjoin (κοντζόϊν) συνδέω
conjugal (κόντζουγκαλ) συζυγικός
conjugate (κοντζουγκέϊτ) κλίνω ρήμα
conjunction (κοντζάνκσαν) σύνδεσμος
conjunctive (κοντζάνκτιβ) συνδετικός
conjuration (κοντζουρέϊσσαν) εξορκισμός
conjure (κόντζερ) εξορκίζω, -r εξορκιστής
connect (κονέκτ) συνδέω, -ion σχέση, σύνδεση, -ive συνδετικός
connivance (κονάϊβανς) συνενοχή
connive (κονάϊβ) συνωμοτώ
connotation (κονοτέϊσσαν) δευτε-

ρεύουσα σημασία
connote (κονόουτ) σημαίνω επι-
πλέον
connubial (κονιούμπιαλ) γαμήλιος,
νυφικός
conquer (κόνκερ) κατακτώ, νικώ,
-or νικητής, κατακτητής
conquest (κόνκουεστ) κατάκτηση
conscience (κόνσσενς) συνείδηση,
-less ασυνείδητος
conscientious (κονσιένσσας) ευσυ-
νείδητος **-ness** ευσυνειδησία
conscious (κόνσσας) αισθανόμε-
νος, ο έχων συνείδηση, **-ness** συ-
ναίσθηση
conscript (κόνσκριπτ) νεοσύλλε-
κτος, στρατολογώ, **-ion** στρατολο-
γία
consecrate (κονσικρέϊτ) καθαγιάζω,
καθιερώνω
consecutive (κονσέκιουτιβ) εξακο-
λουθητικός, συνεχής
consensus (κονσένσας) ομοφωνία
consent (κόνσεντ) συγκατάθεση, συ-
ναίνεση, συναινώ
consequence (κονσίκουενς) συνέ-
πεια
consequent (κονσίκουεντ) συνεπής,
-ly συνεπώς
conservation (κονσερβέϊσσον)
συντήρηση, διατήρηση
conservative (κονσέρβατιβ) συντη-
ρητικός
conservatory (κονσερβατόρι) ωδείο,
θερμοκήπιο
conserve (κονσέρβ) διατηρώ, φυ-
λάσσω
consider (κονσίντερ) θεωρώ, **-able**
αξιοσημείωτος, **-ate** συνετός, **-ation**
μελέτη, υπόληψη
consign (κονσάϊν) παραδίδω, εμπι-
στεύομαι, στέλνω, **-ment** αποστολή,
-ee παραλήπτης, **-er** αποστολέας
consist (κονσίστ) αποτελούμαι, συ-
νίσταμαι, **-ence** συνοχή
consolation (κονσολέϊσσον) παρη-

γοριά
console (κονσόουλ) παρηγορώ
console (κονσόολ) κονσόλα
consolidate (κονσολιντέϊτ) στερεώ-
νω, συγκεντρώνω
consommω (κονσομέ) ζωμός κρέα-
τος
consonant (κόνσοναντ) σύμφωνος,
σύνηχος
consort (κονσόρτ) σύζυγος(ο, η),
σύντροφος
conspicuous (κονσπίκιουας) κατα-
φανής
conspiracy (κονσπίρασι) συνωμοσία
conspirator (κονσπιρέϊτορ) συνω-
μότης
conspire (κονσπάϊαρ) συνωμοτώ
constable (κόνσταμπλ) χωροφύλα-
κας
constabulary (κονσταμπιουλέρι)
χωροφυλακή
constancy (κόνστανσι) σταθερότητα
constant (κόνσταντ) σταθερός,
διαρκής
constellation (κονστελλέϊσσον)
αστερισμός
consternation (κονστερνέϊσσαν) κα-
τάπληξη
constipated (κονστιπέϊτιντ) δυ-
σκοίλιος
constipation (κονστιπέϊσσον) δυ-
σκοιλιότητα
constituency (κονστίτσουενσι)
εκλογικό σώμα
constituent (κονστίτσουεντ) συνταγ-
ματικός, εκλογέας
constitute (κόνστιτσουτ) αποτελώ,
διορίζω, εκλέγω
constitution (κονστιτσιούσσον)
σύνταγμα, **-al** συνταγματικός
constrain (κονστρέϊν) αναγκάζω, **-ed**
βεβιασμένος
constraint (κονστρέϊντ) περιορι-
σμός, βία
constrict (κονστρίκτ) συσφίγγω,
-ion σύσφιξη

construct (κονστράκτ) κτίζω, κατα-
σκευάζω, **-ive** εποικοδομητικός, **-ion**
κατασκευή
construe (κονστρού) ερμηνεύω
consul (κόνσαλ) πρόξενος, **-ate**
προξενείο
consult (κονσάλτ) συμβουλεύομαι,
-ant σύμβουλος
consume (κονσιούμ) καταναλώνω,
-r καταναλωτής
consumption (κονσάμπσον) κατα-
νάλωση
contact (κόντακτ) επαφή, έρχομαι
σ' επαφή
contagion (κοντέϊτζαν) μόλυνση,
μίασμα
contagious (κοντέϊτζας) μολυσματι-
κός, κολλητικός
contain (κοντέϊν) περιέχω, περιο-
ρίζω
contaminate (κονταμινέϊτ) μολύνω,
μιαίνω
contamination (κονταμινέϊσσον)
μόλυνση
contemn (κοντέμν) περιφρονώ
contemplate (κοντεμπλέϊτ) θεωρώ,
μελετώ
contemporary (κοντεμπορέρι) σύγ-
χρονος
contempt (κοντέμπτ) περιφρόνηση,
-uous περιφρονητικός
contend (κοντέντ) αγωνίζομαι, πο-
λεμώ
content (κόντενετ) περιεχόμενο
content (κοντέντ) ευχαριστώ, ευχα-
ρίστηση, ευχαριστημένος
contention (κοντένσσαν) αγώνας,
φιλονικία
contest (κόντεστ) αγώνας, διαγωνι-
σμός, διαγωνίζομαι
contiguity (κοντιγκιούϊτι) συνάφεια
contiguous (κοντίγκιουας) συναφής
continence (κόντινενς) εγκράτεια
continent (κόντινεντ) εγκρατής,
ήπειρος, **-al** ηπειρωτικός
continual (κοντίνιουαλ) συνεχής

continuance (κοντίνιουανσ) συνέ-
χιση
continuation (κοντινιουέϊσσον) συ-
νέχιση
continue (κοντίνιου) συνεχίζω
continuous (κοντίνιουας) συνεχής
contort (κοντόρτ) συστρέφω, **-ion**
συστροφή
contour (κόντουρ) περιφέρεια, γύ-
ρος
contraband (κόντραμπάντ) λα-
θρεμπόριο
contraception (κοντρασέπσον) αντι-
σύλληψη
contraceptive (κοντρασέπτιβ) αντι-
συλληπτικός, αντισσυληπτικό
contract (κόντρακτ) συμβόλαιο
contract (κοντράκτ) συστέλλω, **-ο-**
μαι, κάνω συμβόλαιο, **-ion** συστολή
contradict (κοντραντίκτ) αντιλέγω,
διαψεύδω, **-ory** αντιφατικός, **-ion**
αντιλογία
contradistinction (κοντραντιστίν-
κσον) αντιδιαστολή, αντιπαράθεση
contraption (κοντράπσον) επινόημα
contrawise (κοντραγουάϊζ) του-
ναντίον
contrary (κόντραρι) ενάντιος
contrast (κόντραστ) αντίθεση,
αντιπαραβολή (κοντράστ) αντιπα-
ραβάλλω
contravene (κοντραβίν) εναντιώνο-
μαι, παραβαίνω
contravention (κοντραβένσσον)
αντίθεση, παράβαση
contribute (κοντρίμπιουτ) συνει-
σφέρω, συμβάλλω
contribution (κοντριμπιούσσον) συ-
νεισφορά
contrition (κοντρίσσαν) συντριβή,
μετάνοια
contrive (κοντράϊβ) εφευρίσκω,
επινοώ
control (κοντρόλ) ελέγχω, έλεγχος
controversial (κοντροβέρσσαλ) αμ-
φισβητήσιμος

controversy (κοντρόβερσι) αμφισβήτηση
controvert (κοντροβέρτ) αμφισβητώ, -ible αμφισβητήσιμος
contumacious (κοντιουμέϊσσας) πείσμων contumelious (κοντιουμίλιος) χλευαστικός
contumely (κοντιούμλι) περιφρόνηση, κοροϊδία, χλευασμός
contuse (κοντιούζ) μωλωπίζω
contusion (κοντιούζον) μωλωπισμός
conundrum (κονόντρομ) αίνιγμα
convalesce (κονβαλές) αναρρώνω, -nt αυτός που αναρρώνει
convection (κονβέκσον) διαβίβαση, μετάδοση (θερμότητας)
convective, convectional (κονβέκτιβ, κονβέκσοναλ) μεταγωγικός θερμότητας
convector (κονβέκτορ) πομπός θερμότητας
convene (κονβίν) συγκαλώ συνέδριο, συνεδριάζω, συνέρχομαι
convenience (κονβίνιενς) ευκολία, άνεση
convenient (κονβίνιεντ) άνετος, βολικός, αναπαυτικός
convent (κόνβεντ) μοναστήρι καλογρεών
convention (κονβένσον) συνέλευση, συνέδριο, σύμβαση, συνήθεια
conventional (κονβένσοναλ) τυπικός, συμβατικός, -ity, -ism τυπικότητα, -ize τυποποιώ
converge (κονβέρτζ) συγκλίνω, συγκεντρώνομαι, συναντιέμαι, -nce σύγκλιση, -nt αυτός που συγκλίνει ή συγκεντρώνεται
conversant (κονβέρσαντ) οικείος, που έχει γνώση
conversation (κονβερσέϊσσον) συνομιλία, συνδιάλεξη, -al ομιλούμενος, -alist δεινός ομιλητής, συνομιλητής
converse (κονβέρς) συνομιλώ, (κόνβερς) ομιλία, αντίστροφος, αντιστροφή

conversion (κονβέρσον) μετατροπή, αλλαγή θρησκεύματος, προσηλύτιση
convert (κονβέρτ) προσηλυτίζω, μετατρέπω, (κόνβερτ) προσήλυτος, -er προσηλυτιστής, αυτός που μετατρέπει, -ible μετατρεπτός
convex (κόνβεξ) κυρτός, καμπυλωτός
convey (κονβέϊ) μεταβιβάζω, μεταδίδω, μεταφέρω, -ance μέσο μεταφοράς, μεταβίβαση, -er, -or μεταβιβαστής, μετακομιστής
convict (κονβίκτ) καταδικάζω, (κόνβικτ) κατάδικος, -ion καταδίκη, ποίθηση
convince (κονβίνς) πείθω ολοκληρωτικά
convincing (κονβίνσινγκ) πειστικός, βέβαιος
convivial (κονβίβιαλ) συμποσιακός, εύθυμος, -ity ευθυμία
convocation (κονβοκέϊσσον) σύγκληση
convoke (κονβόουκ) συγκαλώ
convoluted (κονβολούτεντ) τυλιγμένος, κουλουριασμένος, μπερδεμένος, δυσνόητος
convoy (κονβόϊ) συνοδεύω, συνοδεία, προστατευτικές στρατιωτικές δυνάμεις
convulse (κονβίλς) συνταράσσω, προκαλώ σπασμούς
convulsion (κονβόλσον) σπασμός
convulsive (κονβόλσιβ) σπασμωδικός, -ly σπασμωδικά
cony (κόουνι) λαγός, γούνα λαγού
coo (κού) γουργουρίζω σαν περιστέρι, ερωτολογώ
cook (κούκ) μαγειρεύω, -ομαι, νοθεύω προς όφελος κάποιου, -ery μαγειρική, -ing μαγείρεμα
cooky, cookie (κούκι) κουλουράκι, μπισκότο
cool (κούλ) δροσερός, ψυχρός, δρο-

σίζω, ψύχραιμος, -ant ψυκτικό υγρό
γιά μηχανές που έχουν υπερθερμαν-
θεί, -er θερμός (δοχείο), -headed ψυ-
χρός, ήρεμος, ψύχραιμος, -ish υπό-
ψυχρος, δροσερός, -ness ψυχρότη-
τα, απάθεια / cool it: ηρέμησε! / cool
down: ηρεμώ, ανακτώ την ψυχραι-
μία μου
coolie, cooly (κούλι) Κινέζος χει-
ρωνάκτης
coop (κούπ) κοτέτσι, εγκλείω, φυ-
λακή
cooper (κούπερ) κατασκευαστής βα-
ρελιών, **-age, -y** βαρελοποιία
cooperate (κοοπερέϊτ) συνεργάζο-
μαι
cooperation (κοοπερέϊσσον) συ-
νεργασία
cooperative (κοοπερέϊτιβ) συνεργα-
ζόμενος, συνεργατικός
coordinate (κοορντινέϊτ) συντονίζω,
(κοόρτινετ) ισοβάθμιος, ισάξιος
coordination (κοορντινέϊσσον)
συντονισμός, συνεργασία
coordinator (κοορντινέϊτορ)
συντονιστής
coot (κούτ) είδος πάπιας, βλάκας
cootie (κούτι) ψείρα
cop (κόπ) αστυφύλακας, κλέβω,
συλλαμβάνω
copartner (κόουπάρτνερ) συνέται-
ρος, **-ship** συνεταιρισμός
cope (κόουπ) (with) τα καταφέρνω,
ασχολούμαι επιτυχώς, άμφιο ιερέα,
-stone κατακλείδα
copier (κόπιερ) αντιγραφέας
copilot (κοπάϊλοτ) δεύτερος πιλότος
coping (κόπινγκ) επιστέγασμα
τοίχου
copious (κόπιος) άφθονος
copper (κόπερ) χαλκός, χάλκινο
νόμισμα, **-head** δηλητηριώδες φίδι,
-plate χαλκογραφία
copperas (κόπερας) θειικός σίδηρος
copsy (κόπσι) θαμνώδης
copula (κόπιουλα) συνδετικό ρήμα

copulate (κόπιουλέϊτ) συνευρίσκο-
μαι, έχω ερωτικές σχέσεις
copulation (κοπιουλέϊσσον) συνου-
σία
copulative (κοπιουλέϊτιβ) συνδετι-
κός
copy (κόπι) αντίγραφο, αντιγράφω,
αντίτυπο, **-book** απόλυτα σωστός,
κατάλληλος, **-ist** αντιγραφέας, **-ri-
ght** συγγραφικό δικαίωμα
coquet (κοκέτ) ερωτοτροπώ, φλερ-
τάρω, **-tish** φιλάρεσκος, **-ry** ερωτο-
τροπία, **-te** φιλάρεσκη γυναίκα,
φλέρτ
coral (κόραλ) κοράλλι, κοράλλινος,
-reef κοραλιογενής νήσος
corbel (κόρμπελ) κάνιστρο (αρχιτε-
κτονική)
cord (κόρντ) σπάγγος, σχοινί, δένω
με σχοινί, **-age** σχοινιά πλοίου
cordate (κορντέϊτ) καρδιοειδής
cordial (κόρντιαλ) εγκάρδιος, φι-
λικός, τονωτικό ποτό, **-ity** εγκαρ-
διότητα
cordon (κόρντον) ζώνη από στρα-
τιώτες, ταινία, είδος δέντρου, κορ-
δόνι
cordovan (κόρντοβαν) είδος δέρ-
ματος
corduroy (κορντουρόϊ) χοντρό βαμ-
βακερό, αυλακωτό ύφασμα
cordwainer (κορντβέϊνερ) υποδημα-
τοποιός
core (κόουρ) πυρήνας, κουκούτσι / to
the core: ολοκληρωτικά, εντελώς
coreligionist (κορίλίγκιονιστ) ομό-
θρησκος
coresponded (κορισπόντιντ)
συγκατηγορούμενος στο διαζύγιο,
αυτός που κατηγορείται γιά μοι-
χεία με το (η) σύζυγο αυτού που
ζητάει το διαζύγιο
Corfu (κορφού) η Κέρκυρα
coriander (κόριαντερ) κολίανδρο
(είδος φυτού)
cork (κόρκ) φελλός, πώμα, κλείνω

στόμιο φιάλης με πώμα
corker (κόρκερ) τέλειος, τελειωτικός
cork-screw (κόρκ σκρού) ανοιχτήρι φιάλης
corky (κόρκι) φελλώδης
cormorant (κόρμοραντ) άπληστος, είδος θαλάσσιου πουλιού
corn (κόρν) αραβόσιτος, σιτηρό, αλατίζω, διατηρώ τρόφιμα, **-beef** παστό βοδινό, **-cob** βότσαλο αραβόσιτου, **-flower** άνθος αραβοσίτου
cornea (κόρνια) κερατοειδής χιτώνας (ματιού)
corner (κόρνερ) γωνία, στριμώχνω, στρίβω, **-stone** γωνιόλιθος
cornet (κόρνετ) κορνέτο (μουσικό όργανο)
cornice (κόρνις) κορνίζα
cornucopia (κορνουκόπια) κέρας της Αμαλθείας ή αφθονίας
corny (κόρνι) κακής ποιότητας, κοινότυπος, παλιομοδίτικος
corolla (κορόλα) στεφάνη άνθους
corollary (κορολέρι) συνέπεια, πόρισμα
corona (κορόνα) στέμμα
coronary (κόρονέρι) στεφανιαίος, σχετικός με τις στεφανιαίες αρτηρίες της καρδιάς
coronation (κορονέϊσσον) στέψη
coroner (κόρονερ) ανακριτής υπόπτων ή αιφνιδίων θανάτων
coronet (κόρονετ) μικρό στέμμα
corporal (κόρποραλ) σωματικός, δεκανέας στρατού
corporate (κορπορέϊτ) συλλογικός, ομαδικός, εταιρειακός, σωματειακός, συσσωματωμένος
corporation (κορπορέϊσσον) σωματείο νομικά αναγνωρισμένο, εταιρεία
corporeal (κορπόριαλ) σωματικός
corps (κόρπς) σώμα στρατού, σώμα (ομάδα ατόμων που εκτελούν την ίδια δραστηριότητα)

corpse (κόρπς) πτώμα, νεκρό σώμα
corpulence (κόρπιουλενς) πάχος, ευσαρκία
corpulent (κόρπιουλεντ) εύσαρκος
corpus (κόρπους) σώμα, υλικό προς μελέτη (πληθ. corpora)
corpuscle (κόρπος) σωμάτιο, μόριο αίματος (ερυθροκύτταρα ή λευκοκύτταρα)
corral (κοράλ) μάντρα, εγκλείω, πιάνω, φράχτης
correct (κορέκτ) σωστός, ακριβής, διορθώνω, τιμωρώ γιά να διορθώσω τη συμπεριφορά κάποιου, **-ness** ακρίβεια, ορθότητα, **-or** διορθωτής, **-ive** διορθωτικός, **-ion** διόρθωση, **-ional** διορθωτικός , σωφρονιστικός
correlate (κοριλέϊτ) συσχετίζω, σχετικός
correlation (κοριλέϊσσον) συσχέτιση
correlative (κορέλατιβ) συσχετικός
correspond (κορεσπόντ) αντιστοιχώ, ανταποκρίνομαι, αλληλογραφώ, **-ence** αλληλογραφία, αντιστοιχία, **-ent** ανταποκριτής, αλληλογράφος, **-ing** αντίστοιχος, **-ingly** αντιστοίχως
corridor (κόριν+ τορ) διάδρομος
corrigible (κόριτζιμπλ) διορθωτός
corrival (κόριβαλ) αντίπαλος
corroborate (κορομπορέϊτ) επιβεβαιώνω
corroboration (κορόμπορέϊσσον) επιβεβαίωση
corroborative (κορόμπορέϊτιβ) επιβεβαιωτικός
corrode (κορόουντ) διαβρώνω, φθείρω σταδιακά
corrosion (κορόζον) διάβρωση, ανάλωση, φθορά
corrosive (κορόσιβ) διαβρωτικός, τραχύς, επιθετικός
corrugate (κορουγκέϊτ) αυλακώνω, ρυτιδώνω
corrugation (κορουγκέϊσσον) αυλά-

κωση

corrupt (κοράπτ) διαφθείρω, -ομαι, διεφθαρμένος, **-er** διαφθορέας, **-ible** αυτός που μπορεί να διαφθαρεί, **-ness** διαφθορά, **-ion** διαφθορά, δωροδοκία, **-ive** διαφθαρτικός

corsage (κορσάζ) ανθοδέσμη γιά το στήθος

corsair (κόρσερ) πειρατής, πειρατικό πλοίο

corselet (κόρσελετ) θώρακας πανοπλίας, στηθόδεσμος

corset (κόρσετ) στηθόδεσμος

cortege (κορτέτζ) συνοδεία, πομπή νεκρώσιμη

cortex (κόρτεξ) φλοιός εγκεφάλου

cortisone (κορτιζόουν) κορτιζόνη

corundum (κορόντομ) κορούνδιο (είδος σκληρού πετρώματος)

coruscate (κοροσκέϊτ) λάμπω, αστράπτω

coruscation (κορουσκέϊσσον) λάμψη

corvette (κόρβετ) κορβέτα (πλοίο)

corymb (κόριμπ) κόρυμβος, σύμπλεγμα λουλουδιών

coryza (κοράϊζα) συνάχι

cosignatory (κοσιγκνατόρι) ο συνυπογράφων

cosily (κόζιλι) αναπαυτικά

cosine (κοσάϊν) συνημίτονο (γεωμετρία)

cosiness (κόζινες) ανάπαυση

cosmetic (κοσμέτικ) καλλυντικός, -ό, κοσμητικός, επιφανειακός, **-ian** αισθητικός

cosmic (κόσμικ) κοσμικός, αχανής, **-ray** κοσμική ακτίνα

cosmogony (κοσμόγκονι) κοσμογονία

cosmology (κοσμίλοτζι) κοσμολογία

cosmopolitan (κοσμοπόλιταν) κοσμοπολίτης, κοσμοπολίτικος, (ζώο ή φυτό) που υπάρχει στα περισσότερα μέρη του κόσμου

cosmopolite (κοσμοπολάϊτ) κοσμοπολίτης

cosmos (κόζμος) το σύμπαν, ο κόσμος

cossack (κόσακ) κοζάκος

cosset (κόσετ) αρνάκι, περιποιούμαι

cost (κόστ) κόστος, τιμή, κοστίζω, στοιχίζω, **-ly** δαπανηρός / to one's cost: από την άσχημη εμπειρία κάποιου / cost of living: το κόστος ζωής

costal (κόσταλ) πλευρικός

costar (κό στάρ) συμπρωταγωνιστής, συμπρωταγωνιστώ

costermonger (κόστερμόνγκερ) πλανώδιος πωλητής φρούτων

costive (κόστιθ) δυσκοίλιος

costume (κοστιούμ) ενδυμασία, ντύνω

costumer (κοστιούμερ) ο πωλητής θεατρικών κουστουμιών

cosy (κόουζι) αναπαυτικός, ευχάριστος, σκέπασμα τσαγιέρας

cot (κότ) κρεβατάκι μωρού, καλύβα

cote (κόουτ) μάντρα ή καλύβα γιά ζώα

coterie (κότερι) όμιλος, κλίκα

coterminous (κοτέρμινος) αυτός που έχει τα ίδια σύνορα με κάποιον άλλο

cotillion (κοτίλιον) κοτιλιό (είδος χορού του 18ου αι.)

cottage (κότιτζ) καλύβα, εξοχικό σπίτι, **-r** κάτοικος καλύβας, **-cheese** λευκό τυρί που φτιάχνεται από ξυνόγαλα

cotter (κότερ) καρφίτσα, **-pin** περόνη, σχιστή καρφίτσα που συγκρατεί μικρά τεμάχια μηχανής

cotton (κότον) βαμβάκι, **-gin** εκκοκιστική μηχανή, **-seed** βαμβακόσπορος, **-tail** είδος λαγού που απαντάται στην Αμερική / cotton on: αρχίζω να καταλαβαίνω, αντιλαμβάνομαι

couch (κάουτσ) καναπές, κρεβάτι,

ξαπλώνω, εκφράζω
cougar (κούγκαρ) ορεινό λιοντάρι
cough (κόφ) βήχας / cough up: πα-
ρέχω απρόθυμα
coulee (κούλι) βαθύ φαράγγι
councel (κάουνσελ) σύσκεψη, συμ-
βουλή, συμβουλεύω, δικηγόρος,
-**lor** σύμβουλος, δικηγόρος
council (κάουνσιλ) συμβούλιο,
-**man** δημοτικός σύμβουλος, -**lor**
σύμβουλος
count (κάουντ) κόμης, -**ess** κόμισσα
count (κάουντ) αριθμώ, μετρώ, θεω-
ρώ, αρίθμηση, έχω αξία / count
upon: βασίζομαι, εξαρτώμαι από /
count down: μετρώ αντιστρόφως,
αντίστροφη μέτρηση / count in:
συμπεριλαμβάνω (σε σχεδιαζόμενη
ενέργεια)
countenance (κάουντινανς) όψη, έκ-
φραση, επιδοκιμασία, επιδοκιμάζω
counter (κάουντερ) μετρητής, πά-
γκος καταστήματος, αντίθετος,
αντίθετα, αντικρούω, -**man** πωλη-
τής εστιατορίου ή καφετέριας,
-**foil** στέλεχος, -**act** αντιπράττω,
-**action** αντίπραξη, -**attack** αντεπί-
θεση, αντεπιτίθεμαι, -**balance** ισο-
σταθμίζω, εξισορροπώ, -**claim**
ανταπαίτηση, -**offensive** αντεπίθε-
ση, -**part** πανομοιότυπο, -**point**
εναρμόνιση, -**poise** αντιστάθμισμα,
αντίβαρο, -**sign** προσυπογράφω,
παρασύνθημα, -**sink** τρυπώ, τρυ-
πάνι, -**weight** αντιστάθμισμα
counterespionage (καουντερεσπίονι-
τζ) αντικατασκοπία
counterfeit (κάουντερφιτ) κίβδηλος,
παραποιώ, πλαστογραφώ, -**er** παρα-
χαράκτης
countermand (κάουντερμαντ) ανα-
καλώ, αντιδιατάσσω
counterpane (κάουντερπέϊν) πάπλω-
μα κρεβατιού
counting (κάουντινγκ) αρίθμηση,
-**house** λογιστήριο

countless (κάουντλες) αναρίθμητος,
αμέτρητος
countrified (κόντριφάϊντ) αγροτικός
country (κάντρι) χώρα, εξοχή, πα-
τρίδα, -**man** συμπατριώτης, συμπο-
λίτης, -**seat** εξοχική έπαυλη, -**side**
εξοχή
county (κάουντι) επαρχία, δήμος,
-**seat** πρωτεύουσα επαρχίας
coup (κού) πραξικόπημα, κτύπημα /
coup de grace: χαριστική βολή /
coup d' etat: πραξικόπημα
coupe (κούπ) κλειστή άμαξα, αυτο-
κίνητο
couple (κάπλ) ζευγάρι, συνδέω,
ενώνω, ζευγαρώνω ζώα, -**r** αυτός
που συνδέει
coupling (κάπλινγκ) δεσμός, σύ-
ζευξη
couplet (κάπλετ) δίστιχο ποίημα
coupon (κούπον) κουπόνι, δελτίο
courage (κάρετζ) ανδρεία, θάρρος,
-**ous** θαρραλέος
courier (κούριερ) ταχυδρόμος
course (κόρς) δρόμος, πορεία, σειρά
μαθημάτων, θεραπεία, φαγητό,
τρέχω / of course: φυσικά, βεβαίως
courser (κόρσερ) γρήγορο άλογο
court (κόρτ) δικαστήριο, αυλή,
ανάκτορο, βασιλική ακολουθία, πε-
ριποίηση, περιποιούμαι, ερωτοτρο-
πώ, -**house** δικαστήριο, -**martial**
στρατοδικείο, -**plaster** έμπλαστρο
γιά μικρά τραύματα, -**yard** αυλή
courteous (κέρτιας) ευγενικός, περι-
ποιητικός, -**ness** ευγένεια
courtesan (κέρτιζαν) εταίρα
courtesy (κέρτισι) ευγενική συμπε-
ριφορά
courtier (κόρτιερ) αυλικός, κόλακας
courtly (κόρτλι) ευγενής
courtship (κόρτσσιπ) ερωτοτροπία,
ερωτική περιποίηση, αρραβώνας
cousin (κάζιν) ξάδελφος, ξαδέλφη,
-**german** πρώτος ξάδελφος
couture (κουτιούρ) ράψιμο γυναι-

κείων ενδυμάτων
couturier (κουτουριέ) ράφτης κυριών
cove (κόουβ) μικρός όρμος
covenant (κόβιναντ) συμβόλαιο, κάνω συμβόλαιο
cover (κάβερ) σκεπάζω, καλύπτω, σκέπασμα, **-age** κάλυψη, τα ασφαλιζόμενα είδη, **-er** αυτός που καλύπτει, **-ing** σκέπασμα, **-less** ακάλυπτος, **-let** κλινοσκέπασμα, **-charge** τιμή εισόδου σε εστιατόριο ασχέτως με τα φαγητά
covert (κόβερτ) άσυλο, σκέπη, κρυψώνα, κρύφιος, μυστικός
coverture (κοβέρτσουρ) σκέπη
covet (κόβετ) εποφθαλμιώ, επιθυμώ, **-able** επιθυμητός, **-ous** άπληστος
covey (κόβι) νεοσσιά, όμιλος
cow (κάου) αγελάδα, φέρνω υπό τον έλεγχό μου με τη βία, φοβίζω, **-boy**, **-herd** αγελαδάρης, **-catcher** προφυλακτήρας ατμόμαξας, **-hide** δέρμα βοδιού, **-lick** τούφα μαλλιών που προεξέχει, **-pox** νεαρή αγελάδα, **-puncher** βοσκός, αγελαδάρης
coward (κάουαρντ) δειλός, άνανδρος, **-ice**, **-liness** δειλία, **-ly** άνανδρος, άνανδρα
cower (κάουερ) φοβάμαι, ζαρώνω, οπισθοχωρώ από φόβο
cowl (κάουλ) κουκούλα μοναχών
cowling (κάουλονγκ) μεταλλικό κάλυμμα μηχανής αεροπλάνου
co-worker (κο- ουόρκερ) συνεργάτης
coxcomb (κόξκόουμπ) φιλάρεσκος, υπερόπτης
coxswain (κόξν) πιλότος πλοιαρίου
coy (κόϊ) ντροπαλός, χωρίς αυτοπεποίθηση
cozen (κόζν) εξαπατώ
coziness (κόουζινες) άνεση
cozy (κόουζι) ευχάριστος, αναπαυτικός
crab (κράμπ) κάβουρας, ψαρεύω

κάβουρες, δύστροπος, γκρινιάζω, **-apple** αγριόμηλο, **-bed** δυσανάγνωστος, δύστροπος, ξυνός, **-by** κακοδιάθετος
crack (κράκ) χαραμάδα, ρωγμή, τρίξιμο, ξαφνικό χτύπημα, προσπάθεια, ραγίζω, **-ed** ραγισμένος, τρελός, **-er** μπισκότο, θραύστης, **-brained** τρελός / crack up: αποτυγχάνω, χάνω τον έλεγχό μου / crack down: γίνομαι αυστηρός / cracker jack: επιδέξιο άτομο
crackle (κράκλ) τρίζω, τρίξιμο
cracksman (κράκσμαν) διαρρήκτης
cradle (κράντλ) κούνια, κουνώ, λικνίζω
craft (κράφτ) επιδεξιότητα, τέχνη, πανουργία, σκάφος, **-y** πανούργος, επιδέξιος, **-iness** πανουργία, **-sman** τεχνίτης, **-smanship** δεξιοτεχνία
crag (κράγκ) απόκρημνος βράχος, **-gy** απότομος, βραχώδης
cram (κράμ) παραγεμίζω, στιβάζω, μελετώ σκληρά
cramp (κράμπ) κράμπα, μυϊκός πόνος, περιορίζω, γάντζος, μεταλλική μπάρα, στερεώνω με γάντζο, σπασμός
crane (κρέϊν) γερανός, τεντώνομαι για να δω καλύτερα
cranial (κρέϊνιαλ) κρανιακός
craniology (κρεϊνιόλοτζι) κρανιολογία
cranium (κρέϊνιομ) κρανίο
crank (κράνκ) στρόφαλος άξιονα, κακοδιάθετο άτομο, **-iness** δυστροπία, **-shaft** στροφαλοφόρος άξονας, **-y** δύστροπος
crannied (κράνιντ) χαρακωμένος, με σχισμές
cranny (κράνι) χαραμάδα, σχισμή
crape (κρέϊπ) μαύρο ύφασμα που φοριέται ως ένδειξη πένθους, πέπλος
craps (κράπς) ζάρια
crap-shooter (κράπ-σσούτερ) αυτός

που παίζει ζάρια

crash (κράσσ) συντρίβω, -ομαι, κινούμαι παταγωδώς, σπάζω με κρότο, κροτώ, αποτυχία, οικονομική κατάρρευση,, **-diet** δίαιτα - αστραπή, **-course** ταχύρυθμα, εντατικά μαθήματα, **-er** αυτός που σπάζει

crass (κράς) ανόητος, ασεβής, χοντρός

crate (κρέϊτ) καλάθι, κιβώτιο, πακετάρω, πολύ παλιό αεροπλάνο ή αυτοκίνητο

crater (κρέϊτερ) κρατήρας ηφαιστείου

cravat (κραβάτ) γραβάτα

crave (κρέϊβ) επιθυμώ σφοδρά, εκλιπαρώ

craven (κρέϊβν) δειλός

craving (κρέϊβινγκ) σφοδρή επιθυμία

crawfish (κρόφισς) καραβίδα

crawl (κρόλ) έρπομαι, σύρσιμο, είμαι γεμάτος από, **-er** ερπετό, αυτός που σέρνεται, **-y** ερπετοειδής

crayon (κρέϊον) ιχνογραφώ, μολύβι ιχνογραφίας

craze (κρέϊζ) τρελαίνω, -ομαι, τρέλα

craziness (κρέϊζινες) τρέλα

crazy (κρέϊζι) τρελός

creak (κρίκ) τρίζω, τρίξιμο, **-y** αυτός που τρίζει

cream (κρίμ) κρέμα, αφρόγαλα, αφρός, αφρόκρεμα, κρέμ (χρώμα), αναμιγνύω υλικά γιά να φτιάξω κρέμα, **-ery** γαλακτοκομείο, γαλακτοπωλείο, **-y** κρεμώδης, που περιέχει κρέμα / cream off: επιλέγω το καλύτερο τμήμα

crease (κρίς) πτυχή, τσάκιση, τσακίζω

create (κριέϊτ) δημιουργώ, πλάθω

creation (κριέϊσσον) δημιουργία, δημιούργημα

creative (κριέϊτιβ) δημιουργικός

creator (κριέϊτορ) δημιουργός

creature (κρίτσερ) πλάσμα, ζώο, ον

/ creature comforts: υλικές ανέσεις

credence (κρίντενς) πίστη

credential (κριντένσαλ) πιστοποιητικό, **-s** διαπιστευτήρια

credibility (κρεντιμπίλιτι) αξιοπιστία

credible (κρέντιμπλ) αξιόπιστος, πιστευτός

credit (κρέντιτ) πίστωση, πίστη, υπόληψη, έπαινος, πιστεύω, δίνω πίστωση, **-able** αξιόπιστος, αξιέπαινος, **-or** πιστωτής

credo (κρίντο) οι πεποιθήσεις

credulity (κρετζούλιτι) ευπιστία

credulous (κρέτζουλος) εύπιστος

creed (κρίντ) δόγμα, σύστημα αρχών, πίστη

creek (κρίκ) ρυάκι, ορμίσκος / up the creek: σε φασαρίες, σε μπελάδες

creel (κρίλ) πλεκτό καλάθι

creep (κρίπ) σέρνομαι, κινούμαι αργά και αθόρυβα, ανατριχιάζω, κύλισμα, **-er** ερπετό, αναρριχητικό φυτό, **-y** ανατριχιαστικός, **-iness** ανατριχίλα

cremate (κριμέϊτ) αποτεφρώνω, καίω νεκρό

cremation (κριμέϊσσον) καύση νεκρού

crematory (κριμέϊτορι) φούρνος γιά καύση νεκρών

crenated (κρινέϊτιντ) οδοντωτός

creole (κρίολ) κρεολός, μιγάς ιθαγενής Δ. Ινδίας

crepe (κρέπ) κρέπι, λεπτό ύφασμα

crepitate (κρεπιτέϊτ) τρίζω, σπινθηροβολώ

crepitation (κρεπιτέϊσσον) τρίξιμο

crescendo (κρεσέντο) σταδιακά αυξανόμενος τόνος μουσικής

crepuscular (κριπάσκιουλαρ) γλυκοχάραμα

crescent (κρέσεντ) μισοφέγγαρο

cress (κρές) κάρδαμο

cresset (κρέσετ) καντήλι, φανάρι, πυρσός, φάρος

crest (κρέστ) λοφίο, κορυφή, -fallen λυπημένος, απογοητευμένος
cretaceous (κριτέϊσος) γυψώδης
Crete (κρίτ) Κρήτη
cretin (κρίτιν) ηλίθιος, σωματικά και πνευματικά καθυστερημένος, -ism ηλιθιότητα
cretonne (κριτόν) κρετόν (ύφασμα)
crevasse (κρεβές) χαράδρα, ρωγμή, σχίσμα
crevice (κρέβις) σχισμή σε βράχο
crew (κρού) ομάδα, συμμορία, πλήρωμα πλοίου, είμαι μέλος πληρώματος πλοίου
crib (κρίμπ) κούνια μωρού, φάτνη, βιβλίο λύσεων, κλέβω, αντιγράφω, αντιγραφή
cribbage (κρίμπετζ) χαρτοπαίγνιο
crick (κρίκ) στραβολαίμιασμα, στραβολαιμιάζω
cricket (κρίκετ) είδος παιχνιδιού, τριζόνι, ευθυκρισία
crier (κράϊερ) κήρυκας
crime (κράϊμ) έγκλημα, παρανομία, κρίμα, ντροπή
criminal (κρίμιναλ) εγκληματικός, εγκληματίας, -ity εγκληματικότητα, -ize εγκληματώ
criminate (κριμινέϊτ) κατηγορώ
criminologist (κριμινόλοτζιστ) εγκληματολόγος
criminilogy (κριμινόλοτζι) εγκληματολογία
crimp (κρίμπ) τσακίζω, κατσαρώνω, εμποδίζω, -y σγουρός
crimple (κρίμπλ) ρυτιδώνω, ζαρώνω
crimson (κρίμσον) βαθύ κόκκινο χρώμα, βάφω κόκκινο
cringe (κρίντζ) ζαρώνω από φόβο, δειλιάζω, δείχνω δουλοπρέπεια
crinkle (κρίνκλ) διπλώνω, ζαρώνω, πτυχή
crinoline (κρίνολιν) κρινολίνο
cripple (κρίπλ) κουτσαίνω, βλάπτω, αποδυναμώνω, κουτσός, ανάπηρος, -r ακρωτηριαστής

crisis (κράϊσισ) κρίση
crisp (κρίσπ) λεπτοκομένη ψημένη πατάτα, εύθραυστος, ζωηρός, σγουρός, φρέσκος, -y εύθραυστος, σγουρός, φρέσκος
crisscross (κρισκρός) σταυρωτά (επιρρ.)
criterion (κραϊτίριον) κριτήριο
critic (κρίτικ) κριτικός τέχνης, επικριτής, -al κριτικός, κρίσιμος, επικριτικός, -ism επίκριση, -ize επικρίνω, κατακρίνω
critique (κριτίκ) κριτική
croak (κρόουκ) κρώζω, -er αυτός που κράζει
crochet (κροσέ) πλέκω, πλέξιμο, πλεκτά
crock (κρόκ) στάμνα, παλιό αυτοκίνητο
crockery (κράκερι) πιατικά
crocodile (κροκοντάϊλ) κροκόδειλος
crocus (κρόκος)είδος φυτού (ζαφορά)
croft (κρόφτ) μικρό αγρόκτημα (Σκωτία), -er ο εργαζόμενος σε αγρόκτημα
croissant (κρουασάν) κρουασάν (γλύκισμα)
crone (κρόουν) γριά άσχημη κι ακάθαρτη
crony (κρόνι) σύντροφος, φίλος
crook (κρούκ) εγκληματίας, κύρτωμα, ραβδί, λυγίζω, αδιάθετος, βρώμικος
crooked (κρούκιντ) κυρτός, άτιμος, ανειλικρινής
croon (κρούν) τραγουδώ με απαλή φωνή, -er αυτός που τραγουδάει απαλά
crop (κρόπ) φυτό, σοδειά, κοντό κόψιμο μαλλιών, κόβω, βλασταίνω, στομάχι πτηνού, -er αυτός που μαζεύει τη σοδειά, -spraying ψέκασμα φυτών με χημικές ουσίες γιά εξόντωση ζιζανίων / crop up: φαίνομαι πάνω απ' την επιφάνεια του εδά-

φους, εμφανίζο μαι ή συμβαίνω ξαφνικά κι απρόσμενα
croquet (κροκέ) είδος παιχνιδιού
croquette (κροκέτ) κροκέτα, κεφτές
crosier (κρόουζερ) ράβδος επισκόπου
cross (κρός) σταυρός, διασταύρωση, μίγμα, αιτία δυστυχίας, διασταυρώνω, σταυρωτός, περνώ απέναντι, εμποδίζω, σκυθρωπός, **-bar** κάθετη ράβδος ή γραμμή, **-country** στην εξοχή, στους αγρούς, **-current** ρεύμα ποταμού ή θάλασσας, που διασταυρώνεται με το κύριο ρεύμα, **-examination** ανάκριση πρόσωπο με πρόσωπο απ' το δικηγόρο του αντιδίκου, **-examine** αντεξετάζω, **-eyed** αλλοίθωρος, **-patch** κακόκεφος άνθρωπος, **-purpose** αντίθετος σκοπός, **-question** αντεξετάζω, **-road** σταυροδρόμι, **-stitch** σταυροβελονιά, **-section** αντιπροσωπευτικό δείγμα, **-wise** σταυρωτά, **-word pazzle** σταυρόλεξο, **-ing** διασταύρωση, ταξίδι διασχίζοντας τη θάλασσα **-legged** σταυροπόδι, **-ly** σκυθρωπά, **-let** μικρός σταυρός, **-ness** σκυθρωπότητα / cross off (out): διαγράφω / at cross purposes: μιλώντας χωρίς να καταλαβαίνει ο ένας τον άλλο
crotch (κρότσ) διχάλα, διάσελο
crotchet (κρότσετ) παράδοξη ιδέα
crotchety (κρότσιτι) κακόκεφος, ιδιότροπος, γκρινιάρης
croton (κρότον) τροπικό φυτό, **-bug** κατσαρίδα
crouch (κράουτσ) ζαρώνω, μαζεύομαι, σκύβω
croup (κρούπ) καπούλια αλόγου, λαριγγίτιδα
croupier (κρουπιέ) επιστάτης τυχερών παιχνιδιών
crouton (κρουτόν) φρυγανιά γιά τη σούπα
crow (κρόου) κόρακας, κράζω, κράξιμο, ξεφωνίζω από χαρά / crow's

foot: ρυτίδα ματιών
crowbar (κρόουμπάρ) λοστός, μοχλός
crowd (κράουντ) πλήθος, συνωστισμός, συνωστίζομαι, γεμίζω από ανθρώπους, πιέζω απειλητικά, **-ed** συνωστισμένος, πάρα πολύ γεμάτος / crowd out: εκτοπίζω
crowfoot (κρόφουτ) βατράχι (είδος φυτού)
crown (κράουν) στέμμα, κορυφή, στέφω, καλύπτω στην κορυφή, παλιό Βρετανικό νόμισμα, **-ing** κορυφαίος, σπουδαιότατος, **-ed head** ο βασιλιάς ή η βασίλισσα, **-prince** ο διάδοχος, **-princess** η διάδοχος
crucial (κρούσαλ) κρίσιμος, οξύς, αυστηρός
crucible (κρούσιμπλ) χοάνη, χωνευτήρι
crucifier (κρούσιφάϊερ) σταυρωτής
crucifix (κρούσιφιξ) εσταυρωμένος Ιησούς, **-ion** σταύρωση
cruciform (κρούσιφορμ) σταυροειδής
crucify (κρούσιφάϊ) σταυρώνω
crude (κρούντ) ακατέργαστος, ωμός, τραχύς
crudness, crudity (κρούντνες, κρούντιτι) ωμότητα
cruel (κρουέλ) σκληρός, τραχύς, **-ty** σκληρότητα
cruet (κρουέτ) φιάλη, δοχείο
cruise (κρούζ) πλέω γύρω, κρουαζιέρα
cruiser (κρούζερ) πολεμικό πλοίο, θαλαμηγός
cruller (κρόλερ) κουλούρι, λουκουμάς
crumb (κράμπ) ψίχουλο, άτομο χωρίς αξία **crumble** (κράμπλ) θρυμματίζω, -ομαι, αποδυναμώνω, ερηπώνω, καταρρέω
crumbly (κράμπλι) ετοιμόρροπος
crumby (κράμπι) μαλακός, σε ψίχουλα

crumpet (κρόμπετ) είδος κέικ
crumple (κράμπλ) σχηματίζω πτυχές, ζαρώνω, πτυχή, οπισθοχωρώ
crunch (κράντς) τραγανίζω, τσαχαλίζω, τρίξιμο, τσάχαλος
crusade (κρούσέϊντ) σταυροφορία, παίρνω μέρος σε σταυροφορία, -r σταυροφόρος
cruse (κρούζ) μικρό πήλινο δοχείο
crush (κράς) συντρίβω, θρυμματίζω, κατατροπώνω, συντριβή,, σύγκρουση, συνωστισμός, -barrier μπάρα ή φράχτης γιά τη συγκράτηση του πλήθους
crust (κράστ) κόρα ψωμιού, πέτσα, κρούστα, -y αυτός που έχει κρούστα, κόρα, κακότροπος άνθρωπος
crustacean (κραστέϊσαν) οστρακοειδές
crustiness (κράστινες) δυστροπία, τραχύτητα
crutch (κράτσ) μπαστούνι, δεκανίκι
crux (κράξ) το σπουδαιότερο σημείο, η ουσία ενός προβλήματος
cry (κράϊ) κλαίω, κραυγάζω, κλάμα, κραυγή, -ing δυσάρεστο γεγονός που απαιτεί άμεση δράση / cry for the moon: ζητώ κάτι αδύνατο να πραγματοποιηθεί / cry over spilt milk: στενοχωριέμαι γιά κάτι που δε μπορεί ν' αλλάξει
crypt (κρίπτ) κρύπτη, -ic (al) κρύφιος
cryptogram (κρίπτογκραμ) κρυπτογράφημα
cryptography (κριπτόγκραφι) κρυπτογραφία
crystal (κρίσταλ) κρύσταλλο, -line κρυστάλλινος, -lize αποκρυσταλλώνω, -lization αποκρυστάλλωση, -loid κρυσταλλοειδής
cub (κάμπ) νεογνό ζώου
cube (κιούμπ) κύβος, υψώνω στον κύβο (μαθηματικά), φτιάχνω κύβους, -root κυβική ρίζα
cubeb (κιούμπεμπ) αρωματικός

κόκκος
cubic (al) (κιούμπικ, -αλ) κυβικός
cubicle (κιούμπικλ) μικρό δωμάτιο, κουβούκλιο
cubism (κιούμπισμ) κυβισμός
cubist (κιούμπιστ) κυβιστής
cubit (κιούμπιτ) πήχης (μονάδα μέτρησης μήκους)
cuckold (κόκολντ) απατημένος σύζυγος
cuckoo (κούκου) κούκος, τρελός, ανόητος
cucumber (κούκουμπερ) αγγούρι
cud (κάντ) αναμάσημα μηρυκαστικού
cuddle (κάντλ) αγκαλιάζω, αγκάλιασμα, -some αξιαγάπητος
cuddly (κάντλι) αξιαγάπητος
cudgel (κάτζελ) ρόπαλο, χτυπώ
cue (κιού) ουρά, πλεξίδα, νύξη, σήμα / cue in: δίνω σε κάποιον το σήμα γιά ν' αρχίσει
cuff (κάφ) μανικέτι, χαστουκίζω, χαστούκι / off the cuff: χωρίς προετοιμασία
cuirass (κούιρες) θώρακας πανοπλίας πολεμιστή
cuisine (κουιζίν) κουζίνα, μαγειρική
cul-de -sac (κούλ ντέ σάκ) αδιέξοδος
culinary (κιούλινέρι) μαγειρικός
cull (κάλ) επιλέγω, σκοτώνω τα πιο αδύναμα ζώα
culm (κάλμ) καρβουνόσκονη, καλάμι
culminate (καλμινέϊτ) μεσουρανώ, φτάνω στο ύψιστο σημείο
culmination (καλμινέϊσσον) μεσουράνημα
culottes (κιούλοτς) ζίπ κιλότ (γυναικείο ρούχο)
culpability (καλπαμπίλιτι) ενοχή
culpable (κάλπαμπλ) ένοχος
culpably (κάλπαμπλι) ένοχα
culprit (κάλπριτ) ένοχος, φταίχτης, υπαίτιος
cult (κάλτ) λατρεία

C

cultivable (κάλτιβαμπλ) καλλιερ-
γήσιμος
cultivate (κάλτιβέϊτ) καλλιεργώ,
αναπτύσσω, -d καλλιεργημένος
cultivation (καλτιβέϊσσον) καλ-
λιέργεια
cultivator (καλτιβέϊτορ) καλλιεργη-
τής, σκαλιστήρι
cultural (κάλτσουραλ) σχετικός με
τον πολιτισμό, μορφωτικός
culture (κάλτσαρ) πολιτισμός, κουλ-
τούρα, μόρφωση, -d μορφωμένος
culvert (κάλβερτ) υπόγειος οχετός
cum (κούμ) μαζί, με
cumber (κούμπερ) επιβαρύνω,
εμποδίζω, -some βαρύς, φορτικός,
άβολος
cumbrous (κόμπρος) φορτικός, βα-
ρύς
cumin (κάμιν) κύμινο
cummer-bund (κάμερ μπάντ) είδος
φαρδιάς ανδρικής ζώνης
cumlaude (κούμλόντε) με έπαινο
cumulate (κιούμιουλέϊτ) συσσω-
ρεύω
cumulation (κιουμιουλέϊσσον) συσ-
σώρευση
cumulative (κιούμιουλέϊτιβ) συσσω-
ρευτικός
cuneiform (κιουνίιφορμ) σφηνοει-
δής
cunning (κάνινγκ) απατηλός, πα-
νούργος, επιτήδιος, πονηριά, επι-
δεξιότητα
cup (κάπ) κύπελλο, φλυτζάνι,
βεντούζα, δίνω σχήμα κούπα, -ful
χωρητικότητα ενός φλυτζανιού,
-board πιατοθήκη, ντουλάπι / one's
cup of tea: το είδος (ενός αντικει-
μένου) που αρέσει σε κάποιον
cupid (κιούπιντ) ο θεός έρωτας
cupidity (κιουπίντιτι) πλεονεξία,
απληστία
cupola (κιούπολα) τρούλος, θόλος
cupping glass (κάπινγκ γκλάς) πο-
τήρι βεντούζας

cupreous (κιούπριας) χαλκώδης
cur (κέρ) άγριος σκύλος, άτομο χω-
ρίς αξία
curable (κιούραμπλ) θεραπεύσιμος
curability (κιουραμπίλιτι) το θερα-
πεύσιμο
curacao (κιούρασό) κουρασό (εί-
δος ποτού)
curacy (κιούρασι) εφημερία
curate (κιούρετ) βοηθός εφημέριος
curative (κιούρατιβ) θεραπευτικός
curator (κιουρέϊτορ) διευθυντής
μουσείου, βιβλιοθήκης, κτλ., -ship
διεύθυνση
curb (κάερμπ) ελέγχω, συγκρατώ,
περιορίζω, χαλινάρι, -market ελεύ-
θερη χρηματιστηριακή αγορά, -ing
περιορισμός, άκρη πεζοδρομίου
curd (κέρντ) γιαούρτι, πηγμένο
γάλα
curdle (κέρντλ) πήζω, φτιάχνω για-
ούρτι ή τυρί
cure (κιούρ) θεραπεύω, παστώνω,
φάρμακο, ανάρρωση, θεραπεία, -all
πανάκεια, -less αθεράπευτος, -r θε-
ραπευτής
curfew (κέρφιου) απαγόρευση της
κυκλοφορίας μετά από κάποια
συγκεκριμένη ώρα, σιωπητήριο
curio (κιούριο) σπάνιο αντικείμενο
curiosity (κιουριόσιτι) περιέργεια,
σπάνιο αντικείμενο
curious (κιούριας) περίεργος
curl (κέρλ) σγουρώνω, μπούκλα,
ελίσσομαι, τυλίγομαι, -er ρόλεϊ γιά
κατσάρωμα των μαλλιών, -y, -ed
σγουρός
curlew (κέρλου) είδος πτηνού
curmudgeon (κερμάτζαν) κακότρο-
πος κι απότομος άνθρωπος, -ly
σκαιός
currant (κάραντ) σταφίδα
currency (κάρενσι) κυκλοφορία,
χρήματα, νομίσματα
current (κάρεντ) τρέχων, σύγχρο-
νος, ρεύμα

curriculum (καρίκιουλαμ) σειρά μαθημάτων ή σπουδών
curriculum vitae (καρίκιουλαμ βίτε) βιογραφικό σημείωμα
currier (κάριερ) βυρσοδέψης
curry (κάρι) επεξεργασία δερμάτων, τρίβω, κολακεύω, είδος ανατολίτικου φαγητού
curse (κέρς) κατάρα, βλασφημία, καταριέμαι, βλάστημώ, -**d** καταραμένος, μισητός, -**r** βλάσφημος
cursive (κέρσιθ) λοξός
cursory (κέρσορι) γρήγορος, βιαστικός, επιπόλαιος
curt (κέρτ) απότομος και σύντομος
curtail (κερτέϊλ) περικόπτω, περιορίζω, -**er** αυτός που περικόπτει, -**ment** περικοπή
curtain (κέρτεν) κουρτίνα, αυλαία, παραπέτασμα, σκεπάζω
curtsy (κέρτσι) υπόκλιση, υποκλίνομαι
curvature (κέρβατσουρ) κυρτότητα, καμπύλωμα
curve (κέρβ) καμπύλη, καμπυλώνω, κυρτώνω, -**d** κυρτός, καμπύλος
curvilinear (κερβιλίνιαρ) καμπυλόγραμμος
cushion (κούσσον) μαξιλάρι, μειώνω τις δυσάρεστες επιδράσεις, παρέχω μαξιλάρι, προστατεύω από απότομη αλλαγή
cushy (κόσσι) εύκολος
cusp (κάσπ) αιχμηρή άκρη, όριο
cuspidate (κάσπιντέϊτ) αιχμηρός, μυτερός
cuss (κάς) βλαστημώ, βλασφημία
cussed (κάσντ) πείσμων, ισχυρογνώμων, ενοχλητικός, μισητός
custard (κάσταρντ) γαλατόπιτα
custodial (κουστόντιαλ) κηδεμονικός
custodian (κουστόντιαν) κηδεμόνας
custody (κούστοντι) κηδεμονία, φρούρηση, επιτήρηση
custom (κάστομ) έθιμο, συνήθεια,

-**s** δασμός, -**built** καμωμένος με παραγγελία, -**house** τελωνείο, -**ary** συνήθης, -**er** πελάτης, -**ize** φτιάχνω κάτι ειδικά γιά κάποιον, -**made** παραγγελία, κάτι φτιαγμένο ειδικά γιά κάποιον, -**tailor** ράφτης ενδυμάτων επί παραγγελία
cut (κάτ) κόβω, περικόπτω, λιγοστεύω, μικραίνω, κόψιμο, τομή, μερίδιο, μεγαλώνω (γιά δόντια), πληγώνω τα αισθήματα κάποιου, απουσιάζω, -**away** ανδρικό επίσημο ένδυμα, -**glass** επεξεργασμένο γυαλί, -**off** σύντομος δρόμος, -**out** απόκομμα, -**purse** λωποδύτης, -**throat** μαχαιροβγάλτης, εγκληματίας / cut and run: το σκάω τρέχοντας / cut smth short: τελειώνω ξαφνικά και πρόωρα / cut up rough: θυμώνω άγρια / cut down: κονταίνω κόβοντας, μειώνω, πληγώνω, σκοτώνω / cut in: διακόπτω συζήτηση / cut off: αποσυνδέω, διακόπτω, μπλοκάρω / cut out: αφαιρώ, σταματώ ξαφνικά
cutaneous (κιουτέϊνιας) δερματικός
cute (κιούτ) έξυπνος, ελκυστικός, χαριτωμένος
cuticle (κιούτικλ) σκληρή επιδερμίδα στις άκρες των δακτύλων
cutlass (κάτλας) γιαταγάνι
cutler (κάτλερ) μαχαιροποιός, πωλητής μαχαιριών, -**y** μαχαιροπήρουνα
cutlet (κάτλετ) φέτα κρέατος, κοτολέτα
cutter (κάτερ) κόφτερο, κόπτης
cutting (κάτινγκ) τομή, σκληρός, οδυνηρός
cuttlefish (κάτλφισσ) σουπιά, καλαμάρι
cyanosis (σαϊανόσις) κυάνωση
cyclamen (σίκλαμεν) κυκλάμινο
cycle (σάϊκλ) κύκλος, ποδήλατο, κάνω ποδήλατο
cyclical (σάϊκλικαλ) κυκλικός
cyclist (σάϊκλιστ) ποδηλάτης

cyclometer (σαϊκλομίτερ) κυκλό-
μετρο
cyclon (σάϊκλον) ανεμοστρόβιλος,
κυκλώνας, -ical τυφωνικός
cyclopean (σαϊκλοπίαν) κυκλώπειος
cyclopedia (σαϊκλοπίντια) εγκυ-
κλοπαίδεια
cylinder (σίλιντερ) κύλινδρος
cylindrical (σιλίντρικαλ) κυλινδρι-
κός
cymbal (σίμπαλ) ζάρι
cynic (σίνικ) κυνικός, -ism κυνισμός

cynosure (σαϊνοσσούρ) μικρή άρ-
κτος, επίκεντρο της προσοχής
cypher (σάϊφερ) μηδενικό
cypress (σάϊπρες) κυπαρίσσι
cyprian (σίπριαν) Κύπριος
Cyprus (σάϊπρος) Κύπρος
cyst (σίστ) φουσκάλα, κύστη
cystitis (σιστάϊτις) κυστίτιδα
cytology (σαϊτόλετζι) κυτταρολογία
cytologist (σαϊτόλετζιστ) κυτταρο-
λόγος

D

D, d (ντί) το τέταρτο γράμμα του
Αγγκλικού αλφαβήτου
D (ντί) νότα στη Δυτική μουσική,
μουσικό κλειδί βασισμένο σ' αυτή
τη νότα
dab (ντάμπ) αγγίζω απαλά, απαλό άγ-
γιγμα, επαλείφω, χτυπώ ελαφρά
dabble (ντάμπλ) ασχολούμαι χωρίς
σοβαρό σκοπό, τσαλαβουτώ,
υγραίνω
dabbler (ντάμπλερ) απρόσεχτος,
αδέξιος
dace (ντέϊς) λευκίσκος (είδος ψα-
ριού)
dachshund (ντακσχούντ) είδος κυ-
νηγετικού σκύλου
dactyl (ντάκτιλ) δάκτυλος ποιητι-
κού μέτρου
dad, daddy (ντάντ, -ι) πατέρας,
μπαμπάς
daddy-longlegs (ντάντι λόνγκλεγκς)
είδος εντόμου όμοιο με αράχνη
dado (ντέϊντο) κάτω μέρος τοίχου
διακοσμημένο διαφορετικά

daemon (ντίμον) ημίθεος, δαιμόνιο
daffodil (ντάφοντιλ) ασφόδελος
(φυτό)
daffy (ντάφι) ανόητος, τρελός
daft (ντάφτ) ανόητος, -ness τρέλα,
ανοησία
dagger (ντάγκερ) μαχαιράκι / look
daggers at: κοιτάζω θυμωμένα / at
daggers drawn (with someone): σε
κατάσταση δυσαρέσκειας και ετοι-
μότητας γιά φιλονικία με κάποιον
daguerreotype (ντανγκέροτάϊπ)
δαγκερoτυπία, παλιό είδος φωτο-
γραφίας
dahlia (ντάλια) ντάλια (λουλούδι)
daily (ντέϊλι) ημερήσιος, καθημερι-
νός, καθημερινά, εφημερίδα που εκ-
δίδεται κάθε μέρα (εκτός Κυριακής)
daintiness (ντέϊντινις) νοστιμιά,
κομψότητα
dainty (ντέϊντι) λεπτοκαμωμένος,
χαριτωμένος, νόστιμος
daiquiry (νταϊκίρι) αλκοολούχο
ποτό

dairy (ντέρι) γαλακτοπωλείο, γα-
λακτοκομείο, -cattle κοπάδι αγε-
λάδων γιά παραγωγή γάλατος,
-man γαλατάς
dais (ντέϊς) εξέδρα
daisy (ντέϊζι) μαργαρίτα, -wheel
τμήμα γραφομηχανής
dale (ντέϊλ) κοιλάδα
dalliance (ντάλιενς) τρυφερότητα,
ερωτοτροπία, φλέρτ, χασομέρι
dally (ντάλι) χαζομερώ, τρυφερολο-
γώ / dally with: έχω ερωτικές σχέ-
σεις με κάποιον χωρίς σοβαρό σκο-
πό, δεν παίρνω στα σοβαρά
daltonism (ντόλτονιζμ) αχρωματο-
ψία, δαλτονισμός
dam (ντάμ) φράγμα νερού, συγκρα-
τώ νερά με φράγμα, μητέρα ζώου
damage (ντάματζ) ζημιά, κόστος,
βλάπτω, βλάβη, -able φθαρτός, βλα-
βερός, -s αποζημίωση
damascene (νταμασίν) χαράζω με
γλυφίδα, δαμασκηνός
damask (ντάμασκ) ύφασμα με σχέ-
δια, ροζ
dame (ντέϊμ) κυρία, δεσποινίς
damn (ντάμν) καταριέμαι, καταδι-
κάζω, καταστρέφω, που να πάρει η
οργή! (έκφραση θυμού ή απογοή-
τευσης), -able φρικτός, πάρα πολύ
άσχημος, καταδικάσιμος, -ation κα-
ταδίκη, κόλαση, -atory καταδικά-
στικός, -ed καταραμένος, -ing κατα-
στρεπτικός / to be damned: εκπλήσ-
σομαι υπερβολικά / do one's
damned-est: κάνω ό, τι είναι δυνατό
damp (ντάμπ) υγρός, υγρασία,
υγραίνω, μετριάζω, -ness υγρασία,
-en υγραίνω, μετριάζω, -er μετρια-
στής / dump down: περιορίζω,
ελαττώνω
damsel (ντάμζελ) δεσποινίς, νεαρή
κοπέλα
damson (ντάμζαν) δαμάσκηνο
dance (ντάνς) χορός, χορεύω, -er
χορευτής / to dance attendance on

(upon) someone: υπακούω τυφλά
κάποιον
dandelion (ντανιτιλάϊον) ραδίκι
dander (ντάντερ) θυμός / get one's
dander up: προκαλώ το θυμό κάποι-
ου, εξοργίζω
dandle (ντάντλ) χορεύω μωρό στα
γόνατα, χαϊδεύω, περιποιούμαι
dandruff (ντάντραφ) πυτιρίδα
dandy (ντάντι) φιλάρεσκος άνδρας,
κομψευόμενος, πολύ καλός
Dane (ντέϊν) Δανός
danger (ντέϊντζερ) κίνδυνος, -ous
επικίνδυνος
dangle (ντάνγκλ) κρέμομαι, αιω-
ρούμαι, ταλαντεύομαι, ζητώ χάρη
Danish (ντέϊνιςς) Δανικός
dank (ντάνκ) υγρός, -ness υγρασία
Danube (ντάνιουμπ) Δούναβης
dapper (ντάπερ) κομψός, ζωηρός
dappled (ντάπλεντ) παρδαλός
dare (ντέαρ) τολμώ, προκαλώ, τόλ-
μημα, πρόκληση, -devil παράτολ-
μος, -say υποθέτω ότι, ίσως, -r αυτός
που τολμάει
daring (ντέαρινγκ) τόλμη, τολμηρός
dark (ντάρκ) σκοτεινός, μυστικός,
κρυμμένος, σκοτάδι, -en σκοτεινιά-
ζω, αμαυρώνω, -horse κρυψίνας, μυ-
στικοπαθής, απροσδόκητος νικη-
τής, -ness σκοτάδι, -y μαύρος (άν-
θρωπος), (προσβλητική έκφραση) /
in the dark: στην άγνοια / never dar-
ken my door: μην ξαναγυρίσεις
Dark Ages (ντάρκ έϊτζις) Μεσαίω-
νας
Dark continent (ντάρκ κόντινεντ)
Μαύρη ήπειρος
darling (ντάρλινκ) πολυαγαπημέ-
νος, πολύ όμορφος, μαγευτικός
darn (ντάρν) μπαλώνω, ράβω, μπά-
λωμα, καταραμένος, -ing μπάλωμα,
ράψιμο, -ed έξοχα, σκοτισμένος
darnel (ντάρνελ) είδος ζιζανίου
dart (ντάρτ) ακόντιο, εξακοντίζω,
ορμώ, βέλος, -board κυκλικό τα-

μπλώ όπου καρφώνουν βελάκια σε παιχνίδι

dash (ντάςς) ορμώ, ρίχνω, -ομαι, συντρίβω, ορμή, παύλα, μικρή προσθήκη, αγώνας δρόμου ταχύτητας, -**board** πίνακας οργάνων αυτοκινήτου, -**ed** καταραμένος, -**ing** ορμητικός, -**ingly** ορμητικά, -**y** επιδεικτικός

dastard (ντάσταρντ) δειλός, άνανδρος, -**ly** άνανδρα, -**liness** δειλία

data (ντάτα) δεδομένα, -**processing** χρησιμοποίηση δεδομένων απο Η / Υ

date (ντέϊτ) ημερομηνία, χρονολογώ, χρονολογία, ραντεβού, συνέντευξη, δίνω συνέντευξη, χουρμάς, -**palm** χουρμαδιά, -**ed** παλιομοδίτικος, παλιός / date back to: ανάγομαι, υπάρχω από

dative (ντέϊτιβ) δοτική πτώση

datum (ντέϊτομ) δεδομένο

daub (ντόμπ) επιχρίω, πασαλείφω, λάσπη

daughter (ντότερ) κόρη, -**in** -**law** νύφη, -**ly** με χαρακτηριστικά καλής κόρης

daunt (ντόντ) αποκαρδιώνω, αμβλύνω το θάρρος, -**less** απτόητος, άφοβος / nothing daunted: χωρίς ν' αποθαρρυνθεί από τις δυσκολίες

dauphin (ντόφιν) πρωτότοκος γιός βασιλιά στη Γαλλία

davenport (νταβενπόρτ) καναπές

davit (ντάβιτ) κρεμαστάρι βάρκας, πλοίου

daw (ντό) καλιακούδα

dawdle (ντόντλ) χασομερώ, σπαταλώ χρόνο άσκοπα, -**r** χασομέρης

dawn (ντόν) αυγή, ξημερώνω, απαρχή, ξεκίνημα

day (ντέϊ) μέρα, -**book** πρόχειρο τετράδιο, κατάστιχο, -**break** αυγή, -**light** το φώς της ημέρας, -**dream** ονειροπολώ, ονειροπόληση, -**dreamer** ονειροπόλος / the other day: πρόσ-

φατα / day after day: συνεχώς, γιά πολλές μέρες / to this day: μέχρι τώρα

daze (ντέϊζ) ζαλίζω, ζάλη

dazzle (ντάζλ) θαμπώνω, -ομαι, κάτι το εκθαμβωτικό

deacon (ντίκον) διάκονος, -**ess** διακόνισσα, -**hood**, -**ship**, -**ry** διακονία

dead (ντέντ) νεκρός, που βρίσκεται σε αχρηστία, ολοκληρωτικός, θαμπός, ξαφνικά, εντελώς, ευθεία, -**and** -**a** -**live** βαρετός, αδιάφορος, -**beat** τεμπέλης, κακοπληρωτής, κατακουρασμένος, -**center** νεκρό σημείο, -**end** αδιέξοδο, -**letter** γράμμα που δε λαβαίνει απάντηση, -**line** λήξη προθεσμίας, -**lock** σταμάτημα, -**ringer** κάποιος που μοιάζει πολύ με κάποιον άλλο, -**wood** άχρηστα πράγματα, -**en** απονεκρώνω, -**ly** θανατηφόρος

deaf (ντέφ) κουφός, απρόθυμος ν' ακούσει, -**en** κουφαίνω, ξεκουφαίνω, -**mute** κωφάλαλος, -**ness** κουφαμάρα / turn a deaf ear to: είμαι απρόθυμος ν' ακούσω

deal (ντίλ) μοιράζω, εμπορεύομαι, δοσοληψία, ποσόν, μοίρασμα, -**er** έμπορος, -**ings** δοσοληψίες / deal in: εμπορεύομαι / deal with: ασχολούμαι με

dean (ντίν) διευθυντής κολεγίου, αρχιμανδρίτης, -**ery** περιοχή στη δικαιοδοσία του αρχιμανδρίτη

debacle (ντιμπάκλ) ξαφνική καταστροφή, κατάρρευση

debar (ντιμπάρ) (from) εμποδίζω, αποκλείω

debark (ντιμπάρκ) αποβιβάζω, -ομαι, -**ation** αποβίβαση

debase (ντιμπέϊζ) μειώνω την αξία, εξευτελίζω, -**ment** εξευτελισμός

debatable (ντιμπέϊταμπλ) αμφίβολος, αμφισβητούμενος, συζητήσιμος

debate (ντιμπέϊτ) συζήτηση, συζη-

τώ, -r συζητητής
debauch (ντιμπότς) διαφθείρω, αλητεύω, ακολασία, **-ee** άσωτος, ακόλαστος, **-ery** ασωτεία, αλητεία, **-er** διαφθορέας, **-ment** διαφθορά
debenture (ντιμπέντσουρ) χρεωστικό ομολόγιο
debilitate (ντιμπίλιτέϊτ) εξασθενώ, αδυνατίζω
debilitation (ντιμπιλιτέϊσσον) εξασθένηση
debility (ντιμπίλιτι) αδυναμία, εξασθένηση
debit (ντέμπιτ) χρέωση, χρεώνω, χρέος
debonaire (ντεμπονέρ) καλοντυμένος, γοητευτικός, χαρούμενος, **-ness** κομψότητα
debouch (ντιμπούςς) ξεπροβάλλω, προχωρώ από ένα στενότερο σ' ένα ευρύτερο χώρο, **-ment** έξοδος
debris (ντεμπρί) ερείπια, συντρίμια
debt (ντέμπτ) χρέος, οφειλή, **-or** οφειλέτης
debunk (ντίμπανκ) μιλώ ξεκάθαρα, αποκαλύπτω την πραγματικότητα
debut (ντεμπιού) πρώτη δημόσια εμφάνιση
debutante (ντεμπιούταντ) νεαρή κοπέλα που πρωτοεμφανίζεται στην κοινωνία
decade (ντικέϊντ) δεκαετία
decadence (ντικέϊντενς) παρακμή
decadent (ντικέϊντεντ) ο παρακμάζων
decagon (ντέκαγκον) δεκάγωνο
decagram (ντέκαγκραμ) δέκα γραμμάρια
decalcomania (ντικαλκομέϊνια) χαλκομανία
decaliter (ντεκαλίτερ) δεκάλιτρο
decalogue (ντέκαλόγκ) οι δέκα εντολές
decamp (ντικάμπ) φεύγω εσπευσμένα και κρυφά, αφήνω το στρατόπεδο

decant (ντικάντ) μεταγγίζω, μετακομίζω, **-ation** μετάγγιση
decanter (ντικάντερ) φιάλη γιά κρασί
decapitate (ντικάπιτέϊτ) αποκεφαλίζω
decapitation (ντικάπιτέϊσσον) αποκεφαλισμός
decay (ντικέϊ) σαπίζω, φθείρω, παρακμάζω, φθορά, σήψη, παρακμή
decease (ντισίζ) θάνατος, **-d** νεκρός
deceit (ντισίτ) απάτη, δόλος, **-ful** άτιμος, απατηλός, **-fully** απατηλά, δόλια, **-fulness** δολιότητα
deceivable (ντισίβαμπλ) αυτός που εξαπατείται εύκολα
deceive (ντισίβ) εξαπατώ, **-r** απατεώνας
decelerate (ντισέλερέϊτ) μειώνω την ταχύτητα, επιβραδύνω
December (ντισέμπερ) Δεκέμβριος
decencies (ντίσενσιζ) κόσμιοι κι ευγενικοί τρόποι συμπεριφοράς
decency (ντίσενσι) ευπρέπεια, κοσμιότητα
decennial (ντισένιαλ) δεκαετής, δεκαετία
decent (ντίσεντ) κόσμιος, ευπρεπής
decentralize (ντισέντραλάϊζ) αποκεντρώνω
decentralization (ντισεντραλαϊζέϊσσον) αποκέντρωση
deception (ντισέπςον) απάτη, δόλος
deceptive (ντισέπτιβ) απατηλός, παραπλανητικός
decibel (ντεσιμπέλ) ηχόμετρο
decide (ντισάϊντ) αποφασίζω, **-d** οριστικός, ξεκάθαρος, αποφασισμένος, **-dly** οριστικά
deciduous (ντισίντουος) φυλλοβόλος
decigram (ντέσιγκραμ) δέκατο γραμμαρίου
deciliter (ντεσιλίτερ) δέκατο λίτρου
decimal (ντέσιμαλ) δεκαδικός
decimate (ντεσιμέϊτ) αποδεκατίζω,

καταστρέφω κατά μεγάλο μέρος
decimation (ντεσιμέϊσσον) αποδε-
κατισμός
decipher (ντισάϊφερ) αποκρυπτο-
γραφώ, **-er** ερμηνευτής, **-able** εξη-
γητός
decision (ντισίζον) απόφαση
decisive (ντισάϊσιθ) αποφασιστικός,
-ly αποφασιστικά, **-ness** αποφασι-
στικότητα
deck (ντέκ) κατάστρωμα, τράπουλα,
στολίζω, **-hand** ανειδίκευτος ναύτης
/ deck of cards: τράπουλα
declaim (ντικλέϊμ) ρητορεύω
declamation (ντεκλαμέϊσσον) δη-
μηγορία
declamatory (ντεκλαμέϊτορι) δημα-
γωγικός, κατηγορητικός
declaration (ντεκλαρέϊσσον) δήλω-
ση
declarative (ντικλέρατιθ) δηλωτικός
declaratory (ντικλέρατόρι) δηλω-
τικός
declare (ντικλέαρ) δηλώνω, διακυ-
ρήσσω, ανακυρήσσω, κυρήττω πό-
λεμο, **-d** δηλωμένος δημόσια
declension (ντικλένσον) κλίση
(γραμματική)
declination (ντεκλινέϊσσον) άρνη-
ση, απόκλιση
decline (ντικλάϊν) παρακμάζω, κα-
τηφορίζω, αρνούμαι, παρακμή, ύφε-
ση, κλίνω (γραμματική)
declivitous (ντικλίβιτος) κατηφο-
ρικός
declivity (ντικλίβιτι) κατωφέρεια
decoction (ντικόκσον) αφέψημα
decode (ντικόουντ) αποκρυπτογρα-
φώ, αποκωδικοποιώ
decolletage (ντέϊκολτάζζ) ντεκολτέ
decollete (ντεκολτέ) έξωμος
decolonize (ντικολονάϊζ) δίνω πολιτι-
κή ανεξαρτησία σε πρώην αποικία
decolonization (ντικολοναϊζέϊσσον)
παροχή πολιτικής ανεξαρτησίας σε
αποικία

decompose (ντικομπόουζ) αποσυν-
θέτω
decomposition (ντικομποζίσσον)
αποσύνθεση
decontaminate (ντικοντάμινέϊτ)
απολυμαίνω
decontamination (ντικονταμινέϊσ-
σον) απολύμανση
decontrol (ντικοντρόλ) σταματώ τον
έλεγχο, απελευθερώνω
decor (ντεϊκόρ) διακόσμηση
decorate (ντεκορέϊτ) διακοσμώ, πα-
ρασημοφορώ
decoration (ντεκορέϊσσον) διακό-
σμηση, παράσημο
decorative (ντεκορέϊτιβ) διακοσμη-
τικός, **-ly** διακοσμητικά
decorator (ντεκορέϊτορ) διακοσμη-
τής, χρωματιστής σπιτιών
decorous (ντέκορος) ευπρεπής
decorum (ντικόρομ) ευπρέπεια
decoy (ντικόϊ) δόλωμα, εξαπατώ,
δελεάζω
decrease (ντικρίζ) μειώνω, μείωση
decree (ντικρίι) διάταγμα, θεσπίζω
decrepit (ντικρέπιτ) παλιός, αδύνα-
μος, φθαρμένος, υπέργηρος, **-ude** το
έσχατο γήρας
decrial (ντικράϊαλ) κατακραυγή,
αποδοκιμασία
decrier (ντικράϊερ) δυσφημητής
decry (ντικράϊ) δυσφημώ
dedicate (ντεντικέϊτ) αφιερώνω, **-d**
αφοσιωμένος, αφιερωμένος
dedication (ντεντικέϊσσον) αφιέ-
ρωση
dedicator (ντεντικέϊτορ) αφιερωτής
deduce (ντιντιούς) συμπεραίνω,
εξάγω
deducible (ντιντιούσιμπλ) αυτός που
μπορεί να συμπεραθεί
deduct (ντιντάκτ) αφαιρώ, **-ible**
αφαιρετός, **-ion** έκπτωση, αφαίρε-
ση, συμπέρασμα, **-ive** συμπερα-
σματικός
deed (ντίντ) πράξη, κατόρθωμα,

συμβόλαιο μεταβίβασης κληρονο-
μιάς
deem (ντίμ) θεωρώ, κρίνω, έχω τη
γνώμη
deep (ντίπ) βαθύς, βλαβερότατος,
έξυπνος, μυστηριώδης, δυσνόητος,
βαθειά, **-ness** βαθύτητα, **-en** βαθαί-
νω, **-laid** σχεδιασμένος στα κρυφά,
-seated αυτός που βρίσκεται πίσω
απ' την επιφάνεια
deer (ντίρ) ελάφι
de-escalate (ντιεσκαλέϊτ) μειώνω τη
δύναμη, την έκταση ή το βαθμό
de-escalation (ντιεσκαλέϊσσον) μείω-
ση της δύναμης, του βαθμού κτλ.
deface (ντιφέϊς) παραμορφώνω,
ασχημίζω, **-ment** παραμόρφωση, **-r**
παραμορφωτής
defacto (ντι φάκτο) πραγματικός,
στην πραγματικότητα
defalcate (ντιφαλκέϊτ) καταχρώμαι
defalcation (ντιφαλκέϊσσον) κατά-
χρηση, κλοπή, σφετερισμός
defalcator (ντιφαλκέϊτορ) κατα-
χραστής
defamation (ντεφαμέϊσσον) δυ-
σφήμηση
defamatory (ντεφαμέϊτορι) δυσφη-
μητικός
defamer (ντιφέϊμερ) δυσφημητής
defame (ντιφέϊμ) συκοφαντώ
default (ντιφόλτ) παραβαίνω συμ-
βόλαιο, δεν πληρώνω χρέος, φυγο-
δικία, παράλειψη, παράβαση συμ-
βολαίου, **-er** παραβάτης, αυτός που
αμελεί να πληρώσει χρέος
defeat (ντιφίτ) νικώ, καταβάλλω,
ματαιώνω, ήττα, **-ist** ηττοπαθής **-ism**
ηττοπάθεια, **-er** νικητής
defecate (ντιφικέϊτ) καθαρίζω,
αποπατώ
defect (ντιφέκτ) ελάττωμα, έλλειψη,
-ive ελαττωματικός, **-ion** αποστασία,
αποτυχία, παράλειψη
defence (ντιφένς) άμυνα, υπεράσπι-
ση κατηγορουμένου

defend (ντιφέντ) αμύνομαι, υπε-
ρασπίζομαι, -ομαι, **-ant** κατηγο-
ρούμενος (δικης), **-able** υπερασπι-
στός, **-er** υπερασπιστής
defensive (ντιφένσιθ) αμυντικός
defer (ντιφέρ) αναβάλλω, **-ment** ανα-
βολή, **-rer** αυτός που αναβάλλει
deference (ντέφερενς) υπακοή, σε-
βασμός
deferential (ντεφερένσαλ) ευλαβι-
κός
defiance (ντιφάϊανς) αψήφιση,
ανυπακοή
defiant (ντιφάϊαντ) προκλητικός,
ανυπάκουος
deficiency (ντιφίσενσι) έλλειψη
deficient (ντιφίσιεντ) ανεπαρκής,
ελλειπής
deficit (ντέφισιτ) έλλειμμα
defile (ντιφάϊλ) μολύνω, λερώνω,
στενό πέρασμα ανάμεσα σε βουνά,
-ment μίαση, μόλυνση, **-r** κηλιδω-
τής
define (ντιφάϊν) προσδιορίζω, ερμη-
νεύω, χαρακτηρίζω
definite (ντέφινιτ) οριστικός, **-ly**
οριστικά
definition (ντεφινίσσον) ορισμός
definitive (ντιφίνιτιθ) οριστικός
deflate (ντιφλέϊτ) ξεφουσκώνω,
μειώνω τις τιμές
deflation (ντιφλέϊσσον) ξεφούσκω-
μα, υποτίμηση, μείωση των τιμών,
-ary υποτιμητικός
deflect (ντιφλέκτ) εκτρέπω, παρεκ-
κλίνω, **-ion** εκτροπή, παρέκκλιση,
-or αυτός που προκαλεί εκτροπή
deflower (ντιφλάουερ) κόβω λου-
λούδια
defoliation (ντιφολιέϊσσον) η πτώ-
ση των φύλλων
deforest (ντιφόρεστ) κόβω τα δέ-
ντρα δάσους, **-ation** πτώση των
φύλλων
deform (ντιφόρμ) παραμορφώνω,
-ation παραμόρφωση, **-ity** δυσμορ-

φία, **-ed** δύσμορφος, παραμορφωμένος

defraud (ντιφρόντ) αποκτώ με απάτη, **-er** απατεώνας

defray (ντιφρέϊ) πληρώνω, καταβάλλω χρήματα, **-ment, -al** πληρωμή εξόδων, **-er** πληρωτής εξόδων

defrost (ντιφρόστ) ξεπαγώνω, αφαιρώ τον πάγο

deft (ντέφτ) επιδέξιος, **-ness** επιδεξιότητα, δεξιοτεχνία

defunct (ντιφόνκτ) πεθαμένος, μακαρίτης

defuse (ντιφιούζ) καθιστώ λιγότερο επικίνδυνο ή βλαβερό

defy (ντιφάϊ) αψηφώ

degeneracy (ντιτζένεράσι) εκφυλισμός

degenerate (ντιτζένερετ) έκφυλος, εκφυλισμένος, (ντιτζενερέϊτ) εκφυλίζομαι

degeneration (ντιτζενερέϊσσον) εκφυλισμός

degenerative (ντιτζένερέϊτιθ) εκφυλιστικός

degradation (ντεγκραντέϊσσον) υποβιβασμός, ντρόπιασμα

degrade (ντιγκρέϊτ) υποβιβάζω, ντροπιάζω, καθαιρώ, **-r** αυτός που εξευτελίζει

degree (ντιγκρίι) βαθμός, δίπλωμα, μοίρα (γεωμ.) / to a degree: εν μέρει, όχι πάρα πολύ / by degrees: βαθμηδόν, σταδιακά

dehumanize (ντιχιουμαναϊζ) καθιστώ απάνθρωπο, αφαιρώ τις ανθρώπινες ιδιότητες

dehydrate (ντιχάϊντρέϊτ) αφυδατώνω

dehydration (ντιχάϊντρέϊσσον) αφυδάτωση

de-ice (ντι άϊσ) ξεπαγώνω

deification (ντιιφικέϊσσον) αποθέωση

deifier (ντιιφάϊερ) αποθεωτής

deify (ντιιφάϊ) αποθεώνω

deign (ντέϊν) καταδέχομαι

deism (ντίιζμ) θεϊσμός

deist (ντίιστ) θεϊστής

deity (ντίιτι) θεότητα, θείο

deject (ντιτζέκτ) αποθαρρύνω, απογοητεύω, **-ed** απογοητευμένος, αποθαρρημένος, **-edness** αθυμία, κατήφεια, **-ion** αθυμία, κατήφεια

dejure (ντιντζούρ) νομίμως, νόμιμος

delay (ντιλέϊ) καθυστερώ, αναβάλλω, αναβολή, αργοπορία, **-er** αυτός που αναβάλλει

dele (ντίλι) εξαλείφω, εξάλειψη

delectable (ντιλέκταμπλ) ευχάριστος, απολαυστικός, **-ness, delectation** ευχαρίστηση

delegate (ντελιγκέϊτ) εξουσιοδοτώ, στέλνω ως αντιπρόσωπο, (ντέλιγκετ) αντιπρόσωπος, απεσταλμένος

delegation (ντελιγκέϊσσον) αποστολή, αντιπροσωπία

delete (ντιλίτ) εξαλείφω, σβήνω, **-rious** βλαβερός

deletion (ντιλίσσον) εξάλειψη, διαγραφή

deliberate (ντιλίμπερέϊτ) σκέπτομαι, διασκέπτομαι (ντιλίμπερετ) εσκεμμένος

deliberation (ντιλίμπερέϊσσον) σύσκεψη

deliberative (ντιλιμπερέϊτιθ) συμβουλευτικός

delicacy (ντέλικάσι) λεπτότητα, μεζές

delicate (ντέλικετ) λεπτός, ντελικάτος

delicatessen (ντελικατέσεν) έτοιμα πρόχειρα φαγητά

delicious (ντελίσσος) νόστιμος, ευχάριστος

delight (ντιλάϊτ) ευχαρίστηση, χαρά, χαροποιώ, τέρπω, **-ful** πάρα πολύ ευχάριστος

delimit (ντιλίμιτ) χαράζω τα σύνορα, **-ation** χάραξη συνόρων

delineate (ντιλινέϊτ) απεικονίζω,

σχεδιάζω
delineation (ντιλινέϊσσον) απεικόνιση, σχεδιασμός
delineator (ντιλινέϊτορ) σχεδιαστής
delinquency (ντιλίνκουενσι) παράπτωμα, παράβαση νόμου
delinquent (ντιλίνκουεντ) παραβάτης νόμου
deliquesce (ντελικουές) διαλύομαι
delirious (ντιλίριος) αυτός που παραληρεί
delirium (ντιλίριομ) παραλήρημα / delirium tremens: παραλήρημα αλκοολικών
deliver (ντιλίβερ) διανέμω, παραδίδω, εκφωνώ, ελευθερώνω, βοηθώ στον τοκετό, **-ance** απαλλαγή, απελευθέρωση, **-er** ελευθερωτής, λυτρωτής, **-y** διανομή, παράδοση, απελευθέρωση, τοκετός
dell (ντέλ) μικρή κοιλάδα
delouse (ντιλάους) αφαιρώ τις ψείρες
delphinium (ντελφίνιομ) δελφίνιο (λουλούδι)
delta (ντέλτα) δέλτα ποταμού
delude (ντιλούντ) εξαπατώ, παραπλανώ
deluge (ντέλιουτζ) πλημμύρα, κατακλυσμός, κατακλύζω
delusion (ντιλούζον) απάτη
delusive (ντιλούσιβ) απατηλός
deluxe (ντελούξ) πολυτελής
delve (ντέλβ) ερευνώ σε βάθος, σκάβω
demagnetize (ντιμαγκνετάϊζ) απομαγνητίζω, **-r** απομαγνητιστής
demagogic (al) (ντεμαγκότζικ, -αλ) δημαγωγικός
demagog (ue) (ντεμαγκόγκ) δημαγωγός
demagoguery (ντεμαγκόγκερι) δημαγωγία
demand (ντιμάντ) απαιτώ, ζητώ, απαίτηση, **-er** αυτός που απαιτεί
demarcation (ντεμαρκέϊσσον) δια-

χωρισμός, οριοθεσία
demarche (ντέμαρσσ) αλλαγή σχεδίου
demean (ντιμίν) εξευτελίζω, (myself) συμπεριφέρομαι, **-or** διαγωγή
demented (ντιμέντεντ) παράφρων, τρελός
dementia (ντιμένσια) παραφροσύνη
demerit (ντιμέριτ) ελάττωμα, κακή διαγωγή
demesne (ντιμέϊν) κτήμα, κυριότητα
demigod (ντεμιγκόντ) ημίθεος
demilitarization (ντεμιλιταραϊζέϊσσον) αποστρατικοποίηση
demilitarize (ντεμιλιταράϊζ) αποστρατικοποιώ
demise (ντιμάϊζ) θάνατος, κληροδοτώ
demobilization (ντεμομπιλαϊζέϊσσον) αποστράτευση
demobilize (ντεμομπιλάϊζ) αποστρατεύω
democracy (ντιμόκρασι) δημοκρατία
democrat (ντέμοκρατ) δημοκράτης, **-ic** δημοκρατικός
demography (ντιμόγκραφι) δημογραφία
demolish (ντιμόλισσ) κατεδαφίζω, γκρεμίζω, **-er** κατεδαφιστής
demolition (ντιμολίσσον) κατεδάφιση
demon (ντίμον) δαιμόνιο, δαίμονας, πολύ επιδέξιο άτομο
demonetize (ντιμόνιτάϊζ) αποσύρω νόμισμα απ' την κυκλοφορία
demoniac (al) (ντιμόνιακ, -αλ) δαιμονιζόμενος
demonic (ντιμόνικ) δαιμονικός
demonolatry (ντιμονόλατρι) δαιμονολατρία
demonstrable (ντεμόνστραμπλ) αποδεικτός
demonstrate (ντεμονστρέϊτ) αποδεικνύω, επιδεικνύω, διαδηλώνω
demonstration (ντεμονστρέϊσσον)

επίδειξη, διαδήλωση
demonstrative (ντεμονστρέϊτιβ) εκδηλωτικός, αποδεικτικός, **-pronoun** δεικτική αντωνυμία
demonstrator (ντεμονστρέϊτορ) αυτός που επιδεικνύει ή αποδεικνύει, διαδηλωτής
demoralization (ντεμοραλαϊζέϊσσον) χαλάρωση του φρονήματος, απώλεια θάρρους και αυτοπεποίθησης
demoralize (ντεμόραλαϊζ) διαφθείρω, αποθαρρύνω, **-r** διαφθορέας
demote (ντιμόουτ) υποβιβάζω
demotion (ντιμόουσσον) υποβιβασμός
demur (ντιμέρ) αντιτίθεμαι, αντιτείνω, αντίρρηση, δισταγμός
demure (ντιμιούρ) σοβαροφανής, σεμνός, **-ness** σοβαροφάνεια
demurrer (ντιμέρερ) αυτός που εναντιώνεται, αντίρρηση
demystify (ντιμίστιφάϊ) επεξηγώ, καθιστώ ευκολονόητο
den (ντέν) φωλιά θηρίου, ιδιαίτερο δωμάτιο, κέντρο μυστικής και παράνομης δραστηριότητας
denationalization (ντινασσιοναλαϊζέϊσσον) αποστέρηση των εθνικών δικαιωμάτων
denationalize (ντινασσιόναλάϊζ) αποστερώ των εθνικών δικαιωμάτων
denaturalize (ντινατσούραλάϊζ) αφαιρώ τα πολιτικά δικαιώματα, καθιστώ αφύσικο
denature (ντινέϊτσουρ) αλλοιώνω τη φύση, καθιστώ μια τροφή ακατάλληλη
denial (ντινάϊαλ) άρνηση
denier (ντινάϊερ) αυτός που αρνείται
denizen (ντένιζεν) κάτοικος, ο διαμένων
Denmark (ντένμαρκ) Δανία
denominate (ντινόμινέϊτ) δίνω όνομα, κατονομάζω
denomination (ντινόμινέϊσσον)

ονομασία, θρησκευτικό δόγμα, τάξη ή επίπεδο, **-al** δογματικός, αιρετικός
denominative (ντινόμινέϊτιβ) ονομαστικός
denominator (ντινόμινέϊτορ) παρονομαστής
denotation (ντινοτέϊσσον) δήλωση, ένδειξη
denote (ντινόουτ) σημαίνω, δηλώνω
denouement (ντενουμάν) λύση δράματος ή πλοκής έργου
denounce (ντινάουνς) καταγγέλλω, **-ment** καταγγελία, **-r** αυτός που καταγγέλλει
dense (ντένσ) πυκνός, ανόητος, με μειωμένη αντίληψη, **-ness** πυκνότητα
density (ντένσιτι) πυκνότητα
dent (ντέντ) κοίλωμα, ζουλώ, χαράζω, οδόντωμα
dental (ντένταλ) οδοντικός, οδοντιατρικός, **-surgeon** οδοντίατρος
dentate (ντεντέϊτ) οδοντωτός
dentine (ντέντίν) οδοντίνη
dentist (ντέντιστ) οδοντίατρος, **-ry** οδοντιατρική
dentition (ντεντίσσον) οδοντοφυΐα
denture (ντέντσουρ) οδοντοστοιχία
denudation (ντενουντέϊσσον) απογύμνωση
denude (ντινιούντ) απογυμνώνω, αφαιρώ το φυσικό προστατευτικό κάλυμμα
denunciation (ντινανσιέϊσσον) καταγγελία
denunciatory (ντινάνσιέτορι) καταγγελτικός
deny (ντινάϊ) αρνιέμαι, απαρνιέμαι
deodorant (ντιόντοραντ) αποσμητικό, αποσμητικός
deodorize (ντιόντοράϊζ) αφαιρώ την μυρωδιά
depart (ντιπάρτ) αναχωρώ, **-ed** αυτός που έχει φύγει γιά πάντα, νεκρός, **-ment** τμήμα, διαμέρισμα, υπουργείο, έργο αποκλειστικής

αρμοδιότητας ενός ατόμου, -**mental** του τμήματος, -**store** πολυκατάστημα

departure (ντιπάρτσερ) αναχώρηση

depend (on) (ντιπέντ) εξαρτώμαι, -**able** αξιόπιστος, -**ability** αξιοπιστία, -**ant** εξαρτώμενος, -**ence** εξάρτηση, -**ency** εξαρτημένη χώρα / It all depends: δεν είναι ακόμη αποφασισμένο

depict (ντιπίκτ) αναπαριστώ, περιγράφω, -**ion** απεικόνιση, περιγραφή

depilate (ντεπιλέϊτ) αφαιρώ τις τρίχες

depilatory (ντιπίλατόρι) αποτριχωτικός

deplete (ντιπλίτ) ελαττώνω, αδειάζω

depletion (ντιπλίσσον) άδειασμα, ελάττωση

deplorable (ντιπλόραμπλ) αξιοθρήνητος, πολύ άσχημος

deplore (ντιπλόορ) θρηνώ, λυπούμαι

deploy (ντιπλόϊ) παρατάσσω, αναπτύσσω, -**ment** ανάπτυξη μετώπου

deponent (ντιπόνεντ) μάρτυρας, καταθέτης

depopulate (ντιπόπιουλέϊτ) μειώνω τον πληθυσμό, ερημώνω

depopulation (ντιπόπιουλέϊσσον) ερήμωση

depopulator (ντιπόπιουλέϊτορ) ερημωτής

deport (ντιπόρτ) εξορίζω, -**ation** εξορία, -**men** συμπεριφορά / to deport oneself: συμπεριφέρομαι

depose (ντιπόουζ) εκθρονίζω, καταθέτω ως μάρτυρας στο δικαστήριο

deposal (ντιπόζαλ) κατάθεση, σταμάτημα

deposit (ντιπόζιτ) τοποθετώ, καταβάλλω, καταθέτω, κατάθεση, προκαταβολή

deposition (ντιποζίσσον) εκθρόνιση, απόλυση, κατάθεση, μαρτυρία (σε δικαστήριο)

depositor (ντιπόζιτορ) καταθέτης

depository (ντιπόζιτόρι) θεματοφυλάκιο

depot (ντίπο) αποθήκη, σιδηροδρομικός σταθμός ή σταθμός λεωφορείων

depravation (ντεπραβέϊσσον) διαφθορά

deprave (ντιπρέϊβ) διαφθείρω

depravity (ντιπρέβιτι) εξαχρείωση

deprecate (ντιπρικέϊτ) αποδοκιμάζω

deprecation (ντιπρικέϊσσον) αποδοκιμασία

deprecatory (ντιπρικέϊτορι) αποδοκιμαστικός, απολογητικός

depreciator (ντιπρισιέϊτορ) υποτιμητής

depredate (ντιπριντέϊτ) λεηλατώ, αρπάζω

depredation (ντιπριντέϊσσον) λεηλασία, αρπαγή

depress (ντιπρές) καταπιέζω, αποθαρρύνω, καταθλίβω, -**ed** αποθαρρυμένος, άθυμος, -**ant** κατευναστικός, -**ion** κατάθλιψη, οικονομική ύφεση, -**ive** υποτιμητικός, αποκαρδιωτικός

deprivation (ντεπριβέϊσσον) αποστέρηση, στέρηση

deprive (ντιπράϊβ) στερώ, αποστερώ, -**d** στερημένος

depth (ντέπθ) βάθος, βαθύτητα, -**s** το βαθύτερο σημείο, το χειρότερο μέρος / in depth: σε βάθος / beyond one's depth: πάνω απ' την ικανότητα αντίληψης κάποιου / depth bomb (charge): βόμβα βυθού

deputation (ντεπιουτέϊσσον) αποστολή, επιτροπή, αντιπροσωπεία

depute (ντιπιούτ) διορίζω ως αντιπρόσωπο

deputize (ντιπιουτάϊζ) δρω ως αντιπρόσωπος

deputy (ντέπιουτι) απεσταλμένος, αντιπρόσωπος, βουλευτής

derail (ντιρέϊλ) εκτροχιάζω, -**ment** εκτροχιασμός

derange (ντιρέϊντζ) συγχύζω, τρελαίνω, διαταράσσω, ενοχλώ, **-d** έξαλλος, παράφρονας, **-ment** διανοητική διαταραχή, τρέλα

derby (ντέρμπι) ημίψηλο καπέλο, αγώνας

derelict (ντέρελικτ) εγκαταλελειμμένος, αλήτης, **-ion** παράλειψη, εγκατάλειψη, αλητεία

deride (ντιράϊντ) κοροϊδεύω, περιγελώ

derigueur (ντερίγκερ) κατάλληλος κι απαραίτητος σύμφωνα με το έθιμο ή τη μόδα

derision (ντιρίζον) χλευασμός

derisive (ντιράϊσιθ) χλευαστικός

derisory (ντιράϊσορι) άξιος χλευασμού, άχρηστος, εμπαικτικός

derivation (ντεριβέϊσσον) πηγή, παραγωγή, **-al** ετυμολογικός

derivative (ντερίβατιθ) παράγωγος

derive (ντιράϊθ) πηγάζω, προέρχομαι, αποκτώ κάτι από

derma (ντέρμα) δέρμα, **-l** δερματικός

dermatitis (ντερματάϊτις) αρρώστια του δέρματος

dermatologist (ντερματόλοτζιστ) δερματολόγος

dermatology (ντερματόλοτζι) δερματολογία

dermic (ντέρμικ) δερματικός

derogate (ντερογκέϊτ) υποτιμώ, εξευτελίζω

derogative, derogatory (ντερογκέϊτιθ, ντερογκέϊτορι) εξευτελιστικός, εξουθενωτικός

derogation (ντερογκέϊσσον) εξουθένωση

derrick (ντερίκ) γερανός (μηχάνημα), βαρούλκο

derring do (ντέρινγκ ντού) τόλμημα, ρίσκο χωρίς σκέψη

dervish (ντέρβιςς) δερβίσης

desalinate (ντισάλινέϊτ) αφαλατώνω

desalination (ντισαλινέϊσσον) αφα-

λάττωση

descant (ντέσκαντ) μελωδία τραγουδιού, (ντεσκάντ) τραγουδώ, σχολιάζω, συζητώ

descend (ντισέντ) κατάγομαι, κατεβαίνω, **-ant** απόγονος, **-ent** αυτός που κατεβαίνει

descent (ντισέντ) κάθοδος, κατάβαση, κατωφέρεια, καταγωγή

describable (ντισκράϊμπαμπλ) αυτός που μπορεί να περιγραφεί

describe (ντισκράϊμπ) περιγράφω

description (ντισκρίπσον) περιγραφή

descriptive (ντισκρίπτιθ) περιγραφικός

descry (ντισκράϊ) διακρίνω, βλέπω

desecrate (ντεσεκρέϊτ) βεβηλώνω

desecration (ντεσεκρέϊσσον) βεβήλωση

desecrater, desecrator (ντεσεκρέϊτερ, -ορ) βεβηλωτής

desegregation (ντισεγκρικγέϊσσον) κατάργηση φυλετικών διακρίσεων

desegregate (ντισέγκρικγέϊτ) παύω τις φυλετικές διακρίσεις

desensitize (ντισένσιταϊζ) εκτραχύνω, ελαττώνω την ευπάθεια

desensitization (ντισενσιταϊζέϊσσον) εκτράχυνση

desert (ντέζερτ) έρημος, ερημιά, ερημικός (ντιζέρτ) εγκαταλείπω, λιποτακτώ, **-er** λιποτάκτης, **-ion** λιποταξία, εγκατάλειψη

deserve (ντιζέρθ) αξίζω / deserve well (ill) of: αξίζω καλή (άσχημη) μεταχείρηση

deservedly (ντιζέρβεντλι) επάξια

deserving (ντιζέρβινγκ) άξιος

deshabille (ντεϊζαμπλέ) ατημέλητος, μισοντυμένος

desiccate (ντέσικέϊτ) αποξηραίνω

desiccation (ντεσικέϊσσον) αποξήρανση

desiccator (ντεσικέϊτορ) αποξηραντικό

desideratum (ντισιντερέϊτομ) αναγκαίο, χρειαζούμενο

design (ντιζάϊν) σχέδιο, σχεδιάζω, σκοπός, -er σχεδιαστής, -ing πανούργος / by design: σκόπιμα, προσχεδιασμένα

designate (ντεζιγκνέϊτ) ορίζω, προσδιορίζω

designation (ντεζιγκνέϊσσον) προσδιορισμός, τίτλος, όνομα

designative (ντεζιγκνέϊτιβ) δηλωτικός

designedly (ντιζάϊνεντλι) σκόπιμα

desirable (ντιζάϊαραμπλ) επιθυμητός

desire (ντιζάϊαρ) επιθυμώ, επιθυμία

desirous (ντιζάϊρος) αυτός που επιθυμεί

desist (ντιζίστ) απέχω, σταματώ να κάνω κάτι

desk (ντέσκ) θρανίο, γραφείο (έπιπλο), -work εργασία γραφείου

desolate (ντέσολετ) έρημος, μονήρης, (ντεσολέϊτ) ερημώνω

desolation (ντεσολέϊσσον) ερήμωση

desolator (ντεσολέϊτορ) αυτός που ερημώνει

despair (ντισπέρ) απελπισία, απελπίζομαι, αίτιο απελπισίας, -ingly απελπιστικά

desperado (ντεσπερέϊντο) άφοβος εγκληματίας

desperate (ντέσπερετ) απελπισμένος, απεγνωσμένος

desperation (ντεσπερέϊσσον) απελπισία

despicable (ντέσπικαμπλ) άξιος περιφρόνησης, πρόστυχος, -ness προστυχιά

despicably (ντέσπικάμπλι) πρόστυχα

despise (ντισπάϊζ) περιφρονώ, -r αυτός που περιφρονεί

despite (ντισπάϊτ) παρ' όλο, παρά το γεγονός ότι

despoil (ντισπόϊλ) ληστεύω, απογυ-

μνώνω, -ment, despoliation ληστεία, απογύμνωση

despond (ντισπόντ) απελπίζομαι, χάνω το κουράγιο μου, -ency απελπισία, αθυμία, -ent απελπισμένος, αποκαρδιωμένος

despot (ντέσποτ) δεσπότης, τύραννος, -ism δεσποτισμός, -ic δεσποτικός, τυραννικός

dessert (ντιζέρτ) επιδόρπιο

destination (ντεστινέϊσσον) προορισμός

destine (ντέστιν) προορίζω, -d προορισμένος (απ' τη μοίρα)

destiny (ντέστινι) προορισμός, μοίρα, πεπρωμένο

destitute (ντέστιτιουτ) άπορος, φτωχός

destitution (ντεστιτιούσον) φτώχεια, ανέχεια

destroy (ντιστρόϊ) καταστρέφω, -able αυτός που μπορεί να καταστραφεί, -er καταστροφέας, εξολοθρευτής, αντιτορπιλλικό

destructible (ντιστράκτιμπλ) αυτός που μπορεί να καταστραφεί

destruction (ντιστράκσον) καταστροφή

destructive (ντιστράκτιβ) καταστρεπτικός, -ness καταστρεπτικότητα

desuetude (ντέσουιτιούντ) αχρηστία (εθίμου κτλ.)

desultoriness (ντέσολτόρινες) αταξία

desultory (ντέσολτόρι) άτακτος

detach (ντιτάτς) αποσπώ, -able αφαιρετός, που μπορεί ν' αποσπαστεί, -ed χωρισμένος, -ment απόσπασμα, απόσπαση

detail (ντιτέϊλ) λεπτομέρεια, διηγούμαι λεπτομερώς, ορίζω στρατιώτες προς εκτέλεση συγκεκριμένου έργου

detain (ντιτέϊν) κρατώ, αναχαιτίζω, καθυστερώ, σταματώ, -ee πολιτικός κρατούμενος, -er αυτός που κα-

τακρατεί, κατακράτηση, **-ment**
κράτημα, σταμάτημα
detect (ντιτέκτ) ανακαλύπτω, **-able**
αυτός που μπορεί ν' ανακαλυφθεί,
-ion ανακάλυψη, **-ive** ντεντέκτιβ,
ιδιωτικός αστυνομικός, **-or** αποκα-
λυπτής
detention (ντιτένσον) κράτηση
deter (ντιτέρ) αποτρέπω, εμποδίζω,
-ment παρεμπόδιση, αποτροπή
detergent (ντιτέρτζεντ) καθαριστι-
κός, απολυμαντικό
deteriorate (ντιτιριόρέϊτ) χειροτε-
ρεύω
deterioration (ντιτιριόρέϊσσον) χει-
ροτέρευση
deteriorative (ντιτιρίόρέϊτιβ) επιδει-
νωτικός
determinable (ντιτέρμιναμπλ) αυτός
που μπορεί ν' αποφασιστεί, να
προσδιοριστεί
determinant (ντιτέρμιναντ) αποφα-
σιστικός παράγοντας, ορίζουσα
(μαθημ.)
determinate (ντιτέρμινετ) ορισμέ-
νος
determination (ντιτέρμινέϊσσον)
αποφασιστικότητα, προσδιορισμός
determinative (ντιτέρμινέϊτιβ) απο-
φασιστικός, προσδιοριστικός
determine (ντιτέρμιν) αποφασίζω,
προσδιορίζω, ορίζω, **-d** αποφασι-
σμένος
deterrent (ντιτέρεντ) εμπόδιο
deterrence (ντιτέρενς) παρεμπόδι-
ση, αναχαίτιση
detest (ντιτέστ) μισώ, απεχθάνομαι,
-able μισητός, **-ation** απέχθεια, **-ably**
μισητά
dethrone (ντιθρόουν) εκθρονίζω,
-ment εκθρόνιση
detonate (ντιτονέϊτ) εκπυρσοκροτώ
detonation (ντιτονέϊσσον) εκπυρσο-
κρότηση
detonator (ντιτονέϊτορ) πυροκρο-
τητής

detour (ντιτούρ) στροφή προς απο-
φυγή εμποδίου
detract (ντιτράκτ) αφαιρώ, δυσφη-
μώ, **-ive** αφαιρετικός, **-or** αυτός που
αφαιρεί, δυσφημητής, **-ory** δυσφη-
μιστικός
detrain (ντιτρέϊν) αποβιβάζομαι απ'
το τρένο
detriment (ντέτριμεντ) ζημιά, βλά-
βη, **-al** επιζήμιος, **-ally** βλαβερά
detritus (ντιτράϊτος) θρύμματα λί-
θων
detrop (ντετρόου) περιττός, παρα-
πανίσιος
deuce (ντιούς) δύο, διάβολος, **-d** δια-
βολεμένα, διαβολεμένος, πολύ
άσχημος, απαίσια
devaluate (ντιβαλιουέϊτ) υποτιμώ,
μειώνω την αξία
devaluation (ντιβαλιουέϊσσον)
υποτίμηση
devastate (ντεβαστέϊτ) ερημώνω,
καταστρέφω
devastating (ντεβαστέϊτινγκ) κατα-
στρεπτικός, ελκυστικός
devastation (ντεβαστέϊσσον) ερήμω-
ση, καταστροφή
devastator (ντεβαστέϊτορ) ερημω-
τής, καταστροφέας
develop (ντιβέλοπ) αναπτύσσω, εμ-
φανίζω φωτογραφίες, αποκτώ,
-ment ανάπτυξη, εξέλιξη, εμφάνιση
φωτογραφιών, **-er** χημική ουσία γιά
την εμφάνιση φωτογραφιών, **-ing**
αναπτυσσόμενος
deviate (ντιβιέϊτ) παρεκκλίνω,
εκτρέπομαι
deviation (ντιβιέϊσσον) εκτροπή,
παρέκκλιση, **-ist** αυτός που διαφω-
νεί με πολιτικό σύστημα
device (ντιβάϊς) τέχνασμα, μηχάνη-
μα, εκτροπή
devil (ντέβιλ) διάβολος / between
the devil and the deep blue sea: με-
ταξύ δύο κακών («μπρός γκρεμός
και πίσω ρέμα») / give the devil his

due: δίκαιος ακόμη και με τους κα-
κούς / go to the devil: φύγε αμέσως,
χάσου!

devilish (ντέβιλισσ) διαβολικός

devilment (ντέβιλμεντ) σατανική
διαγωγή

devilled (ντέβιλντ) καυτερός, με
πολλά μπαχαρικά

devil-fish (ντέβιλ φίσσ) ρίνα (είδος
ψαριού), μεγάλο χταπόδι

devilry, deviltry (ντέβιλρι, -λτρι)
διαβολιά, ζαβολιά

devious (ντίβιος) πλάγιος, περι-
στροφικός, παραπλανητικός, **-ness**
λοξότητα, παραπλάνηση

devise (ντιβάϊζ) σχεδιάζω, επινοώ,
κληροδοτώ, κληροδότημα, **-e** κλη-
ρονόμος, **-r** επινοητής

devisor (ντιβάϊζορ) κληροδότης

devitalize (ντεβίταλάϊζ) απονε-
κρώνω, αποδυναμώνω, αφαιρώ τη
ζωτικότητα

devitalization (ντεβιταλαϊζέϊσσον)
αφαίρεση της ζωτικότητας, αποδυ-
νάμωση, απονέκρωση

devoid (ντιβόϊντ) (of) στερημένος,
κενός

devolve on / upon (ντιβόλβ) παρέχω
δύναμη ή εξουσία σε άτομο κατώτε-
ρης τάξης

devolve to: μεταβιβάζεται περιου-
σία σε κάποιον μετά το θάνατο του
ιδιοκτήτη

devolvement, devolution (ντιβόλ-
βμεντ, ντιβολούσσον) μεταβίβαση,
μετάβαση

devote (ντιβόουτ) αφιερώνω, αφω-
σιώνω, **-d** αφοσιωμένος, **-e** λάτρης,
αφοσιωμένος

devotion (ντιβόουσσον) αφοσίωση,
ευλάβεια, λατρεία, **-al** ευλαβικός

devour (ντιβάουαρ) καταβροχθίζω,
καταλαμβάνω, κυριεύω (γιά συναι-
σθήματα)

devout (ντιβάουτ) θεοσεβής, ευλα-
βής, **-ness** ευσέβεια, ευλάβεια

dew (ντιού) δροσούλα (σταγόνες νε-
ρού), **-berry** είδος βατόμουρου **-less**
χωρίς δροσιά, **-point** θερμοκρασία
υγροποίησης ατμών, **-iness** δροσιά,
υγρασία, **-y** δροσοσταγής, υγρός

dexter (ντέξτερ) δεξιός, **-ity** δεξιό-
τητα, **-ous, dextrous** επιδέξιος, **-ou-
sness** επιδεξιότητα

dextrose (ντεξτρόουζ) είδος ζάχα-
ρης που περιέχεται σε φρούτα

diabetes (νταϊάμπίτις) διαβήτης (αρ-
ρώστια)

diabetic (ντραϊαμπέτικ) διαβητικός

diabolic (al) (νταϊαμπόλικ, -αλ) δια-
βολικός

diaconate (νταϊάκονετ) διακονία

diacritic (νταϊακρίτικ) διακριτικό
σημείο, **-al** διακριτικός

diadem (ντάϊαντεμ) διάδημα, στέμ-
μα

diaeresis (νταϊέρεσις) διαίρεση

diagnose (νταϊαγκνόουζ) κάνω
διάγνωση

diagnosis (νταϊαγκνόσις) διάγνωση

diagnostic (νταϊαγκνόστικ) διαγνω-
στικός, **-ian** διαγνώστης (γιατρός)

diagonal (νταϊάγκοναλ) διαγώνιος

diagram (ντάϊαγκραμ) διάγραμμα,
-matical διαγραμματικός, **-matically**
διαγραμματικά

dial (ντάϊαλ) πλάκα (ρολογιού), κα-
ντάρ τηλεφώνου, τηλεφωνώ χρησι-
μοποιώντας το καντάρ

dialect (ντάϊαλεκτ) διάλεκτος, **-al**
αυτός που ανήκει σε μια διάλεκτο,
-ic διαλεκτικός, **-ician** διαλεκτικός
φιλόσοφος, **-ics** η διαλεκτική

dialogue (ντάϊαλογκ) διάλογος

dialysis (νταϊάλισις) διύληση, διή-
θηση

diameter (νταϊάμιτερ) διάμετρος

diametrical (νταϊαμέτρικαλ) διαμε-
τρικός, **-ly** διαμετρικά

diamond (ντάϊμοντ) διαμάντι, καρό
τράπουλας, γήπεδο μπέϊζμπωλ

Diana (νταϊάνα) Άρτεμη

diapason (νταϊαπέϊζον) η διαπασών

diaper (νtάιαπερ) σπάργανο

diaphanous (νταϊάφανος) διαφανής

diaphragm (νταϊάφραμ) διάφραγμα

diarist (νtάιαριστ) ημερολογιο-
γράφος

diarrhea (νtάιαρία) διάρροια

diary (νtάιαρι) ημερολόγιο

diathermy (νταϊάθερμι) διαθερμία

diatonic (νταϊατόνικ) διατονικός

diatribe (νταϊατράϊμπ) καυστικός
λόγος ή κείμενο

dibble (ντίμπλ) φυτεύω, φυτευτήρι

dice (ντάϊς) κύβοι (die: κύβος), κό-
βω σε κύβους, παιχνίδι με κύβους
(ζάρια) / to dice with death: ρισκά-
ρω υπερβολικά, ριψοκινδυνεύω / to
dice smth away: χάνω στα ζάρια

dicey (ντάϊσι) ριψοκίνδυνος, αβέ-
βαιος

dichotomy (νταϊκότομι) διχοτόμηση

dichromatic (νταϊκρομάτικ) διχρω-
ματικός

dick (ντίκ) μυστικός αστυφύλακας,
ανόητος

dickens (ντίκενς) διάβολος, διάβο-
λε!

dicker (ντίκερ) παζαρεύω την τιμή

dicky (ντίκι) ρούχο γιά το στήθος,
αδύναμος, ετοιμόρροπος

dickybird (ντίκιμπέρντ) μικρό που-
λί, (σε αρνητικές προτάσεις) τίποτε,
ούτε λέξη

dicotyledon (νταϊκοτιλίντον) δικο-
τυλήδονο, **-ous** δικοτυλήδονος

dictaphone (ντικταφόουν) είδος φω-
νογράφου

dictate (ντικτέϊτ) υπαγορεύω, διατά-
ζω, καθορίζω, υπαγόρευση, διαταγή

dictation (ντικτέϊσσον) υπαγόρευ-
ση, διαταγή

dictator (ντικτέϊτορ) δικτάτορας,
-ship δικτατορία, **-ial** δικτατορικός

diction (ντίκσον) τρόπος προφοράς
λέξεων, απαγγελία

dictionary (ντικσονέρι) λεξικό

dictum (ντίκτομ) διακήρυξη δικα-
στηρίου, ρητό

didactic (al) (ντιντάκτικ, -αλ) διδα-
κτικός

diddle (ντίντλ) εξαπατώ, χασομερώ

dido (ντάϊντο) παιχνίδι, κάτι πα-
ράξενο

die (ντάϊ) πεθαίνω, παύω να λειτουρ-
γώ (μηχανές), **-hard** πάρα πολύ
συντηρητικός, **-sinker** χαράκτης /
be dying for (to): επιθυμώ σφοδρά /
to die a... death: πεθαίνω μ' ένα
συγκεκριμένο τρόπο / to one's dying
day: όσο καιρό ζεί κάποιος / to die
with one's bootson: πεθαίνω κατά
την εργασία ή στη μάχη

dielectric (νταϊιλέκτρικ) διηλε-
κτρικός

dieresis (νταϊέρεσις) διαλυτικά ση-
μεία στίξης

diesis (ντάϊσις) δίεση

diet (ντάϊετ) δίαιτα, συνέδριο, βου-
λή, κάνω δίαιτα, **-ary** διαιτητικός,
-etics διαιτολογία, **-ician** διαιτολό-
γος

differ (ντίφερ) διαφέρω, διαφωνώ,
-ence διαφορά, διαφωνία, **-ent** δια-
φορετικός, ασυνήθιστος, **-ential**
διαφορικός, **-entiate** διακρίνω, δια-
φέρω, κάνω διάκριση

difficult (ντίφικολτ) δύσκολος, **-y**
δυσκολία

diffidence (ντίφιντενς) έλλειψη αυ-
τοπεποίθησης, διστακτικότητα

diffident (ντίφιντεντ) άτολμος, δι-
στακτικός, χωρίς αυτοπεποίθηση

diffract (ντιφράκτ) διαθλώ, **-ive**
διαθλαστικός, **-ion** διάθλαση του
φωτός

diffuse (ντιφιούζ) διαχέω, διαχύνω,
διακεχυμένος, εκτενής, **-ness** μα-
κρολογία

diffusion (ντιφιούζον) διάχυση,
αραίωση

dig (ντίγκ) σκάβω, εκτιμώ, ανασκα-
φή, ανασκάπτω / dig into: βυθίζω,

μπήγω, εξετάζω εξονυχιστικά
digest (νταϊτζέστ) χωνεύω, συνοψί-
ζω (νταϊτζεστ) σύνοψη, **-ibility** ευπε-
ψία, **-ible** εύπεπτος, **-ion** πέψη, **-ive**
χωνευτικός
digger (ντίγκερ) σκάφτης
digging (ντίγκινγκ) σκάψιμο, εκ-
σκαφή
digit (ντίτζιτ) ψηφίο, αριθμός (απ'
το 0 ως το 9), δάκτυλο ποδιού, **-ate**
δακτυλοειδής
dignified (ντιγκνιφάϊντ) αξιοπρεπής
dignify (ντιγκνιφάϊ) τιμώ, προσδίδω
αξιοπρέπεια
dignitary (ντίγκνιτέρι) αξιωματού-
χος, υψηλόβαθμος
dignity (ντίγκνιτι) αξιοπρέπεια,
αξίωμα
digress (ντιγκρές) εκτρέπομαι, ξε-
φεύγω, **-ion** παρεκτροπή, **-ive** παρε-
κτρεπόμενος, **-iveness** παρεκβατι-
κότητα
dihedral (νταϊίντραλ) δίεδρος
dike (ντάϊκ) τάφρος, πρόχωμα, λε-
σβία
dilapidate (ντιλαπιντέϊτ) ερειπώνω,
-d ερειπωμένος, διαλυμένος
dilapidation (ντιλαπιντέϊσσον)
ερείπωση, κατάρρευση
dilatation (ντιλατέϊσσον) διαστολή,
διεύρυνση
dilate (ντιλέϊτ) διαστέλλω, **-ομαι**,
ευρύνω
dilator (ντιλέϊτορ) διαστολέας
dilatory (ντιλάτορι) αργοκίνητος,
καθυστερημένος, αναβλητικός
dilemma (ντιλέμα) δίλημμα
dilettante (ντιλετάντι) ερασιτέχνης
dilettantish (ντιλετάντιςς) ερασιτε-
χνικός
diligence (ντίλιτζενς) επιμέλεια,
εργατικότητα, παλιά ταχυδρομική
άμαξα
diligent (ντίλιτζεντ) επιμελής, ερ-
γατικός
dill (ντίλ) άνηθος

dillydally (ντιλιντάλι) χασομερώ,
τεμπελιάζω
dilute (ντιλιούτ) αραιώνω, διαλύω,
-ness αραιότητα
dilution (ντιλιούσσον) διάλυση,
αραίωση
diluvial (ντιλούβιαλ) κατακλυ-
σμιαίος
dim (ντίμ) αμυδρός, σκοτεινός, θο-
λός, με εξασθενημένη όραση, ανόη-
τος, καθιστώ θαμπό ή αμυδρό, **-ly**
αμυδρά, **-ness** αμυδρότητα
dime (ντάϊμ) (νόμισμα) 10 σέντς
dimension (ντιμένσον) διάσταση,
άποψη, μέγεθος, **-al** αυτός που έχει
διαστάσεις, **-s** οι διαστάσεις
diminish (ντιμίνισσ) ελαττώνω, μι-
κραίνω, υποτιμώ, **-able** ελαττώσιμος
diminuendo (ντιμινιουέντο) ελάττω-
ση μουσικού τόνου
diminution (ντιμινιούσσον) ελάττω-
ση, σμίκρυνση
diminutive (ντιμινιούτιβ) ελάχι-
στος, πάρα πολύ μικρός
dimity (ντίμιτι) είδος βαμβακερού
υφάσματος
dimmer (ντίμερ) κάνω αμυδρό
dimple (ντίμπλ) λακκάκι στο μά-
γουλο
dimwit (ντίμουίτ) βλάκας, ανόητος
din (ντίν) θόρυβος, κρότος, θορυβώ,
ξεκουφαίνω
dine (ντάϊν) γευματίζω, **-r** αυτός που
γευματίζει, εστιατόριο τρένου
dinette (νταϊνέτ) μικρό δωμάτιο
φαγητού
ding (ντίνγκ) κουδουνίζω, κουδούνι-
σμα, **-dong** κουδούνισμα
dinghy (ντίνγκι) βάρκα, πλοιάριο
dinginess (ντίντζινες) σκοτάδι,
βρωμιά
dingy (ντίντζι) βρώμικος, σκοτεινός
dining room (ντάϊνινγκ ρούμ) τρα-
πεζαρία
dinky (ντίνκι) μικρός και χαριτω-
μένος, τιποτένιος

D

dinner (ντίνερ) γεύμα, **-service** σερβίτσιο
dinosaur (νταϊνοσόρ) δεινόσαυρος
dint (ντίντ) by dint of: έχοντας ως μέσο, χρησιμοποιώντας
diocesan (νταϊόσισαν) επισκοπικός
diocese (νταϊοσίς) επισκοπή
diorama (νταϊοράμα) πανόραμα
dioxide (ντιοξάϊντ) διοξείδιο
dip (ντίπ) βυθίζω, -ομαι, βουτώ, βουτιά
diphtheria (ντιφθίρια) διφθειρίτιδα (αρρώστια)
diphthong (ντίφθονγκ) δίφθογγος
diploma (ντιπλόμα) δίπλωμα, πτυχίο
diplomacy (ντιπλόμασι) διπλωματία
diplomat (ντίπλομ ατ) διπλωμάτης, **-ic** διπλωματικός
dipper (ντίπερ) κουτάλα, είδος πουλιού / Big Dipper: Μεγάλη Άρκτος / Little Dipper: Μικρή Άρκτος
dipsomania (ντιπσομέϊνια) αλκοολισμός, σφοδρή επιθυμία γιά ποτό, **-c** πότης
dipterous (ντίπτερος) δίπτερος
dire (ντάϊαρ) τρομερός, φρικτός
direct (ντάϊρέκτ) ευθύς, άμεσος, διευθύνω, απευθύνω, **-ness** ευθύτητα, **-current** συνεχές ρεύμα, **-ly** κατευθείαν, **-ion** κατεύθυνση, διεύθυνση, **-ional** της διεύθυνσης
director (ντάϊρέκτορ) διευθυντής, **-ship** οι διευθύνοντες, η θέση του διευθυντή, **-y** κατάλογος ονομάτων με διευθύνσεις
direful (ντάϊαρφουλ) φοβερός, φρικτός
dirge (ντέρτζ) μοιρολόϊ
dirigible (ντίριτζιμπλ) αερόστατο που οδηγείται με τιμόνι
dirk (ντίρκ) μικρό σπαθί, μαχαιρώνω
dirt (ντέρτ) ακαθαρσία, βρωμιά, έδαφος, χώμα, σκάνδαλο, **-iness** βρωμιά, **-y** λερώνω, ακάθαρτος

disability (ντισαμπίλιτι) ανικανότητα
disable (ντισέϊμπλ) καθιστώ ανίκανο, χαλώ (μηχανή), αφαιρώ δύναμη ή δικαίωμα
disabuse (ντισαμπιούζ) απαλλάσσω από λανθασμένη αντίληψη, βγάζω απ' την απάτη
disadvantage (ντισαντβάντετζ) μειονέκτημα, **-ous** μειονεκτικός
disaffect (ντισαφέκτ) δυσαρεστώ, **-ion** δυσαρέσκεια, **-ed** ο στερούμενος πολιτικής νομιμότητας
disafforest (ντισαφόρεστ) κόβω τα δέντρα δάσους
disagree (ντισαγκρίι) διαφωνώ, **-able** δυσάρεστος, **-ment** διαφωνία
disallow (ντισαλάου) απορρίπτω, δεν αναγνωρίζω, **-ance** άρνηση, απόρριψη
disappear (ντισαπίαρ) εξαφανίζομαι, παύω να υπάρχω, **-ance** εξαφάνιση
disappoint (ντισαπόϊντ) απογοητεύω, **-ment** απογοήτευση
disapprobation (ντισαπρομπέϊσσον) αποδοκιμασία γιά κάτι ανήθικο
disapproval (ντισαπρούβαλ) αποδοκιμασία
disapprove (ντισαπρούβ) αποδοκιμάζω
disarm (ντισάρμ) αφοπλίζω, κερδίζω την εμπιστοσύνη κι εύνοια κάποιου, **-ament** αφοπλισμός
disarrange (ντισαρέϊντζ) επιφέρω αταξία, **-ment** αταξία
disarray (ντισαρέϊ) αταξία, προκαλώ αταξία
disassemble (ντισασέμπλ) διαλύω
disassembly (ντισασέμπλι) διάλυση
disaster (ντιζάστερ) καταστροφή, συμφορά
disastrous (ντιζάστρος) καταστροφικός
disavow (ντισαβάου) αρνιέμαι να παραδεχτώ, αποκηρύσσω, **-al** απο-

κήρυξη
disband (ντισμπάντ) απολύω, διασκορπίζω, -ομαι, -**ment** διασκόρπιση
disbar (ντισμπάρ) στερώ δικηγόρο απ' το δικαίωμα άσκησης του επαγγέλματός του, -**ment** αφαίρεση δικηγορικής άδειας
disbelief (ντισμπιλίφ) απιστία, δυσπιστία
disbelieve (ντισμπιλίβ) δυσπιστώ
disburden (ντισμπάρντεν) ανακουφίζω, -**ment** ανακούφιση
disburse (ντισμπέρς) ξοδεύω, -**ment** έξοδο, -**r** αυτός που ξοδεύει
disc (ντισκ) δίσκος
discard (ντισκάρντ) αποβάλλω, πετώ, απαλλάσσομαι από κάτι άχρηστο
discern (ντισέρν) διακρίνω, -**er** αυτός που διακρίνει, -**ible** ορατός, ευδιάκριτος, -**ing** οξυδερκής, -**ment** οξυδέρκεια
discharge (ντιστσάρτζ) απολύω, εκπληρώνω καθήκον, αδειάζω, ξεφορτώνω, εκπλήρωση, απόλυση, πυροβολισμός
disciple (ντισάιπλ) μαθητής, -**ship** μαθήτευση, θητεία
disciplinarian (ντισιπλινέριαν) αυστηρός, που επιβάλλει πειθαρχία
disciplinary (ντισιπλίνερι) πειθαρχικός
discipline (ντίσιπλιν) πειθαρχία, επιβάλλω πειθαρχία
disclaim (ντισκλέϊμ) αρνιέμαι, αποκηρύττω, -**er** αυτός που αρνιέται
disclose (ντισκλόουζ) αποκαλύπτω, δημοσιεύω
disclosure (ντισκλόζουρ) αποκάλυψη
discolour (ντισκόλορ) αποχρωματίζω, ξεβάφω, -**ment**, -**ation** αποχρωματισμός
discomfit (ντισκόμφιτ) κάνω κάποιον να νιώθει άβολα, ντροπιάζω, μα-

ταιώνω, -**ure** ήττα, ματαίωση, σύγχυση
discomfort (ντισκόμφορτ) ενόχληση, στενοχωρία, στενοχωρώ
discommode (ντισκομόουντ) ενοχλώ
discompose (ντισκοπμόουζ) ταράζω, συγχύζω
discomposure (ντισκοπμόζουρ) σύγχυση, ταραχή
disconcert (ντισκονσέρτ) ταράζω, συγχύζω, ανησυχώ
disconnect (ντισκονέκτ) διακόπτω, χωρίζω, -**ed** χωρισμένος, ασύνδετος, -**ion** διακοπή, διαχωρισμός
disconsolate (ντισκονσολέϊτ) απαρηγόρητος, -**ness** το απαρηγόρητο
discontent (ντισκοντέντ) δυσαρέσκεια, -**ed** δυσαρεστημένος
discontinuance, discontinuation (ντισκοντίνιουενς,-έϊσσον) διακοπή
discontinue (ντισκοντίνιου) διακόπτω, -**r** αυτός που διακόπτει
discontinuous (ντισκοντίνιουος) διακεκομμένος
discord (ντισκόρντ) ασυμφωνία, διαφωνία, παραφωνία, -**ant** ασύμφωνος, -**ance**, -**ancy** ασυμφωνία
discount (ντισκάουντ) έκπτωση, κάνω έκπτωση, προεξόφληση, προεξοφλώ
discountenance (ντισκαουντίνανς) αποθαρρύνω, απελπίζω, αποδοκιμασία
discourage (ντισκόρετζ) αποθαρρύνω, -**ment** αποθάρρυνση, -**r** αυτός που αποθαρρύνει
discouraging (ντισκόρετζινγκ) αποθαρρυντικός
discourse (ντισκόρς) ομιλία, διάλογος, εκφωνώ λόγο
discourteous (ντισκέρτιος) αγενής
discourtesy (ντισκέρτισι) αγένεια
discover (ντισκάβερ) ανακαλύπτω, -**er** αυτός που ανακαλύπτει, -**y** ανακάλυψη

discredit (ντισκρέντιτ) δυσφημώ, δυσφήμηση, κακή σύσταση, **-able** κακόφημος

discreet (ντισκρίτ) διακριτικός, συνετός, **-ness** διακριτικότητα

discrepancy (ντισκρίπανσι) ασυμφωνία, διαφορά

discrepant (ντισκρέπαντ) ασύμφωνος

discrete (ντισκρίτ) χωριστός, διακεκριμένος

discretion (ντισκρέσον) σύνεση, διακριτικότητα, **-ary** προαιρετικός

discriminate (ντισκρίμινέϊτ) κάνω διάκριση, (ντισκρίμινετ) διακριτικός

discrimination (ντισκριμινέϊσσον) διάκριση

discriminative, discriminatory (ντισκριμινέϊτιβ, -τορι) διακριτικός, αυτός που διακρίνει

discursive (ντισκέρσιθ) άτακτος, ακατάστατος, **-ness** αταξία, πολυλογία

discus (ντίσκος) δίσκος

discuss (ντισκάς) συζητώ, **-ion** συζήτηση

disdain (ντισντέϊν) περιφρόνηση, περιφρονώ, αποστρέφομαι, **-ful** καταφρονητικός

disease (ντισίζ) ασθένεια, **-d** άρρωστος

disembark (ντισεμπάρκ) αποβιβάζω, -ομαι, **-ation** αποβίβαση

disembodied (ντισεμπόντιντ) ασώματος, αόρατος

disembody (ντισεμπόντι) αποχωρίζω από το σώμα

disembowel (ντισεμπάουελ) ξεκοιλιάζω

disenchant (ντισεντσάντ) λύνω τα μάγια, **-ment** αφύπνιση, ξεμάγεμα

disencumber (ντισενκόμπερ) ανακουφίζω, ελαφρώνω

disenfranchise (ντισένφραντσάϊζ) στερώ των πολιτικών δικαιωμάτων

disengage (ντισεντζέϊτζ) λύνω μηχανή, αποσυνδέω, παύω να πολεμώ, **-ment** λύση, αποσύνδεση

disentangle (ντισέντανγκλ) ξεμπερδεύω, **-ment** ξεμπέρδεμα, ξέμπλεγμα

disestablish (ντισεστάμπλισσ) αίρω την πολιτική αναγνώριση εκκλησίας

disesteem (ντισεστίμ) περιφρονώ, ανυποληψία

disfavour (ντισφέϊθορ) δυσμένεια, αποδοκιμασία, αντιμετωπίζω δυσμενώς

disfigure (ντισφίγκιουρ) ασχημίζω, **-r** ο παραμορφωτής, **-ment** παραμόρφωση

disfranchise (ντισφραντσάϊζ) στερώ των πολιτικών δικαιωμάτων, **-ment** στέρηση πολιτικών δικαιωμάτων

disgorge (ντισγκόρτζ) εκχύνω, κάνω εμετό

disgrace (ντισγκρέϊς) αίσχος, ντροπή, καταντροπιάζω, **-ful** αισχρός

disgruntle (ντισγκράντλ) δυσαρεστώ

disguise (ντισγκάϊζ) μεταμφιέζομαι, μεταμφίεση, κρύβω την πραγματικότητα

disgust (ντισγκάστ) αηδία, αηδιάζω, **-ed** αυτός που νιώθει αηδία, **-ing** αηδιαστικός, σιχαμερός

dish (ντίςς) πιάτο, κενώνω, σερβίρω στα πιάτα

dishabille (ντισσαμπίλ) ατημέλητο ντύσιμο

disharmony (ντισάρμονι) δυσαρμονία, διαφωνία

dishcloth (ντισσκλόθ) πανί γιά πλύσιμο των πιάτων

dishearten (ντισχάρτεν) αποκαρδιώνω, αποθαρρύνω, **-ment** αποθάρρυνση

dishevelled (ντισέβελντ) ατημέλητος στην εμφάνιση, αχτένιστος

dishonest (ντισόνεστ) άτιμος, **-y** ατιμία

dishonor (ντισόνορ) ατιμία, ντρο-

πή, ατιμάζω, -able άτιμος, επαί-
σχυντος

disillusion (ντισιλούζον) απαλλάσ-
σω από πλάνη ή ψευδαίσθηση,
αποκαλύπτω την αλήθεια, -**ment**
απαλλαγή απ' την αυταπάτη, απο-
γοήτευση

disillusive (ντισιλιούσιθ) απογοη-
τευτικός

disinclination (ντισινκλινέϊσσον)
απροθυμία

disincline (ντισινκλάϊν) αποτρέπω,
αντιπαθώ, -**d** απρόθυμος

disinfect (ντισινφέκτ) απολυμαίνω,
-**ant** απολυμαντικός, -ό, -**or** αυτός
που απολυμαίνει, -**ion** απολύμανση

disingenuous (ντισιντζένιους) ανει-
λικρινής

disinherit (ντισινχέριτ) αποκληρώ-
νω, -**ance** αποκλήρωση

disintegrate (ντισίντεγκρέϊτ) δια-
λύομαι, αποσυνθέτω, -ομαι

disintegration (ντισίντεγκρέϊσσον)
διαχωρισμός, αποσύνθεση

disinter (ντισίντερ) ξεθάβω

disinterest (ντισίντερεστ) αδιαφο-
ρία, -**ed** αμερόληπτος

disjoin (ντιστζόϊν) διαχωρίζω

disjoint (ντιστζόϊντ) εξαρθρώνω,
διαμελίζω, -**edness** εξάρθρωση

disjunction (ντιστζάνκσον) διάζευ-
ξη, διαχώρηση

disjunctive (ντιστζάνκτιθ) διαζευ-
τικός

disk (ντίσκ) δίσκος

dislike (ντισλάϊκ) αντιπαθώ, δε μου
αρέσει, μισώ, αντιπάθεια, απέχθεια

dislocate (ντισλοκέϊτ) εκτοπίζω,
εξαρθρώνω

dislocation (ντισλοκέϊσσον) εξάρ-
θρωση

dislodge (ντισλότζ) εκτοπίζω, διώ-
χνω

dislodgment (ντισλότζμεντ) εκτό-
πιση

disloyal (ντισλόϊαλ) άπιστος, -**ty**

απιστία

dismal (ντισμάλ) λυπημένος, κατη-
φής, σκοτεινός, -**ness** κατήφεια,
σκοτάδι

dismantle (ντισμάντλ) λύνω (μηχα-
νή), αποσυνδέω, -**ment** αποσύνδεση,
διάλυση

dismay (ντισμέϊ) φόβος, δειλία,
τρομάζω

dismember (ντισμέμπερ) διαμελίζω

dismiss (ντισμίς) απολύω, απο-
πέμπω, -**al** απόλυση, σταμάτημα

dismount (ντισμάουντ) κατεβαίνω
(από άλογο, ποδήλατο κτλ.), κατε-
βάζω όπλο απ' τη βάση του

disobedience (ντισομπίντιενς) ανυ-
πακοή

disobedient (ντισομπίντιεντ) ανυ-
πάκους

disobey (ντισομπέϊ) παρακούω, εί-
μαι ανυπάκους

disoblige (ντισομπλάϊτζ) δυσαρεστώ

disorder (ντισόρντερ) ακαταστα-
σία, αταξία, διαταραχή λειτουρ-
γίας οργάνου του σώματος, -**ly** άτα-
κτα, άτακτος

disorganize (ντισόργκαναϊζ) απο-
διοργανώνω, παραλύω, αναστατώνω

disorganization (ντισοργκαναϊζέϊσ-
σον) αποδιοργάνωση, αναστάτωση

disown (ντισόουν) αποκηρύσσω,
δεν αναγνωρίζω

disparage (ντισπάρετζ) υποτιμώ, δυ-
σφημώ, -**ment** υποτίμηση, δυσφή-
μηση

disparate (ντίσπαρετ) ανόμοιος

disparity (ντισπάριτι) ανομοιότητα,
διαφορά

dispassionate (ντισπάσιονέϊτ) ήρε-
μος, ανεπηρέαστος από πάθη, -**ness**
απάθεια

dispatch (ντισπάτσ) στέλνω, κατα-
ναλώνω τρόφιμα γρήγορα, φονεύω,
μήνυμα, ταχύτητα, βιασύνη, -**er**
αποστολέας

dispel (ντισπέλ) διασκορπίζω, -**ler**

διασκορπιστής
dispensable (ντισπένσαμπλ) διαθέσιμος, μη απαραίτητος
dispensary (ντισπένσαρι) κλινική
dispensation (ντισπενσέϊσσον) διανομή, απονομή, εξαίρεση
dispense (ντισπένς) διανέμω, απονέμω, **-r** διανομέας / dispense with: καθιστώ μη απαραίτητο, δεν έχω ανάγκη από
disperse (ντισπέρς) διασκορπίζω, -ομαι, **-r** διασκορπιστής
dispersion (ντισπέρσον) διασκόρπιση, διασπορά
dispirit (ντισπίριτ) αποθαρρύνω, απελπίζω
displace (ντισπλέϊς) εκτοπίζω, **-ment** εκτόπισμα
display (ντισπλέϊ) επίδειξη, έκθεση, επιδεικνύω, **-er** αυτός που επιδεικνύει
displease (ντισπλίζ) δυσαρεστώ
displeasure (ντισπλέζουρ) δυσαρέσκεια
disport (ντισπόρτ) διασκεδάζω
disposable (ντισπόζαμπλ) διαθέσιμος
disposal (ντισπόζαλ) διάθεση
dispose (ντισπόουζ) διαθέτω / dispose of: καταστρέφω
disposition (ντισποζίσσον) διάθεση, διάταξη
dispossess (ντισποσές) έξωση, κάνω έξωση, **-ion** έξωση
dispraise (ντισπρέϊζ) καταδιώκω, κατηγορώ
disproof (ντισπρούφ) διάψευση
disproportion (ντισπροπόρσον) δυσαναλογία, **-al**, **-ate** δυσανάλογος
disproval (ντισπρούβαλ) διάψευση
disprove (ντισπρούβ) διαψεύδω
disputable (ντισπιούταμπλ) αμφισβητήσιμος
disputant (ντισπιούταντ) αυτός που αντιλέγει
disputation (ντισπιουτέϊσσον) αντι-

λογία, συζήτηση
disputatious (ντισπιουτέϊσος) φιλόνικος
dispute (ντισπιούτ) φιλονικώ, συζητώ, φιλονικία, συζήτηση, αμφισβητώ
disqualification (ντισκουαλιφικέϊσσον) αναρμοδιότητα, στέρηση προσόντων
disqualify (ντισκουόλιφάϊ) αφαιρώ δικαίωμα, καθιστώ ακατάλληλο
disquiet (ντισκουάϊετ) ανησυχώ, ανησυχία, **-ude** ανησυχία
disquisition (ντισκουιζίσσον) συζήτηση
disregard (ντισριγκάρντ) αμελώ, παραβλέπω, αμέλεια, ασέβεια, **-ful** αμελής, ασεβής, περιφρονητικός
disrepair (ντισριπέαρ) ανάγκη επισκευής, άσχημη κατάσταση
disreputable (ντισριπιούταμπλ) κακόφημος, ανυπόληπτος
disrepute (ντισριπιούτ) ανυποληψία
disrespect (ντισρῖσπέκτ) ασέβεια, ανευλάβεια, **-ful** ασεβής, ανευλαβής
disrobe (ντισρόουμπ) ξεντύνω, -ομαι, **-ment** γδύσιμο
disrupt (ντισράπτ) διασπώ, φέρνω ακαταστασία, διαρρηγνύω, **-ion** διάρρηξη, διάσπαση, **-ive** διασπαστικός
dissatisfaction (ντισατισφάκσον) δυσαρέσκεια, έλλειψη ικανοποίησης
dissatisfy (ντισάτισφάϊ) δυσαρεστώ
dissect (ντισέκτ) ανατέμνω, διαμελίζω, **-ion** ανατομή, **-or** ανατόμος
dissemble (ντισέμπλ) υποκρίνομαι, κρύβω τα πραγματικά μου αισθήματα, σκοπούς κτλ., **-r** υποκριτής
disseminate (ντισέμινέϊτ) διασπείρω, διαδίδω
dissemination (ντισέμινέϊσσον) διασπορά, διάδοση
dissension (ντισένσον) διαφωνία, τσακωμός

dissent (ντισέντ) διαφωνώ, διαφωνία, -**er** σχισματικός, που διαφωνεί

dissertation (ντισερτέϊσσον) διατριβή

disservice (ντισέρβις) κακή υπηρεσία

dissever (ντισέβερ) διαχωρίζω

dissidence (ντίσιντενς) διαφωνία

dissident (ντίσιντεντ) αυτός που διαφωνεί

dissimilar (ντισίμιλαρ) ανόμοιος, -**ity**, **dissimilitude** ανομοιότητα

dissimulate (ντισίμιουλέϊτ) προσποιούμαι, υποκρίνομαι

dissimulation (ντισίμιουλέϊσσον) προσποίηση

dissipate (ντισιπέϊτ) διασκορπίζω, σπαταλώ, -**d** άσωτος

dissipation (ντισιπέϊσσον) ασωτεία, σπατάλη, σκόρπισμα

dissociate (ντισόσιέϊτ) διαχωρίζω

dissociation (ντισόσιέϊσσον) χωρισμός

dissolubility (ντισολιουμπίλιτι) διαλυτότητα

dissoluble (ντίσολιουμπλ) διαλυτός

dissolute (ντισολιούτ) άσωτος, ανήθικος, -**ness** ακολασία

dissolution (ντισολούσσον) διάλυση

dissolve (ντισόλβ) διαλύω, -ομαι, -**r** διαλύτης

dissolvable (ντισόλβαμπλ) διαλυτός

dissonance (ντίσονανς) διαφωνία, παραφωνία

dissonant (ντίσοναντ) κακόφωνος, παράφωνος

dissuade (ντισιουέϊντ) μεταπείθω, αποτρέπω

dissuasion (ντισουέϊσσον) μετάπειση, αποτροπή

dissuasive (ντισουέϊσιβ) αποτρεπτικός

distaff (ντιστάφ) ρόκα, -**side** οι γυναίκες της οικογένειας

distance (ντίστανς) απόσταση

distant (ντίσταντ) απομακρυσμέ-

νος, μακρυνός

distaste (ντιστέϊστ) αποστροφή, αηδία, -**ful** αηδιαστικός, -**fulness** απέχθεια, απαρέσκεια

distemper (ντιστέμπερ) αδιαθεσία, αρρώστια ζώου

distend (ντιστέντ) εκτείνω, τεντώνω, φουσκώνω

distensible (ντιστένσιμπλ) εκτατός

distention (ντιστένσον) έκταση, τέντωμα

distich (ντιστίτσ) δίστοιχο

distill (ντιστίλ) διυλίζω, αποστάζω, -**ate** απόσταγμα, -**ation** απόσταξη, διύλιση, -**er** διυλιστής, -**ery** εργαστήριο παρασκευής αλκοολούχων ποτών

distinct (ντιστίνκτ) ευδιάκριτος, -**ness** ευκρίνεια, -**ive** διακριτικός, -**ly** ευκρινώς, ευδιάκριτα, -**ion** διάκριση

distinguish (ντιστίνγκουιςς) διακρίνω, -**able** ευδιάκριτος, -**ed** διακεκριμένος

distort (ντιστόρτ) διαστρέφω, -**er** διαστροφέας, -**ed** διεστραμμένος, -**ion** διαστροφή

distract (ντιστράκτ) αποσπώ την προσοχή, συγχύζω, τρελαίνω, -**ive** περισπαστικός, που αποσπά την προσοχή, -**ion** περισπασμός, ζάλη, τρέλα, -**ed** έξαλλος

distrain (ντιστρέϊν) κατάσχω

distraught (ντιστρότ) ζαλισμένος

distress (ντιστρές) λύπη, δοκιμασία, στενοχωρώ

distribute (ντιστριμπιούτ) διαμοιράζω

distribution (ντιστριμπιούσσον) διανομή

distributor, distributer (ντιστριμπιούτερ,-τορ) διανομέας, έμπορος χονδρικής πωλήσεως

district (ντίστρικτ) τμήμα, διαμέρισμα, περιφέρεια, -**attorney** εισαγγελέας

distrust (ντιστράστ) δυσπιστώ, δυ-

σπιστία, **-ful** φιλύποπτος
disturb (ντιστέρμπ) ενοχλώ, ταρά-
ζω, **-ance** ενόχληση, ταραχή, **-er** αυ-
τός που ενοχλεί
disunion (ντισγιούνιον) διαχωρι-
σμός
disunite (ντισγιουνάϊτ) χωρίζω,
διαιρώ
disunity (ντισγιούνιτι) διαίρεση
disuse (ντισγιούζ) αχρηστία, αχρη-
στεύω
ditch (ντίτσ) χαντάκι, προσθαλασ-
σώνω αεροπλάνο κατ᾽ ανάγκη
dither (ντίδερ) τρεμούλα, έξαψη
dithyramb (ντιθίραμπ) διθύραμβος
ditto (ντίτο) όμοια, το ίδιο, **-marks**
ομοιωματικά σημεία
ditty (ντίτι) απλό τραγουδάκι
diuretic (νταϊγιουρέτικ) διουρητικός
diurnal (νταϊέρναλ) ημερήσιος
diva (ντίβα) η πρώτη ταγουδίστρια
μελοδράματος
dive (ντάϊβ) κάνω κατάδυση, βουτώ,
βουτιά, καταγώγι, **-bomber** κατα-
δρομικό βομβαρδιστικό αεροπλά-
νο, **-r** δύτης
diverge (νταϊβέρτζ) αποκλίνω, δίι-
σταμαι, **-nce** διάσταση, **-nt** ο απο-
κλίνων
divers (ντάϊβερζ) διάφορα
diverse (νταϊβέρς) διάφορος, διά-
φοροι
diversify (νταϊβέρσιφάϊ) ποικίλλω
diversification (ντιβερσιφικέϊσσον)
διαποίκιλση
diversion (ντιβέρζον) διασκέδαση,
εκτροπή
diversity (ντιβέρσιτι) ποικιλία
divert (ντιβέρτ) εκτρέπω, διασκε-
δάζω
divertissement (ντιβέρτισμάν) δια-
σκέδαση
divertive (ντιβέρτιθ) διασκεδαστι-
κός
divest (ντιβέστ) αφαιρώ, γδύνω
divide (ντιβάϊντ) διαιρώ, διανέμω,

χώρισμα, **-r** διαιρέτης, αυτός που
διαιρεί
dividers (ντιβάϊντερζ) διαβήτης
dividend (ντίβιντεντ) μέρισμα,
διαιρετέος
divination (ντιβινέϊσσον) μαντεία
divinatory (ντιβινέϊτορι) μαντευτι-
κός
divine (ντιβάϊν) θείος, θεϊκός, κλη-
ρικός, μαντεύω, **-r** μάντης
divinity (ντιβίνιτι) θεότητα, θεολο-
γία
divisibility (ντιβιζιμπίλιτι) διαιρε-
τότητα
divisible (ντιβίζιμπλ) διαιρετός
division (ντιβίζον) διαίρεση, τμήμα,
μεραρχία, **-al** διαιρετικός, της με-
ραρχίας
divisive (ντιβάϊσιθ) διαιρετικός
divisor (ντιβάϊζορ) διαιρέτης
divorce (ντιβόρς) διαζύγιο, διαζευ-
γνύω, **-ment** διάζευξη, **-e** διαζευγμέ-
νος, **-η**
divulge (ντιβόλτζ) αποκαλύπτω, λέω
dizen (ντίζεν) καταστολίζω
dizziness (ντίζινες) ζάλη
dizzy (ντίζι) ζαλισμένος
do (ντού) κάνω, πράττω, είμαι κα-
τάλληλος / do away with: καταργώ
/ do in: σκοτώνω / do down: εξαπα-
τώ, υποτιμώ / do out: καθαρίζω
εξονυχιστικά / do over: ξανακάνω
/ do with: θέλω
docile (ντόσιλ) υπάκουος, πειθή-
νειος
docility (ντοσίλιτι) υπακοή, εύκολη
επιρροή κι έλεγχος
dock (ντόκ) αποβάθρα, ειδώλιο, κό-
βω, αφαιρώ (χρήματα), αράζω, **-age**
τέλη αποβάθρας, αφαίρεση, κόψι-
μο, **-er** εργάτης που φορτώνει και
ξεφορτώνει πλοία
docket (ντόκετ) επιγραφή, περίλη-
ψη, κατάλογος δικών
dockyard (ντόκγιαρντ) ναυπηγείο
doctor (ντόκτορ) γιατρός, θερα-

πεύω, -al διδακτορικός
doctrinaire (ντοκτρινέρ) δογματι-
στής
doctrinal (ντόκτριναλ) δογματικός
doctrine (ντόκτριν) δόγμα
document (ντόκιουμεντ) έγγραφο,
αποδεικνύω με έγγραφα, **-ary** αυτός
που βασίζεται σε ή σχετίζεται με έγ-
γραφα, **-ation** απόδειξη βάσει εγ-
γράφων
dodder (ντόντερ) τρέμω, **-ing** αδύνα-
μος, τρεμάμενος
dodge (ντότζ) αποφεύγω, υπεκ-
φεύγω, υπεκφυγή, **-r** αυτός που
αποφεύγει
dodgy (ντόντζι) επικίνδυνος, ριψο-
κίνδυνος, αναξιόπιστος, άτιμος
dodo (ντοντό) μυθολογικό πουλί
doe (ντόου) θηλυκό ελαφιού, λαγού,
ποντικού
doer (ντούερ) ο πράττων
does (ντάζ) κάνει (γ' ενικό προσωπο
ενεστ. του do)
doeskin (ντόουσκιν) δέρμα ελαφιού
doesn't (ντάσντ) δεν κάνει (does
not)
doff (ντόφ) βγάζω το καπέλο
dog (ντόγκ) σκύλος, **-collar** λαιμοδέ-
της σκύλου, **-days** οι πιο ζεστές μέρες
του χρόνου, **-ear** γωνία βιβλίου δι-
πλωμένη, **-fish** σκυλόψαρο, **-tooth**
σκυλόδοντο / dog's life: σκληρή ζωή
/ not have a dog's chance: χωρίς να
έχει κάποιος την παραμικρή ευκαι-
ρία / let sleeping dog's lie: δεν διακό-
πτω γιά να μη δημιουργήσω προ-
βλήματα / in the dog house: σε δυ-
σμένεια / dog's breakfast: κάτι άσχη-
μα και άτακτα καμωμένο
doge (ντόουτζ) δόγης (Βενετός άρ-
χοντας)
dogged (ντόγκετ) πεισματάρης
doggerel (ντόγκερελ) ποίηση χωρίς
αξία, άτεχνη
doggie, doggy (ντόγκι) σκυλάκι
doggish (ντόγκισς) σκυλίσιος

dogma (ντόγκμα) δόγμα, **-tic (al)**
δογματικός, **-tism** δογματισμός, **-tist**
δογματιστής, **-tize** δογματίζω
dogwood (ντόγκγούντ) ακρανία (εί-
δος θάμνου)
doily (ντότλι) πετσετάκι
doing (ντούινγκ) πράξη, έργο,
σκληρή δουλειά
doldrums (ντολντράμς) αθυμία,
αδράνεια, ανία
dole (ντόουλ) επίδομα απορίας /
dole out: μοιράζω, δίνω
doleful (ντόουλφουλ) θλιβερός,
-ness θλιβερότητα
doll (ντόλ) κούκλα / doll up: στολί-
ζω, -ομαι
dollar (ντόλαρ) δολάριο
dolly (ντόλι) κουκλίτσα, χαμηλό
τροχοφόρο γιά μεταφορά βαριών
αντικειμένων
dolman (ντόλμαν) ράσο, μανδύας
dolor, dolour (ντόλορ) θλίψη, **-ous**
θλιβερός
dolphin (ντόλφιν) δελφίνι
dolt (ντόλτ) βραδύνους, βλάκας,
-ish ηλίθιος
domain (ντομέϊν) κτήση, κυριότη-
τα, κράτος
dome (ντόουμ) τρούλος
domestic (ντομέστικ) οικιακός, εγ-
χώριος, υπηρέτης, **-ate** εξημερώ-
νω, **-animal** κατοικίδιο ζώο, **-ity** οι-
κιακή ζωή
domicile (ντόμισιλ) κατοικία, κα-
τοικώ
dominance, dominancy (ντόμινανς,
ντομίνανσι) κυριότητα, επικράτηση
dominant (ντόμιναντ) ο επικρατών,
εξέχων, κύριος, επιβλητικός
dominate (ντόμινέϊτ) επικρατώ, κυ-
ριαρχώ
domination (ντομινέϊσσον) κυριαρ-
χία, κυριότητα
domineer (ντομινιάρ) επιβάλλομαι,
ασκώ έλεγχο, διευθύνω, **-ing** τυραν-
νικός, δικτατορικός

dominion (ντομίνιον) κυριαρχία, επικράτεια
domino (ντόμινο) ντόμινο (παιχνίδι)
don (ντόν) φορώ, πανεπιστημιακός καθηγητής
donate (ντόουνέϊτ) δωρίζω
donation (ντονέϊσσον) δωρεά
done (ντάν) καμωμένος (παθ. μετ. του do)
donkey (ντόνκι) γάϊδαρος
donor (ντόνορ) δωρητής
doodad (ντούνταντ) μπιχλιμπίδι
doodle (ντούντλ) τραβώ γραμμές άσκεπτα, γράφω αφηρημένα
doom (ντούμ) καταδίκη, καταδικάζω
Doomsday (ντούμσντέϊ) η ημέρα της Κρίσεως
door (ντόρ) πόρτα, -man θυρωρός, -way είσοδος, -step κατώφλι
dope (ντόουπ) ναρκωτικό, ανόητος, πληροφορία, οπιομανής
dopey, dopy (ντόουπι) ναρκωμένος, βλάκας
Doric (ντόρικ) Δωρικός
dormant (ντόρμαντ) αδρανής
dormer window (ντόρμερ ουίντοου) φεγγίτης, παράθυρο φτιαγμένο ψηλά
dormitory (ντόρμιτόρι) δωμάτιο ύπνου
dorsal (ντόρσαλ) ραχιαίος, νωτιαίος
dory (ντόρι) είδος βάρκας γιά ψάρεμα
dosage (ντόουσετζ) δόση
dose (ντόουζ) δόση, δίνω φάρμακο / like a dose of salts: πολύ γρήγορα κι εύκολα
dossier (ντοσιέ) φάκελος εγγράφων, ντοσιέ
dot (ντότ) στιγμή, στιγματίζω, προίκα
dotage (ντόουτετζ) εξασθένηση της διάνοιας εξαιτίας του γήρατος
dotard (ντόουταρντ) γερασμένο άτομο χωρίς πνευματική διαύγεια

dote (ντόουτ) υπεραγαπώ σε σημείο που να φαίνομαι ανόητος
doth (ντόθ) κάνει (αρχ. αντί does)
dotted (ντότεντ) με στίγματα, στικτός
dotty (ντότι) μωρός, μισότρελος
double (ντάμπλ) διπλός, διπλασιάζω, -cross προδοσία, προδίδω, -dealing διπλοπροσωπία, -faced διπρόσωπος, -talk αμφιλογία, ασυναρτησία / double as: έχω δεύτερη χρήση ως / double up: διπλώνομαι από γέλιο, πόνο κτλ., μοιράζομαι υπνοδωμάτιο
doublet (ντάμπλετ) είδος ανδρικής ζακέτας
doubly (ντάμπλι) διπλάσια
doubt (ντάουτ) αμφιβολία, αμφιβάλλω, -er αυτός που αμφιβάλλει, -ful αμφίβολος, -less αναμφίβολος
douche (ντούςς) ντούζ, κάνω ντούζ, ραντίζω
dough (ντόου) ζύμη, χρήματα, -boy πεζός στρατιώτης, -nut λουκουμάς
doughty (ντάουτι) γενναίος, αποφασιστικός, ικανός
doughy (ντόουι) ζυμαρώδης, μισοψημένος
dour (ντούρ) σκυθρωπός, κατηφής
douse (ντάους) βουτώ, βρέχω, βρέχομαι
dove (ντόβ) περιστέρι, μετριοπαθής πολιτικός, -cote περιστερώνας, -tail προσαρμόζω, συνδέω αντικείμενα που έχουν εσοχές και εξοχές, τέλεια σύνδεση
dowager (νταουάτζερ) χήρα κληρονόμος, εμφανίσιμη πλούσια ηλικιωμένη γυναίκα
dowdy (ντάουντι) κακοντυμένος
dower (ντάουερ) κληρονομιά συζύγου
down (ντάουν) κάτω, νότια, θλιμμένος, αποθαρρημένος, προς τα κάτω, καταπίνω, χτυπώ, -cast κατηφής, -fall πτώση, -hill, -grade κατηφορι-

κός, **-hearted** αποκαρδιωμένος, άκεφος, **-pour** ραγδαία βροχή, **-right** τέλειος, φανερός, **-wards** προς τα κάτω, **-stairs** στο κάτω πάτωμα / have a down on someone: έχω άσχημη γνώμη γιά κάποιον / down and out: απένταρος

down (ντάουν) χνούδι, **-y** χνουδωτός

dowry (ντάουρι) προίκα

doxology (ντοξόλοτζι) δοξολογία

doze (ντόουζ) μισικοιμάμαι, ελαφρός ύπνος

dozen (ντόουζεν) ντουζίνα

drab (ντράμπ) άχαρος, ανιαρός, ανήθικη γυναίκα

drachma (ντράκμα) δραχμή

draft (ντράφτ) πρόχειρο σχεδιάγραμμα, στρατολογία, ιχνογραφώ, στρατολογώ, ρεύμα αέρα, **-ee** κληρωτός, νεοσύλλεκτος, **-sman** σχεδιαστής, **-y** αυτός που έχει ρεύματα αέρα

drag (ντράγκ) σέρνω κάτι βαρύ, σέρνομαι, κινούμαι αργά, σύρσιμο, εμπόδιο / drag down: αποθαρρύνω, κάνω δυστυχισμένο / drag on: συνεχίζομαι γιά πάρα πολύ χρόνο

draggle (ντράγκλ) λασπώνω σέρνοντας

dragnet (ντράγκνετ) δίκτυο

dragon (ντράγκπον) δράκος

dragoon (ντραγκούν) ιππέας, δραγόνος

drain (ντρέϊν) οχετός, σωλήνας, αυλάκι, ξηραίνω, εξαντλώ, διοχετεύω, **-age** διοχέτευση, σύστημα διοχέτευσης

drake (ντρέϊκ) αρσενική πάπια

dram (ντράμ) δράμι (μονάδα μέτρησης βάρους)

drama (ντράμα) δράμα, **-tic** δραματικός, **-tist** δραματογράφος, **-tize** δραματοποιώ, **-tizer** δραματοποιός

drape (ντρέϊπ) σκεπάζω με ύφασμα, κουρτίνα

drapery (ντρέϊπερι) ύφασμα με πτυ-

χές, κουρτίνα

drastic (ντράστικ) δραστικός

draw (ντρό) σέρνω, τραβώ, σχεδιάζω, ελκύω, αποκτώ, λήγω με ισόπαλο αποτέλεσμα, ισοπαλία, κάτι το ελκυστικό, **-back** μειονέκτημα, **-bridge** γέφυρα / draw back: απομακρύνομαι / draw on: πλησιάζω, εισπνέω καπνό / draw out: παρατείνω

drawer (ντρόερ) συρτάρι, **-s** σώβρακο

drawing (ντρόουινγκ) τράβηγμα, σχέδιο, ιχνογραφία, **-room** σαλόνι

drawl (ντρόλ) βραδυγλωσσία, μιλώ αργά, **-er** βραδύγλωσσος

dray (ντρέϊ) κάρο, μεταφέρω με κάρο

dread (ντρέντ) τρόμος, φόβος, φοβάμαι, τρομακτικός, **-ful** φοβερός, **-fulness** φοβερότητα, **-nought** μεγάλο θωρηκτό

dream (ντρίμ) όνειρο, ονειρεύομαι, **-er** ονειροπόλος, **-y** ονειρώδης, **-boat** πολύ ελκυστικό άτομο του αντίθετου φύλου, **-like** ονειρικός, ονειρεμένος, μη πραγματικός

dreary (ντρίρι) λυπημένος, σκοτεινός, κατηφής

dredge (ντρέτζ) κόσκινο, δίκτυο, βαθαίνω, πασπαλίζω

dreggy (ντρέγκι) θολός, λασπώδης

dregs (ντρέγκς) κατακάθι

drench (ντρέντσ) καταβρέχω, μουσκεύω

dress (ντρέσ) ντύνω, **-ομαι**, ενδυμασία, φόρεμα, περιποιούμαι τραύμα, ετοιμάζω γιά μαγείρεμα, **-ing** ντύσιμο, σάλτσα, **-maker** μοδίστρα, **-making** ραπτική, **-er** αυτός που ντύνει, κομοδίνο, **-y** κομψός, μοντέρνος

dressing gown (ντρέσινγκ γκόουν) πρόχειρο φόρεμα, ρόμπα

dribble (ντρίμπλ) στάζω, σταγόνα, φτύνω, ψιχάλα

dribblet (ντρίμπλετ) μικρή ποσότη-

τα
drier (ντράϊερ) ξηραντικό, ξηρότερος
drift (ντρίφτ) συμπαρασύρω, -ομαι, τάση, ρεύμα, σωρός, **-er** αυτός που περιφέρεται άσκοπα
drill (ντρίλ) τρυπώ, γυμνάζω, -ομαι, ασκώ, τρυπάνι, γυμναστική, αυλάκι γιά σπορά, τρύπημα, χοντρό ύφασμα
drily, dryly (ντρίλι) ξερά (επιρ.)
drink (ντρίνκ) πίνω, ποτό, **-able** πόσιμος, **-er** πότης
drip (ντρίπ) στάζω, σταγόνα / drip with: είμαι γεμάτος από, έχω σε μεγάλες ποσότητες
drive (ντράϊβ) οδηγώ, προωθώ, άγω, διώκω / drive at: υπαινίσσομαι / drive off: απωθώ, αποκρούω
drive way (ντράϊβ γουέϊ) δρόμος ή δίοδος γιά τ' αυτοκίνητα
drivel (ντρίβελ) λέω ανοησίες, μωρολογία
driver (ντράϊβερ) οδηγός
drizzle (ντρίζλ) ψιχάλα, ψιχαλίζω
droll (ντρόλ) αστείος, **-ery** κωμικότητα
drone (ντρόουν) κηφήνας, βόμβος, βομβώ
drool (ντρούλ) μωρολογώ
droop (ντρούπ) εξασθενώ, μαραίνομαι, κρέμομαι, **-ing, -y** σκυφτός
drop (ντρόπ) σταγόνα, πέσιμο, ρίχνω, στάζω, επισκέπτομαι στα γρήγορα, **-let** σταγονίδιο, **-per** σταγονόμετρο, **-hammer** βαρύ σφυρί
dropsical (ντρόπσικαλ) υδρωπικός
dropsy (ντρόπσι) υδροπικία
dross (ντρός) άχρηστο υλικό
drought (ντράουτ) ξηρασία, **-y** ξηρός
drove (ντρόουβ) αγέλη, **-r** οδηγός αγέλης
drown (ντράουν) πνίγω, -ομαι
drowse (ντράουζ) νυστάζω, μισοκοιμάμαι

drowsy (ντράουζι) νυσταγμένος, ήρεμος, αδρανής
drub (ντράμπ) ράβδος, ραβδίζω, χτυπώ
drudge (ντράτζ) δούλος, δουλεύω σκληρά
drudgery (ντράτζερι) σκληρή εργασία
drug (ντράγκ) φάρμακο, ναρκωτικό, παρέχω ναρκωτικό, **-store** φαρμακείο, **-gist** φαρμακοποιός
drum (ντράμ) τύμπανο, τυμπανίζω, **-mer** τυμπανιστής, **-stick** ράβδος γιά χτύπημα τυμπάνου, πόδι ψητής κότας
drunk (ντράνκ) μεθυσμένος (παθ. μετ. του drink), **-ard** μέθυσος
drunken (ντράνκεν) μεθυσμένος, **-ness** μέθη, **-ly** μεθυσμένα
dry (ντράϊ) ξηρός, στεγνός, διψασμένος, ξηραίνω, **-clean** καθαρίζω χωρίς νερό, **-goods** υφάσματα, **-ness** ξηρότητα, ξηρασία, **-er** αυτός που ξηραίνει, μηχανή γιά στέγνωμα, **-ly** ξερά, στεγνά
dual (ντιουάλ) διπλός, δυαδικός
dub (ντάμπ) δίνω τίτλο, προσθέτω ήχο σε ταινία, αδέξιο άτομο
dubious (ντούμπιος) αμφίβολος
ducal (ντιούκαλ) δουκικός
ducat (ντιούκατ) δουκάτο (νόμισμα)
duchess (ντότσες) δούκισσα
duchy (ντότσι) δουκάτο
duck (ντάκ) πάπια, λινάτσα, βουτώ, σκύβω, **-ling** παπάκι
duct (ντάκτ) αγωγός, σωλήνας
ductile (ντάκτιλ) ελαστικός, εύπλαστος
dud (ντάντ) ρούχο, αποτυχία, βόμβα που δεν εξεράγη, **-s** ρούχα, υπάρχοντα
dude (ντιούντ) κομψευόμενος, δανδής
dudgeon (ντάτζον) έχθρα, θυμός
due (ντιού) οφειλόμενος, αρμόδιος, πρέπων, ευθεία, ακριβώς

dues (ντιούς) συνδρομή, τέλη

duel (ντιουέλ) μονομαχία, **-er**, **-ist** μονομάχος

duet (ντιουέτ) ντουέτο, διωδία

duffer (ντάφερ) βλάκας

dug (ντάγκ) θηλή ζώου, αορ. του dig / dug out: λάκκος

duke (ντιούκ) δούκας, **-dom** δουκάτο

dulcet (ντάλσετ) γλυκύφωνος

dulcimer (ντάλσιμερ) είδος άρπας

dull (ντάλ) ανιαρός, πληκτικός, αβλύς, ηλίθιος, αμβλύνω, αποβλακώνω, **-ness** αμβλύτητα, **-ard** αργός στη σκέψη, βλάκας

duly (ντιούλι) δεόντως, με κατάλληλο τρόπο

dumb (ντάμπ) βουβός, ηλίθιος, **-bell** βάρος γυμναστικής, **-ness** βουβαμάρα, **-waiter** ανυψωτήρας αντικειμένων, **-show** παντομίμα

dumfound (νταμφάουντ) καταπλήσσω, αποστομώνω

dummy (ντάμι) κούκλα, βουβό πρόσωπο, βλάκας

dump (ντάμπ) σκουπιδότοπος, αποθήκη, ρίχνω, ξεφορτώνω

dumpling (ντάμπλινγκ) είδος ζυμαρικών

dumps (ντάμπς) κατάθλιψη, κατήφεια

dumpy (ντάμπι) κοντό και παχύσαρκο άτομο

dun (ντάν) καστανόγκριζο χρώμα

dunce (ντάνς) βλάκας

dunderhead (ντάντερχεντ) ανόητος

dune (ντιούν) σωρός άμμου

dung (ντάνγκ) κοπριά ζώου, κοπρίζω

dungarees (ντανγκαρίς) παντελόνι εργασίας

dungeon (ντάντζαν) σκοτεινή φυλακή

dunk (ντάνκ) βουτώ σε ρόφημα

duo (ντούο) διωδία

duodenum (ντουοντίναμ) δωδεκαδάκτυλο έντερο

dupe (ντιούπ) κορόιδο, απατώ, ξεγελώ

duplex (ντιούπλεξ) διπλός

duplicate (ντιούπλικέϊτ) αντιγράφω, επαναλαμβάνω, (ντιούπλικετ) αντίγραφο

duplication (ντιουπλικέϊσσον) αναπαραγωγή όμοιων αντιτύπων

duplicator (ντιουπλικέϊτορ) μηχάνημα που αναπαράγει αντίγραφα

duplicity (ντιουπλίσιτι) διπροσωπία

durable (ντιούραμπλ) διαρκής, στερεός, **-ness**, **durability** σταθερότητα, αντοχή

durance (ντιούρανς) φυλάκιση

duration (ντιουρέϊσσον) διάρκεια

duress (ντιούρες, ντουρές) περιορισμός, φυλάκιση, εξαναγκασμός

during (ντιούρινγκ) κατά τη διάρκεια

dusk (ντάσκ) σούρουπο, δύση, σκοτεινός, **-y** σκοτεινός, μαυριδερός

dust (ντάστ) σκόνη, ξεσκονίζω, **-er** ξεσκονιστήρι, **-pan** φαράσι, **-y** σκονισμένος

Dutch (ντάτς) Ολλανδικός, Ολλανδός

duteous (ντιούτας) υπάκουος, του καθήκοντος

dutiable (ντιούτιαμπλ) φορολογητός

dutiful (ντιούτιφουλ) αφοσιωμένος στο καθήκον

duty (ντιούτι) καθήκον, χρέος, δασμός, φόρος, **-free** αφορολόγητος, αφορολόγητα / on duty: έχοντας εργασία / off duty: χωρίς εργασία

dwarf (ντουόρφ) νάνος, μικραίνω, **-ish** μικρούτσικος

dwell (ντιουέλ) κατοικώ, διαμένω, περνώ το χρόνο μου, **-er** κάτοικος, **-ing** κατοικία

dwindle (ντουίντλ) μικραίνω, μειώνομαι

dye (νταΐ) βάφω, βαφή, **-stuff** υλι-

κό γιά βάψιμο, **-r** βαφέας, **-ing** βάψι-
μο / dyed-in-the wool: τέλειος, πέρα
γιά πέρα
dying (ντάϊνγκ) αυτός που πεθαίνει
dyke (ντάϊκ) προκυμαία
dynamic (al) (νταϊνάμικ, -αλ) δυνα-
μικός
dynamics (νταϊνάμικς) δυναμική
dynamite (νταϊναμάϊτ) δυναμίτης,

ανατινάζω με δυναμίτη
dynamo (νταϊναμό) ηλεκτρογεν-
νήτρια
dynasty (ντάϊναστι) δυναστεία
dysentery (ντίσεντέρι) δυσεντερία
dyspepsia (ντισπέπσια) δυσπεψία
dyspeptic (ντισπέπτικ) αυτός που
υποφέρει από δυσπεψία, κακόκεφος

E

E, e (ί) το πέμπτο γράμμα του Αγ-
γλικού αλφαβήτου
E (ι) νότα στη Δυτική μουσική,
μουσικό κλειδί βασισμένο σ' αυτή
τη νότα
each (ίτς) ο καθένας, γιά τον καθένα
/ each other: ο ένας τον άλλο
eager (ίγκερ) πρόθυμος, σφοδρός,
διακαής, **-ness** προθυμία, ζήλος
eagle (ίγκλ) αετός, **-eyed** αυτός που
διαθέτει άριστη όραση
ear (ίαρ) αυτί, στάχυ, **-ache** ωταλ-
γία, **-mark** γνώρισμα, προορίζω,
βάζω στην άκρη, **-ring** σκουλαρίκι /
to be all ears: ακούω πρόθυμα / to be
up to one's ears in: είμαι πάρα πολύ
απασχολημένος με κάτι
earl (έρλ) κόμης, **-dom** κομητεία
early (έρλι) νωρίς, πρώιμος
earn (έρν) κερδίζω, **-er** αυτός που
κερδίζει, **-ings** κέρδη
earnest (έρνεστ) σοβαρός, αποφασι-
σμένος, προκαταβολή, **-ness** προθυ-
μία, ζήλος / in earnest: στα σοβαρά
earphon (ίαρφον) ακουστικό
earth (έρθ) γή, χώμα, **-en** πήλινος,
-enware πήλινα σκεύη, **-ly**, **-y** γήι-

νος, **-work** πρόχωμα
earthquake (έρθκουέϊκ) σεισμός
ease (ίζ) ευκολία, ησυχία, ανάπαυ-
ση, ανακουφίζω, **-ment** διευκόλυν-
ση
easel (ίζελ) τρίποδας ζωγράφου
easily (ίζιλι) εύκολα
east (ίστ) ανατολή, ανατολικός,
-ern, **-erly** ανατολικός, **-ward** προς
την ανατολή
Easter (ίστερ) Πάσχα
easy (ίζι) εύκολος, άνετος, **-going**
αυτός που δε στενοχωριέται ούτε
θυμώνει εύκολα / to go easy on
someone: δεν είμαι αυστηρός με
κάποιον / to take things easy: δρώ
ήρεμα, χωρίς βιασύνη ή άγχος
eat (ίτ) τρώγω, καταστρέφω ρί-
χνοντας χημικές ουσίες, προκαλώ
άγχος, **-able** βρώσιμος, **-er** αυτός
που τρώει, **-s** τροφή
eaves (ίβς) γείσο, άκρο στέγης
eavesdrop (ίβζντρόπ) κρυφακούω
ebb (έμπ) άμπωτη, ύφεση, χαμηλώ-
νω ή εξασθενώ σταδιακά
ebony (έμπονι) έβενος, εβένινος
ebullient (ιμπάλιεντ) χαρούμενος,

κατενθουσιασμένος .
ebullition, ebullience (ιμπαλίσσον,
ιμπάλιενς) αναβρασμός, έξαψη
eccentric (εκσέντρικ) εκκεντρικός,
-ity εκκεντρικότητα
ecclesiastic (εκλίζιάστικ) κληρι-
κός, εκκλησιαστικός, **-al** εκκλη-
σιαστικός
echelon (έσελον) βαθμίδα σε κάποια
οργάνωση, κλιμακοειδής διάταξη
στρατού, οι αξιωματικοί
echo (έκοου) ηχώ, αντήχηση,
αντηχώ
eclair (εκλέρ) είδος ζυμαρικού
eclectic (εκλέκτικ) εκλεκτικός, **-ism**
εκλεκτικότητα
eclipse (εκλίπς) έκλειψη, επισκιάζω,
παρακμή
ecliptic (εκλίπτικ) εκλειπτικός
economic (al) (ικονόμικ, -αλ) οικο-
νομικός, οικονομολογικός
economics (ικονόμικς) οικονομο-
λογία
economize (ικόνονομάϊζ) εξοικο-
νομώ
economist (ικόνομιστ) οικονομο-
λόγος
economy (ικόνομι) οικονομία
ecosystem (ικόουσίστεμ) οικοσύ-
στημα
ecru (έκρου) χρώμα εκρού
ecstasy (έκστασι) έκσταση
ecstatic (εκστάτικ) εκστατικός
ectoplasm (έκτοπλασμ) εκτόπλασμα
ecumenical (ικουμένικαλ) οικουμε-
νικός
eczema (έκζιμα) έκζεμα
eddy (έντι) στρόβιλος, δίνη, στρο-
βιλίζω
edge (έτζ) χείλος, άκρο, κόψη, ακο-
νίζω, προχωρώ αργά, **-ways** πλάγια,
με το πλάϊ
edging (έτζινγκ) κράσπεδο, άκρη
edgy (έτζι) ευερέθιστος, οξύθυμος
edible (έντιπλ) βρώσιμος
edict (ιντίκτ) διάταγμα

edification (εντιφικέϊσσον) διάπλα-
ση, βελτίωση του χαρακτήρα
edifice (έντιφις) οικοδομή, κτίριο
edify (έντιφάϊ) εποικοδομώ ηθικά,
βελτιώνω το χαρακτήρα
edit (έντιτ) συντάσσω, **-or** συντά-
κτης, **-ing, editorship** σύνταξη, **-ion**
έκδοση
editorial (εντιτόριαλ) κύριο άρθρο
εφημερίδας
educate (έτζουκέϊτ) εκπαιδεύω, **-d**
εκπαιδευμένος, ειδικευμένος
educable (έτζουκαμπλ) εκπαιδεύσι-
μος
educator (ετζουκέϊτορ) εκπαιδευ-
τής, εκπαιδευτικός, παιδαγωγός
education (ετζουκέϊσσον) εκπαίδευ-
ση, **-al** εκπαιδευτικός
educe (ιντιούς) εξάγω
eduction (ιντάκσον) εξαγωγή
eel (ίλ) χέλι
een (ίν) συντομία αντί even
ωer (έρ) συντομία αντί ever
eerie, eery (ίρι) παράξενος, φοβερός
efface (εφέϊς) εξαλείφω
effect (εφέκτ) αποτέλεσμα, πράξη,
προκαλώ, επιτελώ, **-s** πράγματα,
υπάρχοντα, **-ive** αποτελεσματικός,
ενεργός, **-iveness** αποτελεσματικό-
τητα, **-ively** αποτελεσματικά / in ef-
fect: σε λειτουργία / take effect: αρ-
χίζω να λειτουργώ
effectual (εφέκτσουαλ) αποτελε-
σματικός
effeminacy (εφέμινάσι) θηλυπρέ-
πεια
effeminate (εφέμινετ) θηλυπρεπής
effervesce (εφερβές) αναβράζω (γιά
χημική αντίδραση), **-nce** αναβρα-
σμός, **-nt** αυτός που αναβράζει, γε-
μάτος ζωτικότητα
effete (εφίτ) εξαντλημένος, θηλυ-
πρεπής
efficacious (εφικέϊσσος) αποτελε-
σματικός
efficacy (έφικασι) αποτελεσματικό-

τητα

efficiency (εφίσσενσι) αποδοτικότητα, δραστικότητα, ικανότητα

efficient (εφίσσεντ) ικανός, δραστικός, αποδοτικός

effigy (έφιτζι) ομοίωμα

effloresce (εφλορές) ανθίζω, καλύπτω με λευκή σκόνη, **-nt** ανθισμένος, **-nce** άνθιση

effluence (έφλουενς) εκροή, χύσιμο

effluent (έφλουεντ) απόβλητα εργοστασίων εκχυνόμενα σε θάλασσες

effluvial (εφλούβιαλ) αναθυμιαστικός

effluvium (εφλούβιαμ) αναθυμίαση

effort (έφορτ) προσπάθεια, **-less** αυτός που δεν καταβάλλει προσπάθεια

effrontery (εφρόντερι) αναίδεια, θράσος

effulgence (εφάλτζενς) λάμψη

effulgent (εφάλτζεντ) λαμπερός

effuse (εφιούζ) εκχύνω

effusion (εφιούζον) διάχυση (έκφραση συναισθημάτων)

effusive (εφιούσιβ) διαχυτικός

egg (έγκ) αυγό, **-cup** αυγοθήκη, **-head** διανοούμενος / egg on: υποκινώ

eggplant (εγκπλάντ) μελιτζάνα

egis (ίτζις) αιγίδα

ego (ίγκο) το "εγώ", **-ism** εγωισμός, **-ist** εγωιστής, **-istic (al)** εγωιστικός

egotism (ίγκοτιζμ) εγωισμός

egotist (ίγκοτιστ) εγωιστής, **-ical** εγωιστικός

egregious (ιγκρίτζας) διαβόητος, ανήκουστος

egress (ίγκρες) έξοδος

egret (ίγκρετ) ερωδιός (πτηνό)

Egypt (ίτζιπτ) Αίγυπτος, **-ian** Αιγύπτιος, Αιγυπτιακός

eight (έϊτ) οχτώ, **-fold** οχταπλός

eighteen (εϊτίν) δεκαοχτώ

eighth (έϊτθ) όγδοος

eightieth (έϊτίεθ) ογδοηκοστός

eighty (έϊτι) ογδόντα

either (ίδερ, άϊδερ) καθένας απ' τους δύο / either... or: είτε...ή

ejaculate (ιτζάκιουλέϊτ) αναφωνώ

ejaculation (ιτζάκιουλέϊσσον) αναφώνηση

eject (ιτζέκτ) πετώ προς τα έξω, **-or** αυτός που ρίχνει προς τα έξω, **-ive, -ory** εκβλητικός, **-ion** εκβολή, έξωση

eke (ίκ) επεκτείνω / eke out: πορίζομαι / eke out a living: βγάζω αρκετά χρήματα γιά να ζήσω

elaborate (ιλάμπορέϊτ) επεξεργάζομαι, προσθέτω λεπτομέρειες ή πληροφορίες (ιλάμπορετ) περίτεχνος, επεξεργασμένος

elaboration (ιλάμπορέϊσσον) επεξεργασία

elaborator (ιλάμπορέϊτορ) επεξεργαστής

elapse (ιλάπς) περνώ (γιά χρόνο)

elastic (ιλάστικ) ελαστικός, **-ity** ελαστικότητα

elate (ιλέϊτ) εγκωμιάζω, εμπνέω, εξαίρω

elation (ιλέϊσσον) έξαρση, χαρά

elbow (έλμπο) αγκώνας, παραγκωνίζω, απωθώ, **-grease** κοπιαστική χειρωνακτική εργασία, **-room** ευρυχωρία

elder (έλντερ) πιο ηλικιωμένος, μεγαλύτερος στην ηλικία, προεστός, **-ly** ηλικιωμένος

elect (ιλέκτ) εκλέγω, εκλεκτός, **-ion** εκλογή, **-ive** αιρετός

electioneer (ιλέκτσονίαρ) ψηφοθηρώ, **-ing** ψηφοθηρία

elector (ιλέκτορ) εκλέκτορας, ψηφοφόρος, **-ate** οι εκλογείς, εκλογικό, σώμα, **-al** εκλογικός

electric (al) (ιλέκτρικ, -αλ) ηλεκτρικός

electrician (ιλεκτρίσαν) ηλεκτρολόγος

electricity (ιλεκτρίσιτι) ηλεκτρισμός

E

electrification (ιλεκτριφικέϊσσον) εξηλεκτρισμός
electrify (ιλέκτριφάϊ) ηλεκτρίζω
electrochemistry (ιλέκτροκέμιστρι) ηλεκτροχημεία
electrocute (ιλέκτροκιούτ) θανατώνω με ηλεκτρισμό
electrocution (ιλέκτροκιούσσον) ηλεκτροπληξία
electrode (ιλέκτροντ) ηλεκτρόδιο
electrolysis (ιλεκτρόλισις) ηλεκτρόλυση
electrolyte (ιλέκτρολάϊτ) ηλεκτρολύτης
electromagnetic (ιλεκτρομαγκνέτικ) ηλεκτρομαγνητικός
electrometer (ιλεκτρόμιτερ) ηλεκτρόμετρο
electron (ιλέκτρον) ηλεκτρόνιο
electronic (ιλεκτρόνικ) ηλεκτρονικός, **-s** η ηλεκτρονική
electrostatics (ιλεκτροστάτικς) ηλεκτροστατική
elegance (έλιγκανς) ομορφιά, κομψότητα
elegant (έλεγκαντ) κομψός
elegiac (ιλίτζιακ) ελεγειακός
elegy (έλιτζι) ελεγεία
element (έλεμεντ) στοιχείο, **-al**, **-ary** στοιχειώδης
elephant (έλεφαντ) ελέφαντας, **-ine** ελεφάντινος
elevate (ελεβέϊτ) ανυψώνω, εξυψώνω, εκπαιδεύω, εκλεπτύνω
elevation (ελεβέϊσσον) ανύψωση, υψόμετρο, ύψωμα
elevator (ελεβέϊτορ) ανελκυστήρας, εξυψωτής, σιταποθήκη
eleven (ιλέβεν) έντεκα
elf (ελφ) δαιμόνιο, νάνος
elfin (έλφιν) διαβολικός
elicit (ιλίσιτ) αποσπώ, εξάγω
elide (ιλάϊντ) παραλείπω, κόβω
eligibility (ελιτζιμπίλιτι) αρμοδιότητα
eligible (έλιτζιμπλ) αρμόδιος, κα-

τάλληλος, εκλέξιμος
eliminate (ελίμινέϊτ) απομακρύνω, αφαιρώ, εξαλείφω, αποκλείω
elimination (ελιμινέϊσσον) αποβολή, εξάλειψη
elision (ιλίζον) έκθλιψη
elite (ελίτ) εκλεκτοί
elixir (ιλίξερ) ελιξίριο, πανάκεια
elk (έλκ) μεγάλο ελάφι
ellips (ελίπς) έλλειψη (γεωμετρ.)
ellipsis (ελίψις) έλλειψη (γραμμ.)
elliptic (al) (ελίπτικ, -αλ) ελλειπτικός
elocution (ελοκιούσσον) ευγλωττία, ρητορική, **-ary** ρητορικός, **-ist** ρήτορας
elongate (ιλονγκέϊτ) μακραίνω, μακρύς, επιμήκης
elongation (ιλονγκέϊσσον) επιμήκυνση
elope (ιλόουπ) δραπετεύω με σκοπό το γάμο χωρίς πατρική έγκριση, **-ment** εκούσια απαγωγή, δραπέτευση, **-r** δραπέτης μαζί με τον / την αγαπημένο / η
eloquence (ελόκουενς) ευγλωττία
eloquent (ελόκουεντ) εύγλωττος
else (έλς) άλλος, αλλιώς, **-where** αλλού, σε άλλο μέρος
elucidate (ιλούσιντέϊτ) διευκρινίζω
elucidation (ιλούσιντέϊσσον) διευκρίνηση
elude (ιλούντ) ξεφεύγω, διαφεύγω
elusion (ιλούζον) υπεκφυγή, απάτη
elusive (ιλούσιβ) άπιστος, απατηλός
elusory (ιλούσορι) απατηλός
emaciate (ιμέϊσιέϊτ) αδυνατίζω, αποδυναμώνω, **-ed** κάτισχνος
emaciation (ιμέϊσιέϊσσον) ισχνότητα
emanate (εμανέϊτ) προέρχομαι, πηγάζω από
emanation (εμανέϊσσον) πηγή, προέλευση
emancipate (ιμάνσιπέϊτ) απελευθερώνω

emancipation (ιμάνσιπέϊσσον) απελευθέρωση

emancipator (ιμάνσιπέϊτορ) ελευθερωτής

emasculate (ιμάσκιουλέϊτ) ευνουχίζω

emasculation (ιμάσκιουλέϊσσον) ευνούχιση

embalm (εμπάμ) βαλσαμώνω, -er βαλσαμωτής, -ent βαλσάμωμα

embank (εμπάνκ) περιχώνω, -ment ανάχωμα

embargo (εμπάργκο) απαγόρευση της μεταφοράς ή πλεύσης πλοίων, απαγορεύω τη μεταφορά φορτίου

embark (εμπάρκ) επιβιβάζω, -ομαι, -ation επιβίβαση / embark on / upon: αρχίζω κάτι καινούριο

embarrass (εμπάρας) προκαλώ αμηχανία, εμποδίζω, στενοχωρώ, προκαλώ οικονομικές δυσχέρειες, -ing στενόχωρος, -ment αμηχανία

embassy (έμπασι) πρεσβεία

embattle (εμπάτλ) οχυρώνω, ετοιμάζω γιά μάχη, -d ετοιμοπόλεμος, περικυκλωμένος από εχθρούς

embed (εμπέντ) χώνω, σφηνώνω

embellish (εμπέλισσ) εξοραΐζω, διακοσμώ, -ment καλλωπισμός

ember (έμπερ) στάκτη από κάρβουνα

embezzle (εμπέζλ) κλέβω, καταχρώμαι, -ment κατάχρηση, κλοπή, -r καταχραστής

embitter (εμπίτερ) πικραίνω

emblazon (εμπλέϊζον) χρωματίζω με έντονα χρώματα

emblem (έμπλεμ) έμβλημα, σύμβολο, -atical συμβολικός

embodiment (εμπόντιμεντ) ενσωμάτωση

embody (εμπόντι) ενσωματώνω, περιλαμβάνω

embolden (εμπόλντεν) ενθαρρύνω

embosom (εμπούζομ) περιβάλλομαι, εγκλείομαι, -ed περικυκλωμένος

emboss (εμπός) διακοσμώ με ανάγλυφα

embrace (εμπρέϊς) αγκαλιάζω, περιλαμβάνω, δέχομαι πρόθυμα, -ment αγκάλιασμα

embrasure (εμπρέϊζουρ) πολεμίστρα

embrocate (έμπροκέϊτ) τρίβω

embroider (εμπρόϊντερ) κεντώ, εξοραΐζω, -er αυτός που κεντάει, -y κέντημα

embroil (εμπρόϊλ) περιπλέκω, εμπλέκω (σε κάτι δυσάρεστο), -ment εμπλοκή, σύγχυση

embryo (έμπριο) έμβρυο, -nic εμβρυώδης, -logy εμβρυολογία

emend (εμέντ) διορθώνω, -ation διόρθωση, βελτίωση, -atory διορθωτικός

emerald (έμεραλντ) σμαράγδι

emerge (ιμέρτζ) αναδύομαι, αναφαίνομαι, γίνομαι γνωστός, -nce εμφάνιση

emergency (ιμέρτζενσι) επείγουσα ανάγκη

emergent (ιμέρτζεντ) ο βρισκόμενος στα πρώτα στάδια ανάπτυξης

emeritus (ιμέριτας) σεβαστός, επίτιμος καθηγητής

emersion (ιμέρσαν) ανάδυση

emery (έμερι) σμυριδόπετρα

emetic (ιμέτικ) εμετικός

emigrant (έμιγκραντ) απόδημος, άποικος

emigrate (έμιγκρέϊτ) αποδημώ, μεταναστεύω

emigration (εμιγκρέϊσσον) μετανάστευση

emigre (εμιγκρέ) πρόσφυγας, απόδημος

eminence (έμινενς) εξοχότητα, υπεροχή, ύψωμα, λοφίσκος

eminent (έμινεντ) έξοχος

emir (εμίρ) εμίρης

emissary (έμισέρι) απεσταλμένος

emission (εμίσσον) εκπομπή, έκδοση

emit (εμίτ) εκπέμπω
emollient (ιμόλιεντ) μαλακτικός, μαλακτικό
emolument (ιμόλιουμεντ) μισθός, αμοιβή
emotion (ιμόσσον) συγκίνηση, συναίσθημα, -al συγκινητικός, ευσυγκίνητος, ευαίσθητος
emperor (έμπερορ) αυτοκράτορας
emphasis (έμφασις) έμφαση
emphasize (έμφασάϊζ) δίνω έμφαση, τονίζω
emphatic (εμφάτικ) εμφατικός
empire (εμπάϊαρ) αυτοκρατορία
empiric (εμπίρικ) εμπειρικός γιατρός, -al εμπειρικός (επιθ.), -ism εμπειρισμός, εμπειρική ιατρική
emplacement (εμπλέϊσμεντ) θέση τηλεβόλων και μεγάλων όπλων
employ (εμπλόϊ) απασχολώ, μισθώνω, ενασχόληση, εκμίσθωση, -ment ενασχόληση, εργασία, εκμίσθωση, -able χρησιμοποιήσιμος, κατάλληλος γιά εργασία, -ee υπάλληλος, εργαζόμενος, -er εργοδότης
emporium (εμπόριαμ) αγορά, μεγάλο κατάστημα
empower (εμπάουερ) εξουσιοδοτώ
empress (εμπρές) αυτοκράτειρα
empty (έμπτι) κενός, άδειος, αδειάζω, -headed ανόητος, άσκεπτος
empyreal (εμπίριαλ) ουράνιος, αιθέριος
emulate (εμιουλέϊτ) αμιλλώμαι, συναγωνίζομαι
emulation (εμιουλέϊσσον) άμιλλα
emulator (εμιουλέϊτορ) αντίπαλος
emulous (έμιουλες) φιλόδοξος, φιλότιμος
emulsify (ιμάλσιφάϊ) γαλακτώνω
emulsion (ιμάλσον) γαλάκτωμα
enable (ινέϊμπλ) καθιστώ ικανό
enact (ινάκτ) θεσπίζω, νομοθετώ, εκτελώ, παριστάνω, -ment νομοθεσία
enamel (έναμελ) σμάλτο, καλύπτω

με σμάλτο
enamour (ενάμορ) καταμαγεύω, γοητεύω, προκαλώ τον έρωτα, -ed ερωτευμένος
encamp (ενκάμπ) στρατοπεδεύω, -ment κατασκήνωση
encapsulate (ινκάπσουλέϊτ) συνοψίζω
encase (ινκέϊς) εσωκλείω, βάζω σε θήκη
encephalitis (ενσεφαλάϊτις) εγκεφαλίτιδα
enchain (εντσέϊν) αλυσοδένω, δεσμεύω
enchant (εντσάντ) γοητεύω, μαγεύω, -ment μαγεία, -ress γόησσα
encircle (ενσάρκλ) περικυκλώνω, -ment περικύκλωση
enclose (ενκλόουζ) εσωκλείω, εγκλείω
enclosure (ενκλόζουρ) περιφραγμένο μέρος, αντικείμενο που εσωκλείεται σε φάκελο
encomiast (ενκόμιαστ) εγκωμιαστής
encomium (ενκόμιουμ) εγκώμιο
encompass (ενκόμπας) συμπεριλαμβάνω, περικυκλώνω, -ment περικύκλωση
encore (ανκόρ) δεύτερη πρόσκληση, καλώ πάλι
encounter (ενκάουντερ) συναντώ, αντιμετωπίζω, απρόσμενη κι επικίνδυνη συνάντηση
encourage (ενκάρετζ) ενθαρρύνω, -ment ενθάρρυνση
encroach (ενκρόουτς) σφετερίζομαι, εισχωρώ ενώ δεν πρέπει, -er σφετεριστής, -ment καταπάτηση
encumber (ενκάμπερ) εμποδίζω, επιβαρύνω, παραφορτώνω
encumbrance (ενκάμπρανς) επιβάρυνση, εμπόδιο, βάρος
encyclical (ενσίκλικαλ) εγκύκλιος
encyclopedia (ενσαϊκλοπίντια) εγκυκλοπαίδεια
encyclopedic (ενσαϊκλοπίντικ)

εγκυκλοπαιδικός
end (εντ) τέλος, σκοπός, άκρο, τελειώνω / in the end: στο τέλος, τελικά / on end: συνεχώς, χωρίς διάλειμμα / to make ends meet: τα βγάζω πέρα οικονομικά
endager (εντέϊτζερ) θέτω σε κίνδυνο, **-ment** διακινδύνευση
endear (εντίαρ) καθιστώ αγαπητό, **-ment** στοργή, αγάπη
endeavor (εντέθορ) προσπαθώ, προσπάθεια
endemic (al) (εντέμικ, -αλ) ενδημικός
ending (έντινγκ) τέλος, κατάληξη
endive (εντάϊθ) αντίδι (είδος φυτού)
endless (έντλες) ατελείωτος
endmost (εντμόστ) τελευταίος, απώτερος
endocardium (εντοκάρντιαμ) ενδοκάρδιο
endocarp (έντοκαρπ) ενδοκάρπιο
endocrine (έντοκράϊν) ενδοκρινής
endogenous (εντότζενας) ενδογενής
endorse (εντόρς) υποστηρίζω, επιδοκιμάζω, γράφω στο πίσω μέρος σελίδας, **-ment** υποστήριξη, γράψιμο στο πίσω μέρος σελίδας
endow (εντάου) προικίζω, δωρίζω, παρέχω χρήματα, **-er** προικιστής, **-ment** χάρισμα, δώρο
endue (εντιού) ντύνω, περιβάλλω
endurance (εντιούρανς) αντοχή, καρτερία, υπομονή
endure (εντιούρ) αντέχω, υπομένω, διαρκώ
endurable (εντιούραμπλ) υποφερτός
enduring (εντιούρινγκ) διαρκής, **-ly** διαρκώς
endways, endwise (έντγουέϊς, έντγουάϊς) με το άκρο, όρθιος, με τις άκρες να εφάπτονται
enema (ένιμα) κλύσμα
enemy (ένεμι) εχθρός
energetic (ενερτζέτικ) ενεργητικός, **-ally** ενεργητικά

energize (ένερτζάϊζ) ενεργοποιώ
energy (ένερτζι) ενέργεια
enervate (ενερβέϊτ) εκνευρίζω, αδυνατίζω, αποδυναμώνω
enervation (ενερβέϊσσον) εκνευρισμός
enfeeble (ενφίμπλ) εξασθενώ, **-ment** εξασθένηση
enfold (ενφόλντ) τυλίγω, αγκαλιάζω
enforce (ενφόρς) επιβάλλω, θέτω σε ενέργεια, **-r** αυτός που επιβάλλει, **-ment** επιβολή
enfranchize (ενφραντσάϊζ) δίνω δικαίωμα ψήφου, απελευθερώνω, **-ment** χειραφέτηση, **-r** ελευθερωτής
engage (ενγκέϊτζ) προσελκύω το ενδιαφέρον, συμπλέκομαι, μισθώνω, ενασχολώ, -ούμαι, κλίνω (δωμάτιο, θέση κτλ.), **-d** απασχολημένος, αρραβωνιασμένος, **-r** αυτός που μισθώνει ή απασχολεί
engaging (ενγκέϊτζινγκ) ευχάριστος, γοητευτικός
engender (εντζέντερ) προκαλώ, προξενώ
engine (έντζιν) μηχανή
engineer (εντζινίαρ) μηχανικός, μηχανοδηγός, σχεδιάζω, επινοώ, **-ing** η μηχανική
engird (ενγκέρντ) περιζώνω
England (ίνγκλαντ) Αγγλία
English (ίνγκλιςς) οι Άγγλοι, Αγγλικός, αγγλικά, **-man** Άγγλος, **-woman** Αγγλίδα
engraft (ενγκράφτ) εμβολιάζω
engrave (ενγκρέϊβ) χαράζω, **-r** χαράκτης
engraving (ενγκρέϊβινγκ) χαρακτική, χάραξη
engross (ενγκρός) απορροφώ, απασχολώ ολοκληρωτικά, **-ment** απορρόφηση, ολοκληρωτική απασχόληση
engulf (ενγκάλφ) περιβάλλω, καλύπτω, καταπίνω
enhance (ενχάνς) προάγω, αυξάνω,

εξυψώνω, **-ment** προαγωγή
enigma (ίνιγκμα) αίνιγμα, **-tic** αινιγ-
ματικός, **-tically** αινιγματικά
enjoin (ιντζόϊν) διατάζω, απαγορεύω
enjoy (εντζόϊ) απολαμβάνω, **-able**
απολαυστικός, **-ment** απόλαυση
enkindle (ενκίντλ) εξάπτω, ανάβω
enlarge (ινλάρτζ) μεγεθύνω, **-r** αυτός
που μεγεθύνει, **-ment** μεγέθυνση /
enlarge on (upon): επιμηκύνω,
προσθέτω λεπτομέρειες
enlighten (ινλάϊτεν) διαφωτίζω,
απαλλάσσω από λανθασμένες πε-
ποιθήσεις, **-ment** διαφώτιση, **-er**
διαφωτιστής, **-ed** συνετός
enlist (ενλίστ) στρατολογώ, κατα-
τάσσω, -ομαι, **-ment** κατάταξη
enliven (ινλάϊβεν) αναζωογονώ,
-ment αναζωογόνηση
enmasse (ανμάς) όλοι μαζί
enmesh (ενμέςς) περιπλέκω,
εμπλέκω
enmity (ένμιτι) εχθρότητα, έχθρα
ennoble (ενόουμπλ) εξευγενίζω,
-ment εξευγενισμός
ennui (ανουί) ανία, πλήξη
enormity (ινόρμιτι) τερατωδία, πολύ
μεγάλη δυσκολία
enormous (ινόρμους) τεράστιος, τε-
ρατώδη
enough (ινάφ) αρκετός, αρκετά
enrage (ενρέϊτζ) εξοργίζω
enrapture (ενράπτσουρ) μαγεύω, ευ-
χαριστώ, φέρνω σε έκσταση
enrich (ενρίτσ) πλουτίζω, **-ment**
πλουτισμός
enroll (ενρόουλ) εγγράφω, -ομαι, **-er**
αυτός που καταγράφει, **-ment** κατα-
γραφή, εγγραφή
en route (αν ρούτ) στο δρόμο, ταξι-
δεύοντας
ensconce (ενσκόνς) κάθομαι ή τοπο-
θετώ σε ασφαλές μέρος
ensemble (ανσάμπλ) σύνολο
enshrine (ενσράϊν) φυλάσσω ως ιε-
ρό

enshroud (ενσράουντ) καλύπτω,
κρύβω, σαβανώνω
ensign (ενσάϊν) σημαία, σύμβολο
enslave (ενσλέϊθ) υποδουλώνω, **-ment**
υποδούλωση, **-r** υποδουλωτής
ensnare (ινσνέαρ) παγιδεύω
ensue (ενσού) επακολουθώ
ensure (ενσούρ) εξασφαλίζω
entail (εντέϊλ) συνεπάγομαι, απαιτώ,
-ment απαίτηση, συνεπαγωγή
entangle (εντάνγκλ) περιπλέκω,
-ment εμπλοκή, περιπλοκή
entente (αντάντ) συνενόηση, φιλική
σχέση μεταξύ δύο χωρών
enter (έντερ) εισάγω, γίνομαι μέλος,
δηλώνω συμμετοχή
enteric (εντέρικ) εντερικός
enterprise (εντερπράϊζ) επιχείρη-
ση, τόλμη, τόλμημα, δύσκολο εγ-
χείρημα
enterprising (εντερπράϊζινγκ) επι-
χειρηματικός
entertain (εντερτέϊν) διασκεδάζω,
περιποιούμαι, φιλοξενώ, **-er** αυτός
που διασκεδάζει, ηθοποιός, **-ing**
διασκεδαστικός, **-ment** διασκέδαση
enthrall (ενθρόλ) γοητεύω, υποδου-
λώνω, **-ment** υποδούλωση
enthrone (ενθρόουν) ενθρονίζω
enthuse (ενθιούζ) ενθουσιάζω, -ομαι
enthusiasm (ενθούσιαζμ) ενθουσια-
σμός
enthusiast (ενθούζιαστ) ενθουσια-
στής, ενθουσιασμένος, **-ic** ενθου-
σιώδης
entice (εντάϊς) δελεάζω, **-ment** δέ-
λεαρ, δελεασμός
enticing (εντάϊσινγκ) δελεαστικός
entire (εντάϊαρ) ολόκληρος, πλή-
ρης, **-ly** εντελώς, **-ness** ολότητα
entirety (εντάϊρτι) ολότητα, πλη-
ρότητα
entitle (εντάϊτλ) ονομάζω, εξουσιο-
δοτώ, δίνω δικαίωμα
entity (έντιτι) οντότητα, ύπαρξη,
ουσία

entomb (εντόμπ) ενταφιάζω, **-ment** ενταφιασμός
entomologist (εντομόλοτζιστ) εντομολόγος
entomology (εντομόλοτζι) εντομολογία
entourage (αντουράζ) ακολουθία εξέχοντος προσώπου
entrails (εντρέιλζ) εντόσθια ζώων
entrain (εντρέιν) επιβιβάζομαι ή βάζω σε τραίνο, **-ment** είσοδος σε τραίνο
entrance (έντρανς) είσοδος
entrance (εντράνς) προκαλώ έκσταση, γεμίζω με θαυμασμό κι ευχαρίστηση
entrant (έντραντ) ο εισερχόμενος
entrap (εντράπ) παγιδεύω, **-ment** παγίδευση
entreat (εντρίτ) ικετεύω, **-y** ικεσία
entree (αντρέ) είσοδος, δικαίωμα εισόδου, κύριο πιάτο γεύματος
entrench (εντρέντσ) οχυρώνω, **-ment** οχύρωση
entre nous (άντρε νού) μυστικός, μεταξύ μας
entrepreneur (αντρεπρενέρ) επιχειρηματίας
entrust (εντράστ) εμπιστεύομαι
entry (έντρι) είσοδος, καταχώρηση, ο μετέχων σε διαγωνισμό
entwine (εντουάιν) περιτυλίσσω,-ομαι
enumerate (ινιούμερέιτ) απαριθμώ
enumeration (ινιουμερέϊσσον) απαρίθμηση
enumerator (ινιούμερέϊτορ) μετρητής, αυτός που απαριθμεί
enunciate (ινάνσέιτ) εκφράζω, προφέρω, αρθρώνω
enunciation (ινάνσιέϊσσον) έκφραση, προφορά, καθαρότητα ομιλίας
envelop (ενθέλοπ) περιτυλίγω, καλύπτω εντελώς, **-ment** κάλυψη, τύλιγμα
envelope (ενθελόουπ) φάκελος

enviable (ένθιαμπλ) αξιοζήλευτος
envier (ένθιερ) αυτός που φθονεί, που ζηλεύει
envious (ένθιας) φθονερός
environ (ενθάϊρον) περικυκλώνω, **-ment** περιβάλλον, **-s** τα περίχωρα
envisage (ενθίζετζ) οραματίζομαι
envoy (ένθοϊ) απεσταλμένος, πρέσβυς
envy (ένθι) φθόνος, φθονώ, ζηλεύω
enwrap (ενράπ) περιτυλίγω
enzyme (ένζιμ) ένζυμο
eon (ίον) αιώνας
epaulet (έπολετ) επωμίδα
ephemeral (ιφέμεραλ) εφήμερος
epic (έπικ) επικός
epicure (επικιούρ) καλοφαγάς
epidemic (επιντέικ) επιδημία, επιδημικός
epidermal (επιντέρμαλ) επιδερμικός
epidermis (επιντέρμις) επιδερμίδα
epiglottis (επιγκλότις) επιγλωττίδα
epigram (έπιγκραμ) επίγραμμα, **-matical** επιγραμματικός
epilepsy (επίλεπσι) επιληψία
epileptic (επιλέπτικ) επιληπτικός
epilog (ue) (επίλογκ) επίλογος
Epiphany (ιπίφανι) Θεοφάνεια
episcopal (ιπίσκοπαλ) επισκοπικός
episcopate (ιπίσκοπετ) επισκοπεία, οι επίσκοποι
episode (επισόουντ) επεισόδιο
episodical (επισόντικαλ) επεισοδιακός
epistle (ιπίσλ) επιστολή
epistolary (ιπίστολέρι) επιστολικός
epitaph (έπιταφ) επιτάφιο επίγραμμα
epithet (έπιθετ) επίθετο
epitome (ιπίτομι) επιτομή
epitomize (ιπίτομάιζ) συνοψίζω
epoch (έποκ) εποχή (ιστορική περίοδος), **-al εποχιακός, που αφήνει εποχή**
equable (ίκουαμπλ) ομοιόμορφος, σταθερός, **-ness**, **-equability** ομοι-

μορφία, ισομετρία
equal (ίκουαλ) ίσος, εξισώνω, -ο-
μαι, **-ly** εξίσου, **-ize** εξισώνω, **-ity**
ισότητα
equanimity (ικουανίμιτι) ηρεμία
πνεύματος
equate (ικουέϊτ) εξισώνω
equation (ικουέϊσσον) εξίσωση (μα-
θημ.), ισότητα
equator (ικουέϊτορ) ισημερινός, **-ial**
του ισημερινού
equerry (έκουερι) σταυλάρχης
equestrian (εκβέστριαν) ιππικός,
ιππέας
equiangular (ικουιάνγκιουλαρ)
ισογώνιος
equidistant (ικουιντίσταντ) ο ισα-
πέχων
equilateral (ικουιλάτεραλ) ισό-
πλευρος
equilibrate (ικουιλάϊμπρέϊτ) ισορ-
ροπώ
equilibrium (ικουιλίμπριαμ) ισορ-
ροπία
equine (ικουάϊν) ιππικός
equinoctial (ικουινάκσαλ) ισονύ-
κτιος
equinox (ικουινόξ) ισημερία
equip (ικουίπ) εφοδιάζω, **-ment**
εφόδια, εφοδιασμός
equitable (εκουίταμπλ) δίκαιος,
έντιμος
equity (εκούιτι) δικαιοσύνη, αμε-
ροληψία
equivalent (ικουίβαλεντ) ισοδύνα-
μος, ισάξιος
equivocal (ικουίβοκαλ) αμφίλογος,
διφορούμενος, αβέβαιος, μυστήριος
equivocate (ικουίβοκέϊτ) μιλώ διφο-
ρούμενα
equivocation (ικουίβοκέϊσσον) αμ-
φιλογία
era (ίρα) εποχή, περίοδος
eradicate (ιρέντικέϊτ) ξεριζώνω
eradication (ιρέντικέϊσσον) ξερί-
ζωμα

eradicator (ιρέντικέϊτορ) ξεριζωτής
eradicable (ιρέντικαμπλ) αυτός που
μπορεί να ξεριζωθεί
erase (ιρέϊζ) εξαλείφω, σβήνω, **-r**
σβηστήρα
erasure (ιρέϊσουρ) σβήσιμο, εξά-
λειψη
ere (έρ) πριν
erect (ιρέκτ) όρθιος, ανεγείρω,
ιδρύω, ανορθώνω, **-or, -er** χτίστης,
-ion ανέγερση, ίδρυση, **-ile** ορθώ-
σιμος
ergo (έργκο) όπου
ermine (έρμιν) ερμίνα
erode (ιρόουντ) διαβρώνω
erogenous (ιρότζενες) ερωτογενής
erosion (ιρόουζον) διάβρωση
erosive (ιρόουσιθ) διαβρωτικός
erotic (ιρότικ) ερωτικός, **-ism** ερω-
τομανία
err (έρ) σφάλλω
errand (έραντ) αποστολή, παραγ-
γελία
errant (έραντ) πλανώμενος
erratic (ερátικ) πλανώδιος, αστα-
θής, εκκεντρικός
erratum (ερáτεμ) σφάλμα στο γρά-
ψιμο ή την εκτύπωση
erroneous (ερόνιας) λανθασμένος,
-ly εσφαλμένα
error (έρορ) λάθος, πλάνη / in error:
κατά λάθος
eruct (ιράκτ) ρεύομαι, **-ation** ρέψιμο
erudite (ερουντάϊτ) πολυμαθής
erudition (ερουντίσσον) πολυμάθεια
erupt (ιράπτ) εκρήγνυμαι, ξεσπώ,
βγάζω εξανθήματα ή σπυράκια, **-ion**
έκρηξη, εξάνθημα, **-ive** εκρηκτικός
escalate (εσκαλέϊτ) κλιμακώνω, -ο-
μαι
escalator (εσκαλέϊτορ) κυλιόμενη
σκάλα
escapade (εσκαπέϊντ) παρεκτροπή
escape (εσκέϊπ) δραπετεύω, δια-
φεύγω, δραπέτευση, διαφυγή, **-e**
δραπέτης

escapement (εσκέϊπμεντ) ρυθμιστής ρολογιού

escapist (εσκέϊπιστ) αυτός που αποφεύγει κάτι συνεχώς

escarpment (εσκάρπμεντ) γκρεμός

eschew (εστσού) αποφεύγω (γιά ηθικούς λόγους)

escort (έσκορτ) συνοδός, συνοδεία, συνοδεύω

escutcheon (εσκάτσαν) θυρεός, οικόσημο

eskimo (έσκιμο) εσκιμώος

esophagus (ισοφάγκας) οισοφάγος

esoteric (έσοτέρικ) εσωτερικός, μυστικός, απόρρητος

especial (εσπάσαλ) ιδιαίτερος, ειδικός, **-ly** ιδιαίτερα, ειδικά

espial (εσπάϊαλ) κατασκόπευση

espier (εσπάϊερ) κατάσκοπος

espionage (έσπιονετζ) κατασκοπεία

esplanade (εσπλανέϊντ) δρόμος γιά περίπατο

espousal (εσπάουζαλ) υιοθέτηση, υποστήριξη

espouse (εσπάουζ) υιοθετώ, υποστηρίζω

esprit (εσπρί) χιούμορ, πνεύμα

espy (εσπάϊ) βλέπω μακριά

essay (έσεϊ) πραγματεία, δοκιμή, έκθεση, δοκιμάζω

essence (έσενς) ουσία, μύρο

essential (εσένσαλ) ουσιώδης

establish (εστάμπλιςς) ιδρύω, εγκαθιστώ, αποδεικνύω, **-ment** ίδρυση, απόδειξη, ίδρυμα, **-er** ιδρυτής

estate (εστέϊτ) κτήμα, περιουσία, κοινωνική θέση

esteem (εστίμ) εκτιμώ, υπόληψη, εκτίμηση

estimable (έστιμαμπλ) αξιότιμος, εκτιμητός

estimate (έστιμέϊτ) υπολογίζω, εκτιμώ (έστιμετ) υπολογισμός

estimation (εστιμέϊσσον) εκτίμηση, υπόληψη

estrange (εστρέϊντζ) αποξενώνω

estuary (εστιούερι) εκβολή ποταμού

e.t.c. (ετσέτερα) και τα λοιπά (et cetera)

etch (έτσ) χαράζω, καίω με οξέα, **-ing** έγκαυμα, χάραξη πάνω σε μέταλλο

eternal (ιτέρναλ) αιώνιος

eternity (ιτέρνιτι) αιωνιότητα

ether (ίθερ) αιθέρας, **-eal** αιθέριος

ethic (έθικ) ηθική, σύστημα ηθικής συμπεριφοράς, **-al** ηθικός, ηθικολογικός, **-s** ηθικολογία, ηθικές αρχές

ethnic (al) (έθνικ, -αλ) εθνικός

ethnography (εθνόγκραφι) εθνογραφία

ethnologic (al) (εθνολότζικ, -αλ) εθνολογικός

ethnology (εθνόλοτζι) εθνολογία

etiology (ιτιόλοτζι) αιτιολογία

etiquette (ετικέτ) εθιμοτυπία

etymology (ετιμόλοτζι) ετυμολογία

eucalyptus (γιούκαλίπτας) ευκάλυπτος

Eucharist (γιούκαριστ) Θεία Ευχαριστία

eulogist (γιούλοτζιστ) εξυμνητής, **-ic** εγκωμιαστικός, υμνητικός

eulogize (γιούλοτζάϊς) εγκωμιάζω, εξυμνώ

eulogy (γιούλοτζι) εγκώμιο

eunuch (γιούνοκ) ευνούχος

euphemism (γιούφιμισμ) ευφημισμός

euphonious (γιουφόνιας) καλλίφωνος, ευχάριστος στο άκουσμα

euphony (γιούφονι) καλλιφωνία

euphoria (γιουφόρια) ευφορία

Eurasia (γιουρέϊζα) Ευρασία

eureka (γιουρίκα) "εύρηκα"

europe (γιούροπ) Ευρώπη, **-an** Ευρωπαϊκός

euthanasia (γιουθανέϊζα) ευθανασία

evacuate (ιβάκιουέϊτ) αδειάζω, εκκενώνω

evacuation (ιβάκιουέϊσσον) εκκένωση
evade (ιβέϊντ) υπεκφεύγω, αποφεύγω καθήκον ή ευθύνη
evaluate (ιβάλιουέϊτ) εκτιμώ, υπολογίζω την αξία
evaluation (ιβάλιουέϊσσον) διατίμηση, εκτίμηση
evanesce (εβανές) εξαφανίζομαι, **-nce** εξαφάνιση, **-nt** αυτός που εξαφανίζεται και ξεχνιέται εύκολα
evangel (ιβάντζελ) το ευαγγέλιο, **-ic** **(al)** ευαγγελικός, **-ism** κήρυγμα του ευαγγελίου, **-ist** ευαγγελιστής, **-ize** ευαγγελίζομαι
evaporate (ιβάπορέϊτ) εξατμίζω, **-ομαι**
evaporation (ιβαπορέϊσσον) εξάτμιση
evasion (ιβέϊζον) υπεκφυγή
evasive (ιβέϊσιβ) αμφίλογος, προφασιστικός, όχι ευθύς
eve (ίβ) παραμονή
even (ίβεν) ομαλός, όμοιος, άρτιος, κανονικός, ακόμη και, όμοια, ισοπεδώνω, εξισώνω, **-ly** εξίσου, ομαλά, **-ness** ομαλότητα, ισότητα, **-song** εσπερινός, **-tide** εσπέρα, **-handed** δίκαιος
evening (ίβνινγκ) βραδάκι, εσπέρα, **-star** ο πλανήτης Αφροδίτη
event (ιβέντ) γεγονός, αγώνας, αποτέλεσμα, **-ful** γεμάτος συμβάντα / **at all events:** παρ' όλ' αυτά, τουλάχιστον
eventual (ιβέντσουαλ) τελικός, **-ly** τελικά, **-ity** περίσταση, πιθανότητα
eventuate (ιβέντσουέϊτ) καταλήγω σε, έχω ως αποτέλεσμα
eventuation (ιβέντσουέϊσσον) τελική έκβαση
ever (έβερ) πάντα, καμιά φορά, κάποτε, **-glade** βάλτος, **-green** αειθαλής, **-lasting** αιώνιος, **-more** αιώνια
eversion (ιβέρσαν) αναστροφή, γύρισμα

evert (ιβέρτ) γυρίζω το μέσα έξω
every (έβερι) ο καθένας, **-last** όλα, χωρίς καμία παράλειψη, **-body** όλοι, **-day** κάθε μέρα, **-one** ο καθένας, όλοι, **-thing** καθετί, τα πάντα, **-where** παντού
evict (ιβίκτ) κάνω έξωση, **-ion** έξωση
evidence (έβιντενς) απόδειξη, μαρτυρία
evident (έβιντεντ) φανερός, **-ly** προφανώς, **-ial** αποδεικτικός
evil (ίβιλ) κακός, βλαβερός, δυσάρεστος, ατυχία, το κακό, **-doer** κακοποιός, **-minded** ο πονηρά σκεπτόμενος, **-ness** κακία, **-eyed** αυτός που ματιάζει
evince (ιβίνς) δείχνω καθαρά, αποκαλύπτω
eviscerate (ιβίσερέϊτ) ξεκοιλιάζω
evocation (εβοκέϊσσον) ανάμνηση, ανάκληση
evoke (ιβόουκ) προκαλώ
evolution (εβολούσσον) εξέλιξη, **-ary**, **-al** εξελικτικός, **-ist** οπαδός της θεωρίας της εξέλιξης
evolve (ιβόλβ) αναπτύσσω σταδιακά
ewe (γιού) προβατίνα
ewer (γιούερ) κανάτα
ex - (έξ -) (πρόθεμα) πρώην
exacerbate (εκζάσερμπέϊτ) παροξύνω, χειροτερεύω
exacerbation (εκζάσερμπέϊσσον) χειροτέρευση
exact (εκζάκτ) ακριβής, απαιτώ, **-ing** απαιτητικός, **-ly** ακριβώς, **-ness**, **-itude** ακρίβεια, **-ion** απαίτηση
exaggerate (εκζάντερέϊτ) μεγαλοποιώ, **-d** εξογκωμένος
exaggeration (εκζάντζερέϊσσον) υπερβολή
exalt (εκζόλτ) εξυψώνω, επαινώ, εκθειάζω, **-er** αυτός που επαινεί, **-ation** εξύμνηση, εκθειασμός
examination (εκζεμινέϊσσον) εξέταση

examine (εκζάμιν) εξετάζω, -r εξετα-
στής, -e εξεταζόμενος
example (εκζάμπλ) παράδειγμα
exasperate (εκζάσπερέϊτ) παροργίζω
exasperatingly (εκζάσπερέϊτινγκλι)
οργισμένα
exasperation (εκζάσπερέϊσσον) ορ-
γή
excavate (εξκαβέϊτ) σκάβω, ανα-
σκάπτω
excavator (εξκαβέϊτορ) αυτός που
κάνει ανασκαφή
exceed (εκσίντ) υπερβαίνω, υπερ-
βάλλω, -ing υπερβολή, -er αυτός
που υπερβαίνει, -ingly υπερβολικά
excel (εκσέλ) υπερέχω, -lence υπερο-
χή, -lent έξοχος
except (εκσέπτ) εκτός, εξαιρώ, -ion
εξαίρεση, -ional εξαιρετικός, -iona-
ble απαράδεκτος
excerpt (έξερπτ) περικοπή,
απόσπασμα
excess (εξέσ) υπερβολή, υπερβολι-
κός, -ive υπερβολικός
exchange (εξτσέϊντζ) ανταλλάσσω,
ανταλλαγή, συνάλλαγμα, χρηματι-
στήριο, -able ανταλλάξιμος
exchequer (εξτσέκερ) υπουργείο οι-
κονομικών της Αγγλίας
excise (εκσάϊζ) φόρος εγχώριων
προϊόντων, κόβω, αφαιρώ
excision (εξίζον) εκτομή
excitation (εξιτέϊσσον) εξερεθισμός
excite (εξάϊτ) διεγείρω, εξάπτω
excited (εκσάϊτιντ) ο βρισκόμενος
σε έξαψη
excitement (εκσάϊτμεντ) έξαψη
exciting (εκσάϊτινγκ) διεγερτικός
exclaim (εξκλέϊμ) αναφωνώ
exclamation (εξκλαμέϊσσον) ανα-
φώνηση, -mark θαυμαστικό
exclamatory (εξκλάματόρι) επιφω-
νηματικός
exclude (εξκλιούντ) αποκλείω,
απορρίπτω
exclusion (εξκλούζον) απόκλειση

exclusive (εξκλούσιβ) αποκλειστι-
κός, -ness αποκλειστικότητα, -ly
αποκλειστικά
excommunicate (εξκομιούνικέϊτ)
αφορίζω
excommunication (εξκομιούνικέϊσ-
σον) αφορισμός
excoriate (εξκόριέϊτ) γδέρνω, εκ-
φράζω πολύ άσχημη γνώμη
excoriation (εξκόριέϊσσον) γδάρσι-
μο, διατύπωση άσχημης γνώμης
excrement (έξκριμεντ) περίττωμα
excrete (εξκρίτ) εκκρίνω
excretion (εξκρίσσον) έκκριση
excretive, excretory (εξκρέτιβ, εξ-
κρέτορι) εκκριτικός
excruciate (εξκρούσιέϊτ) βασανίζω
excruciating (ιξκρούσέϊτινγκ) πολύ
οδυνηρός
exculpate (έξκαλπέϊτ) αθωώνω
exculpation (εξκαλπέϊσσον) αθώω-
ση
excursion (ιξκέρσον) εκδρομή, -ist
εκδρομέας
excursive (ιξκέρσιβ) εκδρομικός
excuse (εξκιούζ) συγχωρώ, δικαιο-
λογώ, απαλλάσσω από καθήκον, δι-
καιολογία
execrable (έξικραμπλ) αποτρόπαιος,
πολύ άσχημος
execrate (έξικρέϊτ) καταριέμαι
execration (εξικρέϊσσον) κατάρα
execute (έξικιούτ) εκτελώ, θανα-
τώνω
execution (εξικιούσσον) εκτέλεση,
θανάτωση, -er δήμιος
executive (εξεκιούτιβ) εκτελεστι-
κός, διευθυντής
executor (εκζέκιουτορ) εκτελεστής,
εφαρμοστής διαθήκης
executrix (εκζέκιουτριξ) εκτελέ-
στρια
exemplar (εγκζέμπλαρ) πρότυπο,
μοντέλο, υπόδειγμα, -y υποδειγμα-
τικός
exemplification (εκζεμπλιφικέϊσ-

σον) εξήγηση με παράδειγμα
exemplify (εκζέμπλιφάϊ) εξηγώ χρησιμοποιώντας παράδειγμα
exempt (εγκζέμπτ) εξαιρώ, απαλλάσσω, **-ion** εξαίρεση, **-ible** εξαιρέσιμος
exercise (εξερσάϊζ) άσκηση, γυμναστική, ασκώ, γυμνάζομαι
exert (εγκζέρτ) ασκώ, καταβάλλω δυνάμεις, **-ion** αγώνας, προσπάθεια / to exert oneself: καταβάλλω μεγάλη προσπάθεια
exhalation (εξχαλέϊσσον) εκπνοή, αναθυμίαση
exhale (εξχέϊλ) εκπνέω, αναθυμιάζω
exhaust (εκζόστ) εξαντλώ, **-ible** εξαντλητός, **-ive** εξαντλητικός, **-ion** εξάντληση, **-pipe** εξάτμιση αυτοκινήτου
exhibit (εκζίμπιτ) επιδεικνύω, εκθέτω, έκθεμα, **-ion** έκθεση, **-er, -or** εκθέτης, **-ionism** τάση για επίδειξη
exhilarate (εκζίλερέϊτ) χαροποιώ, εξάπτω
exhilarating (εγκζίλερέϊτινγκ) χαρούμενος, εύθυμος
exhilaration (εκζίλερέϊσσον) χαρά, ευθυμία
exhort (εγκζόρτ) παροτρύνω, προτρέπω, **-ation** παρότρυνση, **-ative** προτρεπτικός
exhumation (εξχιουμέϊσσον) εκταφή
exhume (εξχιούμ) ξεθάβω
exigency (έξιτζενσι) επείγουσα ανάγκη
exigent (έξιτζεντ) επείγων, απαιτητικός
exiguity (εξιγκιούιτι) φτώχεια, ανεπάρκεια
exiguous (εξίγκουας) φτωχός, ανεπαρκής
exile (εξάϊλ) εξορία, εξορίζω, εξόριστος
exist (εγκζίστ) υπάρχω, υφίσταμαι, **-ence** ύπαρξη, **-ent** υπαρκτός, **-en-**

tialism υπαρξισμός, **-entialist** υπαρξιστής
exit (έξιτ) έξοδος
exodus (έξοντας) έξοδος
exonerate (εξάνερέϊτ) αθωώνω
exoneration (εξόνερέϊσσον) αθώωση
exorbitance (εξόρμπιτανς) υπερβολή
exorbitant (εξόρμπιταντ) υπερβολικός, υπέρμετρος
exorcise (εξορσάϊζ) εξορκίζω
exorcism (έξορσισμ) εξορκισμός
exotic (εξότικ) εξωτικός
expand (εξπάντ) επεκτείνω, διαστέλλω, εξαπλώνω, **-ομαι**
expanse (εξπάνσ) έκταση
expansible (εξπάνσιμπλ) εκτατός
expansion (εξπάνσον) διαστολή, επέκταση, εξάπλωση
expansive (εξπάνσιθ) εκτεταμένος
expatiate (εκσπέϊσιέϊτ) μακρηγορώ
expatiation (εξπέϊσιέϊσον) μακρηγορία
expatriate (εξπάτριέϊτ) εκπατρίζω, **-ομαι**, (εξπάτριετ) εκπατρισμένος
expatriation (εξπάτριέϊσσον) εκπατρισμός
expect (εξπέκτ) προσδοκώ, **-ancy** προσδοκία, **-ant** αυτός που προσδοκεί, **-ation** προσδοκία
expectorate (εξπέκτορέϊτ) φτύνω
expectoration (εξπέκτορέϊσον) φτύσιμο
expediency, expedience (εξπίντιενσι, εξπίντιενς) σκοπιμότητα
expedient (εξπίντιετ) κατάλληλος, οφέλιμος, σκόπιμος, μέσο, τέχνασμα
expedite (εξπιντάϊτ) επιταχύνω, επισπεύδω
expedition (εξπιντίσον) εκστρατεία
expeditious (εξπιντίσσας) γρήγορος, ταχύς
expel (εξπέλ) εκβάλλω, εξωθώ, εκδιώκω

expend (εξπέντ) ξοδεύω, **-able** διαθέσιμος, που μπορεί να ξοδευτεί
expenditure (εξπέντιτσουρ) έξοδο, δαπάνη
expense (εξπένς) έξοδο, δαπάνη
expensive (εξπένσιβ) ακριβός
experience (εξπίριενς) πείρα, αποκτώ πείρα, **-d** πεπειραμένος
experiment (εξπέριμεντ) πείραμα, πειραματίζομαι, **-al** πειραματικός, **-ation** πειραματισμός
expert (έξπερτ) εμπειρογνώμων, έμπειρος, **-ness** επιδεξιότητα, δεξιοτεχνία
expiate (εξπιέϊτ) εξιλεώνω
expiation (εξπιέϊσσον) εξιλέωση
expiatory (εξπιέϊτορι) εξιλεωτικός
expiration (εξπιρέϊσσον) εκπνοή, λήξη
expiratory (εξπαϊρατόρι) εκπνευστικός
expire (εξπάϊαρ) εκπνέω, λήγω
explain (εξπλέϊν) εξηγώ, **-able** εξηγητός
explanation (εξπλανέϊσσον) εξήγηση
explanatory (εξπλάνατόρι) επεξηγητικός
explicable (έξπλικαμπλ) εξηγητός
explicate (έξπλικέϊτ) εξηγώ, αναπτύσσω
explication (εξπλικέϊσσον) εξήγηση
explicit (εξπλίσιτ) σαφής, ρητός
explode (εξπλόουντ) εκρήγνυμαι, προκαλώ έκρηξη
exploit (εξπλόϊτ) εκμεταλλεύομαι, κατόρθωμα, **-ation** εκμετάλλευση, **-er** εκμεταλλευτής
explore (εξπλόρ) εξερευνώ, **-r** εξερευνητής
exploration (εξπλορέϊσσον) εξερεύνηση
exploratory, explorative (εξπλορέϊτορι, εξπλορέϊτιβ) εξερευνητικός
explosion (εξπλόζον) έκρηξη
explosive (εξπλόσιβ) εκρηκτικός

exponent (εξπόουνεντ) ερμηνευτής, εκθέτης (μαθημ.), **-ial** εκθετικός (μαθημ.)
export (εξπόρτ) εξάγω, **-able** εξαγώγιμος, **-er** εξαγωγέας, **-ation** εξαγωγή
expose (εξπόουζ) εκθέτω
exposition (εξποζίσσον) έκθεση
expostulate (εξπόστουλέϊτ) διαμαρτύρομαι
expostulation (εξπόστουλέϊσσον) διαμαρτυρία
expostulator (εξπόστσουλέϊτορ) αυτός που διαμαρτύρεται
expostulatory (εξπόστσουλέϊτορι) παραστατικός
exposure (εξπόζουρ) έκθεση, κατεύθυνση, θέση
expound (εξπάουντ) ερμηνεύω
express (εξπρές) εκφράζω, γρήγορος, ταχεία μεταφορά, **-ible** αυτός που μπορεί να εκφραστεί, **-ly** ρητά, **-man** μεταφορέας εμπορευμάτων, **-train** ταχεία, γρήγορο τρένο, **-ion** έκφραση, **-ive** εκφραστικός
expropriate (εξπρόπριέϊτ) απαλλοτριώνω
expropriation (εξπρόπριέϊσσον) απαλλοτρίωση
expulsion (εξπάλσαν) έξωση, απέλαση
expulsive (εξπάλσιβ) αποβλητικός
expunge (εξπάντζ) εξαλείφω
expurgate (έξπαργκέϊτ) καθαρίζω, απομακρύνω τα άχρηστα
expurgation (εξπαργκέϊσσον) κάθαρση
exquisite (εξκουίζιτ) λεπτός, εκλεκτός, εξαίρετος, **-ness** λεπτότητα, ομορφιά
extant (έξταντ) υπάρχων, σωζόμενος
extemporaneous (εξτεμπορένιας) αυτοσχέδιος, πρόχειρος
extemporary (εξτέμπορέρι) αυτοσχέδιος
extemporize (εξτέμποράϊζ) αυτο-

σχεδιάζω
extend (εξτέντ) εκτείνω, -ομαι
extensible (εξτένσιμπλ) εκτατός
extension (εξτένσον) επέκταση,
προέκταση, παράταση, **-al** επεκτατικός
extensive (εξτένσιβ) εκτεταμένος
extent (εξτέντ) έκταση, μέγεθος,
βαθμός / to some extent: ως ένα σημείο, κατά μέρος / to such an extent:
τόσο πολύ
extenuate (εξτένιουέϊτ) ελαφρύνω,
μετριάζω
extenuation (εξτένιουέϊσσον) ελάφρυνση
exterior (εξτίριορ) εξωτερικός
exterminate (εξτέρμινέϊτ) εξολοθρεύω
extermination (εξτέρμινέϊσσον) εξολόθρευση, εξόντωση
exterminator (εξτέρμινέϊτορ) εξολοθρευτής
external (εξτέρναλ) εξωτερικός
extinct (εξτίνκτ) σπάνιος, που δεν
υπάρχει πια, σβησμένος, **-ion** εξάλειψη
extinguish (εξτίνγκουιςς) σβήνω,
εξολοθρεύω, **-ment** εξόντωση, σβήσιμο, **-er** αυτός που σβήνει ή
εξοντώνει, **-able** αυτός που μπορεί
να σβηστεί
extirpate (εξτιρπέϊτ) ξεριζώνω
extirpation (εξτιρπέϊσσον) ξερίζωμα
extirpator (εξτιρπέϊτορ) ξεριζωτής
extol (l) (εξτόουλ) εξυμνώ, εκθειάζω,
-er εξυμνητής, **-ment** εξύμνηση
extort (εξτόρτ) αποσπώ με απειλές
ή με τη βία, **-er** εκβιαστής, **-ive** εκβιαστικός
extortion (εξτόρσον) εκβιασμός,
-ary, -ate εκβιαστικός, **-er, -ist** εκβιαστής
extra (έξτρα) επιπλέον, έκτακτος,
-curricular εξωσχολικός, **-judicial**
εξώδικος, **-territoriality** πολιτικά δικαιώματα αναγνωριζόμενα σε ξένη

χώρα
extract (εξτράκτ) αποσπώ, εκλέγω,
(έξτρακτ) απόσπασμα, απόσταγμα,
-ion απόσπαση, καταγωγή, βγάλσιμο
extraneous (εξτρέϊνιας) εξωτερικός,
ξένος, άσχετος
extraordinary (εξτρόρντινέρι) ασυνήθιστος, έκτακτος
extravagance (εξτράβαγκανς) υπερβολή, σπατάλη
extravagant (εξτράβαγκαντ) υπερβολικός, σπάταλος
extravaganza (εξτραβαγκάνζα) πολύ
ακριβή διασκέδαση
extreme (εξτρίμ) έσχατος, άκρος,
άκρο, **-ness** ακρότητα
extremism (έξτρεμισμ) εξτρεμισμός
extremist (έξτρεμιστ) εξτρεμιστής
extremity (εξτρέμιτι) έσχατη ανάγκη, ο μεγαλύτερος βαθμός
extricate (έξτρικέϊτ) απαλλάσσω,
ξεμπλέκω
extrication (εξτρικέϊσσον) απαλλαγή
extrovert (έξτροβερτ) εξωστρεφής
extrude (εξτρούντ) εξωθώ
extrusion (εξτρούζον) εξώθηση
exuberant (εγκζιούμπεραντ) άφθονος, γεμάτος ζωτικότητα
exuberance (εγκζιούμπερανς) αφθονία, ζωτάνια
exude (εξούντ) εκκρίνω, χύνω προς
τα έξω
exudation (εξουντέϊσσον) έκκριση,
χύσιμο
exult (εγκζάλτ) χαίρομαι, ευχαριστιέμαι, **-ant** θριαμβευτικός, **-ingly**
θριαμβευτικά
eye (άϊ) μάτι, κοιτάζω, παρατηρώ,
-ball βολβός ματιού, **-brow** φρύδι,
-glasses γυαλιά, **-lash** βλεφαρίδα,
-let μικρή τρύπα, **-sight** όραση,
-sore αηδία, **-witness** αυτόπτης μάρτυρας, **-less** τυφλός / to keep an eye
on: παρακολουθώ προσεκτικά /

only have eyes for: ενδιαφέρομαι μόνο γιά / to be up to one's eyes in: είμαι πάρα πολύ απασχολημένος /

to have an eye to: έχω ως σκοπό **eyrie, eyry** (έρι, ίρι) φωλιά όρνιου

F

F, f (έφ) το έκτο γράμμα του Αγγλικού αλφαβήτου
F (έφ) νότα στη δυτική μουσική, κλειδί βασισμένο στη νότα αυτή
fa (φά) η τέταρτη νότα στη sol-fa κλίμακα
fab (φάμπ) υπερβολικά καλός, έξοχος
fable (φέϊμπλ) μύθος, **-d** μυθικός, μυθώδης
fabric (φάμπρικ) ύφασμα, σκελετός σπιτιού
fabricate (φάμπρικέϊτ) κατασκευάζω, επινοώ
fabrication (φαμπρικέϊσσον) κατασκεύασμα
fabricator (φαμπρικέϊτορ) κατασκευαστής, επινοητής μύθων
fabulous (φάμπιουλους) μυθώδης, έξοχος
facade (φασάντ) προσόψη
face (φέϊσ) πρόσωπο, όψη, αντικρύζω, ατενίζω, **-value** φαινομενική αξία / in the face of: παρ' όλο, ενάντια / to set one's face: εναντιώνομαι σθεναρά
facet (φάσετ) πλευρά διαμαντιού, όψη, άποψη
facetious (φασίσας) μη σοβαρός, αυθάδης, ετοιμόλογος
facial (φέϊσαλ) του προσώπου, μασάζ
facile (φάσιλ) εύκολος, ευνόητος

facilitate (φασίλιτέϊτ) ευκολύνω
facilitation (φασίλιτέϊσσον) διευκόλυνση
facility (φασίλιτι) ευκολία, άνεση
facsimile (φακσίμιλι) πανομοιότυπο, αντίγραφο
fact (φάκτ) γεγονός, πραγματικότητα / as a matter of fact: πραγματικά
faction (φάκσον) διχόνοια, φατρία, **-al** κομματικός, **-alism** κομματισμός
factious (φάκσους) φιλοκομματικός, **-ness** κομματισμός
factitious (φακτίσσας) τεχνητός, πλαστός
factor (φάκτορ) παράγοντας, μεσίτης
factory (φάκτορι) εργοστάσιο
factotum (φακτόταμ) πολυτεχνίτης
factual (φάκσουαλ) πραγματικός
faculty (φάκαλτι) δύναμη, σύνολο καθηγητών
fad (φάντ) φαντασιοπληξία
faddish (φάντιςς) ιδιότυπος
faddist (φάντιστ) φαντασιόπληκτος
fade (φέϊντ) μαραίνομαι, ξεθωριάζω / fade out: εξαφανίζομαι σταδιακά
fag (φάγκ) κοπιαστική εργασία, ξενοδουλεύω, υπηρέτης, δουλεύω σκληρά, **-end** απομεινάρι, αποτσίγαρο
faggot (φάγκοτ) δεμάτι από ξύλα, δεματιάζω
fail (φέϊλ) αποτυγχάνω, χρεοκοπώ,

αδυνατώ, παύω να λειτουργώ (γιά μηχανές), εγκαταλείπω, παραλείπω να, -ing έλλειψη, -ure αποτυχία, πτώχευση, παράλειψη

fain (φέϊν) πρόθυμος, πρόθυμα

faint (φέϊντ) λιποθυμώ, λιποθυμία, αμυδρός, αδύναμος, -ness αδυναμία, αμυδρότητα, -hearted δειλός

fair (φέρ) καλός, δίκαιος, ξανθός, ωραίος, αίθριος, πανηγύρι, έκθεση, -ly δίκαια, αρκετά, -ness ομορφιά, ευθύτητα, -minded δίκαιος, -sex το ωραίο φύλο

fairy (φέρι) νεράϊδα, -land νεραϊδότοπος, μαγική χώρα

faith (φέϊθ) πίστη, -ful πιστός, -fulness πιστότητα, -less άπιστος

fake (φέϊκ) απομιμούμαι, εξαπατώ, απάτη, απατηλός, -r απατεώνας

fakir (φακίρ) φακίρης

falcon (φόλκον) γεράκι

fall (φόλ) πέφτω, πτώση, μείωση / fall back: οπισθοχωρώ / fall down: αποτυγχάνω / fall for: ξεγελιέμαι, εξαπατώμαι / fall off: ελαττώνομαι, λιγοστεύω / fall out: καυγαδίζω, διακόπτω / fall over: ανατρέπομαι

fallacious (φαλέϊσσας) απατηλός

fallacy (φάλασι) απάτη

fallible (φάλιμπλ) πιθανός να σφάλλει

falling (φόλινγκ) πτώση, πέσιμο, -star μετεωρίτης, -sickness επιληψία

fallow (φάλοου) χέρσος

falls (φόλς) καταρράκτης

false (φόλς) ψεύτικος, άπιστος, ασύνετος, απρόσεκτος, -hood ψεύδος, ψευτιά, -ness απατηλότητα

falsifier (φόλσιφάϊερ) νοθευτής

falsification (φόλσιφικέϊσσον) νοθεία, παραποίηση

falsify (φόλσιφάϊ) νοθεύω, ψευτίζω

falsity (φόλσιτι) ψεύδος, απιστία

falter (φόλτερ) διστάζω, τραυλίζω

fame (φέϊμ) δόξα, φήμη, -d περίφημος, διάσημος

familiar (φαμίλιαρ) οικείος, συνήθης, -ity οικειότητα, -ize εξοικειώνω

family (φάμιλι) οικογένεια

famine (φάμιν) λιμός, πείνα

famish (φάμιςς) λιμοκτονώ

famous (φέϊμος) διάσημος

fan (φάν) βεντάλια, αερίζω, οπαδός, εξαπλώνομαι σε σχήμα ημικυκλίου

fanatic (φανάτικ) φανατικός, -al φανατικός, -ism φανατισμός

fancier (φάνσιερ) εκτροφέας ζώων

fanciful (φάνσιφουλ) φαντασιώδης

fancy (φάνσι) φαντασία, ιδιοτροπία, φανταστικός, ωραίος, κομψός, φαντάζομαι, επιθυμώ, αρέσκομαι

fanfare (φάνφερ) σαλπίσματα

fang (φάνγκ) κοφτερό δόντι ζώου

fantastic(al) (φαντάστιικ, -αλ) φανταστικός, υπέροχος, φαντασιώδης

fantasy (φάντασι) φαντασία

far (φάρ) πολύ, μακριά, μακρυνός, -away απομακρυσμένος, -fetched εξεζητημένος, -flung πολύ εκτεταμένος, -off μακρυνός, -East Άπω ανατολή, -sighted οξυδερκής

farce (φάρσ) φάρσα, κωμωδία

farcical (φάρσικαλ) κωμικός, αστείος

fare (φέαρ) ναύλος, επιτυγχάνω, τροφή, περνώ, -well αντίο

farinaceous (φαρινέϊσσας) αλευρώδης

farm (φάρμ) αγρόκτημα, καλλιεργώ, -er γεωργός, -ing γεωργία, -stead αγροτόσπιτο

faraggo (φαρέϊγκο) μίγμα

farrier (φάριερ) πεταλωτής

farther (φάρδερ) μακρύτερος, μακρύτερα, -most, farthest απώτατος

fascicle (φάσικλ) δεσμίδα, φυλλάδιο

fascinate (φάσινέϊτ) θέλγω, μαγεύω

fascinating (φασινέϊτινγκ) γοητευτικός

fascination (φασινέϊσσον) γοητεία

fascism (φάσισμ) φασισμός

fascist (φάσιστ) φασιστής, -ic φασι-

στικός
fashion (φάσσον) μόδα, τρόπος, δια-
μορφώνω, πλάθω, **-able** της μόδας
fast (φάστ) γρήγορος, στερεός, πη-
γαίνω μπροστά (γιά ρολόϊ), άσωτος,
νηστεύω, νηστεία, γρήγορα, **-ness**
ταχύτητα, σταθερότητα, φρούριο
fasten (φάσν) δένω, στερεώνω, **-er**
αυτός που δένει, **-ing** στερέωμα,
αντικείμενο που συγκρατεί ή στε-
ρεώνει
fastidious (φαστίντιας) αυτός που
ικανοποιείται δύσκολα, **-ness** λε-
πτολογία
fat (φάτ) παχύς, πάχος, λίπος, **-ness**
χοντρότητα
fatal (φέϊταλ) μοιραίος, θανατηφό-
ρος, **-ism** μοιρολατρία, **-ist** μοιρο-
λάτρης, **-ity** το μοιραίο, θανατηφό-
ρο δυστύχημα
fate (φέϊτ) μοίρα, πεπρωμένο
father (φάδερ) πατέρας, γίνομαι πα-
τέρας, **-hood** πατρότητα, **-in -law** πε-
θερός, **-land** πατρίδα, **-less** ορφανός
από πατέρα, **-ly** πατρικός
fathom (φάδομ) οργιά, βυθομετρώ,
καταλαβαίνω, **-able** καταμετρητός,
-less αμέτρητος, απύθμενος, ακατα-
νόητος
fatigue (φατίγκ) κούραση, κουράζω
fatling (φάτλινγκ) σφάγιο
fatten (φάτεν) παχαίνω
fatty (φάτι) παχύς, λιπαρός
fatuity (φατιούιτι) ανοησία, βλακεία
fatuous (φάτσουας) ανόητος
fauces (φόσιζ) οισοφάγος
faucet (φόσετ) κάνουλα, στρόφιγγα
fault (φόλτ) λάθος, ελάττωμα, **-less**
άψογος, **-y** ελαττωματικός, **-iness**
ελαττωματικότητα / to find fault
with: παραπονιέμαι γιά
faun (φόν) σάτυρος
fauna (φόνα) πανίδα
favour (φέϊβορ) εύνοια, χάρη, ευ-
νοώ, **-able** ευνοϊκός, **-ed, -ite** ευ-
νοούμενος, **-er** αυτός που ευνοεί, **-i-**

tism προσωποληψία
fawn (φόν) κιτρινοκάστανος, νεαρό
ελάφι, / fawn on (upon): κολακεύω,
καλοπιάνω
fay (φέϊ) νεράϊδα
faze (φέϊζ) εκπλήσσω, στενοχωρώ
fealty (φίαλτι) πίστη, αφοσίωση
fear (φίαρ) φόβος, φοβάμαι, **-ful,**
-some φοβερός, δειλός, **-fulness**
φοβερότητα, δειλία, **-less** άφοβος,
ατρόμητος, **-lessness** αφοβία / with-
out fear or favour: δίκαια, αμερό-
ληπτα
feasible (φίζιμπλ) κατορθωτός
feast (φίστ) συμπόσιο, γιορτή, γλέ-
ντι, γλεντώ
feat (φίτ) κατόρθωμα
feather (φέδερ) φτερό, καλύπτω με
φτερά, **-ed** φτερωτός, **-brained**
άμυαλος, ανόητος, **-less** χωρίς φτέ-
ρωμα, **-y** ελαφρός, φτερωτός, **-wei-**
ght ελαφρός, μικρής σημασίας
feature (φίτσουρ) χαρακτηριστικό,
μεγάλο άρθρο, κινηματογραφική
ταινία, χαρακτηρίζω, παίζω σπου-
δαίο ρόλο
febrifuge (φέμπριφιούτζ) αντιπυρε-
τικό
febrile (φέμπριλ) πυρετικός
February (φέμπρουέρι) Φεβρουά-
ριος
fecal (φίκαλ) κοπρώδης
feces (φίζις) περιττώματα
feckless (φέκλες) χωρίς σκοπό ή
μελλοντικά σχέδια
fecund (φέκαντ) γόνιμος, **-ity** γονι-
μότητα
federal (φέντεραλ) ομοσπονδιακός,
-ist οπαδός ομοσπονδιακής κυβέρ-
νησης, **-ism** υποστήριξη ομοσπον-
διακού συστήματος διακυβέρνη-
σης, **-ize** ενώνω ομοσπονδιακά
federate (φεντερέϊτ) συνδέομαι ομο-
σπονδιακά, (φέντερετ) ομόσπονδος
federation (φεντερέϊσσον)
ομοσπονδία

fee (φίι) δίδακτρο, αμοιβή, αμοίβω

feeble (φίμπλ) αδύνατος, -ness αδυναμία, -minded μειωμένης νοημοσύνης, ανόητος

feed (φίντ) τρέφω, -ομαι, προμηθεύω με τροφή, -er αυτός που τρέφει, -back ανατροφοδότηση

feeding bottle (φίντινγκλ μπότλ) μπιμπερό μωρού

feel (φίλ) αισθάνομαι, ψηλαφώ, αγγίζω, -er αυτός που αγγίζει, -ing αίσθημα, αφή / to feel like: θέλω, επιθυμώ / to feel one's way: κινούμαι προσεκτικά

feet (φίτ) πόδια (εν. foot)

feign (φέϊν) υποκρίνομαι, προσποιούμαι

feint (φέϊντ) προσποίηση, προσποιούμαι

felicitate (φελίσιτέϊτ) συγχαίρω

felicitations (φελίσιτέϊσσονς) συγχαριτήρια

felicitous (φελίσιτας) ευτυχισμένος, επιτυχημένος

felicity (φελίσιτι) ευτυχία

feline (φιλάϊν) αιλουροειδής

fell (φέλ) ορεινή χώρα, επικίνδυνος, τρομερός

fellow (φέλοου) άνθρωπος, σύντροφος, συνάδελφος, -ship συντροφιά, συναδελφικότητα, -traveller συνοδοιπόρος, ομοϊδεάτης

felon (φέλον) κακούργος, εγκληματίας, -ious εγκληματικός, -y σοβαρό έγκλημα

felt (φέλτ) τσόχα, αορ. του feel

female (φιμέϊλ) θηλυκός, θηλυκό

feminine (φέμινιν) γυναικείος, θηλυκός

feminity (φεμίνιτι) θηλυκότητα

feminism (φέμινισμ) φεμινισμός

femur (φίμαρ) μηριαίο οστό

fen (φέν) έλος, βάλτος

fence (φένς) φράκτης, φράζω, ξιφομαχώ, -r ξιφομάχος

fend (φέντ) φροντίζω γιά, -er προ-

φυλακτήρας αυτοκινήτου / fend off: απομακρύνω, προσπαθώ να ξεφύγω

fennel (φένελ) μάραθο

fenny (φένι) ελώδης

feral (φίραλ) άγριος

ferment (φερμέντ) αναβράζω, (φέρμεντ) αναβρασμός, -ation ζύμωση

fern (φέρν) πτέρη, -ery πτεριδότοπος

ferocious (φερόσσας) άγριος, βίαιος

ferocity (φερόσιτι) αγριότητα, θηριωδία

ferret (φέρετ) κουνάβι, ερευνώ, ξετρυπώνω, ερευνητής

ferrous (φέρας) ο περιέχων σίδηρο

ferrule (φέρουλ) μεταλλικός κρίκος

ferry (φέρι) φέρι-μπότ (πλοιάριο), μεταφέρω με φέρι- μπότ

fertile (φερτάϊλ) γόνιμος, εύφορος

fertility (φερτίλιτι) γονιμότητα

fertilization (φερτιλαϊζέϊσσον) γονιμοποίηση

fertilize (φέρτιλάϊζ) γονιμοποιώ, λιπαίνω, -r λίπασμα

ferule (φέρουλ) ράβδος

fervency (φέρβενσι) ζήλος

fervent (φέρβεντ) διακαής, θερμός

fervid (φέρβιντ) ένθερμος

fervour (φέρβορ) ζήλος, ζέση

festal (φέσταλ) γιορτινός

fester (φέστερ) μολύνομαι, δημιουργώ πύον, πυώδης πληγή

festival (φέστιβαλ) γιορτή, φεστιβάλ

festive (φέστιβ) εορταστικός

festivity (φεστίβιτι) εορτασμός

festoon (φεστούν) γιρλάντα

fetal (φίταλ) εμβρυϊκός

fetch (φέτς) πηγαίνω να φέρω

fete (φέτ) γιορτή

fetid (φέτιντ) βρωμερός, δύσοσμος

fetish (φίτισσ) είδωλο, -ism δεισιδαιμονία

fetter (φέτερ) δένω, εμποδίζω την κίνηση, αλυσίδα σε πόδι φυλακισμένου, -s δεσμά

fettle (φέτλ) κατάσταση
fetus (φίτες) έμβρυο
feud (φέντ) έχθρα, λογομαχία, φέουδο, **-al** φεουδαρχικός, **-alism** φεουδαρχικό σύστημα, **-atory** δουλοπάροικος, **-ist** εριστικός
fever (φίβερ) πυρετός, **-ish, -ous** πυρετώδης
few (φιού) λίγοι / quite a few: αρκετοί
fez (φέζ) φέσι
fiance (φιανσέ) μνηστήρας, αρραβωνιαστικός, **-e** μνηστή
fiasco (φιάσκο) ολοκληρωτική αποτυχία
fiat (φάϊατ) διάταγμα
fib (φίμπ) μικρό ψέμα, λέω ψέμα, **-ber, -ster** ψεύτης
fibre, fiber (φάϊμπερ) ίνα, νεύρο, νήμα, βαθύτερος χαρακτήρας, **-board** σκληρή ουσία από πεπιεσμένες ίνες
fibrous (φάϊμπρας) ινώδης
fibula (φίμπιουλα) περόνη (οστό)
fickle (φίκλ) άστατος, ιδιότροπος, **-ness** αστάθεια
fiction (φίκσον) μυθιστόρημα, μύθος, **-al** μυθιστορηματικός
fictitious (φικτίσσας) πλαστός, φανταστικός
fiddle (φίντλ) βιολί, παίζω βιολί, λεπτή δουλειά, αποκτώ με απάτη, **-stick** δοξάρι βιολιού, **-sticks** ανοησίες!
fidding (φίντινγκ) ασήμαντος, μηδαμινός
fidelity (φιντέλιτι) πίστη
fidget (φίτζετ) εκνευρίζω, κινούμαι νευρικά, **-y** νευρικός, ανήσυχος
fie (φάϊ) ντροπή
field (φίλντ) αγρός, περιοχή δράσης, κλάδος (γνώσεων), **-day** ημέρα αθλητικών εκδηλώσεων, **-event** αγώνισμα στίβου, **-glass** τηλεσκόπιο, **-marshal** αρχιστράτηγος, **-trip** εκπαιδευτικό ταξίδι, **-work** πρόχειρο οχύρωμα

fiend (φίντ) δαίμονας, **-ish** διαβολικός, δύσκολος, δυσνόητος
fierce (φίρς) άγριος, βίαιος, μανιασμένος, **-ness** αγριότητα
fiery (φάϊερι) πύρινος, ένθερμος
fiesta (φιέστα) γιορτή
fife (φάϊφ) φλογέρα, παίζω φλογέρα, **-r** αυλητής
fifteen (φιφτίν) δεκαπέντε, **-th** δέκατος πέμπτος
fifth (φίφθ) πέμπτος
fiftieth (φίφτιεθ) πεντηκοστός
fifty (φίφτι) πενήντα
fig (φίκ) σύκο, συκιά
fight (φάϊτ) μάχη, πάλη, μάχομαι, λογομαχώ, εμποδίζω, αντιστέκομαι, **-er** πολεμιστής
figment (φίγκμεντ) μύθος, επινόημα της φαντασίας
figuration (φιγκιουρέϊσσον) σχηματισμός, πλάσιμο
figurative (φιγκιούρατιβ) μεταφορικός
figure (φίγκιουρ) εικόνα, μορφή, τύπος (ανθρώπου), χρηματικό ποσό, εμφανίζομαι, πιστεύω, λογαριάζω, **-head** φαινομενικός αρχηγός
figurine (φίγκιουρίν) μικρό άγαλμα
filament (φίλαμεντ) λεπτό σύρμα
filbert (φίλμπερτ) φουντούκι
filch (φίλτς) κλέβω, **-er** κλέφτης
file (φάϊλ) σειρά, δέσμη χαρτιών, λίμα, τοποθετώ έγγραφα σε φακέλους, βαδίζω σε σειρά
filet (φιλέ) φιλέττο
filial (φίλιαλ) του γιού, της κόρης
filibuster (φιλιμπάστερ) πολιτική κωλυσιεργία, κωλυσιεργώ
filigree (φιλιγκρί) κεντώ, κέντημα με χρυσή ή ασημένια κλωστή
filings (φάϊλινγκς) ρινίσματα
fill (φίλ) γεμίζω, πραγματοποιώ, συμπληρώνω, γέμισμα, **-er** αυτός που γεμίζει, **-ing** το γέμισμα / filling station: βενζινάδικο
fillet (φίλετ) φέτα, φιλέττο

fillip (φίλιπ) υπενθύμιση, υπενθυμίζω, χτυπώ με το δάκτυλο

filly (φίλι) θηλυκό άλογο

film (φίλμ) φωτογραφική πλάκα, ταινία, λεπτό στρώμα, μεμβράνη, γυρίζω τανία, **-y** μεμβρανώδης

filter (φίλτερ) διηθώ, διυλίζω, φιλτράρω, φίλτρο, διυλιστήριο, **-able** διηθητός, **-er** διυλιστής

filth (φίλθ) ακαθαρισία, βρωμιά, **-y** ακάθαρτος

filtrate (φιλτρέϊτ) φιλτράρω, διυλίζω

filtration (φιλτρέϊσσον) διύλιση, διήθηση

fin (φίν) πτερύγιο ψαριού

final (φάϊναλ) τελικός, **-ly** τελικά, **-ist** αυτός που συμμετέχει σε τελικό αγώνα

finale (φινάλε) το τέλος

finance (φάϊνανς) τα οικονομικά, χρηματοδοτώ

financial (φινάνσιαλ) οικονομολογικός

financier (φινανσίαρ) χρηματιστής

finch (φίντς) σπίνος

find (φάϊντ) βρίσκω, εύρημα, **-er** αυτός που βρίσκει, **-ing** δικαστική απόφαση / find out: ανακαλύπτω

fine (φάϊν) όμορφος, λεπτός, κομψός, πρόστιμο, επιβάλλω πρόστιμο, **-ness** λεπτότητα, **-ly** όμορφα, **-arts** οι καλές τέχνες

finery (φάϊνερι) τα στολίδια

finesse (φινές) λεπτότητα, επιτηδειότητα

finger (φίνγκερ) δάκτυλο χεριού, ψηλαφώ / to put one's finger on: δείχνω ή βρίσκω με ακρίβεια / to keep one's fingers crossed: ελπίζω

finical (φίνικαλ) λεπτολόγος

finis (φίνις) τέλος

finish (φίνισσ) τελειώνω, τέλος, επεξεργασία, **-er** ο τελειωτής

finite (φάϊνάϊτ) πεπερασμένος

Finland (φίνλαντ) Φιλανδία

Finn (φίν) Φιλανδός, **-ish** Φιλανδικός

fir (φέρ) έλατο

fire (φάϊαρ) φωτιά, πυροβολισμός, πυροβολώ, ανάβω, φλέγω, απολύω (από εργασία), **-arms** πυροβόλα όπλα, **-brand** δαυλός, ταραξίας, υποκινητής, **-bug** εμπρηστής, **-engine** πυροσβεστική αντλία, **-escape** έξοδος κινδύνου, **-fly** πυγολαμπίδα, **-man** πυροσβέστης, **-place** τζάκι, **-proof** πυρασφαλής, **-side** εστία, χώρος γύρω από το τζάκι, **-water** οινόπνευμα, **-wood** καυσόξυλα, **-works** πυροτεχνήματα

firm (φέρμ) σταθερός, εμπορικός οίκος, σταθεροποιώ, **-ly** σταθερά, **-ness** σταθερότητα

firmament (φέρμαμεντ) στερέωμα, ουρανός

first (φέρστ) πρώτος, πρώτα, κατ' αρχήν, **-ly** κατ' αρχήν, αρχικά, **-aid** πρώτη βοήθεια (σε ασθενή), **-born** το μεγαλύτερο παιδί οικογένειας, **-name** μικρό όνομα, **-rate** άριστης ποιότητας / at first: στην αρχή

firth (φέρθ) στενός κόλπος

fiscal (φίσκαλ) οικονομικός, ταμειακός

fish (φίςς) ψάρι, ψαρεύω, ψάχνω, **-er**, **-erman** ψαράς, **-ery**, **-ing** ψάρεμα, αλιεία, **-hook** αγκίστρι, **-monger** ιχθυοπώλης, **-y** αυτός που θυμίζει ψάρι, αμφίβολος, ύποπτος

fissile (φίσιλ) διαχωριστός, που μπορεί να σχιστεί

fission (φίσον) σχίσιμο, διάσπαση, διαχωρισμός

fissure (φίσερ) βαθειά σχισμή

fist (φίστ) γροθιά

fisticuffs (φίστικάφς) γρονθοκόπημα, πάλη με γροθιές

fit (φίτ) προσαρμόζω, ταιριάζω, κατάλληλος, ικανός, κρίση, σπασμός, **-ness** αρμοδιότητα, **-ful** σπασμωδικός, άτακτος, ακανόνιστος, **-ter**

προσαρμοστής, **-ting** προσαρμογή,
-tings εξαρτήματα
five (φάϊβ) πέντε
fix (φίξ) στερεώνω, ορίζω, κανονί-
ζω, επισκευάζω, ετοιμάζω, **-able**
διορθώσιμος, **-ation** στερέωση, **-ed**
σταθερός, **-ity** μονιμότητα, σταθε-
ρότητα
fixture (φίξτσουρ) ακίνητο εξάρτη-
μα ή έπιπλο
fizz (φίζ) σφυρίζω, σφύριγμα
fizzle (φίζλ) σφυρίζω / fizzle out:
αποτυγχάνω
flabbergast (φλάμπεργκάστ) εκ-
πλήσσω
flabbiness (φλάμπινες) πλαδαρότη-
τα, μη αποδοτικότητα
flabby (φλάμπι) πλαδαρός, αδύνα-
μος, μη αποδοτικός
flaccid (φλάσιντ) άτονος, χαλαρός,
αδύναμος, **-ness**, **-ity** ατονία, αδυ-
ναμία
flag (φλαγκ) σημαία, πλάκα πεζο-
δρομίου, κρίνος, χαλαρώνω, ατο-
νώ, **-pole** ιστός σημαίας, **-ship**
ναυαρχίδα, το καλύτερο προϊόν
εταιρείας, **-stone** πλάκα πεζοδρο-
μίου, **-gy** άτονος
flagellate (φλάτζελέϊτ) μαστιγώνω
flagon (φλάγκεν) κανάτα, φιάλη
flagrancy (φλέϊγκρανσι) στυγερό-
τητα
flagrant (φλέϊγκραντ) στυγερός
flail (φλέϊλ) ξύλινο εργαλείο γιά κο-
πάνισμα σιταριού
flair (φλέαρ) φυσικό ταλέντο
flak, flack (φλάκ) αντιαεροπορικό
πύρ
flake (φλέϊκ) νιφάδα, μικρό κομ-
μάτι, πέφτω με τη μορφή μικρών
κομματιών
flaky (φλέϊκι) λεπιδωτός, όμοιος με
νιφάδες, εκκεντρικός
flamboyance (φλαμπόϊανς) το
θάμπος
flamboyant (φλαμπόϊαντ) φλογώ-

δης, επιδεικτικός
flame (φλέϊμ) φλόγα, φλέγομαι, **-th-
rower** φλογοβόλο
flaming (φλέϊμινγκ) φλογερός, φλε-
γόμενος
flamingo (φλαμίνγκο) φοινικόπτε-
ρος (είδος πουλιού)
flammable (φλάμαμπλ) εύλεκτος
flange (φλέϊντζ) εξέχων άκρο
flank (φλάνκ) λαγώνιο, πλευρά,
συνορεύω
flannel (φλάνελ) φανέλα, κολακεύω,
εξαπατώ, **-ette** βαμβακερή φανέλα
flap (φλάπ) πτερύγιο, φτερουγίζω,
ραπίζω, **-jack** τηγανίτα
flapper (φλάπερ) νεοσσός, μικρό
πουλί
flare (φλέαρ) λάμπω, αναλαμπή,
φλέγομαι / flare up: εξάπτομαι
flash (φλάςς) λάμψη, γρήγορο κοί-
ταγμα, σύντομα νέα, φλάς φωτογρα-
φικής μηχανής, αστράπτω, κινού-
μαι πολύ γρήγορα
flask (φλάσκ) φιάλη
flat (φλάτ) επίπεδος, διαμέρισμα,
βαρετός, ανούσιος, πεδιάδα, ύφεση,
-feet πλατυποδία, **-foot** αστυφύλα-
κας, **-iron** σίδερο σιδερώματος, **-ly**
ρητά, **-ness** ομαλότητα,
flatten (φλάτεν) ισοπεδώνω
flatter (φλάτερ) κολακεύω, **-er** κό-
λακας, **-ing** κολακευτικός, **-y** κολα-
κεία
flatulent (φλάτσουλεντ) φουσκωμέ-
νος, πομπώδης
flaunt (φλόντ) επιδεικνύω
flautist (φλότιστ) μουσικός που
παίζει φλογέρα
flavor (φλέϊβορ) γεύση, άρωμα,
αρωματίζω, **-ing** άρωμα, **-less**
ανούσιος
flaw (φλό) ελάττωμα, ψεγάδι, **-less**
άψογος, **-lessness** τελειότητα
flax (φλάξ) λινάρι, λιναριά, **-en** λι-
νός, ξανθός, **-seed** λιναρόσπορος
flay (φλέϊ) γδέρνω, βασανίζω

flea (φλίι) ψύλλος, **-bag** απεχθές άτομο ή ζώο, φθηνό ξενοδοχείο
fleck (φλέκ) στίγμα, στιγματίζω
flection (φλέκσον) κάμψη
fledge (φλέτζ) ανατρέφω, πτερώνω
fledgling (φλέτζλινγκ) νεοσσός
flee (φλίι) φεύγω, δραπετεύω
fleece (φλίις) προβιά προβάτου, μαλλί, κουρεύω, απογυμνώνω
fleecy (φλίσι) μαλλιαρός
fleet (φλίτ) στόλος, βιαστικός, γρήγορος, φεύγω, **-ing** αυτός που φεύγει, **-ness** ταχύτητα
flesh (φλέςς) σάρκα, μαλακό τμήμα φρούτων, **-iness** ευσαρκία, **-ly** σαρκικός, **-y** σαρκώδης
flex (φλέξ) κάμπτω, **-ομαι**, **-ible** εύκαμπτος, **-ibility** ευκαμψία, **-or** καμπτήρας μύς
flibbertigibbet (φλίμπερτιτζίμπετ) πολυλογάς
flick (φλίκ) χτυπώ ελαφρά, ελαφρό χτύπημα
flicker (φλίκερ) τρομοσβήνω, τρεμόσβισμα, κινούμαι ασταθώς
flier (φλάϊερ) ιπτάμενος, αεροπόρος, διαφημιστικό φυλλάδιο που μοιράζεται στο δρόμο
flight (φλάϊτ) φυγή, πτήση / flight of stairs: σκάλα σπιτιού, **-y** άστατος, ιδιότροπος
flimsy (φλίμζι) λεπτός, αδύνατος
flinch (φλίντς) οπισθοχωρώ
flinder (φλίντερ) θρύμμα, κομματάκι
fling (φλίνγκ) εκσφενδονίζω, **-ομαι**, περίοδος απόλαυσης και κεφιού, **-er** αυτός που εκσφενδονίζει
flint (φλίντ) πυρόλιθος, **-y** σκληρός, πέτρινος
flip (φλίπ) χτυπώ ελαφρά, ενθουσιάζομαι, ενδιαφέρομαι, πέταγμα στον αέρα
flippant (φλίπαντ) αυθάδης, ελαφρός, **-ness**, **flippancy** ελαφρότητα
flipper (φλίπερ) πτερύγιο κήτους

flirt (φλέρτ) ερωτοτροπώ, ερωτότροπος, **-ation** ερωτοτροπία, **-atious** ερωτότροπος
flit (φλίτ) φτερουγίζω
float (φλόουτ) επιπλέω, κινούμαι άσκοπα, σχεδία, **-er** αυτός που επιπλέει, άσκοπος
flock (φλόκ) αγέλη, πλήθος (ανθρώπων), εκκλησίασμα, συγκεντρώνομαι, συρρέω, τούφα μαλλιών
floe (φλόου) παγετώνας που επιπλέει
flog (φλόγκ) μαστιγώνω, δέρνω, **-ger** μαστιγωτής, **-ging** μαστίγωμα
flood (φλούντ) πλημμύρα, πλημμυρίζω, κατακλυσμός, **-light** διάχυτο φώς
floor (φλόρ) πάτωμα, όροφος, σανίδώνω, καταρρίπτω, **-ing** σανίδωμα, υλικά γιά πατώματα
flop (φλόπ) καταρρίπτω, ρίχνω, πτώση, αποτυχία, **-house** φθηνό ξενοδοχείο
floppy (φλόπι) ετοιμόρροπος
flora (φλόρα) χλωρίδα
floral (φλόραλ) ανθηρός, λουλουδάτος
florescense (φλορέσενς) άνθηση
florescent (φλορέσεντ) ανθηρός
floriculture (φλορικάλτσουρ) ανθοκομία
florist (φλόριστ) ανθοπώλης, ανθοκόμος
floss (φλός) νήμα μεταξιού, **-y** χνουδωτός, επιδεικτικός
flotation (φλοτέϊσσον) επίπλευση
flotilla (φλοτίλα) μικρός στόλος
flotsam (φλότσαμ) επιπλέοντα αντικείμενα μετά από ναυάγιο
flounce (φλάουνς) παρυφή, κράσπεδο, κινούμαι νευρικά
flounder (φλάουντερ) σπαρταρώ, αγωνίζομαι ανεπιτυχώς
flour (φλάουρ) αλεύρι, **-y** αλευρώδης, **-mill** αλευρόμυλος
flourish (φλέριςς) ανθώ, ακμάζω,

αναπτύσσομαι, ποίκιλμα, -ing ανθηρός

flout (φλάουτ) δε σέβομαι, αντιτίθεμαι, χλευάζω

flow (φλόου) ρέω, ροή

flower (φλάουερ) λουλούδι, ανθίζω, ακμάζω, -ing αυτός που ανθίζει ή ακμάζει, -y ανθηρός, -pot γλάστρα, -ed στολισμένος με λουλούδια

flu (φλού) γρίπη

fluctuate (φλάκτσουέϊτ) κυμαίνομαι

fluctuation (φλάκτσουέϊσσον) διακύμανση

flue (φλού) καπνοδόχος

fluency (φλούενσι) ευφράδεια

fluent (φλούεντ) εύγλωττος, ευχερής, -ly άνετα, ευχερώς

fluff (φλάφ) χνούδι, πούπουλο, -y χνουδωτός

fluid (φλούιντ) ρευστό, ρευστός, ασταθής, υγρό, -ness, -ity ρευστότητα

fluke (φλούκ) τσιπούρα (ψάρι), άγκιστρο, απροσδόκητη επιτυχία

fluky (φλούκι) τυχερός

flummox (φλάμεξ) μπερδεύω, συγχύζω

flunk (φλάνκ) αποτυχία, αποτυγχάνω

fluorescence (φλουορέσενς) φθορισμός, λάμψη από φθόριο

flurry (φλέρι) φύσημα, νιφάδα, ταραχή, ταράζω

flush (φλάσσ) κοκκινίζω, εξάπτω, κατακλύζω, κοκκίνισμα, γεμάτος, άφθονος

fluster (φλάστερ) συγχύζω, ταραχή, μπέρδεμα

flute (φλούτ) αυλός, ράβδωση, αυλακώνω

fluting (φλούτινγκ) ράβδωση

flutist (φλούτιστ) αυλητής, φλαουτίστας

flutter (φλάτερ) φτερουγίζω, ταράζω, -ομαι, ταραχή, φτερούγισμα

fluvial (φλούβιαλ) ποταμίσιος

flux (φλάξ) ροή, λιώνω, λιώσιμο, καθαρίζω, -ion ροή, ρευστοποίηση

fly (φλάϊ) μύγα, πετώ, φεύγω, περνώ γρήγορα, -er αεροπόρος, -ing ιπτάμενος, γρήγορος, -leaf εσωτερική κενή σελίδα βιβλίου, -wheel τροχός που κανονίζει την ταχύτητα / fly by night: αναξιόπιστος

foal (φόουλ) γάϊδαρος, μουλάρι

foam (φόουμ) αφρός, αφρίζω, -y αφρώδης

fob (φόμπ) τσεπάκι πατελονιού, μικρή αλυσίδα ρολογιού / fob off: δεν προσέχω, παραβλέπω

focal (φόκαλ) κεντρικός, εστιακός, -ize συγκεντρώνω

focus (φόκους) εστία, συγκεντρώνω

fodder (φόντερ) σανός, τρέφω, τροφή ζώων

foe (φόου) εχθρός

foetal (φίταλ) εμβρυακός

foetus (φίτας) έμβρυο

fog (φόγκ) ομίχλη, -gy ομιχλώδης, σκοτισμένος, -giness σύγχυση, το ομιχλώδες

fo(e)y (φόουγκι) παλεοϊδεάτης, συντηρητικός

foible (φόϊμπλ) αδυναμία, τρωτό σημείο χαρακτήρα

foil (φόϊλ) ματαιώνω, λεπτό φύλλο μετάλλου, ξίφος

fold (φόλντ) διπλώνω, πτυχή, μάντρα, στάνη, -er φυλλάδιο, φάκελος εγγράφων

foliage (φόλιετζ) φύλλωμα

folio (φόλιο) φύλλο χαρτιού

folk (φόουκ) λαός, φυλή, -s άνθρωποι, συγγενείς

folklore (φόουκλόρ) λαϊκές παραδόσεις

folksong (φόουκσόνγκ) λαϊκό τραγούδι

folksy (φόκσι) λαϊκός, απλός

follow (φόλοου) ακολουθώ, καταδιώκω, παρακολουθώ, -er οπαδός, -ing ακολουθία, ακόλουθος

folly (φόλι) μωρία, ανοησία
foment (φομέντ) υποθάλπω, -ation
υπόθαλψη, -er υποκινητής
fond (φόντ) αυτός που αρέσκεται,
φιλόστοργος, τρυφερός, -ness αγά-
πη, στοργή
fondle (φόντλ) περιποιούμαι, χαϊ-
δεύω
font (φόντ) κολυμπήθρα, σειρά τυ-
πογραφικών στοιχείων
food (φούντ) τροφή, -stuff τρόφιμα
foodie (φούντι) καλός μάγειρας, κα-
λοφαγάς
fool (φούλ) ανόητος, κοροϊδεύω,
απατώ, -ery, -ing ανοησία
foolhardy (φούλχάρντι) παράτολμος
foolish (φούλιςς) ανόητος, -ness
ανοησία
foolproof (φούλπρούφ) αλάνθαστος,
ευνόητος
foolscap (φούλσκαπ) φύλλο χαρτιού
foot (φούτ) πόδι, βάση, άκρο, πατώ,
πεζοπορώ, αθροίζω, -ball ποδόσφαι-
ρο, -fall πάτημα, -hills πρόποδες,
-hold βάση, στήριγμα, -lights φώτα
του προσκηνίου, -man υπηρέτης,
-note υποσημείωση, -pad ληστής,
-path μονοπάτι, -print ίχνος, -step
βήμα, -stool σκαμνί, -age μήκος σε
πόδια, -ing πάτημα, βάση
fop (φόπ) φιλάρεσκος άνδρας, -pish
κομψομανής
for (φόρ) γιά, χάριν, επειδή, εξαι-
τίας, σε, διότι / for as much as: αφού
forage (φόρετζ) βοσκή, περιπλα-
νιέμαι ψάχνοντας γιά τροφή
foray (φόρεϊ) επιδρομή, λεηλατώ
forbear (φορμπίαρ) απέχω, υπομένω,
πρόγονος, προπάτορας, -ance ανοχή,
υπομονή, -ing υπομονετικός
forbid (φορμπίντ) απαγορεύω,
-ding αποκρουστικός, -den απαγο-
ρευμένος
force (φόρς) δύναμη, ισχύς, βία,
ασκώ βία, -ful ισχυρός, -d βεβια-
σμένος / in force: σε λειτουργία ή

εφαρμογή
forcemeat (φορσμίτ) κιμάς
forceps (φόρσεπς) τσιμπίδα (ιατρι-
κό εγαλείο)
forcible (φόρσιμπλ) ισχυρός, βίαιος
ford (φόρντ) τμήμα ποταμού με ρη-
χά νερά, διασχίζω ποταμό, -able
διαβατός
fore (φόρ) πριν, προηγουμένως,
προηγούμενος, μπροστά, -and-aft
κατά μήκος του πλοίου
forearm (φόραρμ) πήχης χεριού,
προετοιμάζομαι γιά επικείμενη
επίθεση
forebear (φόρμπίαρ) πρόγονος
forebode (φορμπόουντ) μαντεύω,
προοιωνίζομαι
foreboding (φορμπόντινγκ) προ-
μήνυμα
forecast (φόρκαστ) πρόβλεψη, προ-
βλέπω, -er αυτός που προβλέπει
foreclose (φορκλόουζ) κατάσχω πε-
ριουσία
foreclosure (φορκλόουζουρ) κατά-
σχεση
foredoom (φορντούμ) καταδικάζω
εκ των προτέρων
forefather (φορφάδερ) πρόγονος
forefinger (φορφίνγκερ) δείκτης
(δάκτυλο)
forefront (φορφρόντ) το μπροστι-
νό μέρος
forego (φοργκόου) προηγούμαι
foregoing (φοργκόουινγκ) προη-
γούμενος, προαναφερθείς
foreground (φοργκράουντ) το μπρο-
στινό μέρος
forehanded (φορχάντεντ) προβλε-
πτικός
forehead (φορχέντ) μέτωπο
foreign (φόριν) ξένος, -er αλλοδα-
πός, ξένος / Foreign Office: Υπουρ-
γείο οικονομικών
forejudge (φορτζάτζ) προδικάζω
foreknow (φορνόου) γνωρίζω εκ των
προτέρων

foreknowledge (φορκνόλετζ) πρό-
γνωση
foreleg (φόρλεγκ) μπροστινό πόδι
τετράποδου ζώου
forelock (φορλόκ) τούφα μαλλιών
που πέφτουν στο μέτωπο
foreman (φόρμαν) προϊστάμενος,
αρχιεργάτης
foremost (φορμόστ) πρώτιστος,
πρώτος
forenoon (φορνούν) πρωί
forensic (φορένσικ) δικανικός, ρη-
τορικός
foreordain (φορορντέϊν) προορίζω
foreordination (φορορντινέϊσσον)
προορισμός
forepart (φορπάρτ) αρχή, μπροστι-
νό μέρος
forerun (φοράν) προτρέχω, **-ner**
πρόδρομος
foresee (φορσί) προβλέπω
foreshadow (φορσσάντο) προμηνύω
foreshow (φορσσόου) δηλώνω
foresight (φορσάϊτ) πρόβλεψη,
πρόνοια
forest (φόρεστ) δάσος, **-er** δασοφύ-
λακας, **-ry** δασοκομία
forestall (φορστόλ) προλαβαίνω
foretaste (φορτέϊστ) προγεύομαι
foretell (φορτέλ) προλέγω
forethought (φορθότ) πρόνοια,
φροντίδα
forever (φορέβερ) γιά πάντα
forewarn (φοργουόρν) προειδοποιώ
foreword (φόργουορντ) πρόλογος
forfeit (φόρφιτ) στερούμαι, κατά-
σχω, κατάσχεση, ενέχυρο, πρόστι-
μο, χάνω το δικαίωμα, **-ure** στέρη-
ση, ποινή
forgather (φοργκάδερ) συναθροί-
ζομαι
forge (φόρτζ) σφυρηλατώ, πλαστο-
γραφώ, σιδηρουργείο, **-d** πλαστός,
σφυρηλατημένος, **-r** πλαστογρά-
φος, **-ry** πλαστογραφία
forget (φοργκέτ) ξεχνώ, **-ful** ξεχα-

σιάρης, **-fulness** λησμοσύνη
forgive (φιργκίβ) συγχωρώ, **-ness**
συγχώρηση
forgo (φοργκόου) απέχω, παραι-
τούμαι
fork (φόρκ) πηρούνι, διχάλα, δια-
κλαδίζομαι, **-ed** διχαλωτός
forlorn (φορλόρν) έρημος, άθλιος
form (φόρμ) σχήμα, μορφή, τρόπος,
επίσημο έγγραφο προς συμπλήρω-
ση, τρόπος ενέργειας, διαμορφώνω,
σχηματίζω, **-less** άμορφος
formal (φόρμαλ) τυπικός, σαφής,
-ism στερεοτυπία, **-ist** τυπικός , **-ize**
διατυπώνω, **-ity** τυπικότητα, δια-
τύπωση
format (φόρματ) σχήμα και μέγεθος
βιβλίου, γενικό σχήμα και διάταξη
formation (φορμέϊσσον) σχηματι-
σμός
formative (φόρματιβ) διαπλαστικός
former (φόρμερ) διαμορφωτής,
προηγούμενος, **-ly** άλλοτε, προη-
γουμένως
formidable (φόρμινταμπλ) φοβε-
ρός, δεινός
formula (φόρμιουλα) τρόπος,
συνταγή
formulate (φόρμιουλέϊτ) διατυπώνω
formulation (φορμιουλέϊσσον) δια-
τύπωση
fornicate (φορνικέϊτ) πορνεύω, έχω
ερωτικές σχέσεις χωρίς να είμαι
παντρεμένος
fornication (φορνικέϊσσον) πορνεία
forsake (φορσέϊκ) αφήνω, εγκατα-
λείπω, απαρνούμαι, **-n** έρημος,
εγκαταλελειμμένος
forsooth (φορσούθ) πραγματικά,
αλήθεια
forswear (φορσουέαρ) επιορκώ, αρ-
νιέμαι με όρκο
forsythia (φορσίθια) είδος θάμνου
με κίτρινα άνθη
fort (φόρτ) φρούριο
forte (φόρτε) υπεροχή, ειδικότητα,

δυνατά, μουσικό κομμάτι παιζόμενο δυνατά

forth (φόρθ) μπροστά, έξω, -**coming** προσεχής, -**right** αυτός που διαθέτει παρρησία, -**with** αμέσως / so forth: ούτω καθ᾽εξής

fortieth (φόρτιεθ) τεσσαρακοστός

fortification (φορτιφικέϊσσον) οχύρωμα, οχύρωση

fortify (φόρτιφάϊ) οχυρώνω

fortitude (φορτιτιούντ) γενναιότητα, δύναμη

fortnight (φόρτναϊτ) δεκατετραήμερο, -**ly** ανά δεκατετραήμερο

fortress (φόρτρες) μεγάλο φρούριο

fortuitous (φορτιούιτας) τυχαίος

fortuity (φορτιούιτι) σύμπτωση, τύχη

fortunate (φόρτσουνετ) τυχερός, -**ly** ευτυχώς, -**ness** καλή τύχη

fortune (φόρτσουν) τύχη, μοίρα, περιουσία, -**hunter** προικοθήρας, -**teller** μάντης, αγύρτης

forty (φόρτι) σαράντα

fortywinks (φόρτιουίνκς) σύντομος ύπνος κατά τη διάρκεια της ημέρας

forum (φόρουμ) τόπος συζήτησης δημοσίων θεμάτων

forward (φόργουαρντ) μπροστά, απρόθυμος, αυθάδης, προάγω, διαβιβάζω, -**s** μπροστά, -**ness** αυθάδεια, προθυμία, αυτοπεποίθηση, -**er** διαβιβαστής, αποστολέας, -**looking** αυτός που σχεδιάζει γιά το μέλλον

fossil (φόσιλ) απολίθωμα, -**ize** απολιθώνω

foster (φόστερ) ανατρέφω, θετός, υιοθετώ παιδί γιά λίγο καιρό, -**father** θετός πατέρας

foul (φάουλ) βρώμικος, αχρείος, αντικανονικός, μολύνω, -**ness** βρωμερότητα

found (φάουντ) θεμελιώνω, ιδρύω, χύνω μέταλλο, -**ation** ίδρυση, θεμελίωση, -**er** θεμελιωτής, ιδρυτής, χύτης

founder (φάουντερ) αποτυγχάνω, βυθίζομαι, ναυαγώ

foundling (φάουντλινγκ) έκθετο βρέφος

foundry (φάουντρι) χυτήριο

fount (φάουντ) πηγή, βρύση

fountain (φάουντιν) κρήνη, βρύση

four (φόρ) τέσσερα, τέσσερις, -**th** τέταρτος, -**flusher** καυχησιάρης, επιδεικτικός, -**fold** τετραπλός, τετραπλάσιος, -**score** ογδόντα, -**square** αυθάδης, τετράγωνος, ισχυρός, που διαθέτει αυτοπεποίθηση

fourteen (φορτίν) δεκατέσσερα

fourth (φόρθ) τέταρτος

fowl (φάουλ) πτηνό, πουλερικό, -**er** κυνηγός πτηνών, -**ing** κυνήγι πτηνών, -**ing piece** κυνηγετικό όπλο, -**pest** μεταδοτική ασθένεια πτηνών

fox (φόξ) αλεπού, γούνα αλεπούς, πονηρός, εξαπατώ, -**hole** λάκκος γιά προφύλαξη στρατιωτών, -**hound** κυνηγετικός σκύλος, -**terrier** είδος μικρού σκύλου -**trot** είδος χορού, -**iness** πανουργία, -**y** πανούργος, πονηρός, ελκυστικός

foyer (φόϊερ) προθάλαμος, χόλ

fracas (φρέϊκας) καυγάς, θόρυβος, οχλαγωγία

fraction (φράκσον) κλάσμα, μικρό τμήμα, -**al** κλασματικός, μικρός, ασήμαντος, -**ally** σε πολύ μικρό βαθμό

fractious (φράκσας) άτακτος, εριστικός, ανήσυχος

fracture (φράκτσουρ) σπάζω, σπάσιμο, κάταγμα

fragile (φράτζιλ) εύθραυστος, ισχνός

fragility (φρατζίλιτι) το εύθραυστον

fragment (φράγκμεντ) κομμάτι, τεμαχίζω, -**ary** τμηματικός, -**ation** θρυμματισμός, κομμάτιασμα

fragrance (φρέϊγκρανς) ευωδία

fragrant (φρέϊγκραντ) ευωδιαστός

frail (φρέϊλ) αδύνατος, εύθραυστος,

σύντομος, -ty, -ness αδυναμία,
αστάθεια
frame (φρέϊμ) σχεδιάζω, σχηματί-
ζω, πλαισιώνω, ραδιουργώ, ενοχο-
ποιώ, σκελετός, πλαίσιο, -**house**
ξύλινο σπίτι, -**work** σκελετός /
frame up: σκευωρία
franc (φράνκ) φράγκο
France (φράνς) Γαλλία
franchise (φραντσάϊζ) δικαίωμα
ψήφου
frangible (φράντζιμπλ) εύθραυστος
frangibility (φραντζιμπίλιτι) το εύ-
θραυστον
frank (φράνκ) ειλικρινής, ευθύς,
απαλλάσσω από ταχυδρομικά τέλη,
-**ness** ειλικρίνεια
frankfurter (φρανκφόρτερ) σάλτσα
γιά χοτ-ντόγκ
frankincense (φράνκινσενς) λιβάνι
frantic (φράντικ) έξαλλος, μανιώ-
δης, παράφρων
fraternal (φρατέρναλ) αδελφικός
fraternity (φρατέρνιτι) αδελφικό-
τητα
fraternization (φρατερνιζέϊσσον)
αδελφοποίηση
fraternize (φράτερνάϊζ) συναδελ-
φώνομαι, αδελφοποιώ
fratricidal (φρατρισάϊνταλ) αδελφο-
κτονικός
fratricide (φράτρισάϊντ) αδελφο-
κτονία, αδελφοκτόνος
fraud (φρόντ) απάτη, απατεώνας,
-**ulent** απατηλός, -**ulence, -ulency**
δολιότητα
fraught (φρότ) γεμάτος, αγχώδης
fray (φρέϊ) ξεφτίζω, τρίβω -ομαι,
καυγάς, συμπλοκή
frazzle (φράζλ) τρίβω, ξεφτίζω, τρι-
βή, κουράζω, -ομαι, εξάντληση
freak (φρίκ) αφύσικο, τέρας, ιδιο-
τροπία, -**ish** παράξενος, αφύσικος
freckle (φρέκλ) φακίδα, φακιδώνω
free (φρί) ελεύθερος, απαλλαγμέ-
νος, απελευθερώνω, δωρεάν, -**ly**

ελεύθερα, -**dom** ελευθερία, -**ness**
ελευθερία
freebooter (φριμπούτερ) πειρατής
freehold (φριχόλντ) ελεύθερο κτήμα
freelance (φρίλανς) ανεξάρτητος
freeman (φρίμαν) απελεύθερος
freemason (φριμέϊσον) μασσώνος,
-**ry** μασσωνία
freestyle (φριστάϊλ) ελεύθερο στύλ
κολύμβησης
freeze (φρίζ) παγώνω, πάγωμα, πή-
ξη, -**r** ψυγείο
freezing (φρίζινγκ) πάγωμα, σταθε-
ροποίηση
freight (φρέϊτ) φορτίο, ναύλος, ναυ-
λώνω, φορτώνω, μέσο μεταφοράς,
-**age** μεταφορά, ναύλος -**er** φορτω-
τής, φορτηγό, αεροπλάνο γιά μετα-
φορά αγαθών
French (φρέντσ) Γάλλοι, Γαλλικός,
Γαλλικά, -**man** Γάλλος, -**woman**
Γαλλίδα
frenetic (φρινέτικ) παράφρων, μαι-
νόμενος
frenzy (φρένζι) τρελαίνω, φρενίτιδα
frequency (φρίκουενσι) συχνότητα
frequent (φρίκουεντ) συχνός, -**ly**
συχνά
frequent (φρικουέντ) συχνάζω, -**er**
θαμώνας
fresco (φρέσκο) τοιχογραφία
fresh (φρέσσ) φρέσκος, νωπός, δρο-
σερός, πρόσφατος, αναιδής, -**en**
δροσίζω, -ομαι, -**man** πρωτοετής
φοιτητής, -**ness** φρεσκάδα, δροσε-
ρότητα, -**water** γλυκό νερό
freshet (φρέσσετ) πλημμύρα ποτα-
μού
fret (φρέτ) ερεθίζω, -ομαι, ενοχλώ,
δυσφορώ, δυσφορία, ανυπομονώ,
διακοσμώ, διακόσμηση, -**ful** δύ-
στροπος, -**fulness** δυστροπία, ανη-
συχία, -**work** σχέδιο σκαλισμένο σε
λεπτό ξύλο
friable (φράϊαμπλ) εύθραυστος, αυ-
τός που εύκολα θρυμματίζεται,

-ness, friabīlīty το εύθραυστο
friar (φράϊαρ) μοναχός, -y μονα-
στήρι
fricassee (φρικασί) φρικασέ
friction (φρίκσον) τριβή, εντριβή,
προστριβή, διαφωνία, -less χωρίς
τριβή
Friday (φράϊντέϊ) Παρασκευή
fried (φράϊντ) αορ. του fry, τηγα-
νητός
friend (φρέντ) φίλος, φίλη, υπο-
στηρικτής, -less χωρίς φίλους, -ly
φιλικός, -liness φιλικότητα, -ship
φιλία / make friends with: δη-
μιουργώ φιλία με
frieze (φρίζ) διάζωμα, ζωοφόρος
frigate (φρίγκετ) φρεγάτα
fright (φράϊτ) φόβος, τρόμος,
σκιάχτρο, -en τρομάζω, -ful τρομε-
ρός, -fulness φοβερότητα, -ened
έντρομος
frigid (φρίτζιτ) παγωμένος, ψυχρός,
-ity, -ness ψυχρότητα, ψύξη
frill (φρίλ) διακοσμητική υφασμά-
τινη γιρλάντα
fringe (φρίντζ) φράντζα, κρασπε-
δώνω
frippery (φρίπερι) φθηνά ρούχα
frisk (φρίσκ) χοροπηδώ, χοροπήδη-
μα, κάνω σωματική έρευνα
friskiness (φρίσκινες) ζωηρότητα
frisky (φρίσκι) ζωηρός
fritter (φρίτερ) τηγανίτα / fritter
away: σπαταλώ (χρόνο ή χρήματα)
σε ασήμαντα πράγματα
frivolity (φριβόλιτι) ελαφρότητα
frivolous (φρίβολας) ελαφρύς,
κούφιος
frizz (φρίζ) σγουραίνω, ψήνω
frizzle (φρίζλ) σγουραίνω, ψήνω
frizzly (φρίζλι) κατσαρός, σγουρός
fro (φρό) πίσω / to and fro: μπρός
και πίσω
frock (φρόκ) χιτώνας, φόρεμα, ρά-
σο -coat ρεντιγκότα
frog (φρόγκ) βάτραχος

frolic (φρόλικ) παιχνίδι, διασκέδα-
ση, διασκεδάζω, -some παιχνιδιά-
ρης
from (φρόμ) από, παρά
frond (φρόντ) φύλλο (φοίνικα ή
φτέρης)
front (φρόντ) μπροστά, πρόσοψη,
μέτωπο, μπροστινός, αντιμετωπίζω,
-age πρόσοψη, -al μετωπικός
frontier (φροντίαρ) σύνορο
frontispiece (φροντισπίς) εικόνα
στην αρχή βιβλίου
frost (φρόστ) πάγος, παγετός, πα-
γώνω, -ed παγωμένος, -iness παγε-
ρότητα, -y παγερός, -ing θαμπή
επιφάνεια μετάλλου ή γυαλιού, ζα-
χαρώδης επικάλυψη γλυκών, -bite
κρυοπάγημα
froth (φρόθ) αφρίζω, αφρός, -y
αφρώδης, -iness το αφρώδες
froward (φρόγουαρντ) κακότροπος,
ανάγωγος
frown (φράουν) συνοφρυώνομαι,
συνοφρύωση
frowsy, frowzy (φράουζι) ακατά-
σχετος
frozen (φρόουζεν) παγωμένος
fructify (φράκτιφάϊ) καρποφορώ
frugal (φρούγκαλ) οικονόμος, λι-
τός, -ity, -ness λιτότητα
fruit (φρούτ) καρπός, φρούτο, καρ-
ποφορώ, -s αποτάλεσμα, -age καρ-
ποφορία, καρποί, -erer οπωροπώ-
λης, -ful καρποφόρος, -fulness καρ-
περότητα, -less άκαρπος, άγονος,
-lessness ακαρπία
fruition (φρουίσσαν) καρποφορία,
απόλαυση
fruity (φρούτι) οπωρώδης, καρ-
ποειδής
frump (φράμπ) κακοντυμένη γυ-
ναίκα
frustrate (φρουστρέϊτ) ματαιώνω
frustration (φρουστρέϊσσον) μα-
ταίωση
frustum (φράσταμ) τομή

fry (φράϊ) τηγανίζω, μαρίδα, -er αυτός που τηγανίζει

frying pan (φράϊνγκ πάν) τηγάνι

fuchsia (φιούσα) φουξία (φυτό)

fuck off (φάκ οφ) απομακρύνομαι, φεύγω, παύω να ενοχλώ

fuck up (φάκ απ) στιγματίζω, βλάπτω, καταστρέφω

fucker (φάκερ) ανόητος, απεχθής

fuddle (φάντλ) μεθώ, συγχέω, συγχυσμένος

fudge (φάτζ) είδος γλυκού, μωρολογία, μωρολογώ, παραμύθι

fuel (φιουέλ) καύσιμη ύλη, προμηθεύω ή προμηθεύομαι καύσιμα

fug (φάκγ) αποπνηκτική ατμόσφαιρα

fugacious (φιουγκέϊσας) εφήμερος

fugitive (φιούτζιτιθ) φυγάς

fugue (φιούγκ) μελωδία με επωδό

fulfil(l) (φούλφιλ) εκπληρώνω, εκτελώ, -ment εκπλήρωση

full (φούλ) πλήρης, γεμάτος, αρκετά, κατευθείαν, ευθέως, -blooded καθαρόαιμος, γνήσιος, ισχυρός, -board παροχή όλων των γευμάτων (σε ξενοδοχείο), -bodied δυνατός, εύγευστος, -dress επίσημη ενδυμασία, -grown εντελώς ανεπτυγμένος, -moon πανσέληνος, -y πλήρως, -ness πληρότητα

fulminate (φάλμινέϊτ) κεραυνοβολώ

fulmination (φουλμινέϊσσον) κεραυνοβόληση

fulsome (φούλσαμ) υπερβολικός, διαχυτικός, -ness υπερβολή, διαχυτικότητα

fumble (φάμπλ) ψηλαφώ, εκτελώ αδέξια, -r αδέξιος, άτσαλος

fume (φιούμ) καπνός, ατμός, αέριο, θυμός, θυμώνω, καπνίζω, εξάπτομαι

fumigate (φιούμιγκέϊτ) καπνίζω, απολυμαίνω με καπνό

fumigation (φιουμιγκέϊσσον) απολύμανση με καπνό

fun (φάν) αστείο, διασκέδαση, αστειεύομαι, διασκεδαστικός, ευχάριστος

function (φάνκσον) έργο, καθήκον, λειτουργία, υπηρεσία, λειτουργώ, -al υπηρεσιακός, λειτουργικός, -ary αξιωματούχος

fund (φάντ) κεφάλαιο, συγκεντρώνω σε χρεόγραφα

fundamental (φανταμένταλ) θεμελιώδης, βασικός, -s οι βάσεις

funeral (φιούνεραλ) κηδεία, επικήδειος

funereal (φιουνίριαλ) πένθιμος, νεκρικός

fungicide (φάντζισάϊντ) μυκητοκτόνο

fungous (φάνκας) μυκητώδης

fungus (φάνγκας) μύκητας

funk (φανκ) τρόμος, τρομάζω, φοβίζω

funnel (φάνελ) καπνοδόχος, χωνί, φουγάρο, συγκεντρώνω

funny (φάνι) αστείος, -bone το άκρο του αγκώνα

fur (φέρ) γούνα, σκεπάζω με γούνα

furbelow (φερμπιλό) φαρμπαλάς

furbish (φέρμπισσ) λουστράρω, στιλβώνω

furious (φιούριας) μανιώδης

furl (φέρλ) συστέλλω, μαζεύω

furlough (φέρλοου) άδεια απουσίας, δίνω άδεια απουσίας

furnace (φάρνες) καμίνι, φούρνος

furnish (φέρνισσ) επιπλώνω, χορηγώ, προμηθεύω, -er προμηθευτής, -ings έπιπλα

furniture (φέρνιτσουρ) έπιπλα

furor (φιούρορ) μανία, παραφρά

furred (φέρντ) αυτός που έχει γούνα

furrier (φέριερ) γουναράς

furring (φέρινγκ) κάλυψη με γούνα

furrow (φέροου) αυλάκι, αυλακώνω, ρυτιδώνω

furry (φέρι) γούνινος

further (φάρδερ) πιο μακρυνός, περισσότερο, ακόμη, προάγω, -ance προαγωγή, ώθηση, -more επιπλέον, -most απώτατος

furthest (φάρδεστ) ο πιο μακρυνός

furtive (φέρτιθ) λαθραίος, φευγαλαίος, μυστικός, -ly λαθραία, -ness μυστικότητα, το λαθραίο

fury (φιούρι) μανία, ορμή, λύσσα

fuse (φιούζ) λιώνω, συγχωνεύω, -ομαι, διακόπτης ασφάλειας

fusee (φιουζί) έναυσμα

fuselage (φιούζιλετζ) σκελετός αεροπλάνου

fusible (φιούζιμπλ) αυτός που λιώνει εύκολα

fusilier (φιουζιλίαρ) στρατιώτης με τουφέκι

fusillade (φιούζιλέϊντ) πυροβολισμοί, πυροβολώ ομαδικά

fusion (φιούζον) λιώσιμο, συγχώνευση, ένωση, διάλυση, -ist ενωτικός

fuss (φας) φασαρία, κάνω φασαρία, -y αυτός που προκαλεί φασαρία

fustian (φάστσαν) είδος βαμβακερού υφάσματος, στόμφος, κομπαστικός

fustiness (φάστινες) μυρωδιά μούχλας

fusty (φάστι) μουχλιασμένος

futile (φιούτιλ) ανωφελής, μάταιος

futility (φιουτίλιτι) ματαιότητα

future (φιούτσαρ) μέλλον

futurist (φιούτσουριστ) μελλοντιστής

fuze (φιούζ) φιτίλι

fuzz (φάζ) χνούδι

fuzzy (φάζι) σκονισμένος, ασαφής

G

G, g (τζί) το έβδομο γράμμα του Αγγλικού αλφάβητου

G (τζί) νότα στη Δυτική μουσική, μουσικό κλειδί βασισμένο στη νότα αυτή

gab (γκάμπ) φλυαρώ, φλυαρία

gabardine (γκαμπαρντίν) καμπαρτίνα

gabble (γκάμπλ) φλυαρώ, φλυαρία, -r φλύαρος

gabby (γκάμπι) φλύαρος, πολύλογος

gable (γκέϊμπλ) αέτωμα κτιρίου, -d αυτός που έχει αέτωμα

gad (γκάντ) πλανιέμαι, περιφέρομαι, βούκεντρο

gadabout (γκανταμπάουτ) αργόσχολος

gadfly (γκαντφλάϊ) αλογόμυγα

gadget (γκάτζετ) μηχάνημα, επινόημα, συσκευή

gadgetry (γκάτζετρι) συσκευές, μηχανήματα, εργαλεία

gaelic (γκέϊλικ) κελτικός, κελτική γλώσσα

gaff (γκάφ) καμάκι, καμακώνω, αγκίστρι, δυσκολία, -er γέρος, διευθυντής

gaffe (γκάφ) σφάλμα χωρίς τη θέληση κάποιου, γκάφα

gag (γκάγκ) φιμώνω, φίμωτρο, αστείο, ψέμμα

gaga (γκάγκα) γεροντικός, μωρός λόγω γήρατος, ξετρελαμένος από έρωτα

gage (γκέϊτζ) μέτρο, εγγύηση, ενέ-

χυρο
gaggle (γκάγκλ) κοπάδι από χήνες, θορυβώδες πλήθος ανθρώπων
gaiety (γκέϊετι) ευθυμία
gaily (γκέϊλι) χαρούμενα, επιδεικτικά
gain (γκέϊν) κέρδος, κερδίζω, **-ful** επικερδής, **-fulness** το επικερδές / gain ground: γίνομαι ισχυρότερος, διμοφιλέστερος
gainsay (γκέϊνσέϊ) διαψεύδω, αρνούμαι
gait (γκέϊτ) βάδισμα, βήμα
gaiter (γκέϊτερ) γκέτα, περικνημίδα
gala (γκάλα) πανηγυρικός, εορτάσιμος
galaxy (γκάλαξι) γαλαξίας
gale (γκέϊλ) τρικυμία, θύελλα, σφοδρός άνεμος, **-s** ξέσπασμα γέλιου
gall (γκόολ) χολή, αναίδεια, πειράζω, γδέρνω, ταπεινώνω, **-stone** πέτρα της χολής, **-bladder** χοληδόχος κύστη
gallant (γκάλαντ) γενναίος, ευγενής, **-ry, -ness** γενναιότητα, αβρότητα
galleon (γκάλιαν) γαλέρα (πλοίο)
gallery (γκάλερι) στοά, υπερώο, αίθουσα εκθέσεων
galley (γκάλι) τριήρης (πλοίο), μαγειρείο πλοίου, σελιδοθέτης, **-slave** κατάδικος
galliard (γκάλιαρντ) εύθυμος
gallic (γκάλικ) Γαλλικός, Γαλατικός
gallinaceous (γκαλινέϊσας) ορνιθοειδής
galling (γκάλινγκ) ξέγδαρμα
gallivant (γκάλιβαντ) περιφέρομαι χαίροντας, χαριεντίζομαι
gallon (γκάλον) γαλλόνι
gallop (γκάλοπ) καλπάζω, καλπασμός, **-ing** ο γρήγορα αυξανόμενος ή εναλλασσόμενος
gallows (γκάλοουζ) κρεμάλα
galore (γκαλόρ) άφθονος
galosh (γκαλόσσ) γαλότσα
galvanic (γκαλβάνικ) γαλβανικός

galvanism (γκάλβανισμ) γαλβανισμός
galvanize (γκαλβανάϊζ) γαλβανίζω
galvanometer (γκαλβανόμιτερ) γαλβανόμετρο
gamble (γκάμπλ) χαρτοπαίζω, διακινδυνεύω, **-r** χαρτοπαίκτης
gambling (γκάμπλινγκ) χαρτοπαίγνιο
gambol (γκάμπολ) χοροπηδώ, σκιρτώ, χοροπήδημα, σκίρτημα
gambrel (γκάμπρελ) πίσω σκέλος ζώου
game (γκέϊμ) παιχνίδι, κυνήγι, αγώνας, παίζω, πρόθυμος, **-ness** προθυμία, **-some** παιχνιδιάρης, **-ster** χαρτοπαίκτης
gamin (γκάμιν) χαμίνι, αλητόπαιδο
gaminess (γκέϊμινες) ετοιμότητα
gammon (γκάμον) τάβλι, χοιρομέρι
gamp (γκάμπ) ομπρέλα
gamut (γκάμοτ) μουσική κλίμακα
gamy (γκέϊμι) θαρραλέος, έτοιμος
gander (γκάντερ) χήνα, ανόητος
gang (γκάνγκ) συμμορία, όμιλος, συνενοούμαι γιά κάτι κακό, **-plank** σκάλα
gangling (γκάνγκλινγκ) ψηλός κι αδέξιος
ganglion (γκάνγκλιαν) γάγγλιο
gangrene (γκανγκρίν) γάγγραινα
gangrenous (γκάνγκρινας) γαγγραινώδης
gangster (γκάνγκστερ) συμμορίτης, κακοποιός
gangway (γκάνγκουέϊ) πέρασμα
gantlet (γκάντλετ) τιμωρία
gap (γκάπ) χάσμα, άνοιγμα, ανοίγω
gape (γκέϊπ) χάσκω, χασμουριέμαι, χασμουρητό
garage (γκαράαζ) γκαράζ, τοποθετώ αμάξι στο γκαράζ
garb (γκάρμπ) ρουχισμός, ντύνω, **-ομαι**
garbage (γκάρμπετζ) σκουπίδια, ανοησίες

G

garble (γκάρμπλ) παραμορφώνω, διαστρέφω
garcon (γκαρσόν) παιδί, σερβιτόρος
garden (γκάρντεν) κήπος, -er κηπουρός
gardenia (γκαρντίνια) γαρδένια
gargantuan (γκαργκάντιουαν) γιγαντιαίος
gargle (γκάργκλ) γαργάρα, γαργαρίζω
gargoyle (γκαργκόϊλ) άγαλμα που χρησιμεύει ως βρύση
garish (γκάριςς) επιδεικτικός
garland (γκάρλαντ) γιρλάντα
garlic (γκάρλικ) σκόρδο
garment (γκάρμεντ) φόρεμα, ρούχο, ντύνω
garner (γκάρνερ) αποθηκεύω, μαζεύω, σιταποθήκη
garnet (γκάρνετ) λυχνίτης, κόκκινος πολύτιμος λίθος
garnish (γκάρνιςς) στολίζω, στόλισμα, -ment διακόσμηση, ειδοποίηση κατάσχεσης, -er αυτός που κατάσχει
garniture (γκέρνιτσουρ) στόλισμα
garret (γκάρετ) σοφίτα
garrison (γκάρισον) φρουρά, τοποθετώ φρουρά
gerrote (γκαρότ) στραγγαλίζω, στραγγαλισμός
garrulity (γκαρούλιτι) φλυαρία
garrulous (γκάρουλας) φλύαρος
garter (γκάρτερ) καλτσοδέτα
gas (γκάσ) αέριο, φωταέριο, γκαζολίνη, -mask αντιασφυξιογόνα μάσκα, -station βενζινάδικο
gasconade (γκάσκονέϊντ) καυχιέμαι, καυχησιολογία
gaseous (γκάσιας) αεριώδης
gash (γκάσσ) τραύμα, βαθιά πληγή, τρυπώ ή πληγώνω βαθειά
gasify (γκάσιφάϊ) αεροποιώ
gasket (γκάσκετ) βούλωμα, περίβλημα
gasoline (γκασολίν) γκαζολίνη,

βενζίνη
gasp (γκάσπ) άσθμα, ασθμαίνω
gasping (γκάσπινγκ) πολύ διψασμένος
gastric (γκάστρικ) γαστρικός
gastritis (γκαστράϊτις) γαστρίτιδα
gastronomy (γκαστρόνομι) γαστρονομία, καλοφαγία
gat (γκάτ) πιστόλι
gate (γκέϊτ) πύλη, εξώπορτα
gather (γκάδερ) μαζεύω, συναθροίζω, -ομαι, συλλέγω, συμπεραίνω, -ing συλλογή, συνάθροιση
gauche (γκόουσσ) αδέξιος
gaud (γκόντ) στολίδι, -y επιδεικτικός, -iness επιδεικτικότητα
gauffer (γκόοφερ) πλέκω
gauge (γκέϊτζ) μέτρο, μετρώ, υπολογίζω, εκτιμώ
Gaul (γκόλ) Γαλατία, Γαλάτης
gaunt (γκόντ) αδύνατος, απελπισμένος, βλοσυρός
gauntlet (γκάντλετ) γάντι
gauze (γκόζ) γάζα
gauzy (γκόζι) λεπτός σα γάζα
gavel (γκέθελ) σφυρί προέδρου στο δικαστήριο
gavot(te) (γκαβότ) είδος παλιού χορού
gawk (γκόοκ) αδέξιος, μπούφος, -y ηλίθιος, άξεστος
gay (γκέϊ) χαρούμενος, ζωηρός, -ly εύθυμα, ζωηρά, -ness ευθυμία, ζωηρότητα
gayety (γκέϊτι) ευθυμία
gaze (γκέϊζ) ατενίζω
gazelle (γκαζέλ) είδος αντιλόπης
gazette (γκαζέτ) εφημερίδα
gazetteer (γκαζετίαρ) γεωγραφικό λεξικό
gear (γκίαρ) οδοντωτός τροχός, αποσκευή, ενδυμασία, εφοδιάζω
geese (γκίζ) χήνες (πληθ. του goose)
geeser (γκίζερ) παράξενος άνθρωπος, αλλόκοτος
geiger counter (γκάϊγκερ κάουντερ)

μέτρο ραδιενέργειας
geisha (γκέϊσσα) Γιαπωνέζα τραγουδίστρια και χορεύτρια
gelatine (τζέλατιν) ζελατίνα, πηκτή
gelatinous (τζελάτινας) ημιστερεός, πηκτώδης
geld (γκέλντ) ευνουχίζω, **-ing** ευνουχισμένο ζώο
gelid (τζέλιντ) παγωμένος, **-ness, -ity** παγερότητα, ψυχρότητα
gem (τζέμ) κειμήλιο, κόσμημα, πολύτιμος λίθος, στολίζω με πολύτιμους λίθους
geminate (τζέμινέϊτ) δίδυμος, διπλασιάζω
gemination (τζεμινέϊσσον) διπλασιασμός
Gemini (τζέμιναϊ) Δίδυμοι (ζώδιο)
gemmation (τζεμέϊσσον) βλάστηση
gendarme (ζαντάρμ) Γάλλος χωροφύλακας
gender (τζέντερ) γένος
genealogy (τζενιάλοτζι) γενεαλογία
general (τζένεραλ) γενικός, στρατηγός, **-ly** γενικά, **-ship** στρατηγία, **-staff** γενικό επιτελείο, **-ity** γενικότητα, **-ize** γενικεύω, **-ization** γενίκευση
generalissimo (τζενεραλίσιμο) αρχιστράτηγος
generate (τζένερέϊτ) γεννώ, παράγω
generation (τζενερέϊσσον) γενιά, παραγωγή
generative (τζενερέϊτιβ) γεννητικός
generator (τζενερέϊτορ) γεννήτορας, παραγωγός, ηλεκτρική γεννήτρια
generic (τζινέρικ) του γένους
generosity (τζενερόσιτι) γενναιοδωρία, γενναιοφροσύνη
generous (τζένερας) γενναιόδωρος
genesis (τζένεσισ) η γένεση, ξεκίνημα, απαρχή
genetic (τζενέτικ) γεννητικός, γενεσιολογικός, **-s** γενεσιολογία
genial (τζίνιαλ) καλόκαρδος, **-ness, -ity** εγκαρδιότητα

genie (τζίνι) φάντασμα, στοιχειό, δαιμόνιο
genital (τζένιταλ) γεννητικός, **-s** γεννητικά όργανα
genitive (τζένιτιβ) γενική πτώση
genius (τζίνιας) μεγαλοφυία
genocide (τζένοσάϊντ) γενοκτονία
genre (ζάνρ) είδος, ρυθμός, ύφος
gent (τζέντ) ευγενής
genteel (τζεντίλ) ευγενής, κοσμικός
gentile (τζεντάϊλ) εθνικός, χριστιανός, μη Ιουδαίος
gentility (τζεντίλιτι) ευγένεια
gentle (τζέντλ) ευγενής, ήπιος, ελαφρός, **-folk** οι ευγενείς, **-man** κύριος, **-manly** ευγενικός, **-ness** ευγένεια, **-woman** ευγενής κυρία
gently (τζέντλι) ήρεμα, σιγά, ελαφρά
gentry (τζέντρι) αριστοκρατία
genuflect (τζένιουφλέκτ) γονατίζω, **-ion** γονάτισμα
genuine (τζένιουιν) γνήσιος, αληθινός
genus (τζίνας) γένος, είδος
geocentric (τζιεσέντρικ) γαιοκεντρικός, έχοντας τη γή ως κέντρο
geographer (τζιόγκραφερ) γεωγράφος
geography (τζιόγκραφι) γεωγραφία
geologist (τζιόλογκιστ) γεωλόγος
geology (τζιόλοτζι) γεωλογία
geometer, geometrician (τζιόμιτερ, τζιομιτρίσαν) γεωμέτρης
geometric (al) (τζιομέτρικ, -αλ) γεωμετρικός
geometry (τζιόμετρι) γεωμετρία
geranium (τζιρέϊνιαμ) γεράνι
geriatrics (τζέριέτριξ) γεριατρική
germ (τζέρμ) σπέρμα, μικρόβιο
German (τζέρμαν) Γερμανός, Γερμανικός, **-y** Γερμανία
germane (τζερμέϊν) σχετικός
germicide (τζέρμισάϊντ) μικροβιοκτόνο
germinal (τζέρμιναλ) σπερματικός

germinate (τζέρμινέϊτ) βλαστάνω, παράγω, φυτρώνω
germination (τζέρμινέϊσσον) βλάστηση
gerrymander (τζεριμάντερ) μεροληπτικός εκλογικός καταμερισμός
gerund (τζέρουντ) γερούνδιο
gestate (τζεστέϊτ) εγκυμονώ
gestation (τζεστέϊσσον) κυοφορία
gesticulate (τζέστικιουλέϊτ) χειρονομώ
gesticulation (τζέστικιουλέϊσσον) χειρονομία
gesture (γκέστσουρ) χειρονομία, χειρονομώ
get (γκέτ) αποκτώ, παίρνω, κερδίζω, γίνομαι, επιτυγχάνω, φτάνω, -ting κέρδος, -together φιλική συγκέντρωση / get at: φτάνω, βρίσκω /
get about (around): κινούμαι, ταξιδεύω, κυκλοφορώ / get away: δραπετεύω, φυγή / get in: εισέρχομαι, φτάνω / get out: εξέρχομαι, μιλώ με δυσκολία / get up: ξυπνώ, σηκώνομαι, οργανώνω
gewgaw (γκιούγκο) στολιδάκι
geyser (γκάϊζαρ) θερμοσίφωνο
ghastliness (γκάστλινες) φρικτότητα
ghastly (γκάστλι) φρικτός, νεκρικός, ωχρός
gherkin (γκάρκιν) τουρσί αγγούρι
ghetto (γκέτο) εβραϊκή συνοικία
ghost (γκόστ) φάντασμα, πνεύμα, -ly σαν φάντασμα, -liness νεκρικότητα
ghoul (γκούλ) βρυκόλακας, δαίμονας
giant (τζάϊαντ) γίγαντας
gibber (τζίμπερ) μιλώ γρήγορα και ακατάληπτα, -ish ασυναρτησία
gibbet (τζίμπιτ) κρεμώ, κρεμάλα
gibbous (γκίμπας) κυρτός, καμπούρης
gibe (τζάϊμπ) κοροϊδεύω
giblets (τζίμπλετς) εντόσθια κότας
giddiness (γκίντινες) ζάλη, ίλιγγος

giddy (γκίντι) ζαλίζομαι, ζαλισμένος
gift (γκίφτ) δώρο, δωρίζω, -ed ταλαντούχος
gig (γκίγκ) βάρκα, αμάξι, σβούρα
gigantic (τζαϊγκάντικ) γιγάντιος
giggle (γκίγκλ) γελώ ανόητα, κρυφογελώ, νευρικό γέλιο
giggly (γκίγκλι) αυτός που κρυφογελά ή γελά ανόητα
gigolo (τζιγκολό) ζιγκολό
gild (γκίλντ) επιχρυσώνω
gill (γκίλ) βράγχιο ψαριού
gillyflower (τζιλιφλάουερ) γαρύφαλλο
gilt (γκίλτ) επίχρυσος, -edged επίχρυσος, άριστης ποιότητας
gimlet (γκίμλετ) τρυπάνι
gimmick (γκίμικ) μαγικό επινόημα
gimp (γκίμπ) σειρήτι
gin (τζίν) παγίδα, οινοπνευματώδες ποτό, εκκοκίζω, εκκοκιστική μηχανή, παγιδεύω
gingerly (τζίντζερλι) προσεκτικά, επιφυλακτικός
gingham (γκίνγκχαμ) βαμβακερό ύφασμα
gipsy (τζίπσι) τσιγγάνος, γύφτος
giraffe (τζιράφ) καμηλοπάρδαλη
gird (γκέρντ) κοροϊδεύω, ζώνω, -ομαι
girder (γκέρντερ) κύριο, κεντρικό δοκάρι που στηρίζει γέφυρα κτλ.
girdle (γκέρντλ) ζώνη, ζώνω, κορσές
girl (γκέρλ) κορίτσι, -friend φιλενάδα, -hood ηλικία ή ζωή κοριτσιού, -ish κοριτσίστικος
girth (γκέρθ) περιφέρεια, ζώνη ιππέα, ζώνω
gist (γκίστ) ουσία, βάση
give (γκίβ) δίνω, -r δότης / give it to someone: λέω κάτι δυσάρεστο ευθέως / give away: προδίδω, αποκαλύπτω, απαλλάσσομαι από κάτι δίνοντάς το / give in: ενδίδω / give up: αφήνω, παρατώ, σταματώ / give

way: υποχωρώ / give out: μοιράζω,
ανακοινώνω, εκχύνω
gizzard (γκίζαρντ) στομάχι πτηνού
glabrous (γκλέίμπρας) φαλακρός
glace (γκλασέ) παγωμένος, ζαχα-
ρώδης
glacial (γκλέϊσαλ) παγωμένος, πα-
γετώδης
glaciate (γκλέϊσιέίτ) καλύπτω με
πάγο, παγώνω
glacier (γκλέϊσερ) παγετώνας, πα-
γόβουνο
glad (γκλάντ) χαρούμενος, **-ly** χα-
ρούμενα, **-ness** χαρά, **-some** χαρο-
ποιός, εύθυμος, **-den** χαροποιώ
glade (γκλέϊντ) ξέφωτο στο δάσος,
μικρή κοιλάδα, έλος
gladiator (γκλαντιέίτορ) μονομάχος
gladiola (γκλαντιόλα) κρινοειδές
φυτό
glair (γλέαρ) ασπράδι αυγού, **-y** λευ-
κοματώδης
glamour (γκλάμορ) οφθαλμαπάτη,
μαγεία, αίγλη, γοητεία **-ous** γοη-
τευτικός
glance (γκλάνς) ματιά, ρίχνω ματιές
gland (γκλάντ) αδένας, **-ular**, **-ulous**
αδενώδης
glare (γκλέαρ) ατενίζω, ακτινοβο-
λώ, λάμψη, αίγλη, λάμπω, θαμπώ-
νω, αγριοκοιτάζω
glaring (γκλέαρινγκ) ολοφάνερος,
αγριωπός
glary (γκλέαρι) εκθαμβωτικός,
λαμπερός
glass (γλάσ) ποτήρι, γιαλί, τηλε-
σκόπιο, καθρέπτης, **-es** γυαλιά μα-
τιών, **-ware** γυαλικά, **-ful** γεμάτο πο-
τήρι, **-y** γυάλινος
glaucous (γκλόκας) κυανός, γλαυ-
κός
glave (γκλέϊβ) σπάθα
glaze (γκλέϊζ) γυαλίζω
glazier (γλέϊζερ) υαλουργός
gleam (γκλίμ) απαλή λάμψη, λάμπω
glean (γκλίν) συλλέγω, σταχυολο-

γώ
glee (γκλίι) ευθυμία, καντάδα, **-ful,**
-some χαρωπός, εύθυμος, **-club** όμι-
λος τραγουδιστών
glen (γκλέν) μικρή, στενή κοιλάδα
glib (γκλίμπ) λείος, ρέων, ευφράδης,
-ness ευφράδεια, ψευδής πολυλογία
glide (γκλάϊντ) γλιστρώ, γλίστρημα,
-r αυτός που γλιστράει, ανεμοπλάνο
glimmer (γκλίμερ) φέγγω, φέγγος
glimpse (γκλίμπς) γρήγορο βλέμ-
μα, ματιά
glint (γκλίντ) λάμψη, λάμπω
glissade (γκλισέϊντ) γλύστρα
glisten (γκλίσν) ακτινοβολώ, ακτι-
νοβολία, λάμψη, λάμπω
glitter (γκλίτερ) ακτινοβολώ, ακτι-
νοβολία
gloaming (γκλόουμινγκ) σούρουπο,
λυκόφως
gloat (γκλόουτ) βλέπω με χαιρεκα-
κία
global (γκλόμπαλ) σφαιρικός
globe (γκλόουμπ) γλόμπος, σφαίρα,
υδρόγειος
globose (γκλόμποουζ) στρογγυλός
globular (γκλόμπιουλαρ) σφαιρικός
globule (γκλόμπιουλ) σφαιρίδιο,
χάπι, σταγόνα
glomerate (γκλόμερετ) συσφαιρω-
μένος
gloom (γκλούμ) μελαγχολία, σκο-
τάδι, σκοτεινιάζω, κατσουφιάζω,
-y σκοτεινός, κατσούφης, **-iness**
κατήφεια
glorification (γκλοοουριφικέϊσσον)
δοξασμός
glorifier (γκλόριφάϊερ) αυτός που
δοξάζει
glorify (γκλόριφάϊ) δοξάζω
glorious (γκλόουριος) ένδοξος
glory (γκλόρι) δόξα
gloss (γκλός) γυαλίζω, σχολιάζω,
σχόλιο, εξομαλύνω, γυαλάδα
glossary (γκλόσαρι) λεξιλόγιο
glossiness (γκλόσινες) γυαλάδα, λα-

μπερότητα
glossy (γκλόσι) γυαλιστερός
glottis (γκλότις) επιγλωττίδα
glove (γκλόουβ) γάντι
glow (γκλόου) φλέγομαι, λάμπω,
λάμψη, πύρωση, **-ing** φλογερός,
λαμπερός, **-worm** πυγολαμπίδα
glower (γκλάουερ) αγριοκοιτάζω
gloze (γκλόουζ) εξηγώ, συγκαλύπτω
glucose (γκλούκοους) γλυκόζη
glue (γκλού) κόλλα, κολλώ, **-y** κολ-
λώδης
glum (γκλάμ) κατσούφης
glut (γκλάτ) γεμίζω, κόρος, υπερ-
χορταίνω
gluten (γκλούτεν) γλουτένη, αλευ-
ρόκολλα
glutinous (γκλούτινας) κολλώδης
glutton (γκλάτον) φαγάς, λαίμαρ-
γος, **-ous** λαίμαργος, **-y** λαιμαργία
glycerine (γκλίσεριν) γλυκερίνη
gnarl (νάρλ) ρόζος, κόμπος ξύλου,
-ed, **-y** αυτός που έχει ρόζους
gnash (νάςς) τρίζω τα δόντια
gnat (νάτ) κουνούπι, σκνίπα
gnaw (νόο) ροκανίζω
gneiss (νάϊς) γνευσίτης (ορυκτό)
gnome (νόουμ) νάνος, φάντασμα
gnomon (νόουμον) γνώμονας, ωρο-
δείκτης
gnostic (al) (νόστικ, -αλ) γνώστης,
γνωστικός
go (γκόου) πηγαίνω / go hard with:
έχω σοβαρό πρόβλημα, μπλέξιμο /
be going: υπάρχω γιά χρήση / be
going to: πρόκειται να / go getter:
ενεργητικός άνθρωπος / go cart: κα-
ροτσάκι μωρού / go between: μεσί-
της / go after: καταδιώκω, προ-
σπαθώ ν' αποκτήσω / go back: επι-
στρέφω / go down: μειώνομαι, βυ-
θίζομαι, καταπίνω / go in for: παίρ-
νω μέρος, δηλώνω συμμετοχή / go
off: εκρήγνυμαι, χαλώ (γιά τρόφι-
μα) / go on: προχωρώ
goad (γκόουντ) βούκεντρο, κεντώ,

παροτρύνω
goal (γκόουλ) τελικός σκοπός, τέρ-
μα, **-keeper** τερματοφύλακας
goat (γκόουτ) κατσίκα, τράγος,
-herd γιδοβοσκός
goatee (γκοτίι) μούσι
gob (γκόμπ) σβώλος, ναύτης
gobbet (γκόμπιτ) κομμάτι
gobble (γκόμπλ) καταπίνω
gobbler (γκόμπλερ) γάλος (πτηνό)
goblet (γκόμπλετ) κύπελλο
goblin (γκόμπλιν) δαιμόνιο, φάντα-
σμα, καλλικάντζαρος
God (γκόντ) Θεός, **-dess** η Θεά, **-fat-
her** νονός, **-child** βαπτιστικός, παιδί
που βαπτίζεται, **-head** θεότητα, **-less**
άθεος, **-like** θείος, θεϊκός, **-ly** θεοσε-
βής, **-mother** νονά, **-parent** ανάδοχος,
-send απροσδόκητο καλό, **-ship** θεό-
τητα, **-speed** καλή επιτυχία
goer (γκόουερ) αυτός που πηγαίνει
goffer (γκόουφαρ) πτυχή
goggle (γκόγκλ) γουρλώνω τα μάτια,
αλλοιθωρίζω, αλλοιθώρισμα, **-s** με-
γάλα γυαλιά, **-eyed** αλλοίθωρος
going (γκόουινγκ) αναχώρηση, πη-
γαιμός
goiter, goitre (γκόϊτερ, γκόϊτρ)
βρογχοκήλη
gold (γκόλντ) χρυσάφι, χρυσός, **-fil-
led** επίχρυσος, **-finch** καρδερίνα,
-fish χρυσόψαρο, **-smith** χρυσο-
χόος, **-en** χρυσός
goldenrod (γκόουλντενρόντ) χρυσο-
κίτρινο λουλούδι
golf (γκόλφ) γκόλφ (παιχνίδι)
golly (γκόλι) επιφώνημα εκπλήξεως
gondola (γκόντολα) γόνδολα
gondolier (γκοντολιάρ) βαρκάρης,
γονδολιέρης
gone (γκόουν) χαμένος (παθ. μτχ.
του go)
goner (γκόουνερ) νεκρός, χαμένος
gong (γκόνγκ) κουδούνι
gonorrhea (γκονορία) βλενόρροια
goo (γκού) κόλλα

good (γκούντ) καλός, **-hearted** κα-
λόκαρδος, **-ish** μέτριος, **-looking**
όμορφος, **-ly** εμφανίσιμος, αξιόλο-
γος, **-liness** ομορφιά, **-ness** καλοσύ-
νη, **-natured** καλόβολος / good for
nothing: άτομο αδρανές, ανάξιο
goodbye (γκούντμπάϊ) αντίο, χαί-
ρετε
goods (γκούντζ) εμπορεύματα, αγα-
θά
goody (γκούντι) ζαχαρωτό
Good Friday (γκούντ φράϊντεϊ) Με-
γάλη Παρασκευή
goodwill (γκούντγουίλ) καλή θέλη-
ση
gooey (γκούι) κολλώδης
goof (γκούφ) ανόητος
goofy (γκούφι) ηλίθιος
goon (γκούν) ανόητος, βλάκας, κα-
κούργος επί πληρωμή
goose (γκούζ) χήνα, **-berry** φραγκο-
στάφυλο, **-flesh** ανατριχίλα
gopher (γκόφερ) είδος σκίουρου
gore (γκόρ) τρυπώ με κέρατα, πηγ-
μένο αίμα
gorge (γκόρτζ) καταπίνω λαίμαργα,
στενό πέρασμα, λαιμός, φάρυγγας
gorgeous (γκόρτζας) μεγαλοπρεπής,
λαμπρός, **-ness** μεγαλοπρέπεια
gorilla (γκορίλα) γορίλας
gormandize (γκόρμαντάϊζ) τρώω
λαίμαργα
gory (γκόρι) βίαιος, αιματοβαμμέ-
νος
gosh (γκόσσ) Θεέ μου (επιφ. έκ-
πληξης)
gosling (γκόζλινγκ) μικρή χήνα
gospel (γκόσπελ) ευαγγέλιο
gossip (γκόσιπ) κουτσομπολιό, κου-
τσομπόλης, κακολογώ, κουτσομπο-
λεύω, **-y** γεμάτος κουτσομπολιά
Gothic (γκόθικ) γοτθικός
gouge (γκάουτζ) σμίλη, κοιλαίνω,
εξορύσσω
goulash (γκούλασς) στιφάδο με κόκ-
κινο πιπέρι

gourmand (γκούρμαντ) καλοφαγάς
gourmet (γκουρμέ) καλοφαγάς
gout (γκάουτ) αρθρίτιδα, **-y** αρθρι-
τικός
govern (γκάθερν) κυβερνώ, **-able**
ρυθμιστός, ευάγωγος
governess (γκάθερνις) παιδαγωγός
government (γκάθερνμεντ) κυβέρ-
νηση, **-al** κυβερνητικός
governor (γκάθερνορ) κυβερνήτης
gown (γκάουν) γυναικείο φόρεμα
grab (γκράμπ) αρπάζω, αρπαγή,
αιχμαλωτίζω, **-ber** αυτός που αρ-
πάζει
grace (γκρέϊς) τιμώ, χάρη, ευλογία,
-ful χαριτωμένος, **-less** άχαρος
gracious (γκρέϊσας) ευγενικός,
ελεήμονας
gradation (γκραντέϊσσον) διαβάθ-
μιση
grade (γκρέϊντ) διαβαθμίζω, βαθμί-
δα, βαθμολογώ, τάξη, **-crossing** δια-
σταύρωση σιδηροδρόμου, **-school**
δημοτικό σχολείο
gradient (γκρέϊντιεντ) κλίση
gradual (γκράτζουαλ) βαθμιαίος
graduate (γκράτζουετ) απόφοιτος,
(γκράτζουέϊτ) αποφοιτώ, βαθμολο-
γώ
graduation (γκρατζουέϊσσον) απο-
φοίτηση
graft (γκράφτ) κερδοσκοπώ, δωρο-
δοκία, εμβόλιο, εμβολιάζω, κατά-
χρηση, δωροδοκούμαι, **-er** δωρο-
λήπτης, εμβολιαστής
grail (γκρέϊλ) δισκοπότηρο
grain (γκρέϊν) κόκκος, σιτηρά, υφή
gram(me) (γκράμ) γραμμάριο
grammar (γκράμαρ) γραμματική,
-school σχολείο μέσης εκπαίδευσης
grammatical (γκραμάτικαλ) γραμ-
ματικός
grammophone (γκραμοφόουν)
γραμμόφωνο
grampus (γκράμπας) είδος δελφι-
νιού

G

granary (γκράναρι) σιταποθήκη

grand (γκράντ) μεγαλοπρεπής, τέλειος, **-child** εγγονός, **-daughter** εγγονή, **-father** παππούς, **-mother** γιαγιά, **-parent** παππούς ή γιαγιά, **-son** εγγονός, **-ness** μεγαλείο

grandee (γκραντί) μεγιστάνας, Πορτογάλος ή Ισπανός ευγενής

grandeur (γκράντζερ) μεγαλείο

grandiloquence (γκραντιλόκουενς) μεγαληγορία

grandiloquent (γκραντιλόκουεντ) πομπώδης, στομφώδης, μεγαλορρήμων

grandiose (γκραντιόουζ) πομπώδης, μεγαλειώδης

grandjury (γράντζάρι) μεγάλο ορκωτό δικαστήριο

grandsire (γκραντσάϊρ) προπάτορας

grandstand (γκράντσταντ) εξέδρα

grange (γκρέϊντζ) αγρόκτημα, γεωργικός σύλλογος, **-r** μέλος γεωργικού συλλόγου

granite (γκράνιτ) γρανίτης

granny (γκράνι) γιαγιά

grant (γκράντ) παραχωρώ, παραδέχομαι, παραχώρηση, δωρεά, χαρίζω, **-er, -or** δωρητής, **-ee** αυτός που λαμβάνει τη δωρεά

granular (γκράνιουλαρ) σπυρωτός, κοκκοειδής

granulate (γκράνιουλέϊτ) κοκκοποιώ

granulation (γκρανιουλέϊσσον) κοκκίδωση

granule (γκράνιουλ) κόκκος

grape (γκρέϊπ) ρώγα σταφυλιού

grapefruit (γκρέϊπφρούτ) κίτρο

grapeshot (γκρέϊπσσότ) σκάγια, μυρδάλλιο

grapestone (γκρέϊπστόουν) κουκούτσι σταφυλιού

grapevine (γκρέϊπβάϊν) κλήμα

graph (γκράφ) διάγραμμα

graphic (al) (γκράφικ, -αλ) γραφικός

graphite (γκραφάϊτ) γραφίτης

graphology (γκραφόλοτζι) γραφολογία

grapnel (γκράπνελ) αγκίστρι, άγκυρα

grapple (γκράπλ) αρπάζω, συμπλοκή, παλεύω

grasp(γκράσπ) γαντζώνω, **αρπάζω, πιάσιμο, αρπαγή, -ing** αρπακτικός

grass (γκράσ) χλόη, **-iness** χλοερότητα, **-y** χλοώδης

grasshoper (γκράσχόπερ) ακρίδα

grassland (γκράσλάντ) πεδιάδα με χόρτο για βοσκή κοπαδιών

grassroots (γκρασρούτς) κοινοί πολίτες, μέλη ομάδας χωρίς ισχύ και αξιώματα

grasswidow (γκρασγουίντοου) ζωντοχήρα

grate (γκρέϊτ) ξύνω, τρίβω, σχάρα, **-r** ξύστρα, τρίφτης

grateful (γκρέϊτφουλ) ευγνώμων, **-ness** ευγνωμοσύνη

gratification (γκρατιφικέϊσσον) ευχαρίστηση

gratify (γκράτιφάϊ) ικανοποιώ, ευχαριστώ

grating (γκρέϊτινγκ) κάγκελο, ξύσιμο, τραχύς

gratis (γκράτις) δωρεάν

gratitude (γκράτιτιουντ) ευγνωμοσύνη

gratuitous (γκρατιούιτας) αδικαιολόγητος, ανέξοδος, αυτός που δίνεται δωρεάν

gratuity (γκρατούιτι) φιλοδώρημα

grave (γκρέϊβ) τάφος, σοβαρός, χαράζω, **-ness** σοβαρότητα, **-stone** επιτύμβιος λίθος, **-yard** νεκροταφείο

gravel (γκράβελ) χαλίκια, **-ly** χαλικώδης

graver (γκρέϊβερ) σμίλη, γλυφίδα

gravitate (γκράβιτέϊτ) έλκομαι, γέρνω απ'το βάρος

gravitation (γκραβιτέϊσσον) έλξη βαρύτητας

gravity (γκράβιτι) βαρύτητα, σοβα-

ρότητα
gravure (γκραβιούρ) φωτολιθο-
γραφία
gravy (γκρέϊβι) σάλτσα
gray (γκρέϊ) γκρίζος, γκρίζο, **-ish**
υπόγκριζος, λευκόγκριζος
graybeard (γκρέϊμπερντ) γέρο
grayhound (γκρέϊχάουντ) λαγωνικό
grayness (γκρέϊνις) φαιότητα
graze (γκρέϊζ) αγγίζω, χάδι, βόσκω
grazing (γκρέϊζινγκ) βοσκή
grease (γκρίις) λίπος, αλείφω με λί-
πος, λιπαντικό
greasiness (γκρίσινες) λιπαρότητα
greasy (γκρίιισι) λιπαρός
great (γκρέϊτ) μεγάλος, **-ness** μεγα-
λείο, μέγεθος, **-coat** βαρύ επανωφόρι,
-grandfather προπάππους, **-grandson**
δισέγγονος / a great deal: πολύ
Great Britain (γκρέϊτ μπρίτεν) Με-
γάλη Βρετανία
greave (γκρίβ) περικνημίδα οπλίτη
grebe (γκρίμπ) είδος υδρόβιου που-
λιού
Grecian (γκρίσαν) Ελληνικός
Greece (γκρίς) Ελλάδα
greed (γκρίντ) απληστία, πλεονε-
ξία, **-y** άπληστος, πλεονέκτης,
λαίμαργος
greedy-guts (γκρίντι γκάτς) λαίμαρ-
γος, αδηφάγος
Greek (γκρίκ) Έλληνας, Ελληνι-
κός, Ελληνικά
green (γκρίιν) πράσινος, νέος, άπει-
ρος, πρασινάδα, πρώιμος, άγουρος
greenback (γκρίινμπάκ) χαρτονόμι-
σμα των Η.Π.Α
grenery (γκρίνερι) πρασινάδα
greeneyed (γκρίινάϊντ) ζηλιάρης
greengrocer (γκριινγκρόσερ) λαχα-
νοπώλης
greenhorn (γκρίινχόρν) άπειρος,
νεοφερμένος
greenhouse (γκρίινχαουζ) θερμο-
κήπιο
greenish (γκρίινιςς) πρασινωπός

green light (γκρίιν λάϊτ) επίσημη
άδεια γιά έναρξη κάποιας δραστη-
ριότητας
greenness (γκρίινες) πρασινάδα
greenroom (γκρίινρουμ) καμαρίνι
greens (γκρίινς) λαχανικά
greensward (γκρίινσόρντ) χλόη
greet (γκρίτ) χαιρετώ, εύχομαι, **-er**
αυτός που χαιρετά, **-ing** χαιρετι-
σμός, ευχή
gregarious (γκριγκέριας) κοινωνι-
κός
grenade (γκρινέϊντ) χειροβομβίδα
grenadier (γκρένανтíар) γρεναδιέ-
ρος, μέλος ειδικού τμήματος του
Βρετανικού στρατού
grenadine (γκρεναντίν) λεπτό ύφα-
σμα, σιρόπι σταφίδας
grey, gray (γκρέϊ) γκρίζος, γκριζο-
μάλλης, ζοφερός, γίνομαι γκρίζος,
γκρίζο χρώμα
greyhound (γκρέϊχάουντ) κυνηγετι-
κός σκύλος
grid (γκρίντ) σχάρα, κιγκλίδωμα
griddle (γκρίντλ) ταψί, **-cake** τηγα-
νίτα
grief (γκρίφ) λύπη, θλίψη
grievance (γκρίβανς) παράπονο
grieve (γκρίβ) πικραίνω, λυπώ,
θλίβομαι
grievous (γκρίβας) λυπητερός
grill (γκρίλ) σχάρα, ψησταριά, ψή-
νω σε σχάρα, ανακρίνω αυστηρά,
-room εστιατόριο όπου σερβίρονται
ψητά σχάρας
grille (γκρίλ) γρίλια
grim (γκρίμ) βλοσυρός, **-ness** βλο-
συρότητα, αυστηρότητα
grimace (γκριμέϊσ) μορφασμός,
μορφάζω
grimalkin (γκριμάλκιν) γερόγατα
grime (γκράϊμ) λέρα, λερώνω
grimy (γκράϊμι) λερωμένος
grin (γκρίν) γελώ ανόητα, μορφα-
στικό μειδίαμα, γελώ δείχνοντας
τα δόντια

G

grind (γκράϊντ) αλέθω, ακονίζω, τρίβω, τρίζω, **-er** αλεστής, τροχιστής, **-stone** ακονόπετρα, τροχός

gringo (γκρίνγκο) ξένος, Αμερικάνος (χλευαστικά από Ισπανοαμερικάνους)

grip (γκρίπ) κρατώ σφικτά, σφικτό πιάσιμο, γρίπη, βαλίτσα, **-per** γάντζος, κάτι που αρπάζει

gripe (γκράϊπ) αρπάζω, σφίγγω, σφίξιμο, **-s** πόνος κωλικού, **-r** αυτός που αρπάζει

grippe (γκρίπ) γρίπη

grisly (γκρίζλι) τρομερός, φρικτός

grist (γκρίστ) άλεσμα, **-mill** αλευρόμυλος

gristle (γκρίσλ) χόνδρος

gristly (γκρίσλι) χόνδρινος

grit (γκρίτ) αλέθω, άμμος, θάρρος, **-s** χονδρό αλεύρι, **-ty** αμμώδης, τραχύς, θαρραλέος

grizzle (γκρίζλ) γκρίζο χρώμα, **-d** ψαρός

grizzly (γκρίζλι) ψαρός, γκρίζος

groan (γκρόουν) βογγητό, αναστενάζω, βογγώ, αναστεναγμός, **-er** αυτός που βογγά

groat (γκρόουτ) παλιό Αγγλικό νόμισμα

groats (γκρόουτς) σιτηρό γιά πληγούρι

grocer (γκρόουσερ) παντοπώλης, **-y** παντοπωλείο, **-ies** είδη παντοπωλείου

grog (γκρόγκ) αλκοολούχο ποτό, **-shop** καπηλειό

groggy (γκρόγκι) μεθυσμένος

groin (γκρόϊν) βουβωνική χώρα

groom (γκρούμ) ιπποκόμος, γαμπρός, περιποιούμαι, **-sman** κουμπάρος

groove (γκρούβ) αυλακώνω, ράβδωση, ρουτίνα

grope (γκρόουπ) ψαχουλεύω, ψηλαφώ

gropingly (γκρόουπινγκλι) ψηλα-

φητά

grosbeak (γκρόσμπίκ) είδος σπίνου

grosgrain (γκρόσγκρέϊν) είδος υφάσματος

gross (γκρός) όγκος, χονδρός, χονδρικός, ολικός, ολικό εισόδημα, **-ness** χονδρότητα

grotesque (γκροτέσκ) αλλόκοτος, παράξενος, **-ness** παραξενιά, το αλλόκοτο

grotto (γκρότοου) άντρο, σπήλαιο

grouch (γκρόουτς) μουρμουρίζω, μουρμούρης, δύστροπος, **-y** γκρινιάρης

ground (γκράουντ) έδαφος, βάση, αιτία, αφορμή, κατακάθια, βασίζω, **-floor** ισόγειο, **-ing** υπόβαθρο, **-less** αβάσιμος

groundling (γκράουντλινγκ) ανθρωπάριο

groundnut (γκράουντνατ) γεωκάριο, πινότσι

groundwork (γκράουντουέρκ) θεμέλιο, βάση

group (γκρούπ) ομάδα, όμιλος, θίασος, σύμπλεγμα, συμπλέκω

grouse (γκράους) αγριόρνιθα, μουρμουρίζω, παραπονιέμαι

grove (γκρόουβ) άλσος

grovel (γκράβελ) ταπεινώνομαι, κυλιέμαι, σέρνομαι, **-er** χαμερπής

grow (γκρόου) αυξάνω, καλλιεργώ, γίνομαι, **-er** καλλιεργητής

growl (γκράουλ) βογγώ, γκρινιάζω

grown (γκρόουν) ανεπτυγμένος, ενήλικας

growth (γκρόουθ) ανάπτυξη

grub (γκράμπ) σκουλήκι, σκάβω, ξεριζώνω, τρώω, τροφή, **-ber** αυτός που σκάβει, ξεριζωτής

grubstake (γκραμπστέϊκ) τρόφιμα ή εφόδια μεταλλευτή, προμηθεύω εφόδια υπό όρους

grubby (γκράμπι) βρώμικος

grudge (γκρατζ) μνησικακία, μνησικακώ, φθονώ, μισώ, μίσος, δίνω πα-

ρά τη θέλησή μου
gruel (γκρούελ) χυλός, πληγούρι, εξαντλώ
gruesome (γκρούσαμ) φρικτός, απαίσιος
gruff (γκράφ) τραχύς, απότομος, **-ness** τραχύτητα
grumble (γκράμπλ) παραπονιέμαι, παράπονο, μεμψιμοιρώ, γογγύζω
grumpy (γκράμπι) θάναυσος, γκρινιάρης
grunt (γκράντ) γρυλίζω, γρύλισμα, **-er** αυτός που γρυλίζει
guano (γουάνο) κοπριά πτηνών
guarantee (γκαραντί) εγγύηση, εγγυώμαι, εγγυητής
guarantor (γκαραντόρ) εγγυητής
guaranty (γκάραντι) εγγύηση, εγγυητής, εγγυώμαι
guard (γκάρντ) φρουρός, φρουρώ, φρουρά, φυλάττω, **-ed** επιφυλακτικός, **-sman** φρουρός, **-house** φυλακή
guardian (γκάρντιαν) κηδεμόνας, φύλακας, **-ship** κηδεμονία
guava (γουάβα) τροπικό δέντρο, γουάβα
gubernatorial (γκουμπερνατόριαλ) κυβερνητικός
gudgeon (γκάτζαν) κοβιός (ψάρι), εύπιστος, βλάκας
guerdon (γκέρνταν) αμοιβή, αμοίβω
guerilla (γκερίλα) αντάρτης, κλεφτοπόλεμος
guess (γκές) μαντεύω, υποθέτω, εικασία, **-work** εικασία
guest (γκέστ) φιλοξενούμενος, επισκέπτης
guffaw (γκαφό) καγχάζω, καγχασμός
guidance (γκάϊνταντς) οδηγία, οδηγώ
guide (γκάϊντ) οδηγός, οδηγώ, **-book** οδηγός (βιβλίο), **-post** οδοδείκτης
guided missile (γκάϊντεντ μισάϊλ) κατευθυνόμενο βλήμα
guidon (γκάϊνταν) σημαία στρατιω-

τικού σώματος
guild (γκίλντ) συντεχνία, σωματείο
guildhall (γκίλντχόλ) δημαρχείο
guile (γκάϊλ) απάτη, δόλος, **-ful** δόλιος, **-less** άκακος
guillotine (γκιλιτίν) λαιμητόμος
guilt (γκίλτ) ενοχή, **-ily** ένοχα, **-iness** ενοχή, **-less** αθώος, **-y** ένοχος
guinea (γκίνι) γουινέα (λίρα), **-fowl, -hen** είδος φασιανού
Guinea (γκίνι) η Γουινέα
guise (γκάϊζ) τρόπος, εξωτερικό παρουσιαστικό, ήθος, πρόσχημα, ενδυμασία
guitar (γκιτάρ) κιθάρα
gulch (γκάλτς) χαράδρα, βάραθρο
gulf (γκάλφ) κόλπος, χάσμα
gull (γκάλ) γλάρος, εξαπατώ, κορόϊδο
gullet (γκάλετ) οισοφάγος
gullible (γκάλιμπλ) εύπιστος
gullibility (γκαλιμπίλιτι) ευπιστία
gully (γκάλι) χαράδρα, ξερό ποτάμι
gulp (γκάλπ) καταπίνω, ρουφώ, ρόφημα
gum (γκάμ) γόμμα, κολλώ, ούλο, **-my** κολλώδης
gumbo (γκάμπο) μπάμια
gumption (γκάμψον) εξυπνάδα
gumshoe (γκάμσσού) γαλότσα
gun (γκάν) όπλο, πυροβόλο, **-boat** κανονιοφόρος, **-fire** πυροβολισμός, **-man** ληστής, ένοπλος, **-ner** πυροβολητής
gunpowder (γκανπάουντερ) πυρίτιδα
gunrunning (γκανράνινγκ) λαθρεμπόριο όπλων
gunshot (γκάνσσότ) πυροβολισμός
gunsmith (γκάνσμίθ) οπλοποιός
gunwale (γκάνελ) κουπαστή πλοίου
gurgle (γκέργκλ) κελαρύζω, κελάρυσμα
gush (γκάςς) αναβλύζω, εκχύνομαι, εκροή, **-er** πετρελαιοπήγαδο
gushy (γκάσσι) διαχυτικός, φλύαρος

gusset (γκάσετ) κομμάτι από ύφα-
σμα που προστίθεται σε ρούχο
gust (γκάστ) φύσημα, -y θυελλώδης
gustatory (γκάστατόρι) γευστικός
gusto (γκάστοου) γούστο, ευχαρί-
στηση, ζέση, ζήλος
gut (γκάτ) έντερο, θάρρος, ξεκοι-
λιάζω, αδειάζω
guts (γκάτς) σπλάχνα, τόλμη, θάρ-
ρος
gutta-percha (γκάτα πέρτσα) ρητι-
νώδες κόμμι, γουταπέρκα
gutter (γκάτερ) υδρορροή, χύνομαι,
αυλάκι δρόμου
gutter-snipe (γκάτερ σνάϊπ) χαμίνι
guttural (γκάτεραλ) λαρυγγικός
guy (γκάϊ) παιδί, άντρας, καλώδιο,
κοροϊδεύω
guzzle (γκάζλ) τρώω πολύ, πίνω

gymnasium (τζιμνέϊζαμ) γυμναστή-
ριο
gymnast (τζίμναστ) γυμναστής, -ic
γυμναστικός, -ics γυμναστική
gynecologist (τζαϊνικόλοτζιστ) γυ-
ναικολόγος
gynecology (τζαϊνικόλοτζι) γυναι-
κολογία
gyp (τζίπ) εξαπατώ, απάτη, απα-
τεώνας
gypsum (τζίπσαμ) γύψος
gypsy (τζίπσι) τσιγγάνος
gyrate (τζαϊρέϊτ) περιστρέφομαι
gyration (τζαϊρέϊσσον) περιστροφή
gyratory (τζάϊρατόρι) περιστροφι-
κός
gyroscope (τζάϊρισκόπ) γυροσκόπιο
gyve (τζάϊβ) αλυσοδένω, δεσμεύω,
-s δεσμά

H

H, h (έϊτσ) όγδοο γράμμα στο Αγ-
γλικό αλφάβητο
habeas corpus (χέϊμπιας κόρπας)
διαταγή προσαγωγής κρατουμένου
σε δίκη γιά εξακρίβωση της ενο-
χής του
haberdasher (χάμπερντάσσερ)
έμπορος ανδρικών ειδών ή ψιλι-
κών, -y εμπορικό κατάστημα αν-
δρικών ρούχων
habiliment (ηαμπίλιμεντ) ρούχο, -s
ρουχισμός
habilitate (χαμπίλιτέϊτ) χρηματο-
δοτώ
habit (χάμπιτ) συνήθεια, ντύνω, εν-
δυμασία
habitable (χάμπιταμπλ) κατοικίσι-

μος
habitant (χάμπιταντ) κάτοικος
habitat (χάμπιτάτ) κατοικία, τόπος
όπου φυτρώνει κάτι
habitation (χαμπιτέϊσσον) κατοικία
habitual (χαμπίτσουαλ) συνηθι-
σμένος
habituate (χαμπίτσουέϊτ) συνηθίζω
habitue (χαμπιτσουέ) θαμώνας
hacienda (χασιέντα) μεγάλο αγρό-
κτημα
hack (χάκ) λιανίζω, λιάνισμα, άλο-
γο, μισθωτός, -man αμαξάς, -saw
πριόνι μετάλλων, -stand αμαξο-
στάσιο
hackle (χάκλ) ξαίνω, λαναρίζω
hackney (χάκνι) μισθώνω, τρίβω,

είδος αλόγου, **-carriage** άμαξα προς ενοικίαση, **-ed** φθαρμένος
haddock (χάντοκ) μπακαλιάρος
Hades (χέιντιζ) Άδης, κόλαση
haft (χάφτ) λαβή μαχαιριού
hag (χάγκ) μάγισσα, στρίγγλα, παλιόγρια
haggard (χάγκαρντ) κατακίτρινος, κάτισχνος, **-ness** αδυναμία
haggis (χάγκις) είδος φαγητού με εντόσθια (Σκωτία)
haggle (χάγκλ) μαλώνω, μάλωμα, παζαρεύω, μικρολογία, **-r** αυτός που παζαρεύει, αυτός που τσακώνεται
hagiography (χαγκιάγκραφι) συναξάρι
Hague (χέιγκ) η Χάγη
haiku (χαϊκού) είδος Γιαπωνέζικου ποιήματος (τρίστοιχα)
hail (χέιλ) χαιρετώ, προσφωνώ, χαιρετισμός, ζητοκραυγή, χαλάζι, ρίχνω χαλάζι, **-stone** χαλαζόκοκκος, **-storm** θύελλα με χαλάζι
hair (χέαρ) τρίχα, μαλλιά, **-cut** κούρεμα, **-do** κόμμωση, **-dresser** κομμωτής, **-dryer** ασεσουάρ, **-iness** μαλλιαρότητα, **-less** άτριχος, **-pin** φρουκέτα
hairline (χέαρλάϊν) λεπτή γραμμή
hair-raising (χέαρ ρέϊζινγκ) ανατριχιαστικός
hear's breadth (χέαρσ μπρέθ) παρά τρίχα, πολύ μικρή απόσταση
hairsplitting (χέαρσπλίτινγκ) σχολαστικός, λεπτολογία
hairy (χέίρι) τριχωτός
Haity (χέϊτι) Αϊτή
hake (χέϊκ) μπακαλιάρος
halberd (χάλμπερντ) δόρυ
halcyon (χάλσιον) γαλήνιος, **-days** αλκυονίδες μέρες
hale (χέϊλ) υγειής, σύρω, φέρω
half (χάφ) μισός, μισό, **-back** παίκτης ποδοσφαίρου της δεύτερης σειράς, **-breed**, **-blood** μυγάς, **-brother** ετεροθαλής αδελφός, **-tone** φω-

τοτυπογραφική πλάκα, ημίτονο, **-wit** στενόμυαλος, ηλίθιος
halfcocked (χάφκόκτ) πρώιμος
half-penny (χάφ πένι) μισή πέννα (Αγγλικό νόμισμα)
halfyear (χάφγίαρ) εξάμηνο
halitosis (χάλιτόουσισ) δύσοσμη αναπνοή
hall (χόλ) δημόσια αίθουσα, διάδρομος, **-way** διάδρομος
hallmark (χόλμαρκ) σήμα καλής ποιότητας
hallelujah (χαλιλούγια) αλληλούια
hall of residence (χόλ οφ ρέζιντενς) χτίριο πανεπιστημίου ή κολλεγίου όπου στεγάζονται φοιτητές
halloo (χαλού) κραυγάζω, επιφ. άκου!
hallow (χάλοου) αγιάζω, καθαγιάζω
halloween (χάλοουίν) η παραμονή των Αγ. Πάντων
hallucination (χαλούσινέϊσσον) ψευδαίσθηση, παραίσθηση, αυταπάτη
halo (χέϊλοου) φωτοστέφανο
halt (χόολτ) σταματώ, στάση, διστάζω, κουτσαίνω, κουτσός, αμφιταλαντεύομαι
halter (χόολτερ) καπίστρι, δισάκι
halve (χάλβ) διχοτομώ
halyard (χάλιαρντ) σχοινί σημαίας ή ιστίου
ham (χάμ) χοιρομέρι, ερασιτέχνης, μιλώ ή ενεργώ πέραν του φυσιολογικού
hamburger (χάμπεργκερ) κεφτές
hamburgsteak (χάμπεργκστικ) κεφτές
hame (χέϊμ) χαλκάς περιλαιμίου αλόγου
ham-fisted (χαμ-φίστεντ) αδέξιος στη χρησιμοποίηση των χεριών
hamlet (χάμλετ) χωριουδάκι
hammer (χάμερ) σφυρί, σκανδάλη, σφυρηλατώ, προσπαθώ επίπονα
hammock (χάμοκ) κούνια, αιώρα

hammy (χάμι) ερασιτεχνικός
hamper (χάμπερ) μπερδεύω, εμποδίζω, εμπόδιο, καλάθι
hamshackle (χαμσάκλ) παραλύω
hamstring (χάμστριγκ) σακατεύω, ιγνυακός τένοντας
hand (χάντ) χέρι, παλάμη, δείκτης ρολογιού, γραφή, δίνω / hand down: κληροδοτώ / hand out: μοιράζω, διανέμω / hand over: παραδίδω στον έλεγχο ή τη φροντίδα κάποιου άλλου, μεταβιβάζω (εξουσία, δύναμη) σε κάποιον άλλο
handbag (χάντμπακ) τσάντα
handball (χάντμπολ) ομαδικό παιχνίδι με μπάλα
handbill (χαντμπίλ) φέϊγ βολάν
handbook (χάντμπουκ) εγχειρίδιο
handcuff (χαντκάφ) χειροπέδη, χειροδένω
handful (χάντφουλ) χούφτα
handicap (χάντικαπ) χάρισμα, δυσκολεύω, μειονέκτημα, εμπόδιο, εμποδίζω, δρόμος μετ' εμποδίων
handicraft (χάντικράφτ) χειροτεχνία
handily (χάντιλι) επιδέξεια, πρόχειρα
handiness (χάντινες) επιτηδειότητα
handiwork (χάντιουέρκ) χειροτέχνημα
handkerchief (χάντκερτσιφ) μαντήλι
handle (χάντλ) χειρίζομαι, χειρισμός, λαβή, χερούλι, μανίκι, -r αυτός που χειρίζεται
handmade (χάντμέϊντ) χειροποίητος
handmaid (χαντμέϊντ) υπηρέτρια
handover (χαντόβερ) μεταβίβαση
handpicked (χαντπίκτ) διαλεγμένος με πολύ προσοχή
handshake (χαντσσέϊκ) χειραψία
handsome (χάνσομ) όμορφος
handspike (χαντσπάϊκ) μοχλός
handwriting (χάντράϊτινγκ) γραφι-

κός χαρακτήρας, γραφή
handwork (χάντουόρκ) χειρωνακτική εργασία
handy (χάντι) πρόχειρος, ευχερής, επιτήδειος, -man εργάτης γιά διάφορες εργασίες
hang (χάνγκ) κρέμομαι, κρεμώ,, -dog ύπουλος, πρόστυχος, -man δήμιος, -nail παρανυχίδα, -out μέρος όπου συχνάζει κάποιος, -over επακόλουθο μέθης
hangar (χάνγκαρ) υπόστεγο γι' αεροπλάνα
hanger (χάνγκερ) κρεμαστάρι, -on εξαρτώμενος, παράσιτος
hanging (χάνγκινγκ) απαγχονισμός, κρεμάμενος, κρεμαστός, -s κουρτίνες
hank (χάνκ) δέμα, κουβάρι
hanker (χάνκερ) λαχταρώ, -ing μεγάλη επιθυμία
hanky-panky (χάνκι πάνκι) ταχυδακτυλουργία
hansom (χάνσαμ) δίτροχη άμαξα
hap (χάπ) συμβαίνει, τύχη, μοιραίο, -less άτυχος, -ly τυχαία, ίσως
haphazard (χαπχάζαρντ) τυχαίος, συμπτωματικός, σύμπτωση
happily (χάπιλι) ευτυχώς
happiness (χάπινες) ευτυχία
happy (χάπι) ευτυχισμένος, -go-lucky εύθυμος, ανεύθυνος, ξένοιαστος
harakiri (χαρακίρι) αυτοκτονία Ιάπωνα
harangue (χαράνγκ) αγορεύω, αγόρευση, δημηγορία, -r ρήτορας
harass (χάρας) ενοχλώ, βασανίζω, -er βασανιστής
harbinger (χάρμπιντζερ) πρόδρομος, προάγγελος
harbour, harbor (χάρμπορ) λιμάνι, άσυλο, κρύβω, προστατεύω
harborage (χάρμποριτζ) καταφύγιο πλοίου
hard (χάρντ) αυστηρός, σκληρός, σταθερός, δύσκολος, -by πολύ κον-

τά, **-boiled** σκληροβρασμένος,
-drink δυνατό αλκοολούχο ποτό /
be hard on: φθείρω εύκολα και
γρήγορα / take hard knocks: έχω
επώδυνες εμπειρίες / hard and fast:
σταθερός κι αμετάκλητος
harden (χάρντεν) σκληραίνω
hardfeatured (χαρντφιτσούρεντ)
ασχημομούρης
hardfisted (χάρντφίστεντ) φιλάρ-
γυρος
hardheaded (χάρντχέντιντ) πρακτι-
κός, ισχυρογνώμονας
hardhearted (χάρντχάρτιντ) σκλη-
ρόκαρδος
hardihood (χάρντιχούντ) τόλμη,
αντοχή
hardily (χάρντιλι) σκληρά
hardiness (χάρντινις) σκληρότητα
hardlabour (χάρντλέϊμπαρ) κατα-
ναγκαστικά
hardluck (χάρντλάκ) κακοτυχία
hardly (χάρντλι) με δυσκολία, μόλις
hardness (χάρντνες) σκληρότητα
hardnut (χάρντνατ) κάτι ή κάποιος
δύσκολος γιά ν' ασχοληθείς μαζί
του, ("σκληρό καρύδι")
hard of hearing (χάρντ οφ χίαρινγκ)
βαρύκοος
hardpan (χάρντπάν) άθραυστος
hardpressed (χάρντπρέσεντ) αυτός
που δοκιμάζει δυσκολίες
hardset (χάρντσετ) πεινασμένος
hardship (χάρντσσιπ) κούραση
hard up (χάρντ άπ) στερημένος,
απένταρος
hardware (χάρντουέαρ) σιδερένια
εργαλεία, σκεύη
hardy (χάαρντι) δυνατός, σκληρα-
γωγημένος, ανθεκτικός, τολμηρός
hare (χέαρ) λαγός
harebrained (χέαρμπρέϊντ) ελα-
φρόμυαλος
harelip (χέαρλίπ) σχιστό χείλος
harem (χάρεμ) χαρέμι
haricot (χάρικόου) φασόλι

hark (χάρκ) ακούω
harken (χάρκεν) ακούω
harlequin (χάρλεκουίν) παλιάτσος
harlot (χάρλατ) πόρνη, **-ry** πορνεία
harm (χάρμ) βλάβη, προσβολή,
προσβάλλω, ζημιώνω, **-ful** βλαβε-
ρός, **-fulness** βλαβερότητα, **-less**
αβλαβής, **-lessness** αβλάβεια, **-er** αυ-
τός που βλάπτει
harmonic (χαρμόνικ) αρμονικός
harmonica (χαρμόνικα) φυσαρμό-
νικα
harmonious (χαρμόνιας) αρμονικός
harmonium (χαρμόνιαμ) αρμόνιο
harmonize (χάρμοναΐζ) εναρμονίζω,
-ομαι, συμφωνώ
harmony (χάρμονι) αρμονία
harness (χάρνις) χάμουρα, ετοιμάζω
άλογο, προσδένω, χρησιμοποιώ
harp (χάαρπ) άρπα, παίζω άρπα, επι-
μένω, **-ist, -er** αυτός που παίζει άρπα
harpoon (χαρπούν) καμάκι, καμα-
κώνω, **-er** αυτός που καμακώνει
harpsichord (χάρπσικόρντ) είδος
παλιού πιάνου
harquebus (χάρκουίμπας) παλιό
τουφέκι
harridan (χάρινταν) γύναιο, στρίγ-
γλα
harrier (χάριερ) λαγωνικό
harrow (χάροου) τυραννώ, επιπε-
δωτής
harry (χάρι) βασανίζω, καταστρέφω
harsh (χάρςς) άτεχνος, δυσάρεστος,
τραχύς, άγριος, **-ness** τραχύτητα
hart (χάρτ) αρσενικό ελάφι
hartshorn (χαρτσχόουρν) ανθρακι-
κό αμμώνιο
harum-scarum (χέαραμ σκέαραμ)
ελαφρόμυαλος
harvest (χάρβιστ) σοδειά, θερι-
σμός, συγκομιδή, **-er** θεριστική
μηχανή, θεριστής, **-man** θεριστής,
είδος αράχνης
has (χάζ) έχει, **-been** περασμένος,
άχρηστος

hash (χάσσ) κιμάς με πατάτες, μίγμα, λιανίζω
hashish, hasheesh (χάσσισσ) χασίς
hasp (χάσπ) σύρτης, γάντζος, πόρπη, κλειδώνω
hassock (χάσακ) μαξιλάρι γιά γονάτισμα, χαμηλό σκαμνί με μαξιλάρι
hast (χάστ) έχεις (αρχ.)
haste (χέϊστ) βιασύνη
hasten (χέϊστν) επιταχύνω, βιάζομαι
hastily (χέϊστιλι) βιαστικά
hastiness (χέϊστινις) βιασύνη
hasty (χέϊστι) βιαστικός, γρήγορος
hat (χάτ) καπέλο
hatch (χάτς) εκκολάπτω, εκκόλαψη, άνοιγμα, φεγγίτης, -ery εκκολαπτήριο ψαριών, -way μπουκαπόρτα
hatchet (χάτσιτ) τσεκούρι
hate (χέϊτ) μισώ, μίσος, -ful μισητός
hatred (χέϊτρεντ) μίσος, έχθρα
hatter (χάτερ) καπελοπώλης, καπελοποιός
haughtily (χόοτιλι) αλαζονικά
haughtiness (χόοτινες) αλαζονεία
haughty (χόοτι) αλαζόνας, περήφανος
haul (χόολ) έλκω, τραβώ, ρουμουλκώ
haulm (χόολμ) καλάμι
haunch (χόοντς) γοφός
haunt (χόοντ) συχνάζω, -ed στοιχειωμένος
hauteur (χοοτέρ) υπεροψία
have (χάβ) έχω, κατέχω, παίρνω, αναγκάζομαι / have on: φορώ, κανονίζω, διευθετώ / have rather: προτιμώ
haven (χέϊβν) λιμάνι, καταφύγιο, όρμος, καταφεύγω
haversack (χάβερσάκ) δισάκι
havings (χάβινγκς) περιουσία
havoc (χάβοκ) εξολοθρεύω, πανολεθρία, ερήμωση
haw (χόου) ψεύδισμα, ψευδίζω
hawk (χόουκ) γεράκι, πουλώ, διαλαλώντας, -er πλανόδιος πωλητής

hawser (χόοζερ) παλαμάρι, καλώδιο
hawthorn (χόοθορν) λευκάκανθα (είδος δέντρου)
hay (χέϊ) σανός, ξερό χόρτο, -cock, -rick, -stack σωρός χόρτου, θημωνιά, -loft, -mow χορταποθήκη, -wire σύρμα γιά δέσιμο χόρτου, άτακτος, τρελός, -seed σπόρος χόρτου, αγρότης
hazard (χάζαρντ) τύχη, κίνδυνος, κινδυνεύω, -ous επικίνδυνος
haze (χέϊζ) καταχνιά, ομίχλη, θασανίζω
hazel (χέϊζλ) φουντουκιά, -nut φουντούκι
haziness (χέϊζινις) ασάφεια
hazy (χέϊζι) ομιχλώδης
he (χί) αυτός
head (χέντ) κεφάλι, αρχηγός, είμαι επικεφαλής, -ache κεφαλόπονος, -band κεφαλόδεσμος
headdress (χεντρές) κόμμωση
headfirst (χεντφέρστ) μπρούμυτα
headforemost, headlong (χέντφορμόστ, χέντλόνγκ) απρόσεκτα, βιαστικά, ορμητικά, ορμητικός
headgear, headpiece (χέντγκίαρ, χεντπίς) κάλυμμα κεφαλής
heading (χέντινγκ) επικεφαλίδα
headland (χέντλαντ) ακρωτήρι
headless (χέντλες) ακέφαλος
headlight (χέντλάϊτ) μπροστινό φως αυτοκινήτου
headline (χέντλάϊν) επικεφαλίδα
headman (χέντμαν) επικεφαλής, αρχηγός
headphone (χέντφόουν) ακουστικό
headship (χέντσσίπ) αρχηγία
headstrong (χέντστρόνγκ) πεισματάρης
headwaters (χέντουότερς) πηγή ποταμού
headway (χέντουέϊ) κίνηση, πρόοδος
headwind (χέντγουίντ) ενάντιος άνεμος

heady (χέντι) βίαιος, μεθυστικός
heal (χίιλ) θεραπεύω, -ομαι, -er
γιατρός
health (χέλθ) υγεία, -ful υγιεινός, -i-
ness υγιεινότητα, -y υγιής, υγιεινός
heap (χίπ) σωρός, συσσωρεύω
hear (χίαρ) ακούω, -er ακροατής,
-ing ακοή, ακρόαση, ανάκριση
hearsay (χιρσέϊ) φήμη
hearse (χέρς) νεκροφόρος
heart (χάρτ) καρδιά, κέντρο, θάρρος,
-ache ψυχικός πόνος, θλίψη, -attack
καρδιακή προσβολή, -breaking σπα-
ραξικάρδιος, -broken περίλυπος,
-failure σταμάτημα της λειτουργίας
της καρδιάς / sick at heart: θλιμμέ-
νος, απελπισμένος / by heart: απέξω /
at heart: πραγματικά / heart and soul:
ολοκληρωτικά, ολόψυχα
heartburn (χάρτμπερν) ξυνοστομα-
χιά, ενόχληση στο στομάχι
hearten (χάρτεν) εγκαρδιώνω
heartfelt (χάρτφελτ) εγκάρδιος
hearth (χάαρθ) τζάκι
heartily (χάρτιλι) δυνατά, ολοκλη-
ρωτικά, σε μεγάλες ποσότητες
heartiness (χάρτινις) εγκαρδιότητα
heartless (χάρτλες) άκαρδος
heartrending (χάρτρέντινγκ) σπα-
ραξικάρδιος
heartsick, heartsore (χάρτσίκ, χάρ-
τσόαρ) δυστυχισμένος, απογοη-
τευμένος
hearty (χάαρτι) εγκάρδιος
heat (χίτ) ζέστη, ζεσταίνω, θερμό-
τητα, καύσωνας, -ed θερμός, σε έξα-
ψη, -er θερμάστρα
heathen (χίδεν) ειδωλολάτρης, απο-
λίτιστος, -dom ειδωλολατρία, -ish
ειδωλολατρικός, -ism ειδωλολα-
τρεία
heating (χίτινγκ) σύστημα θέρμαν-
σης
heat-stroke (χίτ στρόουκ) θερμο-
πληξία
heave (χίβ) σηκώνω, ρίχνω, φου-

σκώνω, ύψωση, αγκώνας, -r υψω-
τής, φορτωτής
heaven (χέβεν) ουρανός, -ly ουρά-
νιος
heavy (χέβι) βαρύς, -duty ανθεκτι-
κός, για βαρειά χρήση, πιεστικός,
αγχωτικός, -handed σκληρός, άδι-
κος, αγενής, αδέξιος, -hearted θλιμ-
μένος, -set μεγαλόσωμος, χοντρός
Hebraic (χιμπρέϊκ) εβραϊκός
hecatomb (χεκατόομ) εκατόμβη
heckle (χέκλ) διακόπτω ή ενοχλώ
ομιλητή
hectare (χέκτεαρ) εκτάριο
hectic (χέκτικ) φυματικός
hectograph (χέκτογκραφ) πολυ-
γράφος
hectoliter (χεκτολίτερ) εκατόλιτρο
hectometer (χεκτομίτερ) εκατόμε-
τρο
hector (χέκτορ) θρασύς, απειλώ
hedge (χέτζ) φράκτης, κυκλώνω,
φράζω
hedgehog (χετζχόγκ) σκαντζόχοι-
ρος
hedonism (χίντονισμ) ηδονισμός
heed (χίντ) φυλάω, προσέχω, προ-
σοχή, -ful προσεκτικός, -less
απρόσεκτος
heel (χίιλ) φτέρνα, τακούνι, αγενής,
ακολουθώ, κλίνω (για πλοία)
heeltap (χίιλταπ) κατακάθι
heft (χέφτ) βάρος, λαβή, σηκώνω,
υψώνω, -y βαρύς, ισχυρός
hegemony (χιτζέμονι) ηγεμονία
heifer (χάϊφερ) νεαρή αγελάδα
height (χάϊτ) ύψος, ανάστημα, -en
υψώνω, -ομαι
heinous (χέϊνας) μισητός, αποτρό-
παιος
heir (έαρ) κληρονόμος, -ess η κλη-
ρονόμος, -less άκληρος, -apparent
φυσικός κληρονόμος, -presumptive
επίδοξος κληρονόμος
heirloom (έαρλουμ) κειμήλιο
helical (χέλικαλ) ελικοειδής

helicopter (χελικόπτερ) ελικόπτερο
heliotrope (χίλιοτρόουπ) ηλιοτρόπιο
helium (χίλιαμ) ήλιο
helix (χίιλιξ) έλικας
hell (χέλ) κόλαση, -ish καταχθόνιος
hellion (χέλιον) ταραχοποιός
Hellas (χέλας) Ελλάδα
Hellene (χέλιν) Έλληνας
Hellenic (χελένικ) Ελληνικός
Hellenism (χέλενιζμ) Ελληνισμός
Hellenist (χέλενιστ) ελληνιστής, -ic
ελληνιστικός
hellespont (χέλεσπόντ) Ελλήσποντος
hello (χέλοου) χαίρετε
helm (χέλμ) κράνος, τιμόνι, κυβερνώ, -sman κυβερνήτης, πηδαλιούχος
helmet (χέλμετ) κράνος
helot (χέλοτ) είλωτας, δουλεία, δούλος
help (χέλπ) βοήθεια, βοηθώ, -ful
βοηθητικός, χρήσιμος, -fulness
χρησιμότητα, -ing βοήθεια, μερίδα
φαγητού, -less αβοήθητος, -lessness
ανικανότητα, αδεξιότητα
helpmate (χέλπμέϊτ) σύντροφος
helpmeet (χέλπμίτ) σύζυγος
helter-skelter (χέλτερ σκέλτερ) φίρ-
γδην μίγδην
helve (χέλθ) στηλιάρι, ξύλο από
πέλεκυ
hem (χέμ) στριφώνω, στρίφωμα
hematite (χέματάϊτ) αιματίτης (λίθος)
hemisphere (χέμισφιρ) ημισφαίριο
hemlock (χέμλοκ) κώνειο
hemoglobin (χιμογκλόμπιν) αιμο-
γλοβίνη ή αιμοσφαιρίνη
hemophilia (χιμοφίλια) αιμοφιλία
hemorrhage (χέμορετζ) αιμορραγία
hemorrhoids (χεμορόϊντζ) αιμορ-
ροΐδες
hen (χέν) κότα, -bane στρύχνος
(φυτό)

hence (χένς) απ' όπου, -forth στο
εξής
henchman (χέντσμαν) οπαδός
henna (χένα) χένα, κατακόκκινη
βαφή
hennery (χένερι) κοτέτσι
hep (χέπ) γνώστης, πληροφορη-
μένος
hepatic (χιπάτικ) ηπατικός
hepatitis (χεπατάϊτις) ασθένεια του
ήπατος
hepcat (χέπκατ) έμπειρος χορευτής
της τζάζ
heptagon (χέπταγκαν) επτάγωνο
her (χέρ) αυτής, δικός της
herald (χέραλντ) κήρυκας, κηρύσ-
σω, -ry οικοσημολογία
herb (χέρμπ) βότανο, χόρτο
herbage (χέρμπιτζ) χορταρικά, νομή
herbal (χέρμπαλ) βοτανικός, -ist βο-
τανολόγος
herbaceous (χερμπέϊσσας) βοτα-
νώδης
herbivorous (χερμπίβορος) χορτο-
φάγος
herculean (χερκούλιαν) ηράκλειος
herd (χέρντ) κοπάδι, βοσκός, βό-
σκω, -er, -sman βοσκός
here (χίαρ) εδώ, -about εδώ κοντά,
-after στο εξής, -at σ' αυτό το ση-
μείο, -by διά τούτου, κάνοντας ή
λέγοντας αυτό, -in σ' αυτό, -to fore
μέχρι εδώ, προηγουμένως, -with με
αυτό
hereditable (χερέντιταμπλ) κληρο-
νομίσιμος
hereditary (χερέντιτέρι) κληρονο-
μικός
heredity (χιρέντιτι) κληρονομιά
hereinafter (χιρινάφτερ) παρακάτω
heresy (χέρεσι) αίρεση
heretic (χέρετικ) αιρετικός, -al αι-
ρετικός
hereto (χιρτού) ως εδώ
hereupon (χιραπόν) εξαιτίας
herewith (χίρουίθ) μαζί του

heritable (χέριταμπλ) κληρονομή-
σιμος
heritage (χέριτετζ) κληρονομιά
hermaphrodite (χέρμαφεοντάϊτ) ερ-
μαφρόδιτος
Hermes (χέρμιζ) Ερμής
hermetic, -al (χερμέτικ, -αλ) ερμη-
τικός
hermit (χέρμιτ) ερημίτης, **-age** ερη-
μητήριο
hernia (χέρνια) κήλη
hero (χίροου) ήρωας, **-ical** ηρωικός
heroin (χέροϊν) ηρωίνη
heroine (χέροϊν) ηρωίδα
heroism (χέροϊζμ) ηρωισμός
heron (χέραν) ερωδιός (πτηνό)
herring (χέρινγκ) ρέγγα
hers (χέρς) δικός της
herself (χερσέλφ) η ίδια
hesitancy (χέζιτανσι) δισταγμός
hesitant (χέζιταντ) διστακτικός
hesitate (χέζιτέϊτ) διστάζω
hesitation (χέζιτέϊσσον) δισταγμός
heterodox (χετεροντόξ) ετερόδοξος,
-y ετεροδοξία
heterodyne (χέτεροντάϊν) ετερόδυ-
νος
hew (χιού) πελεκώ, κόβω, **-er** πελε-
κητής
hex (χέξ) μαγεύω, γοητεύω, γοητεία
hexagon (χέξαγκαν) εξάγωνο, **-al**
εξάγωνος
heyday (χέϊντέϊ) ύψιστος βαθμός
hi (χάϊ) γειά σου, χαίρε
hiatus (χαϊέιτας) χασμωδία
hibernal (χίμπερναλ) χειμωνιάτικος
hibernate (χάϊμπερνέϊτ) διαχειμάζω,
πέφτω σε χειμερία νάρκη (ζώα)
hibernation (χαϊμπερνέϊσσαν) χει-
μερία νάρκη, λήθαργος
hibiscus (χαϊμπίσκας) είδος μολό-
χας (φυτό)
hiccough, hiccup (χίκεφ, χίκαπ)
λόξυγγας
hick (χίκ) χωριάτης, αγροίκος
hickory (χίκορι) αγριοκαρυδιά

hidalgo (χιντάλγκο) Ισπανός ευγε-
νής
hidden (χίντεν) κρυμμένος (παθ.
μτχ. του hide)-
hide (χάϊντ) κρύβω, -ομαι, μαστι-
γώνω, τομάρι, **-out** κρυψώνα, κρυ-
σφήγετο
hidebound (χάϊντμπάουντ) σχολα-
στικά, στενοκέφαλος, ισχυρογνώ-
μων
hideous (χίντιας) φρικτός
hiding (χάϊντινγκ) ξυλοκόπημα, ήτ-
τα, κρύψιμο
hie (χάϊ) σπεύδω, επισπεύδω
hierarch (χαϊεράαρκ) ιεράρχης,
-i(al)) ιεραρχικός, **-y** ιεραρχία
hieratic (χαϊεράτικ) ιερατικός
hieroglyphic(al) (χαϊερογκλίφικ,
-αλ) ιερογλυφικός
higgle (χίγκλ) διαπραγματεύομαι,
μικροπωλώ, μικρολογώ
high (χάϊ) ψηλός, έξοχος, μεγάλος,
το ψηλότερο σημείο
highboy (χάϊμπόϊ) μικρό κομοδίνο
highbrow (χάϊμπράου) διανοούμε-
νος
highfaluting (χάϊφελιούτιν)
πομπώδης
highfidelity (χαϊφιντάλιτι) υψηλής
πιστότητας
highflier (χαϊφλάϊερ) φιλόδοξος
highflown (χαϊφλόουν) υπερβολι-
κός, ρητορικός, χωρίς βαθύτερο
νόημα
highfrequency (χαϊφρίκουενσι)
υψηλής συχνότητας
highhanded (χαϊχάντιντ) αυθαίρε-
τος, βίαιος
highhat (χάϊχατ) περιφρονώ, ακα-
τάδεκτος
highland (χάϊλαντ) ορεινή χώρα,
ορεινός
highlight (χάϊλάϊτ) τονίζω, δίνω έμ-
φαση
highly (χάϊλι) υπερβολικά
highminded (χαϊμάϊντιντ) υψηλό-

φρων, γεναιόφρων
highness (χάίνεσ) υψηλότητα
highroad (χάϊρόουντ) δημόσιος
δρόμος
highschool (χάϊσκουλ) γυμνάσιο
highsea (χάϊσιι) τρικυμία, **-s** ανοι-
χτές θάλασσες
highspirited (χάϊσπίριτιντ) περήφα-
νος, υψηλόφρων
highsounding (χάϊσάουντινγκ)
πομπώδης
hightide (χάϊτάϊντ) άμπωτη
hightoned (χάϊτόουντ) σοβαρός, σχε-
τικός με υψηλές ιδέες ή ιδανικά
highwater (χάϊουότερ) φουσκονεριά
highway (χάϊγουέϊ) πλατύς, κύριος
δρόμος
highwayman (χάϊγουέϊμαν) ληστής
hijack (χάϊτζακ) κλέβω από λα-
θρέμπορους κατά τη μεταφορά
hike (χάϊκ) βαδίζω, βάδισμα. πεζο-
πορία, σηκώνω
hilarious (χιλάριας) εύθυμος
hilarity (χιλάριτι) ευθυμία
hill (χίλ) λόφος, **-billy** χωρικός ορει-
νής περιοχής, **-side** πλαγιά λόφου
hillock (χίλοκ) λοφίσκος
hilly (χίλι) λοφώδης
hilt (χίλτ) λαβή σπαθιού
him (χίμ) αυτόν, **-self** ο ίδιος
Himalaya (χιμαλέϊα) Ιμαλάϊα
hind (χάϊντ) χωρικός, θηλυκό ελά-
φι, **-er** οπίσθιος, όπισθεν
hinder (χίντερ) εμποδίζω
hindmost (χάϊντμόστ) τελευταίος
hindrance (χίντρανς) εμπόδιο
hinge (χίντζ) στρόφιγγα, εξαρτιέμαι
hinny (χίνι) μουλάρι
hint (χίντ) υπαινιγμός, υπαινίσσο-
μαι, νύξη, **-er** υπαινισσόμενος
hinterland (χίντερλαντ) ενδοχώρα
hip (χίπ) γοφός, ισχίο, εξαρθρώνω
hippo (χίπο) ιπποπόταμος
hippodrome (χιποντρόουμ) ιππο-
δρόμιο
hippopotamus (χιποπόταμας) ιππο-

πόταμος
hire (χάϊαρ) μισθώνω, νοικιάζω,
νοίκι
hireling (χάϊαρλιν) μισθωτός
hirsute (χέρσουτ) μαλλιαρός
his (χίς) δικός του
hiss (χίς) σφυρίζω, αποδοκιμάζω,
σφύριγμα
hist (χίστ) σιωπή!, άκου
histamine (χισταμίν) ισταμίνη (χη-
μική ένωση)
histology (χιστόλοτζι) ιστολογία
historian (χιστόριαν) ιστοριογρά-
φος
historic(al) (χιστόρικαλ) ιστορικός
histrionic (χιστριόνικ) θεατρικός, **-s**
θεατρισμός
history (χίστορι) ιστορία
hit (χίτ) χτυπώ, βρίσκω, χτύπημα,
επιτυγχάνω, επιτυχία, **-ter** αυτός
που χτυπάει
hitch (χίτς) χτύπημα, προσδένω, **-o-**
μαι, γάντζος, θηλειά, κόμπος,
εμπόδιο, **-hike** ταξιδεύω κάνοντας
ότο-στόπ
hither (χίδερ) εδώ, **-to** ως τώρα,
-wards προς τα εδώ
hive (χάϊβ) κυψέλη, συλλέγω, **-s**
κόκκινα εξανθήματα
hoar (χόουρ) λευκός, γέρος
hoarfrost (χόουρφρόστ) πάχνη
hoard (χόορντ) σωρός, θησαυρός,
συσσωρεύω, θησαυρίζω, **-er** συσ-
σωρευτής
hoarse (χόορς) βραχνός, **-ness** βρα-
χνάδα
hoary (χόορι) γηραιός, υπόλευκος
hoax (χόουξ) κοροϊδία, απάτη, εξα-
πατώ, αστειευόμενος
hob (χόμπ) χωριάτης, αφαλός, ράφι
τζακιού
hobble (χόμπελ) κουτσαίνω
hobbledehoy (χόμπλιντιχόϊ) νεαρός
hobbleskirt (χόμπλσκέρτ) στενή
φούστα
hobby (χόμπι) απασχόληση, **-horse**

ξύλινο αλογάκι
hobgoblin (χόμπγκόμπλιν) στοιχειό
hobnail (χομπνέιλ) καρφί
hobnob (χομπνόμπ) κουβεντιάζω,
συναναστρέφομαι με οικειότητα
hobo (χόουμπόου) αλήτης
hock (χόκ) λευκό κρασί, ενέχυρο,
ενεχυριάζω
hockey (χόκι) χόκεϋ
hocus (χόουκας) απατώ, ξεγελώ,
ναρκώνω, -**pocus** εξορκισμοί, μαγι-
κές λέξεις, αγυρτεία
hod (χόντ) σκεύος γιά μεταφορά
τούβλων από οικοδόμους
hodgepodge (χότζπότζ) μίγμα φαγη-
τών, συνοθύλευμα
hodiernal (χοντιέρναλ) σημερινός
hoe (χόου) σκάβω, σκαλίζω, τσάπα
hog (χόγκ) γουρούνι, βρωμερός,
παίρνω υπερβολική μερίδα
hoggish (χόγκιςς) γουρουνοειδής
hogtie (χόγκτάϊ) δένω τα τέσσερα
πόδια ζώου
hogwash (χόκγγουόσσ) νερόπλυμα,
ανοησίες
hoist (χόϊστ) υψώνω, ανυψώνω, ανυ-
ψωτήρας
hokum (χόουκομ) ασήμαντος,
ανοησίες, αερολογίες
hold (χόλντ) κρατώ, νομίζω, αμπά-
ρι, πιάνω, διατηρώ, κράτηση, -**er**
κάτοχος, -**ing** συγκράτηση, κράτη-
μα, περιουσία, -**back** περιορισμός /
hold good: είμαι ή παραμένω αληθι-
νός / hold it!: μείνε ακίνητος / hold
the fort: φροντίζω γιά όλα ενώ κά-
ποιος απουσιάζει / hold down: δια-
τηρώ σε χαμηλό επίπεδο, καταπιέ-
ζω / hold off: κρατώ σε απόσταση,
καθυστερώ / hold on: περιμένω στο
τηλέφωνο / hold up: ληστεύω, λη-
στεία / hold out: αντέχω
holdall (χόλντόλ) βαλίτσα
hole (χόουλ) τρύπα, τρυπώ
holiday (χόλιντέϊ) αργία, διακοπή,
-**maker** αυτός που βρίσκεται σε

διακοπές
holiness (χόουλινες) αγιότητα
Holland (χόλαντ) Ολλανδία
holler (χόλερ) φωνάζω, κραυγή
hollo (χόλοου) φωνάζω, κράζω
hollow (χόλοου) κοιλότητα, κού-
φιος, απατηλός, κοιλαίνω, -**ness** το
κοίλο, η κοιλότητα
holly (χόλι) πρινάρι (δέντρο), -**hock**
δεντρομολόχα
holm (χόουλμ) νησάκι ποταμού
holmoak (χόλμόακ) πρινάρι
holocaust (χολοκόοστ) ολοκαύτωμα
holograph (χόλογκραφ) ολόγραφος
holster (χόουλστερ) πιστολοθήκη
holy (χόλι) άγιος
holyday (χόουλιντέϊ) θρησκευτική
γιορτή
Hol Ghost, Holy Spirit (χόλιγκόστ,
χόλι σπίριτ) Άγιο Πνεύμα
Holy See (χόλι σίι) παπική έδρα
Holy Week (χόλι ουίκ) Μεγάλη
εβδομάδα
Holy Writ (χόλι ρίτ) Αγία Γραφή
holystone (χόλιστόουν) αμμόλιθος
homage (χόμιτζ) σεβασμός
homburg (χόμπεργκ) είδος ανδρι-
κού καπέλου
home (χόμ) σπίτι, πατρίδα, -**body**
σπιτόγατος, που του αρέσει να μέ-
νει σπίτι, -**land** τόπος καταγωγής,
-**less** άστεγος, -**like** οικιακός, -**made**
σπιτίσιος, -**maker** η σύζυγος, νοι-
κοκυρά, -**run** δρόμος προς το τέρ-
μα, -**rule** αυτοκυβέρνηση, -**sick** νο-
σταλγός, -**spun** υφαντό, οικιακός,
άκομψος, -**stead** κατοικία, -**work**
εργασία στο σπίτι
homely (χόουμλι) πρωτόγονος,
άσχημος, απλός
homeopathic (χόουμιοπάθικ) ομοιο-
παθητικός
homeopathy (χόουμιόπαθι) ομοιο-
παθητική
homey (χόουμι) άνετος, αναπαυτι-
κός

H

homicidal (χομισάϊνταλ) ανθρωποκτόνος, ανθρωποκτονικός

homicide (χόμισάϊντ) ανθρωποκτονία

homiletic (χομιλέτικ) ομιλητικός, κηρυγματικός, -s η τέχνη να βγάζεις κήρυγμα

homily (χόμιλι) κήρυγμα

hominy (χόμινι) χοντροκομμένος αραβόσιτος

homogeneous (χόουμοτζίνιας) ομογενής, ομοιογενής

homogenize (χοουμότζιναϊζ) κάνω ομοιογενές

homologous (χοουμόλογκας) ομόλογος

homonym (χόμονιμ) ομώνυμο

homosexual (χομσέξουαλ) ομοφυλόφυλος

homunculus (χομάνκιουλας) ανθρωπάριο

hone (χόουν) ακονόπετρα, ακονίζω

honest (όνιστ) τίμιος, -ly τίμια, -y τιμιότητα

honey (χάνι) μέλι, γλυκός, -bee μέλισσα, -comb κηρύθρα, -ed μελωμένος, -dew μελόσταγμα

honeymoon (χάνιμουν) μήνας του μέλιτος, -er νεόνυμφος

honeysuckle (χάνισάκλ) αγιόκλημα (φυτό)

honing (χόουνινγκ) ακόνισμα

honk (χόονκ) βοή, κορνάρισμα αυτοκινήτου, κορνάρω

honor (όνορ) τιμή, τιμώ (ή honour), -able έντιμος, -ableness εντιμότητα

honorably (όνοράμπλι) έντιμα

honorarium (ονοράριαμ) μισθός

honorary (όνορέρι) επίτιμος

hooch (χούτς) μεθυστικά ποτά

hood (χούντ) κουκούλα

hoodlum (χούντλαμ) ταραξίας, βρωμερός

hooddoo (χούντου) δεισιδαιμονία, γρουσούζης

hoodwink (χούντουινκ) απατώ, καλύπτω τα μάτια

hooey (χούι) ανόητος, ανοησίες

hoof (χούφ) οπλή ζώου

hook (χούκ) γάντζος, αγκιστρώνω, -ed αγκιλωτός

hookworm (χούκουόρμ) σκουλήκι των εντέρων

hooky (χούκι) to play hooky: απουσιάζω απ' το σχολείο αδικαιολόγητα

hooligan (χούλιγκαν) αλήτης, μάγκας

hoop (χούπ) κρίκος, στεφάνι βαρελιού

hoopskirt (χούπσκέρτ) πλατειά φούστα, κρινολίνο

hooray (χουρέϊ) ζήτω

hoosegow (χούσγκάου) φυλακή

hoot (χούτ) σφυρίζω, σφύριγμα, αποδοκιμάζω, αποδοκιμασία

hop (χόπ) χοροπηδώ, σκίρτημα, απογειώνομαι

hope (χόουπ) ελπίδα, ελπίζω, -ful ελπιδοφόρος, -fulness το ελπιδοφόρο, -less ανέλπιδος, -lessness απελπισία, απουσία ελπίδων / to hope against hope: συνεχίζω να ελπίζω ενώ υπάρχουν ελάχιστες πιθανότητες επιτυχίας

hopper (χόπερ) ακρίδα, χοάνη

horde (χόορντ) ορδή

horizon (χοράϊζον) ορίζοντας

horizontal (χοριζόνταλ) οριζόντιος

hormone (χόουρμον) ορμόνη

horn (χόρν) κέρατο, -pie είδος αυλού και χορού / horn of plenty: κέρας της Αμαλθείας

hornet (χόρνιτ) σφήκα

horny (χόρνι) κεράτινος

horologe (χορολότζ) ρολόϊ

horology (χορόλοτζι) ωρολογοποιία

horoscope (χόροσκόουπ) ωροσκόπιο

horrendous (χορένταις) φρικτός

horrible (χόριμπλ) φρικτός

horrid (χόριντ) φρικτός, φρικαλέος

horrific (χορίφικ) φρικιαστικός
horrify (χόριφάϊ) προξενώ φρίκη, κατατρομάζω
horror (χόρορ) φρίκη, τρόμος
hors d' oeuvres (όρντέβρ) ορεκτικά
horse (χόρσ) άλογο, **-back** έφιππος, καβαλάρης, **-chestnut** ιπποκαστανιά, **-fly** αλογόμυγα, **-laugh** καγχασμός, **-man** ιππέας, **-manship** ιππευτική τέχνη, **-play** άγριο παιχνίδι, **-rodish** άγριο ραπάνι, **-shoe** πέταλο, πεταλώνω, **-sense** κοινός νούς, **-whip** μαστίγιο, μαστιγώνω
horsy (χόορσι) ίππειος, ιππομανής
hortatory (χόρτατόουρι) προτρεπτικός
horticulture (χόορτικάλτσουρ) κηπουρική
horticultural (χόορτικάλτσουραλ) κηπουρικός
horticulturist (χόορτικάλτσουριστ) κηπολόγος
hose (χόουζ) κάλτσα, καλτσοδέτα
hosier (χόουζερ) καλτσοπώλης
hosiery (χόουζερι) καλτσοπωλείο
hospice (χόσπις) άσυλο, ξενώνας
hospitable (χόσπιταμπλ) φιλόξενος
hospital (χόσπιταλ) νοσοκομείο, **-ity** φιλοξενία, **-ization** νοσηλεία σε νοσοκομείο, **-ize** νοσηλεύω σε νοσοκομείο
host (χόστ) ξενοδόχος, οικοδεσπότης, πλήθος, όστια καθολικών
hostage (χόστιτζ) όμηρος
hostel (χόστελ) ξενοδοχείο, πανδοχείο, **-ry** πανδοχείο, χάνι
hostess (χόουστις) ταξιθέτρια, οικοδέσποινα, αεροσυνοδός
hostile (χόσταιλ) εχθρικός
hostility (χοστίλιτι) έχθρα, εχθροπραξία
hostler (χόσλερ) ιπποκόμος
hot (χότ) ζεστός, καυστικός, **-ness** θερμότητα, **-air** κουραφέξαλα, **-bed** φυτώριο, **-house** θερμοκήπιο, **-spring** θερμοπηγή, **-press** μαγγάνι,

-foot βιαστικός, σπεύδω, **-head** παρορμητικός, επιπόλαιος, άσκεπτος
hotel (χοουτέλ) ξενοδοχείο
hotstuff (χότσταφ) επιδέξιος
hound (χάουντ) κυνηγετικός σκύλος, κυνηγώ με σκυλιά
hour (άουαρ) ώρα, **-ly** ωριαίος
hourglass (άουαργκλάς) κλεψύδρα
house (χάουζ) σπίτι, στεγάζω, βουλή, **-breaker** διαρρήκτης, **-fly** μύγα, **-hold** νοικοκυριό, **-holder** οικοδεσπότης, ιδιοκτήτης σπιτιού, **-keeper** οικονόμος, νοικοκυρά, **-keeping** νοικοκυριό, οικοκυρική, **-maid** υπηρέτρια, **-rent** νοίκι, **-wife** οικοδέσποινα, νοικοκυρά
housing (χάουζινγκ) στέγαση
hovel (χάβελ) καλύβα, κατοικώ σε καλύβα
hover (χάβερ) αιωρούμαι, κρέμομαι
how (χάου) πως, **-much** πόσο, **-many** πόσοι, **-ever** οπωσδήποτε, **-soever** οπωσδήποτε, οσοδήποτε
howitzer (χαουίτσερ) ολμοβόλο (είδος όπλου)
howl (χάουλ) ουρλιάζω, ωρύομαι, ουρλιαχτό, **-er** αυτός που ουρλιάζει
hoy (χόϊ) άτακτος
hoyden (χόϊντεν) θορυβώδης, αγριοκόριτσο
hub (χάμπ) κέντρο τροχού, άξονας
hubbub (χάμπαμπ) θόρυβος, οχλαγωγία
huckster (χάκστερ) γυρολόγος, μεταπράτης, λιανοπωλώ
huddle (χάντλ) συνωστίζομαι, πλήθος, συγκέντρωση \
hue (χιού) απόχρωση, χροιά, ξεφωνητό
hue and cry (χιού εντ κράϊ) κατακραυγή
huff (χάφ) οργίζω, -ομαι, οργή, παραφέρομαι, **-y** θυμωμένος, φουσκωμένος
hug (χάγκ) αγκαλιάζω, αγκάλια-

σμα, **-ger** εναγκαλιζόμενος
huge (χιουτζ) πελώριος
hugger-mugger (χάγκερ μάγκερ)
σύγχυση, μυστικός
hulking (χάλκινγκ) ογκώδης,
άκομψος
hulky (χάλκι) ογκώδης
hull (χάλ) φλούδα, ξεφλουδίζω,
σκάφος, κέλυφος
hullabaloo (χαλαμπαλού) οχλοβοή,
πανδαιμόνιο
hum (χάμ) βουίζω, βόμβος
human (χιούμαν) ανθρώπινος, **-ly**
ανθρώπινα, **-ism** ανθρωπισμός, **-ist**
ανθρωπιστής
humane (χιουμέϊν) φιλάνθρωπος
humanitarian (χιουμανιτάριαν)
ιδεολόγος, φιλάνθρωπος, **-ism** φι-
λανθρωπία
humanities (χιουμάνιτις) κλασικές
μελέτες
humanity (χιουμάνιτι) ανθρωπότητα
humanization (χιουμαναϊζέϊσσαν)
εξανθρωπισμός
humanize (χιούμαναϊζ) εξανθρω-
πίζω
humankind (χιούμανκάϊντ) ανθρώ-
πινο γένος
humble (χάπλ) ταπεινός, φτωχός,
ταπεινώνω, **-ness** ταπεινότητα
humbly (χάμπλι) ταπεινά
humbug (χάμπαγκ) εξαπατώ, αγύρ-
της, αγυρτεία, **-gery** αγυρτεία,
απάτη
humdrum (χάμντράμ) μονοτονία,
μονότονος
humid (χιούμιντ) υγρός, **-ness**
υγρότητα, **-ity** υγρασία
humidifier (χιουμίντιφάϊερ)
υγραντικό
humidify (χιουμίντιφάϊ) υγραίνω
humiliate (χιουμίλιέϊτ) ταπεινώνω
humiliation (χιουμιλιέϊσσαν) τα-
πείνωση
humiliator (χιουμίλιέϊτορ) ταπει-
νωτής

humility (χιουμίλιτι) ταπεινοφρο-
σύνη
hummock (χάμοκ) λοφίσκος
humour, humor (χιούμορ) ευθυμία,
χιούμορ, **-ist** χιουμορίστας, **-ous**
αστείος, κωμικός, **-ousness** κωμι-
κότητα
hump (χάμπ) καμπούρα, καμπου-
ριάζω, όγκος, **-back** καμπούρης
humph (χάμφ) μπά! (επιφ.)
humus (χιούμας) σάπια χόρτα, λί-
πασμα
hunch (χάντς) λυγίζω, σπρώχνω,
καμπουριάζω, όγκος, ώθηση, **-back**
καμπούρα, καμπούρης
hundred (χάντρεντ) εκατό, **-th** εκα-
τοστός, **-fold** εκατονταπλάσιος
hung (χάνγκ) αορ. του hang
Hungarian (χανγκέριαν) Ούγγρος,
Ουγγρικός
Hungary (χάνγκαρι) Ουγγαρία
hunger (χάνγκερ) πείνα, πεινώ
hungrily (χάνγκριλι) πεινασμένα
hungry (χάνγκρι) πεινασμένος
hunk (χάνκ) μεγάλο κομμάτι
hunky (χάνκι) ικανοποιητικός, κα-
λός, **-dory** αρκετός, ικανοποιητικός
hunt (χάντ) κυνηγώ, κυνήγι, **-er**,
-sman κυνηγός, **-ing** κυνήγι, **-ress** η
κυνηγός
hurdle (χέρντλ) εμπόδιο (αθλητικών
αγώνων), πηδώ εμπόδια
hurdy-gurdy (χέρντι γκέρντι) ορ-
γανέτο
hurl (χέρλ) εκσφενδονίζω, ρίχνω,
τινάζω, βολή
hurly-burly (χέρλι μπέρλι) οχλα-
γωγία
hurrah (χουρά) ζήτω!
hurricane (χέρικέϊν) ανεμοστρόβι-
λος, καταιγίδα
hurried (χάριντ) βιαστικός
hurry (χέρι) βιάζομαι, σπεύδω, επι-
σπεύδω, βιασύνη, **-scurry** σύγχυση
hurt (χέρτ) πονώ, πληγώνω, τραύμα,
βλάπτω, βλάβη, **-ful** βλαβερός, **-less**

αβλαβής, **-fulness** βλαβερότητα, **-er** αυτός που πληγώνει

hurtle (χέρτλ) τινάζω, κτυπώ, συγκρούομαι, ρίχνω με ορμή

husband (χάζμπαντ) σύζυγος, διαχειρίζομαι μ' επιμέλεια, **-man** γεωργός, **-ry** γεωργία, οικονομία

hush (χάσσ) σωπαίνω, σιωπή, κατασιγάζω, σιγή

hushmoney (χάσμάνι) δωροδοκία

husk (χάσκ) φλούδα, ξεφλουδίζω, κέλυφος, **-y** ισχυρός, μεγαλόσωμος, βραχνός, **-iness** βραχνάδα

hussar (χουζάρ) ουσσάρος (ιππέας Βρετανικού στρατού)

hussy (χάσι) γύναιο, παλιοκόριτσο

hustings (χάστινγκς) εκλογική εξέδρα

hustle (χάσλ) σπρώχνω, σπεύδω, βιάζομαι, βιασύνη

hustler (χάσλερ) δραστήριος

hut (χάτ) καλύβα

hutch (χάτς) θήκη, κλουβί, αποθήκη

huzza (χαζά) ζήτω!

hyacinth (χάϊασινθ) υάκινθος

hyaena (χαϊίνα) ύαινα

hybrid (χάϊμπριντ) μιγάς, ζώο ή φυτό παραγόμενο από διασταύρωση δύο ζώων ή φυτών διαφορετικής ράτσας (είδους)

hibridization (χαϊμπρινταϊζέϊσσον) εκτροφή μικτών γενών

hybridize (χάϊμπριντάϊζ) παράγω μικτά γένη ζώων ή φυτών

hydrant (χάϊντραντ) σωλήνας νερού

hydrate (χάϊντρέϊτ) υδρος

hydration (χαϊντρέϊσσαν) ενυδάτωση

hydraulic (χαϊντρόουλικ) υδραυλικός, **-s** η υδραυλική

hydrocarbon (χαϊντροκάρμπαν) υδρογονάνθρακας

hydrochloric (χαϊντροκλόουρικ) υδροχλωρικός

hydrocyanic (χαϊντροσαϊένικ) υδροκυανικός

hydroelectric (χαϊντροϊλέκτρικ) υδροηλεκτρικός

hydrogen (χάϊντροτζεν) υδρογόνο

hydrography (χαϊντρόγκραφι) υδρογραφία

hydrometer (χαϊντρόμιτερ) υδρόμετρο

hydrophobia (χαϊντροφόμπια) υδροφοβία

hydroplane (χάϊντροπλέϊν) υδροπλάνο

hydrosphere (χαϊντροσφίρ) υδρόσφαιρα

hydrotherapy (χαϊντροθέραπι) υδροθεραπεία

hydrous (χάϊντρας) υδατούχος, ένυδρος

hyena (χαϊίνα) ύαινα

hygiene (χάϊτζιν) υγιεινή

hygienic (χαϊτζιένικ) υγιεινός

hygienist (χαϊτζιένιστ) υγιεινολόγος

hymen (χάϊμεν) γάμος, **-eal** γαμήλιος

hymn (χίμ) ύμνος, υμνώ

hymnal (χίμναλ) υμνολόγιο, ψαλτήριο

hymnology (χιμνόλοτζι) υμνολογία

hyperactive (χαϊπεράκτιβ) υπερενεργητικός

hyperbole (χαϊπέρμπολ) υπερβολή

hypersensitive (χαϊπερσένσιτιβ) υπερευαίσθητος

hypertension (χαϊπερτένσαν) υπερένταση

hypertrophy (χαϊπέρτροφι) υπερτροφία

hyphen (χάϊφεν) ενωτικό σημείο (-)

hypnosis (χιπνόουσις) ύπνωση

hypnotic (χιπνότικ) υπνωτικός

hypnotism (χίπνοτιζμ) υπνωτισμός

hypnotist (χίπνοτιστ) υπνωτιστής

hypnotize (χίπνοτάϊζ) υπνωτίζω

hypochondria (χαϊποκόντρια) υποχονδρία, **-c** υποχονδριακός

hypocrisy (χιπόκρισι) υποκρισία

hypocrite (χίποκριτ) υποκριτής

hypocritical (χιποκρίτικαλ) υπο-κριτικός
hypodermic (χαϊποντέρμικ) υπο-δόριος
hypotenuse (χαϊποτινιούς) υποτεί-νουσα
hypothecate (χαϊπόθικέϊτ) υποθη-κεύω
hypothesis (χαϊποθεσάϊζ) υπόθεση

hypothetic(al) (χαϊποθέτικ, -αλ) υποθετικός
hypothesize (χαϊποθεσάϊζ) υποθέτω
hysterectomy (χιστερέκτομι) υστε-ροτομία, αποκοπή της μήτρας
hysteria (χιστίρια) υστερία
hysterical (χιστέρικαλ) υστερικός
hysterics (χιστέρικς) κρίση υστε-ρίας

I

I, i (άϊ) το ένατο γράμμα του Αγγλι-κού αλφάβητου
I (άϊ) εγώ
iamb (άϊαμπ) ίαμβος, -ic ιαμβικός
iberian (αϊμπιέριεν) Ιβηρικός
ibéx (άϊμπεξ) αίγαγρος
ibidem (ιμπάϊντεμ) στο ίδιο μέρος
ibis (άϊμπις) ίβις (πτηνό)
ice (άϊς) πάγος, παγώνω, παγωτό,
-berg παγόβουνο, -boat παγόπλοιο,
-bound αποκλεισμένος απ' τους πά-γους, -box παγοκιβώτιο για διατή-ρηση τροφής, -breaker παγοθραυ-στικό πλοίο, -cream παγωτό, -man
παγοπώλης, -skate παγοδρομώ, πα-γοπέδιλο / ice uplover: καλύπτομαι
με πάγο
Iceland (άϊσλαντ) Ισλανδία
ichnography (ικνόγκραφι) ιχνο-γραφία
ichthyology (ικθιόλοτζι) ιχθυολογία
icicle (άϊσικλ) σταλακτίτης
iciness (άϊσινες) παγερότητα, ψυ-χρότητα
icing (άϊσινγκ) ζαχαρώδες μίγμα για
επικάλυψη γλυκών
icon (άϊκον) εικόνα

iconoclast (αϊκόνοκλαστ) εικονο-μάχος, ο εναντιούμενος στις καθιε-ρωμένες αξίες
ictus (ίκτας) τόνος, κτύπος
icy (άϊσι) παγερός
I'd (άϊντ) συντομία των I would, I had
idea (αϊντία) ιδέα
ideal (αϊντίαλ) ιδανικός, ιδεώδης,
-ist ιδεολόγος, -ize εξιδανικεύω, -i-zation εξιδανίκευση
idem (άϊντεμ) ο ίδιος
identical (αϊντέντικαλ) απαράλλα-χτος
identification (αϊντεντιφικέϊσσον) αναγνώριση
identify (αϊντέντιφάϊ) αναγνωρίζω,
προσδιορίζω την ταυτότητα
identity (αϊντέντιτι) ταυτότητα
ideologic(al) (αϊντιολότζικ, -αλ) ιδεολογικός
ideology (αϊντιόλοτζι) ιδεολογία
ides (άϊτζ) το μέσο του μήνα
idiocy (ίντιοσι) ηλιθιότητα
idiom (ίντιομ) ιδίωμα, -atic ιδιωμα-τικός
idiosyncrasy (ιντιοσίνκρασι) ιδιο-

συγκρασία
idiot (ίντιοτ) ηλίθιος, **-ic** βλακώδης
idle (άϊντλ) αμελής, άεργος, τεμπε-
λιάζω, μάταιος, **-ness** αεργία, αργία
idler (άϊντλερ) τεμπέλης, αργός
τροχός
idly (άϊντλι) τεμπέλικα
idol (άϊντολ) είδωλο
idolater (αϊντόλατερ) ειδωλολάτρης
idolatrus (αϊντόλατρας) ειδωλολα-
τρικός
idolatry (αϊντόλατρι) ειδωλολατρεία
idolization (αϊντολαϊζέϊσσαν) λα-
τρεία, ειδωλοποίηση
idolize (άϊντολάϊζ) ειδωλοποιώ
idyl (άϊντιλ) ειδύλλιο, **-lic** ειδυλ-
λιακός
if (ίφ) άν / ifs and buts: δικαιολογίες
γιά καθυστέρηση
iffy (ίφι) αβέβαιος, αμφίβολος
igloo (ίγκλου) καλύβα από χιόνι
igneous (ίγκνιας) πύρινος, πυριγε-
νής
ignite (ιγκνάϊτ) ανάβω, **-r** αναπτήρας
ignition (ιγκνίσσον) ανάφλεξη
ignoble (ιγκνόμπλ) αγενής, πρόσ-
τυχος
ignominious (ιγκνομίνιας) άτιμος,
αισχρός
ignominy (ιγκνόμινι) ατιμία
ignoramus (ιγκνορέϊμας) αγράμμα-
τος, αμαθής
ignorance (ίγκνορανς) άγνοια,
αμάθεια
ignorant (ίγκνοραντ) αμαθής
ignore (ιγκνόρ) αγνοώ
iguana (ιγκουάνα) είδος μεγάλης
σαύρας
ikon (άϊκον) εικόνα
ilex (άϊλεξ) πρίνος (δέντρο)
Iliad (ίλιαντ) Ιλιάδα
ilk (ίλκ) ίδιος, είδος, γένος
ill (ίλ) άρρωστος, κακός, το κακό,
άσχημα, με δυσκολία, όχι αρκετά,
-advised ασύνετος, **-assorted** αταί-
ριαστος

illation (ιλέϊσσαν) συμπέρασμα
illegal (ιλίγκαλ) παράνομος, **-ity** πα-
ρανομία
illegibility (ιλετζιμπίλιτι) το δυσα-
νάγνωστο
illegible (ιλέτζιμπλ) σκοτεινός, δυ-
σανάγνωστος
illegitimate (ιλιτζίτιμετ) αθέμιτος,
νόθος
illegitimacy (ιλιτζιτίμασι) το αθέμι-
το
illfated (ιλφέίτιντ) κακότυχος
illfavoured (ιλφέϊθορντ) άσχημος,
δυσμενής
illgotten (ιλγκότεν) αποκτημένος με
αθέμιτα μέσα
illiberal (ιλίμπεραλ) ανελεύθερος,
στενόμυαλος, φιλάργυρος
illicit (ιλίσιτ) αθέμιτος, παράνομος
illimitable (ιλίμιταμπλ) απεριόρι-
στος
illiteracy (ιλίτεράσι) αμάθεια,
αγραμματοσύνη
illiterate (ιλίτεριτ) αγράμματος
illmannered (ιλμάνερντ) πρόστυ-
χος, αγενής
illnatured (ιλνάτσουρντ) δύστροπος
illness (ίλνες) αρρώστια
illogical (ιλότζικαλ) παράλογος
illstarred (ιλστάαρντ) κακότυχος,
δύσμοιρος
illtempered (ίλτέμπερεντ) κακοδιά-
θετος, ευέξαπτος
illtreat (ιλτρίτ) κακομεταχειρίζο-
μαι, **-ment** κακομεταχείρηση
illude (ιλιούντ) απατώ
illuminant (ιλιούμιναντ) φωτιστικό
illuminate (ιλιούμινέϊτ) φωτίζω
illumination (ιλιούμινέϊσσον) φω-
τισμός
illuminator (ιλιούμινέϊτορ) αυτός
που φωτίζει
illumine (ιλιούμιν) φωτίζω
illuse (ιλιούζ) κακομεταχειρίζομαι
illusion (ιλιούζον) αυταπάτη, **-ist**
θαυματοποιός, μάγος

illusive (ιλούσιβ) απατηλός, -ness
απατηλότητα
illusory (ιλούσορι) απατηλός
illustrate (ίλιουστρέϊτ) διευκρινίζω,
επεξηγώ, εικονογραφώ
illustration (ιλιουστρέϊσσον) εικό-
να, επεξήγηση
illustrative (ίλιουστρέϊτιβ) διευκρι-
νιστικός
illustrator (ιλιουστρέϊτορ) εικονο-
γράφος
illustrious (ιλάστριας) ένδοξος
illwill (ίλουίλ) κακία, εχθρότητα
illy (ίλι) ασθενικά
I'm (άμ) συντομία του I am
image (ίμετζ) εικόνα, απεικονίζω,
φαντάζομαι, σχήμα λόγου, -ry ει-
κόνες, σχήματα λόγου
imaginable (ιμάτζιναμπλ) νοητός,
φανταστικός, που μπορούμε να τον
φανταστούμαι
imaginary (ιμάτζινέρι) φανταστικός
imagination (ιματζινέϊσσον)
φαντασία
imaginative (ιμάτζινέϊτιβ) ευ-
φάνταστος, που χρησιμοποιεί τη
φαντασία
imagine (ιμάτζιν) φαντάζομαι
imagist (ίματζιστ) εικονιστής
imbalance (ιμπάλανσ) έλλειψη
ισορροπίας, ανομοιογένεια
imbecile (ίμπεσιλ) ανόητος
imbecility (ιμπεσίλιτι) ανοησία
imbed (ιμπέντ) χώνω (ή embed)
imbibe (ιμπάϊμπ) πίνω, αφομοιώνω,
απορροφώ
imbiber (ιμπάϊμπερ) ροφητής
imbitter (ιμπίτερ) πικραίνω
imbroglio (ιμπρόουλιου) περιπλοκή
imbrue (ιμπρού) βρέχω, κηλιδώνω
imbue (ιμπιού) εμπνέω, εμποτίζω
imitable (ίμιταμπλ) μιμητός
imitate (ίμιτέϊτ) μιμούμαι
imitation (ιμιτέϊσσον) μίμηση
imitative (ιμιτέϊτιβ) μιμητικός
imitator (ιμιτέϊτορ) μιμητής

immaculate (ιμάκιουλιτ) αμόλυντος,
άσπιλος, αγνός, -ness αγνότητα
immanence (ίμανενσ) το έμφυτο
immanent (ίμανεντ) έμφυτος
immaterial (ιματίριαλ) άυλος,
ασήμαντος
immature (ιματιούρ) άκαιρος,
ανώριμος
immaturity (ιματιούριτι) ανωρι-
μότητα
immeasurable (ιμέζουραμπλ) άμε-
τρος
immediacy (ιμίντιασι) αμεσότητα
immediate (ιμίντιετ) άμεσος, -ly
αμέσως
immemorial (ιμιμόριαλ) αμνημό-
νευτος
immense (ιμένς) απέραντος, αχα-
νής, -ness, immensity το αχανές,
απεραντοσύνη
immerse (ιμέρς) βυθίζω, βύθισμα
immersion (ιμέρσον) βύθιση
immigrant (ίμιγκραντ) μετανάστης
immigrate (ίμιγκρέϊτ) μεταναστεύω
immigration (ιμιγκρέϊσσον) μετα-
νάστευση
imminent (ίμινεντ) επικείμενος
imminence (ίμινενς) εγγύτητα
immiscible (ιμίσιμπλ) αμιγής
immobile (ιμόουμπιλ) ακίνητος
immobility (ιμοουμπίλιτι) ακινησία
immobilize (ιμόουμπιλάϊζ) ακινη-
τοποιώ
immoderate (ιμόντερετ) υπερβολι-
κός
immodest (ιμόντεστ) άσεμνος, -y
ασεμνότητα
immolate (ιμολέϊτ) θυσιάζω
immolation (ιμολέϊσσον) θυσία
immoral (ιμόραλ) ανήθικος, -ity
ανηθικότητα
immortal (ιμόρταλ) αθάνατος, -ity
αθανασία, -ize αποθανατίζω
immovability (ιμουβαμπίλιτι) ακι-
νησία
immovable (ιμούβαμπλ) ακίνητος

immune (ιμιούν) άτρωτος, απρό-
σβλητος, που έχει ανοσία
immunity (ιμιούνιτι) ασυλία, ανο-
σία
immunize (ιμιουνάϊζ) ανοσοποιώ
immunization (ιμιουναϊζέϊσσον)
ανοσοποίηση
immure (ιμιούρ) φυλακίζω, περι-
τοιχίζω
immutable (ιμιούταμπλ) αμετάβλη-
τος
imp (ίμπ) ζιζάνιο, διαβολάκι
impact (ίμπακτ) σύγκρουση, συμπιέ-
ζω, προσκρούω, **-ion** πρόσκρουση
impair (ιμπέαρ) χειροτερεύω, βλά-
πτω, **-ment** χειροτέρευση
impale (ιμπέϊλ) διατρυπώ
impalpable (ιμπάλπαμπλ) ανεπαί-
σθητος
impalpability (ιμπαλπαμπίλιτι) το
ανεπαίσθητο
impanel (ιμπάνελ) καταλέγω μεταξύ
των ενόρκων
impart (ιμπάρτ) μεταδίδω, πληρο-
φορώ
impartial (ιμπάρτιαλ) αμερόληπτος,
-ity αμεροληψία
impassability (ιμπασαμπίλιτι) το
αδάβατο, η μη διαβατότητα
impassable (ιμπάσαμπλ) αδιάβατος
impasse (ιμπάς) αδιέξοδος, αδιέξοδο
impassible (ιμπάσιμπλ) απαθής,
αναίσθητος
impassibility (ιμπασιμπίλιτι) απά-
θεια
impassioned (ιμπάσαντ) παθιασμέ-
νος
impassive (ιμπάσιβ) απαθής, **-ness**,
impassivity απάθεια
impatience (ιμπέϊσανς) ανυπομο-
νησία
impatient (ιμπέϊσαντ) ανυπόμονος
impeach (ιμπίτς) καταγγέλλω, κατη-
γορώ, **-ment** καταγγελία
impeccable (ιμπέκαμπλ) άψογος,
αναμάρτητος

impecunious (ιμπικούνιας) αχρή-
ματος
impedance (ιμπίντανς) αντίσταση
impede (ιμπίντ) εμποδίζω
impediment (ιμπέντιμεντ) εμπόδιο
impedimenta (ιμπεντιμέντα) εφόδια
στρατού
impel (ιμπέλ) ωθώ, παρακινώ,
αναγκάζω, **-ler** παρακινητής
impend (ιμπέντ) επίκειμαι, **-ing** επι-
κείμενος
impenetrable (ιμπένιτραμπλ) αδια-
πέραστος
impenetrability (ιμπενιτραμπίλιτι)
το αδιαπέραστο
impenitence (ιμπένιτενς) αμετα-
νοησία
impenitent (ιμπένιτεντ) αμετανόη-
τος
imperative (ιμπέρατιθ) προστακτι-
κή (έγκλιση), επιτακτικός
imperator (ιμπερέϊτορ) αυτοκράτο-
ρας
imperceptible (ιμπερσέπτιμπλ) ανε-
παίσθητος
imperceptibility (ιμπερσεπτιμπίλιτι)
το δυσδιάκριτο
imperceptibly (ιμπερσέπτιμπλι) ανε-
παίσθητα
imperfect (ιμπέρφεκτ) ατελής, ελλει-
πής, **-ness** ατέλεια, **-ion** ατέλεια
imperforate (ιμπέρφορετ) ατρύπη-
τος
imperial (ιμπίριαλ) αυτοκρατορι-
κός, **-ism** ιμπεριαλισμός, **-ist** ιμπε-
ριαλιστής, **-istic** ιμπεριαλιστικός,
κατακτητικός
imperil (ιμπέριλ) διακινδυνεύω
imperious (ιμπίριας) αγέρωχος,
δεσποτικός
imperishable (ιμπέρισσαμπλ) αιώ-
νιος, άφθαρτος
impermanent (ιμπέρμανεντ) προ-
σωρινός
impermeable (ιμπέρμιαμπλ) αδιά-
βροχος, αδιαπέραστος

impersonal (ιμπέρσοναλ) απρόσω-
πος
impersonate (ιμπέρσονέϊτ) εκπρο-
σωπώ, συμβολίζω, προσωποποιώ
impersonation (ιμπερσονέϊσσον)
προσωποποίηση
impersonator (ιμπερσονέϊτορ)
ηθοποιός, υποδυόμενος κάποιο
πρόσωπο
impertinence (ιμπέρτινενς) αυθάδεια
impertinent (ιμπέρτινεντ) αυθάδης
imperturbable (ιμπερτέρμπαμπλ)
ατάραχος, ήρεμος
imperturbability (ιμπερ-
τούρμπαμπίλιτι) αταραξία
impervious (ιμπέρβιας) στεγανός,
αδιαπέραστος
impetuous (ιμπέτσουας) βίαιος, ορ-
μητικός, **-ness** ορμή, βία
impetus (ίμπιτας) ορμή, βία, ώθηση
impiety (ιμπάϊτι) ασέβεια
impinge (ιμπίντζ) χτυπώ, προσ-
κρούω, εισβάλλω, **-ment** πρόσκρου-
ση
impious (ίμπιας) ασεβής
impish (ίμπιςς) διαβολικός, **-ness**
διαβολιά
implacable (ιμπλέϊκαμπλ) αδυσώ-
πητος
implacability (ιμπλέϊκαμπίλιτι)
αδιαλλαξία
implant (ιμπλάντ) εμφυτεύω
implement (ίμπλεμεντ) εργαλείο,
(ιμπλεμέντ) ενεργώ, εκτελώ, παρέ-
χω τα μέσα, **-al** συντελεστικός, **-a-
tion** εκτέλεση
implicate (ιμπλικέϊτ) ενοχοποιώ,
εμπλέκω
implication (ιμπλικέϊσσον) ενοχο-
ποίηση
implicit (ιμπλίσιτ) υπονοούμενος,
απεριόριστος
implore (ιμπλόορ) ικετεύω
imply (ιμπλάϊ) δηλώνω, συνεπάγο-
μαι
impolite (ιμπολάϊτ) αγενής
impolitic (ιμπόλιτικ) απρεπής, ασύ-

νετος
imponderable (ιμπόντεραμπλ) αβα-
ρής, ανυπολόγιστος
import (ίμπορτ) εισαγωγή, σπου-
δαιότητα, (ιμπόρτ) εισάγω, σημαί-
νω, **-er** εισαγωγέας, **-ation** εισαγωγή
importance (ιμπόρτανς) σπου-
δαιότητα
important (ιμπόρταντ) σπουδαίος
importunate (ιμπόρτσουνιτ) φορτι-
κός
importune (ιμπορτιούν) ενοχλώ, ζη-
τώ επίμονα
importunity (ιμπορτιούνιτι) επίμο-
νη αίτηση
impose (ιμπόουζ) επιβάλλω, απαιτώ
imposing (ιμπόουζινγκ) επιβλητικός
imposition (ιμποζίσσον) επιβολή
impossibility (ιμποσιμπίλιτι) το
αδύνατο
impossible (ιμπόσιμπλ) αδύνατος
impost (ιμπόουστ) φόρος, φορολο-
γώ
impostor (ιμπόστορ) απατεώνας
imposture (ιμπόστσερ) απάτη
impotence (ιμπότενς) αδυναμία, ανι-
κανότητα
impotent (ίμποτεντ) ανίκανος,
αδύνατος
impound (ιμπάουντ) περιορίζω
impoverish (ιμπόβερισς) κάνω
φτωχό
impracticable (ιμπράκτικαμπλ) ακα-
τόρθωτος
impractical (ιμπράκτικαλ) μη πρα-
κτικός
imprecate (ιμπρεκέϊτ) καταριέμαι
imprecation (ιμπρικέϊσσον) κατάρα
impregnable (ιμπρέγκναμπλ) απόρ-
θητος
impregnate (ιμπρεγκνέϊτ) διαποτί-
ζω, εμποτίζω, γονιμοποιώ
impregnation (ιμπρεγκνέϊσσον)
εμποτισμός, γονιμοποίηση
impresario (ιμπρεσάριου) θιασάρ-
χης

impress (ιμπρές) εντυπωσιάζω, χαράζω, εντυπώνω, δημεύω, στρατολογώ, **-ion** έκδοση, εντύπωση, τύπωμα, **-ionable** ευαίσθητος, ευεπηρέαστος, **-ionism** ιμπρεσσιονισμός (τεχνοτροπία), **-ist** ιμπρεσσιονιστής, **-ive** εντυπωσιακός, επιβλητικός
imprimatur (ιμπριμέιτερ) άδεια εκτυπώσεως
imprint (ιμπρίντ) εντύπωση, εντυπώνω, εξώφυλλο, αποτύπωμα
imprison (ιμπρίζον) φυλακίζω, **-ment** φυλάκιση
improbable (ιμπρόμπαμπλ) απίθανος
improbability (ιμπρομπαμπίλιτι) η μη πιθανότητα
improbably (ιμπρόμπαμπλι) απίθανα
improbity (ιμπρόμπιτι) ατιμία
impromptu (ιμπρόμπτιου) εκ του προχείρου
improper (ιμπρόπερ) άπρεπος, ακατάλληλος
impropriety (ιμπροπράϊτι) απρέπεια
improve (ιμπρούβ) βελτιώνω, -ομαι, **-ment** βελτίωση
improvidence (ιμπρόβιντενς) απρονοησία, αμέλεια
improvident (ιμπρόβιντεντ) αμελής, απρονόητος
improvise (ιμπροβάϊζ) αυτοσχεδιάζω
improvization (ιμπροβαϊζέϊσσον) αυτοσχεδιασμός
imprudence (ιμπρούτενς) ασυνεσία
imprudent (ιμπρούντεντ) ασύνετος
impudence (ίμπιουντενς) αναίδεια, αναισχυντία
impudent (ίμπιουντεντ) αναίσχυντος, αναιδής
impugn (ιμπιούν) καταπολεμώ, **-er** αυτός που αντικρούει
impulse (ίμπαλς) ώθηση
impulsion (ιμπάλσον) ώθηση
impulsive (ιμπάλσιβ) ορμητικός, αυθόρμητος

impunity (ιμπιούνιτι) ατιμωρησία
impure (ιμπιούρ) ακάθαρτος
impurity (ιμπιούριτι) ακαθαρσία
imputation (ιμπιουτέϊσσον) απόδοση, ενοχοποίηση
impute (ιμπιούτ) αποδίδω, κατηγορώ
in (ίν) μέσα, σε
inability (ιναμπίλιτι) ανικανότητα
inaccessible (ιναξέσιμπλ) απρόσιτος
inaccessibility (ιναξεσιμπίλιτι) το απρόσιτο
inaccuracy (ινακιούρασι) ανακρίβεια
inaccurate (ινάκιουριτ) ανακριβής
inaction (ινάκσον) αδράνεια
inactivate (ινάκτιβέϊτ) αδρανώ, αδρανοποιώ
inactive (ινάκτιβ) αδρανής
inactivity (ινακτίβιτι) αδράνεια, απραξία
inadequacy (ινάντικούασι) ανεπάρκεια
inadequate (ινάντικιούιτ) ανεπαρκής
inadmissible (ιναντμίσιμπλ) απαράδεκτος
inadvertence (ινάντβερτενς) απροσεξία
inadvertent (ίναντβέρτεντ) απρόσεκτος
inadvisable (ιναντβάϊζαμπλ) ασύνετος
inalienable (ινέϊλιέναμπλ) αναπαλλοτρίωτος
inalienability (ινέϊλιεναμπίλιτι) το αναφαίρετο
inalterable (ινάλτεραμπλ) αμετάβλητος
inamorata (ινάμοράτα) ερωμένη
inane (ινέϊν) άδειος, μάταιος
inanimate (ινάνιμέϊτ) μάταιος
inanition (ινανίσσον) ασιτία
inanity (ινάνιτι) ανονσία
inapplicable (ινάπλικαμπλ) ανεφάρμοστος

inapposite (ινάποζιτ) ακατάλληλος, αναρμόδιος
inappreciable (ιναπρίσαμπλ) ανεκτίμητος
inapproachable (ιναπρόουτσαμπλ) απλησίαστος
inappropriate (ιναπρόουπριτ) ακατάλληλος, απρεπής
inapt (ινάπτ) ακατάλληλος, αδέξιος
inaptitude, inaptness (ινάπτιτιουντ, ινάπτνις) αδεξιότητα
inarticulate (ιναρτίκιουλιτ) άναρθρος, βουβός
inartistic (ιναρτίστικ) άτεχνος
inasmuch as (ινάσματς άζ) επειδή, αφού
inattention (ινατένσσον) απροσεξία
inattentive (ινατέντιβ) απρόσεκτος
inaudible (ινόοντιμπλ) μη ακουστός
inaugural (ινόγκιουραλ) εναρκτήριος
inaugurate (ινόγκιουρέϊτ) εγκαινιάζω
inauguration (ινογκιουρέϊσσον) εγκαίνια
inauspicious (ινοουσπίσας) δυσοίωνος
inboard (ινμπόορντ) ο βρισκόμενος μέσα σε θάρκα
inborn (ινμπόορν) έμφυτος
inbound (ινμπάουντ) εισερχόμενος
inbred (ινμπρέντ) έμφυτος
inbreed (ινμπρίντ) παράγω συγγενή είδη
incalculable (ινκάλκιουλαμπλ) ανυπολόγιστος
incandesce (ινκαντές) φλέγομαι, -nce πυράκτωση, φωτοβολία, -nt πυρωμένος, λαμπερός
incantation (ινκαντέϊσσον) μαγεία, γοητεία, μαγικό τραγούδι
incapable (ινκέϊπαμπλ) ανίκανος, -ness, incapability ανικανότητα
incapacitate (ινκαπάσιτέϊτ) καθιστώ ανίκανο
incapacity (ινκαπάσιτι) ανικανότη-

τα
incarcerate (ινκάρσερέϊτ) φυλακίζω
incarceration (ινκάρσερέϊσσον) φυλάκιση
incarnate (ινκάρνετ) ενσαρκωμένος, (ίνκαρνέϊτ) ενσαρκώνω
incarnation (ινκαρνέϊσσον) ενσάρκωση
incase (ινκέϊζ) εσωκλείω, τοποθετώ μέσα σε κιβώτιο ή θήκη
incautious (ινκόοσσας) απρόσεκτος
incendiarism (ινσέντιαριζμ) εμπρησμός
incendiary (ινσέντιέρι) εμπρηστής, εμπρηστικός
incense (ινσένς) εξοργίζω, (ίνσενς) λιβάνι, θυμίαμα
incentive (ινσέντιβ) κίνητρο, ερεθιστικός, παρορμητικός
inception (ινσέπσαν) έναρξη
inceptive (ινσέπτιβ) αρχικός
incertitude (ινσέρτιτιουντ) αβεβαιότητα
incessant (ινσέσαντ) ασταμάτητος
incest (ίνσεστ) αιμομιξία, -uous αιμομικτικός
inch (ίντς) ίντσα
inchoate (ινκόουιτ) ο βρισκόμενος στο ξεκίνημα
incidence (ίνσιντενς) η συχνότητα που κάτι συμβαίνει
incident (ίνσιντεντ) περιστατικό, -al τυχαίος
incinerate (ινσίνερέϊτ) αποτεφρώνω, κατακαίω
incineration (ινσινερέϊσσον) αποτέφρωση
incinerator (ινσίνερέϊτορ) μηχάνημα γιά κάψιμο άχρηστων πραγμάτων
incipience (ινσίπιενς) αρχή
incipient (ινσίπιεντ) εναρκτήριος
incise (ινσάϊζ) κόβω, χαράζω
incision (ινσίζον) εγκοπή
incisive (ινσάϊσιβ) κοφτερός
incisor (ινσάϊζορ) κοπτήρας

incite (ινσάϊτ) ερεθίζω, υποκινώ, -ment υποκίνηση

incivil (ινσίβιλ) απολίτιστος, -ity αγένεια

inclemency (ινκλέμενσι) αυστηρότητα, τραχύτητα

inclement (ινκλέμεντ) αυστηρός, τραχύς

incline (ινκλάϊν) γέρνω, κλίνω, έχω τάση

inclinometer (ινκλινόμιτερ) κλινόμετρο

inclose (ινκλόουζ) εσωκλείω, εγκλείω, -d έγκλειστος

inclosure (ινκλόζουρ) κλειστός τόπος

include (ινκλούντ) συμπεριλαμβάνω

inclusive (ινκλούζιθ) συμπεριλαμβανόμενος

incognito (ινκογκνκιτόου) άγνωστος, αγνώριστος, ανεπίσημα

incoherence (ινκοχίρενς) ασυναρτησία

incoherent (ινκοχίρεντ) ασυνάρτητος

incombustible (ινκομπάστιμπλ) άφλεκτος

income (ίνκαμ) εισόδημα

incoming (ινκάμινγκ) εισερχόμενος

incommensurable (ινκομένσαραμπλ) ασύμμετρος

incommode (ινκομόουντ) ενοχλώ, δυσκολεύω

incommodious (ινκομόουντιας) στενόχωρος

incommunicado (ινκομιούνικάντο) ο βρισκόμενος σε απομόνωση, ανήμπορος να επικοινωνήσει

incommunicative (νκομιούνικέϊτιθ) μη μεταδοτικός

incomparable (ινκόμπαραμπλ) ασύγκριτος

incompatible (ινκομπάτιμπλ) ασυμβίβαστος

incompatibility (ινκομπατιμπίλιτι) ασυμφωνία

incompetence (ινκόμπιτενς) ανικανότητα, αναρμοδιότητα

incompetent (ινκόμπιτεντ) ανίκανος

incomplete (ινκομπλίτ) ατελής, ελλειπής, -ness ατέλεια

incomprehensible (ινκομπρεχένσιμπλ) ακατανόητος

incomprehension (ινκομπρεχένσον) έλλειψη κατανόησης

incompressible (ινκομπρέσιμπλ) ασυμπίεστος

inconceivable (ινκονσίβαμπλ) ακατάληπτος, ακατανόητος

inconclusive (ινκονκλούσιθ) αβάσιμος

incongruity (ινκονγκρούιτι) το ανάρμοστο

incongruous (ινκόνγκρουας) άτοπος, ανάρμοστος

inconsequent (ινκονσίκουεντ) ασυνεπής

inconsequential (ινκονσικούενσαλ) ασήμαντος

inconsiderable (ινκονσίντεραμπλ) ασήμαντος

inconsiderate (ινκονσίντεριτ) απερίσκεπτος, -ness απερισκεψία

inconsistency (ινκονσίστενσι) ασυνέπεια

inconsistent (ινκονσίστεντ) ασυνεπής

inconsolable (ινκόνσολαμπλ) απαρηγόρητος

inconsonance (ινκόνσονανς) ασυμφωνία

inconsonant (ινκόνσοναντ) ασύμφωνος

inconspicuous (ινκονσπίκιουας) αφανής, ασήμαντος

inconstancy (ινκόνστανσι) αστάθεια

inconstant (ινκόνσταντ) ασταθής

incontestable (ινκοντέσταμπλ) αναμφισβήτητος, αδιαφιλονίκητος

incontinence (ινκόντινενς) ασωτεία

incontinent (ινκόντινεντ) άσωτος

incontrovertible (ινκοντροβέρτιμπλ) αναμφισβήτητος

inconvenience (ινκονβίνιενς) ενόχληση, δυσκολία

inconvenient (ινκονβίνιεντ) άβολος, ενοχλητικός, δύσκολος

inconvertible (ινκονβέρτιμπλ) αμετάτρεπτος

inconvincible (ινκονβίνσιμπλ) αμετάπειστος

incorporate (ινκόρπορέϊτ) συσσωματώνω, συνενώνω, -ομαι, συγχωνεύω

incorporation (ινκορπορέϊσσον) συγχώνευση, συσσωμάτωση, ίδρυση ανωνύμου εταιρείας

incorporator (ινκορπορέϊτορ) ιδρυτής εταιρείας

incorporeal (ινκορπόουριαλ) ασώματος

incorrect (ινκορέκτ) ανακριβής, λανθασμένος, **-ness** ανακρίβεια

incorrigible (ινκόριτζιμπλ) αδιόρθωτος

incorrupt (ινκοράπτ) αδιάφθορος, **-ible** αδιάφθορος, **-ibility** το αδιάφθορο

increasable (ινκρίσαμπλ) αυξητός

increase (ινκρίζ) αυξάνω -ομαι, **-ment** αύξηση

increasingly (ινκρίζινγκλι) αυξανόμενα

incredible (ινκρέντιμπλ) απίστευτος

incredulity (ινκρετζούλιτι) δυσπιστία

incredulous (ινκρέτζουλας) δύσπιστος

increment (ίνκριμεντ) αύξηση

incriminate (ινκρίμινέϊτ) ενοχοποιώ

incrimination (ινκρίμινέϊσσον) ενοχοποίηση

incrust (ινκράστ) καλύπτω με φλοιό, **-ation** περισκλήρυνση

incubate (ινκιουμπέϊτ) επωάζω

incubation (ινκιουμπέϊσσαν) επώαση

incubator (ινκιουμπέϊτορ) εκκολαπτική μηχανή

incubus (ίνκιουμπας) εφιάλτης

inculcate (ινκαλκέϊτ) εντυπώνω στο νου

inculcation (ινκαλκέϊσσον) εγχάραξη στο νού

inculpate (ινκαλπέϊτ) ενοχοποιώ, κατηγορώ

inculpation (ινκαλπέϊσσον) ενοχοποίηση

incumbency (ινκάμπενσι) βάρος, υποχρέωση, θητεία, κατοχή αξιώματος

incumbent (ινκάμπεντ) αξιωματούχος, υποχρεωτικός

incumber (ινκάμπερ) επιβαρύνω

incumbrance (ινκάμπρανς) βάρος

incur (ινκέρ) υφίσταμαι

incurability (ινκιουραμπίλιτι) το αθεράπευτο

incurable (ίνκιουραμπλ) αθεράπευτος

incurious (ινκιούριας) όχι περίεργος

incursion (ινκέρζαν) επιδρομή, εισβολή

incurvate (ινκερβέϊτ) λυγίζω

incurve (ινκέρβ) καμπυλώνω

incus (ίνκας) κόκκαλο του αυτιού

indebted (ιντέτεντ) υποχρεωμένος, **-ness** χρέος, υποχρέωση

indecency (ιντίσενσι) απρέπεια, έλλειψη σεμνότητας

indecent (ιντίσεντ) άσεμνος, απρεπής

indecipherable (ιντισάϊφεραμπλ) δυσανάγνωστος

indecision (ιντισίζαν) δισταγμός, αναποφασιστικότητα

indecisive (ιντισάϊσιβ) αναποφάσιστος

indeclinable (ιντικλάϊναμπλ) άκλιτος

indecorous (ιντέκορας) άσεμνος

indecorum (ιντέκοραμ) απρέπεια

indeed (ιντίιντ) πράγματι, αλήθεια

indefatigable (ιντιφάτιγκαμπλ)

ακούραστος
indefeasible (ιντιφίζιμπλ) ακατάργητος
indefensible (ιντιφένσιμπλ) αστήρικτος, αδικαιολόγητος
indefinable (ιντιφάϊναμπλ) απροσδιόριστος, **-ness** το απροσδιόριστο
indefinite (ιντέφινιτ) αόριστος, **-ness** αοριστία, **-ly** αόριστα
indelible (ίντελιμπλ) ανεξίτηλος, **-ness, indelibility** το ανεξίτηλο
indelicacy (ιντέλικάσι) έλλειψη λεπτότητας
indelicate (ιντέλικετ) αγενής, προσβλητικός, χυδαίος
indemnification (ιντεμνιφικέϊσσον) αποζημίωση
indemnifier (ιντέμνιφαϊερ) αποζημιωτής
indemnify (ιντέμνιφάϊ) αποζημιώνω
indemnity (ιντέμνιτι) αποζημίωση
indent (ιντέντ) κόβω οδοντωτά, **-ed** οδοντωτός, **-ation** οδόντωση
indenture (ιντέντσουρ) συμβόλαιο
independence (ιντιπέντενς) ανεξαρτησία
independent (ιντιπέντεντ) ανεξάρτητος
indescribable (ιντισκράϊμπαμπλ) απερίγραπτος
indestructible (ιντιστράκτιμπλ) ακατάλυτος, ακατάστρεπτος
indeterminable (ιντετέρμιναμπλ) απροσδιόριστος
indeterminate (ιντετέρμινέϊτ) αόριστος, **-ness** αοριστία
indetermination (ιντετέρμινέϊσσον) αοριστία
index (ίντεξ) πίνακας, δείκτης (δάκτυλο), ευρετήριο, συντάσσω
India (ίντια) Ινδία, **-rubber** ελαστικό κόμμι
Indian (ίντιαν) Ινδός, ινδιάνος, **-corn** αραβόσιτος, **-giver** δωρητής που δέχεται πίσω το δώρο του, **-ink** μαύρο μελάνι, **-summer** ζεστό φθι-

νόπωρο
indicant (ίντικαντ) δηλωτικός, δηλωτικό
indicate (ιντικέϊτ) δηλώνω, δείχνω
indication (ιντικέϊσσον) ένδειξη
indicative (ιντικέϊτιθ) ενδεικτικός, δηλωτικός, εκδηλωτικός, οριστική έγκλειση
indicator (ιντικέϊτορ) δείκτης, **-y** ενδεικτικός
indices (ίντισιζ) πληθ. του index
indict (ιντάϊτ) παραπέμπω, καταγγέλλω, ενάγω, **-er, -or** μηνυτής, **-ment** καταγγελία
indifference (ιντίφερενς) αδιαφορία
indifferent (ιντίφερεντ) αδιάφορος
indigence (ίντιτζενς) φτώχεια
indigenous (ιντίντζινας) εγχώριος, ντόπιος
indigent (ίντιντζεντ) φτωχός, άπορος
indigestible (ιντιτζέστιμπλ) δύσπεπτος
indigestion (ιντιτζέσσον) δυσπεψία
indignant (ιντίγκναντ) αγανακτισμένος
indignation (ιντιγκνέϊσσον) αγανάκτηση
indignity (ιντίγκνιτι) βρισιά
indigo (ιντιγκόου) λουλάκι
indirect (ιντάϊρέκτ) πλάγιος, έμμεσος, **-ion** πλάγια μέσα
indiscernible (ιντιζέρνιμπλ) δυσδιάκριτος
indiscipline (ιντίσιπλιν) απειθαρχία
indiscreet (ιντισκρίτ) αδιάκριτος, **-ness** αδιακρισία
indiscretion (ιντισκρέσσον) αδιακρισία
indiscriminate (ιντισκρίμινιτ) αδιάκριτος
indispensable (ιντισπένσαμπλ) αναγκαίος, απαραίτητος
indispensably (ιντισπένσαμπλι) απαραίτητα
indispose (ιντισπόουζ) αχρηστεύω,

-d αδιάθετος, απρόθυμος
indisposition (ιντισποζίσσαν) αδιαθεσία
indisputable (ιντίσπιουταμπλ) αναμφισβήτητος
indissoluble (ιντισόλιουμπλ) αδιάλυτος
indistinct (ιντίστινκτ) ασαφής, -ness ασάφεια
indistinguishable (ιντιστίνγκουισσαμπλ) δυσδιάκριτος
indite (ιντάϊτ) συνθέτω, συντάσσω, -ment σύνταξη
individual (ιντιβίτζουαλ) άτομο, μόνος, ατομικός, -ism ατομικισμός, -ist ατομικιστής, -ity ατομικότητα, -ize εξατομικεύω, αναφέρω χωριστά
indivisibility (ιντιβιζιμπίλιτι) μη διαιρετότητα
indivisible (ιντιβίζιμπλ) αδιαίρετος
indoctrinate (ιντόκτρινέϊτ) διδάσκω τα δόγματα
indoctrination (ιντοκτρινέϊσσον) κατήχηση
indolence (ίντολενς) αδράνεια, νωθρότητα, νωχέλεια
indolent (ίντολεντ) αδρανής, αμελής
indomitable (ιντόμιταμπλ) ατίθασος
indoor (ιντόρ) εσωτερικός, -s μέσα στο σπίτι
indorse (ιντόρς) επιδοκιμάζω, γράφω πίσω από
indraft (ιντράφτ) εισροή
indubitable (ιντιούμπιταμπλ) αναμφίβολος, βέβαιος
induce (ιντιούς) παροτρύνω, παρακινώ, επηρεάζω, επιφέρω, -ment παρακίνηση, -r παρακινητής
induct (ιντάκτ) εισάγω, εγκαθιστώ, στρατολογώ, -ive επαγωγικός, -ee νεοσύλλεκτος, -ivity, -iveness επαγωγικότητα, -ion εγκαθίδρυση, συμπέρασμα, στρατολόγηση
indue (ιντιού) ντύνω, προικίζω
indulge (ιντάλτζ) παραδίδομαι σε,

-nce επιείκεια, άφεση, -nt επιεικής
indurate (ιντιουρέϊτ) σκληρύνω
induration (ιντιουρέϊσσον) σκλήρυνση
industrial (ιντάστριαλ) βιομηχανικός, -ism βιομηχανικό σύστημα, -ist βιομήχανος, -ize βιομηχανοποιώ, -ization εκβιομηχάνηση
industrious (ιντάστριας) εργατικός, επιμελής
industry (ίνταστρι) βιομηχανία, εργατικότητα
indwell (ιντουέλ) ενοικώ
inebriate (ινέμπριέϊτ) μεθώ, μέθυσος
inebriation (ινέμπριέϊσσον) μέθη
inebriety (ινιμπράϊετι) μέθη
inedible (ινέντιμπλ) μη βρώσιμος
inedited (ινέντιτιντ) ανέκδοτος
ineffable (ινέφαμπλ) ανέκφραστος
ineffaceable (ινεφέϊσαμπλ) ανεξάλειπτος, άσβεστος
ineffective (ινεφέκτιθ) μη αποτελεσματικός, ανώφελος, -ness αναποτελεσματικότητα
ineffectual (ινεφέκτσουαλ) χωρίς αποτέλεσμα
inefficacious (ινέφικέϊσσας) μη αποτελεσματικός
inefficiency (ινεφίσσενσι) ανικανότητα, ανεπάρκεια
inefficient (ινεφίσσεντ) ανίκανος, μη αποδοτικός
inelastic (ινελάστικ) μη ελαστικός
inelegance (ινέλιγκανς) έλλειψη χάρης και κομψότητα
inelegant (ινέλιγκαντ) άκομψος
ineligible (ινέλιτζιμπλ) ακατάλληλος, μη εκλέξιμος
ineloquent (ινελόκουεντ) μη εύγλωττος
ineluctable (ινιλάκταμπλ) ακαταμάχητος, αναπόφευκτος
inept (ινέπτ) απρεπής, ανόητος, ανάρμοστος, -ness, -itude απρέπεια
inequitable (ινέκουιταμπλ) άδικος
inequity (ινεκούιτι) αδικία

ineradicable (ινιράντικαμπλ) ανεκρίζωτος
inerrable (ινέραμπλ) αλάθητος
inert (ινέρτ) αδρανής, **-ness** αδράνεια
inertia (ινέρσσα) αδράνεια
inescapable (ινεσκέϊπαμπλ) αναπόφευκτος
inestimable (ινέστιμαμπλ) ανεκτίμητος
inevitable (ινέβιταμπλ) αναπόφευκτος
inevitability (ινέβιταμπίλιτι) το αναπόφευκτο
inexact (ινεγκζάκτ) ανακριβής
inexcusable (ινεξκιούζαμπλ) ασυγχώρητος
inexhaustible (ινεγκζόστιμπλ) ανεξάντλητος
inexorable (ινέξοραμπλ) άσπλαχνος, αδυσώπητος
inexpedient (ινεξπίντιεντ) ακατάλληλος, ανάρμοστος, ασύνετος
inexpensive (ινεξπένσιβ) οικονομικός, φθηνός, **-ness** φθήνεια
inexperience (ινεξπίριενς) έλλειψη πείρας, **-d** άπειρος
inexpert (ινεξπέρτ) άπειρος
inexpiable (ινέξπιαμπλ) ανεξιλέωτος
inexplicable (ινέξπλικαμπλ) ανεξήγητος
inexplicit (ίνεξπλίσιτ) ασαφής
inexplorable (ινέξπλοραμπλ) ανεξερεύνητος
inexpressible (ινεξπρέσιμπλ) ανέκφραστος
inexpressive (ινεξπρέσιβ) μη εκφραστικός, **-ness** έλλειψη εκφραστικότητας
inextinguishable (ινεξτίνγκουισσαμπλ) άσβεστος
inextricable (ινέξτρικαμπλ) άλυτος, αξεμπέρδευτος
infallible (ινφάλιμπλ) αλάθητος
infallibility (ινφάλιμπίλιτι) το αλά-

θητο
infamous (ινφέϊμας) κακόφημος
infamy (ίνφαμι) ατιμία
infancy (ίνφανσι) νηπιακή ηλικία
infant (ίνφαντ) νήπιο
infanticide (ινφάντισάϊντ) βρεφοκτονία, βρεφοκτόνος
infantile (ινφαντάϊλ) νηπιακός
infantilism (ινφάντιλιζμ) νηπιοπρέπεια
infantry (ίνφαντρι) πεζικό, **-man** πεζός στρατιώτης
infatuate (ινφάτσουέϊτ) τρελαίνω, τρελός (από έρωτα)
infatuation (ινφάτσουέϊσσον) τρέλα από έρωτα
infeasible (ινφίζιμπλ) ακατόρθωτος
infect (ινφέκτ) μολύνω, **-ive** μολυσματικός, **-ion** μόλυνση, **-ious** μολυσματικός, κολλητικός
infelicitous (ινφελίσιτας) ανεπιτυχής
infelicity (ινφελίσιτι) ατυχία
infer (ινφέρ) συμπεραίνω, **-able** αυτός που μπορεί να συμπεραθεί, **-ably** συμπερασματικά, **-ence** πόρισμα, συμπέρασμα, **-ential** συμπερασματικός
inferior (ινφίριορ) κατώτερος, **-ity** κατωτερότητα
infernal (ινφέρναλ) καταχθόνιος, σατανικός
inferno (ινφέρνο) κόλαση, άδης
infertile (ινφερτάϊλ) άγονος
infertility (ινφερτίλιτι) αφορία
infest (ινφέστ) ενοχλώ, βρίσκομαι σε μεγάλες ποσότητες (γιά κάτι δυσάρεστο), **-ation** ενόχληση, κάκωση
infidel (ίνφιντελ) άπιστος, **-ity** απιστία
infiltrate (ινφιλτρέϊτ) διηθώ, -ούμαι, διεισδύω
infiltration (ινφιλτρέϊσσον) διήθηση, διείσδυση
infiltrative (ινφιλτρέϊτιβ) διηθητι-

κός
infinite (ίνφινιτ) ατελείωτος, απέραντος, **-ness** το άπειρο, **-simal** πάρα πού μικρός
infinitive (ινφίνιτιθ) απαρέμφατο
infinitude (ινφίνιτιουντ) το άπειρο
infinity (ινφίνιτι) το άπειρο
infirm (ινφέρμ) ανάπηρος, ασθενής, ασταθής
infirmary (ινφέρμαρι) νοσοκομείο
infirmity (ινφέρμιτι) αδυναμία, ασθένεια
infix (ινφίξ) στερεώνω, μπήγω, εντυπώνω
inflame (ινφλέϊμ) φλέγω, ερεθίζω
inflammable (ινφλάμαμπλ) εύφλεκτος
inflammation (ινφλαμέϊσσον) φλόγωση, ερεθισμός ή πρήξιμο στο σώμα
inflammatory (ινφλάματόρι) φλογερός, ερεθιστικός, εμπρηστικός
inflate (ινφλέϊτ) φυσώ, φουσκώνω
inflation (ινφλέϊσσον) φούσκωμα, φύσημα, πληθωρισμός
inflationary (ινφλέϊσσονέρι) πληθωριστικός
inflationist (ινφλέϊσσονιστ) πληθωριστής, ο ευνοών τον πληθωρισμό
inflect (ινφλέκτ) λυγίζω, κάμπτω, **-ive** εύκαμπτος, **-ion** κλίση
inflexible (ινφλέξιμπλ) αλύγιστος, άκαμπτος, **-ness, inflexibility** ακαμψία
inflict (ινφλίκτ) επιβάλλω, **-ion** επιβολή
inflorescence (ινφλόρεσενς) άνθηση
inflorescent (ινφλόρεσεντ) ανθισμένος
inflow (ινφλόου) εισροή
influence (ίνφλουενς) επιρροή, επηρεάζω
influential (ινφλουένσσαλ) ο ασκών επιρροή
influenza (ινφλουένζα) γρίπη
influx (ινφλάξ) εισροή

infold (ινφόλντ) τυλίγω, διπλώνω
inform (ινφόρμ) πληροφορώ, **-er, -ant** πληροφορητής, **-ative πληροφοριακός, -ation** πληροφορία
informal (ινφόρμαλ) ανεπίσημος, **-ity** μη επισημότητα
infracostal (ινφρακάσταλ) κάτω απ' τα πλευρά
infraction (ινφράκσον) παράβαση
infrangible (ινφράντζιμπλ) άθραυστος
infrared (ίνφραρέντ) υπερέρυθρος
infrequency(e) (ινφρίκουενσι) σπανιότητα
infrequent (ινφρίκουεντ) σπάνιος
infringe (ινφρίντζ) παραβιάζω, παρανομώ, καταπατώ, **-ment** παραβίαση, καταπάτηση, **-r** παραβάτης
infuriate (ινφιούριέϊτ) εξαγριώνω
infuriation (ινφιούριέϊσσον) εξαγρίωση
infuse (ινφιούζ) ενσταλάζω, εκχύνω
infusible (ινφιούζιπλ) άτηκτος
infusion (ινφιούζον) έκχυση
ingathering (ινγκάδερινγκ) συγκομιδή
ingenious (ιντζίνιας) έξυπνος, εφευρετικός, **-ness** ευφυΐα
ingenuity (ιντζινιούιτι) ευφυΐα, πνεύμα
ingenuous (ιντζένιουας) αφελής, **-ness** αφέλεια
ingest (ιντζέστ) βάζω τροφή στο στομάχι
inglorious (ινγκλόουριας) άδοξος, ντροπιασμένος
ingoing (ινγκόουινγκ) εισερχόμενος
ingot (ίνγκατ) όγκος μετάλλου
ingraft (ινγκράφτ) εμβολιάζω, κεντρίζω
ingrain (ινγκρέϊν) εμποτίζω
ingrate (ινγκρέϊτ) αχάριστος
ingratiate (ινγκρέϊσιέϊτ) oneself with αποκτώ την εύνοια
ingratitude (ινγκράτιτιουντ) αχαριστία

ingredient (ινγκρίντιεντ) συστατικό
ingress (ίνγκρες) είσοδος
ingroup (ινγκρούπ) ομάδα ατόμων που κείται εχθρικά προς άτομα που δεν είναι μέλη της
ingrown (ινγκρόουν) ανεπτυγμένος προς τα μέσα
inguinal (ινγκούιναλ) βουβωνικός
ingulf (ινγκάλφ) καταπίνω, ρουφώ
inhabit (ινχάμπιτ) κατοικώ, ζώ, **-able** κατοικήσιμος, **-ant** κάτοικος
inhalant (ινχέϊλαντ) εισπνευστικό (φάρμακο)
inhalation (ινχαλέϊσσαν) εισπνοή
inhale (ινχέϊλ) εισπνέω, **-r** εισπνευστήρας, αυτός που εισπνέει
inharmonious (ινχαρμόουνιας) μη αρμονικός
inharmonic(al) (ινχάρμινικ, -αλ) παράφωνος
inhere (ινχίαρ) είμαι φυσικό τμήμα (κάποιου)
inherent (ινχίρεντ) σύμφυτος
inherit (ινχέριτ) κληρονομώ, **-or** κληρονόμος, **-ance** κληρονομιά
inhibit (ινχίμπιτ) εμποδίζω, **-ive, -ory** απαγορευτικός, **-ion** απαγόρευση
inhospitable (ινχόσπιταμπλ) αφιλόξενος
inhuman (ινχιούμαν) απάνθρωπος, **-ity** απανθρωπιά
inhume (ινχιούμ) θάβω
inimical (ινίμικαλ) εχθρικός
inimitable (ινίμιταμπλ) αμίμητος
iniquitous (ινίκουιτας) άνομος, άδικος
iniquity (ινίκουιτι) αδικία
initial (ινίσσαλ) αρχικός, υπογράφω με αρχικά γράμματα, **-s** αρχικά γράμματα ονόματος
initiate (ινίσιέϊτ) εισάγω, μυώ
initiation (ινισιέϊσσον) μύηση
initiative (ινίσσατιβ) πρωτοβουλία
initiator (ινίσιέϊτορ) μυητής, **-y** μυητικός, αρχικός

inject (ιντζέκτ) κάνω ένεση, **-ion** ένεση
injudicious (ιντζουντίσσας) ασύνετος
injunction (ιντζάνκσαν) διαταγή, ένταλμα απαγόρευσης
injure (ίντζαρ) βλάπτω, πληγώνω
injurious (ιντζούριας) βλαβερός
injury (ίντζαρι) βλάβη, πληγή
injustice (ιντζάστις) αδικία
ink (ίνκ) μελάνι
inkling (ίνκλινγκ) υπαινιγμός, υποψία, νύξη
inkstand, inkwell (ίνκσταντ, ίνκουέλ) μελανοδοχείο
inky (ίνκι) μελανώδης
inlaid (ινλέϊντ) πεποικιλμένος, αυτό που προστίθεται σε κάτι άλλο γιά διακόσμηση
inland (ίνλαντ) εσωτερικό χώρας
in-law (ίν λό) συγγενής εξ αγχιστείας
inlay (ινλέϊ) διαποικίλλω, ψηφιδώνω, ψηφιδωτό
inlet (ίνλετ) είσοδος λιμανιού, όρμος
inmate (ίνμέϊτ) ένοικος, συγκάτοικος, τρόφιμος ιδρύματος
inmemoriam (ινμεμόουριαμ) στη μνήμη του / της
inmost (ινμόουστ) ενδότατος
inn (ίν) χάνι, πανδοχείο, **-keeper** ξενοδόχος
innate (ινέϊτ) έμφυτος
inner (ίνερ) εσωτερικός, **-most** ενδώτατος
inning (ίνινγκ) σειρά (σε παιχνίδι)
innocence (ίνοσενς) αθωότητα
innocent (ίνοσεντ) αθώος
innocuous (ινόκιουας) αβλαβής
innominate (ινόμινέϊτ) ανώνυμος
innovate (ινοβέϊτ) νεωτερίζω, καινοτομώ
innovator (ινοβέϊτορ) καινοτόμος, νεωτεριστής
innovation (ινοβέϊσσον) νεωτερι-

σμός, -ist νεωτεριστής, -al, innovative νεωτεριστικός
innoxious (ινόκσσας) αβλαβής
innuendo (ινιουέντοου) υπαινιγμός εναντίον κάποιου
innumerable (ινιούμεραμπλ) αναρίθμητος
inobservable (ινομπζέρθαμπλ) απαρατήρητος
inoculate (ινόκιουλέϊτ) εμβολιάζω, κεντρίζω
inoculation (ινοκιουλέϊσσον) εμβολιασμός
inoculator (ινοκιουλέϊτορ) εμβολιαστής
inodorous (ινόουντορας) άοσμος
inoffensive (ινοφένσιθ) αβλαβής, άκακος
inofficial (ινοφίσσαλ) ανεπίσημος
inoperative (ινοπερέϊτιθ) αδρανής
inopportune (ινόπορτιουν) άκαιρος
inordinate (ινόορντιντ) υπερβολικός
inorganic (ινοργκάνικ) ανόργανος
input (ινπούτ) εισαγωγή, το εισαγόμενο
inquest (ινκουέστ) έρευνα
inquietude (ινκουάϊετιουντ) ανησυχία
inquire (ινκουάϊαρ) ρωτάω, εξετάζω, ανακρίνω, -r ανακριτής
inquiring (ινκουάϊρινγκ) εξεταστικός, ερευνητικός
inquiry (ινκουάϊρι) ερώτηση, εξέταση, αναζήτηση πληροφοριών
inquisition (ινκουιζίσσαν) ανάκριση
inquisitive (ινκουίζιτιθ) εξεταστικός
inquisitor (ινκουίζιτορ) ανακριτής
inroad (ινρόουντ) εισβολή
inrush (ινράσσ) εισόρμηση
insalubrious (ινσαλούμπριας) ανθυγιεινός
insane (ινσέϊν) τρελός, παράφρων
insanitary (ινσάνιτέρι) ανθυγιεινός
insanity (ινσάνιτι) παραφροσύνη, τρέλα

insatiable (ινσέϊσσαμπλ) ακόρεστος, άπληστος, -ness απληστία
insatiably (ινσέϊσσαμπλι) ακόρεστα
insatiate (ινσέϊσσιετ) ακόρεστος
inscribe (ινσκράϊμπ) επιγράφω
inscription (ινσκρίπσαν) επιγραφή, αφιέρωση (βιβλίου)
inscrutable (ινσκρούταμπλ) ανεξερεύνητος
insect (ίνσεκτ) έντομο, -icide εντομοκτόνο, -ivorous εντομοφάγος
insecure (ινσεκιούρ) επικίνδυνος, επισφαλής
insecurity (ινσεκιούριτι) ανασφάλεια, το επισφαλές
inseminate (ινσέμινέϊτ) γονιμοποιώ
insemination (ινσέμινέϊσσον) γονιμοποίηση
insensate (ινσένσιτ) ανόητος, αναίσθητος, -ness αναισθησία
insensibility (ινσένσιμπίλιτι) αναισθησία
insensible (ινσένσιμπλ) αναίσθητος, αγνοών, ανεπαίσθητος
insensitive (ινσένσιτιθ) αναίσθητος, απαθής, -ness αναισθησία, απάθεια
insentient (ινσένσιεντ) αναίσθητος
inseparable (ινσέπαραμπλ) αχώριστος
insert (ινσέρτ) παρεμβάλλω, καταχωρώ, -ion παραχώρηση
inset (ίνσετ) προσθήκη, παρεμβάλλω, βάζω μέσα
inshore (ινσόσουρ) παραλιακός
inside (ινσάϊντ) μέσα, εσωτερικός, -r ο βρισκόμενος μέσα
insidious (ινσίντιας) ύπουλος, -ness υπουλότητα
insight (ινσάϊτ) διαίσθηση
insignia (ινσίγνια) εμβλήματα
insignificant (ινσιγκνίφικαντ) ασήμαντος
insincere (ινσινσίαρ) ανειλικρινής
insincerity (ινσινσέριτι) ανειλικρίνεια
insinuate (ινσίνιουέϊτ) υπαινίσσο-

μαι

insinuative (ινσίνιουέϊτιβ) υπαινι-
κτικός

insinuation (ινσίνιουέϊσσαν) υπαι-
νιγμός

insipid (ινσίπιντ) ανούσιος, άνο-
στος, αηδιαστικός

insist (ινσίστ) επιμένω, **-ence** επιμο-
νή, **-ent** επίμονος

insnare (ινσνέαρ) παγιδεύω, σαγη-
νεύω

insobriety (ινσομπράϊετι) μέθη

insolence (ίνσολενς) αυθάδεια

insolent (ίνσολεντ) αυθάδης

insoluble (ίνσολιουμπλ) άλυτος,
αδιάλυτος, **-ness** η μη διαλυτότητα

insolvable (ινσόλβαμπλ) άλυτος

insolvency (ινσόλβενσι) χρεοκοπία,
έλλειψη χρημάτων

insolvent (ινσόλβεντ) ο μη έχων αρ-
κετά χρήματα γιά να πληρώσει τα
χρέη του

insomnia (ινσόμνια) αϋπνία

insomnious (ινσόμνιας) αυτός που
υποφέρει από αϋπνία

insomuch (ίνσοουμάτς) τόσο ώστε

insouciance (ινσούσσιανς) ξενοια-
σιά

insouciant (ινσούσιαντ) ξένοιαστος

inspect (ινσπέκτ) επιθεωρώ, **-ion** επι-
θεώρηση, **-or** επιθεωρητής

inspiration (ινσπαϊρέϊσσον)
έμπνευση

inspire (ινσπάϊαρ) εμπνέω, **-r**
εμπνευστής

inspiring (ινσπάϊρινγκ) ο προκαλών
έμπνευση

inspirit (ινσπίριτ) εμψυχώνω

inspissate (ινσπισέϊτ) συμπυκνώνω
με εξάτμιση

instability (ινσταμπίλιτι) αστάθεια

install (ινστόλ) εγκαθιστώ, **-ation**
εγκαθίδρυση, εγκατάσταση, **-ment**
δόση πληρωμής

instance (ίνστανς) παράδειγμα

instant (ίνσταντ) στιγμή, παρών,

επείγων, **-ly** στιγμιαία

instantaneous (ινσταντέϊνιας) στιγ-
μιαίος, ακαριαίος

instate (ινστέϊτ) τοποθετώ, εγκαθι-
στώ, **-ment** εγκατάσταση

instauration (ινστορέϊσσον) ανα-
νέωση

instead (ινστέντ) αντί

instep (ίνστέπ) ταρσός

instigate (ίνστιγκέϊτ) υποκινώ

instigation (ινστιγκέϊσσον) υποκί-
νηση

instigator (ίνστιγκέϊτορ) υποκινη-
τής

instill (ινστίλ) ενσταλάζω, βάζω στο
μυαλό κάποιου

instinct (ίνστινκτ) ένστικτο, **-ive** εν-
στινκτώδης

institute (ίνστιτσουτ) ιδρύω, θεσπί-
ζω, εκπαιδευτήριο, ινστιτούτο

institution (ινστιτσούσσον) ίδρυμα,
ίδρυση, **-al** ο ανήκων σε ίδρυμα

institutor, -er (ινστιτσούτορ, **-ερ**)
ιδρυτής

instruct (ινστράκτ) διδάσκω, **-ive** δι-
δακτικός, **-or** διδάσκαλος, **-ion** διδα-
σκαλία, **-ions** οδηγίες

instrument (ίνστραμεντ) όργανο, **-al**
οργανικός, συντελεστικός, **-alist** ορ-
γανοπαίκτης

insubordinate (ινσαμπόουρντινετ)
ανυπάκουος, ανυπότακτος

insubordination (ινσαμπόρντινέϊσ-
σον) απειθαρχία

insubstantial (ινσαμπστάνσσαλ)
επουσιώδης, αβάσιμος

insufferable (ινσάφεραμπλ) ανυ-
πόφορος

insufficiency (ινσαφίσσενσι) ανε-
πάρκεια

insufficient (ινσαφίσσεντ) ανεπαρ-
κής

insular (ίνσουλαρ) νησιώτης, νη-
σιωτικός, στενόμυαλος, **-ity, -ism**
στενότητα πνεύματος

insulate (ινσουλέϊτ) απομονώνω

insulation (ινσουλέϊσσον) απομό-
νωση
insulin (ίνσουλιν) ινσουλίνη
insult (ινσάλτ) βρίζω, προσβάλλω,
βρισιά, -ing υβριστικός, προσβλη-
τικός, -er υβριστής
insuperable (ινσούπεραμπλ) ανυ-
πέρβλητος
insupportable (ινσαπόρταμπλ) ανυ-
πόφορος
insurance (ίνσσουρανς) ασφάλεια,
ασφάλιση
insure (ινσούρ) ασφαλίζω, -r
ασφαλιστής
insurgence (ινσέρτζενς) ανταρσία,
στάση
insurgent (ινσέρτζεντ) αντάρτης,
στασιαστής
insurmountable (ινσερμάουνταμπλ)
ανυπέρβλητος
insurrection (ινσαρέκσαν) επανά-
σταση, -ist αντάρτης, -al, -ary επα-
ναστατικός, αντάρτικος
intact (ίντακτ) άθικτος
intaglio (ιντάλιου) σκάλισμα
intake (ιντέϊκ) το εισερχόμεο, είσο-
δος (υγρού) σε σωλήνα
intangible (ιντάντζιμπλ) άθικτος,
άυλος, αόριστος
integer (ίντετζερ) ακέραιος αριθμός
integral (ιντέγκραλ) ακέραιος, ολο-
κληρωτικός, -calculus ολοκλήρωμα
(μαθηματικά)
integrate (ιντιγκρέϊτ) ολοκληρώνω
integration (ιντιγκρέϊσσον) ολο-
κλήρωση
integrity (ιντέγκριτι) ακεραιότητα
integument (ιντέγκιουμεντ) κάλυμ-
μα, δέρμα, υμένας
intellect (ίντελεκτ) διάνοια, -ual δια-
νοούμενος, διανοητικός, -uali-
ty,-ualism διανοητικότητα, -ualist
διανοούμενος
intelligence (ιντέλιτζενς) διάνοια,
εξυπνάδα, πληροφορία, είδηση
intelligent (ιντέλιτζεντ) έξυπνος

intelligentsia (ιντελιτζένσια) οι δια-
νοούμενοι (κοροϊδευτικά)
intelligible (ιντέλιτζιμπλ) καταλη-
πτός, κατανοητός
intemperance (ιντέμπερανς) ακο-
λασία
intemperate (ιντέμπερέϊτ) μέθυσος,
ακράτητος, -ness ακράτεια, υπερβο-
λή στη συμπεριφορά
intend (ιντέντ) σκοπεύω, -ancy
διεύθυνση, -ant διευθυντής, -ed μελ-
λοντικός σύζυγος
intense (ιντένς) έντονος
intensification (ιντενσιφικέϊσσον)
επίταση
intensify (ιντένσιφάϊ) επιτείνω
itensity (ιτένσιτι) ένταση
intensive (ιντένσιθ) εντατικός,
σφοδρός
intent (ιντέντ) πρόθεση, (on, upon)
αφοσιωμένος, προσηλωμένος, -ly
προσεκτικά
intention (ιντένσον) πρόθεση, σκο-
πός, -al σκόπιμος, εκ προθέσεως
inter (ιντέρ) θάβω
inter - (ιντερ-) (πρόθεμα) μεταξύ
interact (ιντεράκτ) επιδρώ αμοιβαία
interaction (ιντεράκσον) αλληλε-
πίδραση
interbreed (ιντερμπρίιντ) διασταυ-
ρώνω γένη ή ράτσες
intercalary (ιντερκαλέρι) ένθετος
intercalate (ιντερκαλέϊτ) βάζω εν-
διάμεσα, ενθέτω
intercede (ιντερσίιντ) μεσολαβώ
intercellular (ιντερσέλιουλαρ) με-
σοκυττάριος
intercept (ιντερσέπτ) συλλαμβάνω,
διακόπτω, παρεμποδίζω, -or μικρό
και γρήγορο στρατιωτικό αερο-
πλάνο, -ion παρεμπόδιση, διακοπή
intercession (ιντερσέσσον) μεσο-
λάβηση
intercessor (ιντερσέσορ) μεσολαβη-
τής, μεσίτης
interchange (ιντερτσέϊντζ) ανταλ-

λάζω, ανταλλαγή, συναλλαγή, -able
ανταλλάξιμος
intercity (ιντερσίτι) ο ταξιδεύων με-
ταξύ των πόλεων
intercollegiate (ιντερκολίτζιετ) ο γε-
νόμενος μεταξύ των πανεπιστημίων
intercommunicate (ιντερκομιούνι-
κέϊτ) επικοινωνώ
intercommunication (ιντερκομιούνι-
κέϊσσον) εσωτερική τηλεφωνική
επικοινωνία
interconnect (ιντερκονέκτ) αλλη-
λοσυνδέω
intercontinental (ιντερκοντινένταλ)
διηπειρωτικός
intercourse (ιντρεκόουρς) επικοι-
νωνία
interdenominational (ιντερντινόμι-
νέϊσσοναλ) μεταξύ των δογμάτων ή
θρησκευτικών αιρέσεων
interdependence (ιντερντιπέντενς)
αλληλεξάρτηση
interdependent (ιντερντιπέντεντ)
αλληλοεξαρτώμενος
interdict (ιντερντίκτ) απαγόρευση,
απαγορεύω, -ion απαγόρευση, -ory
απαγορευτικός
interest (ίντερεστ) ενδιαφέρον, τό-
κος, συμφέρον, ενδιαφέρω, -ing εν-
διαφέρων, -ed ενδιαφερόμενος
interfere (ιντερφίαρ) επεμβαίνω, πα-
ρεμβαίνω, -nce επέμβαση, παρέμβα-
ση, παρεμβολή
interfuse (ιντερφιούζ) διαχύνω, -ο-
μαι
interfusion (ιντερφιούζον) διάχυση
intergalactic (ιντεργκαλάκτικ) ο
συμβαίνων μεταξύ γαλαξιών
interim (ίντεριμ) προσωρινός / in
the interim: εν τω μεταξύ
interior (ιντίριορ) εσωτερικός,
εσωτερικό
interject (ιντερτζέκτ) διακόπτω, πα-
ρεμβάλλω, -ion παρεμβολή, επιφώ-
νημα, -ional επιφωνηματικός
interlace (ιντερλέϊσ) περιπλέκω,

μπερδεύω
interlard (ιντερλάρντ) διαποικίλ-
λω, αναμιγνύω, -ment ανάμιξη,
διαποίκιλση
interlay (ιντερλέϊ) διαποικίλλω
interleave (ιντερλίβ) παρεμβάλλω
σελίδες
interline (ιντερλάϊν) γράφω μεταξύ
των γραμμών
interlinear (ιντερλίνιαρ) γραμμένος
μεταξύ των γραμμών
interlink (ιντερλίνκ) συνδέω
interlocation (ιντερλοκέϊσσον) πα-
ρεμβολή
interlock (ιντερλόκ) συναρμόζω, αλ-
ληλοσυνδέω, -ομαι
interlocutor (ιντερλόκιουτορ) συ-
νομιλητής, -y προδικαστικός, δια-
λογικός
interlocution (ιντερλοκούσσον)
διάλογος
interlope (ιντερλόουπ) διεισδύω, -r
ο εισερχόμενος χωρίς να έχει το
δικαίωμα
interlude (ιντερλούντ) διάλειμμα,
μουσική που ακόγεται στα διαλείμ-
ματα (κινηματογράφου κτλ.)
intermarriage (ιντερμάριτζ) επιγα-
μία
intermarry (ιντερμάρι) συνδέομαι
με γάμο (μεταξύ συγγενών)
intermeddle (ιντερμέντλ) επεμβαίνω
intermediary (ιντερμίντιερι) μεσο-
λαβητής, μεσάζων, μεσαίος
intermediate (ιντερμίντιετ) μεσαίος
intermezzo (ιντερμέτσο) μουσική
κατά τα διαλείμματα
interminable (ιντέρμιναμπλ) ατε-
λείωτος
intermingle (ιντερμίνγκλ) αναμι-
γνύω, -ομαι
intermission (ιντερμίσσαν) διακοπή
intermit (ιντερμίτ) διακόπτω, -tent
ασυνεχής, διακοπτόμενος
intermix (ιντερμίξ) ανακατεύω, -ο-
μαι, -ture μίγμα

intern (ιντέρν) νέος και άπειρος για-
τρός νοσοκομείου
internal (ιντέρναλ) εσωτερικός
international (ιντερνάσσοναλ) διε-
θνής, -ism διεθνισμός, -ist διεθνι-
στής, -ize διεθνοποιώ, -ization διε-
θνοποίηση
internecine (ιντερνίσιν) αλληλο-
κτόνος
internee (ιντερνίι) αιχμάλωτος
internment (ιντέρνμεντ) αιχμαλω-
σία
interpersonal (ιντερπέρσοναλ) δια-
προσωπικός
interplanetary (ιντερπλάνιτέρι) δια-
πλανητικός
interplay (ιντερπλέϊ) συνεργασία
interpolate (ιντερπολέϊτ) πλαστο-
γραφώ, προσθέτω (λέξεις)
interpolation (ιντερπολέϊσσον) πα-
ρεμβολή
interpose (ιντερπόουζ) μεσολαβώ,
παρεμβαίνω, παρεμβάλλω
interposition (ιντερποζίσσον) μεσο-
λάβηση, επέμβαση
interpret (ιντερπρέτ) διερμηνεύω,
εξηγώ, -ive εξηγητικός, -ation ερμη-
νεία, -er διερμηνέας
interracial (ιντερρέϊσσαλ) διαφυ-
λετικός
interregnum (ιντερέγκναμ) μεσο-
βασιλεία
interrelate (ιντεριλέϊτ) αλληλο-
σχετίζω
interrelation (ιντεριλέϊσσον) αλλη-
λοσυσχέτιση
interrogate (ιντερογκέϊτ) ρωτώ
inerrogation (ιντερογκέϊσσον) ερώ-
τηση, -point, -mark ερωτηματικό
interrogative (ιντερόγκατιβ) ερωτη-
ματικός
interrogator (ιντερογκέϊτορ) αυτός
που ρωτάει
interrupt (ιντεράπτ) διακόπτω, -ion
διακοπή
intersect (ιντερσέκτ) διατέμνω, -ion

διατομή, διασταύρωση
intersperse (ιντερσπέρς) διασπείρω,
σκορπίζω
interspersion (ιντερσπέρσον)
διασπορά
interstate (ιντερστέϊτ) ο συμβαίνων
μεταξύ πολιτειών
interstellar (ιντερστέλαρ) ο συμ-
βαίνων μεταξύ αστέρων
interstice (ιντέρστις) χαραμάδα, μι-
κρό άνοιγμα
intertwine (ιντερτουάϊν) μπερδεύω
intertwist (ιντερτουίστ) συστρέφω
interurban (ιντερέρμπαν) μεταξύ
πόλεων
interval (ίντερβαλ) διάλειμμα,
διάστημα
intervene (ιντερβίν) μεσολαβώ,
επεμβαίνω, -r μεσολαβητής
intervention (ιντερβένσον) μεσολά-
βηση, επέμβαση, -al μεσολαβητικός
interview (ιντερβιού) συνέντευξη,
παίρνω συνέντευξη, -ee ερωτώμε-
νος, -er αυτός που παίρνει συ-
νέντευξη
interweave (ιντεργουίβ) συνυφαίνω
intestacy (ιντέστασι) έλλειψη δια-
θήκης
intestate (ιντεστέϊτ) χωρίς διαθήκη
intestinal (ιντέστιναλ) εντερικός
intestine (ιντέστιν) εσωτερικός,
έντερο, -s εντόσθια
inthrall (ινθρόλ) υποδουλώνω
intimacy (ίντιμασι) στενή σχέση,
οικειότητα
intimate (ίντιμετ) στενός, οικείος,
ενδόμυχος, (ίντιμέϊτ) υπαινίσσομαι,
υποδηλώνω, -ness οικειότητα
intimation (ιντιμέϊσσον) υπαινιγμός
intimidate (ιντίμιντέϊτ) τρομάζω,
φοβίζω
intimidator (ιντιμιντέϊτορ) εκφοβι-
στής
intimidation (ιντίμιντέϊσσον) εκ-
φοβισμός
intimity (ιντίμιτι) μοναξιά

into (ίντου) μέσα, μέσα σε
intolerable (ιντόλεραμπλ) ανυπό-
φορος
intolerance (ιντόλερανσ) μισαλλο-
δοξία
intolerant (ιντόλεραντ) μισαλλό-
δοξος
intonation (ιντονέϊσσαν) τόνος
intone (ιντόουν) τονίζω, απαγγέλλω
μουσικά
intoxicant (ιντόξικαντ) μεθυστικός
intoxicate (ιντόξικέϊτ) μαθάω, -d με-
θυσμένος
intoxication (ιντοξικέϊσσον) μέθη
intractable (ιντράκταμπλ) δυσχείρι-
στος, δύσκολος στην αγωγή του
intramural (ίντραμιουλαρ) ο συμ-
βαίνων μέσα σ' ένα χώρο ή οργανι-
σμό
intransigence (ιντράνσιτζενς)
αδιαλλαξία
intransigent (ιντράνσιτζεντ) αδιάλ-
λακτος
intransitive (ιντράνσιτιθ) αμετάβα-
τος
intrastate (ίντραστέϊτ) μέσα στην
πόλη
intravenous (ιντραβίνας) ενδοφλέ-
βιος
intreat (ιντρίτ) ικετεύω
intrepid (ιντρέπιντ) ατρόμητος,
-ity αφοβία
intricacy (ίντρικασι) πολυπλοκό-
τητα
intricate (ίντρικιτ) πολύπλοκος,
μπερδεμένος
intrigue (ιντρίγκ) ραδιουργώ,
σκευωρώ, ραδιουργία, σκευωρία,
-r ραδιούργος
intrinsic(al) (ιντρίνσικ, -αλ) πραγ-
ματικός, εσωτερικός, φυσικός,
αληθινός
intro (ίντρο) σύσταση (introduction)
introduce (ιντροντιούς) παρουσιά-
ζω, εισάγω, συνιστώ
introduction (ιντροντάκσον) εισα-

γωγή, σύσταση
introductory (ιντροντάκτορι) εισα-
γωγικός
introspect (ίντροσπέκτ) ενδοσκοπώ,
-ive ενορατικός, ενδοσκοπικός, -ion
ενδοσκόπηση, ενόραση
introversion (ιντροβέρζαν) εσω-
στρέφεια
introvert (ίντροβερτ) εσωστρεφής
intrude (ιντρούντ) επεμβαίνω, ει-
σέρχομαι απρόσκλητος, -r παρεί-
σακτος
intrusion (ιντρούζαν) εισχώρηση
intrusive (ιντρούσιθ) αυθάδης, ο
ενοχλητικά εισερχόμενος
intrust (ιντράστ) εμπιστεύομαι
intuition (ιντουίσσαν) προαίσθηση,
προαίσθημα
intumescent (ιντιουμέσεντ) πρη-
σμένος
inundate (ινιαντέϊτ) κατακλύζω,
πλημμυρίζω
inundation (ινιαντέϊσσαν) πλημμύρα
inure (ινιούρ) συνηθίζω, σκληρα-
γωγώ
inutility (ινουτίλιτι) αχρηστία
invade (ινβέϊντ) εισβάλλω, -r εισβο-
λέας
invalid (ινβάλιντ) άρρωστος, άκυ-
ρος, -ate ακυρώνω, -ation ακύρωση,
-ity το άκυρο
invaluable (ινβάλιουαμπλ) ανεκτί-
μητος, πολύτιμος
invariable (ινβάριαμπλ) αμετάβλη-
τος, -ness η μη μεταβλητότητα
invariably (ινβάριαμπλι) κατά κα-
νόνα
invasion (ινβέϊζαν) εισβολή
invasive (ινβέϊσιθ) επιδρομικός
invective (ινβέκτιθ) θρισιά, προσβο-
λή, υβριστικός, προσβλητικός
inveigh (ινβέϊ) καταφέρομαι, κατη-
γορώ έντονα
inveigle (ινβίγκλ) δελεάζω, αποπλα-
νώ, ελκύω, -r δελεαστής
invent (ινβέντ) εφευρίσκω, -ive

εφευρετικός, -or εφευρέτης, -ion εφεύρεση
inventory (ινβεντόουρι) καταγραφή εμπορευμάτων
inverse (ινβέρς) αντίθετος, αντίστροφος, -ly αντίστροφα
inversion (ινβέρσον) αντιστροφή
invert (ινβέρτ) αναποδογυρίζω
invertebrate (ινβέρτιμπρετ) ασπόνδυλος
invest (ινβέστ) επενδύω, περιβάλλω, περικυκλώνω, -ment επένδυση, -or επενδυτής
investigate (ινβέστιγκέϊτ) ερευνώ, εξετάζω
investigation (ινβέστιγκέϊσσον) έρευνα, εξέταση
investigator (ινβέστιγκέϊτορ) εξεταστής, ανακριτής
investiture (ινβέστιτσουρ) περιβολή αξιώματος
inveterate (ινβέτεριτ) ριζωμένος, χρόνιος, παλιός
invidious (ινβίντιας) μισητός, φθονερός, -ness απέχθεια
invigorate (ινβίγκορέϊτ) ενισχύω, τονώνω
invigoration (ινβιγκορέϊσσον) τόνωση, ενίσχυση
invigorative (ινβιγκορέϊτιβ) τονωτικός
invigorator (ινβιγκορέϊτορ) τονωτικό
invincible (ινβίνσιμπλ) ανίκητος
inviolable (ινβάϊολαμπλ) ανέπαφος, απαραβίαστος
inviolability (ινβάϊολαμπίλιτι) το απαραβίαστο
inviolate (ινβάϊολιτ) άθικτος
invisible (ινβίζιμπλ) αόρατος
invitation (ινβιτέϊσσον) πρόσκληση
invite (ινβάϊτ) προσκαλώ, -r ο προσκαλών
inviting (ινβάϊτινγκ) ελκυστικός
invocation (ινβοκέϊσσον) επίκληση, παράκληση

invocatory (ινβόουκατρι) παρακλητικός
invoice (ινβόϊς) τιμολόγιο, τιμολογώ
invoke (ινβόουκ) παρακαλώ, επικαλούμαι
involuntarily (ινβόλαντέριλι) ακούσια
involuntary (ινβόλαντέρι) ακούσιος
involute (ίνβολιουτ) πολύπλοκος
involution (ινβολιούσσον) εμπλοκή
involve (ινβόλβ) περιλαμβάνω, περιπλέκω, συνεπάγομαι, -ment περιπλοκή
invulnerable (ινβούλνεραμπλ) άτρωτος
inward (ίνγουορντ) εσωτερικός, προς τα μέσα, -ness εσωτερική φύση, -s εντόσθια, σπλάχνα, προς τα μέσα
inweave (ινγουίβ) ενυφαίνω
inwrap (ινράπ) περιτυλίγω
inwrought (ινρόουτ) επεξεργασμένος
iodide (αϊοντάϊντ) ιωδιούχο
iodine (άϊοντάϊν) ιώδιο
iodoform (αϊόντοφορμ) ιωδοφόρμιο
ion (άϊον) ιόν
Ionia (αϊόουνια) Ιωνία, -n Ιωνικός
Ionic (αϊόνικ) Ιωνικός
ionosphere (αϊόνοσφίαρ) Ιωνόσφαιρα
iracund (άϊράκαντ) θυμωμένος
irascible (αϊράσιμπλ) οξύθυμος, -ness, irascibility το οξύθυμο
irate (αϊρέϊτ) οργισμένος, θυμωμένος
ire (άϊρ) θυμός, -ful οργίλος
Ireland (άϊρλαντ) Ιρλανδία
iridescence (ιριντέσενς) ιριδισμός
iridescent (ιριντέσεντ) ο ιριδίζων
iridium (ιρίντιαμ) ιρίδιο
iris (άϊρισ) ίριδα (ματιού)
Irish (άϊρισς) Ιρλανδικός, Ιρλανδός, -man Ιρλανδός
irk (έρκ) ενοχλώ, -some ανιαρός,

ενοχλητικός, -someness ανία, ενό-
χληση
iron (άϊρον) σίδερο, σιδερώνω, -clad
θωρηκτό, τεθωρακισμένος, -ware
σιδερικά, -worker σιδηρουργός,
-works σιδηρουργείο, -safe χρημα-
τοκιβώτιο, -smith σιδεράς
ironical (αϊρόνικαλ) ειρωνικός
irony (άϊρονι) ειρωνεία
irradiant (ιρέϊντιαντ) ακτινοβόλος
irradiate (ιρέϊντιέϊτ) ακτινοβολώ
irradiation (ιρέϊντιέϊσσον) ακτινο-
βολία
irrational (ιράσσοναλ) παράλογος,
-ity, -ness παραλογισμός
irreclaimable (ιρικλέϊμαμπλ) αδιόρ-
θωτος, ανεπανόρθωτος
irrecognizable (ιρέκογκνάϊζαμπλ)
αγνώριστος
irreconcilable (ιρέκονσάϊλαμπλ)
αδιάλλακτος
irrecoverable (ιρικάθεραμπλ) ανε-
πανόρθωτος
irrecoverably (ιρικάθεράμπλι) αθε-
ράπευτα
irrecusable (ιρικούζαμπλ) ανεξαί-
ρετος
irredeemable (ιριντίμαμπλ) αλύτρω-
τος, μη εξαγοράσιμος, μη εξαργυ-
ρώσιμος
irreducible (ιριντιούσιμπλ) αμείω-
τος, αναλλοίωτος
irrefragable (ιρέφραγκαμπλ)
αναντίρρητος, αναμφισβήτητος
irrefragably (ιρέφραγκάμπλι)
αναντίρρητα
irrefutable (ιρέφιουταμπλ) ακατα-
μάχητος, αδιάψευστος
irregular (ιρέγκιουλαρ) ανώμαλος,
ακανόνιστος, άτακτος, -ity ανωμα-
λία, αταξία
irrelative (ιρέλατιβ) άσχετος
irrelevant (ιρέλεβαντ) άσχετος
irreligion (ιρελίτζον) αθρησκεία,
ασέβεια
irreligious (ιρελίτζας) άθρησκος

irremediable (ιριμίντιαμπλ) αθερά-
πευτος, ανίατος
irremissible (ιριμίσιμπλ) ασυγχώ-
ρητος
irremovable (ιριμούθαμπλ) αμετα-
κίνητος, αμετάθετος
irreparable (ιρέπαραμπλ) ανεπα-
νόρθωτος
irreparably (ιρέπαράμπλι) ανεπα-
νόρθωτα
irreplaceable (ιριπλέϊσαμπλ)
αναντικατάστατος
irreprehensible (ιριπρεχένσιμπλ)
άψογος
irrepressible (ιριπρέσιμπλ) ακρά-
τητος
irreproachable (ιριπρόουτσαμπλ)
άψογος
irreprovable (ιριπρούθαμπλ)
άμεμπτος
irresistible (ιριζίστιμπλ) ακαταμά-
χητος
irresolute (ιρέζολούτ) αναποφάσι-
στος, -ness, irresolution αναποφασι-
στικότητα
irresolvable (ιριζόλθαμπλ) άλυτος
irrespective (ιρισπέκτιθ) άσχετος
irresponsible (ιρισπόνσιμπλ)
ανεύθυνος
irresponsibility (ιρισπόνσιμπίλιτι)
ανευθυνότητα
irresponsibly (ιρισπόνσιμπλι)
ανεύθυνα
irretrievable (ιριτρίθαμπλ) ανεπα-
νόρθωτος
irreverence (ιρέθερενς) αυθάδεια,
ανευλάβεια
irreverent (ιρέθερεντ) αυθάδης,
ανευλαβής
irreversible (ιριθέρσιμπλ) αμετά-
τρεπτος
irrevocable (ιριθόκαμπλ) αμετά-
κλητος
irrigable (ίριγκαμπλ) αρδεύσιμος
irrigate (ίριγκέϊτ) αρδεύω, ποτίζω
irrigation (ιριγκέϊσσον) άρδευση

irritability (ιριταμπίλιτι) το οξύθυμο
irritable (ίριταμπλ) οξύθυμος
irritancy (ιρίτανσι) ερεθισμός
irritant (ίριταντ) ερεθιστικός, διε-
γερτικό
irritate (ιριτέϊτ) εξερεθίζω
irritation (ιριτέϊσσον) ερεθισμός
irruption (ιράπσον) εισβολή, επι-
δρομή
irruptive (ιράπτιβ) επιδρομικός
is (ιζ) είναι
isinglass (άϊζινγκλάς) λεπιδόλιθος
island (άϊλαντ) νησί, **-er** νησιώτης
isle (άϊλ) μικρό νησί
islet (άϊλετ) νησάκι
ism (ίζμ) θεωρία, ιδέα (κοροϊδευτι-
κά)
isn't (ίζν) δεν είναι (is not)
isobaric (αϊσομπάρικ) ισοβαρής
isolate (άϊζολέϊτ) απομονώνω
isolation (αϊζολέϊσσον) απομόνω-
ση, **-ism** απομονωτισμός, **-ist** απο-
μονωτικός
isolator (αϊζολέϊτορ) απομονωτής
isometric (αϊσομέτρικ) ισόμετρος
isosceles (αϊσοσιλίζ) ισοσκελής
isothermal (αϊσοθέρμαλ) ισόθερμος
isotope (αϊσοτόουπ) ισότοπο
Israel (ίζραελ) Ισραήλ, **-ite** Ισραϊ-
λίτης, **-i** Ισραϊλίτης, κάτοικος του
Ισραήλ
issuance (ίσσουανς) έκδοση, εκ-
πομπή
issue (ίσσου) έκδοση, έκβαση, γέ-
νος, ζήτημα, εκπέμπω, εξέρχομαι,
επακολουθώ, **-r** εκδότης

issuable (ίσσουαμπλ) εκδόσιμος
isthmian (ίσμιαν) ισθμικός
isthmus (ίσμας) ισθμός
it (ίτ) αυτό
Italian (ιτάλιαν) Ιταλός, Ιταλικός,
Ιταλικά
italicize (ιτάλισάϊζ) τυπώνω με κυρ-
τά γράμματα
italics (ιτάλικς) πλάγια γράμματα
Italy (ίταλι) Ιταλία
itch (ίτς) φαγούρα, ψώρα, έχω φα-
γούρα, επιθυμώ κάτι, **-y** ο προκαλών
ή ο αισθανόμενος φαγούρα
item (άϊτεμ) χωριστό πράγμα ή εί-
δος, σημείωμα, **-ize** καταγράφω κά-
θετί χωριστά, **-ization** καταγραφή
κάθενός είδους
iteneracy (αϊτινεράσι) περιοδεία
iterate (ιτερέϊτ) επαναλαμβάνω
iteration (ιτερέϊσσον) επανάληψη
iterative (ιτερέϊτιβ) επαναληπτικός
itinerant (αϊτίνεραντ) πλανώδιος,
περιοδεύων
itinerary (αϊτίνερέρι) δρομολόγιο
itinerate (αϊτίνερέϊτ) περιοδεύω
itineration (αϊτίνερέϊσσον) περιο-
δεία
its (ίτς) αυτού, δικό του, **-self** το ίδιο
/ by itself: μόνο του
I've (άϊβ) έχω (I have)
ivied (άϊβιντ) σκεπασμένος με κισ-
σό
ivory (άϊβορι) ελεφαντόδοντο,
φιλντίσι
ivy (άϊβι) κισσός

J

J, j (τζέϊ) δέκατο γράμμα στο Αγγλικό αλφάβητο
jab (τζάμπ) σπρώχνω, θυθίζω, μπήγω, σουβλιά
jabber (τζάμπερ) φλυαρώ, **-er** φλύαρος
jacinth (τζέϊσινθ) υάκινθος (λίθος)
jack (τζάκ) ανυψωτήρας βαρών / jack in: σταματώ / jack up: ανυψώνω, αυξάνω
jackal (τζάκαλ) τσακάλι
jackanapes (τζάκενέϊπς) φαντασμένος
jackass (τζακάς) γάϊδαρος, ανόητο άτομο
jackboot (τζάκμπούτ) στρατιωτικό άρβυλο
jackdaw (τζακντού) καλιακούδα (πτηνό)
jacket (τζάκιτ) ζακέτα
jack knife (τζάκ νάϊφ) σουγιάς
jack-of-all-trades (τζάκ οφ όλ τρέϊντς) πολυτεχνίτης
jackpot (τζάκποτ) όλα τα παιζόμενα χρήματα (σε τυχερό παιχνίδι)
jackstones (τζάκστόουνς) πεντόβολα
jacktar (τζάκταρ) Βρετανός ναύτης
jade (τζέϊντ) κουράζω, -ομαι, γέρικο άλογο, ανήθικη γυναίκα, νεφρίτης (λίθος)
Jaffa (τζάφα) Ιάφφα
jag (τζάγκ) κόβω, σχίζω, οδοντώνω, οδόντωμα, φορτίο, **-ged** οδοντωτός
jaguar (τζάγκουαρ) τίγρη
jail (τζέιλ) φυλακή, φυλακίζω, **-er**

δεσμοφύλακας, **-bird** κατάδικος, **-break** απόδραση από τη φυλακή
jalopy (τζελόπι) παλιό αυτοκίνητο
jalousie (ζαλουζίι) παντζούρι
jam (τζάμ) πιέζω, πολτός, συνωστισμός, συνωστίζω, συνθλίβω / be (get) into a jam: βρίσκομαι σε δύσκολη κατάσταση
jamb (τζάμπ) στύλος πόρτας
jamboree (τζαμπορίι) γλέντι
jammy (τζάμι) εύκολος, τυχερός
jam-packed (τζάμ πάκντ) συνωστισμένος, εντελώς γεμάτος
jangle (τζάνγκλ) λογομαχώ, φιλονικία
janitor (τζάνιτορ) θυρωρός, επιστάτης
janitress (τζάνιτρες) η θυρωρός
January (τζάνουέρι) Ιανουάριος
japan (τζαπάν) βερνίκι, βερνικώνω
Japan (τζαπάν) Ιαπωνία, **-ese** Ιάπωνας, Ιαπωνικός, Ιαπωνικά
jape (τζέϊπ) αστειεύομαι
japonica (τζαπόνικα) καμέλλια
jar (τζάρ) δοχείο, στάμνα, κακοφωνία, κακοφωνώ, τραντάζω
jardiniere (τζαρντινιέρ) ανθοδοχείο
jargon (τζάργκον) ασυνάρτητη ομιλία
jasmine (τζάσμιν) γιασεμί
jasper (τζάσπερ) ίασπη (διακοσμητικός πολύτιμος λίθος)
jaundice (τζόοντις) ίκτερος
jaunt (τζόοντ) περιοδεύω, εκδρομή, περιπλανιέμαι
jaunty (τζόοντι) ζωηρός, εύθυμος,

κομψός
Java (τζάβα) Ιάβα
javelin (τζάβλιν) ακόντιο, ακοντίζω
jaw (τζό) σαγόνι, μιλώ, μαλώνω
jaywalk (τζέϊγουόκ) διασχίζω δρόμο παραβιάζοντας του κανόνες της τροχαίας, **-er** απρόσεκτος περιπατητής
jazz (τζάζ) είδος μουσικής (τζάζ), ζωηρεύω, **-y** εντυπωσιακός, που τραβάει την προσοχή
jealous (τζέλας) ζηλότυπος, **-y** ζήλια
jeans (τζίνσ) χοντρό πατελόνι εργασίας, τζιν
jeep (τζίπ) μικρό αυτοκίνητο γιά ταξίδια σε ανώμαλο έδαφος
jeer (τζίιρ) κοροϊδεύω, κοροϊδία, **-er** ο χλευαστής
Jehovah (τζιχόουβα) ο Ιεχωβά
Jehovah's witness (τζιχόουβας γουίτνες) μάρτυς του Ιεχωβά
jejune (τζιτζούν) κενός, ανούσιος, αδύνατος, ανόητος
jell (τζέλ) πήζω, **-y** πηκτή, πηκτό γλυκό
jellyfish (τζέλιφισσ) μέδουσα, τσούχτρα
jenny (τζένι) κλωστική μηχανή
jeopardize (τζέπαρντάϊζ) διακινδυνεύω, ριψοκινδυνεύω
jeopardy (τζέπερντι) κίνδυνος
jeremiad (τζέρεμάϊντ) παράπονο
jerk (τζέρκ) τινάζω, **-ομαι**, τίναγμα, αναπηδώ, νευρικό κι απρόσεκτο άτομο, **-y** ανώμαλος, ανήσυχος
jerkin (τζέρκιν) ανδρικό γιλέκο
jeroboam (τζέραμπόαμ) νταμιζάνα, μεγάλο δοχείο κρασιού
jerry-build (τζέρι μπίλντ) χτίζω πρόχειρα
jersey (τζέρζι) είδος πλεκτού υφάσματος, είδος αγελάδας
Jerusalem (τζιρούσαλιμ) Ιερουσαλήμ
jest (τζέστ) αστείο, πείραγμα, αστειεύομαι, **-er** αστείος, γελωτοποιός

jesuit (τζέζουιτ) Ισουΐτης
Jesus (τζίζας) Ιησούς
jet (τζέτ) αναβλύζω, συντριβάνι, πηγή, εκρέω, **-plane** αεριωθούμενο αεροπλάνο, ταξιδεύω με αεριωθούμενο αεροπλάνο, **-propelled** αεριωθούμενος
jetsam (τζέτσαμ) αντικείμενα που ρίχνονται στη θάλασσα γιά αβαρία πλοίου
jettison (τζέτισαν) αβαρία, κάνω αβαρία
jetty (τζέτι) προκυμαία, κυματοθραύστης
Jew (τζού) Ιουδαίος, **-ess** Ιουδαία, **-ish** ιουδαϊκός
jewel (τζούελ) κόσμημα, στολίζω, **-lery** κοσμήματα, **-ler** κοσμηματοπώλης
jezebel (τζίζιμπελ) στρίγκλα
jib (τζίμπ) κοροϊδεύω, μπροστινό πανί πλοίου, διστάζω, στρέφω τα πανιά πλοίου, **-boom** δόρυ
jibe (τζάϊμπ) στρέφω πανί πλοίου, συμφωνώ
jiffy (τζίφι) στιγμή
jig (τζίγκ) γρήγορος χορός, χορεύω, αναπηδώ, εργαλείο, **-ger** εργαλείο
jiggered (τζίγκερντ) καταραμένος
jiggery pockery (τζίγκερι πόκερι) μυστική ανέντιμη συμπεριφορά
jiggle (τζίγκλ) τινάζω, **-ομαι**, σείω
jig saw (τζίκγ σό) λεπτό πριόνι
jihad (τζιχάαντ) ιερός πόλεμος, διεξαγόμενος απ' τους Μουσουλμάνους
jilt (τζίλτ) κοκέτα, απορρίπτω μνηστήρα
jimmy (τζίμι) μικρός μοχλός
jingle (τζίνγκλ) κουδουνίζω, κουδούνισμα
jingo (τζίνγκοου) πατριώτης, φιλοπόλεμος, σωβινιστής, **-ism** φιλοπόλεμη πολιτική
jinks (τζίνκς) διασκέδαση
jinrikisha (τζινρίκσα) δίτροχο φο-

ρείο Άπω Ανατολής
jinx (τζίνξ) γρουσούζης, κακότυχος
jitney (τζίτνι) μικρό λεωφορείο
jitterbug (τζίτερμπάγκ) είδος χορού
(γύρω στα 1920)
jitters (τζίτερζ) νευρικότητα, νευ-
ριάζω
jittery (τζίτερι) νευρικός
jive (τζάϊβ) λικνιστική μουσική, χο-
ρεύω με λικνιστική μουσική
job (τζόμπ) επάγγελμα, δουλεύω,
εμπορεύομαι, **-ber** μεσίτης, χονδρι-
κός πωλητής, **-bing** αγοραπωλησία,
-less άνεργος / just the job: ακριβώς
αυτό που χρειάζεται
jobation (τζομπέϊσσον) κατσάδα
jock (τζόκ) βουνίσιος, φίλαθλος,
αθλούμενος
jockey (τζόκι) ιππέας, απατώ, απα-
τεώνας
jocose (τζοκόουζ) αστείος
jocular (τζόκιουλαρ) αστείος, παι-
γνιώδης, **-ity** αστειότητα
jocund (τζόκαντ) εύθυμος, χαρωπός,
-ity ευθυμία
jog (τζόγκ) ώθηση, τινάζω, σπρώ-
χνω, κουνώ ελαφρά
joggle (τζόγκλ) κουνώ, σφήνα
jogtrot (τζόγκτροτ) αργό βάδισμα
join (τζόϊν) ενώνω, ένωση, προσχω-
ρώ, παίρνω μέρος, **-er** επιπλοποιός,
καλός σύντροφος, **-ery** ξυλουργική
joint (τζόϊντ) άρθρωση, ενωμένος,
αρμός, προσαρμόζω, καταγώγι, με-
γάλο κομμάτι κρέας, από κοινού,
-less χωρίς αρθρώσεις, **-ly** μαζί
jointure (τζόϊντσουρ) προγαμιαία
δωρεά
joist (τζόϊστ) δοκάρι
joke (τζόουκ) αστείο, αστειεύομαι,
-r αστείος, αστειευόμενος, τραπου-
λόχαρτο
jollification (τζολιφικέϊσσον) δια-
σκέδαση, ευθυμία
jollify (τζόλιφάϊ) διασκεδάζω
jollity (τζόλιτι) ευθυμία, γλέντι

jolly (τζόλι) εύθυμος, ειρωνεύομαι,
μικρή βάρκα πλοίου
jolt (τζόουλτ) τινάζω, -ομαι, τίναγμα
jorum (τζόραμ) κύπελλο
josh (τζός) ειρωνεύομαι, αστει-
εύομαι, αστείο, πειράζω, **-er** αστει-
ευόμενος
joss (τζός) Κινέζικο είδωλο
jostle (τζόσλ) σπρώχνω, παραγκω-
νίζω, σπρώξιμο
jot (τζότ) σημειώνω, σημείωμα, κε-
ραία, **-ter** σημειωματάριο, **-ting** προ-
χειρογραμμάνη σημείωση
joule (τζάουλ) μονάδα μέτρησης
ενέργειας ή έργου
jounce (τζάουνς) κουνώ δυνατά, τι-
νάζω, -ομαι πάνω κάτω, τίναγμα
journal (τζέρναλ) ημερολόγιο, εφη-
μερίδα, **-ism** δημοσιογραφία, **-ist**
δημοσιογράφος, **-istic** δημοσιογρα-
φικός, **-ize** δημοσιογραφώ
journey (τζέρνι) ταξίδι, ταξιδεύω,
-man έμμισθος τεχνίτης
joust (τζάουστ) μονομαχία ιππέων με
κοντάρια, αγώνισμα ιππο…ίας
Jove (τζόουβ) Δίας, Ζεύς
Jovian (τζόουβιαν) του Δία
jovial (τζόουβιαλ) εύθυμος, **-ness** ευ-
θυμία, φαιδρότητα, **-ity** ευθυμία
jowl (τζάουλ) μάγουλο
joy (τζόϊ) χαρά, χαίρομαι, **-ful** χα-
ρούμενος, **-less** λυπημένος, **-ous** χα-
ρούμενος, που προκαλεί χαρά, **-ride**
ταξίδι με αυτοκίνητο γιά ψυχαγωγία
jubilant (τζούμπιλαντ) χαρούμενος,
θριαμβευτικός
jubilate (τζούμπιλέϊτ) πανηγυρίζω,
αγάλλομαι
jubilation (τζουμπιλέϊσσαν) αγαλ-
λίαση
jubilee (τζούμπιλίι) πεντηκονταε-
τηρίδα
judaism (τζουντέϊζμ) Ιουδαϊσμός
Judas (τζούντας) Ιούδας
judge (τζάτζ) δικάζω, δικαστής, κρί-
νω, κριτής, δίκη, **-ment** κρίση, δι-

καστική απόφαση, εκδίκαση, τιμω-
ρία / Judgement Day: Ημέρα της
Κρίσεως
judicature (τζούντικάτσουρ) δικα-
στική εξουσία ή υπηρεσία, οι δι-
καστές
judicial (τζουντίσσαλ) δικαστικός
judiciary (τζουντίσιερι) δικαστικός,
ο δικαστικός κλάδος
judicious (τζουντίσσας) συνετός,
φρόνηση, σύνεση, **-ness** φρόνηση,
σύνεση, ευθυκρισία
judo (τζούντο) τζούντο (ιαπωνική
πάλη)
jug (τζάγκ) δοχείο, στάμνα, φυλα-
κή, φυλακίζω
juggle (τζάγκλ) απατώ, ταχυδακτυ-
λουργώ, ταχυδακτυλουργία, **-r** τα-
χυδακτυλουργός, **-ry** ταχυδακτυ-
λουργία, αγυρτεία
jugular (τζάγκιουλαρ) τραχηλικός
juice (τζούς) χυμός, ζουμί / juice up:
αναζωογονώ, τονώνω, ομορφαίνω
juicy (τζούσι) χυμώδης
jujitsu (τζουτζίτσου) Ιαπωνική πάλη
juke box (τζούκ μπόξ) αυτόματος
φωνόγραφος που λειτουργεί με ρι-
πτόμενα νομίσματα
julep (τζούλεπ) ηδύποτο
July (τζουλάϊ) Ιούλιος (μήνας)
jumble (τζάμπλ) ανακατεύω, συγ-
χέω, σύγχυση, ανακάτεμα, κυκεώ-
νας
jumbo (τζάμποου) χοντρός, μεγάλο
ζώο ή πράγμα
jump (τζάμπ) πηδώ, πήδημα, **-er** άλ-
της, **-ily** νευρικά, **-iness** νευρικότη-
τα, **-y** νευρικός
junction (τζάνκσαν) συνάντηση,
διασταύρωση, σύνδεση, ένωση, ση-
μείο συνάντησης
juncture (τζάνκτσερ) σύμπτωση,
κρίσιμη περίσταση, ραφή, ένωση,
σύνδεση
June (τζούν) Ιούνιος (μήνας)
jungle (τζάνγκλ) ζούγκλα
junior (τζούνιορ) νεώτερος, κατώ-

τερος
juniper (τζούνιπερ) είδος πεύκου
junk (τζάνκ) παλιοσίδερα, παλιο-
πράγματα, απορρίπτω ως άχρηστα,
-man παλαιοπώλης, **-food** κακής
ποιότητας, ανθυγιεινή τροφή
junket (τζάνκιτ) γλύκισμα, εκδρο-
μή, γλέντι, διασκεδάζω
junkie (τζάνκι) ναρκομανής, ισχυρά
εξαρτώμενος από κάτι
Juno (τζούνοου) Ήρα
junta (τζάντα) Ισπανική βουλή
jupiter (τζούπιτερ) πλανήτης Δίας
jural (τζούραλ) νομικός
juridical (τζουρίντικαλ) νομικός, δι-
καστικός
jurisdiction (τζουρισντίκσον) δι-
καιοδοσία,, εξουσία
jurisprudence (τζουρισπρούντενς)
νομική επιστήμη
jurist (τζούριστ) νομικός, νομομα-
θής, **-ic, -al** νομολογικός
juror (τζούρορ) δικαστής
jury (τζούρι) δικαστήριο, οι ένορ-
κοι, **-man** ένορκος
just (τζάστ) ακριβής, δίκαιος,
ακριβώς, μόλις, **-ly** δίκαια, **-ness** δι-
καιοσύνη
justice (τζάστις) δικαιοσύνη, δικα-
στής, **-of the peace** ειρηνοδίκης
justifiable (τζαστιφάϊαμπλ) δικαιο-
λογητός, εύλογος
justifiably (τζαστιφάϊαμπλι) εύλογα
justification (τζαστιφικέϊσσον) δι-
καιολογία
justificatory (τζαστιφικέϊτορι) δι-
καιολογητικός
justify (τζάστιφάϊ) δικαιολογώ
jut (τζάτ) προεξέχω, προεξοχή
jute (τζούτ) φυτική ουσία γιά κατα-
σκευή σχοινιού ή υφάσματος
juvenile (τζούθβενιλ) νεανικός, **-ness,
juvenility** νεανικότητα
juxtapose (τζάκσταπόουζ) παραθέ-
τω, αντιπαραθέτω
juxtaposition (τζακσταποζίσσον)
αντιπαράθεση, παράθεση

K

K, k (κέϊ) ενδέκατο γράμμα στο αγγλικό αλφάβητο
kaffir (κάφερ) νέγρος Αφρικανός
Kaiser (κάϊζερ) γερμανός αυτοκράτορας
kale (κέϊλ) λαχανίδα
kaleidoscope (καλάϊντοσκόουπ) καλειδοσκόπιο
kangaroo (κανγκαρού) καγκουρώ, **-court** αυτοσύστατο δικαστήριο
kaoline (κέϊολιν) καολίνη, λευκός πηλός γιά κατασκευή πορσελάνης
kaput (καπούτ) κατεστραμμένος
karat (κάρατ) καράτιο
katydid (κέϊτιντιντ) γρύλος
kayak (κάϊακ) δερμάτινη βάρκα εσκιμώων
kedge (κέντζ) μικρή άγκυρα, ρουμουλκώ πλοιάριο απ' την άγκυρα
keel (κίιλ) καρίνα, αναποδογυρίζω
keelhaul (κιλχόολ) τιμωρώ, επιτιμώ
keen (κίν) οξύς, δριμύς, σφοδρός, μοιρολογώ, μοιρολόϊ, **-ness** σφοδρότητα, δριμύτητα, οξύτητα
keep (κίπ) φυλάω, κρατώ, διατηρώ, μένω, διατήρηση / keep to oneself: κλείνομαι στον εαυτό μου / keep one's head: διατηρώ την ψυχραιμία μου σε δύσκολη κατάσταση / keep at: συνεχίζω να εργάζομαι / keep back: κρατώ, αποσιωπώ / keep down: καταπιέζω, ελέγχω / keep on: συνεχίζω / keep sake: ενθύμιο / for keeps: γιά πάντα

keeper (κίπερ) φύλακας
keeping (κίπινγκ) διατήρηση, αρμονία, φύλαξη
keg (κέγκ) βαρελάκι
kelp (κέλπ) φύκια
ken (κέν) θέα, βλέπω, γνωρίζω, ενvοώ
kennel (κένελ) σπιτάκι σκύλου
keno (κίνοου) είδος τυχερού παιχνιδιού
kentledge (κέντλιτζ) σαβούρα
kepi (κέπι) πηλίκιο
keratin (κέρατιν) κερατίνη
kerb (κέρμπ) κράσπεδο
kerchief (κέρτσιφ) τσεμπέρι
kerf (κέρφ) κόψιμο, εντομή πριονιού
kermis (κέρμις) αγορά, μπαζάρ
kernel (κέρνελ) πυρήνας, κουκούτσι
kerosene (κεροσίν) πετρέλαιο
ketch (κέτς) δικάταρτο πλοίο, γολέτα
kettle (κέτλ) τσαγιέρα
key (κί) κλειδί, πλήκτρο, τονίζω, **-board** πλήκτρα πιάνου, **-hole** κλειδαρότρυπα, **-note** βασικός τόνος, **-stone** βασικός λίθος αψίδας, **-ed** τονισμένος
khaki (κάκι) χακί
khan (κάαν) χάνι, Ασιάτης ηγεμόνας
kibe (κάϊμπ) χιονίστρα
kibitz (κίμπιτζ) ασχολούμαι με πολλά πράγματα, **-er** περίεργος, ασχο-

λούμενος με ξένες υποθέσεις
kibosh (κιμπόος) ανοησίες
kick (κίκ) κλωτσώ, κλωτσιά,
εναντιώνομαι, διεγερτικό, **-back**
αμοιβή ή δωροδοκία γιά κάποια υπη-
ρεσία / to kick the bucket: πεθαίνω
kickshaw (κικσσόου) σπάνιο φαγη-
τό, μεζές, μπιχλιμπίδι
kid (κίντ) παιδί, κατσικάκι, ενοχλώ,
κοροϊδεύω, **-ding** κοροϊδία, αστεϊ-
σμός, **-dy**, **-die** παιδάκι
kidnap (κίντναπ) απαγάγω, **-per**
απαγωγέας, **-ping** απαγωγή
kidney (κίντνι) νεφρό, είδος, **-bean**
φασόλι
kill (κίλ) σκοτώνω, σκοτωμός, κυ-
νήγι, φόνος, κανάλι, **-er** φονιάς,
-ing φόνος
kiln (κίλ) καμίνι, ψήνω ή καίω σε
καμίνι
kilo (κίλοου) κιλό
kilocycle (κίλοσάικλ) χιλιόκυκλος
kilogram (κίλογκραμ) χιλιόγραμμο
kiloliter (κιλολίτερ) χιλιόλιτρο
kilometer (κιλόμιτερ) χιλιόμετρο
kilowatt (κίλοουάτ) κιλοβάτ
kilt (κίλτ) φουστανέλα
kilter (κίλτερ) καλή κατάσταση
kimbo (κίμποου) κυρτός
kimono (κιμοουνό) κιμονό
kin (κίν) συγγένεια, γένος, συγγενής
kind (κάιντ) είδος, γένος, καλοκά-
γαθος, ευγενικός, ευνοϊκός, **-hear-
ted** καλόκαρδος, **-liness** καλοσύνη,
-ly αγαθός, ευγενικός, ευγενικά,
-ness καλοσύνη
kindergarten (καϊντεργκάρτεν) νη-
πιαγωγείο
kindle (κίντλ) ανάβω
kindling (κίντλινγκ) προσάναμμα
kindred (κίντιριντ) συγγενής,
ομοειδής, συγγένεια, συγγενείς
kinematic (κινιμάτικ) κινηματικός
kinetic (κινέτικ) κινητικός, **-s** κινη-
τική
kinfolk(s) (κινφόουκς) οι συγγενείς,

συγγενολόϊ
king (κίνγκ) βασιλιάς, **-dom** βασί-
λειο, **-let** βασιλίσκος, **-ly** βασιλικός,
-ship βασιλεία, **-fisher** αλκυώνα (ψα-
ροπούλι), **-size** ο έχων μεγαλύτερο
μέγεθος απ' το κανονικό
kink (κίνκ) κόμπος, μπερδεύω, ιδιο-
τροπία, λόξα, **-y** εκκεντρικός, γε-
μάτος κόμπους / kinky hair: κοντά
και σγουρά μαλλιά
kinsfolk (κινσφόουκ) οι συγγενείς,
συγγενολόϊ
kinship (κίνσίπ) συγγένεια
kinsman (κίνσμαν) συγγενής
kinswoman (κίνσγούμαν) η συγγε-
νής
kiosk (κιόσκ) κιόσκι, περίπτερο
kip (κίπ) ακατέργαστο δέρμα μο-
σχαριού
kipper (κίπερ) παστώνω ψάρια, πα-
στή ρέγγα
kirk (κέρκ) εκκλησία
kirtle (κέρτλ) φούστα, φόρεμα
kirsch (κέρσσ) αλκοολούχο ποτό
από χυμό κερασιών
kismet (κίζμετ) μοίρα, πεπρωμένο
kiss (κίς) φιλί, φιλώ, **-er** αυτός που
φυλάει, **-ing** φίλημα / kiss of death:
κάτι που επιφέρει αναπότρεπτα την
αποτυχία / kiss of life: φιλί της ζωής
(τεχνητή αναπνοή)
kit (κίτ) γατάκι, αποσκευή, θήκη ερ-
γαλείων / kit up (out): εφοδιάζω με
απαραίτητα πράγματα
kitchen (κίτσεν) κουζίνα, **-ware** μα-
γειρικά σκεύη, **-ette** κουζινίτσα
kite (κάιτ) πετώ, χαρταετός
kith and kin (κίθ εντ κίν) συγγενείς
και φίλοι
kitten (κίτεν) γατάκι, **-ish** γατοειδής
kitty (κίτι) γατάκι
klaxon (κλάξον) πολύ δυνατή κόρνα
kleenex (κλίνεξ) απαλό χαρτί χρη-
σιμοποιούμενο ως χαρτομάντηλο
kleptomania (κλεπτομέινια) κλεπτο-
μανία, **-c** κλεπτομανής

klieg light (κλίγκ λάϊτ) ζωηρό φως κινηματογραφήσεως

knack (νάκ) επιδεξιότητα, ευχέρεια, πείρα

knackered (νάκερντ) εξουθενωμένος

knag (νάτζ) ρόζος

knapsack (νάπσάκ) γυλιός, σάκκος εφοδίων στρατιώτη

knarl (νάρλ) ρόζος

knave (νέϊθ) κατεργάρης, απατεώνας, **-ry** απάτη, κατεργαριά

knavish (νέϊβιςς) άτιμος, δόλιος

knead (νίιντ) ζυμώνω, ζύμωμα, **-er** ζυμωτής

kneading trough (νίντινγκ τρόου) σκάφη

knee (νίι) γόνατο, **-cap** επιγονατίδα, **-deep** ως τα γόνατα, **-jerk** χρόνιος κι αυτοματοποιημένος

kneel (νίιλ) γονατίζω, **-ing** γονάτισμα, γονυπετής

knell (νέλ) νεκρική καμπάνα, ηχώ πένθιμα

knelt (νέλτ) αόριστος του kneel

knew (νιού) αόριστος του know

knickers (νίκερζ) κοντό παντελόνι

knick knack (νίκ νάκ) παιχνιδάκι, φτηνό διακοσμητικό αντικείμενο

knife (νάϊφ) μαχαίρι, μαχαιρώνω

knight (νάϊτ) ιππότης, παρασημοφορώ, χειροτονώ ιππότη, **-errant** πλανόδιος ιππότης, **-hood** ιπποτισμός, οι ιππότες, **-ly** ιπποτικός

knit (νίτ) πλέκω, ζαρώνω, **-ter** αυτός που πλέκει, **-ting** πλέξιμο

knives (νάϊβς) μαχαίρια (πληθ. του knife)

knob (νόμπ) προεξοχή, λαβή, κόμπος, πρήξιμο, ρόζος, **-bed** αυτός που έχει κόμπους ή ρόζους

knock (νόκ) χτυπώ, κρούω, χτύπος, **-about** μικρή θαλαμηγός, καθημερινό φόρεμα, **-down** η χαμηλότερη τιμή, **-er** κρούστης, πόμολο γιά χτύπημα πόρτας, **-kneed** ο έχων γόνατα με κλίση προς τα μέσα / knock

about (around): μένω παρατημένος κι απαρατήρητος, είμαι δραστήριος, ταξιδεύω συνεχώς / knock back: πίνω γρήγορα, εκπλήσσω / knock down: μειώνω τιμές, κατεδαφίζω / knock out: χτυπώ και προκαλώ απώλεια των αισθήσεων, αποκλείομαι από αγώνα / knock up: φτιάχνω βιαστικά

knoll (νόλ) ύψωμα, λοφίσκος

knot (νότ) κόμπος, δένω με κόμπο, συνδέω, όμιλος, ρόζος, **-ted** γεμάτος κόμπους ή ρόζους, **-tiness** δυσχέρεια, **-ty** δύσκολος, με ρόζους

knout (νάουτ) μαστίγιο

know (νόου) γνωρίζω, **-ing** ο γνωρίζων, **-ingly** εν γνώσει, σκόπιμα, με γνωστό τρόπο / know apart: διακρίνω, βλέπω τη διαφορά / know backwards: γνωρίζω ή καταλαβαίνω τέλεια / know of: έχω ακουστά

knowledge (νόουλιτζ) γνώση, γνώσεις, **-able** ο έχων πολλές γνώσεις

knownothing (νόουνάθινγκ) αμαθής

knuckle (νάκλ) άρθρωση των δακτύλων, κόνδυλος / knuckle under: υποκύπτω

knurl (νέρλ) ρόζος, κόμπος, ζάρα μετάλλου

koala (κοουάλα) κοάλα (ζώο της Αυστραλίας)

kohlrabi (κόουλράμπι) είδος λαχανικού

kola (κόουλα) τροπικό δέντρο, ο καρπός αυτού

kolinsky (κολίνσκι) νυφίτσα Σιβηρίας, η γούνα της

koran (κοουράν) κοράνι

Korea (κορία) η Κορέα

kosher (κόουσσερ) αγνός (εβραϊκά)

kowtow (κάουτάου) προσκυνώ, υποτάσσομαι

kraal (κράλ) περιφραγμένο χωριό, στάνη

krimmer (κρίμερ) είδος γούνας προβάτου

kudos (κιούντος) δόξα
Ku Klux Klan (κού κλούξ κλάν) μυστική εταιρεία των Η.Π.Α
kulak (κουλάκ) πρώην Ρώσσος κτηματίας

kumiss (κούμις) ποτό των Τατάρων
kumquat (κάμκουάτ) είδος μικρού πορτοκαλιού
Kurd (κέρντ) Κούρδος

L

L, l (έλ) δωδέκατο γράμμα στο Αγγλικό αλφάβητο
la (λά) η έκτη νότα της μουσικής κλίμακας sol-fa
lab (λάμπ) συντομία αντί γιά labatory
label (λέϊμπελ) ετικέτα, επιγραφή, επίγραμμα, επιγράφω, σημειώνω, μάρκα
labial (λέϊμπιαλ) χειλικός, παραγόμενος (ήχος) με τα χείλη
labor (λέϊμπορ) εργασία, κόπος, κοπιάζω, εργάζομαι, γέννα, πόνος, -union εργατική ένωση, συντεχνία, -er εργάτης, -ious κουραστικός, επίπονος, φίλεργος, -iousness εργατικότητα, -market η παροχή εργατικού δυναμικού σε κάποια χώρα / labor of love: έργο επιτελούμενο προς ευχαρίστηση κάποιου αφιλοκερδώς / labor party: εργατικό κόμμα
laboratorial (λαμπόουρατόουριαλ) εργαστηριακός
laboratory (λαμπόουρατόουρι) εργαστήριο
laburnum (λαμπέρναμ) λάβουρνο (δέντρο)
labyrinth (λάμπιρινθ) λαβύρινθος, -ine λαβυρινθώδης
lace (λέϊς) κορδόνι, δαντέλα, δένω, συσφίγγω

lacerate (λασερέϊτ) ξεσχίζω, (λάσερετ) σχισμένος
laceration (λασερέϊσσον) σχίσιμο, κομμάτιασμα
laches (λάκις) αμέλεια
lachrymal (λάκριμαλ) δακρυγόνος
lachrymose (λακριμόους) κλαψιάρης
lacing (λέϊσινγκ) κορδόνι, σειρήτι, δέσιμο με κορδόνι, γαρνίρισμα με δαντέλα
lack (λάκ) στέρηση, στερούμαι, έλλειψη, έχω έλλειψη από
lackadaisical (λακαντζέϊζικαλ) αισθηματικός, άτονος
lackey (λάκι) υπηρέτης, υπηρετώ
lacklüstre (λακλάστερ) θαμπός, ανιαρός
laconic(al) (λακόνικ, -αλ) λακωνικός
lacquer (λάκερ) βερνικώνω, είδος βερνικιού
lacrosse (λακρόους) είδος παιχνιδιού με μπάλα
lactate (λακτέϊτ) παράγω γάλα, γαλουχώ, άλας γαλακτικού οξέος
lactation (λακτέϊσσαν) γαλουχία
lacteal (λάκτιαλ) γαλακτικός, γαλακτώδης
lactic (λάκτικ) γαλακτερός, γαλακτικός

lactose (λακτόουζ) γαλακτοζάχαρο

lacuna (λακιούνα) χάσμα, κενό

lacy (λέϊσι) δαντελένιος

lad (λάντ) παιδί, νέος

ladder (λάντερ) ανεμόσκαλα

laddie (λάντι) παιδάριο, αγόρι

lade (λέϊντ) φορτώνω / lade out: κενώνω

lading (λέϊντινγκ) φορτίο, φόρτωση / bill of lading: φορτωτική, λίστα προϊόντων μεταφερόμενων με πλοίο

ladle (λέϊντλ) ανακατεύω, κουτάλα, κενώνω με κουτάλα / ladle out: μοιράζω σε μεγάλες ποσότητες

lady (λέϊντι) κυρία, -bird, -bug είδος κοκκινόμαυρου σκαθαριού, -finger είδος ζυμαρικού, -killer ελκυστικός, γοητευτικός, -like ευγενικός, γυναικοπρεπής / lady's slipper: είδος ορχιδέας / lady in waiting: κυρία της τιμής

lag (λάγκ) αργώ, αργός, φυλακίζω, καθυστερώ, καθυστέρηση

lager beer (λάγκερ μπίιρ) είδος μπύρας

laggard (λάγκαρντ) νωθρός, αργός, -ness νωθρότητα

lagger (λάγκερ) αργός, που καθυστερεί

lagging (λάγκινγκ) βραδύτητα, αυτός που επιβραδύνει

lagoon (λαγκούν) λιμνοθάλασσα

laic (λέϊκ) λαϊκός, κοσμικός

laid (λέϊντ) αόριστος του lay: θέτω

lain (λέϊν) αόριστος του lie: κείμαι, βρίσκομαι

lair (λέαρ) φωλιά θηρίου

laird (λέαρντ) γεοκτήμονας, λόρδος

laissez faire (λεσέ φέαρ) αρχή που επιτρέπει την ελεύθερη οικονομική δραστηριότητα

laity (λέϊτι) κοσμικός, οι λαϊκοί

lake (λέϊκ) λίμνη, βυσσινόχρωμη βαφή

lam (λάμ) χτυπώ, δραπετεύω, φυγή

lama (λάαμα) ιερέας του Βούδα,

-sery κατοικία ιερέα του Βούδα

lamb (λάμπ) αρνάκι, γεννώ (γιά αρνιά), -kin αρνάκι, -skin δέρμα αρνιού

lambaste (λαμπέϊστ) δέρνω, μαλώνω, χτυπώ σοβαρά

lambent (λάμπεντ) αυτός που τρεμοσβήνει, θαμπός

lame (λέϊμ) κουτσός, κουτσαίνω, ασθενής, -ness χωλότητα

lamé (λαμέϊ) ύφασμα με χρυσαφί ή ασημί νήμα

lame duck (λέϊμ ντάκ) καταψηφιζόμενος βουλευτής του οποίου η θητεία δεν έχει λήξει, μη αποδοτική επιχείρηση

lamella (λαμέλα) έλασμα, λέπι, φύλλο

lament (λαμέντ) θρήνος, θρηνώ, οδύρομαι, -er θρηνητής, -able αξιοθρήνητος, -ation θρήνος

lamina (λέμινα) λεπίδα, έλασμα, φύλλο

laminate (λέμινέϊτ) χωρίζω σε λεπτά φύλλα, καλύπτω με λεπτά φύλλα, (λέμινετ) φυλλωτός

lamp (λάμπ) λάμπα, -black καπνιά

lampoon (λαμπούν) σάτυρα, σατυρίζω, λίβελλος, -er, -ist λιβελλογράφος

lamprey (λάμπρι) σμύραινα (ψάρι)

lance (λάνς) λόγχη, λογχίζω, -r σρατιώτης οπλισμένος με λόγχη, -olate λογχοειδής

lancet (λάνσιτ) νυστέρι

lancinate (λάνσινέϊτ) σχίζω, πόνος

land (λάντ) γή, χώρα, έδαφος, ξηρά, αποβιβάζω, -ομαι, -ed κτηματικός, κτηματίας, -holder γαιοκτήμονας, -ing κεφαλόσκαλο, αποβίβαση, αποβάθρα, -lady οικοδέσποινα, σπιτονοικοκυρά, -less ακτήμονας, -locked ο πρικλειόμενος από ξηρά, -lord οικοδεσπότης, σπιτονοικοκύρης, -lubber χερσαίος, άτομο που αντιπαθεί τη θάλασσα, -mark σύνο-

ρο, **-owner** γεοκτήμονας, **-scape** το-
πίο, **-slide** ολίσθηση εδάφους, **-slip**
καθίζηση, **-sman** αυτός που ζεί στη
στεριά, **-wards** προς τη γη / land sb
with: δίνω (σε κάποιον κάτι ανεπι-
θύμητο) / land sb in smth: φέρνω σε
δύσκολη θέση
landau (λαντόου) είδος τετράτρο-
χης άμαξας
lane (λέϊν) μονοπάτι
language (λάνγκουιτζ) γλώσσα
languid (λάνγκουιντ) νωθρός, άτο-
νος, **-ness** ατονία
languish (λάνγουισσ) εξασθενώ, μα-
ραίνομαι, **-ing** μαραμένος, εξασθε-
νημένος
languor (λάνγκορ) αδράνεια, ατο-
νία, αδυναμία, **-ous** αδύνατος,
αδρανής
lank (λάνκ) λεπτός, **-ness** λεπτότητα,
αδυναμία, **-y** ψηλός κι αδύνατος
lanolin (λάνολιν) λανολίνη
lantern (λάντερν) φανάρι, **-jawed**
άτομο με μακρύ, στενό σαγόνι και
βυθισμένα μάγουλα, **-slide** φωτεινή
εικόνα
lanyard (λάνγιαρντ) μακρύ σχοινί
lap (λάπ) ποδιά, αγκαλιά, διπλώνω,
χτυπώ απαλά, **-ful** γεμάτη ποδιά,
-dog σκυλάκι
lapel (λάπελ) γιακάς ή πέτο ενδύ-
ματος
lapidary (λαπιντέρι) χαράζω σε πέ-
τρα, λιθογλύφος
lapin (λάπιν) κουνέλι
lapis lazuli (λάπις λάζιουλι) το
χρώμα κυανού πολίτιμου λίθου
Lapland (λάπλαντ) Λαπωνία
lapper (λάπερ) αυτός που διπλώνει
lapsable (λάπσαμπλ) ακυρώσιμος
lapse (λάπς) γλιστρώ,, γλίστριμα,
πταίσμα, πάροδος χρόνου, σφάλλω,
καθίσταμαι ληξιπρόθεσμος, **-d** λη-
ξιπρόθεσμος, ξεπερασμένος, απαρ-
χαιωμένος
lapwing (λάπουίνγκ) είδος χαραδι-

ού (πουλί)
larboard (λαρμπόαρντ) αριστερή
πλευρά πλοίου
larceny (λάρσενι) κλοπή
larch (λάαρτς) είδος πεύκου
lard (λάρντ) λαρδί, χοιρινό λίπος
larder (λάρντερ) κελάρι
large (λάρτζ) μεγάλος, **-ness** μέγε-
θος / at large: ελεύθερος, πλήρως,
εκτενώς
largesse (λάαρτζις) γενναιοδωρία
largetto (λαργκέτοου) κάπως βραδύς
(ρυθμός γιά μουσική)
largo (λάρκοου) αργά, βραδύς (ρυθ-
μός μουσικής)
lariat (λάριατ) σχοινί με θηλιά,
λάσσο
lark (λάρκ) διασκέδαση, ευθυμία,
γλέντι, διασκεδάζω, κορυδαλός
(πτηνό)
larkspur (λάκσπερ) δελφίνι
larrup (λάραπ) χτυπώ
larva (λάρβα) κάμπια, σκουλήκι
εντόμου
larvae (λάαρβι) πληθ. του larva
laryngeal (λαρίντζιαλ) λαρυγγικός
laryngitis (λαριντζάϊτις) λαρυγγίτι-
δα
larynx (λάρινξ) λάρυγγας
lascivious (λασίβιας) λάγνος, ασελ-
γής
lash (λάςς) μαστίγιο, χαστούκι, μα-
στιγώνω, χαστουκίζω, μαστίγωμα,
-er μαστιγωτής, **-ings** μεγάλη ποσό-
τητα τροφής ή ποτού
lass, lassie (λάς, λάσι) κόρη, κορίτσι
lassitude (λάσιτιουντ) κούραση, νω-
θρότητα
lasso (λάσοου) λάσσο
last (λάστ) τελευταίος, διαρκώ, κα-
λαπόδι, **-ditch** έσχατη προσπάθεια
πριν την ήττα, **-ing** διαρκής, **-ly** τε-
λικά, εν τέλει, **-straw** πρόσθετη
αντιξοότητα, **-Supper** μυστικός
δείπνος / at last: τελικά, επιτέλους /
last but one: προτελευταίος

latch (λάτς) μανταλάκι, σύρτης πόρτας, ασφαλίζω πόρτα με σύρτη / latch on: καταλαβαίνω

latchet (λάτσετ) λουρί παπουτσιού

latchkey (λάτσκι) μπετούγια, **-child** παιδί που αφήνεται μόνο του στο σπίτι

late (λέϊτ) αργός, αργά, μακαρίτης, πρόσφατος, πρώην, **-comer** καθυστερημένος, που φθάνει αργά, **-ly** τελευταία, τον τελευταίο καιρό, **-ness** βραδύτητα / of late: τελευταία, τον τελευταίο καιρό / be late: έχω αργήσει

lateen sail (λατίιν σέϊλ) τρίγωνο πανί πλοίου

latency (λέϊτενσι) αφάνεια

latent (λέϊτεντ) κρυμμένος, αφανής

later (λέϊτερ) αργότερα, νεώτερος, βραδύτερος

lateral (λάτεραλ) πλάγιος

latest (λέϊτεστ) έσχατος, νεώτατος

latex (λέϊτεξ) κόμμι, γαλακτώδης χυμός

lath (λάθ) σανίδα, σανιδώνω, **-er** ο καλύπτων με σανίδες

lathe (λέϊδ) τόρνος

lather (λάδερ) αφρός, αφρίζω, σαπουνίζω, σαπουνάδα

lathing (λάθινγκ) σανίδωμα

Latin (λάτιν) Λατίνος, Λατινικός, Λατινικά, **-ist** Λατινιστής, **-ize** εκλατινίζω

latish (λέϊτιςς) αργοπορημένος

latitude (λάτιτιουντ) πλάτος, ευρύτητα

latitudinal (λατιτιούντιναλ) του πλάτους

latitudinarian (λατιτιουντινάριαν) ο ελεύθερα σκεπτόμενος

Latona (λατόουνα) Λητώ

latrine (λατρίιν) αποχωρητήριο

latten (λάτεν) τενεκές

latter (λάτερ) επόμενος, τελευταίος, **-day** μοντέρνος, πρόσφατος, παροντικός, **-ly** τελευταία, πρόσφατα

lattice (λάτις) καφάσι, καφασώνω, δικτυωτό, **-work** κιγκλίδωμα

laud (λόοντ) υμνώ, εγκωμιάζω, έπαινος, **-able** αξιέπαινος, **-ation** έπαινος, **-atory** επαινετικός

laudanum (λόονταναμ) λαύδανο (παυσίπονο)

laugh (λάφ) γελώ, γέλιο, **-able** γελοίος, **-ing** γέλιο, ο γελών, **-ably** γελοιωδώς, **-ingly** μη σοβαρά, υπό μορφή αστείου

laughter (λάφτερ) γέλιο

launch (λάαντς) πλοιάριο, σύρω πλοίο απ' τη στεριά στη θάλασσα, σύρω, **-ομαι**, λανσάρω, προωθώ, αρχίζω

launder (λόοντερ) πλύνω, **-er** αυτός που πλύνει

laundress (λόοντρες) πλύστρα

laundry (λόοντρι) πλυντήριο, πλύση, μπουγάδα, **-basket** καλάθι απλύτων

laureate (λόοριετ) τιμημένος, δεφνοστεφής

laurel (λόορελ) δαφνοστολίζω, δάφνη

lava (λάαβα) λάβα

lavatory (λαβατόουρι) αποχωρητήριο, δωμάτιο πλυσίματος

lave (λέϊβ) λούζω, **-ομαι**, **-r** σκάφη

lavender (λάβεντερ) λεβάντα

lavish (λάβιςς) άσωτος, σπαταλώ, σπάταλος, πολυτελής, **-ly** σπάταλα, **-ness** σπατάλη, πολυτέλεια

law (λό) νόμος, νομική, **-abiding** νομοταγής, **-breaker** παραβάτης του νόμου, **-ful** νόμιμος, **-giver** νομοθέτης, **-less** άνομος, παράνομος, **-lessness** παρανομία, **-maker** νομοθέτης, **-suit** δίκη

lawn (λόον) χλόη, λιβάδι, **-mower** μηχανή θερίσματος χλόης

lawyer (λόογιερ) δικηγόρος

lax (λάξ) χαλαρός, ευκοίλιος, **-ity** χαλαρότητα, ευκοιλιότητα, ατονία

laxative (λάξατιβ) καθαρτικός, καθαρτικό

lay (λέϊ) βάζω, θέτω, γεννώ (αυγά), καθιστώ, λαϊκός, **-about** τεμπέλης, άεργος, **-by** χώρος στην άκρη δρόμου γιά στάθμευση αυτοκινήτων, **-er** στρώμα, επίπεδο, **-man** λαϊκός, **-off** απόλυση, **-out** διάταξη, σχέδιο / lay sb low: καθιστώ ανίκανο λόγω ασθένειας / lay about: επιτίθεμαι / lay down: κατεβάζω, παραδίδω τα όπλα / lay in: αποκτώ κι αποθηκεύω / lay off: απολυώ (από εργασία), σταματώ / lay on: παρέχω, προμηθεύω

layette (λέϊετ) ρουχισμός βρέφους

lazar (λάζαρ) λεπρός

lazaretto (λαζαρέτοου) λοιμοκαθαρκτήριο

laze (λέϊζ) τεμπελιάζω

laziness (λάϊζινες) τεμπελιά

lazy (λέϊζι) τεμπέλης, **-bones** τεμπελχανάς

lea (λί) λιβάδι

leach (λίιτς) πλύνω, μπουγαδιάζω, πλύνομαι, στραγγίζω

lead (λέντ) μόλυβδος, μολύβι, μολυβδώνω, **-en** μολύβδινος, βαρύς

lead (λίντ) οδηγώ, διευθύνω, προπορεύομαι, αρχηγία, ηγούμαι, **-er** αρχηγός, αγωγός, οχετός, **-ership** αρχηγία, **-ing** αρχηγία, οδηγία, κύριος, πρωταγωνιστής

leading light (λίντινγκ λάϊτ) ισχυρό άτομο που ασκεί επιρροή

leaf (λίφ) φύλλο (πληθ. leaves) / leaf through: ξεφυλλίζω

leafage (λίφιτζ) φύλλωμα

leafless (λίφλες) άφυλλος

leaflet (λίφλετ) φυλλάδιο, μοιράζω φυλλάδια

leafmould (λιφμόουλντ) στρώμα από σάπια πεσμένα φύλλα

leafy (λίιφι) φυλλωτός, πολύφυλλος

league (λίιγκ) συνασπίζω, -ομαι, σύνδεσμος

leak (λίκ) διαρρέω, διαρροή, άνοι-

γμα, τρύπα, στάζω, **-age** διαρροή, **-y** ο διαρρέων

leal (λίιλ) πιστός

lean (λίν) ακουμπώ, στηρίζομαι,, κλίνω, άπαχος, ψαχνό, **-ing** κλίση, **-ness** ισχνότητα, **-to** μικρό κτίσμα που ακουμπάει σε μεγαλύτερο κτίριο

leap (λίπ) πηδώ, πήδημα, **-er** άλτης, **-frog** προχωρώ ικανοποιητικά, καβάλες (παιχνίδι), **-year** δίσεκτο έτος

leapt (λέπτ) αορ. του leap

learn (λέρν) μαθαίνω, **-ed** σοφός, πολυμαθής, **-er** μαθητευόμενος, **-ing** γνώση, μάθηση, πολυμάθεια / learning curve: ρυθμός εκμάθησης

lease (λίζ) ενοικιάζω, ενοικίαση, ενοικιαστήριο, **-hold** κτήμα ή κτίριο νοικιασμένο, **-holder** ενοικιαστής

leash (λίςς) λουρί, συνδέω, δένω, κρατώ απ' το λουρί

least (λίιστ) ελάχιστος, ελάχιστα / at least: τουλάχιστο / in the least: καθόλου

leather (λέδερ) πετσί, δέρμα, **-n** πέτσινος, δερμάτινος, **-y** δεματοειδής

leatherneck (λέδερνεκ) ναυτικός

leave (λίβ) αφήνω, αναχωρώ, άδεια, αναχώρηση, αποχαιρετισμός

leaved (λίβντ) φυλλωτός, με φύλλα

leaven (λίβεν) προζύμι, προσθέτω προζύμι, επιδρώ, μεταβάλλω, **-ed** ένζυμος, με προζύμι

leaves (λίβζ) φύλλα (πληθ. του leaves)

leave taking (λίβ τέϊκινγκ) αποχαιρετισμός

leaving (λίβινγκ) αναχώρηση, **-s** απομεινάρια

lecher (λέτσερ) ακόλαστος, λάγνος,, **-ous** λάγνος, **-y** λαγνεία

lectern (λέκτερν) αναλόγιο εκκλησίας

lecture (λέκτσαρ) διάλεξη, παράδοση, διδάσκω, κάνω διάλεξη, επι-

πλήττω, επίπληξη, -r ομιλητής, δά-
σκαλος
led (λέντ) αορ. του lead
ledge (λέτζ) ράφι, ύφαλος, άκρο,
χείλος (γκρεμού)
ledger (λέτζερ) βιβλίο εσόδων κι
εξόδων
lee (λίι) απάνεμος, καταφύγιο
leech (λίιτς) βδέλλα, αφαιμάσσω
leak (λίκ) πράσσο
leer (λίαρ) υποβλέπω, στραβοκοι-
τάζω, λοξό βλέμμα, -y φιλύποπτος
lees (λίιζ) κατακάθι
leeward (λίιουόρντ) προς απάνεμο
μέρος, κατά τη διεύθυνση του ανέ-
μου
leeway (λίιουέϊ) ώθηση πλοίου απ'
τον άνεμο, ευρυχωρία γιά κίνηση
left (λέφτ) αορ. του leave
left (λέφτ) αριστερός, **-hand** αρι-
στερός, αριστερά, **-handed** αριστε-
ρόχειρας, αδέξιος, **-ist** υποστηρι-
κτής αριστερής πολιτικής παράτα-
ξης, **-over** απομεινάρι, **-wards** προς
τ' αριστερά
leg (λέγκ) πόδι, περπατώ, τρέχω, γιά
να ξεφύγω, **-less** χωρίς πόδια / pull
one's leg: κοροϊδεύω / shake a leg:
κουνήσου!
legacy (λέγκασι) κληρονομιά
legal (λίγκαλ) νόμιμος, νομικός,
-ism η πιστή εφαρμογή του νόμου,
-ity νομιμότητα, **-ize** νομιμοποιώ, **-i-
zation** νομιμοποίηση
legate (λέγκιτ) απεσταλμένος, έξαρ-
χος, αντιπρόσωπος του Πάπα, **-ship**
εξαρχία
legatee (λεγκατίι) κληρονόμος
legation (λεγκέϊσσον) πρεσβεία
legend (λέτζεντ) μύθος ιστορία, επι-
γραφή, **-ary** μυθικός
legerdemain (λέτζερντεμέϊν) απάτη,
ταχυδακτυλουργία, **-ist** ταχυδακτυ-
λουργός
legged (λέγκιντ) με πόδια
legging (λέγκινγκ) περικνημίδα,

γκέτα
leghorn (λεγκχόορν) ψάθα
legible (λέτζιμπλ) ευανάγνωστος
legibility (λετζιμπίλιτι) το ευανά-
γνωστο
legibly (λέτζιμπλι) ευανάγνωστα
legion (λίιτζαν) λεγεώνα, **-ary** λε-
γεωνάριος, **-naire** μέλος της Γαλλι-
κής λεγεώνας
legislate (λέτζισλέϊτ) νομοθετώ
legislation (λετζισλέϊσσον) νομο-
θεσία
legislative (λέτζισλέϊτιθ) νομοθετι-
κός
legislator (λέτζισλέϊτορ) νομοθέτης
legislature (λέγκισλέϊτσουρ) βουλή,
νομοθετικό σώμα
legist (λέτζιστ) νομομαθής
legit (λέτζιτ) νόμιμος, **-imacy** νομι-
μότητα, **-imate** νόμιμος, νομιμο-
ποιώ, **-imation** νομιμοποίηση, **-imi-
ze** νομιμοποιώ
legume (λέγκιουμ) όσπριο
leguminous (λεγκιούμινας)
οσπριώδης
lei (λέϊ) στεφάνι από λουλούδια
leister (λίισταρ) τρίαινα
leisure (λέζαρ) άνεση, ανάπαυση,
αργία / at one's leisure: χωρίς βια-
σύνη, άνετα, **-d** αργόσχολος, **-ly** αρ-
γός, αργά
leman (λέμαν) εραστής
lemon (λέμον) λεμόνι, βλάκας, απο-
τυχία, **-ade** λεμονάδα, **-squash** ποτό
με χυμό λεμονιού
lemur (λίιμερ) κερκοπίθηκος
lend (λέντ) δανείζω, **-ing** δανειστι-
κός / lend itself: (κάποιο πράγμα)
είναι κατάλληλο γιά
length (λένγκθ) μήκος, διάρκεια,
-en επιμηκύνω, **-iness** μήκος, έκτα-
ση, **-ways** κατά μήκος, **-y** μακρύς,
εκτενής
lenience (λίνιενς) επιείκεια
lenient (λίινιεντ) επιεικής, **-ly** επιει-
κώς

lenitive (λένιτιθ) καταπραϋντικός
lenity (λένιτι) επιείκεια, πραότητα
lens (λένζ) φακός
lent (λέντ) αορ. του lend
Lent (λέντ) Μεγάλη Τεσσαρακοστή, **-en** σαρακοστιανός
lentil (λέντιλ) φακή
lento (λέντοου) αργός, αργά (γιά μουσική)
Leo (λίοου) Λέων (ζώδιο)
leonine (λίονάϊν) λεοντοειδής
leopard (λέπαρντ) λεοπάρδαλη
leper (λέπερ) λεπρός
leprosy (λέπροσι) λέπρα
leprous (λέπρας) λεπρώδης, λεπρός
lese majesty (λίζ μάτζεστι) προδοσία, έλλειψη σεβασμού
lesion (λίιζαν) ζημιά, τραύμα, οργανική βλάβη
less (λές) μικρότερος, λιγότερος, λιγότερο
lessee (λεσίι) ενοικιαστής
lessen (λέσεν) λιγοστεύω
lesser (λέσερ) μικρότερος, λιγότερος
lesson (λέσον) μάθημα
lessor (λέσοουρ) ο εκχωρών προς ενοικίαση
lest (λέστ) μήπως, μη, από φόβο μήπως, σε περίπτωση που
let (λέτ) αφήνω, επιτρέπω, ενοικιάζω, **-down** απογοήτευση / let down: κατεβάζω, απογοητεύω / let into: επιτρέπω την είσοδο / let off: συγχωρώ, απαλλάσσω από τιμωρία, προκαλώ έκρηξη ή φωτιά / let out: απελευθερώνω / let up: σταματώ, λιγοστεύω
lethal (λίθαλ) θανάσιμος, θανατηφόρος
lethargic (λιθάρτζικ) ληθαργικός
lethargy (λέθαρτζι) λήθαργος
let's (λέτς) συντομία αντί let us
letter (λέτερ) γράμμα, επιστολή, σημειώνω με γράμματα, **-box** γραμματοκιβώτιο, **-ed** μορφωμένος, **-er**

σχεδιαστής γραμμάτων, **-ing** σχεδίασμα γραμμάτων, **-head** επιστολόχαρτο μ' επιγραφή / letter of credit: πιστωτική επιστολή / letter of exchange: συναλλαγματική / letter press: στοιχειοθετημένο κείμενο
letters (λέτερς) η λογοτεχνία, τα γράμματα (γενικά)
letting (λέτινγκ) σπίτι προς ενοικίαση
lettuce (λέτις) μαρούλι
let up (λέταπ) παύση
leucocyte (λούκασάϊτ) λευκοκύτταρο
leucorrhea (λουκορία) λευκόρροια
leukemia (λουκίμια) λευχαιμία
Levant (λιβάντ) Εγγύς Ανατολή
levee (λεβίι) φράχτης, δεξίωση, επίσημη υποδοχή, ανάχωμα, αποβάθρα, κατασκευάζω προσχώματα
level (λέβελ) επίπεδο, επίπεδος, φρόνιμος, δίκαιος, ισόπεδος, ισοπεδώνω, **-er** ισοπεδωτής, **-ness** το επίπεδο, **-headed** γνωστικός / on the level: τίμιος, ανυστερόβουλος
lever (λέβερ) μοχλός, **-age** μόχλευση, χρήση μοχλού
leviathan (λιβάϊαθαν) θηρίο
levigate (λίβιγκέϊτ) τρίβω
levitate (λέβιτέϊτ) ανυψώνω, αιωρούμαι
levitation (λεβιτέϊσσον) ανύψωση, άνωση
Levite (λιβάϊτ) Λευΐτης
levity (λέβιτι) ελαφρότητα
levy (λέβι) φορολογία, φορολογώ, στρατολογώ, στρατολογία, εισπράττω, είσπραξη
lewd (λούντ) λάγνος, ασελγής, **-ness** λαγνεία, ακολασία
lex (λέξ) νόμος
lexicographer (λεξικόγκραφερ) λεξικογράφος
lexicography (λεξικόγκραφι) η συγγραφή λεξικού
lexicology (λεξικόλοτζι) η μελέτη

της σημασίας των λέξεων
lexicon (λέξικον) λεξικό
liability (λαϊαμπίλιτι) ευθύνη
liable (λάϊαμπλ) υπεύθυνος, υπόλογος, υποκείμενος
liaison (λιέϊζαν) σύνδεσμος, επικοινωνία, αθέμιτες σχέσεις
liar (λάϊαρ) ψεύτης
libation (λαϊμπέϊσσαν) σπονδή
libel (λάϊμπελ) λίβελλος, λιβελλογραφώ, **-er** λιβελλογράφος, **-ous** δυσφημητικός
liberal (λίμπεραλ) γενναιόδωρος, φιλελεύθερος, **-ism** φιλελευθερισμός, **-ist** φιλελεύθερος, **-ity** γενναιοδωρία, **-ize** καθιστώ φιλελεύθερο, επεκτείνω, **-ization** επέκταση, εκλαΐκευση
liberate (λιμπερέϊτ) απελευθερώνω
liberation (λιμπερέϊσσον) απελευθέρωση
liberator (λιμπερέϊτορ) απελευθερωτής
Liberia (λαϊμπίρια) Λιβερία
libertine (λιμπερτίιν) ακόλαστος, άσωτος
libertinism (λιμπερτίνισμ) ακολασία, ασωτεία
liberty (λίμπερτι) ελευθερία
libidinous (λιμπίντινας) λάγνος, ασελγής
librarian (λαϊμπρέριαν) βιβλιοθηκάριος
library (λάϊμπραρι) βιβλιοθήκη
librate (λαϊμπρέϊτ) τρέμω
librettist (λιμπρέτιστ) μελοδραματογράφος
libretto (λιμπρέτοου) μελόδραμα
Libya (λίμπια) Λιβύη, **-n** Λιβυκός
lice (λάϊς) ψείρες (ενικός louse)
licence, license (λάϊσενς) άδεια, δίνω άδεια, **-d** αδειούχος (ειδ. γιά πώληση αλκοολούχων ποτών) / licenced victualler: ιδιοκτήτης καταστήματος που έχει άδεια πωλήσεως αλκοολούχων ποτών

licensable (λάϊσενσαμπλ) αυτός που μπορεί να πάρει άδεια
licensee (λαϊσενσίι) άτομο που του παρέχεται άδεια
licentiate (λαϊσένσιέϊτ) αδειούχος
licentious (λισένσσας) ατιμώρητος, ασελγής, ακόλαστος
lichen (λάϊκεν) λειχήνα, **-ous** λειχηνώδης
licit (λίσιτ) νόμιμος, θεμιτός
lick (λίκ) γλείφω, γλείψιμο, δέρνω, δαρμός, **-er** αυτός που γλείφει ή που δέρνει
lickerish (λίκερις) λαίμαργος, φιλήδονος, **-ness** λαιμαργία
licorice (λίκορις) γλυκόρριζα
lid (λίντ) καπάκι, κάλυμμα, βλέφαρο, **-ded** με καπάκι / take the lid off: εκθέτω, φανερώνω τη δυσάρεστη αλήθεια
lie (λάϊ) ψέμμα, ψεύδομαι
lie (λάϊ) κείμαι, βρίσκομαι, ξαπλώνω / lie about (around): τεμπελιάζω, σπαταλώ το χρόνο μου άσκοπα / lie down: κατακλίνομαι / lie up: μένω στο κρεβάτι, διαφεύγω την προσοχή / lie in wait: ενεδρεύω
lief (λίφ) πρόθυμα
liege (λίιτζ) άρχοντας, κύριος, υπήκοος
lien (λίιν) δικαίωμα κατάσχεσης
lier (λάϊερ) ξαπλωμένος
lieu (λού) θέση, τόπος / in lieu of: αντί του, στη θέση του
lieutenancy (λουτένανσι) υπολοχαγία
lieutenant (λουτέναντ) υπολοχαγός, υποπλοίαρχος, **-colonel** αντισυνταγματάρχης, **-general** αντιστράτηγος, **-governor** υποκυβερνήτης
life (λάϊφ) ζωή, **-belt** σωστική ζώνη, **-boat** ναυαγοσωστική βάρκα, **-guard** σωματοφύλακας, **-less** άψυχος, νεκρός, **-like** όμοιος με ζωντανό, **-long** ισόβιος, **-preserver** σωσίβιο, **-saver** ναυαγοσώστης, **-size** φυ-

σικό μέγεθος, -time όλη η ζωή / for
the life of one: παρά τις προσπά-
θειες κάποιου
lifer (λάιφερ) κατάδικος διά βίου
lift (λίφτ) σηκώνω, ανυψώνω, ανυ-
ψωτήρας, ανελκυστήρας, ανύψωση,
-er αυτός που ανυψώνει, κλέφτης,
-ing ανύψωση, σήκωμα, -off απο-
γείωση αεροσκάφους
ligament (λίγκαμεντ) δεσμός, σύν-
δεσμος
ligature (λίγκατσουρ) επίδεσμος
light (λάιτ) φως, φωτίζω, φωτεινός,
ελαφρός, ανάβω, ανοιχτός (χρώμα-
τα), -ale είδος ελαφριάς μπύρας, -en
φωτίζω, αστράπτω, ελαφρύνω, χα-
ροποιώ, -er αναπτήρας, μαούνα, -e-
rage εκφόρτωση, -fingered ο δια-
πράττων μικρές κλοπές, -footed ευ-
κίνητος, -headed, -minded ελαφρό-
μυαλος, επιπόλαιος, -hearted εύθυ-
μος, -house φάρος, -ing άναμμα, φω-
τισμός, -ly εύκολα, ελαφρά, -ness
ελαφρότητα, ευθυμία
lightning (λάιτνινγκ) αστραπή, -bug
πυγολαμπίδα, -rod αλεξικέραυνο
lights (λάιτς) φώτα, πνεύμονες ζώων
lightship (λάιτσσιπ) πλοίο, που χρη-
σιμεύει ως φάρος
lightsome (λάιτσαμ) σβέλτος, ζωη-
ρός, ελαφρός
lightweight (λάιτουέιτ) πυγμάχος
ελαφρού βάρους
lightyear (λάιτγίαρ) έτος φωτός
ligneous (λίγκνιας) ξύλινος
lignite (λιγκνάιτ) λιγνίτης
lignum vitae (λίγκναμ βάϊτι) άγιο
ξύλο
likable (λάικαμπλ) αγαπητός, ευ-
χάριστος
like (λάικ) αγαπώ, αρέσκομαι,
όμοιος, καθώς, -wise ομοίως / some-
thing like: περίπου, λίγο ή πολύ
likelihood (λάικλιχούντ) ομοιότητα,
πιθανότητα
likeliness (λάικλινες) πιθανότητα,

αρμοδιότητα
likely (λάικλι) πιθανός, αρμόδιος,
πιθανόν
liken (λάικεν) παρομοιάζω, -ess
ομοιότητα
likes (λάικς) προτιμήσεις
liking (λάικινγκ) ευχαρίστηση,
κλίση, αγάπη
lilac (λάιλακ) πασχαλιά, χρώμα
ιώδες
liliaceous (λιλιέϊσσας) κρινοειδής
lilliputian (λιλιπούσσαν) νάνος,
υπερβολικά μικρός
lilt (λίλτ) τραγουδώ, εύθυμο τρα-
γούδι
lily (λίλι) κρίνος / lily of the valey:
καμπανούλα / lily white: κάτασπρος,
τίμιος, αγνός
lima bean (λάιμα μπίιν) είδος φα-
σολιού
limb (λίμπ) μέλος σώματος, άκρο,
κλαδί, -less χωρίς άκρα ή κλαδιά,
-ed ο έχων άκρα ή κλαδιά
limber (λίμπερ) εύκαμπτος, ευλύγι-
στος, -ness ευλυγισία
limbo (λίμπου) κόλαση, κατάστα-
ση αβεβαιότητας
lime (λάιμ) λιπαίνω, ασβέστης, είδος
μικρού λεμονιού, φιλύρα, -light λάμ-
ψη, επίδειξη, προβολείς σκηνής
θεάτρου, κέντρο δημόσιου ενδιαφέ-
ροντος, -stone ασβεστόλιθος, -twig
ιξόβεργα, -rick αστείο πεντάστοιχο
limit (λίμιτ) περιορίζω, όριο, -ation
περιορισμός, -ed περιορισμένος,
-ing ανασταλτικός, -less απεριόρι-
στος, -rophe συνοριακός
limn (λίμ) ζωγραφίζω, -er ζωγράφος
limousine (λιμουζίιν) λιμουζίνα, πο-
λυτελές αυτοκίνητο
limp (λίμπ) κουτσαίνω, κουτσό βά-
δισμα, χαλαρός, -ness χωλότητα,
χαλαρότητα, -er κουτσός
limpet (λίμπετ) πεταλίδα
limpid (λίμπιντ) διαυγής, διαφανής,
-ity, -ness διαύγεια

limy (λάϊμι) ασβεστώδης
linage (λάϊνετζ) ευθυγράμμιση
linchpin (λίντσπίν) σημαντικό
τμήμα που κρατάει το σύνολο σε
συνοχή
linden (λίντεν) φλαμουριά
line (λάϊν) γραμμή, σειρά, στίχος,
χαρακώνω, γράφω γραμμές, φο-
δράρω / down the line: ολοκληρωτι-
κά, εντελώς / line up: διατάσσω σε
σειρά ή γραμμή
lineage (λίνιτζ) γενεαλογία
lineal (λίνιαλ) ευθύγραμμος
lineament (λίνιαμεντ) χαρακτηρι-
στικό του προσώπου
linear (λίνιερ) γραμμικός, επιμήκης
lineman (λάϊνμαν) εργάτης, επόπτης
γραμμών
linen (λίνεν) λινός, λινό ύφασμα,
ασπρόρουχα
liner (λίνερ) πλοίο, φοδραριστής
lines (λάϊνς) ρόλος ηθοποιού,
ποίημα
line up (λάϊν άπ) διάταξη σε γραμ-
μή, σειρά γεγονότων
linger (λίνγκερ) αργώ, αργοπορία,
χρονοτριβώ, αργώ να εξαφανιστώ,
-er αργός
lingerie (λαντζερίι) γυναικεία
εσώρουχα
lingo (λίνγκοου) διάλεκτος
lingual (λίνγκουαλ) γλωσσικός
linguist (λίνγκουιστ) γλωσσολόγος,
-ic γλωσσολογικός
liniment (λίνιμεντ) αλοιφή γιά
εντριβή
lining (λάϊνινγκ) φόδρα, φοδράρι-
σμα, εσωτερική επιφάνεια
link (λίνκ) κρίκος, δεσμός, συν-
δέω, ενώνω, -age συνδετική σχέση,
σύνδεση
links (λίνκς) γήπεδο του γκόλφ
linnet (λίνιτ) σπίνος
linoleum (λινόουλιαμ) μουσαμάς
πατώματος
linotype (λάϊνοτάϊπ) στοιχειοθετι-

κή μηχανή
linseed (λινσίιντ) λιναρόσπορος,
-oil λινέλαιο
lint (λίντ) στουπί
lintel (λίντελ) ανώφλιο πόρτας
lion (λάϊον) λιοντάρι, -ess λέαινα
lionize (λαϊονάϊζ) δίνω μεγάλη ση-
μασία, μεταχειρίζομαι κάποιο ως
σημαντικό
lip (λίπ) χείλος, απαγγέλλω, -service
υποστηρίζω με λόγια, -stick κραγιόν
liquefaction (λικουιφάκσον) ρευ-
στοποίηση
liquefy (λικουεφάϊ) υγροποιώ, ρευ-
στοποιώ, λιώνω
liqueur (λικέρ) ηδύποτο, λικέρ
liquid (λίκουιντ) ρευστός, υγρός,
υγρό, χρηματικός
liquidate (λίκουιντέϊτ) σκοτώνω,
απαλλάσσομαι, εκκαθαρίζω, εξοφλώ
liquidation (λικουιντέϊσσον) εκκα-
θάριση
liquidator (λικουιντέϊτορ) εξοφλη-
τής, εκκαθαριστής
liquidity (λικουίντιτι) ρευστότητα,
μετατροπή σε μετρητά
liquor (λίκερ) δυνατό αλκοολούχο
ποτό
lira (λίιρα) Ιταλική λιρέττα, Τουρ-
κική λίρα
Lisbon (λίζμπαν) Λισσαβώνα
lisle (λάϊλ) είδος βαμβακερού υφά-
σματος
lisp (λίσπ) τραυλίζω, τραύλισμα, -er
τραυλός
lissome (λίσαμ) ευκίνητος, ευλύγι-
στος
list (λίστ) κατάλογος, προσέχω, κα-
ταγράφω, κλίνω (γιά πλοίο), γέρνω,
ακούω, επιθυμώ
listen (λίσν) ακούω, προσέχω,
ακρόαση, -er ακροατής, -able ευχά-
ριστος στο άκουσμα
listless (λίστλις) αδιάφορος, άτο-
νος, χαλαρός, -ness αδιαφορία, χα-
λαρότητα

L

lists (λίστς) τόπος διεξαγωγής αγώνων / enter the lists: λαμβάνω μέρος σε αγώνα, συζήτηση κ.τ.λ.

lit (λίτ) αορ. και παθ. μτχ. του light

litany (λίτανι) λιτανεία

liter (λίτερ) λίτρο (ή litre)

literacy (λιτέρασι) μόρφωση, γνώση γραφής και ανάγνωσης

literal (λίτεραλ) κυριολεκτικός, **-ly** κυριολεκτικά, **-ity** κυριολεξία

literary (λιτερέρι) λόγιος, φιλολογικός

literate (λίτεριτ) μορφωμένος, εγγράμματος

literati (λιτερέϊτι) οι λόγιοι

literature (λίτερτσαρ) φιλολογία

litharge (λίθαρτζ) λιθάργυρος

lithe (λάϊδ) ευλύγιστος, εύκαμπτος, **-ness** ευλυγισία, **-some** ευλύγιστος

lithograph (λίθογκραφ) λιθογραφώ, λιθογραφική εικόνα, **-er** λιθογράφος, **-ic** λιθογραφικός, **-y** λιθογραφία

litigant (λίτιγκαντ) ο μετέχων σε δίκη

litigate (λιτιγκέϊτ) φέρω ζήτημα προς εκδίκαση

litigation (λιτιγκέϊσσον) δίκη, δικαστικός αγώνας

litigious (λιτίτζας) φιλόδικος

litmus (λίτμας) ουσία μετατρεπόμενη σε μπλέ ή κόκκινη, όταν αναμιγνύεται αντίστοιχα με οξύ ή αλκάλιο

litter (λίτερ) φορείο, στρώμα, σκουπίδια, κοίτη, σκορπώ σκουπίδια, **-er** αυτός που ρίχνει σκουπίδια, **-bin** σκουπιδοτενεκές, **-lout**, **-bug** αυτός που ρίχνει σκουπίδια σε δημόσιους χώρους

litterateur (λιτεράτερ) φιλόλογος

little (λίτλ) λίγος, μικρός, λίγο, καθόλου (με ρήματα αισθήσεως), σπάνια, **-ness** μικρότητα / little by little: βαθμιαία, σταδιακά

littoral (λίτοραλ) παραθαλάσσιος, παραλία

liturgical (λιτέρτζικαλ) λειτουργικός

liturgy (λίτερτζι) λειτουργία

livable (λίβαμπλ) βιώσιμος

live (λίβ) ζώ, ζωντανός, κατοικώ, διαμένω, **-long** ολόκληρος, ισόβιος / live by: ζω σύμφωνα με κάποιους κανόνες / live down: ξεχνώ / live off: ζω από, λαμβάνω τα απαραίτητα γιά τη διαβίωση από / live on: επιζώ, συνεχίζω να ζω

livelihood (λάϊβλιχούντ) συντήρηση, πόρος ζωής

liveliness (λάϊβλινες) ζωηρότητα

lively (λάϊβλι) ζωηρά, ζωηρός

liven (λάϊβν) ζωηρεύω, χαροποιώ

liver (λίβερ) συκώτι, ο ζων, **-sausage**, **-wurst** είδος σάλτσας με συκώτι

liveried (λίβεριντ) ντυμένος με ειδική στολή υπηρέτη

liverish (λίβεριςς) άρρωστος λόγω πολυφαγίας ή οινοποσίας

livery (λίβερι) στολή υπηρέτη, διατροφή ή μίσθωση αλόγων, **-stable** δημόσιος στάβλος, τόπος φύλαξης αλόγων

lives (λάϊβς) πληθ. του life

livestock (λάϊβστοκ) ζώα αγροκτήματος

livewire (λάϊβγουάϊαρ) πολύ δραστήριο άτομο, σύρμα απ' όπου διέρχεται ηλεκτρικό ρεύμα

livid (λίβιντ) οργισμένος, θυμωμένος, μαυροκίτρινος, πολύ χλωμός

living (λίβινγκ) ζωή, ζωντανός, τα προς το ζην, **-room** καθιστικό (δωμάτιο σπιτιού)

lixivium (λιξίβιαμ) στάκτη

lizard (λίζαρντ) σαύρα

lano (λάνοου) μεγάλη άνυδρη πεδιάδα

lo! (λού) κοίταξε, να!

load (λόουντ) φορτίο, φόρτωμα, γεμίζω, γόμωση όπλου, **-ed** φορτωμένος, γεμάτος, μεθυσμένος, **-er** φορ-

τωτής, **-ing** φόρτωση, **-star** πολικός αστέρας, **-stone** μαγνήτης
loaf (λόουφ) καρβέλι, χασομερώ, **-er** αλήτης, χασομέρης, είδος παπουτσιού χωρίς τακούνι
loam (λόουμ) πηλός, εύφορο έδαφος, **-y** εύφορος, λασπώδης
loan (λόουν) δάνειο, δανείζω, **-er** δανειστής, **-shark** τοκογλύφος, **-word** λέξη προερχόμενη από άλλη γλώσσα
loath (λόουθ) ακούσιος, **-ly** ακούσια
loathe (λόουδ) σιχαίνομαι, αποστρέφομαι, μισώ
loathing (λόουδινγκ) αποστροφή, απέχθεια
loathsome (λόουδσαμ) απεχθής, αποκρουστικός
loaves (λόουβς) πληθ. του loaf
lob (λόμπ) περπατώ
lobar (λόουμπαρ) του λοβού
lobate (λοουμπέϊτ) λοβώδης, λοβοειδής
lobby (λόμπι) προθάλαμος, διάδρομος, παρασκήνια, προσπαθώ να επηρεάσω άτομο με πολιτική ισχύ προς εξυπηρέτηση των συμφερόντων μου
lobe (λόουμπ) λοβός αυτιού, προεξοχή, λοβός πνευμόνων ή εγκεφάλου
loblolly (λομπλόλι) είδος πεύκου
lobster (λόμπστερ) αστακός, **-pot** παγίδα γιά πιάσιμο αστακών
lobular (λόμπιουλαρ) λοβώδης
lobule (λόμπιουλ) λόβιο, μικρός λοβός
local (λόκαλ) ντόπιος, τοπικός, **-ly** τοπικά, **-ism** τοπικισμός, **-e** τοποθεσία συμβάντος, **-ity** τοποθεσία, μέρος, περιοχή, **-ize** εντοπίζω, περιορίζω, **-ization** εντόπιση
locate (λοουκέϊτ) βρίσκω, τοποθετώ, εγκαθίσταμαι
location (λοουκέϊσσον) τοποθέτηση, τοποθεσία, εύρεση

locator (λοουκέϊτορ) αυτός που τοποθετεί
loch (λόχ) λίμνη, κόλπος
lock (λοκ) κλειδαριά, κλειδώνω, μπούκλα, μπλοκάρω, **-ομαι**, **-er** ντουλαπάκι γιά φύλαξη προσωπικών αντικειμένων
locket (λόκιτ) μενταγιόν
lockjaw (λοκτζόο) τέτανος
lock out (λοκ άουτ) κλείσιμο εργοστασίου, λόγω διαφωνίας εργατών και εργοδότη
locks (λόκς) μαλλιά κεφαλής (ποίηση)
locksmith (λόκσμίθ) κλειδαράς
lockup (λόκ απ) κρατητήριο, κράτηση, φυλακή
loco (λόουκοου) τρέλα, ζάλη, τρελός, τρελαίνω
locomotion (λοουκομόουσσον) μετακίνηση, κίνηση
locomotive (λοουκομόουτιβ) ατμομηχανή σιδηροδρόμου, ο προκαλών κίνηση
locomotor (λοουκομόουτορ) κινητικός, **-ataxia** είδος παράλυσης
locus (λόκας) τόπος
locust (λόουκαστ) ακρίδα
locution (λοουκιούσσον) φράση, ιδίωμα, έκφραση
lode (λόουντ) φλέβα μετάλλου, **-star** πολικός αστέρας, παράδειγμα προς μίμηση, **-stone** μαγνήτης
lodge (λότζ) κατάλυμα, καταλύω, διαμένω, τοποθετώ, **-r** ένοικος
lodging (λότζιν) χώρος διαμονής, κατάλυμα
lodgment (λότζμεντ) κατοίκηση, προσωρινή εγκατάσταση, τοποθέτηση
loft (λόφτ) σοφίτα, υπερώο, ανώγειο πάτωμα, **-y** ψηλός, υπεροπτικός, **-ily** ψηλά, **-iness** ύψος
log (λόγκ) κούτσουρο, ημερολόγιο πλοίου, καταγράφω, κόβω δέντρα
logarithm (λόουγκαριδμ) λογάριθ-

μος

log cabin (λόγκ κάμπιν) ξύλινο σπιτάκι, καλύβα

loge (λούουτζ) θεωρείο θεάτρου

logger (λόογκερ) ξυλοκόπος, **-head** βλάκας

loggia (λότζα) σκεπασμένος εξώστης

logging (λόγκινγκ) κόψιμο ξύλων

logic (λότζικ) λογική, **-al** λογικός, **-ally** λογικός

logician (λοουτζίσσαν) επιστήμονας της λογικής

logistic(al) (λοουτζίστικ, -αλ) υπολογιστικός

logotype (λογκοτάϊπ) λογότυπο

logrolling (λογκρόουλινγκ) κομματικός συνασπισμός, ανταπόδοση επαίνου ή βοήθειας

logy (λότζι) νωθρός, βαρύς

loin (λόϊν) πλευρά, νεφρική χώρα, **-cloth** ζωνάρι

loiter (λόϊτερ) χασομερώ, **-ing** χρονοτριβή, τεμπελιά

loll (λόλ) ξαπλώνω, χουζουρεύω, κρεμώ, κρέμομαι

lollipop (λόλιπόπ) ζαχαρωτό, γλυφιτζούρι

London (λάντον) Λονδίνο

lone (λόουν) μόνος, έρημος, **-ly** μοναχικός, χωρίς ανθρώπους, ακατοίκητος, **-liness** μοναξιά, **-some** έρημος, μοναχικός

long (λόνγκ) μακρύς, ποθώ, **-boat** η μεγαλύτερη βάρκα πλοίου, **-drawn -out** παρατεταμένος, εκτενής, **-evity** μακροζωία, **-face** λυπημένη έκφραση προσώπου, **-hand** χειρογράφος, γράψιμο με το χέρι, **-haul** μακρύ και δύσκολο ταξίδι ή έργο, **-head** έξυπνος, **-ish** αρκετά μακρύς, **-jump** άλμα εις μήκος, **-shot** απώτερο στόχος / as long as: αν, με την προϋπόθεση ότι / no longer: όχι πιά / for long: γιά πολύ καιρό

longing (λόνγκινγκ) ανυπομονησία,

πόθος, ο ποθών, **-ly** με πόθο

longitude (λόντζιτιούντ) γεωγραφικό μήκος

longitudinal (λοντζιτιούντιναλ) του γεωγραφικού μήκους

longshoreman (λονγκσσόορμαν) φορτωτής πλοίων

longsighted (λόνγκσάϊτιντ) οξυδερκής

longstanding (λόνγκστάντινγκ) μακροχρόνιος

longsuffering (λονγκσάφερινγκ) υπομονετικός

longterm (λόνγκτέρμ) ο αναφερόμενος στο απώτερο μέλλον

longvacation (λονγκβακέϊσσον) τρίμηνη περίοδος καλοκαιρινών διακοπών

longwinded (λονγκγουάϊντιντ) μακροσκελής, εκτενέστατος

loo (λού) τουαλέτα

look (λούκ) βλέπω, κοιτάζω, βλέμμα, ματιά, φαίνομαι, **-er** παρατηρητής, **-out** φρουρός, φρούρηση, σκοπιά, **-s** εξωτερική εμφάνιση, **-in** σύντομη επίσκεψη, πιθανότητα επιτυχίας, **-ing glass** καθρέφτης / look daggers at: κοιτάζω πολύ θυμωμένα / look sharp: βιάζομαι, είμαι προσεκτικός / look down one's nose at: υποτιμώ, θεωρώ κάποιον ασήμαντο / look ahead: σχεδιάζω γιά το μέλλον / look around: ψάχνω, ερευνώ / look at: θεωρώ, κρίνω / look back: θυμάμαι / look down on: υποτιμώ / look for: ψάχνω, επιζητώ / look forward to: περιμένω με ανυπομονησία να / look into: ερευνώ, εξετάζω / look out: προσέχω / look to: καταφεύγω γιά βοήθεια / look up to: θαυμάζω, σέβομαι

loom (λούμ) αργαλειός

loon (λούν) βλάκας, τρελός, **-y** τρελός

loop (λούπ) θηλειά, στροφή, κάνω θηλειά

loophole (λούπχόουλ) πολεμίστρα, υπεκφυγή

loose (λούζ) λυτός, χαλαρός, ευκοίλιος, απολύω, λύνω, **-ness** χαλαρότητα, ευκοιλιότητα, **-leaf** βιβλίο με φύλλα που μπαινοβγαίνουν

loosen (λούσν) λύνω, χαλαρώνω

loot (λούτ) λάφυρο, λεία, λεηλατώ, ληστεύω, **-er** ληστής

lop (λόπ) κλαδεύω, κρεμώ, κρέμομαι, **-per** κλαδευτής, **-ping** κλάδεμα, **-sided** ασύμμετρος, ανισόρροπος

lope (λόουπ) καλπάζω γρήγορα

loquacious (λοουκέϊσσας) φλύαρος, πολυλογάς

loquacity (λοκουάσιτι) φλυαρία

loquat (λόουκουατ) είδος φρούτου

lord (λόρντ) λόρδος, κύριος, Κύριος (θεός), συμπεριφέρομαι αυταρχικά, **-liness** αρχοντιά, **-ly** αρχοντικός, **-ship** αρχοντιά, αξίωμα λόρδου / Lord's prayer: Κυριακή προσευχή / Lord's Supper: Μυστικός Δείπνος

lore (λόουρ) μάθηση, προφορική παράδοση

lorgnette (λόουρνιέτ) γυαλιά που κρατιούνται με μακριά λαβή

lorn (λόορν) μοναχικός, εγκαταλελειμμένος (ποιητ.)

lorry (λόρι) φορτηγό

lose (λούζ) χάνω, γίνομαι αιτία απώλειας, **-r** αποτυχημένος / lose one's head: χάνω την ηρεμία ή τον αυτοέλεγχο / lose one's heart: ερωτεύομαι / lose sight of: ξεχνώ

loss (λός) απώλεια, ζημιά, **-leader** πολύ φτηνό εμπόρευμα προς προσέλκυση πελατών / be at a loss: τα' χω χαμένα, βρίσκομαι σε αμηχανία

lost (λόστ) χαμένος, κατεστραμμένος (παθ. μτχ. του lose), **-cause** χαμένη υπόθεση, χωρίς πιθανότητες επιτυχίας

lot (λότ) λαχνός, κλήρος, μερίδιο, μεγάλη ποσότητα, σωρός, οικόπεδο, μοίρα, τύχη / lots of: πλήθος

από / a fat lot: καθόλου / thanks a lot: σ' ευχαριστώ πολύ

lotion (λόουσσον) λοσιόν, υγρό γιά καθαρισμό προσώπου

lottery (λότερι) λαχείο, κάτι αβέβαιο, ρίσκο

lotto (λότο) τυχερό παιχνίδι

lotus (λόουτας) λωτός

loud (λάουντ) μεγαλόφωνος, δυνατός, ηχηρός, ηχηρά, δυνατά, **-hailer** μεγάφωνο, **-mouth** αυθάδης, πολυλογάς, **-ness** μεγαλοφωνία, **-speaker** μεγάφωνο

Louis (λούις) Λουδοβίκος

lounge (λάουντζ) ξαπλώνω, χουζουρεύω, τεμπελιάζω, καναπές, **-r** τεμπέλης, χασομέρης

lour (λάουρ) συνοφρυώνομαι

louse(λάουζ) **ψείρα** / **louse up: χειροτερεύω, χαλώ**

lousy (λάουζι) ψειριάρης, βρωμερός

lout (λάουτ) ανόητος, αγροίκος, τραχύς, **-ishness** αδεξιότητα, τραχύτητα

louvre, louver (λούβρ, λούβερ) μικρό παράθυρο με ανοίγματα για αερισμό

lovable (λόβαμπλ) αξιαγάπητος

love (λάβ) αγαπώ, αγάπη, έρωτας, αρέσκομαι, **-affair** ερωτική σχέση, **-birds** πολυαγαπημένο ζευγάρι, **-less** ανέραστος, άστοργος, **-lorn**, **-sick** ερωτόληπτος, θλιμμένος λόγω ανανταπόδοτου έρωτα, **-ly** αγαπητός, ευχάριστος, θελκτικός, **-liness** χάρη, ομορφιά, **-r** εραστής, **-sickness** ερωτοληψία, θλίψη λόγω έρωτα / no love lost between: απαρέσκεια, όχι φιλικά αισθήματα / not for love or(nor) money: με κανένα τρόπο

loving (λάβιν) τρυφερός, **-kindness** τρυφερή φιλία, φροντίδα

low (λόου) χαμηλός, ταπεινός, φθηνός, πρόστυχος, μουγκρίζω, μούγκρισμα, **-born** ταπεινής καταγωγής, -**boy** χαμηλό κομοδίνο, -**bred** ροχαλητό, χυδαίος, πρόστυχος, -**down** άτιμος, πρόστυχος, αληθινή πληροφορία, -**countries** οι κάτω χώρες, -**land** πεδιάδα, -**lander** κάτοικος πεδινής περιοχής, -**liness** ταπεινότητα, -**ly** ταπεινός, ταπεινά, -**ness** ευτέλεια, ταπεινότητα, -**season** περίοδος οικονομικής κι εμπορικής ύφεσης, -**spirited** κατηφής, αποθαρρημένος, -**tide** άμπωτη

lower (λόουερ) χαμηλώνω, κατώτερος, χαμηλότερος, -**case** μικρά γράμματα (όχι κεφαλαία), -**class** χαμηλή κοινωνική τάξη, -**most** χαμηλότατος

lox (λόξ) καπνιστός σολομός

loyal (λόϊαλ) πιστός, νομοταγής, -**ist** νομοταγής, πιστός στην κυβέρνηση, -**ty** πίστη, νομιμοφροσύνη

lozenge (λόζεντζ) φαρμακευτική καραμέλα, ρόμβος

lubber (λάμπερ) αγροίκος, αδέξιος, -**ly** αδέξιος, σκληρός

lubricant (λούμπρικαντ) λειαντικό, λάδι μηχανής

lubricate (λούμπρικέϊτ) λαδώνω

lubrication (λουμπρικέϊσσον) λάδωμα

lubricative (λουμπρικέϊτιβ) λειαντικός

lubricator (λουμπρικέϊτορ) αυτός που λαδώνει

lubricity (λουμπρίσιτι) ολισθηρότητα

lucency (λούσενσι) λαμπρότητα

lucent (λούσεντ) γυαλιστερός

lucerne (λουσέρν) τριφύλλι

lucid (λούσιντ) διαυγής, σαφής, ευδιάκριτος, -**ness, -y** σαφήνεια, διαύγεια

lucifer (λούσιφερ) σπίρτο, ο πλανήτης Αφροδίτη, εωσφόρος -**ous** φωτοβόλος

luck (λάκ) τύχη, -**ily** ευτυχώς, -**less** άτυχος, -**y** τυχερός / be down on

one's luck: είμαι κακότυχος / be in(out) of luck: είμαι τυχερός (άτυχος)

lucrative (λούκρατιβ) επικερδής, κερδοφόρος

lucre (λούκερ) κέρδος

lucubrate (λιούκιουμπρέϊτ) μελετώ αγρυπνώντας

lucubration (λιουκιουμπρέϊσσον) πολύωρη, νυχτερινή μελέτη

ludicrous (λούντικρας) αστείος, γελοίος, -**ness** γελοιότητα

luff (λάφ) στρέφω την πλώρη πλοίου προς τον άνεμο

lug (λάγκ) λαβή, προεξοχή, λοβός, σύρω με δυσκολία

luggage (λάγκιτζ) αποσκευές, αποσκευή, -**rack** ράφι γιά φύλαξη αποσκευών επιβατών τρένου κτλ., -**van** βαγόνι αποσκευών τρένου

lugger (λάγκερ) μικρό πλοίο με τετράγωνα πανιά

lugsail (λάγκ σέϊλ) τετράγωνο πανί πλοίου

lugubrious (λουγκιούμπριας) πένθιμος

lukewarm (λούκουέρμ) χλιαρός

lull (λάλ) ηρεμώ, νανούρισμα, νανουρίζω, προσωρινή ησυχία, αποκοιμίζω, -**aby** νανούρισμα, νανουρίζω

lumbago (λαμπέϊγκοου) οσφυαλγία

lumbar (λάμπαρ) οσφυϊκός

lumber (λάμπερ) ξυλεία, άχρηστα αντικείμενα, ξυλεύομαι, σωριάζω, κινούμαι αργά, -**er** αργοκίνητος, -**ing** ξύλευση, -**jack** ξυλοκόπος, -**man** ξυλοκόπος, ξυλέμπορος

luminary (λούμινέρι) φωτοβόλο σώμα, άτομο με εξαιρετική ικανότητα

luminescence (λουμινέσενς) φωτοβολία

luminescent (λουμινέσεντ) φωτοβόλος

luminiferous (λουμινίφερας) φωτεινός, φωτοβόλος

luminous (λούμινας) φωτεινός
luminosity (λουμινόσιτι) φωτεινότητα, φωτοβολία
lummox (λάμαξ) ανόητος
lump (λάμπ) βώλος, μάζα, σωριάζω, αθροίζω
lumpish (λάμπιςς) αδέξιος, ανόητος
lumpsum (λάμπσάμ) στρογγυλό ποσό
lumpy (λάμπι) χοντρός, αδέξιος, με εξογκώματα
luna (λούνα) σελήνη
lunacy (λούνασι) τρέλα
lunar (λούναρ) σεληνιακός
lunate (λουνέϊτ) ο έχων σχήμα μισοφέγγαρου
lunatic (λούνατικ) τρελός
lunch (λάντς) ελαφρό γεύμα, προγευματίζω, -**room** εστιατόριο
lunette (λουνέτ) φεγγίτης
lung (λάνγκ) πνεύμονας
lunge (λάντζ) σπρώχνω, ξαφνικό χτύπημα ή ώθηση
lurch (λέρτς) τρεκλίζω, παραπατώ, κλίση πλοίου
lure (λιούρ) δελεάζω, δέλεαρ, δόλωμα
lurid (λιούριντ) φρικτός, δυσάρεστος, φλογερός, έντονα χρωματισμένος
lurk (λέρκ) παραμονεύω, ενεδρεύω, -**ing** δόλιος, -**er** ο ενεδρεύων
luscious (λάσσας) γλυκός, εύγευστος
lush (λάσσ) πλούσιος, αφθονών, αλκοολικός, -**ness** πλούσια βλάστηση, αφθονία
lust (λάστ) λαγνεία, πόθος, επιθυμώ

σφοδρά, -**ful** λάγνος, -**fulness** λαγνεία
luster, lustre (λάστερ) λάμψη, φήμη
lustiness (λάστινες) δύναμη, ρώμη
lustrate (λάστρέϊτ) εξαγνίζω, καθαρίζω
lustrous (λάστρας) λαμπρός, γυαλιστερός
lusty (λάστι) εύρωστος
lute (λούτ) λαούτο
lutist (λούτιστ) παίκτης λαούτου
luxuriance (λαξούριανς) ανθηρότητα, πλούσια βλάστηση
luxuriant (λαξούριαντ) άφθονος
luxuriate (in smth) (λαξούριέϊτ) απολαμβάνω, εντρυφώ
luxurious (λακσούριας) πολυτελής, -**ness** πολυτέλεια
luxury (λάξαρι) πολυτέλεια
lyceum (λαϊσίαμ) λύκειο
lye (λάϊ) καυστικό κάλιο ή νάτριο
lying (λάϊιν) ψέμμα, ψευδόμενος, ευρισκόμενος, ξαπλωμένος, -**in** τοκετός, περίοδος παραμονής εγκύου στο κρεβάτι
lymph (λίμφ) λέμφος, -**atic** λεμφικός
lynch (λίντς) λιντσάρω, θανατώνω χωρίς δίκη, -**er** αυτός που λιντσάρει, -**ing** λιντσάρισμα
lynx (λίνξ) άγριο αιλουροειδές ζώο, -**eyed** οξυδερκής
lyonnaise (λαϊονέϊζ) στιφάδο
lyre (λάϊαρ) λύρα
lyric (λίρικ) λυρικός, λυρικό ποίημα, -**ism** λυρισμός, -**s** στίχοι τραγουδιού
lyrist (λίριστ) λυρικός ποιητής

L

M

M, m (έμ) δέκατο τρίτο γράμμα στο Αγγλικό αλφάβητο

ma (μά) μητέρα, μαμά

ma'am (μάαμ) συντομία αντί madam

mac- (μακ-) πριν από Σκωτικά και Ιρλανδικά ονόματα σημαίνει "γιός του"

macabre (μακάαμπρ) μακάβριος

macadam (μακάνταμ) χαλικόστρωμα, **-ize** στρώνω με χαλίκι

macaroni (μακαρόουνι) μακαρόνια, **-c** μακαρονοειδής

macaroon (μακαρούν) πίτα με αυγά, ζάχαρη κι αμύγδαλα

macaw (μακόο) είδος παπαγάλου

Maccabees (μακαμπίιζ) οι Μακαββαίοι

mace (μέϊς) ρόπαλο, σκήπτρο, μοσχοκάρυδο

macerate (μάσερέϊτ) μουσκεύω, βάζω κάτι στο νερό γιά να μαλακώσει, μαραίνω, υγραίνω

maceration (μασερέϊσσον) διάλυση, μαρασμός, ύγρανση

machete (μασσέϊτι) μεγάλο μαχαίρι

Machiavellian (μακιαβέλιαν) Μακιαβελλικός

machicolation (ματσικολέϊσσαν) άνοιγμα σ' επάλξεις φρουρίου

machinate (μάκινέϊτ) μηχανορραφώ, σκευωρώ

machination (μακινέϊσσαν) σκευωρία

machinator (μακινέϊτορ) σκευωρός

machine (μασσίν) μηχανή, παράγω με μηχανή, **-gun** πολυβόλο, **-read-**

able με μορφή που μπορεί να χρησιμοποιηθεί από H / Y, **-tool** μηχανοκίνητο εργαλείο, **-ry** μηχανήματα, μηχανισμός

machinist (μασσίινιστ) μηχανικός, χειριστής μηχανής

machismo (ματσίζμοου) σκληρότητα, ρωμαλέα κι ανδροπρεπής εμφάνιση

macho (μάτσοου) δυνατός, ρωμαλέος, τραχύς

mackerel (μάκερελ) σκουμπρί

mackinaw (μακινόο) κοντό μάλλινο σακάκι

mackintosh (μακιντόοσσ) αδιάβροχο

macrocosm (μακροκόζμ) μακρόκοσμος, σύμπαν

macula (μάκιουλα) κηλίδα, κηλιδώνω

mad (μάντ) τρελός, θυμωμένος, άγριος κι ανεξέλεγκτος, **-cap** απερίσκεπτος, τρελός, **-den** τρελαίνω, **-dening** εξωφρενικός

madam (μάνταμ) κυρία

made (μέϊντ) αορ. του make

Madeira (μαντίιρα) Μαδέρα, είδος αλκοολούχου ποτού

mademoiselle (μαντεμουαζέλ) δεσποινίς

made-to-measure (μέϊντ του μέζουρ) (γιά ρούχα) φτιαγμένος στα μέτρα κάποιου

made-up (μέϊντ άπ) πλαστός, ψεύτικος

madhouse (μάντχάουζ) τρελοκομείο

madly (μάντλι) τρελά
madman (μάντμαν) τρελός
madness (μάντνις) τρέλα
Madonna (μαντόνα) Παναγία
Madras (μαντράς) βαμβακερό ύφασμα
madrigal (μάντριγκαλ) τραγούδι από ομάδα ατόμων χωρίς όργανα
mealstrom (μέιλστρομ) δίνη νερού, ανεμοστρόβιλος, ανεξέλεγκτη κατάσταση
maenad (μίιναντ) ιέρεια του Διόνυσου, υπερβολικά ταραγμένη γυναίκα
maestro (μαῖστρο) μαέστρος
maffic (μάφικ) πανζουρλισμός
magazine (μάγκαζιν) περιοδικό, αποθήκη πολεμοφοδίων
mage (μέιτζ) μάγος
magenta (ματζέντα) πορφυρός, πορφυρή βαφή
maggot (μάγκοτ) σκουλήκι εντόμου, **-y** σκωληκώδης
Magi (μέιτζάι) οι τρείς μάγοι
magic (μάτζικ) μαγικός, μαγεία, **-al** μαγικός, μυστηριώδης, **-ian** μάγος, ταχυδακτυλουργός
magisterial (ματζιστίριαλ) αυταρχικός, δεσποτικός, δικαστικός
magistracy (μάτζίστρασι) δικαστικός κλάδος, δικαστικό αξίωμα
magistrate (μάτζιστρέϊτ) ειρηνοδίκης
magma (μάγκμα) μίγμα
magnanimity (μαγκνανίμιτι) μεγαλοψυχία
magnanimous (μαγκνάνιμας) μεγαλόψυχος
magnate (μαγκνέϊτ) ισχυρός, διευθύνων
magnesia (μαγκνίισα) μαγνησία
magnesium (μαγκνίισαμ) μαγνήσιο
magnet (μάγκνετ) μαγνήτης, **-ic** μαγνητικός, **-ism** μαγνητισμός
magnetization (μαγκνετιζέϊσσον) μαγνήτηση

magnetize (μάγκνετάϊζ) μαγνητίζω
magneto (μαγκνίτοου) συσκευή με μαγνήτες γιά παραγωγή ηλεκτρισμού, **-electric** μαγνητοηλεκτρικός
magnification (μαγκνιφικέϊσσαν) μεγένθυση
magnificence (μαγκνίφισενς) μεγαλοπρέπεια
magnificent (μαγκνίφισεντ) μεγαλοπρεπής
magnifier (μάγκινιφάϊερ) ο μεγενθυντής
magnify (μάγκνιφάϊ) μεγαλοποιώ, μεγενθύνω, **-ing** μεγενθυντικός
magniloquence (μαγκνιλόκουενς) κομπασμός, καυχησιολογία
magniloquent (μαγκνιλόκουεντ) καυχησιάρης
magnitude (μάγκνιτιούντ) μέγεθος
magnolia (μαγκνόουλια) μανόλια (δέντρο)
magnum (μάγκναμ) μεγάλη φιάλη κρασιού
magpie (μαγκπάϊ) καρακάξα
maguey (μάγκουέϊ) αλόη (φυτό)
maharaja(h) (μαχαράαζτα) μαχαραγιάς
maharani (μαχαράανι) η σύζυγος του μαχαραγιά
mahatma (μαχάτμα) σοφός κι άγιος Ινδός
mah-jong (ματζόονγκ) κινέζικο παιχνίδι
mahogany (μαχόγκανι) μαόνι (ξύλο)
mahomet (μαχάμετ) Μωάμεθ
mahout (μιχάουτ) οδηγός και φύλακας ελάφαντα (ινδία)
maid (μέϊντ) υπηρέτρια, κορίτσι, **-en** κόρη, **-enhair** είδος πτέρης, **-e-nhead**, **-enhood** παρθενία, **-enliness** σεμνότητα, **-enly** σεμνός, παρθενικός, **-servant** υπηρέτρια / maid of honor: παράνυμφος, κυρία των τιμών σε βασιλική αυλή
mail (μέϊλ) αλληλογραφία, ταχυδρομώ, σιδερένιος θώρακας, **-able**

ταχυδρομήσιμος, -ed ταχυδρομημέ-
νος, τεθωρακισμένος, -bag τσάντα
ταχυδρομικού διανομέα, -box γραμ-
ματοκιβώτιο, -man ταχυδρόμος
maim (μέιμ) ακρωτηριάζω, -er
ακρωτηριαστής, -ing ακρωτηρια-
σμός
main (μέϊν) βασικός, κύριος, ου-
σιώδης, ωκεανός, κύριος αγωγός,
-chance η δυνατότητα απόκτησης
χρημάτων, -clause κύρια πρόταση,
-frame ο τελειότερος τύπος Η / Υ,
-land στεριά, ήπειρος, -ly κυρίως,
-mast κύριο κατάρτι, -sail το μεγα-
λύτερο πανί πλοίου, -spring το με-
γαλύτερο ελατήριο ρολογιού, κυ-
ριότερος λόγος ή αιτία, -stay κύριο
στήριγμα, -stream κύριο ρεύμα
(και μεταφορικά)
maintain (μέϊντέϊν) διατηρώ, συντη-
ρώ, υποστηρίζω με χρήματα
maintenance (μεϊντένενς) διατήρη-
ση, συντήρηση
maize (μέϊζ) αραβόσιτος
majestic (ματζέστικ) μεγαλοπρεπής,
-ally μεγαλοπρεπώς
majesty (μάτζεστι) μεγαλείο, μεγα-
λειότητα
majolica (ματζόλικα) είδος πορσε-
λάνης
major (μέϊτζορ) μεγαλύτερος, ταγμα-
τάρχης, πρεσβύτερος, -domo αρχιοι-
κονόμος, -general υποστράτηγος, -ity
πλειοψηφία, πλειονότητα
make (μέϊκ) κάνω, φτιάχνω, κατα-
σκευάζω, καθιστώ, κατασκευή, -r
κατασκευαστής, -good επανορθώνω,
-shift τέχνασμα, προσωρινό μέτρο,
-up μακιγιάρισμα / make as if to: εί-
μαι έτοιμος να / make believe: προ-
σποιούμαι, προσποίηση, προσποιη-
τός / make it: φτάνω εγκαίρως, επι-
τυγχάνω / make for: κατευθύνομαι
προς, συμβάλλω, έχω ως αποτέλε-
σμα / make into: μετατρέπω / make
off: δραπετεύω, το βάζω στα πόδια /

make out: καταλαβαίνω, διακρίνω /
make up: εφευρίσκω, αποφασίζω,
αποκαθιστώ τις σχέσεις μου με κά-
ποιον, παρασκευάζω / make up for:
αποζημιώνω, αντισταθμίζω
making (μέϊκινγκ) κατασκευή
mal- (μαλ-) πρόθεμα, δυσ-, κακο-
malachite (μαλακάϊτ) μαλαχίτης
λίθος
maladjusted (μαλαντζάστιντ)
δυσπροσάρμοστος, ακανόνιστος
maladjustment (μαλατζάστμεντ) κα-
κή ρύθμιση
maladminister (μαλαντμίνιστερ)
διευθύνω λανθασμένα
maladministration (μαλαντμινι-
στρέϊσσον) κακή διοίκηση
maladroit (μαλαντρόϊτ) αδέξιος
malady (μάλαντι) αρρώστια
malaise (μαλέϊζ) αδιαθεσία
malapropos (μαλαπροπόου) άκαι-
ρος, άτοπος
malaria (μαλέϊρια) ελονοσία, -l
ελώδης
Malay (μαλέϊ) Μαλαισία, Μαλαϊκός
malcontent (μαλκοντέντ) δυσαρε-
στημένος
male (μέϊλ) αρσενικός
malechauvinist (μέϊλσσόβινιστ) φα-
λοκράτης
malediction (μαλεντίκσον) κατάρα
malefactor (μαλεφάκτορ) κακοποιός
maleficence (μαλέφισενς) βλάβη,
κακό
maleficent (μαλέφισεντ) βλαβερός
malevolence (μαλέβολενς) κακο-
βουλία
malevolent (μαλέβολεντ) κακόβου-
λος
malfeasance (μαλφίιζανς) παρανο-
μία, σφάλμα
malfeasant (μαλφίιζαντ) παράνομος
malformation (μαλφορμέϊσσον) δυ-
σμορφία
malformed (μαλφόρμντ) κακόμορ-
φος, κακοσχηματισμένος

malice (μάλις) μοχθηρία, κακία

malicious (μαλίσσας) μοχθηρός, κακόβουλος, κακεντρεχής, -ness μοχθηρία, κακεντρέχεια

malign (μαλάϊν) δυσφημώ, κακολογώ, βλαβερός, κακόβουλος, δυσμενής, -acy, -ity κακοήθεια, κακεντρέχεια, -ant κακόβουλος, κακοήθης

maline(s) (μαλίιν) ύφασμα λεπτό σαν τούλι

malinger (μαλίνγκερ) αποφεύγω τη δουλειά προσποιούμενος ασθένεια

mall (μαλ) εμπορικό κέντρο σε πεζόδρομο, δεντροστοιχία

mallard (μάλαρντ) αγριόπαπια

malleability (μαλιαμπίλιτι) το σφυρηλατήσιμο, το ελατό

malleable (μάλιαμπλ) μαλακός, ελατός, σφυρηλατήσιμος

mallet (μάλιτ) κόπανος, ξύλινο σφυρί

mallow (μάλοου) μολόχα (φυτό)

malnourished (μαλνέρισσντ) κακώς διατρεφόμενος

malnutrition (μαλνουτρίσσον) κακή διατροφή

malodorous (μαλόόντορας) δύσοσμος

malpractice (μάλπράκτις) κατάχρηση

malt (μόολτ) κριθάρι ζυθοποιίας, κατασκευάζω μπύρα

Maltese (μαλτίιζ) κάτοικος Μάλτας, γλώσσα Μάλτας

maltreat (μαλτρίτ) κακομεταχειρίζομαι, -ment κακομεταχείρηση

maltster (μάαλτστερ) ζυθοποιός

mamma, mama (μάαμα) μαμά, μητέρα

mamma (μάαμα) μαστός

mammal (μάμαλ) θηλαστικό

mammary (μάμαρι) των μαστών

mammalian (μαμέΐλαιν) θηλαστικός

mammon (μάμαν) πλούτος, μαμμωνάς

mammoth (μάμοθ) μαμούθ, πελώ-

ριος

mammy (μάμι) μητέρα, νέγρα παραμάνα

man (μάν) άνθρωπος, άντρας, επανδρώνω

manacle (μάνακλ) χειροπέδη

manage (μάνατζ) διοικώ, διευθύνω, κατορθώνω, -ment διαχείρηση, -able ευάγωγος, ευχείριστος

manager (μάνατζερ) διευθυντής, -ess διευθύντρια, -ial διαχειριστικός

man-at-arms (μαν ατ άρμς) οπλίτης

manciple (μάνσιπλ) προμηθευτής

Mancunian (μανκιούνιαν) κάτοικος του Μάντσεστερ

mandamus (μαντέϊμας) διαταγή ανώτερου δικαστηρίου

mandarin (μάνταριν) μανταρίνι, Μανδαρίνος

mandate (μαντέΐτ) διαταγή

mandatory (μαντατόουρι) επιτακτικός, προστακτικός

mandible (μάντιμπλ) κάτω σιαγώνα

mandoli(e)) (μάντολιιν) μαντολίνο

mandrake (μαντρέϊκ) μανδραγόρας (φυτό)

mane (μέϊν) χαίτη

maneater (μανίιτερ) ανθρωποφάγος

maneuver (μανούθερ) μανουβράρω, τέχνασμα, ελιγμός, στρατιωτική κίνηση, -able ελικτός, -s τα γυμνάσια

manful (μάνφουλ) ανδροπρεπής, γενναίος, αποφασιστικός, -ness ανδροπρέπεια

manganese (μάνγκανίιζ) μαγγάνιο (μέταλλο)

mange (μέϊντζ) ψώρα

manger (μέϊντζερ) παχνί

mangle (μάνγκλ) παραμορφώνω, κατακρεουργώ, σιδερώνω, κυλινδρικό μηχάνημα σιδερώματος

mangling (μάνγκλινγκ) κατακρεούργηση, ξέσχισμα

mango (μάνγκοου) μάνγκο (τροπικό δέντρο)

mangrove (μανγκρόουθ) τροπικό

δέντρο

mangy (μέϊντζι) ο πάσχων από ψώρα

manhandle (μανχάντλ) κακομεταχειρίζομαι

manhole (μανχόουλ) τρύπα στο έδαφος γιά είσοδο σε υπόνομο

manhood (μάνχουντ) ανδρική ηλικία, ανδρικός πληθυσμός

manhunt (μάνχαντ) ανθρωποκυνηγητό, καταδίωξη καταζητούμενου

mania (μέϊνια) μανία, -c μανιακός, -cal μανιακός

manic (μάνικ) μανιακός

manicure (μανικιούρ) περιποίηση νυχιών, περιποιούμαι τα νύχια

manicurist (μανίκιουριστ) μανικιουρίστας

manifest (μανιφέστ) φανερός, εκδηλώνω, -ness φανερότητα, -ation εκδήλωση, φανέρωση

manifesto (μάνιφέστοου) προκήρυξη

manifold (μανιφόουλντ) πολύμορφος, πολλαπλός, αντίτυπο, παράγω αντίτυπα

manikin (μάνικιν) νάνος, μοντέλο

manila (μανίλα) είδος σκληρού χαρτιού

manipulate (μανιπιουλέϊτ) χειρίζομαι, παραποιώ

manipulation (μανίπιουλέϊσσον) χειρισμός, παραποίηση

manipulator (μανίπιουλέϊτορ) παραποιητής, χειριστής

mankind (μάνκάϊντ) ανθρώπινο γένος

manlike (μάνλάϊκ) ανδροπρεπής

manliness (μάνλινεσ) ανδροπρέπεια

manly (μάνλι) ανδροπρεπής, ανδρικός

man-made (μάν μέϊντ) τεχνητός, χειροποίητος, συνθετικός

manna (μάνα) το μάννα

mannequin (μάνεκιν) μοντέλο, κούκλα, μανεκέν

manner (μάνερ) τρόπος, -less αγε-

νής, -ed επιτηδευμένος, αφύσικος στη συμπεριφορά, -ism επιτήδευση, -ly ευγενικός, με καλούς τρόπους

mannish (μάνιςς) ανδροειδής

man of letters (μάν οφ λέτερς) λόγιος, συγγραφέας

man of straw (μάν οφ στρό) αναποφάσιστος, ο έχων αδύνατο χαρακτήρα

man of war (μάν οφ ουόρ) πολεμικό πλοίο

manometer (μανόμιτερ) μανόμετρο

manor (μάνορ) φέουδο, -house έπαυλη, κατοικία φεουδάρχη

manorial (μανόουριαλ) κτηματικός, αρχοντικός

manpower (μάνπάουερ) ανθρώπινο δυναμικό, αριθμός εργαζομένων

manse (μάνς) κατοικία εφημερίου

manservant (μάνσερβαντ) υπηρέτης

mansion (μάνσσον) μέγαρο

manslaughter (μανσλόοτερ) ανθρωποκτονία

mansuetude (μανσιούτιουντ) πραότητα

mantel piece (μάντελ πίς) πεζούλι

mantilla (μαντίλα) κάλυμμα κεφαλής των Ισπανίδων

mantle (μάντλ) μανδύας, σκεπάζω

man to man (μαν του μαν) ευθύς και τίμιος

manual (μάνιουαλ) χειροποίητος, εγχειρίδιο

manufactory (μανιουφάκτορι) εργοστάσιο

manufacture (μανιουφάκτσερ) κατασκευή, κατασκευάζω, -r κατασκευαστής

manumission (μανιουμίσσαν) απελευθέρωση

manumit (μάνιουμιτ) απελευθερώνω

manure (μανιούρ) λίπασμα, κόπρος, κοπρίζω, λιπαίνω

manuscript (μάνιουσκριπτ) χειρόγραφο

many (μένι) πολλοί, -sided πολύ

πλευρος, με ποικίλλα ενδιαφέροντα / a great many: πάρα πολλοί / how many: πόσοι

Maoism (μάουιζμ) Μαοϊσμός

map (μάπ) χάρτης, σχεδιάζω / map out: σχεδιάζω εκ των προτέρων με λεπτομέρεια

mapping (μάπινγκ) σχεδίαση

mar (μάρ) φθείρω, στίγμα, καταστρέφω, αμαυρώνω

marabou (μαραμπούου) είδος πελαργού της Αφρικής

maraschino (μαρασκίνοου) γλυκό αλκοολούχο ποτό

marathon (μάραθον) μαραθώνιος δρόμος, επίπονος, διαρκής

maraud (μαρόοντ) λεηλατώ, **-er** ο λεηλατητής

marble (μάρμπλ) μάρμαρο, μπίλια, θώλος, μαρμάρινος

marcasite (μααρκασάϊτ) μη πολύτιμο μέταλλο γιά κατασκευή φθηνών κοσμημάτων

march (μάαρτς) πορεία, βηματίζω, πορεύομαι, εμβατήριο, σύνορο

March (μάρτς) Μάρτιος

marchioness (μάαρσανες) μαρκησία

Mardi gras (μάρντι γκράς) απόκριες

mare (μέαρ) φοράδα

mare's nest (μέαρσ νέστ) μάταια αποκάλυψη

margarine (μάαρτζεριν) μαργαρίνη

margarita (μαργκαρίτα) αλκοολούχο ποτό

margin (μάρτζιν) περιθώριο, **-al** του περιθωρίου

marguerite (μαργκερίιτ) μαργαρίτα

marigold (μάριγκόλντ) είδος χρυσάνθεμου

marijuana, marihuana (μαριχουάνα) μαριχουάνα (ναρκωτικό)

marimba (μαρίμπα) μουσικό όργανο παρόμοιο με ξυλόφωνο

marinate (μαρινέϊτ) μαρινάρω, βάζω σε λαδόξυδο

marine (μαρίν) θαλασσινός, ναυτικό, ναυτικός, **-r** ναύτης

marionette (μάριονέτ) μαριονέττα, κούκλα, ανδρείκελο

marital (μάριταλ) συζυγικός

maritime (μαριτάϊμ) ναυτικός, παραθαλάσσιος

marjoram (μάαρτζοραμ) μαντζουράνα

mark (μάρκ) σημείο, σημάδι, σημειώνω, σκοπός, βαθμός, μάρκο, **-ed** αξιοσημείωτος, **-er** σημειωτής, **-sman** σκοπευτής, **-smanship** σκοποβολή / quick (slow) off the mark: γρήγορος (βραδύς) στην αντίληψη

market (μάρκετ) αγορά, εμπορεύομαι, **-able** πωλήσιμος

marl (μάαρλ) λιπαντικό χώμα

marlin (μάαρλιν) είδος μεγάλου ψαριού

marly (μάρλι) ασβεστώδης, λιπαντικός

marmalade (μάαρμαλέϊντ) μαρμελάδα

marmot (μάαρμοτ) είδος ποντικού

maroon (μαρόουν) καστανός, εγκαταλείπω σε ερημιά

marque (μάρκιι) άδεια κατασχέσεως

marquee (μαρκίι) σκηνή

marquetry (μάρκετρι) μωσαϊκό

marquis (μάαρκουις) μαρκήσιος, **-e** μαρκησία

marquisette (μάαρκιζέτ) λεπτό ύφασμα

marrer (μάρερ) αυτός που αχημίζει ή παραμορφώνει

marriage (μάριτζ) γάμος, **-able** σε ηλικία γάμου, ικανός γιά γάμο

married (μάριντ) παντρεμένος

marrier (μάριερ) νυμφευόμενος

marrow (μάροου) μυελός των οστών, **-y, -ish** μυελώδης

marry (μάρι) παντρεύω, **-ομαι**

Mars (μάρς) ο πλανήτης Άρης

Marseillaise (μάαρσιλάϊζ) Μασσαλιώτιδα

marsh (μάαρςς) βάλτος, έλος, **-y**

M

ελώδης, βαλτώδης
marshal (μάαρσσαλ) διοικώ, στρατάρχης, δικαστικός κλητήρας, παρατάσσω
marshmallow (μάαρσσμάλοου) μαλακό γλυκό, είδος μολόχας
marsupial (μαρσιούπιαλ) μαρσιποφόρος
marsupium (μαρσούπιαμ) μάρσιπος
mart (μάαρτ) αγορά
marten (μάρτεν) κουνάβι
martial (μάαρσσαλ) στρατιωτικός, -**art** πολεμική τέχνη, -**law** στρατιωτικός νόμος
Martian (μάαρσσαν) Αρειανός
martin (μάαρτιν) μικρό χελιδόνι
martinet (μάαρτινετ) ο απαιτών πλήρη υποταγή και πειθαρχία
martingale (μάαρτινγκέϊλ) λουρί αλόγου
martyr (μάαρτιρ) μάρτυρας, βασανίζω, σκοτώνω μαρτυρικά, ιερομάρτυρας, -**dom** μαρτύριο, -**ize** κάνω μάρτυρα, βασανίζω
marvel (μάρβελ) θαυμάζω, θαύμα, -**lous** θαυμάσιος
Marxism (μάρξισμ) Μαρξισμός
Marxist (μάρξιστ) Μαρξιστής
marzipan (μάρζιπαν) ζαχαρωτό με αμύγδαλα
mascara (μάσκαρα) βαφή για βλεφαρίδες
mascot (μάσκοτ) μασκότ, αντικείμενο που θεωρείται φορέας καλής τύχης
masculine (μάσκιουλιν) αρσενικός, ανδρικός
masculinity (μάσκιουλινιτι) ανδρισμός
mash (μάας) μίγμα, ζύμη, ανακατεύω, ζυμώνω, πολτός, πολτοποιώ, -**ed potatoes** πατάτες πουρέ, -**er** ο ερωτοτροπών
mask (μάσκ) μάσκα, προσωπείο, καλύπτω με μάσκα, μεταμφιέζομαι, -**ed** μασκοφόρος, μεταμφιεσμένος

mason (μέϊσον) χτίστης, -**ry** κτιστική, υλικά κατασκευής κτιρίου
Mason (μέϊσον) Μασώνος, -**ic** Μασωνικός
masquerade (μάσκερέϊντ) μεταμφιέζομαι, μεταμφίεση, χορός μεταμφιεσμένων, -**r** μασκοφόρος
mass (μάς) μάζα, σωρός, όγκος, συσσωρεύω, μαζεύω, λειτουργία, -**es** ο λαός, πλήθος, -**ive** στερεός, ογκώδης, βαρύς, συμπαγής / mass meeting: συλλαλητήριο / high mass: μεγάλη λειτουργία
massacre (μάσακρ) σφαγή, σφάζω, -**r** σφαγιαστής
massage (μασάαζζ) μασάζ, εντριβή, κάνω μασάζ
masseur (μασέρ) μασέρ
mast (μάστ) κατάρτι, ιστός σημαίας, -**less** χωρίς ιστούς, -**head** κορυφή ιστού
mastectomy (μαστέκτομι) μαστεκτομή, εγχείρηση για αφαίρεση στήθους
master (μάστερ) αφέντης, κύριος, άρχοντας, δάσκαλος, επιδέξιος κι έμπειρος, κατέχω, γίνομαι κύριος, -**ful** επιδέξιος, δεσποτικός, -**key** κλειδί για πολλές κλειδαριές, -**ly** έντεχνος, -**liness** δεξιότητα, -**mind** έξυπνος σχεδιαστής, σχεδιάζω έξυπνα, -**piece** αριστούργημα, -**y** εξουσία, κυριαρχία / master of ceremonies: τελετάρχης
mastic (μάστικ) μαστίχα, -**ate** μασώ, μάσημα
mastication (μάστικέϊσσον) μάσηση
masticator (μάστικέϊτορ) μασητής, -**y** μασητικός
mastiff (μάστιφ) μεγάλο σκυλί ως φύλακας σπιτιών
mastitis (μαστίτις) μαστίτιδα (ασθένεια)
mastodon (μάστονταν) είδος ελέφαντα που έχει εκλείψει
mastoid (μάστοϊντ) μαστοειδής

masturbate (μάστουρμπέϊτ) αυνα-
νίζομαι
masturbation (μαστουρμπέϊσσον)
αυνανισμός
mat (μάτ) θαμπός, θαμπώνω, μικρό
χαλί
matador (μάταντορ) ταυρομάχος
match (μάτσ) σπίρτο, όμοιος, αγώ-
νας, συνοικέσιο, ταιριάζω, αντιπαρα-
βάλλω, -ομαι, **-box** σπιρτόκουτο,
-less απαράμιλλος, **-lock** παλαιό του-
φέκι που ανάβει με σπίρτο, **-maker**
προξενητής, **-making** προξενιό
mate (μέϊτ) σύντροφος, ταιριάζω,
ζευγαρώνω
mater (μέϊτερ) μητέρα
material (ματίριαλ) υλικός, ουσιώ-
δης, ύφασμα, υλικό, ύλη, **-ism** υλι-
σμός, **-ist** υλιστής, **-ization** υλοποίη-
ση, πραγματοποίηση, **-ize** πραγμα-
τοποιώ, **-ly** ουσιωδώς
materiel (ματίριελ) υλικά (στρατού,
επιχείρησης κτλ.)
maternal (ματέρναλ) μητρικός
maternity (ματέρνιτι) μητρότητα
matey (μέϊτι) φιλικά
mathematical (μαθιμάτικαλ) μαθη-
ματικός
mathematician (μαθιματίσσαν) μα-
θηματικός επιστήμονας
mathematics (μαθιμάτικς) μαθημα-
τικά
matin (μάτιν) πρωινός, **-s** όρθρος,
πρωινή προσευχή
matinee (ματινέ) απογευματινή
θεατρική παράσταση ή προβολή
ταινίας
matrices (μάτρισιιζ) πληθ. του
matrix
matricidal (ματρισάϊνταλ) μητρο-
κτονικός
matricide (μάτρισάϊντ) μητροκτο-
νία, μητροκτόνος
matriculate (ματρίκιουλέϊτ) εισάγο-
μαι στο πανεπιστήμιο
matriculation (ματρίκιουλεϊσσον)

εισαγωγή στο πανεπιστήμιο
matrimonial (ματριμόουνιαλ) συζυ-
γικός, γαμήλιος
matrimony (ματριμόνι) γάμος
matrix (μέτριξ) μήτρα, καλούπι
matron (μέϊτρον) προϊσταμένη νο-
σοκόμα, διευθύντρια ιδρύματος, οι-
κοδέσποινα, **-al** σοβαρός, **-ly** σεβα-
στή κι ηλικιωμένη γυναίκα
matt (ματ) θαμπή επιφάνεια
matter (μάτερ) ύλη, πράγμα, θέμα,
υπόθεση, σημαίνω / as a matter of
fact: πραγματικά / matter of fact:
πραγματικός / no matter: αδιάφορο /
what's the matter?: τι συμβαίνει / a
matter of course: κάτι φυσικό, συ-
νηθισμένη ενέργεια
matting (μάτιν) ψάθα πατώματος
mattock(μάτοκ) αξίνα
matress (μάτρις) στρώμα
maturate (μάτσουρέϊτ) ωριμάζω
maturation (μάτσουρέϊσσον) ωρί-
μανση
mature (ματσιούρ) ώριμος
maturity (ματσούριτι) ωριμότητα
matutinal (ματιουτάϊανλ) πρωινός
maud (μόοντ) κάπα
maudlin (μόοντλιν) κλαψιάρης,
απομωραμένος
maul (μόολ) κόπανος, κοπανίζω
maunder (μόοντερ) βογγώ, μιλώ πα-
ραπονιάρικα
Maundy Thursday (μόοντι
θέρσντεϊ) Μεγάλη Πέμπτη
mausoleum (μουσολίομ) μαυσωλείο
mauve (μόουθ) μωβ χρώμα
maverick (μάβερικ) αδέσποτο ζώο,
κάποιος που ζει διαφορετικά απ' το
σύνολο
mavis (μέϊθις) τσίχλα (πουλί)
maw (μόου) στομάχι ή λαιμός ζώου
mawkish (μόοκισσ) σαχλός, αη-
διαστικός
maxilla (μαξίλα) άνω σιαγώνα, **-ry**
της σιαγώνας
maxim (μάξιμ) αξίωμα, γνωμικό,

M

απόφθεγμα
maximum (μάξιμομ) μέγιστος, ανώτατος, ανώτατο όριο
may (μέϊ) μπορεί, ενδέχεται, επιτρέπεται / maybe: ίσως
May (μέϊ) Μάιος, **-Day** πρωτομαγιά
maybug, maybeetle (μέϊμπάγκ, μέϊμπίιτλ) είδος σκαθαριού
mayhem (μέϊχεμ) ταραχή, αναστάτωση
mayonnaise (μέϊονέζ) μαγιονέζα
mayor (μέϊορ) δήμαρχος, **-ship, -alty** δημαρχία
maypole (μέϊπόουλ) γαϊτανάκι
maze (μέϊζ) λαβύρινθος, σύγχυση
mazurka (μαζέρκα) μαζούρκα (χορός)
maziness (μέϊζινες) πολυπλοκότητα
mazy (μέϊζι) πολύπλοκος, λαβυρινθώδης
me (μί) εμένα
mead (μίιντ) λιβάδι
meadow (μέντοου) λιβάδι
meager, meagre (μίιγκερ) φτωχός, αδύναμος, ισχνός, **-ness** φτώχεια, αδυναμία
meal (μίιλ) φαγητό, γεύμα, ώρα του γεύματος
mealy (μίιλι) αλευρώδης, **-mouthed** ανειλικρινής
mean (μίν) εννοώ, σημαίνω, σκοπεύω, μέτριος, μέσος όρος, φτωχικός, μικροπρεπής, **-ly** ευτελώς, μικροπρεπώς, **-ness** μικροπρέπεια, ευτέλεια / mean mischief: έχω κακές προθέσεις / mean business: δρώ έχοντας σοβαρούς σκοπούς
meander (μιάντερ) περιστρέφομαι, μέανδρος
meaning (μίνινγκ) σημασία, έννοια, **-less** χωρίς σημασία, **-ly** με σημασία
means (μίινς) τα μέσα, το μέσο, τρόπος / by means of: χρησιμοποιώντας (κάτι) / by no means: καθόλου
meant (μέντ) αορ. και παθ. μτχ. του mean

meantime, meanwhile (μίντάϊμ, μινουάϊλ) εν τω μεταξύ
measles (μίζλς) ιλαρά
measly (μίιζλι) τιποτένιος, ασήμαντος, πάσχων από ιλαρά
measurabe (μέζουραμπλ) μετρητός, υπολογίσιμος
measure (μέζουρ) μέτρο, μετρώ, **-d** μετρημένος, **-dly** με μέτρο, **-less** άμετρος, αμέτρητος, **-ment** μέτρηση, μέτρο
meat (μίτ) κρέας, **-y** ουσιώδης, κρεάτινος, **-less** νηστήσιμος, χωρίς κρέας
Mecca (μέκα) η Μέκκα
mechanic (μικάνικ) μηχανοτεχνίτης, **-al** μηχανικός, **-s** μηχανική, **-ian** μηχανικός
mechanism (μέκανιζμ) μηχανισμός
mechanization (μεκάνιζέϊσσον) μηχανοποίηση
mechanize (μέκανάϊζ) μηχανοποιώ
medal (μένταλ) μετάλλιο, παρασημοφορώ, **-ist** κάτοχος μεταλλίου
medallion (μεντάλιον) μενταγιόν
meddle (μέντλ) επεμβαίνω, αναμιγνύομαι, **-r** ο επεμβαίνων σε ξένες υποθέσεις
meddlesome (μέντλσαμ) ο αναμιγνυόμενος σε ξένες υποθέσεις
meddling (μέντλιν) ανάμιξη σε ξένες υποθέσεις
media (μίντια) μέσα / mass media: μέσα μαζικής ενημέρωσης
medial (μίντιαλ) μέσος, μεσαίος
median (μίντιαν) μεσαίος, διάμεσος
mediate (μέντιέϊτ) μεσολαβώ, μεσιτεύω
mediation (μεντιέϊσσον) μεσολάβηση
mediator (μιντιέϊτορ) μεσίτης
medic (μέντικ) γιατρός
medicable (μέντικαμπλ) θεραπεύσιμος
medical (μέντικαλ) ιατρικός
medicament (μιντίκαμεντ) φάρμακο

medicate (μέντικέϊτ) γιατρεύω
medication (μεντικέϊσσον) φάρμακο, θεραπεία
medicinal (μιντίσιναλ) ιατρικός, θεραπευτικός
madicine (μέντισιν) ιατρική, φάρμακο, **-man** μάγος γιατρός
medieval (μιντίιβαλ) μεσαιωνικός, **-ism** μεσαιωνισμός, **-ist** ιστορικός του μεσαίωνα
mediocre (μιντιόουκρ) μέτριος
mediocrity (μιντιόκριτι) μετριότητα
meditate (μέντιτέϊτ) σκέφτομαι, συλλογίζομαι, μελετώ
meditation (μέντιτέϊσσον) σκέψη, συλλογισμός
meditative (μεντιτέϊτιβ) συλλογισμένος
Mediterranean (μεντιτερέϊνιαν) Μεσόγειος, Μεσογειακός
medium (μίντιομ) μέσο, μεσαίος, μέτριος, πνευματιστικό μέντιουμ
medlar (μέντλαρ) μούσμουλο
medley (μέντλι) ανάμικτος, μίγμα
medulla (μιντούλα) μεδούλι, μυελός των οστών, **-ry** μυελώδης
meek (μίκ) ταπεινός, πράος, ήρεμος, **-ly** με πραότητα, **-ness** πραότητα
meerschaum (μίιρσσοουμ) σήπιο, είδος λευκού πηλού
meet (μίτ) συναντώ, συναντιέμαι, συνεδριάζω, ικανοποιώ (απαίτηση, ανάγκη), συνάντηση, αγώνας, **-ing** συνάντηση, συνεδρίαση, συνέλευση, **-ing house** χώρος θρησκευτικής συνάντησης, εκκλησία
megacycle (μεγκασάϊκλ) μεγάκυκλος
megalomania (μεγκαλομέϊνια) μεγαλομανία
megaphone (μέγκαφόουν) μεγάφωνο
megaton (μέγκατον) ένα εκατομμύριο τόνοι (μονάδα εκρηκτικής ενέργειας)
megrim (μίγκριμ) ημικρανία, **-s** με-

λαγχολία
melancholia (μελανκόουλια) μελαγχολία
melancholic (μελανκόλικ) μελαγχολικός
melancholy (μελάνκολι) μελαγχολία, μελαγχολικός
melange (μελάανζ) μίγμα
melee (μέϊλέϊ) συμπλοκή
meliorate (μίλιορέϊτ) καλυτερεύω, βελτιώνομαι
melioration (μελιορέϊσσον) βελτίωση
meliorative (μέλιορέϊτιβ) βελτιωτικός
mellifluent (μελίφλουεντ) ο ηχών γλυκά και απαλά
mellow (μέλοου) ώριμος, ωριμάζω, εύθυμος κι ευχάριστος, **-ness** ωριμότητα
melodeon (μελόουντιαν) μικρό αρμόνιο
melodic (μελόουντικ) μελωδικός
melodious (μελόουντιας) μελωδικός
melodist (μέλοντιστ) μελωδός
melodrama (μελοντράαμα) μελόδραμα, **-tical** μελοδραματικός
melody (μέλοντι) μελωδία
melon (μέλον) πεπόνι
melt (μέλτ) λιώνω, **-er** αυτός που λιώνει, **-ing** λιώσιμο, απαλός κι ευχάριστος (γιά ήχο) / melting point: σημείο τήξης / melting pot: χωνευτήρι
melton (μέλτον) χοντρό μάλλινο ύφασμα
member (μέμπερ) μέλος, **-ship** τα μέλη, συναδελφικότητα / membership dues: συνδρομή μέλους
membrane (μέμπρέϊν) μεμβράνη, υμένας
membranous (μέμπρανας) μεμβρανώδης
memento (μιμέντοου) ενθύμιο
memoir (μεμουάρ) απομνημόνευμα, υπόμνημα, **-s** απομνημονεύματα

memorabilia (μεμοραμπίλια) αξιο-
μνημόνευτα, απομνημονεύματα
memorable (μέμοραμπλ) αξιομνη-
μόνευτος
memorandum (μεμοράνταμ) ση-
μείωμα, υπόμνημα
memorial (μεμόουριαλ) μνημείο,
μνημόσυνο, μνημονευτικός, -ize
μνημονεύω, γιορτάζω, απευθύνω
υπόμνημα
memoriam (μιμόουριαμ) in
memoriam: στη μνήμη
memorization (μεμοραϊζέϊσσον)
απομνημόνευση
memorize (μεμοράϊζ) αποστηθίζω,
απομνημονεύω
memory (μέμορι) μνήμη
men (μέν) πληθ. του man
menace (μένις) απειλώ, απειλή
menacing (μένασινγκ) απειλητικός
menage (μέϊναζζ) νοικοκυριό
menagerie (μινάτζερι) θηριοτρο-
φείο
mend (μέντ) διορθώνω, μπαλώνω,
βελτιώνομαι, υγιαίνω, αναρρώνω,
μπάλωμα, επισκευή, -able διορθω-
τός
mendacious (μεντέϊσσας) ψευδής,
ψευδολόγος
mendacity (μεντάσιτι) ψευδολογία
mendicancy (μέντικανσι) επαιτεία
mendicant (μέντικαντ) επαίτης, ζη-
τιάνος
menfolk (μένφοουκ) οι άντρες
menial (μίινιαλ) δουλικός
meninges (μινίιντζις) μήνιγγες
meningitis (μένιντζάϊτις) μηνιγγί-
τιδα
meniscus (μηνίσκας) μηνίσκος
menopause (μένοπόουζ) εμμηνό-
παυση
menses (μένσιζ) έμμηνος ρύση
menstrual (μένστρουαλ) των εμ-
μήνων
menstruate (μένστρουέϊτ) έχω πε-
ρίοδο

menstruation (μένστρουέϊσσον) έμ-
μηνος ρύση
mensurable (μένσουραμπλ) μετρη-
τός
mensuration (μενσουρέϊσσον) κατα-
μέτρηση
mental (μένταλ) νοερός, διανοητι-
κός, -ity διάνοια, νοοτροπία
menthol (μένθοουλ) έλαιο δυόσμου,
-ated ο περιέχων έλαιο δυόσμου
mention (μένσσον) υπενθύμιση,
μνημονεύω, αναφέρω, μνημονεύω,
μνεία, -able αξιομνημόνευτος
mentor (μέντορ) σύμβουλος
menu (μενού) μενού
meow (μίαου) νιαουρίζω, νιαούρι-
σμα
Mephistopheles (μεφιστοφιλίιζ)
σατανάς
mephitic (μιφίτικ) αναθυμιατικός
mephitis (μιφάϊτις) αποπνικτική
αναθυμίαση
mercantile (μέρκαντιλ) εμπορικός
mercenary (μέρσενέρι) μισθοφόρος,
μισθωτός, φιλοχρήματος
mercer (μέρσερ) έμπορος υφα-
σμάτων, -y υφάσματα μεταξωτά ή
μάλλινα
merchandise (μέρτσανταϊζ) εμπο-
ρεύματα, εμπορεύομαι
merchant (μέρσσαντ) έμπορος, -able
εμπορεύσιμος, -man, -ship εμπορι-
κό πλοίο, -marine εμπορικό ναυτι-
κό, -tailor εμπορορράφτης
merciful (μέρσιφουλ) εύσπλαχνος,
-ness ευσπλαχνία
merciless (μέρσιλες) άσπλαχνος,
σκληρός, -ness σκληρότητα, -ly
ανήλεα
mercurial (μερκιουύριαλ) γρήγορος,
ζωηρός, άστατος
mercury (μέρκιουρι) υδράργυρος,
πλανήτης Ερμής
mercy (μέρσι) έλεος, ευσπλαχνία
mere (μίιρ) απλός, μόνο, -ly απλά,
μόνο

meretricious (μεριτρίσσας) επιδεικτικός

merge (μέρτζ) βυθίζω, καταδύω, -ομαι, ενώνω, -ομαι, **-r** ένωση

meridian (μερίντιαν) μεσημβρία, μεσημβρινός, μεσουράνημα

maringue (μιράνγκ) μίγμα από χτυπητά ασπράδια αυγών και ζάχαρη

merit (μέριτ) αξία, αμοιβή, αξίζω, **-s** αρετές, προσόντα

meritocracy (μεριτόκρεσι) αξιοκρατία

meritorious (μεριτόουριας) αξιέπαινος, άξιος

merle (μερλ) κοτσύφι

mermaid (μερμέϊντ) γοργόνα, σειρήνα

merrily (μέριλι) εύθυμα

merriment (μέριμεντ) ευθυμία

merriness (μέρινες) ευθυμία

merry (μέρι) εύθυμος, χαρωπός, **-andrew** γελωτοποιός, **-go-round** ξύλινα περιστρεφόμενα αλογάκια του λούνα-παρκ, **-making** διασκέδαση, ευθυμία / to make merry: διασκεδάζω

mesa (μέϊσα) οροπέδιο

mesalliance (μαϊζάλιανς) ανάρμοστος γάμος

mescal (μεσκάλ) είδος κάκτου

mescaline (μεσκαλίιν) είδος ναρκωτικού

mesh (μέςς) παγίδα, μπερδεύω, πλέγμα, πιάνω, -ομαι, ταιριάζω, συνδέω, **-y** δικτυωτός

mesmeric (μεζμέρικ) υπνωτιστικός

mesmerism (μέζμεριζμ) υπνωτισμός

mesmerist (μέζμεριστ) υπνωτιστής

mesmerization (μεζμεριζέϊσσον) υπνώτιση

mesmerize (μέζμεράϊζ) υπνωτίζω

mesozoic (μεσοζόουικ) μεσοζωικός

mesquite (μεσκίιτ) μιμόζα (λουλούδι)

mess (μές) αταξία, κυκεώνας, συσσίτιο, φαγητό, τρώω / mess up: ανα-στατώνω

message (μέσιτζ) μήνυμα, παραγγελία

messenger (μέσεντζερ) αγγελιοφόρος, εκτελεστής παραγγελίας

Messiah (μεσάϊα) ο Μεσσίας

Messianic (μεσιάνικ) μεσσιανικός

messieurs (μέσερς) κύριοι

messiness (μέσινες) ακαταστασία

messy (μέσι) ακατάστατος

mestizo (μεστίζοου) μιγάς

met (μέτ) αορ. και παθ. μτχ. του meet

metabolism (μετάμπολιζμ) μεταβολισμός

metacarpal (μετάκαρπαλ) μετακάρπιος

metacarpus (μετακάρπος) μετακάρπιο

metal (μέταλ) μέταλλο, **-lic** μεταλλικός, **-worker** σιδηρουργός

metallurgist (μετάλερζιστ) μεταλλουργός

metallurgy (μετάλερτζι) μεταλλουργία

metamorphism (μεταμόουρφισμ) μεταβολή ορυκτών

metamorphose (μετάμορφόουζ) μεταμορφώνω

metamorphosis (μεταμόρφοσις) μεταμόρφωση

metaphor (μέταφορ) μεταφορά, **-ical** μεταφορικός

metaphysical (μεταφίζικαλ) μεταφυσικός

metaphysician (μεταφιζίσσαν) μεταφυσικός

metaphysics (μεταφίζικς) μεταφυσική

metatarsal (μετατάρσαλ) μετατάρσιος

metatarsus (μετατάρσος) μετατάρσιο οστό

metathesis (μετάθεσις) μετάθεση

metazoan (μεταζόουαν) μεταζωικός

mete (μίιτ) μοιράζω, όριο, απονέμω

metempsychosis (μετεμψικόουσις) μετεμψύχωση

meteor (μίιτορ) μετέωρο, -ic μετεωρικός, -ite μετεωρίτης, -ologic μετεωρολογικός, -ologist μετεωρολόγος

meteorology (μιτιορόλοτζι) μετεωρολογία

meter (μίτερ) μέτρο, μετρώ

methanol (μεθανόουλ) μεθανόλη

method (μέθοντ) μέθοδος, -ical μεθοδικός

Methodism (μέθοντισμ) Μεθοδισμός (χριστιανική αίρεση)

Methodist (μέθοντιστ) μεθοδιστής

methodize (μέθοντάϊζ) συστηματοποιώ

methodology (μεθοντόλοτζι) μεθοδολογία

methuselah (μιθιούζιλα) μαθουσάλας

methul (μέθιλ) μεθύλλιο

meticulous (μιτίκιουλας) λεπτολόγος

metier (μετιέ) τέχνη, επάγγελμα

metonymy (μιτόνιμι) μετωνυμία

metope (μέτοπι) μετώπη

metre (μίιτερ) μέτρο, μετρώ

metric(al) (μέτρικ, -αλ) μετρικός

metrication (μέτρικεΐσσον) μετατροπή μονάδων μέτρησης

metro (μέτρόου) μετρό, υπόγειος σιδηρόδρομος

metronome (μετρονόουμ) όργανο μέτρησης χρόνου μουσικής, μετρονόμιο

metronymic (μίτρονίμικ) μητρικό όνομα, μητρωνυμικός

metropolis (μιτρόπολις) μητρόπολη, πρωτεύουσα

metropolitan (μιτροπόλιταν) μητροπολιτικός

mettle (μέτλ) θάρρος, τόλμη, -some, -d γενναίος, δραστήριος

mew (μιού) νιαούρισμα, νιαουρίζω

mewl (μιούλ) κλαίω, κλαυθμυρισμός

Mexican (μέξικαν) Μεξικάνος, μεξικανικός

Mexico (μέξικο) Μεξικό

mezzanine (μεζανίν) εσωτερικός εξώστης, ημιόροφος

mezzo (μέζοου) μέσος, μέτριος (ειδ. στη μουσική), -soprano μέση υψίφωνος, -tint τρόπος χαλκογραφίας

miaow (μιού) νιαούρισμα

miasma (μιάζμα) μίασμα, -l, -tic μιασματικός

mica (μάϊκα) μαρμαρυγίας

mice (μάϊς) πληθ. του mouse

Michaelmas (μίκελμας) χριστιανική γιορτή του αρχάγγελου Μιχαήλ

microbe (μάϊκρόουμπ) μικρόβιο

microbic, microbial (μαϊκρόμπικ, μαϊκρόμπιαλ) μικροβιακός

microbiologist (μαϊκροουμπαϊόλοτζιστ) μικροβιολόγος

microbiology (μαϊκροουμπαϊόλετζι) μικροβιολογία

microcosm (μάϊκροκοσμ) μικρόκοσμος

microfilm (μάϊκροουφιλμ) μικρή φωτογραφική ταινία ή φίλμ

micrometer (μαϊκρόμιτερ) μικρόμετρο

micron (μάϊκρον) ένα εκατομμυριοστό του μέτρου

microorganism (μαϊκροουόργκανισμ) μικροοργανισμός

microphone (μάϊκροφόουν) μικρόφωνο

microscope (μάϊκροσκόουπ) μικροσκόπιο

microscopic(al) (μαϊκροσκόουπικαλ) μικροσκοπικός

microscopy (μαϊκρόουσκοπι) μικροσκοπία

microsecond (μαϊκροουσέκοντ) ένα εκατομμυριοστό του δευτερολέπτου

mid (μίντ) μεσαίος, στο μέσο, -sea μέσο της θάλασσας, -winter μέσο του χειμώνα, -day μεσημέρι

middle (μίντλ) μέσο, μεσαίος, **-age** μέση ηλικία, ωριμότητα, **-aged** μεσήλικας, **-Ages** μεσαίωνας, **-class** μέση κοινωνική τάξη, **-East** μέση ανατολή, **-man** μεσίτης, μεσάζων, **-of nowhere** απομακρυσμένο μέρος, **-sized** μετρίου μεγέθους, **-weight** μετρίου βάρους

middling (μίντλιν) μέτριος

middy blouse (μίντι μπλάουζ) ναυτική μπλούζα

midge (μίτζ) μύγα

midget (μίτζιτ) νάνος

midland (μίντλαντ) μέσο χώρας, στεριά

midmost (μίντμόουστ) ακριβώς στο μέση

midnight (μίντνάϊτ) μεσάνυχτα

midnoon (μίντνούν) καταμεσήμερο

midriff (μιντρίφ) διάφραγμα (ανθρώπινου σώματος)

midshipman (μίντσσιπμαν) δόκιμος αξιωματικός του ναυτικού

midst (μίντστ) το μέσο

midsummer (μίντσάμερ) μέσο του καλοκαιριού, **-madness** πολύ ανόητη συμπεριφορά

midway (μίντουέϊ) στο μέσο του δρόμου

midwest (μίντουέστ) κεντρικό τμήμα Η.Π.Α

midwife (μίντουάϊφ) μαμή, **-ry** μαιευτική

mien (μίιν) τρόπος, ύφος, όψη

miff (μίφ) θυμώνω, θυμός, **-ed** θυμωμένος

might (μάϊτ) δύναμη, αορ. του may, **-ily** ισχυρά, **-iness** ισχύς, **-y** δυνατός

mignon (μινιόν) λεπτοκαμωμένος

migraine (μάϊγκρέϊν) ημικρανία

migrant (μάϊγκραντ) αποδημητικός, αποδημών

migrate (μάϊγκρέϊτ) αποδημώ, μεταναστεύω

migration (μάϊγκρέϊσσον) αποδημία, μετανάστευση

migratory (μάϊγκρατόρι) αποδημητικός

mike (μάϊκ) μικρόφωνο

mil (μίλ) ένα χιλιοστό της ίντσας

milady (μιλέϊντι) κυρία μου

milch cow (μίλτς κάου) γαλακτοφόρος αγελάδα

mild (μάϊλντ) ήπιος, μαλακός, ήμερος, **-ness** ηπιότητα

mildew (μιλντιού) μούχλα, μουχλιάζω

mile (μάϊλ) μίλι, **-post, -stone** μιλιοδείκτης, **-age** απόσταση σε μίλια, ναύλος ανά μίλι, **-ometer** όργανο αυτοκινήτου γιά καταγραφή των μιλίων που διανύονται, **-r** ο αγωνιζόμενος στο μίλι

milieu (μίιλιε) κοινωνικός περίγυρος

militancy (μίλιτάνσι) πολεμικότητα

militant (μίλιταντ) πολεμικός, επιθετικός, στρατευόμενος

militarism (μίλιταρισμ) μιλιταρισμός, στρατοκρατία

militarist (μίλιταριστ) στρατοκράτης, μιλιταριστής

militarization (μιλιταριζέϊσσον) στρατιωτικοποίηση

militarize (μίλιταράϊζ) στρατιωτικοποιώ

military (μίλιτέρι) στρατιωτικός

militate (μίλιτέϊτ) καταπολεμώ, αντιστρατεύομαι

militia (μιλίσσα) εθνοφρουρά, εθνοφυλακή, **-man** εθνοφρουρός

milk (μίλκ) γάλα, αρμέγω, **-er** αυτός που αρμέγει, αγελάδα που παράγει γάλα, **-maid** η γαλακτοπώλης, **-man** γαλακτοπώλης, **-sop** πλαδαρός, **-teeth** τα πρώτα δόντια παιδιών, **-y** γαλακτώδης

milky way (μίλκι ουέϊ) γαλαξίας

mill (μιλ) μύλος, αλέθω, τριγυρίζω, επεξεργάζομαι, **-dam** φράγμα, **-er** μυλωνάς

millenhial (μιλένιαλ) χιλιετής

millennium (μιλένιαμ) χιλιετηρίδα
milligramme (μίλιγκραμ) χιλιοστό
του γραμμαρίου
milliliter, millilitre (μίλιλίτερ) χι-
λιοστό του λίτρου
millimeter, millimetre (μιλιμίιτερ)
χιλιοστό του μέτρου
milliner (μίλινερ) κατασκευαστής ή
έμπορος γυναικείων καπέλων, -y γυ-
ναικεία καπέλα
milling (μίλινγκ) επεξεργασία,
άλεσμα
million (μίλιον) εκατομμύριο, -th
εκατομμυριοστός, -aire εκατομμυ-
ριούχος
millipede (μιλιπίντ) σαρανταποδα-
ρούσα
millstone (μίλστόουν) μυλόπετρα
millwheel (μίλουίλ) περιστρεφόμε-
νος τροχός υδρόμυλου
millwork (μίλουόρκ) εργασία ή
προϊόντα εργοστασίου
milt (μίλτ) σπέρμα ψαριού
milquetoast (μίλκτόουστ) ντροπα-
λός
mime (μάϊμ) μιμούμαι, μίμος
mimeograph (μίμεογκραφ) είδος πο-
λυγράφου, πολυγραφώ
mimetic (μιμέτικ) μιμητικός
mimic (μίμικ) μιμούμαι, μίμος, μιμι-
κός, -ry απομίμηση
mimosa (μιμόουζα) (φυτό) μιμόζα
minaret (μίναρετ) μιναρές
minatory (μίνατόουρι) απειλητικός
mince (μίνς) κιμάς, λιανίζω, λεπτο-
κόβω, -meat κιμάς, -pie πίτα με κι-
μά, -r μηχανή γιά κόψιμο κιμά
mincing (μίνσινγκ) λιάνισμα, κου-
νιστός
mind (μάϊντ) νούς, διάνοια, γνώμη,
προσοχή, προσέχω, έξυπνο άτομο,
συνερίζομαι, φροντίζω, -bending
δυσκόλητος, μπερδεμένος, -ed διατε-
θειμένος, -ful προσεκτικός, -er ο
φροντίζων, -less απρόσεκτος, άμυα-
λος / call to mind: θυμάμαι / set

one's mind on: θέτω στόχο, παίρνω
σταθερή απόφαση / never mind: δεν
πειράζει
mine (μάϊν) δικός μου, ορυχείο,
νάρκη, υπόνομος, εξορύσσω μέταλ-
λο, τοποθετώ νάρκες, -detector όρ-
γανο γιά εντοπισμό των ναρκών,
-field ναρκοπέδιο, -layer ναρκοβό-
λο, -r μεταλλωρύχος
mineral (μίνεραλ) ορυκτό, ορυ-
κτός, μεταλλικός, -ogist ορυκτο-
λόγος, -ogy ορυκτολογία, -water
μεταλλικό νερό
Minerva (μινέρβα) Αθηνά
minestrone (μίνεστρόουνι) είδος
Ιταλικής σούπας
minesweeper (μάϊνσουίιπερ) πλοίο
γιά εκκαθάριση ναρκών
mingle (μίνγκλ) ανακατεύω, αναμι-
γνύω
mingy (μίντζι) φιλάργυρος, τσιγ-
γούνης
mini (μίνι) κοντή φούστα, αντικεί-
μενο μικρού μεγέθους
miniature (μίνιατσουρ) μικρογρα-
φία, πολύ μικρός
minim (μίνιμ) σταγόνα, νάνος, ημι-
τόνιο
minimal (μίνιμαλ) ελάχιστος
minimize (μίνιμαϊαζ) ελαττώνω, μι-
κραίνω, υποτιμώ
minimum (μίνιμομ) ελάχιστος,
ελάχιστος βαθμός
mining (μάϊνινγκ) μετάλλευση,
εξόρυξη μετάλλων
minion (μίνιον) κομψός, κόλακας
minister (μίνιστερ) υπουργός, υπη-
ρετώ, πρεσβευτής, ιερέας, -ial
υπουργικός / prime minister: πρω-
θυπουργός
ministrant (μίνιστραντ) λειτουργι-
κός, λειτουργός
ministration (μινιστρέϊσσον) υπη-
ρεσία
ministry (μίνιστρι) υπουργείο, υπη-
ρεσία, κλήρος

minium (μίνιομ) ερυθρομόλυβδος
miniver (μίνιβερ) λευκή γούνα
mink (μίνκ) νυφίτσα
minnow (μίνοου) είδος μικρού κυπρίνου
minor (μάϊνορ) μικρότερος, ανήλικος, **-ity** μειονότητα, μειοψηφία, ανηλικιότητα
minstrel (μίνστρελ) ταγουδιστής, πλανόδιος μουσικός του μεσαίωνα
mint (μίντ) δυόσμος, μέντα, νομισματοκοπείο, κόβω νομίσματα, **-er** νομισματοκόπος, **-age** νομισματοκοπία
mintjulep (μιντζούλιπ) είδος ηδυπότου
minuend (μίνουεντ) μειωτέος αριθμός
minuet (μινιουέτ) χορός του 17ου και 18ου αιώνα
minus (μάϊνος) πλήν, μείον
minute (μάϊνιούτ) ελάχιστος, μικροσκοπικός, λεπτομερής, λεπτολόγος, **-ness** λεπτολογία
minute (μίνιτ) λεπτό, **-s** πρακτικά, **-hand** λεπτοδείκτης, **-man** ετοιμοπόλεμος εθνοφρουρός
minutiae (μινιούσσι) λεπτομέρειες
minx (μίνξ) αυθάδες κορίτσι
miracle (μίρακλ) θαύμα
miraculous (μιράκιουλας) θαυμάσιος, θαυματουργός
mirage (μιράαζζ) οφθαλμαπάτη, αντικατοπτρισμός
mire (μάϊρ) λάσπη, λασπώνω
mirky (μέρκι) σκοτεινός
mirror (μίρορ) καθρέπτης, καθρεπτίζω, αντικατοπτρίζω
mirth (μέρθ) χαρά, ευθυμία, κέφι, **-ful** χαρούμενος, κεφάτος, **-less** κατηφής, θλιμμένος, **-lessness** θλίψη
miry (μάϊρι) λασπώδης
mis - (μις -) (πρόθεμα) δυσ-, κακο-
misadventure (μισαντβέντσουρ) κακοτυχία, ατύχημα, αναποδιά
misadvised (μισαντβάϊζντ) αυτός

που έχει πάρει εσφαλμένη συμβουλή
misalliance (μισαλάϊανς) αταίριαστος γάμος ή συνοικέσιο
misanthrope (μισανθρόουπ) μισάνθρωπος
misanthropic(al) (μισανθρόουπικ, αλ) μισάνθρωπος
misanthropy (μισάνθροπι) μισανθρωπία
misapplication (μισαπλικέϊσσον) κακή εφαρμογή
misapply (μισαπλάϊ) εφαρμόζω εσφαλμένα
misapprehend (μισαπριχέντ) παρανοώ, παρεξηγώ
misapprehension (μισαπριχένσον) παρανόηση
misappropriate (μισαπρόουπριέϊτ) καταχρώμαι
misappropriation (μισαπρόουπριέϊσσον) κατάχρηση
misarrange (μισαρέϊντζ) διευθετώ άσχημα
misbecome (μισμπικάμ) αρμόζω άσχημα
misbegotten (μισμπιγκότεν) παράνομος, αθέμιτος
misbehave (μισμπιχέϊβ) φέρομαι άπρεπα
misbehavior (μισμπιχέϊβερ) κακή συμπεριφορά
misbelief (μισμπιλίφ) πλάνη
misbelieve (μισμπιλίβ) αμφιβάλλω
miscalculate (μισκάλκιουλέϊτ) υπολογίζω εσφαλμένα
miscalculation (μισκάλκιουλέϊσσον) κακός υπολογισμός
miscall (μισκόλ) καλώ με λάθος όνομα
miscarriage (μισκάριτζ) αποτυχία, αποβολή βρέφους
miscarry (μισκάρι) αποτυγχάνω
miscast (μισκάστ) δίνω (σε ηθοποιό) αταίριαστο ρόλο
miscegenation (μισίτζινέϊσσον) επι-

M

μιξία
miscellaneous (μισελέϊνιας) ανάμικτος
miscellany (μίσελένι) ανάμικτα, ποικιλία
mischance(μιστσάνς) **κακοτυχία, δυστύχημα**
mischief (μιστσίφ) κακό, βλάβη, αταξία
mischievous (μίστσιβας) άτακτος, ζημιάρης, κακοποιός, **-ness** αταξία
miscible (μίσιμπλ) αναμίξιμος
misconceive (μισκονσίβ) παρανοώ, παρεξηγώ
misconception (μισκονσέπσον) παρεξήγηση, παρανόηση
misconduct (μισκοντάκτ) διαχειρίζομαι κακά, (μισκόντακτ) αταξία, κακή διαγωγή
misconstruction (μισκονστράκσον) παρεξήγηση, παρανόηση
misconstrue (μισκονστρού) παρερμηνεύω
miscount (μισκάουντ) αριθμώ εσφαλμένα, λανθασμένη αρίθμηση
miscreant (μίσκριαντ) αχρείος, παλιάνθρωπος
miscreated (μίσκριέϊτιντ) κακοφτιαγμένος
misdate (μισντέϊτ) χρονολογώ εσφαλμένα
misdeal (μισντίλ) μοιράζω άνισα, άνισο μοίρασμα
misdeed (μισντίιντ) κακούργημα
misdemean (μισντιμίιν) φέρομαι άσχημα, **-or** κακή διαγωγή
misdirect (μισνταϊρέκτ) διευθύνω άσχημα, **-ion** κακή διεύθυνση
misdo (μισντού) κάνω κακό, πράττω άσχημα
misdoubt (μισντάουτ) αμφιβάλλω
misemploy (μισεμπλόϊ) καταχρώμαι
miser (μάϊζερ) τσιγγούνης
miserable (μίζεραμπλ) άθλιος, ελεεινός, **-ness** αθλιότητα
miserably (μίζεραμπλι) άθλια

miserliness (μαϊζέρλινες) φιλαργυρία
miserly (μάϊζερλι) φιλάργυρος
misery (μίζερι) δυστυχία, αθλιότητα
misfeasance (μισφίιζανς) παρανομία
misfire (μισφάϊαρ) δεν εκπυρσοκροτώ (γιά όπλο), αστοχώ, αστοχία
misfit (μισφίτ) ο έχων κακή εφαρμογή, φόρεμα μη εφαρμόζον
misfortune (μισφόρτσουν) δυστύχημα, δυστυχία, ατύχημα
misgive (μισγκίβ) εμπνέω φόβο ή υποψίες
misgiving (μισγκίβινγκ) αίσθημα φόβου ή υποψίας γιά μελλοντικό γεγονός
misgovern (μισγκάβερν) κακοδιοικώ, **-ment** κακοδιοίκηση
misguidance (μισγκάϊντανς) αποπλάνηση
misguide (μισγκάϊντ) αποπλανώ, παραπλανώ
mishandle (μισχάντλ) κακομεταχειρίζομαι
mishap (μίσχαπ) ατύχημα, δυστύχημα
misinform (μισινφόρμ) δίνω λάθος πληροφορίες, **-ation** λάθος πληροφορία
misinterpret (μισιντέρπριτ) παρεξηγώ, ερμηνεύω εσφαλμένα, **-ation** παρεξήγηση, κακή ερμηνεία
misjudge (μιστζάτζ) κρίνω άδικα, **-ment** άδικη κρίση
mislaid (μισλέϊντ) παραπεταμένος
mislay (μισλέϊ) παραπετώ
mislead (μισλίιντ) απατώ, αποπλανώ
mismanage (μισμάνιτζ) κακοδιαχειρίζομαι, **-ment** κακή διαχείρηση
mismatch (μισμάτς) δεν ταιριάζω, κακό ή ανάρμοστο ταίριασμα
mismate (μισμέϊτ) ζευγαρώνω εσφαλμένα
misname (μισνέϊμ) ονομάζω λανθασμένα

misnomer (μισνόμερ) παρατσούκλι
misogynist (μισότζινιστ) μισογύνης
misogyny (μισότζινι) μίσος γιά τις γυναίκες
misplace (μισπλέϊς) παραπετώ, τοποθετώ σε λάθος μέρος, -ment κακή τοποθέτηση
misprint (μισπρίντ) τυπογραφικό λάθος, εκτυπώνω εσφαλμένα
misreport (μισπρίζαν) αμέλεια, σοβαρό πταίσμα
mispronounce (μισπρονάουνς) προφέρω λάθος
misquotation (μισκουοτέϊσσον) εσφαλμένη παραπομπή
misquote (μισκούοουτ) αναφέρω ή παραθέτω εσφαλμένα
misread (μισρίντ) διαβάζω λάθος, παρεξηγώ, κρίνω εσφαλμένα
misreport (μισριπόρτ) εκθέτω λανθασμένα
misrepresent (μισρεπριζέντ) διαστρέφω, -ation διαστροφή
misrule (μισρούλ) κυβερνώ άσχημα, κακή διοίκηση
miss (μίς) αποτυγχάνω, αστοχώ, παραλείπω, χάνω, αστοχία, δεσποινίς
missal (μίσαλ) ευχολόγιο
misshape (μισσέϊπ) παραμορφώνω, κακοσχηματίζω, -n παραμορφωμένος
missile (μισάϊλ) πύραυλος, βλήμα
missing (μίσινγκ) χαμένος, απών
mission (μίσσον) αποστολή, ιεραποστολή, -ary ιεραπόστολος, ιεραποστολικός
missive (μίσιβ) μήνυμα, επιστολή, απεσταλμένος
misspell (μισπέλ) κάνω ορθογραφικά λάθη, -ing ανορθογραφία
misspend (μισπέντ) σπαταλώ
misstate (μιστέϊτ) εκθέτω εσφαλμένα, -ment εσφαλμένη έκθεση ή δήλωση
misstep (μιστέπ) παραπάτημα
missus, missis (μίσιζ) η σύζυγος

mist (μίστ) ομίχλη
mistakable (μιστέϊκαμπλ) ο επιρρεπής σε λάθος, αυτός που μπορεί να παρεξηγηθεί
mistake (μιστέϊκ) λάθος, σφάλλω / mistake for: παραγνωρίζω
mistaken (μιστέϊκεν) εσφαλμένος, παρεννοημένος
mister (μίστερ) κύριος
mistful (μίστφουλ) ομιχλώδης
mistily (μίστιλι) ομιχλωδώς, ασαφώς
mistitled (μιστάϊτλντ) ο έχων λάθος τίτλο
mistook (μιστούκ) αορ. του mistake
mistreat (μιστρίτ) κακομεταχειρίζομαι, -ment κακομεταχείρηση
mistress (μίστρες) κυρία, νοικοκυρά, ερωμένη
mistrial (μιστράϊαλ) άκυρη δίκη
mistrust (μιστράστ) δυσπιστία, δυσπιστώ, -ful δύσπιστος
misty (μίστι) ομιχλώδης, ασαφής
misunderstand (μισαντερστάντ) παρανοώ, παρεξηγώ, -ing παρανόηση
misusage (μισιούσετζ) κακή χρήση
misuse (μισιούζ) κακή χρήση, κακομεταχειρίζομαι
mite (μάϊτ) οβολός, σκόρος, ζωύφιο
miter, mitre (μάϊτερ) μίτρα, τιάρα
mitigate (μίτιγκέϊτ) μετριάζω, κατευνάζω
mitigation (μιτιγκέϊσσον) μετριασμός, κατευνασμός
mitigative (μίτιγκέϊτιβ) καταπραϋντικός
mitigator (μιτιγκέϊτορ) μετριαστής, κατευναστής
mitral (μάϊτραλ) της καρδιακής βαλβίδας, ο ομοιάζων με τιάρα
mitt (μιτ) γάντι χωρίς δάκτυλα
mitten (μίτεν) γάντι πυγμαχίας
mix (μιξ) ανακατεύω, -ομαι, αναμιγνύω, μίγμα, -ed ανάμικτος, μικτός / mix up: συγχέω, αναστατώνω / mixed blessing: κάτι καλό και κακό

M

ταυτόχρονα / mixed up: σύγχυση, μπέρδεμα

mixer (μίξερ) μίκτης

mixture (μίξτσουρ) μίγμα, ανάμιξη

mizzen, mizen (μίζεν) κατάρτι της πρύμνης

mnemonic (μνιμόνικ) μνημονικός, **-s** βελτίωση της μνήμης

mo (μόου) στιγμή, λεπτό, μικρό χρονικό διάστημα

moan (μόουν) βογγώ, βογγητό, θρηνώ, στεναγμός

moat (μόουτ) τάφρος

mob (μόμπ) όχλος, ενοχλώ, συνωστίζω, -ομαι, **-bish** χυδαίος, όμοιος με όχλο

mobrule, mobocracy (μομπρούλ, μομπόκρασι) οχλοκρατία

mobile (μόμπιλ) κινητός

mobility (μομπίλιτι) ευκινισία, το κινητό

mobilization (μομπιλαϊζέϊσσον) κινητοποίηση

mobilize (μόμπιλάϊζ) κινητοποιώ

moccasin (μόκασιν) είδος δερμάτινου παπουτσιού

mock (μόκ) κοροϊδεύω, περιπαίζω, πλαστός, **-er** ο χλευαστής, **-ery** χλευασμός, κοροϊδία, **-ing** κοροϊδευτικός, εμπαικτικός

modal (μόουνταλ) τυπικός, εκφραστικός, της μόδας, **-ity** τυπικότητα

mode (μόουντ) μόδα, τρόπος

model (μόντελ) μοντέλο, σχεδιάζω, πρότυπο, υπόδειγμα, **-er** σχεδιαστής, **-(l)ing** προσχεδιασμός

moderate (μόντερέϊτ) μετριάζω, -ομαι, προεδρεύω, (μόντερετ) μέτριος, μετριοπαθής

moderation (μοντερέϊσσον) μετριασμός, μετριοπάθεια, μετριότητα

moderator (μοντερέϊτορ) μετριαστής

modern (μόντερν) σύγχρονος, νέος, **-ism** νεωτερισμός, **-ist** νεωτεριστής, **-istic** νεωτεριστικός, **-ization** εκσυ-

γχρονισμός, **-ize** εκσυγχρονίζω

modest (μόντεστ) σεμνός, **-y** σεμνότητα, μετριοφροσύνη

modicum (μόντικομ) μικρή ποσότητα

modification (μοντιφικέϊσσον) τροποποίηση

modify (μόνιιφάϊ) τροποποιώ

modish (μόντιςς) μοντέρνος

modiste (μόουντιστ) μοδίστρα

modulate (μότζουλέϊτ) κανονίζω, χαμηλώνω τον τόνο

modulation (μοτζουλέϊσσον) αλλοίωση τόνου

modulator (μοτζουλέϊτορ) ρυθμιστής

module (μότζουλ) μονάδα μέτρησης, τμήμα διαστημόπλοιου που μπορεί ν' αποσπασθεί

modus (μόουντας) τρόπος

moggy, mog (μόογκι, μόγκ) γάτα

mogul (μόουγκολ) άρχοντας, άτομο με ισχύ και πλούτο, μογγόλος

mohair (μόουχέαρ) ύφασμα από μαλλί κατσίκας

mohammed (μοουχάμεντ) Μωάμεθ, **-an** Μωαμεθανικός, Μωαμεθανός, **-anism** Μωαμεθανισμός

moiety (μόϊετι) μισό

moil (μόϊλ) μόχθος, κοπιάζω

moirα (μουαρέ) κυματοειδής

moist (μόϊστ) υγρός, **-ness** υγρασία, **-en** υγραίνω

moisture (μόϊστσερ) υγρασία

molar (μόουλαρ) τραπεζίτης (δόντι)

molasses (μόλασις) σιρόπι ζάχαρης

mold, mould (μόουλντ) μούχλα, καλούπι, καλουπιάζω, πλάθω, **-y** μουχλιασμένος, **-able** αποτυπώσιμος, **-er** πλάστης, **-ing** καλούπιασμα

mold (μόλντ) χώμα, έδαφος (ή mould), **-er** σαπίζω

mole (μόουλ) μώλος, τυφλοπόντικας, ελιά (δέρματος)

molecule (μόλεκιουλ) μόριο

molecular (μολέκιουλαρ) μοριακός

molehill (μόουλχιλ) μικρό εμπόδιο, σωρός χώματος δίπλα απ' τη φωλιά τυφλοπόντικα

moleskin (μόουλσκίν) γούνα τυφλοπόντικα, χοντρό χνουδωτό ύφασμα

molest (μολέστ) ενοχλώ, πειράζω, βλάπτω, **-ation** ενόχληση

mollification (μολιφικέϊσσον) μαλάκωμα, μάλαξη

mollifier (μόλιφάϊερ) αυτός που μαλάσσει

mollify (μόλιφάϊ) μαλάσσω, κατευνάζω το θυμό

mollusk (μόλασκ) μαλάκιο, οστρακόδερμο

mollycoddle (μόλικόντλ) παραχαϊδεύω, φροντίζω υπερβολικά

molt (μόουλτ) μαδώ

molten (μόουλτεν) λυωμένος

molto (μόλτοου) πολύ (στη μουσική)

moment (μόουμεντ) λεπτό, στιγμή, σπουδαιότητα, **-ary** στιγμιαίος, **-arily** προς στιγμήν, **-ly** κάθε στιγμή, στιγμιαία / at the moment: τώρα, στο παρόν / for the moment: προς το παρόν / the moment that: μόλις

momentous (μοουμέντας) σπουδαίος, βαρυσήμαντος, **-ness** σπουδαιότητα, σοβαρότητα

momentum (μομέντομ) ορμή κίνησης, κεκτημένη ταχύτητα

Monaco (μόνακοου) Μονακό

momma (μόομα) μαμά, μητέρα

monad (μόναντ) μονάδα

monarch (μόναρκ) μονάρχης, **-i(al)** μοναρχικός, **-ism** μοναρχισμός, **-ist** βασιλόφρων, οπαδός της μοναρχίας, **-y** μοναρχία

monasterial (μοναστίριαλ) μοναστηριακός

monastery (μόναστέρι) μοναστήρι

monastic (μονάστικ) μοναστικός, μοναχικός, **-ism** μοναχικός βίος

Monday (μάντεϊ) Δευτέρα

monetarily (μόνιτέριλι) χρηματικά

monetary (μάνιτέρι) χρηματικός, νομισματικός, οικονομικός

monetization (μονιτάϊζέϊσσον) νομισματοποίηση

monetize (μόνιτάϊζ) νομισματοποιώ

money (μάνι) χρήματα, νόμισμα, **-bags** πολύ πλούσιος, **-box** κουμπαράς, **-changer** αργυραμοιβός, **-ed** πλούσιος, **-grubber** αυτός που επιδιώκει την απόκτηση χρημάτων με αθέμιτα μέσα, **-lender** δανειστής χρημάτων, **-order** ταχυδρομική ή τραπεζιτική επιταγή / for my money: κατά τη γνώμη μου / made of money: πολύ πλούσιος

monger (μάνγκερ) έμπορος, πωλητής

mongol(ian) (μόουνγκολ, μοουνγκόλιαν) μογγόλος, μογγολικός

Mongolia (μονγκόουλια) Μογγολία

mongolism (μόνγκολιζμ) μογγολισμός

mongoose (μονγκούζ) είδος μικρού άγριου ζώου

mongrel (μόνγκρελ) μιγάς, μικτογενής

monicker (μόνικερ) όνομα ή παρατσούκλι

monition (μονίσσον) προειδοποίηση, παραίνεση

monitor (μόνιτορ) σύμβουλος, ελεγκτής εκπομπών, βοηθός δασκάλου, παρακολουθώ, ακούω προσεκτικά, **-ial, -y** προειδοποιητικός, συμβουλευτικός

monk (μόνκ) μοναχός, καλόγερος, **-ish** καλογερικός

monkey (μάνκι) πίθηκος, μαϊμού, μιμούμαι, πιθηκίζω, **-business** μυστική συμπεριφορά που δημιουργεί προβλήματα, **-wrench** κλειδί βιδών κανονιζόμενο γιά διάφορα μεγέθη

monkshood (μόνκσχούντ) ακόνιτο (φυτό)

monochrome (μονοκρόουμ) μονό-

χρωμος, ασπρόμαυρος
monocle (μόνοκλ) μονογυάλι(μο-
νόκλ)
monocotyledon (μονοκοτιλίντον)
μονοκοτυλήδονο
monody (μόνοντι) μονωδία
monogamous, monogamist (μο-
νόγκαμος, μονόγκαμιστ) μονόγαμος
monogamy (μονόγκαμι) μονογαμία
monogram (μόνογκραμ) μονό-
γραμμα
monograph (μόνογκραφ) μονογρα-
φία
monolingual (μονοουλίνγκουαλ) ο
ομιλών μόνο μία γλώσσα
monolith (μόνολιθ) μονόλιθος, **-ic**
μονολιθικός
monologist (μονόλογκιστ) ο μονο-
λογών
monologue, monolog (μόνολογκ) μο-
νόλογος
monomania (μονομέϊνια) μονομα-
νία, **-c** μονομανής
monoplane (μονοπλέϊν) μονοπλάνο
monopolist (μονόπολιστ) ο έχων μο-
νοπώλιο
monopolization (μονόπολαϊζέϊσσον)
μονοπώληση
monopolize (μονόπολάϊζ) μονοπω-
λώ, **-r** μονοπωλητής
monopoly (μονόπολι) μονοπώλιο
monorail (μονορέϊλ) μονόγραμμος
σιδηρόδρομος
monosyllabic (μονοσίλαμπικ) μονο-
σύλλαβος
monosyllable (μονοσίλαμπλ) μονο-
σύλλαβη λέξη
monotheism (μονοθίιζμ) μονοθεϊ-
σμός
monotheist (μονόθεϊστ) μονοθεϊ-
στής, **-ic** μονοθεϊστικός
monotone (μόνοτόουν) μονότονο,
μονοφωνία
monotonous (μονότονος) μονότονος
monotony (μονότονι) μονοτονία
monotype (μονοτάϊπ) μονοτυπία,

είδος στοιχειοθετικής μηχανής
monoxide (μονοξάϊντ) μονοξείδιο
monsieur (μενσιέ) κύριος
monsignor (μονσίινιορ) κύριος, τίτ-
λος καθολικού αρχιερέα
monsoon (μονσούουν) ισχυρός άνε-
μος, μελτέμι
monster (μόνστερ) τέρας, τεράστιος
monstrance (μόνστρανς) ιεροφυλά-
κιο καθολικής εκκλησίας
monstrosity (μονστρόσιτι) τερατω-
δία
monstrous (μόνστρας) τερατώδης
montage (μόοντατζ) σύνθετη εικόνα
month (μάνθ) μήνας, **-ly** μηνιαίος,
μηνιαίο περιοδικό
monument (μόνιουμεντ) μνημείο,
-al μνημειώδης, επιμνημόσυνος
monumentally (μονιουμένταλι)
υπερβολικά
moo (μούου) μουγκρίζω, μούγκρι-
σμα
mooch (μούτς) κλέβω, **-er** τζαμπα-
τζής / mooch about(around): περι-
πλανιέμαι άσκοπα
mood (μούντ) διάθεση, έγκλι-
ση(γραμμ.), **-iness** κατήφεια, ιδιο-
τροπία, **-ily** δύστροπα, **-y** ιδιότρο-
πος, κατηφής
moon (μούν) φεγγάρι, χασομερώ,
-beam ακτίνα σελήνης, **-calf** ηλί-
θιος, **-light** σεληνόφως, **-lit** σεληνο-
φώτιστος, **-scape** σεληνιακό τοπίο,
γυμνή κι έρημη έκταση, **-shine** σε-
ληνόφως, ανοησίες, λαθραία παρα-
γόμενο αλκοολούχο ποτό, **-shiner**
λαθρέμπορος ποτών, **-stone** σπάθιο
(λίθος), **-struck** επιληπτικός, **-y**
ονειροπαρμένος / over the moon:
πολύ χαρούμενος
moor (μούρ) βάλτος, έλος, προσορ-
μίζω, ασφαλίζω, **-age** όρμος, **-ing**
άραγμα, **-ish** βαλτώδης
Moor (μούρ) Μαυριτανός, **-ish** Μαυ-
ριτανικός
moot (μούτ) συζητώ, **-point** θέμα

προς συζήτηση
mop (μόπ) ξεσκονίζω, σφουγγαρί-
ζω, σφουγγαρίστρα
mope (μόουπ) μελαγχολώ
moped (μόουπεντ) μικρή μοτοσυ-
κλέτα
moper (μόουπερ) μελαγχολικός,
νωθρός
mopish (μόουπιςς) μελαγχολικός,
λιπόψυχος
moppet (μόοπιτ) παιδί, κορίτσι
moral (μόραλ) ηθικός, ηθικό δίδαγ-
μα, **-e** ηθικό, φρόνημα, **-ist** ηθικο-
λόγος, **-istic** ηθικολογικός, **-ity** ηθι-
κή, **-ization** ηθικολογία, **-ize** ηθικο-
λογώ, **-ly** ηθικά
morass (μοράς) βάλτος
moratorium (μορατόοριομ) περίο-
δος καθυστέρησης
morbid (μόρμπιντ) καχεκτικός, νο-
σηρός, **-ness**, **-ity** νοσηρότητα
mordancy (μόορντανσι) δηκτικό-
τητα
mordant (μόορνταντ) σαρκαστικός,
στερεωτική βαφή
more (μόουρ) περισσότερο, περισ-
σότερος, ακόμη, **-over** επιπλέον /
more often than not: τις περισσό-
τερες φορές, συχνά / more than a
little: πολύ / more or less: σχεδόν,
περίπου
moreish (μόορισσ) τροφή πολύ νό-
στιμη που σε προκαλεί να φας πε-
ρισσότερη
mores (μόορεΐζ) τα ήθη
morganatic marriage (μοργκανάτικ
μάρριτζ) γάμος μεταξύ ενός ατόμου
ευγενούς καταγωγής κι ενός κατώ-
τερης κοινωνικής τάξης
morgue (μόοργκ) νεκροφυλάκιο,
θλιβερό μέρος
moribund (μόοριμπάντ) ετοιμοθά-
νατος
morion (μόριον) ελαφρό κράνος
morn (μόρν) πρωί (ποιητ.)
morning (μόρνινγκ) πρωί, **-glory** εί-

δος αναρριχητικού φυτού, **-star** Αυ-
γερινός (πλανήτης)
Moroccan (μορόκαν) Μαροκινός
morocco (μορόκοου) μαλακό δέρ-
μα χρησιμοποιούμενο στη βιβλι-
λοδεσία
Morocco (μορόκο) Μαρόκο
moron (μόουρον) ηλίθιος, **-ism** μω-
ρία, ηλιθιότητα, **-ic** βλακώδης
morose (μορόους) δύστροπος, σκυ-
θρωπός, κακότροπος
morpheme (μόορφιμ) μόρφημα
morpheus (μόορφιος) ύπνος / in the
arms of morpheus: κοιμισμένος
morphine (μόορφιν) μορφίνη
morphological (μορφολότζικαλ)
μορφολογικός
morphology (μορφόλοτζι) μορφο-
λογία
morris chair (μόρις τσέαρ) είδος πο-
λυθρόνας
morris dance (μόρις ντάνς) παλιός
Αγγλικός χορός
morrow (μόροου) αύριο
morsel (μόρσελ) μπουκιά, κομμάτι
mortal (μόρταλ) θνητός, θανάσιμος,
-ity θνησιμότητα, θνητότητα, **-ly** θα-
νάσιμα, ισχυρά
mortar (μόορταρ) γουδί, **-board**
επίπεδο, τετράγωνο καπέλο, που
φοριέται από καθηγητές πανεπι-
στημίου σ' επίσημες περιστάσεις
mortgage (μόοργκιτζ) υποθήκη,
υποθηκεύω, **-e** αυτός που δανείζει
με υποθήκη, **-r** ο δανειζόμενος με
υποθήκη
mortician (μορτίσσαν) νεκροθά-
φτης, εργολάβος κηδειών
mortification (μορτιφικέϊσσον) απο-
νέκρωση, προσβολή, ταπείνωση
mortifier (μόρτιφάϊερ) απονεκρωτής
mortify (μόρτιφάϊ) απονεκρώνω, τα-
πεινώνω, προσβάλλω
mortise (μόορτις) εγκοπή
mortuary (μόρτσουέρι) νεκροφυ-
λάκιο, νεκρώσιμος, επικήδειος

M

mosaic (μόουζέϊκ) μωσαϊκό
Mosaic (μόουζέϊκ) Μωσαϊκός
Moses (μόουζες) Μωυσής
mosey (μόουζι) περιφέρομαι
Moslem (μόζλεμ) Μουσουλμάνος,
Μουσουλμανικός
mosque (μόσκ) τζαμί
mosquito (μοσκίτοου) κουνούπι
moss (μός) βρύο, -back παλαιοϊδεά-
της, -grown καλυμμένος με βρύα, -y
βρυώδης
most (μόστ) πλείστος, στο μεγαλύ-
τερο βαθμό, οι περισσότεροι, -ly κυ-
ρίως, τις περισσότερες φορές / for
the most part: κυρίως / make the
most of: επωφελούμαι όσο το δυνα-
τό περισσότερο
mote (μόουτ) άτομο
motel (μόουτελ) ξενοδοχείο γι' αυ-
τοκινητιστές
moth (μόθ) σκώρος, -ball καμφορά,
-eaten σκωροφαγωμένος
mother (μάδερ) μητέρα, φροντίζω
μητρικά, -country πατρίδα, -hood
μητρότητα, -in-law πεθερά, -land
πατρίδα, -ly μητρικός, -of-pearl
μαργαριτάρι, -superior ηγουμένη
μοναστηριού, -to-be εγκυμονούσα
γυναίκα
mothy (μόοθι) σκωροφαγωμένος
motif (μόουτιφ) κίνητρο, μοτίβο,
κεντρική ιδέα
motile (μόουτιλ) κινητήριος, κινη-
τός
motion (μόουσσον) κίνηση, κένω-
ση εντέρων, κάνω σήμα με κίνηση,
πρόταση (σε συνεδρίαση), -less
ακίνητος, -picture κινηματογραφι-
κή ταινία
motivate (μόουτιβέϊτ) κινώ, θέτω σε
κίνηση, ωθώ
motivation (μόουτιβέϊσσον) κίνη-
ση, ώθηση
motive (μόουτιβ) αιτία, κίνητρο, κι-
νητήριος
motivity (μοτίβιτι) κινητήριος δύ-

ναμη
motley (μότλι) παρδαλός
motocross (μόουτοκρός) αγώνας με
μοτοσυκλέτες σε ανώμαλο έδαφος
motor (μόουτορ) κινητήρας, κινη-
τήριος, ταξιδεύω με αυτοκίνητο,
-bike μοτοποδήλατο, μοτοσυκλέτα,
-boat βενζινάκατος, -car αυτοκίνη-
το, -cycle μοτοσυκλέτα
motorist (μότοριστ) αυτοκινητιστής
motorization (μόουτοραϊζέϊσσον)
αυτοκίνηση, μηχανοκίνηση
motorize (μόουτοράϊζ) εφοδιάζω με
οχήματα ή αυτόματο κινητήρα
motorship (μόουτορσσίπ) βενζι-
νόπλοιο
motorway (μότορουέϊ) φαρδύς αυτο-
κινητόδρομος
mottled (μόουτλντ) στιγματισμένος
motto (μότοου) ρητό, σύνθημα, γνω-
μικό
mould (μόουλντ) δες mold
mound (μάουντ) λόφος, σωρός
χώματος, ανάχωμα, οχυρώνω με
ανάχωμα
mount (μάουντ) βουνό, ανεβαίνω,
ιππεύω, -ed καβαλάρης, -ing ανάβα-
ση, ίππευση
mountain (μάουντιν) βουνό, -eer
ορειβάτης, -ous ορεινός, τεράστιος
mountebank (μάουντιμπάνκ) αγύρ-
της, τσαρλατάνος
mourn (μόουρν) θρηνώ, πενθώ, -er ο
πενθών, -ful πένθιμος, λυπητερός,
-ing πένθος
mouse (μάουζ) ποντικός, κυνηγώ
ποντικούς, -r γάτα κυνηγός ποντι-
κών, -trap ποντικοπαγίδα
mousse (μούους) ελαφρό γλύκισμα
moustache (μουστάτς) μουστάκι
mousy, mousey (μάουζι) ποντικοει-
δής, (μαλλιά) με θαμπό καστα-
νόγκριζο χρώμα
mouth (μάουθ) στόμα, στόμιο, μορ-
φάζω, -ful μπουκιά, -piece στόμα,
στόμιο, άτομο ή εφημερίδα που εκ-

φράζει απόψεις άλλων, **-organ** φυσαρμόνικα, **-watering** με πολύ ευχάριστη γεύση

movable (μούβαμπλ) κινητός, **-s** κινητή περιουσία, **-ness, movability** ευκινησία, το κινητό, **-feast** κινητή θρησκευτική εορτή

movably (μούβαμπλι) κινητά

move (μούβ) κινώ, -ούμαι, κίνηση, συγκινώ, μετοικώ, μετακομίζω, **-r** αυτός που προτείνει, κινούμενος, ο μετοικών, αυτός που εκτελεί μετακομίσεις ως επάγγελμα / move in: αποκτώ καινούριο σπίτι / move off: φεύγω / move on: αλλάζω, προχωρώ σε κάτι νέο / move house: μετακομίζω / move heaven and earth: κάνω ό, τι είναι δυνατό / get a move on: βιάζομαι

movement (μούβμεντ) κίνηση

movie (μούβι) κινηματογραφική ταινία, **-s** κινηματογράφος

moving (μούβινγκ) συγκινητικός, κινούμενος, κίνηση, μετακόμιση, **-picture** κινηματογραφική ταινία

mow (μόου) θερίζω, **-er** θεριστής

M.P (έμπί) μέλος του κοινοβουλίου

Mr (μίστερ) κύριος (συντομία αντί mister)

Mrs (μίσιζ) κυρία (συντομία αντί mistress)

much (μάτς) πολύς, πολύ / how much: πόσο / so much: τόσο / as much as: όσος / so much as: τόσο όσο / too much: πάρα πολύ / make much of: θεωρώ ή μεταχειρίζομαι ως σημαντικό / too much for: πολύ δύσκολο γιά

mucilage (μιούσιλετζ) κόλλα, κολλώδης ουσία

mucilaginous (μιούσιλέτζινος) κολλαδώδης

muck (μάκ) κοπριά, λάσπη, βρωμιά, κοπρίζω

muckrake (μακρέϊκ) αποκαλύπτω πολιτικές ανομίες

muckworm (μακουόρμ) σκουλήκι της κοπριάς, φιλάργυρος

mucky (μάκι) κοπρώδης, βρώμικος, (καιρός) θυελώδης, άσχημος

mucus (μιούκας) βλέννα, μύξα

mud (μαντ) λάσπη, **-dy** λασπώδης, λασπώνω, θολώνω, θολός, συγχύζω, **-diness** θολότητα, σύγχυση

muddle (μάντλ) θολώνω, συγχύζω, -ομαι, ακαταστασία, **-d** θολός, ζαλισμένος, **-headed** συγχυσμένος, χωρίς καθαρή σκέψη

mudguard (μάντγκάρντ) προφυλακτήρας αυτοκινήτου απ' τη λάσπη

mudhen (μάντχεν) αγριόκοτα

muff (μάφ) γούνινο κάλυμμα γιά τα χέρια, χειρίζομαι αδέξια, χάνω

muffin (μάφιν) στρογγυλό ψωμάκι

muffle (μάφλ) σκεπάζω, πνίγω, καλύπτω, κατασιγάζω, **-r** κάλυμμα λαιμού, κατασιγαστής ήχων

mufti (μάφτι) πολιτικά ρούχα, ερμηνευτής του Μωαμεθανικού νόμου

mug (μάγκ) κύπελλο με λαβή, πρόσωπο, μορφάζω, φωτογραφίζω ύποπτο άτομο, επιτίθεμαι ύπουλα, **-ger** ο επιτιθέμενος ύπουλα

mugginess (μάγκινες) πνιγηρότητα

muggy (μάγκι) πνιγηρός, υγρός και ζεστός

mulatto (μουλάτοου) μιγάς

mulberry (μάλμπερι) μούρο

mulch (μάλτς) στρώμα από σάπια φύλλα

mulct (μάλκτ) πρόστιμο, επιβάλλω πρόστιμο

mule (μιούλ) μουλάρι

muleteer (μιουλιτίιρ) καβαλάρης μουλαριού

muliebrity (μιουλιέμπριτι) θηλυκότητα

mulish (μιούλιςς) πεισματάρης

mull (μάλ) ερευνώ, συλλογίζομαι

mullah (μάλεχ) διδάσκαλος του Μωαμεθανικού νόμου

mullet (μάλιτ) μπαρμπούνι

M

mullion (μάλιον) κατακόρυφο χώρισμα παραθυρόφυλλων
multicolored (μάλτικάλαρντ) πολύχρωμος
multifarious (μαλτιφεάριας) πολυειδής, ποικίλος
multiform (μάλτιφόουρμ) πολύμορφος
multigraph (μάλτιγκραφ) πολυγράφος
multilateral (μαλτιλάτεραλ) πολύπλευρος
multilingual (μαλτιλίνγκουαλ) γνώστης πολλών γλωσσών
multimillionaire (μαλτιμίλιονέαρ) πολυεκατομμυριούχος
multinational (μαλτινάσσοναλ) πολυεθνικός
multiparous (μαλτίπαρας) πολύτοκος
multipartite (μάλτιπαρτάϊτ) πολυμερής
multiple (μάλτιπλ) πολλαπλός, πολλαπλάσιος, πολλαπλάσιο
multiplex (μάλτιπλεξ) πολυσχιδής
multiplicand (μαλτίπλικαντ) πολλαπλασιαστέος
multiplication (μαλτιπλικέϊσσον) πολλαπλασιασμός
multiplicity (μάλτιπλίσιτι) πολλαπλότητα
multiplier (μαλτιπλάϊερ) πολλαπλασιαστής
multiply (μάλτιπλαϊ) πολλαπλασιάζω, ανατρέφω
multitude (μάλτιτιουντ) πλήθος
multitudinous (μαλτιτιούντινας) πολυπληθής
mum (μάμ) μασκαρεύομαι, -mer θεατρίνος, -mery θεατρινισμός
mumble (μάμπλ) μουρμουρίζω, ψελλίζω, -r αυτός που μουρμουρίζει ή ψελλίζει
mummy (μάμι) μαμά, μητέρα, μούμια
mump (μάμπ) κατσουφιάζω

mumps (μάμπς) παρωτίτιδα (ασθένεια)
munch (μάντς) τραγανίζω, -er αυτός που τραγανίζει
mundane (μάντέϊν) κοινός, εγκόσμιος, κοσμικός
Munich (μιούνικ) Μόναχο
municipal (μιουνίσιπαλ) δημοτικός, της πόλης
municipality (μιουνισιπάλιτι) ο δήμος, δημαρχείο
munificence (μιουνίφισενς) γενναιοδωρία
munificent (μιουνίφισεντ) γενναιόδωρος, πλουσιοπάροχος
munitions (μιουνίσσανς) πολεμοφόδια, πυρομαχικά, εφοδιάζω με πυρομαχικά
mural (μιούραλ) τοιχογραφία
murder (μάρντερ) δολοφονία, δολοφονώ, -er δολοφόνος, -ess η δολοφόνος, -ous φονικός
muriatic (μιούριάτικ) υδροχλωρικός
murk (μέρκ) σκοτάδι, -y σκοτεινός
murmur (μέρμερ) μουρμουρίζω, μουρμούρισμα, ψίθυρος, ψιθυρίζω, -er παραπονιάρης, μουρμούρης
murrain (μάριν) κατάρα, ασθένεια των ζώων
muscatel (μάσκατελ) μοσχάτο κρασί, μοσχοστάφυλο
muscle (μάσκλ) μύς, δύναμη, -bound γεροδεμένος, μυώδης
muscular (μάσκιουλαρ) μυώδης, μυϊκός, δυνατός
muscularity (μασκιουλάριτι) μυϊκή ρώμη
muse (μιούζ) ρεμβάζω, ρεμβασμός, μούσα, -r ονειροπόλος
museum (μιουζίιαμ) μουσείο
mush (μάςς) κουρκούτι, ανοησία
mushroom (μάσσρουμ) μανιτάρι, μύκητας, αυξάνομαι γρήγορα
mushy (μάσσι) πολτώδης, ευαίσθητος
music (μιούζικ) μουσική, -al μουσι-

κός, φιλόμουσος, -**alness** αγάπη για τη μουσική

musician (μιουζίσσαν) μουσικός, -**ship** επιδεξιότητα στην εκτέλεση μουσικής

musk (μάσκ) άρωμα, αρωματική ουσία

musket (μάσκιτ) τουφέκι, -**eer** στρατιώτης με τουφέκι, -**ry** τουφεκισμοί

musky (μάσκι) αρωματικός

Muslim (μάζλιμ) Μωαμεθανός

muslin (μάζλιν) μουσελίνα (ύφασμα)

muss (μάς) ακαταστασία, σύγχυση, ανακατεύω, τσαλακώνω, -**y** ακατάστατος, τσαλακωμένος

mussel (μάσλ) μύδι

must (μάστ) πρέπει, κάτι αναγκαίο, μούστος

mustache (μάστασσ) μουστάκι

mustachio (μοστάσσοου) μουστάκι

mustard (μάσταρντ) μουστάρδα

muster (μάστερ) συγκαλώ, συναθροίζω, -ομαι, συνάθροιση

mustiness (μάστινες) μούχλα

musty (μάστι) μουχλιασμένος

mutability (μιουταμπίλιτι) μεταβλητότητα, αστάθεια

mutable (μιούταμπλ) άστατος, ευμετάβλητος

mutant (μιούταντ) ζωντανός οργανισμός με αλλοιωμένα τα χαρακτηριστικά του γένους

mutation (μιουτέϊσσον) αλλοίωση των χαρακτηριστικών του γένους

mute (μιούτ) σωπαίνω, βουβός, -**ness** θουβαμάρα

mutilate (μιουτιλέϊτ) ακρωτηριάζω

mutilation (μιούτιλέϊσσον) ακρωτηριασμός

mutilator (μιούτιλέϊτορ) ακρωτηριαστής

mutineer (μιούτινίιρ) στασιαστής,

αντάρτης, στασιάζω

mutinous (μιούτινας) αντάρτικος, επαναστατικός

mutiny (μιούτινι) στάση, ανταρσία, στασιάζω

mutt (μάτ) σκύλος

mutter (μάτερ) μουρμουρίζω, μουρμούρισμα

mutton (μάτν) πρόβειο κρέας

mutual (μιούτσουαλ) αμοιβαίος, -**ity** αμοιβαιότητα

muzhik (μουζίκ) μουζίκος, ρώσσος χωρικός

muzzle (μάζλ) φίμωτρο, φιμώνω, στόμιο όπλου

my (μάϊ) δικός μου

mycology (μαϊκόλετζι) η μελέτη των μυκήτων

myopia (μαϊόουπια) μυωπία

myopic (μαϊόουπικ) μυωπικός

myriad (μίριαντ) μυριάδα

myriapod (μίριαπαντ) μυριάποδο (έντομο)

myrrh (μέρ) μύρα, σμύρνα

myrtle (μέρτλ) μυρτιά

myself (μαϊσέλφ) εγώ ο ίδιος

mysterious (μιστίιριας) μυστηριώδης

mystery (μίστερι) μυστήριο

mystic (μίστικ) μυστικιστής, μυστηριώδης, -**al** μυστικός, μυστηριώδης, -**ism** μυστικισμός

mystification (μιστιφικέϊσσον) περιπλοκή, αμηχανία

mystify (μίστιφάϊ) περιπλέκω, καθιστώ μυστηριώδη

myth (μίθ) μύθος, -**ical** μυθικός

mythological (μιθολότζικαλ) μυθολογικός

mythologist (μιθόλοτζιστ) μυθολόγος

mythology (μιθόλοτζι) μυθολογία

N

N, n (έν) το δέκατο τέταρτο γράμμα
στο Αγγλικό αλφάβητο
nab (νάμπ) αρπάζω, συλλαμβάνω
nacelle (νασέλ) θάλαμος αεροπλά-
νου
nacre (νέϊκερ) μαργαριτάρι
nadir (νέϊντιερ) ναδίρ, κατώτατο
σημείο
naff (νάφ) ανόητος και χωρίς αξία
nag (νάγκ) μαλώνω, γκρινιάζω συνε-
χώς, ενοχλώ, βασανίζω, γκρινιάρης,
γέρικο άλογο, -**ger** γκρινιάρης, φι-
λοκατήγορος, -**ging** μάλωμα, -**ingly**
γκρινιάρικα, -**gy** φιλόψογος
naiad (νάϊαντ) νύμφη, νεράϊδα
nail (νέϊλ) νύχι, καρφί, καρφώνω,
συλλαμβάνω, εκθέτω, -**file** λίμα νυ-
χιών, -**varnish** μανό, βερνίκι νυχιών
naive (ναβ) αφελής, -**ness**, -**ty**
αφέλεια
naked (νέϊκιντ) γυμνός, -**ness** γυ-
μνότητα
namby-pamby (νάμπι πάμπι) αδύνα-
μος, παιδαριώδης, επιτηδευμένος
name (νέϊμ) όνομα, ονομάζω, διορί-
ζω, -**day** ονομαστική εορτή, -**less**
ανώνυμος, -**ly** δηλαδή, -**sake** συνο-
νόματος / the name of the game: η
πιο σημαντική ιδιότητα
nanny (νάνι) παραμάνα, γιαγιά,
-**goat** κατσίκα
nap (νάπ) σύντομος ύπνος κατά τη
διάρκεια της ημέρας, κοιμάμαι ελα-
φρά, χνούδι, -**ry** χνουδωτός
nape (νέϊπ) αυχένας
napery (νέϊπερι) πετσέτες, τραπεζο-

μάντηλα
naphtha (νάφθα) νέφτι
naphthalene (ναφθαλίιν) ναφθαλίνη
napkin (νάπκιν) πετσέτα φαγητού
napoleon (ναπόουλιαν) είδος ζυμα-
ρικού
narcissism (νάαρσισισμ) ναρκισσι-
σμός
narcissist (νάαρσισιστ) ναρκισσι-
στής
narcissus (ναρσίσας) νάρκισσος
(λουλούδι)
narcosis (ναρκόουσις) νάρκωση
narcotic (ναρκότικ) ναρκωτικό,
ναρκωτικός
nargile (νάαργκιλι) ναργιλές
nark (νάρκ) κατάσκοπος, πληροφο-
ρητής, ενοχλώ, εκνευρίζω
narky (νάαρκι) κακοδιάθετος
narrate (ναρέϊτ) διηγούμαι, αφη-
γούμαι
narration (ναρέϊσσον) διήγηση,
αφήγηση
narrative (ναρέϊτιβ) διήγημα, διη-
γηματικός
narrator (ναρέϊτορ) αφηγητής
narrow (νάροου) στενός, στενεύω,
-**ly** στενά, μόλις, -**minded** στενόμυα-
λος, -**mindedness** στενοκεφαλιά,
-**ness** στενότητα, -**s** πορθμός
nasal (νέϊζαλ) ένρινος, της μύτης
nascent (νάσεντ) αναπτυσσόμενος,
που αρχίζει να υφίσταται
nastiness (νάστινις) βρωμιά,
αθλιότητα
nastily (νάστιλι) βρώμικα

nasty (νάστι) βρώμικος
natal (νάιταλ) γεννέθλιος
natant (νέϊταντ) αυτός που κολυμπά ή επιπλέει
natation (νατέϊσσον) κολύμπι
natatorial, natatory (νατέϊτορι, νατεϊτόουριαλ) κολυμβητικός
natatorium (νεϊτατόουριαμ) κολυμβητήριο
nation (νέϊσσον) έθνος, -al εθνικός, -alism εθνικισμός, -alist εθνικιστής, -alistic εθνικιστικός, -ality εθνικότητα, -alize εθνικοποιώ, -alization εθνικοποίηση / national guard: εθνοφρουρά / national anthem: εθνικός ύμνος
native (νέϊτιβ) ντόπιος, εγχώριος, έμφυτος
nativity (νεϊτίβιτι) γέννηση
natter (νάτερ) φλυαρώ
nattily (νάτιλι) κομψά
nattiness (νάτινες) κοσμιότητα
natty (νάτι) κομψός
natural (νάτσουραλ) φυσικός, φυσιολογικός, έμφυτος, -ism νατουραλισμός, -ist νατουραλιστής, φυσιοδίφης, -ization πολιτογράφηση, υιοθέτηση ξένων λέξεων από μία γλώσσα, -ize πολιτογραφώ, μεταφέρω (φυτό ή ζώο) σε νέο μέρος προς ανάπτυξη, υιοθετώ ξένους λεκτικούς τύπους
nature (νάτσουρ) φύση, χαρακτήρας / in the nature of thngs: όπως είναι φυσικό ή αναμενόμενο
naturopath (νέϊτσουρόπαθ) γιατρός που θεραπεύει με φυσικά μέσα, χωρίς χρήση φαρμάκων, -y φυσική θεραπεία, χωρίς φάρμακα
naught (νόοτ) μηδέν, τίποτα
naughtily (νόοτιλι) άσχημα, κακά
naughtiness (νόοτινις) αταξία
naughty (νόουτι) κακός, άτακτος, ανήθικος
nausea (νόοσα) ναυτία
nauseate (νόοσιέϊτ) αηδιάζω

nauseous (νόοσας) αηδιαστικός
nautch (νάουτς) Ινδικός χορός
nautical (νόοτικαλ) ναυτικός
nautilus (νόοτιλας) ναυτίλος (μαλάκιο)
naval (νέϊβαλ) ναυτικός
nave (νέϊβ) κυρίως ναός, κεντρικό τμήμα ναού
navel (νέϊβελ) αφαλός
navicert (νάβισέρτ) προξενικό πιστοποιητικό φορτίου πλοίου
navicular (ναβίκιουλαρ) σκαφοειδής
navigable (νάβιγκαμπλ) πλωτός, -ness, navigability πλευστότητα
navigate (νάβιγκέϊτ) πλέω
navigation (ναβιγκέϊσσον) ναυτιλία, θαλασσοπλοΐα
navigator (ναβιγκέϊτορ) θαλασσοπόρος
navy (νέϊβι) ναυτικό, στόλος, -blue βαθύ μπλέ χρώμα, -yard ναύσταθμος
nawab (ναουόομπ) Ινδός ηγεμόνας
nay (νέϊ) όχι, όχι μόνο αλλά, ο αντιτιθέμενος σε μιά ιδέα κτλ.
N.B (εν μπί) (στην αρχή σημείωσης) πρόσεξε, παρατήρησε καλά
N.E (εν ί) συντομία αντί northeastern: βορειοανατολικός
neap tide (νίπ τάϊντ) άμπωτη
near (νίαρ) κοντά, σχεδόν, κοντινός, πλησιάζω, -by γειτονικός, κοντινός, -east εγγύς ανατολή, -ly σχεδόν, κοντά, άμεσα, -ness εγγύτητα, -sighted μύωπας, -sightedness μυωπία
neat (νίιτ) κομψός, καθαρός, κόσμιος, -ness κομψότητα, καθαριότητα
neatherd (νίτχέρντ) βοσκός
neat's foot oil (νίτς φούτ όϊλ) έλαιο βυρσοδεψίας
neb (νέμπ) ράμφος, άκρο
nebula (νέμπιουλα) νεφέλωμα, -r νεφελοειδής
nebulous (νέμπιουλας) νεφελώδης,

-ness, nebulosity το νεφελώδες
necessaries (νεσεσέριζ) τα αναγκαία
nacessarily (νέσεσέριλι) κατ'
ανάγκη
necessary (νεσεσέρι) αναγκαίος, -e-
vil αναγκαίο κακό
necessitate (νισέσιτέϊτ) καθιστώ
αναγκαίο
necessitation (νισέσιτέϊσσον) εξα-
ναγκασμός
necessitous (νεσέσιτας) άπορος, ο
έχων ανάγκη
necessity (νεσέσιτι) ανάγκη
neck (νέκ) λαιμός, φιλώ ή χαϊδεύω
ερωτικά, -cloth γραβάτα, -lace περι-
δέραιο, -let κοντό περιδέραιο,
-piece γούνα του λαιμού, -tie λαιμο-
δέτης, -erchief μαντήλι του λαιμού /
get it in the neck: τιμωρούμαι αυ-
στηρά
necrology (νεκρόλοτζι) νεκρολογία
necromancy (νεκρομάνσι) νεκρο-
μαντεία
necrophilia (νεκροουφίλια) νεκρο-
φιλία, -c νεκρόφιλος
necropolis (νεκρόπολις) νεκροτα-
φείο
necrosis (νεκρόουσις) νέκρωση
nectar (νέκταρ) νέκταρ
nectarine (νεκταρίν) νεκταρίνι
(φρούτο)
neω (νέϊ) γενημένη με τ' όνομα, το
γένος.., πριν απ' το γάμο της ονο-
μαζόμενη
need (νίντ) ανάγκη, χρειάζομαι, -ful
αναγκαίος, χρήματα, -fulness ανά-
γκη, φτώχεια, -less άχρηστος, -iness
ανάγκη, φτώχεια, -y φτωχός
needle (νίντλ) θελόνα, παρενοχλώ,
προκαλώ, -woman μοδίστρα, -work
ράψιμο, εργόχειρο
nωer (νέαρ) ποτέ(ποιητ.), συντομία
αντί never
nωer do well άτομο νωθρό και άερ-
γο
nefarious (νιφαέριας) κακός,

αισχρός
negate (νιγκέϊτ) αρνούμαι, αναιρώ
negation (νιγκέϊσσον) άρνηση
negative (νέγκατιθ) αρνητικός, άρ-
νηση, αρνούμαι, φωτογραφική
πλάκα, -ness αρνητικότητα, -pole
αρνητικός πόλος μαγνήτη, κάθοδος
neglect (νιγκλέκτ) παραμελώ, αμε-
λώ, αμέλεια, -er ο αμελών, -ful αμε-
λής, -fulness αμέλεια
negligee (νεγκλιτζέϊ) ελαφρό και
πρόχειρο γυναικείο φόρεμα
negligence (νέγκλιτζενς) αμέλεια,
απροσεξία
negligent (νέγκλιτζεντ) αμελής
negligible (νέγκλιτζιμπλ) ασή-
μαντος
negotiable (νιγκόουσσιαμπλ) δια-
πραγματεύσιμος, μεταβιβάσιμος
negotiate (νιγκόουσσιέϊτ) διαπραγ-
ματεύομαι, εμπορεύομαι, επιτυγχά-
νω, υπερνικώ
negotiation (νιγκόουσσιέϊσσον) δια-
πραγμάτευση
negotiator (νιγκόουσσιέϊτορ) δια-
πραγματευτής, -y διαπραγματευτι-
κός
negress (νίγκρες) νέγρα
negro (νίγκρου) νέγρος
negroid (νίγκρόϊντ) ομοιάζων με
νέγρο
neigh (νέϊ) χλιμιντρίζω, χλιμίντρι-
σμα
neighbour (νέϊμπορ) γείτονας, γει-
τονεύω, -hood γειτονιά
neighboring (νέϊμπόριν) γειτονικός
neighborly (νέϊμπορλι) φιλικός, γει-
τονικός
neither (νέϊδερ) κανείς, μήτε, ούτε ο
ένας ούτε ο άλλος, ούτε / neither...
nor: ούτε...ούτε
nem con (νεμ κον) χωρίς αντίδραση
ή αντίθεση
nemesis (νέμεσις) νέμεση, αναπό-
φευκτη θεϊκή τιμωρία
nenuphar (νένουφαρ) νούφαρο

neoclassic (νιοκλάσικ) νεοκλασσικός

neolithic (νιολίθικ) νεολιθικός

neologism (νιόλοτζισμ) νεολογισμός

neon (νίον) νέον (αέριο)

neophyte (νίιοφάϊτ) νεόφυτος, αρχάριος

nephew (νέφιου) ανηψιός

nephritis (νεφράϊτις) νεφρίτιδα (ασθένεια)

nepotism (νέποτισμ) εύνοια προς τους συγγενείς

nepotist (νέποτιστ) πολιτικά ισχυρό άτομο που εννοεί τους συγγενείς του

Neptune (νέπτιουν) Ποσειδώνας

nerve (νέρβ) νεύρο, θάρρος, θράσος, ενδυναμώνω, ενθαρρύνω, **-less** αποθαρημμένος, χωρίς νευρικότητα, ψύχραιμος, **-s** νευρικότητα, άγχος, αγωνία / get on someone's nerves: εκνευρίζω ή ενοχλώ κάποιο

nervous (νέρβος) νευρικός, **-ness** νευρικότητα, **-system** νευρικό σύστημα, **-break down** νευρική κόπωση ή κατάρρευση

nervy (νέρβι) νευρικός, θρασύς

ness (νες) ακρωτήριο

nest (νέστ) φωλία, φωλιάζω

nestle (νέσιλ) αγκαλιάζω, φωλιάζω, περιθάλπω

nestling (νέσλιν) νεοσσός

net (νέτ) δίχτυ, απόχη, αιχμαλωτίζω, καλύπτω με δίχτυ, έχω καθαρό κέρδος, καθαρός (κέρδος, κτλ.)

nether (νέδερ) χαμηλότερος, **-most** κατώτατος

netting (νέτινγκ) δικτυωτό

nettle (νέτλ) τσουκνίδα, ερεθίζω, εκνευρίζω, **-rash** εξανθήματα του δέρματος

network (νέτουόρκ) δικτυωτό

neural (νιούραλ) νευρικός, **-gia** νευραλγία, **-gic** νευραλγικός

neurasthenia (νιουρασθίνια) νευρασθένεια

neurasthenic (νιουρασθίνικ) νευρασθενικός

neuritis (νιουράϊτις) νευρίτιδα (ασθένεια)

neurological (νιουρολότζικαλ) νευρολογικός

neurologist (νιουρόλοτζιστ) νευρολόγος

neurology (νιουρόλοτζι) νευρολογία

neuron (νιούρον) νεύρο

neuropathy (νιουρόπαθι) νευροπάθεια

neurosis (νιουρόουσις) νεύρωση

neurotic (νιουρότικ) νευροπαθής

neuter (νιούταρ) ουδέτερος, ουδέτερο, ευνουχίζω ζώα

neutral (νιούτραλ) ουδέτερος, **-ity** ουδετερότητα, **-ization** εξουδετέρωση, **-ize** εξουδετερώνω

neutron (νιούτρον) νετρόνιο

never (νέβερ) ποτέ, **-mind** δεν πειράζει, **-more** ποτέ ξανά, **-theless** όμως, παρ' όλα αυτά

new (νιού) νέος, καινούριος, **-blood** νέα μέλη ομάδας, **-born** νεογέννητος, **-comer** αυτός που έχει έρθει πρόσφατα, **-fangled** νεωτεριστικός, **-ly** πρόσφατα, **-lywed** νιόπαντρος

news (νιούς) ειδήσεις, νέα, **-agent** πράκτορας εφημερίδων, **-boy** εφημεριδοπώλης, **-cast** μετάδοση ειδήσεων από το ραδιόφωνο ή την τηλεόραση, **-dealer** πωλητής εφημερίδων ή περιοδικών, **-paper** εφημερίδα, **-print** φθηνό χαρτί, **-reader** εκφωνητής ειδήσεων, **-reel** σύντομη κινηματογραφική ταινία ειδήσεων, **-sheet** μικρή εφημερίδα, **-stand** περίπτερο όπου πωλούνται εφημερίδες, **-vendor** πωλητής εφημερίδων

newsy (νιούζι) ειδησεολογικός, φιλοπερίεργος, γεμάτος ασήμαντες ειδήσεις

New Testement (νιού τέϊστμεντ) Καινή Διαθήκη

new year's day (νιού γίαρς ντέϊ)
πρωτοχρονιά
new year's eve (νιού γίαρς ίβ) παραμονή πρωτοχρονιάς
next (νέξτ) επόμενος, προσεχής,
έπαιται / next to: δίπλα σε / next of
kin: πλησιέστερος συγγενής
nexus (νέξας) σύνδεσμος
nib (νίμπ) αιχμή, μύτη
nibble (νίμπλ) τρώω με μικρές
δαγκωματιές, τραγανίζω, πολύ μικρή ποσότητα τροφής
nice (νάϊς) καλός, ωραίος, νόστιμος,
λεπτός, -ness λεπτότητα, -ly καλά,
με ακρίβεια, -ty λεπτότητα, ακρίβεια, κομψότητα
niche (νίιτς) κοιλότητα τοίχου γιά
τοποθέτηση διακοσμητικού αντικειμένου, κατάλληλη θέση ή επάγγελμα
nick (νίκ) σχισμή, εγκοπή, φυλακή, χαράζω, συλλαμβάνω, φυσική
κατάσταση
nickel (νίκελ) νικέλιο, νικελώνω, νόμισμα των Η.Π.Α και του Καναδά
nickname (νικνέϊμ) παρατσούκλι
nicotine (νικοτίιν) νικοτίνη
nictitate (νικτιτέϊτ) γνεύω, γνέψιμο
niece (νίς) ανηψιά
niff (νίφ) δυσάρεστη οσμή, -y δύσοσμος
nifty(νίφτι) κομψός, ελκυστικός
niggard (νίγκαρντ) τσιγκούνης, -ly
φτωχικός, φιλάργυρος
nigger (νίγκρ) νέγρος
nigh (νάϊ) κοντινός (ποιητ.)
night (νάϊτ) νύχτα, -cap νυχτικός
σκούφος, αλκοολούχο ποτό που πίνεται πρίν τον ύπνο, -club νυχτερινό
κέντρο ψυχαγωγίας, -dress, -gown
νυχτικό, -fall σούρουπο, -hawk νυχτοπούλι, -ingale αηδόνι, -long καθ'
όλη τη διάρκεια της νύχτας, ο διαρκών όλη τη νύχτα, -ly νυχτερινός,
κάθε νύχτα, -mare εφιάλτης
nightmarish (νάϊτμέρισσ) εφιαλτικός

nightshade (νάϊτσσέϊντ) στρύχνος
(φυτό)
nightshirt (νάϊτσσέρτ) νυχτικό
nightsuit (νάϊτσιούτ) πυτζάμες
nightwaker (νάϊτγουόκερ) υπνοβάτης
nightwatch (νάϊτγουότς) νυχτοφύλακας
nihilism (νάϊχιλισμ) μηδενισμός
nihilist (νάϊχιλιστ) μηδενιστής
nil (νιλ) μηδέν, τίποτα
Nile (νάϊλ) Νείλος
nimble (νίμπλ) ευκίνητος, εύστροφος, -ness ευκινησία
nimbly (νίμπλι) επιδέξια
nimbus (νίμπας) νεφέλη, φωτοστέφανο
nincompoop (νινκομπούπ) βλάκας
nine (νάϊν) εννέα, -pins είδος παιχνιδιού με μπάλα, -teen δεκαεννέα,
-teenth δέκατος ένατος, -tieth ενενηκοστός, -ty ενενήντα
ninny (νίνι) κουτός, ανόητος
ninth (νάϊνθ) ένατος
nip (νίπ) τσιμπώ, σταματώ, πηγαίνω
στα γρήγορα, ψύχρα, τσίμπημα, μικρή ποσότητα αλκοολούχου ποτού,
-pers τσιμπίδα, λαβίδα
nipple (νίπλ) θηλή μαστού, ρώγα
nippy (νίπι) ψυχρός, εύστροφος
niter, nitre (νάϊτερ) νίτρο
nitrate (νάϊτρετ) νιτρικό άλας
nitric (νίτρικ) νιτρικός, -acid νιτρικό οξύ
nitrify (νιτρφάϊ) αζωτοποιώ
nitrogen (νάϊτροτζεν) άζωτο, -ous
αζωτούχος
nitroglycerine (νάϊτρογκλίσεριν) νιτρογλυκερίνη
nitrous (νάϊτρας) νιτρώδης
nitwit (νίτουίτ) ανόητος, ηλίθιος
nix (νίξ) όχι, απορρίπτω, αρνούμαι
no (νόου) όχι, καθόλου, ελάχιστος,
κανένας, -account μηδαμινός, χωρίς
αξία / no more: όχι πιά, όχι περισ-

σότερο / no one: κανένας / by no means: με κανένα τρόπο / no man's land: ουδέτερη ζώνη

Noah's ark (νόοαζ άρκ) η κιβωτός του Νώε

nob (νόμπ) κεφάλι

nobby (νόμπι) της μόδας

nobility (νομπίλιτι) ευγένεια, οι ευγενείς

noble (νόμπλ) ευγενικός, εντυπωσιακός, **-man** ευγενής, **-ness** ευγένεια

nobly (νόμπλι) ευγενικά

nobody (νόουμπόντι) κανένας

nocturnal (νοκτέρναλ) νυχτερινός

nocturne (νοκτέρν) απαλή νυχτερινή μουσική

nod (νόοντ) γνέφω, κλίνω το κεφάλι, γνέψιμο / nod off: αποκοιμιέμαι

nodal (νόουνταλ) αυτός που έχει κόμπους ή ρόζους

nodder (νόντερ) νυσταγμένος

noddy (νόντι) νυσταγμένος, βλάκας, τροπικό πτηνό

noddle (νόντλ) κεφάλι

node (νόουντ) ρόζος, κόμπος

nodose (νοντόουζ) με κόμπους

nodule (νότζουλ) κόμπος, μικρό πρήξιμο

Noel (νόουελ) Χριστούγεννα

noggin (νόγκιν) μικρή ποσότητα ποτού, κεφάλι

nohow (νόχάου) καθόλου, με κανένα τρόπο

noise (νόϊζ) θόρυβος, κρότος, **-less** αθόρυβος, **-lessness** ησυχία / noise about(around, abroad): διαδίδω

noisily (νόϊζιλι)θορυβωδώς

noisome (νόϊζσαμ) βλαβερός, δυσάρεστος

noisy (νόϊζι) θορυβώδης

nomad (νόμαντ) νομάδας, **-ic** νομαδικός

nom de plume (νομ ντε πλούμ) ψευδώνυμο

nomenclature (νομενκλέϊτσουρ)

ονοματολογία

nominal (νόμιναλ) ονομαστικός

nominate (νόμινέϊτ) διορίζω, προτείνω ως υποψήφιο

nomination (νομινέϊσσον) ανάδειξη υποψηφίου

nominative (νομινέϊτιβ) ονομαστική πτώση

nominator (νομινέϊτορ) ο προτείνων υποψήφιο

nominee (νομινίι) ο προτεινόμενος ως υποψήφιος

non- (νον) (πρόθεμα) όχι, μη

nonappearance (νοναπίαρενς) μη εμφάνιση

nonattendance (νονατέντανς) απουσία

nonagenarian (νόνατζινεάριαν) άτομο άνω των 90 χρονών

nonagon (νόναγκον) εννιάγωνο

nonaggression (νοναγκρέσσαν) αποφυγή των εχθροπραξιών μεταξύ χωρών

nonbeliever (νονμπιλίβερ) αυτός που δεν πιστεύει

nonbelligerent (νονμπελίτζερεντ) μη εμπόλεμος

nonce (νόνς) for the nonce: προς το παρόν

nonchalance (νόνσσαλανς) αδράνεια, αδιαφορία

nonchalant (νόνσσαλαντ) αδρανής, αδιάφορος

noncombatant (νονκόμπαταντ) άμαχος

noncommissioned officer (νονκομίσσοντ όφισερ) υπαξιωματικός

noncommittal (νονκομίταλ) μη εκφραστικός ή αποκαλυπτικός

non compos mentis (νον κόμπος μέντις) ανήμπορος να σκεφτεί με διαύγεια κι υπευθυνότητα γιά τις πράξεις του

nonconductor (νονκοντάκτορ) κακός αγωγός

nonconformance (νονκονφόουρ-

μανς) μη συμμόρφωση
nonconformist (νονκόνφορμιστ)
ετερόδοξος, αντικονφορμιστής
nonconformity (νονκονφόρμιτι)
αντικονφορμισμός, ετεροδοξία
noncooperation (νονκοοπερέϊσσαν)
έλλειψη συνεργασίας
nondescript (νόντισκρίπτ) αχαρα-
κτήριστος, απροσδιόριστος
none (νάν) κανείς, καμία, κανένα,
καθόλου
nonentity (νονάντιτι) ανυπαρξία,
μηδαμινότητα
nonessential (νονεσένσσαλ) ασή-
μαντος, επουσιώδης
nonesuch (νανσάτς) αταίριαστος,
χωρίς ταίρι
nonetheless (νάνδιλες) παρ' όλα αυ-
τά
nonexistent (νονεγκζίστεντ) ανύ-
παρκτος, που δεν υφίσταται
nonfinite (νονφινίτ) ατελείωτος,
απεριόριστος
nonflammable (νόνφλαμαμπλ)
άφλεκτος
nonobservance (νονομπσέρβανς)
παράβαση
nonobjective art (νον ομπτζέκτιβ
άρτ) αφηρημένη τέχνη
nononsense (νόνοσενς) μεθοδικός,
πρακτικός και άμεσος
nonpareil (νονπαρέλ) απαράμιλλος
nonpartisan (νονπάρτιζαν) ακομ-
μάτιστος
nonpayment (νονπέϊμεντ) καθυστέ-
ρηση ή παράλειψη πληρωμής
nonplus (νόνπλας) μπερδεύω, καθι-
στώ αμήχανο
nonproductive (νονπροντάκτιβ) μη
παραγωγικός, μη αποτελεσματικός
nonprofitmaking (νονπρόφιτμέϊ-
κινκ) μη κερδοφόρος, που εκτελεί-
ται με σκοπό όχι το κέρδος
nonresistant (νονρεζίσταντ) υπο-
χωρητικός, που δεν προβάλλει
αντίσταση

nonscheduled (νονσκέτζουλντ) μη
προδιαγεγραμμένος
nonsectarian (νονσεκτάριαν) ο μη
ανήκων σε κάποιο θρήσκευμα
nonsense (νόνσενς) ανοησίες
nonsensical (νονσένσικαλ) ανόητος
nonskid (νονσκίντ) αντιολισθητικός
nonsmoker (νόνσμόουκερ) μη κα-
πνιστής, βαγόνι τρένου γιά μη κα-
πνιστές
nonstop (νονστόπ) ασταμάτητος,
συνεχής, συνεχώς
nonsuit (νονσούτ) εγκατάλειψη δί-
κης, απορρίπτω αγωγή
nonunion (νονγιούνιον) ο μη ανή-
κων σε εργατική ένωση, **-ist** εργά-
της που δεν ανήκει σε συντεχνία
nonverbal (νονβέρμπαλ) αυτός που
δε χρησιμοποιεί λέξεις
nonvoter (νονβόουτερ) μη ψηφο-
φόρος
nonwhite (νονγουάϊτ) μη ανήκων
στη λευκή φυλή
noodle (νούντλ) ηλίθιος, φιδέ (ζυ-
μαρικό)
nook (νούκ) γωνία, κοίλωμα
noon (νούν) μεσημέρι, **-day**, **-time**,
-tide μεσημβρινός, μεσημβρία
noose (νούς) θηλειά
no-place (νοπλέϊς) πουθενά
nor (νόρ) ούτε
norm (νόορμ) τύπος, κανόνας
normal (νόρμαλ) κανονικός, φυσι-
κός, **-ity** κανονικότητα, **-ize** καθιστώ
κανονικό, **-ly** κανονικά, τακτικά,
συνήθως
north (νόρθ) βοράς, βόρειος,
-bound κατευθυνόμενος προς το βο-
ρά, **-east**, **-eastern**, **-easterly** βορει-
οανατολικός, **-easter** βορειοανατο-
λικός άνεμος, **-erly** βόρειος, **-ern**
βόρειος, **-ern lights** βόρειο σέλας,
-pole βόριος πόλος, **-west**, **-western**,
-westerly βορειοδυτικός, **-westward**
προς τα βορειοδυτικά
Norway (νόορουέϊ) Νορβηγία

Norwegian (νοργουίτζιαν) Νορβη-
γός, Νορβηγικός
nose (νόουζ) μύτη, μυρίζομαι,
εμπλέκομαι σε υποθέσεις που δε με
αφορούν / get up someone's nose:
ενοχλώ κάποιο πάρα πολύ / keep
one's nose clean: αποφεύγω να
εμπλέκομαισε φασαρίες, παρανο-
μίες κτλ. / under someone's nose:
παρουσία κάποιου, φανερά
nosedive (νόουζντάϊβ) πέφτω απότο-
μα και σε μεγάλο βαθμό
nosegay (νόουζγκέϊ) ανθοδέσμη
nosology (νοσόλοτζι) νοσολογία
nostalgia (νοστάλτζα) νοσταλγία
nostalgic (νοστάλτζικ) νοσταλγικός,
-**ally** νοσταλγικά
nostril (νόστριλ) ρουθούνι
nostrum (νόστραμ) πανάκεια, φάρ-
μακο γιά όλες τις ασθένειες
nosiness (νόουζινες) περιέργεια
nosy (νόουζι) φιλοπερίεργος,
αδιάκριτος
not (νότ) δεν, όχι, μη / not only
...but also: όχι μόνο αλλά (και)
notable (νόταμπλ) αξιοσημείωτος,
-**ness** σπουδαιότητα, επισημότητα
notably (νόταμπλι) αξιοσημείωτα,
σημαντικά, ειδικά
notarial (νοουτάριαλ) συμβολαιο-
γραφικός
notarize (νοουταράϊζ) επισημοποιώ
με συμβόλαιο
notary (νόουταρι) συμβολαιογρά-
φος
notation (νοουτέϊσσον) σημείωση
notch (νότς) χαράζω, εγκόπτω,
εγκοπή, -**ed** οδοντωτός
note (νόουτ) σημειώνω, σημείωση,
υπόμνημα, γραμμάτιο, -**book** σημειω-
ματάριο, -**worthy** αξιοσημείωτος
nothing (νάθινγκ) τίποτα, -**ness** μη-
δαμινότητα, ανυπαρξία
notice (νόουτις) παρατήρηση, ση-
μείωση, ειδοποίηση, προσοχή, πα-
ρατηρώ, προσέχω, -**able** αξιοσημεί-

ωτος
notification (νοτιφικέϊσσον) κοινο-
ποίηση, ειδοποίηση
notify (νόουτιφάϊ) γνωστοποιώ, ει-
δοποιώ
notion (νόουσσον) γνώμη, αντίλη-
ψη, ιδέα, -**al** θεωρητικός, φαντα-
στικός
notions (νόουσσονς) ψιλικά, μικρά
αντικείμενα σχετικά με το ράψιμο
notoriety (νοουτοράϊτι) φήμη, δια-
σημότητα
notorious (νοτόουριας) πασίγνω-
στος, διαβόητος, -**ness** φήμη
notwithstanding (νοτγουιθ-
στάντινγκ) παρ' όλο
nougat (νούγκατ) είδος γλυκίσματος
nought (νόοτ) τίποτα, μηδέν
noun (νάουν) όνομα, ουσιαστικό
nourish (νέερισσ) τρέφω, -**ing** θρε-
πτικός, -**ment** τροφή, θρέψη
Nova Scotia (νόουβα σκόσσα) Νέα
Σκωτία
nouveau riche (νουβόουρίιτς) νεό-
πλουτος
novel (νόβελ) μυθιστόρημα, νέος,
πρωτοφανής, -**ette** μικρό μυθιστό-
ρημα, -**ist** μυθιστοριογράφος, -**la**
σατυρικό διήγημα, -**ty** νεωτερισμός,
κάτι νέο
November (νοβέμπερ) Νοέμβριος
novice (νόβις) αρχάριος
novitiate (νοουβίσσιετ) μαθητεία,
δοκιμή
novocaine (νόουβοκέϊν) νοβοκαΐνη
(φάρμακο)
now (νάου) τώρα, -**adays** στις μέρες
μας, στο παρόν
noway (νόγουέϊ) με κανένα τρόπο
nowhere (νόγουέαρ) πουθενά
nowise (νοουάϊζ) καθόλου, με κανέ-
να τρόπο
noxious (νόκσσας) βλαβερός, δηλη-
τηριώδης, -**ness** βλαβερότητα
nozzle (νόζλ) ρύγχος, άκρο σωλή-
να, στόμιο

N

nth (ένθ) to the nth degree: υπερβολικά, στο μέγιστο βαθμό

nuance (νουάνς) απόχρωση, χροιά

nub (νάμπ) όγκος, ρόζος, κόμπος, το σημαντικότερο σημείο, -bin μικρός όγκος

nubile (νιούμπιλ) νέος κι ελκυστικός

nuclear (νιουκλίαρ) πυρηνικός, -disarmament πυρηνικός αφοπλισμός, -energy πυρηνική ενέργεια, -family οικογένεια αποτελούμενη από τους γονείς και τα παιδιά, -fission πυρηνική διάσπαση, -free αποπυρηνικοποιημένος, -physics πυρηνική φυσική, -reactor πυρηνικός αντιδραστήρας

nucleate (νούκλιετ) εμπύρηνος

nucleic acid (νιούκλιικ άσιντ) νουκλεϊκό οξύ

nucleus (νιούκλιας) πυρήνας

nude (νιούντ) γυμνός, -ness γυμνότητα

nudge (νάτζ) σκουντώ, σκούντημα

nudism (νιούντιζμ) γυμνισμός

nudist (νιούντιστ) γυμνιστής

nudity (νιούντιτι) γυμνότητα

nugatory (νιούκγατόουρι) μάταιος, μηδαμινός

nugget (νάγκετ) μάζα πολύτιμου μετάλλου βρισκόμενη στη γη

nuisance (νιούσανς) ενόχληση

null (νάλ) άκυρος, -ification ακύρωση, -ifier ακυρωτής, -ify ακυρώνω, -ity ακυρότητα, μηδαμινότητα

numb (νάμπ) ναρκώνω, απονεκρώνω, ναρκωμένος, μουδιασμένος, -ness νάρκωση, μούδιασμα, -y σε νάρκη, μουδιασμένα

number (νάμπερ) αριθμός, αριθμώ, μετρώ, σύνολο ανθρώπων, μουσικό κομμάτι, συγκαταλλέγω, -ομαι, -less αναρίθμητος, -plate πινακίδα αυτοκινήτου

numerable (νιούμεραμπλ) αριθμητός

numeral (νιούμεραλ) αριθμητικός, ψηφίο, αριθμός

numerate (νιούμερέϊτ) μετρώ, αριθμώ

numeration (νιούμερέϊσσον) αρίθμηση

numerator (νιούμερέϊτορ) αριθμητής

numerical (νιουμέρικαλ) αριθμητικός

numerous (νιούμερας) πολυάριθμος

numismatic (νιούμιζμέτικ) νομισματικός, -s νομισματολογία

numismatist (νιούμιζμέτιστ) νομισματολόγος

numskull (ναμσκέλ) κουτός

nun (νάν) καλόγρια

nunnery (νάνερι) μοναστήρι καλογρεών

nuptial (νάπσαλ) γαμήλιος

nurse (νέρς) νοσοκόμα, παραμάνα, νοσηλεύω, περιποιούμαι, -maid παραμάνα

nursery (νέρσερι) βρεφοκομείο, -garden φυτώριο, -man φυτοκόμος, εργαζόμενος σε φυτώριο, -school παιδικός σταθμός

nurseling (νέρσλιν) βρέφος

nurture (νέρτσουρ) ανατρέφω, τρέφω, ανατροφή, -r ο ανατρέφων

nut (νάτ) καρύδι, παξιμάδι (μεταλλικό εργαλείο γιά σύσφιξη), τρελός, κεφάλι, -case τρελός, -cracker καρυοθραύστης, -hazel φουντούκι, -house ψυχιατρική κλινική, -meg μοσχοκάρυδο

nutria (νούτρια) είδος γούνας

nutrient (νούτριεντ) τροφή, θρεπτικός

nutriment (νούτριμεντ) τροφή

nutrition (νουτρίσσον) θρέψη, τροφή, -al θρεπτικός

nutritious (νιουτρίσσας) θρεπτικός

nutritive (νιούτριτιθ) θρεπτικός

nuts (νάτς) τρελός, κουραφέξαλα

nutty (νάτι) αυτός που έχει γεύση

καρυδιού, γεμάτος καρύδια
nuzzle (νάζλ) μυρίζω, μαζεύομαι κοντά
nylon (νάιλον) νάυλον, **-s** συνθετικές γυναικείες κάλτσες

nymph (νίμφ) νύμφη (θεά)
nymphet (νίμφετ) νεαρό ελκυστικό κορίτσι
nymphomania (νιμφομέϊνια) νυμφομανία

O

O, o (όου) δέκατο πέμπτο γράμμα στο Αγγλικό αλφάβητο
oaf (όουφ) βλάκας, **-ish** βλακώδης, **-ishly** βλακωδώς, **-ishness** ηλιθιότητα
oak (όουκ) δρύς, βελανιδιά, **-en** δρύϊνος
oakum (όουκαμ) στουπί
oar (όαρ) κουπί, κωπηλατώ, **-lock** σκαρμός, **-sman** κωπηλάτης, **-smanship** κωπηλασία
oasis (ουέϊσις) όαση
oat (όουτ) βρώμη, **-s** κόκκοι βρώμης, **-en** φτιαγμένος από βρώμη, **-meal** αλεύρι από βρώμη
oath (όουθ) όρκος
obduracy (όμπντιουρασι) ισχυρογνωμοσύνη, σκληροκαρδία
obdurate (όμπντουρετ) επίμονος, ισχυρογνώμων, άκαμπτος
obedience (ουμπίντιανς) υπακοή
obedient (ουμπίντιεντ) υπάκουος
obeisance (ουμπέϊσανς) υπόκλιση, υποταγή
obeisant (ουμπέϊσαντ) υπάκουος, ευπειθής
obelisk (όμπιλισκ) οβελίσκος
obese (ουμπίις) χοντρός
obesity (ουμπίσιτι) ευσαρκία
obey (ομπέϊ) υπακούω, **-er** ο υπακούων

obfuscate (όμπφασκέϊτ) συγχύζω
obfuscation (ομπφασκέϊσσον) σύγχυση, συσκότιση
obituary (οουμπίτσουέρι) νεκρολογία, νεκρολογικός
object (όμπτζεκτ) αντικείμενο, σκοπός, αποδοκιμάζω, εναντιώνομαι, αντιτείνω, **-ion** αντίρρηση, εναντίωση, ένσταση, **-ionable** απαράδεκτος, δυσάρεστος, **-ive** αντικειμενικός, **-iveness**, **-ivity** αντικειμενικότητα, **-less** άσκοπος, **-lesson** πρακτικό δίδαγμα, **-or** εναντιούμενος
oblate (ομπλέϊτ) πεπλατυσμένος στους πόλους, καθιερωμένος, **-ness** πλάτυνση στους πόλους
oblation (ομπλέϊσσον) αφιέρωμα
obligate (όμπλιγκέϊτ) υποχρεώνω
obligation (ομπλιγκέϊσσον) υποχρέωση
obligator (ομπλιγκέϊτορ) αυτός που υποχρεώνει, **-y** υποχρεωτικός
oblige (ομπλάϊτζ) υποχρεώνω, **-d** υποχρεωμένος, **-r** αυτός που υποχρεώνει
obliging (ομπλάϊτζινγκ) υποχρεωτικός, περιποιητικός, **-ly** υποχρεωτικά
oblique (ομπλίικ) πλάγιος, λοξός, **-angle** οξεία γωνία
obliquity (ομπλικούϊτι) λοξότητα

obliterate (ομπλίτερέϊτ) καταστρέφω, εξαλείφω

obliteration (ομπλίτερέϊσσον) εξάλειψη, ολική καταστροφή

obliterative (ομπλιτερέϊτιβ) εξαλειπτικός

oblivion (ομπλίβιον) λήθη, λησμονιά

oblivious (ομπλίβιας) ξεχασιάρης

oblong (όμπλονγκ) μακρύς, επιμήκης, ορθογώνιο παραλληλόγραμμο

obloquious (ομπλόκουιας) επιτιμητικός, υβριστικός

obloquy (όμπλοκουι) επιτίμηση, δυσφήμηση, μομφή

obnoxious (ομπνόκσσας) μισητός, απεχθής, **-ness** αποκρουστικότητα, απέχθεια

oboe (όουμποου) πνευστό μουσικό όργανο

oboist (όουμποουϊστ) μοσικός παίκτης όμποης

obscene (ομπσίιν) αισχρός, άσεμνος, **-ly** αισχρά

obscenity (ομπσένιτι) αισχρότητα

obscurantism (ομπσκιούραντισμ) κρύψιμο αλήθειας, παρεμπόδιση της μάθησης

obscurantist (ομπσκιούραντιστ) αυτός που αντιτίθεται στην εξάπλωση των γραμμάτων

obscuration (ομπσκιουρέϊσσον) επισκότιση

obscure (ομπσκιούρ) αφανής, σκοτεινός, σκοτίζω, κρύβω

obscurity (ομπσκιούριτι) σκότος, αφάνεια

obsequies (ομπσίκουιες) επικήδειες τελετές

obsequious (ομπσίκουιας) δουλοπρεπής

observable (ομπσέρβαμπλ) αξιοπαρατήρητος, αισθητός

observance (ομπσέρβανς) παρατήρηση, τήρηση, υπακοή

observant (ομπσέρβαντ) παρατηρητικός, ακριβής, τηρητής (νόμου, εθίμων κτλ.)

observation (ομπσερβέϊσσον) παρατήρηση, εξέταση, **-al** παρατηρητικός

observatory (ομπσέρβατόρι) παρατηρητήριο, αστεροσκοπείο

observe (ομπσέρβ) παρατηρώ, τηρώ, **-r** παρατηρητής, ο παρακολουθών (μαθήματα κτλ.)

observing (ομπσέρβινγκ) παρατηρητικός, προσεκτικός

obsess (ομπζές) κυριεύω, καταλαμβάνω ολοκληρωτικά τη σκέψη, **-ion** μόνιμη ιδέα, μονομανία, **-ional** ο έχων έμμονες ιδέες, **-ive** κυριαρχος, έμμονος, έντονος

obsidian (ομπσίντιαν) οψιανός (λίθος)

obsolescence (όμπσολέσενς) αχρήστευση

obsolescent (όμπσολέσεντ) απαρχαιωμένος

obsolete (όμπσολιτ) άχρηστος, απαρχαιωμένος, **-ness** αχρηστία

obstacle (όμπστακλ) εμπόδιο

obstetric(al) (ομπστέτρικ, -αλ) μαιευτικός

obstetrician (ομπστετρίσσαν) μαιευτήρας

obstetrics (ομπστέτρικς) μαιευτική

obstinacy (όμπστινασι) ισχυρογνωμοσύνη

obstinate (όμπστινιτ) ισχυρογνώμων, **-ness** ισχυρογνωμοσύνη

obstreperous (ομπστρέπερας) ταραχοποιός, θορυβώδης, **-ness** ταραχή

obstruct (ομπστράκτ) εμποδίζω, φράζω, **-ion** εμπόδιο, παρεμπόδιση, **-ionist** ο σκόπιμα παρεμποδίζων κάποιο έργο, **-ionism** σκόπιμη παρεμπόδιση, **-ive** παρεμποδιστικός, **-or, -er** ο εμποδίζων

obtain (ομπντέϊν) αποκτώ, πετυχαίνω, επικρατώ, **-able** εφικτός, αποκτητός, **-er** ο αποκτών, **-ment** από-

κτηση
obtrude (ομπτρούντ) παρακινώ επίμονα, προεξέχω, επιβάλλω ή εισχωρώ ενοχλητικά, **-r** ο επιβαλλόμενος με τη βία
obtrusion (ομπτρούζον) ενόχληση
obtrusive (ομπτρούσιθ) ενοχλητικός, δυσάρεστος
obturate (ομπτιουρέϊτ) σφραγίζω
obtuse (ομπτιούζ) βλάκας, βραδύνους, **-ness** βραδύνοια, κουταμάρα
obverse (όμπβερς) όψη νομίσματος, το ακριβώς αντίθετο
obviate (ομπβιέϊτ) αποφεύγω, αφαιρώ
obviation (ομπβιέϊσσον) αποφυγή, άρση δυσκολίας
obvious (όμπβιους) εμφανής, προφανής, **-ness** φανερότητα, **-ly** εμφανώς
ocarina (οκαρίινα) οκαρίνα (μουσικό όργανο)
occasion (οκέϊζαν) ευκαιρία, περίσταση, αιτία, προξενώ, **-al** τυχαίος, περιστατικός, **-ally** περιστασιακά, μερικές φορές
Occident (όκσιντεντ) Δύση, **-al** Δυτικός
occipital (όκσιπιταλ) ινιακός
occlude (οκλούντ) φράζω τους πόρους, απορροφώ
occlusion (οκλούζαν) φράξιμο
occult (οκάλτ) μυστηριώδης, υπερφυσικός, κρυφός, **-ation** απόκρυψη, **-ism** μυστικισμός, **-ist** μυστικιστής
occupancy (όκιουπάνσι) κατοχή
occupant (όκιουπαντ) κάτοχος, ένοικος
occupation (οκιουπέϊσσον) ενασχόληση, επάγγελμα, κατοχή, **-al** επαγγελματικός
occupier (όκιουπάϊερ) κάτοχος
occupy (όκιουπαϊ) κατέχω, καταλαμβάνω, απασχολώ
occur (οκέρ) συμβαίνω, υπάρχω, βρίσκομαι, **-rence** συμβάν, περι-

στατικό, **-rent** ο συμβαίνων / occur to sb: παιρνώ απ' το μυαλό (κάποιου)
ocean (όουσσαν) ωκεανός, **-ic** ωκεάνιος, **-ography** ωκεανογραφία
Oceania (οουσιένια) Ωκεανία
ocelot (όσιλοτ) είδος αγριόγατας
ocher, ochre (όουκερ) ώχρα, κίτρινο χρώμα, **-ous** ωχρώδης
o'clock (ο κλόκ) ώρα (ρολογιού)
octagon (όκταγκον) οκτάγωνο, **-al** οκτάγωνος
octahedral (οκταχίιντραλ) οκτάεδρος
octahedron (οκταχίντρον) οκτάεδρο
octane (όκτεϊν) οκτάνιο
octave (όκτεβ) οκτάβα, διατονική κλίμακα
octet (οκτέτ) οκταφωνία
October (οκτόουμπερ) Οκτώβριος
octogenarian (οκτοτζινέριαν) άτομο ηλικίας άνω των ογδόντα ετών
octopus (όκταπας) χταπόδι
octuple (όκτιουπλ) οκταπλός
ocular (όκιουλαρ) οφθαλμικός
oculist (όκιουλιστ) οφθαλμίατρος
odalisque (ονταλίσκ) δούλα στην Ανατολή
odd (οντ) μονός, περιττός, ασυνήθιστος, αλλόκοτος, αταίριαστος, περιστασιακός, **-ity** παραδοξότητα, μοναδικότητα, **-ball** ιδιόρρυθμος, άτομο με αλλόκοτη συμπεριφορά, **-ly** παράδοξα, **-ment** απομεινάρι, υπόλειμμα, **-s** ανισότητα, διαφορά, υπεροχή / at odds: σε ασυμφωνία / it(that) makes no odds: δεν υπάρχει διαφορά, δεν έχει σημασία / odds and ends: απομεινάρια, υπολείμματα / odds on: πολύ πιθανός, πολύ πιθανόν
ode (όουντ) ωδή
odious (όουντιας) μισητός, **-ness** απέχθεια
odium (όουντιαμ) μίσος, απέχθεια
odometer (οντόμιτερ) οδόμετρο

odor (όουντορ) μυρωδιά, οσμή, **-less** άοσμος, **-iferous** ευώδης, **-ous** μυρωδάτος, **-ously** εύοσμα, **-ousness** ευοσμία

Odyssey (όντισι) Οδύσσεια, μακρύ περιπετειώδες ταξίδι

Oedipus (ίιντιπας) Οιδίποδας

o'er (όουρ) over(ποιητ.)

oesophagus (ισόφαγκος) οισοφάγος

of (όβ) από, του, της, των, με

off (όφ) μακριά, από / off and on: μερικές φορές, κατά διαλείμματα / right off, straight off: αμέσως

offal (όφαλ) καρδιά, κεφάλι, κτλ. ζώου ως τροφή

offbeat (όφ μπίτ) ασυνήθιστος

offcast (οφκάστ) απόβλητος, πεταμένος

offcolour (οφκόλορ) άσχημα, ανήθικος, άπρεπος

offend (οφέντ) προσβάλλω, δυσαρεστώ, **-er** ένοχος, φταίχτης, **-ing** δυσάρεστος, προσβλητικός

offense, offence (οφένς) προσβολή, πταίσμα, αδίκημα, δυσαρέσκεια

offensive (οφένσιβ) προσβλητικός, επιθετικός, δυσάρεστος, επίθεση, **-ness** επιθετικότητα / take the offensive: επιτίθεμαι πρώτος

offer (όφερ) προσφέρω, προτείνω, προσφέρομαι, πρόταση, προσφορά, **-er** ο προσφέρων, **-ing** προσφορά, θυσία, **-tory** προσφορά χρημάτων από τους πιστούς κατά τη διάρκεια της λειτουργίας

offhand (οφχάντ) αυτοσχέδιος, πρόχειρος, αμέσως, χωρίς προετοιμασία

office (όφις) γραφείο, υπηρεσία, αξίωμα, **-block** μεγάλο κτίριο αποτελούμενο από γραφεία, **-r** αξιωματικός, αξιωματούχος, υπάλληλος

official (οφίσσαλ) ανώτερος υπάλληλος, επίσημος, **-dom** οι επίσημοι, **-ism** γραφειοκρατία

officially (οφίσσαλι) επίσημα

officiate (οφίσσιέϊτ) ιερουργώ, εκτελώ υπηρεσία

officiation (οφισέϊσσον) ιερουργία

officiator (οφίσιέϊτορ) εκτελεστής υπηρεσίας

officinal (οφίσιναλ) φαρμακευτικός

officious (οφίσσας) υπερβολικά πρόθυμος, **-ly** ενοχλητικά, **-ness** ενοχλητικότητα

offing (όφιν) in the offing: αυτός που έρχεται σύντομα

offish (όφιςς) επιφυλακτικός

offload (οφλόουντ) απαλλάσσομαι από κάτι ανεπιθύμητο

ofpeak (οφπίκ) λιγότερο απασχολημένος

offputting (οφπούτινγκ) απρόσμενος και δυσάρεστος

offscourings (οφσκόρινγκς) σκουπίδια

offset (οφσέτ) αντισταθμίζω, αντιστάθμισμα

offshoot (οφσσούτ) βλαστός, κλαδί

offspring (όφσπρίνγκ) απόγονος, γόνος

offstage (οφστέϊτζ) εκτός σκηνής (θεάτρου)

off-the-wall (οφ δε γουόλ) ανόητος, μωρός

oft (όφτ) συχνά

often (όφν) συχνά

ogle (όουγκλ) γλυκοκοιτάζω, **-r** αυτός που γλυκοκοιτάζει

ogre (όογκρ) δράκος, άτομο που εμπνέει φόβο, **-ss** δράκαινα, **-ish** ομοιάζων με δράκο

oh (όου) επιφώνημα έκπληξης κτλ.

ohm (όουμ) μονάδα ηλεκτρικής αντιστάσεως

oil (όϊλ) λάδι, πετρέλαιο, λαδώνω, **-cloth** μουσαμάς, **-er** λαδωτήρι, λαδωτής, **-colour** λαδομπογιά, **-field** περιοχή που στο υπέδαφός της υπάρχει πετρέλαιο, **-fired** σύστημα θέρμανσης με πετρέλαιο, **-man** εργάτης ή επιχειρηματίας πετρελαιο-

βιομηχανίας, -**painting** ελαιογρα-
φία, -**skin** αδιάβροχο, -**spring** πετρε-
λαιοπηγή, -**tanker** πετρελαιοφόρο
πλοίο, -**well** ελαιοπήγαδο, -**y** λαδε-
ρός, λαδωμένος

ointment (όϊντμεντ) αλοιφή

okay, O.K (ο κέϊ) καλά, εντάξει,
σύμφωνοι, εγκρίνω, επιδοκιμάζω

okra (όουκρα) μπάμια

old (όουλντ) γέρος, γριά, παλιός,
-**age** γεροντική ηλικία, -**en** γέρικος,
παλιός, -**fashioned** παλιομοδίτικος,
-**flame** πρώην αγαπημένος ή ερα-
στής, -**Glory** η σημαία των Η.Π.Α,
-**ish** κάπως γέρος, -**maid** γεροντο-
κόρη, -**master** έργο σπουδαίου ζω-
γράφου του παρελθόντος, -**Nick** σα-
τανάς, -**school** ο έχων ξεπερασμένες
ιδέες, -**Tastement** Παλαιά Διαθήκη,
-**timer** παλιός σε επάγγελμα, -**World**
ο παλαιός κόσμος

oleaginous (οουλιάτζινας) ελαιώδης,
λιπαρός

oleander (όουλιάντερ) ροδοδάφνη

oleomargarine (οουλιομαρτζερίιν)
τεχνητό βούτυρο από λάδι

oleoresin (οουλιορέζιν) βάλσαμο

olfaction (ολφάκσον) όσφρηση

olfactory (ολφάκτορι) οσφραντικός

oligarch (ολιγκάρκ) ολιγαρχικός, -**y**
ολιγαρχία

olive (όλιθ) ελιά, -**oil** ελαιόλαδο,
-**tree** ελαιόδεντρο

Olympia (ολίμπια) η Ολυμπία, τα
Ολύμπια, -**n** Ολύμπιος, -**d**
Ολυμπιάδα

Olympic (ολίμπικ) ολυμπιακός, -**games** ολυμπιακοί αγώνες

omega (οουμίγκα) ωμέγα

omelet (όμιλετ) ομελέττα

omen (όουμεν) οιωνός

ominous (όμινας) δυσοίωνος, -**ly** δυ-
σοίωνα

omission (ομίσσαν) παράλειψη

omit (ομίτ) παραλείπω

omnibus (όμνιμπας) λεωφορείο, βι-

βλίο που περιέχει διάφορα έργα του
ίδιου συγγραφέα

omnipotence (ομνιπότενς) παντο-
δυναμία

omnipotent (ομνίποτεντ) παντοδύ-
ναμος

omnipresence (ομνιπρέζενς) παντα-
χού παρουσία

omnipresent (ομνιπρέσεντ) παντα-
χού παρών

omniscience (ομνίσενς) πανσοφία

omniscient (ομνίσσεντ) παντογνώ-
στης

omnivorous (ομνίβορας) παμφάγος

on (ον) πάνω, προς, κατά, εμπρός,
σε / have (get) something on some-
one: έχω ή παίρνω πληροφορία που
μπορεί να χρησιμοποιηθεί εναντίον
κάποιου / not on: αδύνατο, παράλο-
γο / on and off: μερικές φορές, πότε
πότε / on and on: συνεχώς, ασταμά-
τητα / and so on: και ούτω καθ' εξής
/ go on: συνέχισε

onanism (όουνανισμ) αυνανισμός

once (ουάνς) μια φορά, άλλοτε /
once again: γιά άλλη μια φορά /
once and for all: γιά τελευταία φορά
/ once upon a time: μια φορά κι έναν
καιρό / at once: αμέσως / once over:
άλλη μια φορά

oncoming (ονκάμινγκ) προσέγγιση

one (ουάν) ένας, μία, ένα, κάποιος,
-**another** ο ένας τον άλλο, -**man
band**: έργο ενός μόνο ατόμου, -**ness**
μονάδα, ενότητα, το ενιαίο / a right
one: βλάκας, ανόητος / at one with:
σε συμφωνία με / one and all: καθέ-
νας, όλοι

onerous (όνερος) δύσκολος, βαρύς,
φορτικός, -**ness** δυσκολία, φορτι-
κότητα

oneself (ουάνσέλφ) ο ίδιος

onesided (ουάνσάϊντιντ) μονόπλευ-
ρος, μεροληπτικός

onetime (ουάντάϊμ) προτύτερα, μια
φορά

oneway (ουάνουέϊ) προς μια διεύθυνση

ongoing (ονγκόουινγκ) συνεχιζόμενος, συνεχώς αναπτυσσόμενος

onion (όνιον) κρεμμύδι, -skin είδος λεπτού χαρτιού

onlooker (ονλούκερ) θεάτής

only (όνλι) μόνο, μόνος, αλλά

onomatopoeia (ονοματιπίια) ονοματοποιΐα

onrush (ονράςς) εισβολή, επίθεση

onset (ονσέτ) έφοδος

onshore (ονσσόουρ) στην παραλία

onslaught (ονσλόοτ) βίαιη επίθεση

onto (όντου) επί, πάνω σε

onus (όουνας) βάρος, φορτίο

onwards (όνγουαρντς) προς τα εμπρός

onyx (όνιξ) όνυχας (λίθος)

oof (ούφ) χρήματα

oolong (ούλονγκ) μαύρο τσάϊ

oomph (όμφ) έντονη δραστηριότητα

ooze (ούζ) διαφεύγω, διαρρέω αργά, λάσπη

oozy (ούζι) λασπώδης, πηλώδης

opacity (οπάσιτι) το αδιαφανές

opal (όουπαλ) οπάλλι (πολύτιμος λίθος)

opalescent (οουπάλεσεντ) οπαλλιοειδής

opaque (οουπέϊκ) θολός, αδιαφανής, δυσνόητος, -ness το αδιαφανές

open (όουπεν) ανοίγω, ανοικτός, ειλικρινής, -fire αρχίζω να πυροβολώ, -air σε ανοικτό χώρο, εκτός κτιρίου, -and shut χωρίς μυστήριο, εύκολος να αποδειχτεί, -ended χωρίς ευδιάκριτο σκοπό, τέλος ή χρονικό όριο, -er ο ανοίγων, -handed γενναιόδωρος, -hearted ανοιχτόκαρδος, -house φιλόξενο σπίτι, -ing άνοιγμα, ευκαιρία, κενή θέση, εναρκτήριος, -ly ανοικτά, φανερά, -minded προοδευτικός, με ευρύ πνεύμα, -shop κατάστημα που δε συνδέεται

με εργατική ένωση

opera (όπερα) όπερα

operable (όπεραμπλ) πρακτικός, εγχειρήσιμος

operate (οπερέϊτ) ενεργώ, λειτουργώ, χειρίζομαι, εγχειρίζω

operatic (όπερέτικ) μελοδραματικός

operating theatre (όπερέϊτινγκ θίατερ) χειρουργείο

operation (οπερέϊσσον) εγχείρηση, λειτουργία, εργασία, -al χειρουργικός, της εργασίας

operative (οπερέϊτιβ) τεχνίτης, εργάτης, ενεργός, ενεργητικός, ο πιο κατάλληλος

operator (οπερέϊτορ) χειριστής, χειρούργος

operculum (οπέρκιουλαμ) επικάλυμμα οσπρίου κτλ.

operetta (οπερέτα) οπερέττα

ophthalmia (οφθάλμια) οφθαλμία (ασθένεια των ματιών)

ophthalmic (οφθάλμικ) οφθαλμικός, σχετικός με τα μάτια

ophthalmologist (οφθαλμόλοτζιστ) οφθαλμολόγος

ophthalmology (οφθαλμόλοτζι) οφθαλμολογία

opiate (όουπιετ) ναρκωτικός, ναρκωτικό

opine (όουπάϊν) νομίζω

opinion (οπίνιον) γνώμη, -ated πεισματάρης, ισχυρογνώμων

opium (όουπιαμ) όπιο

opossum (οπόσαμ) μαρσιποφόρο ζώο της Αμερικής

opponent (οπόουνεντ) αντίπαλος

opportune (οπορτιούν) επίκαιρος, -ness επικαιρότητα

opportunism (οπορτιούνιζμ) καιροσκοπία

opportunist (οπορτιούνιστ) καιροσκόπος

opportunity (οπορτιούνιτι) ευκαιρία

opposable (οπόουζαμπλ) αντικρούσιμος

oppose (οπόουζ) αντιτάσσομαι, αντικρούω, **-d** αντίθετος, **-r** αντίπαλος

opposite (όποζιτ) αντίθετος, αντίθετα, απέναντι, **-ness** αντίθεση

opposition (οποζίσσον) αντίθεση, αντίσταση, αντιπολίτευση, **-ist** αντιπολιτευόμενος

oppress (οπρές) καταπιέζω, **-ion** καταπίεση, **-ive** καταθλιπτικός, καταπιεστικός, σκληρός, **-iveness** καταθλιπτικότητα, **-or** καταπιεστής

opprobrious (οπρόουμπριας) υβριστικός, άτιμος, αισχρός

opprobrium (οπρόουμπριαμ) ύβρις, ατιμία

oppugn (οπιούν) αντιλέγω, αντικρούω

optative (όπτατιβ) ευκτική έγκλιση

opt (όπτ) επιλέγω, διαλέγω

optic (όπτικ) οπτικός, **-s** οπτική, **-al** οπτικός, ορατός, **-ian** οπτικός (κατασκευαστής και πωλητής οπτικών ειδών)

optimism (όπτιμιζμ) αισιοδοξία

optimist (όπτιμιστ) αισιόδοξος

optimistic (οπτιμίστικ) αισιόδοξος (επιθ.)

optimize (όπτιμάϊζ) τελειοποιώ, αυξάνω την αποδοτικότητα

optimum (όπτιμαμ) πάρα πολύ ευνοϊκός

option (όπσον) εκλογή, προαίρεση, δικαίωμα αγοραπωλησίας, **-al** προαιρετικός

optometry (οπτόμετρι) μέτρηση της όρασης

opulence (όπιουλενς) πλούτος

opulent (όπιουλεντ) πλούσιος, άφθονος

opus (όουπας) μουσική σύνθεση, έργο τέχνης

or (όρ) είτε, ή

oracle (όρακλ) χρησμός, μαντείο / work the oracle: επιτυγχάνω κάτι δύσκολο

oracular (οράκιουλαρ) μαντικός,

αινιγματικός, διφορούμενος

oral (όουραλ) προφορικός, **-ly** προφορικά

orange (όραντζ) πορτοκάλι, πορτοκαλί χρώμα, **-ade** πορτοκαλάδα

orangutang (οορόνγκουτάν) οραγγοτάγγος

orate (ορέϊτ) ρητορεύω

oration (ορέϊσσον) δημηγορία, λόγος

orator (όορατορ) ρήτορας, **-ical** ρητορικός, **-io** θρησκευτική μουσική, **-y** ρητορική, προσευχητήριο

orb (όορμπ) σφαίρα, μάτι, **-ed** σφαιρικός, κυκλικός, **-icular** σφαιρικός

orbit (όρμπιτ) τροχιά, κινούμαι σε τροχιά

orchard (όρτσαρντ) δεντρόκηπος

orchestra (όορκεστρα) ορχήστρα, **-l** ορχηστρικός

orchestrate (όορκεστρέϊτ) ενορχηστρώνω

orchestration (οορκεστρέϊσσον) ενορχήστρωση

orchestrette (όορκιστρετ) μικρή ορχήστρα

orchid (όορκιντ) ορχιδέα

ordain (οορντέϊν) χειροτονώ, διατάζω, **-er** ο χειροτονών, **-ment** χειροτονία

ordeal (ορντίιλ) βασανισμός, δοκιμασία

order (όρντερ) διατάζω, παραγγέλλω, κανονίζω, διευθετώ, τάξη, σειρά, κανόνας, διαταγή, παραγγελία, εντολή, τάγμα, ρυθμός, **-liness** ευταξία, **-ly** τακτικός, ήρεμος, κανονικός, νοσοκόμος, αγγελιοφόρος / in order to, in order that: για να / out of order: εκτός λειτουργίας

ordinal (όορντιναλ) τακτικός (αριθμός), της τάξης

ordinance (όρντινανς) θεσμός, διάταξη

ordinarily (ορντινέριλι) συνήθως

ordinary (όρντινέρι) συνηθισμένος,

κοινός / out of the ordinary: ασυνή-
θιστος
ordination (ορντινέϊσσον) χειρο-
τονία
ordnance (όορντνανς) πυροβολικό,
όπλα
ordure (όρτζουρ) κόπρος, ακαθα-
ρισία
ore (όουρ) ορυκτό, μετάλλευμα
organ (όουργκαν) όργανο
organdie, organdy (όοργκαντι) πολύ
λεπτό θαμβακερό ύφασμα
organic (οργκάνικ) οργανικός
organism (οοργκάνισμ) οργανισμός
organist (όοργκανιστ) οργανοπαί-
κτης
organization (οργκαναϊζέϊσσον)
οργάνωση, διοργάνωση, **-al** οργα-
νωτικός
organize (όργκανάϊζ) διοργανώνω,
οργανώνω, **-r** οργανωτής, διοργα-
νωτής
orgasm (όοργκασμ) οργασμός
orgeat (όορτζατ) σουμάδα
orgiastic (οορτζιάστικ) οργιαστικός
orgy (όορτζι) όργιο
oriel (όουριελ) κιόσκι, **-window** πα-
ράθυρο που προεξέχει
orient (όριεντ) ανατολή, προσανα-
τολίζω, **-al** ανατολικός, ανατολίτης,
-alist ανατολικολόγος, μελετητής
πολιτισμού Ασιατικών χωρών, **-ate**
προσανατολίζω, **-ομαι**, **-ation** προ-
σανατολισμός
orifice (όριφις) άνοιγμα
origan (όοριγκαν) ρίγανη
origin (όριτζιν) καταγωγή, πηγή,
προέλευση, αρχή, **-al** αρχικός, πρω-
τότυπος, **-ally** αρχικά, **-ality** πρωτο-
τυπία, **-ate** προέρχομαι, εγκαινιάζω,
ιδρύω πρώτος, **-ation** προέλευση,
πηγή, αρχή, **-ator** εισηγητής, πρω-
τεργάτης
oriole (οοριόουλ) φλώρος (πτηνό)
orison (όριζον) προσευχή
ormolu (ορμολού) ψευδόχρυσος

ornament (όρναμεντ) κόσμημα,
στολίδι, στολίζω, **-al** διακοσμητι-
κός, **-ation** διακόσμηση
ornate (οορνέϊτ) στολισμένος, **-ness**
στολισμός
ornery (όορνερι) κακόκεφος
ornithologist (ορνιθόλοτζιστ) ορνι-
θολόγος
ornithology (ορνιθόλοτζι) ορνιθο-
λογία
orotund (οροτάντ) ηχηρός
orphan (όορφαν) ορφανός, **-age** ορ-
φανοτροφείο, **-hood** ορφάνεια
orris (όρις) ίριδα (φυτό)
orthodontics (οορθοντόντικς) ορθο-
δοντική
orthodontist (οορθοντόντιστ) ορθο-
δοντίατρος
orthodox (όρθοντοξ) ορθόδοξος, **-y**
ορθοδοξία
orthoepical (ορθόουπικαλ) ο σωστά
εκφραζόμενος
orthoepy (ορθόουπι) ορθότητα λό-
γου, σωστή έκφραση
orthographer (ορθόγκραφερ) ορθο-
γράφος
orthographic(al) (ορθογκράφικ, -αλ)
ορθογραφικός
orthography (ορθόγκραφι) ορθο-
γραφία
orthopedic (ορθοπίντικ) ορθοπεδι-
κός, **-s** ορθοπεδική
orthopedist (ορθοπίντιστ) ορθοπεδι-
κός γιατρός
ortolan (όορτολαν) συκοφάγος
(πτηνό)
oscillate (όσιλέϊτ) ταλαντεύομαι, κυ-
μαίνομαι
oscillation (οσιλέϊσσον) ταλάντευση
oscillator (οσιλέϊτορ) ταλαντευόμε-
νος, **-y** ταλαντευτικός
osculate (οσκιουλέϊτ) φιλώ
osculation (οσκιουλέϊσσον) ασπα-
σμός
osculatory (οσκιουλέϊτορι) εφα-
πτόμενος

osier (όουζερ) λυγαριά
osmosis (οζμόουσις) ώσμωση, διαπίδυση
osprey (όσπρι) σταυραετός
osseous (όσιας) οστεώδης
ossification (οσιφικέϊσσον) οστεοποίηση
ossify (όσιφάϊ) οστεοποιώ
ostensible (οστένσμπλ) φαινομενικός
ostentation (οστεντέϊσσον) επίδειξη
ostentatious (οστεντέϊσσας) επιδεικτικός
osteological (οστιολότζικαλ) οστεολογικός
osteology (οστιόλοτζι) οστεολογία
osteopathy (οστιόπαθι) οστεοπαθητική
ostracism (όστρασιμ) εξοστρακισμός
ostracize (οστρασάϊζ) εξοστρακίζω
ostrich (όστριτς) στρουθοκάμηλος
other (άδερ) άλλος / other than: εκτός από
otherwise (άδερουάϊζ) αλλοιώς, διαφορετικά
otiose (οουσιόους) άχρηστος, περιττός, μάταιος
otological (οουτολότζικαλ) ωτολογικός
otologist (οουτόλοτζιστ) ωτολόγος
otology (οουτόλοτζι) ωτολογία
Ottoman (ότομαν) Οθωμανός, Οθωμανικός
ought (όοτ) έπρεπε, πρέπει, οφείλω
ouija board (ουίτζα μπόαρντ) τραπεζάκι πνευματιστών
ounce (άουνς) ουγγιά, πάνθηρας
our (άουαρ) δικός μας, εμάς, -selves οι εαυτοί μας, εμείς οι ίδιοι
oust (άουστ) εκτοπίζω, απομακρύνω, -er έξωση, αυτός που βγάζει έξω
out (άουτ) έξω, βγάζω έξω, δικαιολογία προκειμένου ν' αφήσω μια δραστηριότητα / out and about: (γιά άρρωστο) ικανός να σηκωθεί και

να βγεί απ' το σπίτι / be out for: προσπαθώ ν' αποκτήσω, επιζητώ / be out to: προσπαθώ, επιδιώκω
outbalance (άουτμπάλανς) είμαι σπουδαιότερος, ζυγίζω περισσότερο
outbid (άουτμπίντ) προσφέρω υψηλότερη τιμή σε δημοπρασία
outboard (άουτμπόαρντ) έξω απ' το σκάφος
outbound (άουτμπάουντ) κινούμενος προς τα έξω, ο αναχωρών
outbreak (άουτμπρέϊκ) έκρηξη, ξαφνική εμφάνιση δυσάρεστου γεγονότος
outbuilding (άουτμπίλντινγκ) μικρό εξωτερικό κτίριο
outburst (άουτμπέρστ) έκρηξη, ξέσπασμα
outcast (άουτκαστ) απόβλητος
outclass (άουτκλας) υπερέχω, υπερτερώ
outcome (άουτκάμ) έκβαση, αποτέλεσμα
outcrop (άουτκρόπ) πέτρες ή βράχια στην επιφάνεια του εδάφους
outcry (άουτκράϊ) κατακραυγή
outdate (άουτντέϊτ) αχρηστεύω, απαρχαιώνω, -d πεπαλαιωμένος
outdistance (άουτντίστανς) υπερτερώ σε απόσταση ή ταχύτητα
outdo (άουτντού) ξεπερνώ, υπερτερώ
outdoor (άουτντόρ) υπαίθριος, -s στο ύπαιθρο
outer (άουτερ) εξωτερικός, πιο απομακρυσμένος
outmost (άουτμόστ) έσχατος
outface (άουτφέϊς) αντικρύζω, αψηφώ
outfall (άουτφόλ) στόμιο, εκβολή ποταμού
outfit (άουτφιτ) εξοπλίζω, εξοπλισμός, εφόδια, -ter εφοδιαστής
outflank (άουτφλάνκ) υπερφαλαγγίζω
outflow (άουτφλόου) εκροή, εκρέω

O

outfox (άουτφόξ) νικώ χρησιμο-
ποιώντας την εξυπνάδα μου
outgeneral (άουττζένεραλ) κατα-
στρατηγώ
outgo (άουτγκόου) ξεπερνώ, υπερ-
βαίνω
outgoings (άούτγκόουινγκς) έξοδα
outgrow (άουτγκρόου) αυξάνομαι
υπερβολικά, ξεπερνώ
outgrowth (άουτγκρόουθ) έκβαση,
έκφυση
outguess (άουτγκές) καταστρατηγώ
outhouse (άουτχάουζ) εξωτερικό
κτίσμα, τουαλέτα
outing (άόυτινγκ) εκδρομή
outlander (άουτλάντερ) ξένος, αλ-
λοδαπός
outlandish (άουτλάντιςς) παράξε-
νος, ξενοφανής
outlast (άουτλάστ) διαρκώ περισ-
σότερο από
outlaw (άουτλόο) παράνομος, κατα-
ζητούμενος, φυγόδικος, θέτω εκτός
νόμου, **-ry** αποφυγή της δίκης
outlay (άουτλέϊ) έξοδο, δαπάνη,
ξοδεύω
outlet (άουτλετ) διέξοδος, έξοδος,
αγορά, ηλεκτρική σύνδεση
outline (άουτλάϊν) σκιαγραφία, πε-
ρίγραμμα, περιγραφή, σκιαγραφώ
outlive (άουτλίβ) επιζώ
outlook (άουτλούκ) θέα, βλέψη,
άποψη
outlying (άουτλαϊινγκ) παράμερος,
απομακρυσμένος
outmanoeuvre (άουτμανιούβερ)
ελίσσομαι πιο αποτελεσματικά απ'
τον αντίπαλο, πλεονεκτώ
outmarch (άουτμάρςς) προπορεύο-
μαι
outmatch (άουτμάτς) υπερέχω
outmoded (άουτμόουντιντ) απαρ-
χαιωμένος, πεπαλαιωμένος
outmost (άουτμοστ) μακρυνότατος
outnumber (άουτνάμπερ) υπερέχω
αριθμητικά

out of date (άουτ οφ ντέϊτ) παλιομο-
δίτικος
out of doors (άουτ οφ ντόρς) υπαί-
θριος
out of the way (άουτ οφ δε γουέϊ)
απομακρυσμένος, ασυνήθιστος
outpatient (άουτπέϊσσαντ) ασθενής
που μένει σπίτι του ενώ επισκέπτε-
ται το νοσοκομείο γιά θεραπεία
outplay (άουτπλέϊ) νικώ, κερδίζω
outpoint (άουτπόϊντ) νικώ αντίπαλο
πέρνοντας περισσότερους πόντους
outpost (άουτποστ) προφυλακή
outpour (άουτπόορ) εκχύνω, -ομαι,
ξεσπώ, **-ings** έντονη έκφραση συ-
ναισθημάτων
output (άουτπουτ) παραγωγή,
προϊόν
outrage (άουτρέϊτζ) προσβολή,
προσβάλλω
outrageous (άουτρέϊτζας) αχρείος,
αισχρός, **-ness** αισχρότητα
outrank (άουτρανκ) υπερέχω σε
βαθμό
outreach (άουτρίτς) ξεπερνώ
outride (άουτράϊντ) ιππεύω καλύτε-
ρα ή γρηγορότερα, **-r** φύλακας ή
ακόλουθος μπροστά από όχημα
outrigger (αουτρίγκερ) εξωτερικό
στήριγμα πλοιαρίου
outright (άουτράϊτ) αμέσως, εντε-
λώς, ανοιχτά, ευθέως, ευθύς, ξεκά-
θαρος
outrival (άουτριβαλ) νικώ
outrun (άουτραν) ξεπερνώ, τρέχω
γρηγορότερα ή μακρύτερα
outset (άουτσετ) έναρξη
outshine (άουτσσάϊν) διαπρέπω, επι-
σκιάζω
outside (άουτσάϊντ) έξω, εξωτερι-
κός, **-r** ο ευρισκόμενος έξω,
απροσδόκητος νικητής αγώνα ή
διαγωνισμού
outsize (άουτσάϊζ) μέγεθος μεγαλύ-
τερο απ' το κανονικό
outskirts (άουτσκέρτς) περίχωρα

outsmart (άουτσμάρτ) νικώ με την εξυπνάδα μου

outspoken (άουτσπόουκεν) ειλικρινής, **-ness** παρρησία

outspread (άουτσπρέντ) επεκτείνω, -ομαι, εκτεταμένος

outstanding (άουτστάντινγκ) εξέχων, πολύ καλύτερος, που εκρεμεί, οφειλόμενος

outstretch (άουτστρέτς) εκτείνω, εξαπλώνω

outstrip (άουτστρίπ) ξεπερνώ

outward (άουτγουόρντ) εξωτερικά, προς τα έξω, **-ly, -s** εξωτερικά, προς τα έξω

outweigh (άουτγουέϊ) ζυγίζω περισσότερο

outwit (άουτουιτ) νικώ δρώντας εξυπνότερα

outwork (άουτγουόρκ) πρόχωμα, εξωτερική εργασία

outworn (άουτγουόρν) τετριμμένος

ouzel (ούζελ) νεροκότσυφος

ouzo (ούζου) ούζο

ova (όουβα) ωάρια (ovum: ωάριο)

oval (όουβαλ) ωοειδής

ovarian (οουβέριαν) της ωοθήκης

ovary (όουβαρι) ωοθήκη

ovation (οβέϊσσον) επευφημία, πανηγυρική υποδοχή

oven (όουβεν) φούρνος

ovenware (όουβενουέαρ) μαγειρικά σκεύη ανθεκτικά σε υψηλή θερμοκρασία

over (όουβερ) υπέρ, πλέον, επί, δια μέσου, πάρα πολύ, πάλι, τελειωμένος / over and above: επιπλέον

overactive (οουβεράκτιβ) πάρα πολύ ενεργητικός

overage (όουβερέϊτζ) πολύ μεγάλος στην ηλικία

overall (όουβερόολ) γενικά, συνολικά, συνολικός, **-s** ένδυμα εργασίας

overawe (όουβερόο) κατατρομάζω

overbalance (όουβερμπάλανς) ανατρέπω

overbear (όουβερμπέαρ) εξαναγκάζω σε υπακοή, **-ing** αγέρωχος

overbid (όουβερμπίντ) προσφέρω πολύ υψηλή τιμή σε δημοπρασία

overboard (όουβερμπόουρντ) εκτός του πλοίου, στη θάλασσα / throw overboard: απορρίπτω

overbold (όουβερμπόλντ) παράτολμος

overburden (όουβερμπάρντεν) παραφορτώνω

overcapitalize (όουβερκαπιταλάϊζ) εκδίδω μετοχές περισσότερης αξίας της επιχειρήσεως κάποιου

overcast (όουβερκαστ) επισκοτίζω, συννεφιασμένος

overcharge (όουβερτσάρτζ) παραφορτώνω, πουλώ πολύ ακριβά

overcloud (όουβερκλάουντ) επισκοτίζω, συννεφιάζω

overcoat (όουβερκόουτ) πανωφόρι

overcome (όουβερκαμ) νικώ, καταβάλλω

overcrop (όουβερκρόπ) υπερκαλλιεργώ

overcrowded (όουβερκράουντιντ) συνωστισμένος

overdevelop (όουβερντιβέλοπ) υπεραναπτύσσω

overdo (όουβερντού) μεγαλοποιώ, παρακάνω, παραψήνω, χρησιμοποιώ πάρα πολύ

overdose (όουβερντόουζ) υπερβολική δόση

overdraw (όουβερντρόου) αποσύρω από τραπεζικό λογαριασμό περισσότερα χρήματα απ' όσα δικαιούμαι

overdress (όουβερντρές) παραστολίζω, ντύνω με επίσημα ρούχα

overdrive (όουβερντράϊβ) κατακουράζω

overdue (όουβερντιού) εκπρόθεσμος, καθυστερημένος

overeat (όουβερίτ) παρατρώγω

overestimate (όουβερεστιμέϊτ) υπερτιμώ, πολύ μεγάλη εκτίμηση

overexpose (όουβερεξπόουζ) δίνω πολύ φως σε φίλμ ή φωτογραφία
overflow (όουβερφλόου) πλημμυρίζω, ξεχειλάω, πλημμύρα, ξεχείλισμα
overfly (όουβερφλάϊ) (γιά αεροπλάνο) πετώ πάνω από
overgrow (όουβεργκρόου) παραμεγαλώνω
overhand (όουβερχάντ) με την παλάμη προς τα κάτω
overhang (όουβερχανγκ) εξέχω, κρέμομαι πάνω από, εξοχή
overhaul (όουβερχόουλ) επιθεωρώ, προφθάνω, προσεκτική εξέταση
overhead (όουβερχεντ) παραπάνω, πάνω απ' το κεφάλι, -s γενικά έξοδα επιχείρησης
overhear (όουβερχίαρ) ακούω τυχαία
overheat (όουβερχίτ) υπερθερμαίνω
overindulge (όουβεριντάλτζ) παραδίδουμαι με υπερβολή σε απολαύσεις
overjoyed (όουβερτζόϊντ) υπερβολικά χαρούμενος
overladen (όουβερλέϊντεν) υπερφορτωμένος
overland (όουβερλαντ) διά ξηράς
overlap (όουβερλάπ) υπερδιπλώνω
overlay (όουβερλέϊ) υπερκαλύπτω, επικάλυμμα
overleaf (όουβερλίφ) στην άλλη πλευρά της σελίδας
overleap (όουβερλιπ) υπερπηδώ, παραλείπω
overlie (όουβερλάϊ) βρίσκομαι πάνω από
overload (όουβερλόαντ) παραφορτώνω
overlook (όουβερλουκ) επιβλέπω, παραβλέπω, **-ing** αυτός που επιβλέπει ή παραβλέπει
overlord (όουβερλόρντ) κυρίαρχος
overly (όουβερλι) υπερβολικά
overmaster (όουβερμαστερ) κατανικώ

overmatch (όουβερματς) υπερτερώ
overmuch (όουβερματς) πάρα πολύ
overnice (όουβερνάϊς) υπερβολικά λεπτολόγος
overnight (όουβερνάϊτ) κατά τη διάρκεια της νύχτας, ξαφνικά
overpass (όουβερπας) προσπερνώ, δρόμος που βρίσκεται πάνω από άλλο δρόμο
overplay (όουβερπλέϊ) μεγαλοποιώ
overpopulated (όουβερποπιουλέϊτιντ) πυκνοκατοικημένος
overpower (όουβερπόουερ) καταπνίγω, υπερισχύω, δαμάζω
overproduce (όουβερπρροντιούς) υπερπαράγω
overrate (όουβερρρέϊτ) υπερτιμώ
overreach (όουβερρίτς) υπερβαίνω
override (όουβερράϊντ) καταπατώ
overrule (όουβερούλ) απορρίπτω, εξουσιάζω
overrun (όουβεραν) λεηλατώ, εισβάλλω, κατακλύζω
overseas (όουβερσίις) πέρα από τη θάλασσα
oversee (όουβερσίι) επιβλέπω, επιθεωρώ
overseer (όουβερσίιρ) επιτηρητής
oversell (όουβερσέλ) επαινώ υπερβολικά
overshadow (όουβερσσάντοου) επισκιάζω
overshoe (όουβερσσού) γαλότσα
overshoot (όουβερσσούτ) υπερβάλλω, ξεπερνώ
oversight (όουβερσάϊτ) παράβλεψη, επίβλεψη
oversimplify (όουβερσιμπλιφάϊ) υπεραπλουστεύω
oversized (όουβερσάϊζντ) υπερμεγέθης
overskirt (όουβερσκέρτ) εξωτερική φούστα
oversleep (όουβερσλίιπ) κοιμάμαι υπερβολικά
overspent (όουβερσπέντ) εξαντλη-

μένος

overspread (όουβερσπρέντ) εξαπλώνω, -ομαι, επικαλύπτω

overstate (όουβερστέϊτ) μεγαλοποιώ, **-ment** υπερβολή

overstay (όουβερστέϊ) μένω παραπάνω απ' όσο πρέπει

overstep (όουβερστεπ) υπερβαίνω, παραβαίνω

overstock (όουβερστόκ) υπερπληρώ, κρατώ περισσότερες προμήθειες απ' όσες χρειάζονται

overstrain (όουβερστρέϊν) υπερκόπωση

overstrung (όουβερστράνγκ) υπερευαίσθητος

oversubscribe (όουβερσαμπσκράϊμπ) υπερκαλύπτω

oversupply (όουβερσαπλάϊ) προμηθεύω περισσότερα απ' όσα χρειάζονται

overt (όουβερτ) φανερός, ανοιχτός

overtake (όουβερτέϊκ) προφθαίνω, φθάνω

overtax (όουβερταξ) υπερφορολογώ

overthrow (όουβερθρόου) κατατροπώνω, ανατρέπω, ανατροπή, ήττα

overtime (όουβερτάϊμ) υπερωρία

overtone (όουβερτόουν) υπερτόνιο, αρμονία

overtop (όουβερτοπ) υπερυψώνομαι, υπερβαίνω

overture (όουβερτσούρ) εισαγωγή (μουσική)

overturn (όουβερτέρν) ανατρέπω, -ομαι

overview (όβερβιού) περίληψη

overweening (όουβερουίνινγκ) επαρμένος

overweight (όουβερουέϊτ) υπέρβαρος, ζυγίζω παραπάνω απ' το κανονικό

overwhelm (όουβερουέλμ) καταβάλλω, καλύπτω εντελώς, **-ing** αφόρητος, υπερβολικός

overwork (όουβερουόρκ) δουλεύω υπερβολικά, καταπονώ, υπερβολική εργασία

overworn (όουβερουόρν) τετριμμένος, κατακουρασμένος

overwrought (όουβερόοτ) κατάκοπος, εξαντλημένος

oviform (όουβιφόορμ) ωοειδής

oviparous (οουβίπαρας) ωοτόκος

ovoid (όουβόϊντ) ωοειδής

ovular (όουβιουλαρ) ωοειδής

ovule (όουβιουλ) ωάριο

ovum (όουβουμ) αυγό, ωάριο

owe (όου) χρωστώ

owing (όουινγκ) οφειλόμενος / owing to: εξαιτίας

owl (όουλ) κουκουβάγια, **-let** μικρή κουκουβάγια, **-ish**, **-ike** ομοιάζων με κουκουβάγια

own (όουν) δικός μου, έχω, παραδέχομαι, ομολογώ, **-er** ιδιοκτήτης, **-ership** ιδιοκτησία

ox (όξ) βόδι (πληθ. oxen), **-cart** βοϊδάμαξα, **-hide** δέρμα βοδιού

oxalic acid (οξάλικ άσιντ) οξαλικό οξύ

oxalis (όξαλις) ξυνήθρα

oxeye (οξάϊ) μαργαρίτα

oxhide (οξχάϊντ) δέρμα βοδιού

oxidate (όξιντέϊτ) οξειδώνω, -ομαι

oxide (οξάϊντ) οξείδιο

oxidization (οξιντιζέϊσσον) οξείδωση

oxidize (όξιντάϊζ) οξειδώνω, -ομαι

oxlike (όξλάϊκ) βοώδης, ομοιάζων με βόδι

oxlip (όξλίπ) είδος χαμομηλιού

oxtail (όξτέϊλ) ουρά βοδιού

oxyacetylene (όξιασετιλίιν) οξυασετυλίνη, **-welding** οξυγονοκόλληση

oxygen (όξιτζεν) οξυγόνο, **-ate** οξυγονώνω, **-ation** οξυγόνωση

oyez (οουγιέζ) ακούσατε!

oyster (όϊστερ) στρείδι

ozone (οουζόουν) όζον(αέριο)

P

P, p (πί) το δέκατο έκτο γράμμα στο Αγγλικό αλφάβητο
pa (πάα) μπαμπάς, πατέρας
pabulum (πάμπιουλαμ) τροφή
pace (πέϊς) βήμα, βαδίζω, βάδισμα / to show one's pace: δείχνω τις ικανότητες μου
pachyderm (πάκιντερμ) παχύδερμο
pacific (πασίφικ) ειρηνικός, ήρεμος, -ate ησυχάζω, ειρηνοποιώ, -ation ειρήνευση, -ator ειρηνοποιός
pacifier (πασιφάϊερ) ειρηνευτής, πιπίλα βρέφους
pacifism (πάσιφισμ) φιλειρηνικότητα
pacifist (πάσιφιστ) ειρηνιστής
pacify (πάσιφάϊ) ειρηνεύω, ησυχάζω
pack (πάκ) πακέτο, δέμα, συσκευάζω, κοπάδι, ομάδα, σύνολο, πακετάρω, στριμώχνομαι, -age συσκευάζω, συσκευασία, -aging υλικά χρησιμοποιούμενα για συσκευασία προϊόντων, -animal ζώο χρησιμοποιούμενο για μεταφορές, -er συσκευαστής, -ed γεμάτος κόσμο, -ing συσκευασία, -saddle σαμάρι / pack in: προσελκύω μεγάλο αριθμό ατόμων, σταματώ / pack off: στέλνω ή απομακρύνω γρήγορα / pack up: σταματώ, σταματώ να δουλεύω / package tour: οργανωμένες διακοπές ή τουριστικό ταξίδι
pact (πάκτ) συμφωνία, σύμβαση
pad (πάντ) παραγεμίζω, πεζοπορώ, μαξιλαράκι, παρατείνω, δέσμη από φύλλα χαρτιού, -ding παραγέμισμα,

βάτα
paddle (πάντλ) κουπί, κωπηλατώ, τσαλαβουτώ, -wheel τροχός πλοίου
paddling pool (πάντλινγκ πούλ) φουσκωτή πισίνα για παιδιά
paddock (πάντοκ) περίβολος βοσκής
paddy (πάντι) ρύζι
padlock (πάντλοκ) λουκέτο, κλειδαριά, κλειδώνω με λουκέτο
padre (πάντρι) ιερέας
paean (πίιαν) παιάνας, άσμα θριάμβου
pegan (πέϊγκαν) ειδωλολάτρης, ειδωλολατρικός, -ism ειδωλολατρία, -ize κάνω ειδωλολάτρη
page (πέϊτζ) σελίδα, νεαρός υπηρέτης, διαλαλώ το όνομα κάποιου
pageant (πάτζεντ) πομπή
pageantry (πάτζεντρι) επίδειξη, πομπή
pagination (πατζινεϊσσον) σελιδοποίηση
pagoda (παγκόουντα) παγόδα, ναός Βουδιστών
paid (πέϊντ) πληρωμένος
pail (πέϊλ) κουβάς, κάδος, -ful ποσότητα υγρού που περιέχεται σε κουβά
pain (πέϊν) πόνος, λύπη, πονώ, μοχθώ, -ed δυσαρεστημένος, πληγωμένος (ψυχικά), -ful οδυνηρός, -fulness οδυνηρότητα, -killer φάρμακο για εξάλειψη του πόνου, -less ανώδυνος, -s κόποι, φροντίδες / pain in the neck: ενόχληση, δύσκολη κατάσταση

painstaking (πέϊνστέϊκινγκ) επιμελής, προσεκτικός

paint (πέϊντ) χρώμα, μπογιά, χρωματίζω, ζωγραφίζω, **-er** ζωγράφος, ελαιοχρωματιστής, **-ing** ζωγραφική, χρωμάτισμα, ζωγραφιά, βάψιμο, **-brush** βούρτσα ελαιοχρωματιστή ή ζωγράφου, **-work** βαμμένη επιφάνεια

pair (πέαρ) ζευγάρι, ζευγαρώνω, **-ομαι**, συνδιάζω, **-ομαι**

paisley (πέϊζλι) ύφασμα με πολύχρωμα σχέδια

pajamas (πατζάμας) πιτζάμα

pal (παλ) σύντροφος, στενός φίλος / pal up: γίνομαι φίλος με κάποιον

palace (παλάς) ανάκτορο, παλάτι

paladin (πάλαντιν) ιππότης, ένθερμος υποστηρικτής ή οπαδός

palais de danse (παλέι ντε ντάνς) αίθουσα χορού

palanquin (παλανκίν) φορείο χωρών της Ανατολής

palatable (πάλαταμπλ) νόστιμος, ευχάριστος, **-ness** νοστιμιά

palatal (πάλαταλ) του ουρανίσκου

palate (πάλετ) ουρανίσκος

palatial (παλέϊσσαλ) ανακτορικός, μεγαλοπρεπής

palatine (παλατάϊν) βασιλικός

palaver (παλάβερ) φλυαρώ, φλυαρία, συνδιάσκεψη

pale (πέϊλ) χλωμός, χλωμιάζω, πάσσαλος, περιφράζω, **-ness** χλωμάδα, **-face** λευκός άνθρωπος

paleographer (πάλιόγκραφερ) παλαιογράφος, μελετητής αρχαίων κειμένων

paleography (παλιόγκραφι) παλαιογραφία

paleolithic (πάλιολίθικ) παλαιολιθικός

paleontologist (παλιοντόλοτζιστ) παλαιοντολόγος

paleontology (πάλιοντόλοτζι) παλαιοντολογία

paleozoic (πάλιοζόουικ) παλαιοζωικός

palestra (παλέστρα) παλαίστρα

palette (πάλετ) χρωματοπινάκιο, **-knife** είδος σπάτουλας γιά ανάμιξη χρωμάτων απ' τους ζωγράφους

palfrey (πόολφρι) μικρό ήρεμο άλογο ιππασίας

paling (πέϊλινγκ) πάσσαλος, φράχτης με πασσάλους, **-s** φράχτης με πασσάλους

palisade (πάλισέϊντ) οχύρωμα με πασσάλους, **-s** απόκρημνες όχθες

palish (πέϊλιςς) χλωμός

pall (πόολ) σάβανο, φέρετρο, γίνομαι βαρετό, **-bearer** μεταφορέας φερέτρου

palliasse (πάλιας) αχυρόστρωμα

palliate (πάλιέϊτ) μετριάζω, καταπραΰνω, ελαφρώνω

palliation (παλιέϊσσον) μετριασμός

palliative (παλιέϊτιβ) μετριαστικός, καταπραϋντικό

pallid (πάλιντ) ωχρός, **-ness** ωχρότητα

pallor (πάλορ) ωχρότητα

palm (πάαμ) παλάμη, κρύβω στην παλάμη, φοίνικας

palmate (πάλμετ) παλαμοειδής

palmer (πάαμερ) προσκυνητής

palmetto (παλμέτοου) μικρός φοίνικας

palmist (πάαμιστ) χειρομάντης, **-ry** χειρομαντεία

Palm Sunday (πάαμ σάντεϊ) Κυριακή των Βαΐων

palmy (πάαμι) δραστήριος κι επιτυχημένος, ευδοκιμών

palpable (πάλπαμπλ) χειροπιαστός, φανερός, ψηλαφητός

palpably (πάλπαμπλι) ολοφάνερα

palpate (παλπέϊτ) εξετάζω αγγίζοντας

palpitate (πάλπιτέϊτ) πάλλω, **-ομαι**, τρέμω

palpitation (παλπιτέϊσσον) παλμός

palsied (πόολζιντ) τρέμων, αδύνατος, παράλυτος

palsy (πόολζι) παραλύω, παράλυση

palter (πόολτερ) παιδιαρίζω, δολιεύομαι

paltriness (πόολτρινες) μηδαμινότητα

paltry (πόολτρι) μηδαμινός, τιποτένιος

pampas (πάμπας) άδενδρες πεδιάδες της Ν. Αμερικής

pamper (πάμπερ) παραχαϊδεύω, καλοτρέφω

pamphlet (πάμφλετ) φυλλάδιο, **-eer** ο γράφων φυλλάδια

pan (παν) ταψί, τηγάνι, τηγανίζω, καθαρίζω πολύτιμο μέταλλο, επικρίνω

panacea (πανασία) πανάκεια

panache (πανάσσ) λοφίο

panada (πανάαντα) βρεγμένο ψωμί, πανάδα

panamerican (παναμέρικαν) παναμερικανικός

panatela (πανατέλα) μακρόστενο πούρο

pancake (πανκέϊκ) τηγανίτα, **-landing** αναγκαστική προσγείωση αεροσκάφους

panchromatic (πανκροουμάτικ) παγχρωματικός

pancreas (πάνκριας) πάγκρεας

pancreatic (πανκριάτικ) παγκρεατικός

panda (πάντα) μικρό αρκτοειδές ζώο της Ν.Α Ασίας

pandemonium (παντεμόουνιαμ) πανδαιμόνιο

pander (πάντερ) παρέχω κάτι που ικανοποιεί τις ευτελείς επιθυμίες κάποιου

pane (πέϊν) τζάμι παραθύρου

panegyric (πάνιτζίρικ) πανηγυρικός (λόγος), **-al** πανηγυρικός

panegyrist (πάνιτζίριστ) υμνητής

panel (πάνελ) κορνίζα, πλαίσιο,

κορνιζάρω, πλαισιώνω, ταμπλώ, **-ling** πλαίσιο

pang (πάνγκ) οξύς πόνος

panhandle (πάνχάντλ) στενή χερσόνησος, ζητιανεύω, **-r** ζητιάνος

panhellenic (πανχελένικ) πανελλήνιος

panic (πάνικ) πανικός, πανικοβάλλω, **-οματ**, **-stations** κατάσταση άγχους, **-stricken** πανικόβλητος

panicky (πάνικι) πανικόβλητος

panjandrum (πάντζαντραμ) ισχυρό άτομο

pannier (πάνιερ) κοφίνι, καλάθι

pannikin (πάνικιν) μεταλλικό φλυτζάνι

panocha (πανόουτσα) είδος ζαχαρωτού

panoply (πάνοπλι) πανοπλία

panorama (πάνοραμα) πανόραμα

panoramic (πανοράμικ) πανοραμικός, **-ally** πανοραματικά

panpipes (πανπάϊπς) πνευστό μουσικό όργανο

pansy (πάνζι) πανσές, εκθηλυμένος άντρας

pant (πάντ) λαχανιάζω, ασθμαίνω, ποθώ, λαχταρώ, λαχάνιασμα

pantaloons (πανταλούνς) παντελόνι

pantheism (πάνθιιζμ) πανθεϊσμός

pantheist (πάνθιιστ) πανθεϊστής, **-ic** πανθεϊστικός

pantheon (πάνθιον) σύνολο των θεών, ναός όλων των θεών

panther (πάνθερ) πάνθηρας

panties (πάντιζ) γυναικείο εσώρουχο

pantomime (πάντομάϊμ) παντομίμα

pantry (πάντρι) κελάρι, ντουλάπι

pants (πάντς) παντελόνι, εσώρουχο

panzer (πάνζερ) οπλισμένος

pap (παπ) χυλός, μαλακή τροφή, διασκεδαστικό ανάγνωσμα ή θέαμα

papa (πάπα) πατέρας, μπαμπάς

papacy (πέϊπασι) παπισμός

papal (πέϊπαλ) παπικός

paparazzo (παπαράτσοου) δημοσιογράφος σκανδαλοθηρικής εφημερίδας

papaya (παπάϊα) παπάγια (καρπός τροπικού δέντρου)

paper (πέϊπερ) χαρτί, εφημερίδα, έγγραφο, ταπετσαρία, καλύπτω με ταπετσαρία, φανταστικός, μη πραγματικός, -**back** βιβλίο με λεπτό, χάρτινο εξώφυλλο, -**boy** νεαρός, διανομέας εφημερίδων, -**clip** συνδετήρας φύλλων χαρτιού, -**hanger** επαγγελματίας κολλητής ταπετσαρίας, -**knife** χαρτοκόπτης, -**money** χαρτονόμισμα, -**tiger** επιφανειακά απειλητικός εχθρός, -**weight** βάρος που εμποδίζει φύλλα χαρτιού να σκορπιστούν, -**work** γραφική εργασία, -**y** λεπτός σα χαρτί

papier machω (παπιέ μασσέ) πεπιεσμένο χαρτί

papist (πέϊπιστ) μέλος της Ρωμαιοκαθολικής εκκλησίας, -**ical** παπιστικός

papoose (παπούους) παιδί με Αμερικανοϊνδούς γονείς, είδος σάκκου γιά μεταφορά βρέφους στη ράχη

pappy (πάπι) πατέρας

paprika (πάπρικα) κοκκινοπίπερο

papyrus (παπάϊρας) πάπυρος

par (πάαρ) ισότητα αξίας ή όρων, πραγματική αξία

parable (πάραμπλ) παραβολή

parabola (παράμπολα) παραβολή (γεωμ.)

parabolic (παράμπολικ) παραβολικός

parachute (παρασσούτ) αλεξίπτωτο, πέφτω με αλεξίπτωτο

parachutist (παρασσούτιστ) αλεξιπτωτιστής

parade (παρέϊντ) παρέλαση, παρελαύνω, επίδειξη, καμαρώνω, -**ground** χώρος γιά στρατιωτικές παρελάσεις, -**r** ο παρελαύνων

paradigm (πάραντιμ) παράδειγμα,

-**atic** παραδειγματικός, -**atically** παραδειγματικά

paradise (πάραντάϊζ) παράδεισος

paradisic (πάραντάϊσικ) παραδείσιος

paradox (πάραντοξ) παραδοξολογία, -**ical** παράδοξος, -**ically** παραδόξως

parafinne (πάραφιν) παραφίνη

paragon (πάραγκον) άψογος τύπος προς αντιγραφή

paragraph (πάραγκραφ) παράγραφος

parakeet (πάρακίιτ) είδος παπαγάλου

parallax (πάραλαξ) παράλλαξη

parallel (πάραλελ) παράλληλος, παραλληλίζω, -**bars** δίζυγο ανδρών ενοργάνου γυμναστικής, -**ism** παραλληλισμός

parallelogram (πάραλέλογκραμ) παραλληλόγραμμο

paralogism (παράλοτζισμ) παραλογισμός

paralyse (πάραλάϊζ) παραλύω, σταματώ τη λειτουργία

paralysis (παράλισις) παράλυση

paralytic (παραλίτικ) παραλυτικός

paralyzation (παραλιζέϊσσον) παράλυση

paralyze (παραλάϊζ) παραλύω

paramount (παραμάουντ) ανώτατος, κυρίαρχος

paramour (παραμούρ) εραστής, ερωμένη

paranoia (παρανόϊα) παράνοια, -**c** παρανοϊκός

paranormal (παρανόορμαλ) υπερφυσικός

parapet (πάραπετ) παραπέτο, πρόχωμα

paraphernalia (παραφερνέϊλια) μικροαντικείμενα, εξαρτήματα, εφόδια

paraphrase (πάραφρέϊζ) παράφραση, παραφράζω, -**r** παραφραστής

paraplegia (παραπλίιτζια) παραπληγία
paraplegic (παραπλίτζικ) παραπληγικός
parapsychology (παρασαϊκόλοτζι) παραψυχολογία
paraquat (πάρακουατ) υγρό γιά την εξόντωση των ζιζανίων
parasite (πάρασάϊτ) παράσιτο
parasitic(al) (παρασίτικ, -αλ) παρασιτικός
parasol (πάρασολ) ομπρέλα
parathyroid gland (παραθάϊρόϊντ γκλάντ) παραθυροειδής αδένας
paratrooper (παρατρούπερ) αλεξιπτωτιστής
parboil (παρμπόϊλ) παραβράζω
parcel (πάρσελ) δέμα, πακέτο, κομμάτι γης / parcel out: διαμοιράζω / parcel up: πακετάρω / parcel post: αποστολή δεμάτων ταχυδρομικώς
parch (πάαρτς) στεγνώνω, ξηραίνω, -ομαι
parcheesi (παρτσίιζι) παιχνίδι παρόμοιο με τάβλι
parchment (πάαρτσμεντ) περγαμηνή
pard (πάαρντ) λεοπάρδαλη
pardon (πάρντον) συγνώμη, συγχώρηση, συγχωρώ, χάρη, -able συγχωρητός, -er ο συγχωρών
pare (πέαρ) ξεφλουδίζω, περικόπτω
paregoric (πάριγκόρικ) πραϋντικός, καταπραϋντικό φάρμακο
parenchyma (παρένκιμα) παρέγχυμα
parent (πάρεντ) γονέας, -age καταγωγή, -al πατρικός, μητρικός, -ally πατρικά, μητρικά
parenthesis (παρένθεσισ) παρένθεση
parenthetic(al) (παρενθέτικ, -αλ) παρενθετικός
parenthood (πάρεντχούντ) πατρότητα, μητρότητα
parenting (παρέντινγκ) πατρική ή μητρική φροντίδα
paresis (πάρισις) μερική παράλυση

paretic (παρέτικ) εν μέρει παράλυτος
parexcellence (παρέξελανς) απαράμιλλος
parfait (παρφέ) είδος παγωτού
parhelion (παρίλιον) παρήλιο
pariah (παράϊα) απόβλητος, κοινωνικά μη αποδεκτός
parietal (παράϊταλ) του τοίχου, πλευρικός
parimutuel (πάριμιούτσουελ) ομαδικό στοίχημα
paring (πέαρινγκ) ξεφλούδισμα, φλούδα
Paris (πάρις) Παρίσι, -ian Παρισινός
parish (πάρισς) ενορία, κοινότητα, ενοριακός, -ioner κάτοικος ενορίας, -pump τοπικού ενδιαφέροντος μόνο
parity (πάριτι) ισότητα, ισοτιμία
park (πάρκ) πάρκο, παρκάρω, -ing στάθμευση αυτοκινήτου, χώρος στάθμευσης αυτοκινήτου, -keeper συντηρητής πάρκου ή κήπου, -way δρόμος με δέντρα ή γρασίδι στα άκρα
parka (πάαρκα) είδος μακριού πανωφοριού
parky (πάρκι) κάπως κρύος (γιά αέρα, καιρό κτλ.)
parlance (πάαρλανς) ομιλία
parlay (πάαρλι) στοιχηματίζω το κεφάλαιο και τα κέρδη στοιχήματος
parley (πάαρλι) συζήτηση μεταξύ αντιπάλων, διαπραγμάτευση, διαπραγματεύομαι, συνθηκολογώ
parliament (πάρλεμεντ) κοινοβούλιο, -arian μέλος του κοινοβουλίου, ασχολούμενος με τα κοινοβουλευτικά, -ary κοινοβουλευτικός
parlor, parlour (πάαρλορ) αίθουσα, σάλα, -game παιχνίδι που μπορεί να παιχτεί σ' εσωτερικό χώρο, -car βαγόνι πολυτελείας
parlous (πάαρλαζ) επικίνδυνος κι αβέβαιος

parochial (παρόουκιαλ) ενοριακός, κοινοτικός, στενός, **-ism** διανοητική στενότητα
parody (πάροντι) παρωδία, γελοιοποιώ
parole (παρόουλ) αποφυλακίζω με όρους, αποφυλάκιση με όρους
paronym (πάρονιμ) παρωνυμία
parotid (παρότιντ) παρωτίτιδα
paroxysm (παρόξισμ) παροξυσμός
parquet (παρκέ) ξύλινο πάτωμα
parr (πάρ) μικρός σολομός
parricide (πάρισάϊντ) πατροκτόνος, πατροκτονία
parrot (πάροτ) παπαγάλος
parry (πάρι) αποφεύγω, αποτρέπω, αποκρούω
parse (πάαρς) αναλύω λέξη
parsimonious (παρσιμόουνιας) τσιγκούνης, **-ness** τσιγκουνιά
parsimony (πάρσιμόουνι) τσιγκουνιά
parsley (πάαρσλι) μαϊντανός
parship (πάαρσσιπ) καρότο
parson (πάαρσον) εφημέριος, ιερέας, **-age** κατοικία εφημερίου
part (πάρτ) τμήμα, κομμάτι, χωρίζω, εν μέρει, **-take** συμμετέχω, **-taker** ο συμμετέχων / take part in: παίρνω μέρος σε / for the most part: κατά το μεγαλύτερο μέρος / in part: εν μέρει, σε κάποιο βαθμό / part with: δίνω, αποχωρίζομαι
parterre (παρτέαρ) παρτέρι
parthenogenesis (παρθενόουτζένισις) παρθενογέννεση
partial (πάρσσαλ) μερικός, μεροληπτικός, **-ity** προτίμηση, μεροληψία, **-ly** εν μέρει, μεροληπτικά
participant (παρτίσιπαντ) μέτοχος
participate (παρτίσιπέϊτ) μετέχω, συμμερίζομαι
participation (παρτισιπέϊσσον) συμμετοχή
participator (παρτίσιπέϊτορ) ο μετέχων

participial (παρτισίπιαλ) μετοχικός (γραμμ.)
participle (πάρτισιπλ) μετοχή (γραμμ.)
particle (πάρτικλ) σωματίδιο, μόριο
parti-coloured (πάρτι κόλορντ) πολύχρωμος
particular (παρτίκιουλαρ) ιδιαίτερος, ασυνήθιστος, λεπτολόγος, ακριβής, λεπτομέρεια, **-ity** ακρίβεια, λεπτολογία, λεπτομέρεια, ιδιορρυθμία, **-ize** λεπτολογώ, αναφέρω λεπτομερώς, **-ly** ιδιαίτερα, ξεχωριστά, **-s** λεπτομερείς πληροφορίες ή γεγονότα / in particular: ειδικά, ιδιαίτερα / in all particulars: σε κάθε λεπτομέρεια
parting (πάρτινγκ) χωρισμός, χώρισμα
partisan (πάρτιζαν) οπαδός, **-ship** κομματισμός, ένθερμη υποστήριξη
partition (παρτίσσον) διαίρεση, χώρισμα, χωρίζω, **-er** ο χωρίζων, **-ment** διαμελισμός
partitive (πάρτιτιθ) μεριστικός
partly (πάρτλι) εν μέρει
partner (πάρτνερ) συνέταιρος, συγχορευτής ή συμπαίκτης, συνεργός, συνεργώ, συντροφεύω, **-ship** συνεταιρισμός, συνεργασία
partridge (πάαρτριτζ) πέρδικα
part-time (πάρτ τάϊμ) μερικής απασχόλησης
parturient (παρτιούριεντ) ετοιμόγεννη
parturition (παρτσιουρίσσον) τοκετός
party (πάρτι) συντροφιά, ομαδική διασκέδαση, ομάδα ατόμων, πολιτικό κόμμα, πρόσωπο, διασκεδάζω σε πάρτι, **-pooper** ακοινώνητο κι εχθρικό άτομο
parvenu (πάρβενιού) νεόπλουτος
paschal (πάσκαλ) Πασχαλινός
pasha (πάσσα) πασσάς
pasquinade (πασκουινέϊντ) σάτυρα

P

pass (πάς) περνώ, δίνω, πετυχαίνω
σ' εξετάσεις, διάβαση, επινηφίζω,
πέρασμα, άδεια εισόδου, επιτυχία σ'
εξετάσεις, **-able** διαβατός, υποφερ-
τός, μέτριος, **-age** πέρασμα, διάβα-
ση, **-book** βιβλιάριο τραπέζης / pass
away(on): πεθαίνω / pass by(over):
παραβλέπω, αμελώ / pass down(on):
αφήνω στους μεταγενέστερους /
pass off: λαμβάνω χώρα κι ολοκλη-
ρώνομαι / pass out: λιποθυμώ, διανέ-
μω
passω (πασέϊ) παλιομοδίτικος, πε-
παλαιωμένος
passenger (πάσεντζερ) επιβάτης
passerby (πάσερμπάϊ) διαβάτης
passing (πάσινγκ) διάβαση, πέρα-
σμα, περαστικός, σύντομος
passion (πάσσον) πάθος, παραφορά,
-ate παθιασμένος, ευέξαπτος, περι-
παθής, **-ateness** περιπάθεια
passive (πάσιβ) παθητικός, **-ness** πα-
θητικότητα
passivise (πασιβάϊζ) καθιστώ ή γίνο-
μαι παθητικός
passkey (πασκί) αντικλείδι
passover (πασόουβερ) Εβραϊκό
Πάσχα
passport (πάσπορτ) διαβατήριο
password (πάσουορντ) σύνθημα
past (πάστ) παρελθόν, τελειωμένος,
περασμένος, προηγούμενος, πέρα
από, μετά
paste (πέϊστ) κολλώ, κόλλα, ζύμη
pasteboard (πέϊστμπόουρντ) χαρ-
τόνι
pastel (παστέλ) απαλό χρώμα, ζω-
γραφισμένος με απαλά χρώματα
pastern (πάστερν) υποκνήμιο αλό-
γου
pasteurization (παστεραϊζέϊσσον)
αποστείρωση
pasteurize (πάστεραϊζ) αποστει-
ρώνω
pastille (παστίλ) παστίλια
pastime (πάστάϊμ) διασκέδαση

pasting (πάστινγκ) ξυλοδαρμός,
ήττα
pastmaster (πάστμάστερ) αριστο-
τέχνης
pastor (πάστορ) πάστορας, ιερέας,
-al ιερατικός, ποιμενικός, βουκολι-
κός, **-ate** ιερατεία
past participle (πάστ πάρτισιπλ) πα-
θητική μετοχή
past perfect (πάστ πέρφεκτ) υπερ-
συντέλικος
pastrami (παστράμι) καπνιστό βοδι-
νό κρέας
pastry (πάστρι) γλυκά
pasturage (πάστουρετζ) βοσκή, τό-
πος βοσκής
pasture (πάστσερ) βοσκή, βόσκω,
βοσκότοπος
pasty (πέϊστι) κολλώδης, ζυμώδης,
-faced ο έχων χλωμή όψη
pat (πατ) χτυπώ ελαφρά με την πα-
λάμη, ελαφρό χτύπημα, μικρό κομ-
μάτι βουτύρου, αμέσως, αρμόδιος
patch (πάτς) μπάλωμα, μπαλώνω,
κομμάτι γης, **-er** μπαλωματής, **-y** με
μπαλώματα, ατελής
pate (πέϊτ) κορυφή της κεφαλής
patella (πατέλα) επιγονατίδα
paten (πάτεν) Άγιο δισκοπότηρο
patent (πάτεντ) φανερός, δίπλωμα
ευρεσιτεχνίας, αποκτώ δίπλωμα ευ-
ρεσιτεχνίας, **-able** ο δικαιούμενος
δίπλωμα ευρεσιτεχνίας, **-ee** κάτοχος
διπλώματος ευρεσιτεχνίας, **-leather**
λουστρίνι, **-ly** ολοφάνερα, ξεκάθα-
ρα, **-medicine** φάρμακο που επιτρέ-
πεται να κατασκευάζεται μόνο από
μιά εταιρεία, **-or** ο εκδίδων δίπλωμα
ευρεσιτεχνίας
pater (πέϊτερ) πατέρας
paternal (πατέρναλ) πατρικός, **-istic**
πατριαρχικός, **-ity** πατρότητα
paternoster (πάτερνόστερ) Πάτερ
Ημών
path (πάθ) μονοπάτι, **-less** αδιάβατος
pathetic (παθέτικ) συγκινητικός,

αξιολύπητος, περιπαθής
pathfinder (πάθφάϊντερ) ο καθοδηγών ομάδα ατόμων δείχνοντας το δρόμο
pathogenic (παθοτζένικ) παθογόνος, νοσογόνος
pathogeny (παθόγκενι) παθογένεση
pathologic(al) (παθολότζικ-αλ) παθολογικός
pathologist (παθόλοτζιστ) παθολόγος
pathology (παθόλοτζι) παθολογία
pathos (πέϊθος) πάθος
pathway (πάθουέϊ) δρόμος, μονοπάτι
patience (πέϊσσανς) υπομονή
patient (πέϊσσεντ) υπομονετικός, ασθενής
patina (πάτινα) σκουριά χαλκού
patio (πάτιοου) εσωτερική αυλή κτιρίου
patly (πάτλι) επίκαιρα, στη στιγμή
patness (πάτνες) αρμοδιότητα
patrial (πέϊτριαλ) ο δικαιούμενος να εγκατασταθεί στην Αγγλία επειδή οι γονείς του γεννήθηκας εκεί
patriarch (πέϊτριαρκ) πατριάρχης, **-al** πατριαρχικός, **-ate** πατριαρχείο, **-y** πατριαρχία (κοινωνικό σύστημα)
patrician (πατρίσσαν) πατρίκιος, αριστοκράτης
patricidal (πάτρισάϊνταλ) πατροκτονικός
patricide (πάτρισάϊντ) πατροκτονία
patrimonial (πατριμόνιαλ) πατρογονικός
patrimony (πάτριμόνι) πατρική κληρονομιά
patriot (πέϊτριοτ) πατριώτης
patriotic (πατριότικ) πατριωτικός
patriotism (πέϊτριοτιζμ) πατριωτισμός
patristic(al) (πατρίστικ, -αλ) πατερικός, των Πατέρων της εκκλησίας
patrol (πατρόουλ) περίπολος, περιπολώ, φρουρώ, περιπολία, **-car** πε-

ριπολικό αυτοκίνητο, **-man** αστυφύλακας, φρουρός, **-wagon** όχημα γιά μεταφορά φυλακισμένων
patron (πέϊτρον) προστάτης, τακτικός πελάτης, **-age** προστασία, πελατεία, **-ize** προστατεύω, υποστηρίζω, είμαι πελάτης, **-izingly** προστατευτικά, **-saint** Άγιος προστάτης
patronymic (πατρονίμικ) πατρωνυμικός
patten (πάτν) τσόκαρο
patter (πάτερ) γρήγορη φλυαρία, χτυπώ ελαφρά, ελαφρό χτύπημα, τρόπος ομιλίας συγκεκριμένης κοινωνικής ομάδας
pattern (πάτερν) σχέδιο, πρότυπο, υπόδειγμα, διακοσμώ με σχέδιο, αντιγράφω, απομιμούμαι
patty (πάτι) κουλούρι
paucity (πόσιτι) σπανιότητα, έλλειψη
paunch (πόντς) στομάχι, **-iness** προεξοχή της κοιλιάς, **-y** κοιλαράς
pauper (πόοπερ) φτωχός, άπορος, **-ism** φτώχεια, **-ize** φτωχαίνω
pause (πόοζ) παύω, παύση, διακοπή, **-r** ο παύων
pavane (πάβαν) χορός ευγενών του 16ου και 17ου αι.
pave (πέϊβ) επιστρώνω, λιθοστρώνω, **-ment** πεζοδρόμιο / pave the way for (to): προετοιμάζω, καθιστώ δυνατό
pavilion (παβίλιον) περίπτερο, κιόσκι, υπόστεγο
paving (πέϊβινγκ) υλικό γιά επίστρωση επιφάνειας, λιθόστρωμα, **-stone** πλάκα πεζοδρομίου
paw (πόο) πόδι ζώου με νύχια, γρατσουνιά, χειρίζομαι ή αγγίζω αδέξια ή άπρεπα
pawky (πόοκι) πονηρός
pawl (πόολ) μοχλός που εμποδίζει την κίνηση τροχού, γάντζος
pawn (πόον) πιόνι, **-broker** ενεχυροδανιστής, **-shop** κατάστημα ενεχυ-

P

ροδανιστή
pawpaw (πόοποο) παπάγια
pay (πέϊ) πληρώνω, πληρωμή,
προσφέρω, **-able** πληρωτέος, **-day**
ημέρα πληρωμής, **-dirt** πολύτιμη
ανακάλυψη, έδαφος περιέχων πολύ-
τιμο μέταλλο, **-ee** αυτός που πληρώ-
νεται, **-master** ταμίας, ο δίνων μι-
σθούς, **-ment** πληρωμή, **-er** πληρω-
τής, **-off** πληρωμή, κατάληξη, **-pho-
ne** δημόσιο τηλέφωνο που λειτου-
ργεί με κέρματα, **-roll** μισθολόγιο /
pay through the nose (for): πληρώνω
πάρα πολλά / pay back: ξεπληρώνω,
ανταποδίδω / pay for: τιμωρούμαι, /
pay off: ξεχρεώνω, πετυχαίνω
pea (πίι) μπιζέλι / as like as two peas:
ακριβώς ίδιοι, πανομοιότυποι
peace (πίς) ειρήνη, **-able** ήρεμος, φι-
λήσυχος, **-ful** ήσυχος, ειρηνικός,
-fulness γαλήνη, **-offering** δείγμα φι-
λίας ή συμφιλίωσης, **-time** περίοδος
ειρήνης
peach (πίιτς) ροδάκινο, ροδακινιά,
άτομο ή πράγμα αξιοθαύμαστο, θελ-
κτικό, **-y** έξοχος
peacock blue (πίκοκ μπλού) ο έχων
έντονο μπλέ χρώμα
peagreen (πίιγκρίιν) ο έχων φωτεινό
πράσινο χρώμα
peahen (πίιχεν) θηλυκό παγώνι
peak (πίκ) κορυφή, άκρο, φτάνω
την κορυφή, **-ed** μυτερός, λεπτός,
σουβλερός, **-y** χλωμός, άρρωστος
peal (πίλ) κρότος, κωδωνοκρουσία,
κρούω
peanut (πίνατ) φυστίκια, **-butter**
βούτυρο από φυστίκια, **-s** πολύ μι-
κρό κι ασήμαντο χρηματικό ποσό
pear (πέαρ) αχλάδι
pearl (πέρλ) μαργαριτάρι, **-y**
ομοιάζων ή διακοσμημένος με
μαργαριτάρια / pearly gates: οι
πύλες του ουρανού
pearshaped (πέαρσσέϊπντ) ο έχων
σχήμα αχλαδιού (στενότερος στην

κορυφή και πλατύτερος στη βάση)
peasant (πέζεντ) χωρικός, αγροίκος,
-ry οι χωρική, χωριατιά
peat (πίιτ) σάπια χόρτα
peavey (πίβι) ράβδος ξυλοκόπου
pebble (πέμπλ) βότσαλο, πετραδά-
κι / not the only pebble on the
beach: όχι το μοναδικό άτομο άξιο
προσοχής
pecan (πικάαν) καρύδι, καρυδιά
peccadillo (πεκαντίλοου) μικρό κι
ασήμαντο σφάλμα
peccary (πέκαρι) είδος χοίρου της
κεντρικής και Ν. Αμερικής
peck (πέκ) τσιμπώ, τσίμπημα, φιλώ
πεταχτά, βιαστικό φιλί, μέτρο στε-
ρεών, **-ish** λίγο πεινασμένος
pectin (πέκτιν) πηκτίνη
pectoral (πέκτοραλ) του στήθους,
-cross σταυρός επισκόπων που κρέ-
μεται στο στήθος
peculate (πεκιουλέϊτ) σφετερίζομαι
peculation (πεκιουλέϊσσον) σφετε-
ρισμός, κατάχρηση
peculiar (πεκιούλιαρ) παράξενος,
αποκλειστικός, εκκεντρικός, αδιά-
θετος, **-ity** ιδιορρυθμία, παραξενιά,
-ly ειδικά, παράξενα
pecuniary (πικιούνιαρι) χρηματικός
pedagogue (πένταγκογκ) παιδαγω-
γός, δάσκαλος
pedagogic(al) (πενταγκότζικ, -αλ)
παιδαγωγικός
pedagogics (πενταγκότζικς) η παιδα-
γωγική
pedagogy (πεντάγκοτζι) παιδαγωγι-
κή, παιδαγωγία
pedal (πεντλ) πεντάλι, κάνω πεντάλι
pedant (πένταντ) λεπτολόγος, σχο-
λαστικός, **-ry** σχολαστικότητα, **-ic**
σχολαστικός, **-ically** σχολαστικά
peddle (πέντλ) πουλώ περιφερόμε-
νος από τόπο σε τόπο, προσπαθώ να
διαδώσω, **-r** πλανώδιος πωλητής,
γυρολόγος
pederast (πέντεραστ) παιδεραστής

pedestal (πέντισταλ) βάθρο, βάση
pedestrian (πεντέστριαν) πεζός, βαρετός, **-crossing** τμήμα του δρόμου γιά διάβαση από πεζούς
pediatrician (πίιντιετρίσσεν) παιδίατρος
pediatrics (πίιντιάτρικς) παιδιατρική
pediatrist (πίντιάτριστ) παιδίατρος
pedicel (πέντισελ) μίσχος λουλουδιού
pediculous (πεντίκιουλας) ψωριάρης
pedicure (πέντικιουρ) ποδίατρος, περιποίηση, των νυχιών των ποδιών
pedigree (πέντιγκρίι) γενεαλογία, (ζώο) ράτσας
pediment (πέντιμεντ) αέτωμα κτιρίου
pedlar (πέντλαρ) γυρολόγος
pedometer (πιντόμιτερ) βηματόμετρο
peduncle (πιντόνκλ) μίσχος λουλουδιού
peek (πίικ) ξεμυτίζω, κρυφοκοιτάζω
peel (πίιλ) ξεφλουδίζω, -ομαι, εξωτερικό περίβλημα φρούτων, φλούδα, **-er** ο ξεφλουδίζω, **-ings** φλούδες, απομεινάρια ξεφλουδίσματος / keep one's eyes peeled: παρακολουθώ προσεκτικά
peep (πίιπ) κρυφοκοιτάζω, τιτιβίζω, εμφανίζομαι σταδιακά, κρυφοκοίταγμα, τιτίβισμα, **-er** μάτι, αυτός που κρυφοκοιτάζει, **-hole** μικρή τρύπα σε τοίχο ή πόρτα, χαραμάδα
peer (πίιρ) παρατηρώ, ευγενής, ίσος, **-ess** σύζυγος ευγενούς, **-less** απαράμιλλος, ασύγκριτος, **-age** οι ευγενείς
peeve (πίιβ) γκρινιάζω, πρασβάλλω, ενοχλώ
peevish (πίιβισσ) γκρινιάρης, δύστροπος, **-ness** δυστροπία
peg (πέγκ) σφηνώνω, σφήνα, παλούκι, καρφώνω, **-leg** τεχνητό, ξύ-

λινο πόδι / take someone down a peg: δείχνω σε κάποιον ότι δεν είναι τόσο σπουδαίος όσο νόμιζε
pejorative (πιτζόρατιθ) υποτιμητικός, εξευτελιστικός
pekinese (πικινίιζ) πεκινουά (ράτσα μικρού σκύλου)
pelagic (πελάτζικ) σχετικός με το πέλαγος, που ζεί στις θάλασσες
pelf (πέλφ) πλούτη, χρήματα
pelican (πέλικαν) πελεκάνος
pelisse (πελίς) είδος γυναικείου πανωφοριού με γούνα
pellagra (πελάγκρα) πελλάγρα (ασθένεια από έλλειψη βιταμίνης B)
pellet (πέλιτ) σκάγι, χάπι
pell mell (πέλ μέλ) βιαστικά και άστατα
pellucid (πελούσιντ) ξάστερος, διαυγής
pelota (πελότα) είδος παιχνιδιού με μπάλα
pelt (πέλτ) χτυπώ, χτύπημα, τρέχω γρήγορα, δέρμα ζώου, / full pelt: όσο το δυνατό γρηγορότερα
pelvic (πέλβικ) σχετικός με την λεκάνη
pelvis (πέλβις) λεκάνη
pemmican (πέμικαν) κρέας λεπτοκομμένο και ξηραμένο
pen (πέν) πέννα, μάντρα, μαντρώνω, γράφω με πέννα, φυλακή
penal (πίναλ) ποινικός, **-ize** τιμωρώ, **-ization** επιβολή τιμωρίας, **-ty** ποινή, τιμωρία
penance (πένανς) κανόνας, μετάνοια,
pence (πένς) πέννες (πληθ. του penny)
penchant (πέντσαντ) κλίση, προτίμηση
pencil (πένσιλ) μολύβι, σημειώνω,, σχεδιάζω
pend (πέντ) επίκειμαι, **-ing** επικείμενος, εκκρεμής
pendant (πένταντ) κρεμαστό κόσμη-

μα
pendent (πέντεντ) κρεμάμενος, εκκρεμής
pendulous (πέντζουλας) εκκρεμής, ταλαντευόμενος
pendulum (πέντζουλεμ) εκκρεμές
penetrable (πένιτραμπλ) διαπεραστός
penetrate (πένετρέϊτ) διαπερνώ, εισχωρώ,
penetration (πενετρέϊσσον) διαπέραση, διαπεραστικότητα, εισχώρηση
penetrative (πένετρέϊτιβ) διαπεραστικός, οξύς, έξυπνος
pen friend (πένφρέντ) φίλος διά αλληλογραφίας
penguin (πένγκουιν) πιγκουίνος
penicillin (πένισιλιν) πενικιλλίνη
peninsula (πενίνσουλα) χερσόνησος
penis (πένις) όρχεις
penitence (πένιτενς) μετάνοια
penitent (πένιτεντ) ο μετανοών, **-ial** της μετανοίας, **-iary** σωφρονιστήριο
penknife (πένκάϊφ) σουγιάς
penman (πένμαν) καλλιγράφος, **-ship** καλλιγραφία
penname (πένέϊμ) ψευδώνυμο συγγραφέα
pennant (πένaντ) μικρή σημαία
pennate (πένέϊτ) φτερωτός
penniless (πένιλες) άπορος, χωρίς χρήματα
penny (πένι) πέννα (βρεττανικό νόμισμα), **-dreadful** βιβλίο με συναρπαστικές, αστυνομικές ιστορίες, **-farthing** είδος ποδηλάτου με τον μπροστινό τροχό μεγαλύτερο από τον πίσω, **-pincher** φειδωλός, τσιγκούνης, **-whistle** απλό πνευστό μουσικό όργανο / the penny has dropped: (κάτι που λέγεται) έχει γίνει αντιληπτό
penology (πιινόλετζι) ποινικολογία
pen pal (πέν πάλ) φίλος διά αλληλογραφίας

pen pusher (πέν πούσσερ) υπάλληλος
pension (πένσσον) σύνταξη, πανσιόν, **-able** δικαιούμενος σύνταξη, συντάξιμος, **-er** συνταξιούχος
pensive (πένσιθ) σκεπτικός, **-ness** συλλογισμός, σκέψη, **-ly** στοχαστικά, σκεπτικά
penstock (πένστοκ) φράγμα
pent (πέντ) έγκλειστος, περιορισμένος
pentagon (πένταγον) πεντάγωνο, **-al** πεντάγωνος
pentagram (πένταγκραμ) πεντάλφα, άστρο με πέντε άκρες θεωρούμενο ως σημάδι μαγείας
pentameter (πενταμίτερ) πεντάμετρο (μουσικό μέτρο)
pentathlon (πένταθλον) πένταθλο (αγώνισμα)
pentecost (πέντικοστ) Πεντηκοστή
penthouse (πέντχάουζ) μικρό διαμέρισμα στην κορυφή κτιρίου
pentup (πέντ άπ) περιορισμένος, ανελεύθερος
penultimate (πινάλτιμιτ) παραλήγουσα, προτελευταίος
penumbra (πινάμπρα) μισοσκότεινο μέρος, μεταξύ φωτός και σκιάς, **-l** μισοσκότεινος
penurious (πινιούριας) τσιγκούνης, πολύ φτωχός
penury (πένιουρι) φτώχεια, απορία
peony (πίιονι) παιωνία (είδος φυτού)
people (πίπλ) άνθρωποι, λαός, κατοικώ, γεμίζω με ανθρώπους, επανδρώνω / of all people: ειδικά, περισσότερο από κάθε άλλον
pep (πέπ) ζωντάνια, **-up** ζωηρεύω
peplum (πέπλαμ) πέπλο
pepper (πέπερ) πιπέρι, προσθέτω πιπέρι, χτυπώ συνεχώς, **-and salt** με μαυρόασπρες στιγμές, γκριζωπός, **-corn** καρπός τροπικού φυτού απ' όπου παράγεται πιπέρι, **-mint** δυό-

σμος, -**pot** μικρό δοχείο με τρύπες γιά φύλαξη και χρήση πιπεριού, -**tree** πιπεριά (δέντρο), -**y** καυστικός, περιέχων πιπέρι

peppy (πέπι) δραστήριος, ζωηρός

pep talk (πέπτόκ) σύντομος ενθαρρυντικός λόγος

peptic (πέπτικ) πεπτικός, -**ulcer** έλκος στομάχου

per (πέρ) ανά, κατά / as per: σύμφωνα με / as per usual: ως συνήθως

peradventure (περαντβέντσερ) ίσως, τυχαία

perambulate (περάμπιουλέϊτ) πηγαινοέρχομαι, περπατώ χωρίς βιασύνη

perambulation (περαμπιουλέϊσσον) περίπατος

perambulator (περαμπιουλέϊτορ) καροτσάκι μωρού, -**y** περιπατητικός

per annum (πέρανουμ) κάθε χρόνο

per capita (πέρ κάπιτα) ανά άτομο

perceivable (περσίβαμπλ) αντιληπτός, αισθητός

perceive (περσίβ) καταλαβαίνω

percent (πέρσέντ) τοις εκατό, -**age** ποσοστό, εκατοστιαία αναλογία

perceptible (περσέπτιμπλ) αντιληπτός, αισθητός

perception (περσέπσσον) αντίληψη, **perceptive** (περσέπτιβ) αντιληπτικός, παρατηρητικός

perch (πέρτς) πέρκα (ψάρι), κοντάρόξυλο, κουρνιάζω

perchance (περτσάνς) ίσως, τυχαία

percipience (περσίπιενς) αντιληπτικότητα

percipient (περσίπιεντ) αντιληπτικός

percolate (πέερκολέϊτ) φιλτράρω

percolation (πεερκολέϊσσον) φιλτράρισμα, διήθηση

percolator (περκολέϊτορ) δοχείο φιλτραρίσματος καφέ, καφετιέρα

percussion (περκάσσαν) κρούση, σύγκρουση, -**instrument** κρουστό μουσικό όργανο, -**cap** καψούλι

(όπλου), -**ist** παίκτης κρουστού μουσικού οργάνου

percussive (περκούσιβ) συγκρουστικός

perdition (περντίσσεν) ολική καταστροφή

peregrinate (περέγκρινέϊτ) περιοδεύω

peregrination (περέγκρινέϊσσον) περιοδεία

peregrine falcon (πέριγκριν φάλκεν) είδος μεγάλου αρπακτικού πουλιού

peremptory (περέμπτορι) οριστικός, ανένδοτος, αυταρχικός

perennial (περένιαλ) διαρκής, πολυετής, πολυετές φυτό

perfect (πέρφικτ) τέλειος, ολοκληρωμένος, άψογος, τελειοποιώ, παρακείμενος (γραμμ.), -**ible** τελειοποιήσιμος, -**ion** τελειότητα, τελειοποίηση, -**ionist** τελειομανής, -**ly** άψογα, εντελώς, -**er** τελειωτής

perfidious (περφίντιας) άπιστος, -**ness** απιστία

perfidy (πέρφιντι) απιστία

perforate (πέρφορέϊτ) τρυπώ, διατρυπώ, (πέρφορετ) διάτρητος

perforation (περφορέϊσσον) διατρύπηση

perforce (πεφόρς) κατ' ανάγκη

perform (περφόρμ) παριστάνω, εκτελώ, (γιά μηχανή) λειτουργώ επιτυχώς, -**ance** παράσταση, εκτέλεση, -**er** εκτελεστής (ειδ. μουσικός ή ηθοποιός)

perfume (πέερφιουμ) άρωμα, αρωματίζω, -**ry** αρώματα, αρωματοπωλείο, -**r** αρωματοπώλης

perfunctoriness (περφανκτόρινις) απροθυμία

perfunctory (περφάνκτορι) απρόθυμος

pergola (περγκόολα) κληματαριά

perhaps (περχάπς) ίσως, πιθανόν

pericardium (περικάρδιαμ) περικάρδιο

P

pericarp (πέρικαρπ) περικάρπιο
perigee (περιτζίι) περίγειο
perihelion (περιχίιλιον) περιήλιο
peril (πέριλ) κίνδυνος, κινδυνεύω,
-ous επικίνδυνος
perimeter (περίμιτερ) περίμετρος
perinatal (περινέϊτλ) βρεφικός,
(που συμβαίνει) κατά τη στιγμή
της γέννησης
period (πίριοντ) περίοδος (χρονι-
κή), **-ic** περιοδικός, **-ical** περιοδικός,
περιοδικό, **-ically** περιοδικά, **-piece**
αντικείμενο ή έργο τέχνης συγκε-
κριμένης ιστορικής περιόδου, πα-
λιομοδίτικος
periodic table (πιριόντικ τέϊμπλ) πί-
νακας χημικών στοιχείων σύμφωνα
με τους ατομικούς τους αριθμούς
peripatetic (περιπατέτικ) περιπα-
τητικός
peripheral (περίφεραλ) περιφε-
ρειακός
periphery (περίφερι) περιφέρεια
periphrasis (περίφρεσις) περίφραση
periphrastic (περιφράστικ) περι-
φραστικός
periscope (πέρισκόουπ) περισκόπιο
perish (πέριςς) χάνομαι, καταστρέ-
φομαι, φθείρομαι, **-able** φθαρτός,
-er θορυβώδης, άτακτος, **-ing** παγω-
μένος, πολύ κρύος (καιρός), άτομο
που κρυώνει εύκολα, ενοχλητικός
peristyle (πέριστάϊλ) περιστύλιο
peritoneum (περιτόνιαμ) περιτόνιο
peritonitis (περιτονάϊτις) περιτο-
νίτιδα
periwig (πέριουίγκ) περούκα
periwinkle (πέριουίνκλ) μυρτιά
perjure (πέερτζουρ) ψευδορκώ,
επιορκώ, **-r** επίορκος
perjury (πέερτζουρι) επιορκία
perk (πέερκ) επίδομα, δώρο (από ερ-
γασία), **-y** ζωηρός, **-iness** ζωηρότητα
/ perk up: ζωηρεύω
perm (πέρμ) χτένισμα των μαλλιών
ώστε να μείνουν σγουρά για πολύ

καιρό (ή permanent wave), κάνω τα
μαλλιά περμανάντ
permanence, -ncy (πέρμανενς) στα-
θερότητα, μονιμότητα
permanent (πέρμανεντ) μόνιμος,
διαρκής, σταθερός, **-way** ράγες
τρένου
permeable (πέρμιαμπλ) διαπερατός
permeate (πέρμιέϊτ) διαπερνώ, δια-
χύνομαι
permeation (πέρμιέϊσσον) διαπέρα-
ση, διάχυση
permissible (περμίσιμπλ) επιτρε-
πόμενος
permission (περμίσσον) άδεια
permissive (περμίσιβ) ο επιτρέπων,
ο παρέχων ελευθερία
permit (περμίτ) επιτρέπω, έγγραφη
άδεια
permutation (πεερμιουτέϊσσον)
ανταλλαγή
permute (περμιούτ) ανταλλάσσω
pernicious (περνίσσες) ολέθριος,
-ness βλαβερότητα, **-ly** καταστροφι-
κά, **-anaemia** κακοήθης ανεμία, που
μπορεί να καταλήξει σε θάνατο
pernickety (περνίκετι) λεπτολόγος,
λεπτομερής
perorate (περορέϊτ) ανακεφαλαιώνω
peroration (πέροοέϊσσον) ανακεφα-
λαίωση, μακρύς λόγος
peroxide (πέροξάϊντ) υπεροξείδιο
perpendicular (περπεντίκιουλαρ)
κάθετος, **-ity** καθετότητα
perpetrate (πέρπετρέϊτ) διαπράττω
perpetration (περπετρέϊσσον) διά-
πραξη
perpetrator (περπετρέϊτορ) δράστης
perpetual (περπέτσουαλ) διαρκής,
παρατεταμένος, αέναος, **-ly** διαρκώς
perpetuate (περπέτσουέϊτ) διαιω-
νίζω
perpetuity (περπιτσιούιτι) in per-
petuity: για πάντα
perplex (πέρπλεξ) περιπλέκω, συγ-
χύζω, μπερδεύω, **-edly** σε αμηχανία,

per   285   Per

-ity αμηχανία, σύγχυση
perry (πέρι) αλκοολούχο ποτό φτιαγμένο από αχλάδια
per se (πέρ σε) αυτό καθ' αυτό
persecute (πέρσικιούτ) καταδιώκω
persecution (πέρσικιούσσον) καταδίωξη
persecutor (πέρσικιούτορ) ο καταδιώκων, διώκτης
perseverance (περσίβερανς) εμμονή, επιμονή
persevere (πέερσιβίαρ) επιμένω, συνεχίζω παρά τις δυσκολίες
Persian (πέρσσαν) Πέρσης, Περσικός
persiflage (πέρσιφλάτζ) αστεϊσμός, φιλική κουβέντα
persimmon (περσίμαν) διόσπυρος (φρούτο)
persist (περσίστ) επιμένω, εξακολουθώ, -ent συνεχής, διαρκής, επίμονος, -ence επιμονή
person (πέρσον) άτομο, πρόσωπο, -al προσωπικός, -ality προσωπικότητα, -able ελκυστικός, -age χαρακτήρας (βιβλίου ή έργου), διάσημο άτομο, -alize καθιστώ προσωπικό / in person: προσωπικά, ο ίδιος
persona grata (πέρσοουνα γκράτα) ευπρόσδεκτο άτομο
personal estate (πέρσοναλ εστέϊτ) κινητή περιουσία
personalities (περσονάλιτις) αγενείς παρατηρήσεις για την εμφάνιση κάποιου
personal property (πέρσοναλ πρόπερτι) κινητή περιουσία
personal stereo (πέρσοναλ στέρεο) γουόκμαν, μικρό κινητό κασετόφωνο
persona non grata (πέρσοουνα νον γκράτα) άτομο μη ευπρόσδεκτο
personate (πέρσονέϊτ) εκπροσωπώ, υποδύομαι
personation (πέρσονέϊσσον) εκπροσώπηση, υπόδυση

personator (πέρσονέϊτορ) υποδυόμενος
personification (περσονιφικέϊσσον) προσωποποίηση
personify (περσόνιφάϊ) προσωποποιώ
personnel (πέρσονελ) προσωπικό
perspective (περσπέκτιβ) προοπτική, άποψη
perspicacious (πεερσπικέϊσσας) οξυδερκής
perspicacity (περσπικάσιτι) διορατικότητα
perspicuous (περσπίκιουας) ευκρινής
perspiration (πεερσπιρέϊσσαν) εφίδρωση
perspire (περσπάϊαρ) ιδρώνω
persuadable (πέρσουέϊνταμπλ) αυτός που μπορεί να πειστεί
persuade (πέρσουέϊντ) πείθω, -r ο πείθων
persuasion (πέρσουέϊζαν) πειθώ, πίστη
persuasive (πέρσουέϊσιβ) πειστικός, -ness πειστικότητα, -ly πειστικά
pert (πέερτ) θρασύς, ασεβής, χαριτωμένος, με στύλ
pertain to (περτέϊν) σχετίζομαι με, αναφέρομαι
pertinacious (περτινέϊσσας) πείσμων, ισχυρογνώμων
pertinacity (περτινάσιτι) επιμονή, πείσμα
pertinence (πέρτινενς) σχέση
pertinent (πέρτινεντ) σχετικός, αρμόδιος, -ly σχετικά, αρμοδίως
perturb (περτέερμπ) αναστατώνω, διαταράσσω, -able που μπορεί να ταραχτεί, -ation διατάραξη, σύγχυση, -er διαταρακτής
perusal (περούζαλ) προσεκτική ανάγνωση
peruse (περούουζ) διαβάζω προσεκτικά
Peruvian (περούβιαν) Περουβιανός

pervade (περβέϊντ) διαχύνομαι, εξαπλώνομαι (γιά οσμές, ιδέες κτλ.)

pervasive (περβέϊσιθ) διαχυτικός, τείνω να εξαπλωθεί, **-ness** διαχυτικότητα

perverse (περβέερς) διεστραμμένος, **-ness** διαστροφή

perversion (περβέρζαν) διαστροφή

perversity (περβέερσιτι) δυστροπία

perversive (περβέρσιβ) διαστρεβλωτικός

pervert (περβέερτ) διαστρέφω, διαστρεβλώνω, διεστραμμένος

peseta (πεσέϊτα) πεσέτα, Ισπανικό νόμισμα

pesky (πέσκι) ενοχλητικός, θορυβώδης

peso (πέσο) νόμισμα Ισπανοαμερικανικών χωρών

pessimism (πέσιμισμ) απαισιοδοξία

pessimist (πέσιμιστ) απαισιόδοξος, **-ic** απαισιόδοξος, **-ically** απαισιόδοξα

pest (πέστ) μίασμα, ζώο ή έντομο που καταστρέφει τις τροφές, ενοχλητικό άτομο, βάσανο

pester (πέστερ) ενοχλώ με συνεχείς απαιτήσεις

pestiferous (πεστίφερας) λοιμικός, νοσογόνος

pestilence (πέστιλενς) λοιμός, επιδημία

pestilent (πέστιλεντ) λοιμώδης, επιδημικός

pestle (πέσλ) γουδοχέρι

pet (πέτ) κατοικίδιο ζώο, παραχαϊδεμένο παιδί, χαϊδεύω, οργή, πείσμα

petal (πέτλ) πέταλο λουλουδιού

peter out (πίιτερ άουτ) τελειώνω σταδιακά, εκλείπω, εξαφανίζομαι

petit bourgeois (πέτι μπόουρτζουα) μικροαστός

petit (πέτιτ) μικρός

petite (πέτιτ) μικροκαμωμένη, **-four** είδος μικρού γλυκού

petition (πετίσσον) αίτηση, αναφορά, προσευχή, ικεσία, κάνω αίτηση, παρακαλώ, **-er** ικέτης, ο αιτών, **-ary** παρακλητικός

pet name (πέτ νέϊμ) υποκοριστικό όνομα

petrel (πέτρελ) θαλασσοβάτης (πτηνό)

petrifaction (πετριφάκσον) απολίθωμα

petrification (πετριφικέϊσσον) απολίθωση

petrify (πέτριφάϊ) απολιθώνω, σκληρύνω, κατατρομάζω

petrography (πετρόγκραφι) πετρογραφία

petrol (πέτρολ) γκαζολίνη, βενζίνη

petroleum (πιτρόουλιαμ) πετρέλαιο, **-jelly** παράγωγο του πετρελαίου χρησιμοποιούμενο ως φάρμακο γιά το δέρμα

petrologist (πιτρόλοτζιστ) πετρολόγος

petrology (πιτρόλοται) πετρολογία

petrol station (πέτρολ στέϊσσον) βενζινάδικο

petter (πέτερ) ο χαϊδεύων

petticoat (πέτικοουτ) μεσοφόρι

pettifogger (πέτιφόγκερ) στρεψόδικος, **-y** στρεψοδικία

pettifogging (πέτιφόγκινγκ) λεπτολόγος, ασήμαντος

pettily (πέτιλι) μικροπρεπώς

pettiness (πέτινις) μικροπρέπεια

petting (πέτινγκ) χάϊδεμα, περιποίηση

pettish (πέτισσ) δύστροπος, κακοδιάθετος

petty (πέτι) μικρός, ασήμαντος, μικροπρεπής, στενόμυαλος, **-cash** μικρό ταμείο, **-larceny** μικροκλοπή, **-officer** υπαξιωματικός του ναυτικού, **-jury** ορκωτό δικαστήριο αποτελούμενο από δώδεκα μέλη

petulance (πέτουλανς) παραφορά, οργή

petulant (πέτουλαντ) ευέξαπτος

petunia (πιτιούνια) πετούνια (φυτό)
pew (πιού) στασίδι, κάθισμα
pewit (πίγουιτ) χαραδριός (πτηνό)
pewter (πίγουίτερ) κράμα κασσιτέρου
pfennig (φένιγκ) γερμανικό νόμισμα
phaeton (φέϊτν) είδος ανοιχτής άμαξας
phagocyte (φάγκοσάϊτ) φαγοκύτταρο
phalanx (φάλανξ) φάλαγγα
phallic (φάλικ) φαλλικός
phallus (φάλας) φαλλός
phantasm (φάντασμ) φάντασμα, ψευδαίσθηση, **-al** φαντασματικός
phantasmagoria (φαντασμαγκόουρια) φαντασμαγορία
phantasy (φάντασι) φαντασία
phantom (φάντομ) φάντασμα, φαντασίωση
pharaoh (φέαροου) Φαραώ
pharisaic (φάρισέϊκ) φαρισαϊκός, **-ism** φαρισαϊσμός
pharisee (φάρσίι) φαρισαίος
pharmaceutical (φαρμασσιούτικαλ) φαρμακευτικός, **-ly** φαρμακευτικά
pharmaceutics (φαρμασσιούτικς) φαρμακευτική, φαρμακοποιία
pharmacist (φάαρμασιστ) φαρμακοποιός
pharmacologist (φάαρμακόλοτζιστ) φαρμακολόγος
pharmacology (φάρμακόλοτζι) φαρμακολογία
pharmacopoeia (φαρμοκοπίια) φαρμακοποιία (βιβλίο), χρησιμοποιούμενα φάρμακα
pharmacy (φάαρμασι) φαρμακείο, φαρμακευτική (επιστήμη)
pharyngitis (φάρινtζάϊτις) φαρυγγίτιδα
pharynx (φάρινξ) φάρυγγας
phase (φέϊς) στάδιο ανάπτυξης, φάση, σχεδιάζω ή διευθετώ κατά φάσεις / phase in: εισάγω σταδιακά / phase out: εκλείπω, εξαλείφω στα-

διακά, σταματώ
pheasant (φέζαντ) φασιανός (πτηνό)
phenobarbitone (φινοουμπάρμπιτόουν) ισχυρό υπνωτικό φάρμακο
phenol (φίινολ) φαινόλη
phenomenal (φινόμιναλ) ασυνήθιστος, πρωτοφανής
phenomenon (φινόμινον) φαινόμενο
phial (φάϊαλ) φιάλη, μικρό μπουκάλι
philander (φιλάντερ) ερωτοτροπώ, **-er** ερωτότροπος
philanthropic (φιλάνθροπικ) φιλανθρωπικός, **-ally** φιλανθρωπικά
philanthropist (φιλάνθροπιστ) φιλάνθρωπος
philanthropy (φιλάνθροπι) φιλανθρωπία
philatelist (φιλάτιλιστ) συλλέκτης γραμματοσήμων
philately (φιλάτελι) συλλογή γραμματοσήμων
philharmonic (φιλαμόονικ) φιλαρμονικός
philhellene (φιλχέλιν) φιλέλληνας
philhellenic (φιλχελένικ) φιλελληνικός
philhellenism (φίλχελένισμ) φιλελληνισμός
philippic (φιλίπικ) φιλιππικός λόγος, δημόσιος λόγος ως επίθεση εναντίον κάποιου
philistine (φίλιστέϊν) άξεστος, άτομο που αντιπαθεί τις τέχνες
philistinism (φιλίστινισμ) αντιπάθεια γιά τις καλές τέχνες
philologic(al) (φιλολότζικ, -αλ) φιλολογικός
philologist (φιλόλοτζιστ) φιλόλογος
philology (φιλόλοτζι) φιλολογία
philosopher (φιλόσοφερ) φιλόσοφος
philosophic(al) (φιλοσόφικ, -αλ) φιλοσοφικός
philosophize (φιλοσοφάϊζ) φιλοσο-

φώ
philosophy (φιλόσοφι) φιλοσοφία
philtre, philter (φίλτερ) φίλτρο
phizog (φίζαγκ) πρόσωπο
phlebitis (φλιμπάϊτις) φλεβίτιδα (α-
σθένεια)
phlebotomy (φλιμπότομι) φλεβο-
τομία
phlegm (φλέμ) φλέμα, ηρεμία, **-atic**
φλεγματικός, ήρεμος, **-ally** φλεγ-
ματικά
phobia (φόουμπια) φοβία, παράλο-
γος φόβος
phoenix (φίινικς) φοίνικας (μυθολο-
γικό πτηνό)
phone (φόουν) τηλέφωνο, τηλεφω-
νώ, **-book** τηλεφωνικός κατάλογος,
-box τηλεφωνικός θάλαμος, **-in** τη-
λεοπτική ή ραδιοφωνική εκπομπή
όπου γίνεται τηλεφωνική επικοινω-
νία με το κοινό, **-tapping** τηλεφωνι-
κή υποκλοπή
phonetic(al) (φονέτικ, -αλ) φωνητι-
κός
phonetics (φονέτικς) φωνολογία
phoney (φόουνι) πλαστός
phonic (φόνικ) φωνητικός, **-s** φω-
νολογία
phonogram (φόουνογκραμ) φωνό-
γραμμα
phonograph (φόουνογκραφ) φωνό-
γραφος
phonology (φονόλοτζι) φωνολογία
phosphate (φόουσφέϊκ) φωσφορι-
κό άλας
phosphoresce (φόσφορές) φωσφο-
ρίζω, **-nce** φωσφορισμός, **-nt** ο φω-
σφορίζων
phosphoric (φοοσφόρικ) φωσφο-
ρικός
phosphorus (φόσφορας) φώσφορος
photo (φόουτοου) φωτογραφία
photocopier (φόουτοκόπιερ) φωτο-
τυπικό μηχάνημα
photocopy (φόουοτοκόπι) φωτοτυ-
πία, φωτοτυπώ

photoelectric (φόουτοϊλέκτρικ) φω-
τοηλεκτρικός, **-cell** φωτοηλεκτρικό
κύτταρο, φωτοκύτταρο
photoengraver (φόουτοϊινγκρέϊβερ)
τσιγγογράφος
photoengraving (φόουτοϊινγκρέϊ-
βινγκ) τσιγγογραφία
photogenic (φόουτοουτζένικ) ο έχων
φωτογένεια
photograph (φόουτογκράφ) φωτο-
γραφία, φωτογραφίζω, **-er** φωτο-
γράφος, **-ic** φωτογραφικός, **-ically**
φωτογραφικά
photography (φοουτόγκραφι) φωτο-
γραφία
photometry (φοουτόμετρι) φωτο-
μετρία
photon (φόουτον) φωτόνιο
photoplay (φόουτοπλέϊ) κινηματο-
γραφικό έργο
photosensitive (φόουτοσένσιτιθ) αυ-
τός που μεταβάλλεται με την επί-
δραση του φωτός
photosensitize (φοουτοσένσιτάϊζ)
καθιστώ ευαίσθητο στο φως
photostat (φόουτοστατ) φωτοτυπία,
φωτοτυπώ, **-ic** φωτοτυπικός
photosynthesis (φοουτοσίνθισις)
φωτοσύνθεση
phototelegraphy (φοουτοτιλέγκρα-
φι) φωτοτηλεγραφία
phototype (φόουτοτάϊπ)
phrasal (φρέϊζαλ) φραστικός
phrase (φρέϊζ) εκφράζω, φράση
phraseology (φρεϊζιόλοτζι) φρα-
σεολογία
phrenetic (φρινέτικ) φρενοπαθής
phrenic (φρένικ) φρενικός, δια-
φραγματικός
phrenitis (φρινάϊτις) φρενίτιδα
phrenologist (φρινόλοτζιστ) κρα-
νιολόγος
phrenology (φρινόλοτζι) κρανιο-
λογία
phthisic (τίζικ) φυματίωση, **-al** φυ-
ματικός

phthisis (θάϊζις) φυματίωση
phut (φάτ) μονότονος θόρυβος
phylum (φάϊλεμ) διαίρεση φυτών ή ζώων
physic (φίζικ) καθάρσιο
physical (φίζικαλ) σωματικός, υλικός, φυσικός, φυσική (επιστήμη), τραχύς, **-ly** σωματικά, φυσικά, **-jerks** σωματικές ασκήσεις
physician (φιζίσσαν) γιατρός
physicist (φίζισιστ) φυσικός επιστήμονας
physics (φίζικς) φυσική (επιστήμη)
physio (φίζιοου) φυσικοθεραπευτής
physiognomic (φιζιόγκνομικ) φυσιογνωμικός
physiognomy (φιζιόγκνομι) φυσιογνωμία
physiologist (φισιόλοτζιστ) φυσιολόγος
physiology (φισιόλοτζι) φυσιολογία
physiotherapy (φιζιοουθέραπι) φυσιοθεραπεία
physique (φιζίικ) σωματική κατασκευή
pianist (πίανιστ) πιανίστας
piano (πιάνοου) πιάνο, παιγμένος αργά, αργά
piastre (πιάστερ) νόμισμα Συρίας, Σουδάν κτλ., γρόσι
piazza (πιάτζα) πλατεία, αγορά
picador (πίκαντορ) έφιππος ταυρομάχος
picaresque (πίκαρεσκ) πειρατικός, τυχοδιωκτικός
piccaninny (πικανίνι) παιδί μαύρης φυλής
piccolo (πίκολόου) μικρό πνευστό όργανο παρόμοιο με αυλό
pick (πίκ) διαλέγω, συλλέγω, προκαλώ, κλέβω σε μικρές ποσότητες, επιλογή, ο κορυφαίος, τσιμπίδα, **-er** ο συλλέγων, **-axe** αξίνα, **-ed** επιλεγμένος, εκλεκτός, **-aback** πάνω στους ώμους / pick holes in: βρίσκω λάθος, επισημαίνω τα αδύνατα σημεία /

pick one's steps: περπατώ προσεκτικά / pick at: τρώω λίγο, τσιμπολογώ τροφή / pick off: πυροβολώ / pick on: πειράζω / pick out: διαλέγω, διακρίνω / pick up: αναλαμβάνω, μαζεύω, συγκεντρώνω, ξαναρχίζω
picket (πίκετ) πάσσαλος, προφυλακή, φρουρά, τοποθετώ φρουρά, τοποθετώ πασσάλους
pickiness (πίκινες) εκλεκτικότητα
pickings (πίκινγκς) χρήματα που κερδίζονται με αθέμιτα μέσα
pickle (πίκλ) σαλαμούρα, τουρσί, ακαταστασία, συντηρώ τρόφιμα σε άλμη, **-d** μεθυσμένος
pick me up (πικ μι άπ) διεγερτικό ποτό ή φάρμακο
pick pocket (πίκ πόκιτ) κλέφτης
pick up (πίκ απ) τυχαία συνάντηση, μάζεμα
picky (πίκι) εκλεκτικός
picnic (πίκνικ) πικνίκ, εκδρομή, κάτι πολύ εύκολο κι ευχάριστο, κάνω πικνίκ
pictorial (πικτόοριαλ) εικονογραφημένος
picture (πίκτσαρ) εικόνα, ζωγραφιά, σκηνή, κατάσταση, φαντάζομαι, ζωγραφίζω, **-book** βιβλίο με εικόνες γιά παιδιά, **-postcard** γραφικός, όμορφος, **-s** κινηματογράφος
picturesque (πίκτσαρεσκ) γραφικός, **-ness** γραφικότητα, **-ly** γραφικά
piddle (πίντλ) παιδιαρίζω
piddling (πίντλινγκ) ασήμαντος, μηδαμινός, μικρός
pie (πάϊ) πίτα / pie in the sky: ουτοπία
piebald (πάϊμπoολντ) παρδαλός
piece (πίις) κομμάτι, νόμισμα, πιόνι, συνδιάζω / go to pieces: χάνω την ψυχραιμία μου / of a piece: παρόμοιος
piecemeal (πίσμίιλ) τμηματικός
piece of cake (πίις οφ κέίκ) κάτι πολύ εύκολο να γίνει

P

piece of work (πίις οφ ουόρκ) αντικείμενο, αποτέλεσμα εργασίας

piecework (πίισουόρκ) εργασία που αμοίβεται ανάλογα με την ποσότητα του έργου κι όχι με την ώρα

pied (πάϊντ) παρδαλός

pied á terre (πιέντ α τέαρ) δεύτερο σπίτι ή δωμάτιο που χρησιμοποιείται σε περίπτωση ανάγκης

pieeyed (πάϊ άϊντ) μεθυσμένος

pier (πίαρ) αποβάθρα, στήριγμα γέφυρας

pierce (πίιρς) τρυπώ, διατρυπώ

piercing (πίιρσινγκ) διαπεραστικός, διεισδυτικός, οξύς

piety (πάϊετι) σεβασμός, ευλάβεια

piffle (πίφλ) ανοησία

piffling (πίφλινγκ) ασήμαντος, άχρηστος

pig (πίγκ) γουρούνι, ανεπιθύμητο άτομο / pig out: τρώω λαίμαργα / pig in a poke: αντικείμενο που αγοράζεται χωρίς σκέψη κι αποδεικνύεται ελαττωματικό / make a pig's ear of: κάνω κάτι αδέξια ή λάθος

pigeon (πίγκεον) περιστέρι, ευθύνη, υπόθεση, **-hole** περιστερώνας, γραμματοκιβώτιο

piggery (πίγκερι) χοιροστάσιο

piggish (πίγκιςς) ομοιάζουν με γουρούνι, ακάθαρτος, λαίμαργος

piggy (πίγκι) γουρουνάκι, **-back** σηκώνω κάποιον στη ράχη, **-bank** κουμπαράς σε σχήμα γουρουνιού

pigheaded (πίγκχέντιντ) πεισματάρης, ισχυρογνώμων, **-ness** ισχυρογνωμοσύνη

pigiron (πίγκ άϊρον) ακατέργαστος σίδηρος

piglet (πίγκλετ) γουρουνάκι

pigment (πίγκμεντ) χρώμα, βαφή, **-ation** χρωματισμός, βάψιμο, **-ary** βαφικός

pigskin (πίγκσκίν) δέρμα γουρουνιού

pigsty (πίγκστάϊ) χοιροστάσιο, στάβλος γουρουνιών, βρώμικο και παλιό σπίτι

pigswill (πίγκσουίλ) τροφή γουρουνιών, άνοστη τροφή

pike (πάϊκ) είδος ψαριού που τρέφεται με άλλα ψάρια, δόρυ, αιχμή, **-d** οξύς, μυτερός, **-r** τσιγγούνης, **-staff** μυτερό ραβδί

pilaf(f) (πίιλαφ) πιλάφι

pilaster (πίλαστερ) τετράπλευρη κολόνα για διακοσμητικούς κυρίως λόγους

pilchard (πίλτσερντ) μικρό θαλασσινό ψάρι παρόμοιο με ρέγγα

pile (πάϊλ) σωρός, στήλη, περιουσία, πλούτη, οικοδομή, συσσωρεύω, γεμίζω, στύλος, χνούδι / pile on: υπερβάλλω / pile up: συσσωρεύω

piles (πάϊλς) αιμορροΐδες

pile up (πάϊλ απ) αυτοκινητιστικό δυστύχημα μεταξύ πολλών οχημάτων, καραμπόλα

pilfer (πίλφερ) κλέβω μικρής αξίας αντικείμενα, **-er** αυτός που κάνει μικροκλοπές, **-age** μικροκλοπή

pilgrim (πίλγκριμ) προσκυνητής, ταξιδιώτης σε ιερό τόπο, **-age** προσκύνημα, ταξίδι σε ιερό τόπο

pill (πίλ) χάπι

pillage (πίλιτζ) λεηλατώ, λεηλασία, **-r** λεηλατητής

pillar (πίλαρ) στήλη, κολόνα, κίονας, **-box** γραμματοκιβώτιο

pillion (πίλιον) πίσω θέση σε μοτοσυκλέτα

pillock (πίλοκ) ανόητο και ασήμαντο άτομο

pillory (πίλερι) σανίδα τιμωρίας σε παλαιότερες εποχές, προσβάλλω, επιτίθεμαι με λόγια

pillow (πίλοου) μαξιλάρι, τοποθετώ το κεφάλι κάπου για να ξεκουραστεί, **-case** μαξιλαροθήκη

pilot (πάϊλοτ) πιλότος, πηδαλιούχος, οδηγώ αεροσκάφος, δείχνω το δρόμο, οδηγώ, **-age** οδήγηση αερο-

σκάφους
pimento (πιμέντοου) είδος πιπεριού
pimp (πίμπ) σωματέμπορος
pimple (πίμπλ) εξάνθημα, σπυρί
pin (πίν) καρφίτσα, πινέζα, καρφί, καρφώνω, καρφιτσώνω, **-money** χρήματα γιά ατομικά έξοδα, **-feathers** τα πρώτα φτερά
pina colada (πίνα κοουλάντα) αλκοολούχο ποτό με ρούμι
pinafore (πιναφόρ) ποδιά
pinball (πινμπόολ) είδος παιχνιδιού με μπάλα
pincers (πίνσερ) τσιμπίδα, λαβίδα
pinch (πίντς) τσιμπώ, σφίγγω, προκαλώ πόνο, συλλαμβάνω, τσίμπημα, στενοχώρια, πίεση / at (in) a pinch: αν είναι ανάγκη
pinched (πίντσντ) στερημένος, χωρίς χρήματα
pincushion (πινκόοσσον) μαξιλαράκι γιά καρφίτσες
pine (πάϊν) πεύκο, αποδυναμώνομαι, μαραζώνω, επιθυμώ σφοδρά(for)
pineal (πίνιαλ) κωνοειδής
pineapple (πάϊναπλ) ανανάς
pine tree (πάϊν τρίι) πεύκο
pine wood (πάϊν γούντ) πευκόδασος, ξύλο πεύκου
ping (πίνγκ) σύντομος τραχύς θόρυβος
ping pong (πίνγκ πόνγκ) επιτραπέζια αντισφαίριση, πίνγκ-πόνγκ
pin head (πίνχέντ) κεφαλή καρφίτσας, ανόητος
pinion (πίνιον) δένω τα άκρα γιά να ακινητοποιήσω κάποιον, οδοντωτός τροχός, φτερό πουλιού
pink (πίνκ) ρόζ χρώμα, ρόζ, (γιά μηχανή αυτοκινήτου) κάνω θόρυβο λόγω κακής λειτουργίας, γαρύφαλλο, **-elephant** φαντασίωση μεθυσμένου, **-gin** αλκοολούχο ποτό / in the pink: τελείως υγιείς, πολύ καλά
pinkie (πίνκι) μικρό δάκτυλο χεριού
pinkish (πίνκιςς) ελαφρά ροδόχρω-

μος
pinko (πίνκοου) υποστηρικτής σοσιαλιστικών πολιτικών κομμάτων
pinnace (πίνις) μικρή βάρκα γιά μεταφορά ατόμων στο πλοίο
pinnacle (πίνακλ) αποκορύφωμα, πυργίσκος
pinnate (πίνεϊτ) πτεροειδής
pinocle (πίνοκλ) πινόκλι
pinpoint (πίνπόϊντ) σημειώνω ακριβώς, προσδιορίζω τη θέση, πολύ μικρό σημείο ή περιοχή, ακριβής
pinprick (πίνπρικ) τρύπημα από καρφίτσα, μικρή ενόχληση ή δυσκολία
pins and needles (πίνς εντ νίντλς) συνεχής, οξύς πόνος / on pins and needles: σε κατάσταση ανησυχίας και αναμονής
pin stripe (πιν στράϊπ) άσπρες ρίγες σε σκούρο ύφασμα
pint (πέϊντ) μονάδα μέτρησης υγρών, 1 / 8 του γαλλονιού
pint size (πάϊντ σάϊζ) μικρός κι ασήμαντος
pin up (πίναπ) εικόνα όμορφης γυναίκας
piny (πάϊνι) πευκώδης, ο έχων πεύκα
pioneer (πάϊονίαρ) πρωτοπόρος, πρωτοπορώ, **-ing** πρωτοποριακός
pious (πάϊας) ευλαβής, θεοσεβής, απίθανος, απραγματοποίητος, **-ness** ευλάβεια
pip (πίπ) κουκούτσι, οξύς ήχος, δυσφορία, μελαγχολία, αστέρια αξιωματικών του στρατού
pipe (πάϊπ)σωλήνας, πίπα, διοχετεύω μέσω σωλήνα, **-cleaner** σύρμα γιά καθάρισμα πίπας, **-dream** απραγματοποίητο προσδοκία ή σχέδιο, **-r** αυλητής, **-line** δίκτυο σωλήνων / pipe down: σταματώ να θορυβώ ή να μιλώ / pipe up: αρχίζω να μιλώ ή να τραγουδώ με λεπτή φωνή
pipette (πιπέτ) λεπτός γυάλινος σωλήνας χρησιμοποιούμενος σε χημι-

κό εργαστήριο

piping (πάϊπινγκ) οι σωλήνες, σωλήνωση, καυτός (γιά ποτά ή φαγητό)

pipsqueak (πίπσκουικ) ο έχων μεγάλη ιδέα γιά τον εαυτό του ενώ είναι ανάξιος σεβασμού ή προσοχής

piquancy (πίικανσι) δριμύτητα, καυστικότητα

piquant (πίκαντ) καυστικός, πικάντικος, συναρπαστικός, ενδιαφέρων

pique (πίικ) προσβάλλω, εξερεθίζω, προσβολή

piracy (πάϊρασι) πειρατεία, ληστεία

piranha (πιράνχα) σαρκοφάγο ψάρι

pirate (πάϊρετ) πειρατής, κλέφτης πνευματικής ιδιοκτησίας

piratic(al) (παϊράτικ, -αλ) πειρατικός, **-ly** πειρατικά

pirouette (πίρουετ) πιρουέτα, κάνω πιρουέτα

piscatorial (πισκατόριαλ) αλιευτικός

pisces (πάϊσιζ) ιχθύς (ζώδιο)

piss (πίς) ουρώ, ούρο, (γιά βροχή) πέφτω ορμητικά, **-ed** μεθυσμένος, ενοχλημένος, **-take** αστεϊσμός, κοροϊδία, **-up** οινοποσία / piss off: φύγε!, βαριέμαι, χάνω το ενδιαφέρον

pistachio (πιστάσσιοου) φυστίκι

pistil (πίστιλ) ύπερος άνθους

pistol (πίστλ) πιστόλι

piston (πίσταν) έμβολο

pit (πίτ) τρύπα στο έδαφος, ορυχείο, χώρος γιά την ορχήστρα σε θέατρο, κρεβάτι, αντιτάσσω

pit a pat, pitter patter (πίτ α πάτ, πίτερ πάτερ) γρήγορος, ελαφρύς ήχος

pitch (πίτς) πίσσα, κλίση, βαθμός, ύψος, τόνος, ρίχνω, γέρνω προς τα κάτω, **-black** κατάμαυρος

pitched (πίτσντ) γέρνων, κλίνων, **-battle** μάχη από παράταξη, λογομαχία

pitcher (πίτσερ) κανάτα, ο ρίπτων τη μπάλα (στο μπέϊζμπολ)

pitchfork (πίτσφορκ) δίκρανο

pitchy (πίτσι) πισσώδης, μαύρος

piteous (πίτιας) οικτρός, αξιολύπητος

pitfall (πίτφολ) παγίδα

pith (πίθ) άσπρη ουσία στους κάλυκες ορισμένων φυτών, η ουσία (θέματος κτλ.)

pithead (πίτχέντ) είσοδος σε ορυχείο

pithy (πίθι) μυελώδης, νευρώδης, δυνατός, έξυπνος

pitiable (πίτιαμπλ) οικτρός, ελεεινός, **-ness** ελεεινότητα

pitiful (πίτιφουλ) αξιολύπητος, οικτρός, οικτίρμων, **-ness** ευσπλαχνία, οίκτος

pitiless (πίτιλες) άσπλαχνος, **-ness** ασπλαχνία, **-ly** άσπλαχνα, χωρίς οίκτο

pitman (πίτμαν) ανθρακωρύχος

pitot tube (πίτοου τιούμπ) όργανο μέτρησης ταχύτητας αεροσκάφους

pit pony (πίτ πόνι) άλογο γιά τη μεταφορά κάρβουνου μέσα σε ανθρακωρυχείο

pits (πίτς) το χειρότερο παράδειγμα

pittance (πίτανς) μικρό επίδομα

pituitary (πιτσιούιτσέρι) βλεννογόνος

pity (πίτι) έλεος, ευσπλαχνία, κρίμα, ντροπή, λυπάμαι / for pity's sake: παρακαλώ / more's the pity: δυστυχώς

pivot (πίβοτ) άξονας, στρέφομαι

pivotal (πίβοταλ) κρίσιμος, ζωτικός

pix (πίξ) εικόνες ή φωτογραφίες

pixie, pixy (πίξι) νεράιδα φάντασμα

pizza (πίτσα) πίτσα

pizzazz (πίζαζ) ορμή

placard (πλάκαρντ) τοιχοκόλλημα, τοιχοκολλώ

placate (πλακέϊτ) κατευνάζω, ηρεμώ, ειρηνεύω

placatory (πλακέϊτορι) ειρηνευτικός, κατευναστικός

place (πλέϊσ) μέρος, περιοχή, θέση, πλατεία. τοποθετώ / all over the place: παντού / in place of: αντί γιά / out of place: ακατάλληλος, σε ακατάλληλη θέση / take place: συμβαίνω

placebo (πλασίμπουυ) πλαστό φάρμακο

placement (πλέϊσμεντ) τοποθέτηση, θέση

placenta (πλασέντα) μεμβράνη εμβρύου, πλακούντας

place setting (πλέϊς σέτινγκ) τοποθέτηση μαχαιροπήρουνων σε τραπέζι

placid (πλάσιντ) ήρεμος, ειρηνικός, γαλήνιος, -ness, -ity γαλήνη, ηρεμία

placket (πλέκετ) άνοιγμα φορέματος

plagiarism (πλέϊτζαρισμ) πνευματική κλοπή

plagiarist (πλέϊτζαριστ) κλέφτης πνευματικής ιδιοκτησίας

plagiarize (πλέϊτζράϊς) κλέβω πνευματική εργασία άλλου

plague (πλέϊγκ) λοιμός, μάστιγα, μαστίζω, ενοχλώ, βασανίζω

plaice (πλέϊς) γλώσσα (ψάρι)

plaid (πλέϊντ) ύφασμα με ραβδώσεις

plain (πλέϊν) απλός, καθαρός, διαυγής, άσχημος, αναμφισβήτητος, πεδιάδα, εντελώς, -ness απλότητα, -sman κάτοικος πεδιάδας, -chocolate σοκολάτα χωρίς γάλα, -clothes πολιτικά ρούχα, -ly απλά, φανερά, -sailing εύκολη υπόθεση, -spoken ευθύς, ειλικρινής, ωμός

plaint (πλέϊντ) παράπονο, -iff ο ενάγων, -ive παραπονιάρικος, λυπητερός

plait (πλέϊτ) πλεξίδα, πτυχή, πλέκω, διπλώνω

plan (πλάν) σχέδιο, σχεδιάζω

plane (πλέϊν) αεροπλάνο, επίπεδο, λείος, επίπεδος, ο έχων δύο διαστάσεις, πλάνη (εργαλείο), πλανίζω, λιαίνω ξύλο, πλατάνι

planet (πλάνιτ) πλανήτης, -ary πλα-

νητικός, -arium πλανητοσκόπιο

plane tree (πλέϊν τρίι) πλάτανος

planimeter (πλανίμιτερ) επιπεδόμετρο

planish (πλάνιςς) λιαίνω

plank (πλάνκ) σανίδα, μέρος πολιτικού προγράμματος, -ing σανίδωμα, σανίδες πατώματος

planner (πλάνερ) σχεδιαστής

planning (πλάνινγκ) σχεδίασμα, σχεδίαση

plant (πλάντ) φυτό, εργοστάσιο, φυτεύω, κρύβω με σκοπό να εξαπατήσω, σφηνώνω, στερεώνω

plantation (πλαντέϊσσον) φυτεία

planter (πλάντερ) φυτευτής, ιδιοκτήτης φυτείας, δοχείο όπου αναπτύσσονται διακοσμητικά φυτά

plaque (πλάκ) τιμητική πλάκα, οδοντική πλάκα

plasma (πλάζμα) πλάσμα (αίματος)

plaster (πλάστερ) γύψος, πλάστης, σοβαντίζω, ασβεστώνω, -board ασβεστόπλακα, -er σοβαντζής, -of Paris γύψος, -ed μεθυσμένος

plastic (πλάστικ) πλαστικός, πλαστικό, εύπλαστος, συνθετικός, -art εικαστική τέχνη, -ine πλαστελίνη, -ity πλαστικότητα, -s παραγωγή πλαστικών ειδών από βιομηχανίες, -surgey πλαστικός χειρούργος

plate (πλέϊτ) πιάτο, μεταλλική πλάκα, δίσκος, καλύπτω με πολύτιμο μάταλλο, -glass χοντρό γυαλί

plateau (πλατόου) πλατώ, σταθερή κι αμετάβλητη κατάσταση ή επίπεδο

plate layer (πλέϊτ λέϊερ) εργάτης που τοποθετεί ή επιδιορθώνει σιδηροδρομικές γραμμές

plate rack (πλέϊτ ράκ) κουζινικό σκεύος για φύλαξη ή στέγνωμα των πιάτων

platform (πλάτφορμ) πλατφόρμα, εξέδρα, κύρια σημεία πολιτικού προγράμματος

P

platinum (πλάτιναμ) πλατίνα
platitude (πλάτιτιουντ) κοινοτυπία
platonic (πλατόνικ) πλατωνικός, **-ally** πλατωνικά
platoon (πλατούν) διμοιρία
platter (πλάτερ) πιατέλα
platypus (πλάτιπας) πλατύποδας (ζώο)
plausibility (πλοοζιμπίλιτι) το εύλογο
plausible (πλόοζιμπλ) εύλογος, ευλογοφανής
plautid (πλόοντιτ) έπαινος
play (πλέϊ) παίζω, παιχνίδι, θεατρικό έργο, παιχνίδισμα / play it by ear: αυτοσχεδιάζω, δρω ανάλογα με τις εναλλασσόμενες καταστάσεις / play it cool: διατηρώ την ψυχραιμία μου / play the devil with: βλάπτω σοβαρά / play the game: είμαι τίμιος / play about: περνώ το χρόνο μου αστειευόμενος / play down: μειώνω, παρουσιάζω ασήμαντο / play up: δίνω έμφαση
playable (πλέϊαμπλ) παικτός
playact (πλέϊ ακτ) δεν φέρομαι σοβαρά
play boy (πλέϊ μπόϊ) άεργος πλούσιος
playdough (πλέϊντάφ) πλαστελίνη
played out (πλέϊντ άουτ) παλιομοδίτικος, πεπαλαιωμένος, χωρίς δυνάμεις
player (πλέϊερ) παίκτης
playful (πλέϊφουλ) ζωηρός, παιχνιδιάρικος
play goer (πλέϊ γκόουερ) τακτικός θεατής θεατρικών έργων
playground (πλέϊγκράουντ) προαύλιο, χώρος γιά παιχνίδι
play house (πλέϊχάουζ) θέατρο
playmate, playfellow (πλέϊμέϊτ, πλέϊφέλοου) συμπαίκτης
playon words (πλέϊον γουέρντς) λογοπαίγνιο
play thing (πλέϊ θίνγκ) παιχνιδάκι,

άτομο που το μεταχειρίζονται χωρίς σοβαρότητα και σεβασμό
plaza (πλάτζα) πλατεία
plea (πλίι) ικεσία, παράκληση, δικαιολογία
plead (πλίιντ) παρακαλώ, ικετεύω, απαντώ σε κατηγορία (δικαστηρίου), συνηγορώ, υποστηρίζω
pleasant (πλέζαντ) ευχάριστος, φιλικός, όμορφος, **-ness** ευχαρίστηση, **-ly** ευχάριστα, **-try** αστεϊσμός
please (πλίιζ) ευχαριστώ, ευαρεστώ, **-d** ευχαριστημένος, ικανοποιημένος / please God: ελπίζω / be pleased to: είμαι πρόθυμος να
pleasing (πλίζινγκ) ευχάριστος, ικανοποιητικός
pleasurable (πλάζουραμπλ) ευχάριστος, απολαυστικός
pleasure (πλέζουρ) ευχαρίστηση, επιθυμία / with pleasure: ευχαρίστως, πρόθυμα
pleat (πλίιτ) πτυχή (υφάσματος), τσάκιση, πτυχώνω, διπλώνω
pleb (πλέμπ) μέλος κατώτερης κοινωνικής τάξης, πληθείος
plebeian (πλίιμπιαν) πληθείος, μέλος κατώτερης κοινωνικής τάξης, του όχλου, μη ευγενής
plebiscite (πλέμπισιτ) δημοψήφισμα
plectrum (πλέκτρεμ) πλήκτρο
pledge (πλέντζ) υπόσχεση, συμφωνία, δείγμα (φιλίας κτλ), ενέχυρο, ενεχυριάζω, υπόσχομαι, εγγυώμαι, **-r** εγγυητής
plenary (πλίινερι) πλήρης, ολοκληρωμένος
plenipotentiary (πλενιποτένσσερι) · πληρεξούσιος
plenitude (πλενιτιούντ) αφθονία, πλήθος
plenteous (πλέντιας) άφθονος, **-ness** αφθονία
plentiful (πλέντιφουλ) άφθονος, **-ness** αφθονία, **-ly** άφθονα
plenty (πλέντι) αρκετός, άφθονος,

αφθονία

pleonasm (πλίοναζμ) πλεονασμός

plethora (πλέθόρα) πληθώρα

plethoric (πλεθόρικ) πληθωρικός

pleurisy (πλόουρισι) πλευρίτιδα

pliable (πλάιαμπλ) εύπλαστος, ευπροσάρμοστος, ευεπηρέαστος, **-ness, pliability** ευκαμψία

pliant (πλάϊαντ) ευλύγιστος, ευεπηρέαστος

pliers (πλάϊερζ) τσιμπίδα, τανάλια

plight (πλάϊτ) άσχημη κατάσταση, δίνω υπόσχεση γάμου

plinth (πλίνθ) πλίθος, βάση αγάλματος

plod (πλόντ) σέρνομαι, περπατώ με δυσκολία, μοχθώ, **-der** ο μοχθών, **-ding** αργό κι επίπονο βάδισμα

plonk (πλόνκ) τοποθετώ βίαια, φτηνό κρασί

plop (πλόπ) ήχος αντικειμένου που πέφτει μέσα σε υγρό

plot (πλότ) πλοκή, συνωμοσία, γήπεδο, οικόπεδο, συνωμοτώ, σχεδιάζω

plough (πλόουφ) αλέτρι, σκάβω με αλέτρι, **-man** εργάτη γής που δουλεύει με το αλέτρι, **-share** υνί

plover (πλάβερ) χαραδριός (πτηνό)

ploy (πλόϊ) τέχνασμα, τακτική

pluck (πλάκ) μαδώ, τραβώ, βγάζω, κόβω, θάρρος, αποφασιστικότητα, **-y** γενναίος, **-iness** θάρρος, γενναιότητα

plug (πλάγκ) πώμα, βούλωμα, βουλώνω, επαναλαμβάνω διαφήμιση, **-hole** μπρίζα / plug away at: εργάζομαι επιμελώς

plum (πλάμ) δαμάσκηνο, κάτι πολύ καλό

plumage (πλούμιτζ) πτέρωμα, φτερά πουλιού

plumb (πλάμπ) εξετάζω προσεκτικά, βολιδοσκοπώ, ακριβώς, κατακόρυφος, **-bob** βαρύδι, **-line** στάθμη

plumber (πλάμπερ) υδραυλικός

plumbing (πλάμπινγκ) υδραυλικές εγκαταστάσεις, υδραυλικές εργασίες

plume (πλιούμ) φτερό, διακοσμώ με φτερά, **-ed** στολισμένος με φτερά

plummet (πλάμιτ) πέφτω ξαφνικά και απότομα

plummy (πλάμι) επιθυμητός, πολύ καλός

plump (πλάμπ) στρογγυλός, παχύς, **-ness** πάχος, στρογγυλότητα / plump down: πέφτω απότομα ή απρόσεκτα / plump for: διαλέγω

plum pudding (πλάμ πούτινγκ) Χριστουγεννιάτικη πουτίγγα

plunder (πλάντερ) λάφυρο, λεία, λαφυραγωγώ, λεηλατώ, **-er** λεηλατητής, λαφυραγωγός

plunge (πλάντζ) βουτώ, βουτιά, καταδύομαι, **-r** δύτης, έμβολο, ριψοκίνδυνος

plunk (πλάνκ) σπρώχνω, ρίχνω γρήγορα

pluperfect (πλιούπέρφικτ) υπερσυντέλικος (χρόνος)

plural (πλούραλ) πληθυντικός, **-ism** πλουραλισμός, **-istic** πλουραλιστικός

plurality (πλουράλιτι) πλειοψηφία

plus (πλάς) συν, επιπλέον, πρόσθετος, επιθυμητός, και πάνω

plush (πλάσσ) είδος βελούδου, ακριβός, ποιοτικός, πολυτελής

Pluto (πλούτοου) (πλανήτης) Πλούτωνας

plutocracy (πλουτόκρασι) πλουτοκρατία, οι πλούσιοι

plutocrat (πλούτοκρατ) πλουτοκράτης, ισχυρός λόγω πλούτου, **-ic** πλουτοκρατικός

plutonium (πλοουτόνιαμ) πλουτόνιο (χημ. στοιχείο)

pluvial (πλούβιαλ) της βροχής

pluviometer (πλουβιόμιτερ) βροχόμετρο

ply (πλάϊ) πτυχή, φύλλο, διπλώνω,

P

ταξιδεύω τακτικά (γιά μεταφορικό μέσο), ενασχολούμαι, **-wood** λεπτές σανίδες συγκολλημένες

pneumatic (πνιουμάτικ) πνευματικός, ο περιέχων αέρα

pneumonia (νιουμόνια) πνευμονία

pneumonic (νιουμόνικ) πνευμονικός

poach (πόουτς) βράζω, κυνηγώ παράνομα, αρπάζω

pocket (πόκιτ) τσέπη, εισόδημα, χρήματα, τσεπώνω, μικρός, **-book** μικρό σημειωματάριο, γυναικεία τσάντα χωρίς λουρί, **-ful** ποσότητα που χωράει σε μια τσέπη, **-knife** σουγιάς, **-money** χαρτζηλίκι

pockmark (πόκμααρκ) σημάδι στο δέρμα από ασθένεια

pod (πόντ) τσόφλι, φλούδι όσπριου, ξεφλουδίζω όσπρια

podgy (πότζι) παχουλός, κοντόχοντρος

podiatrist (ποντάιατριστ) ποδίατρος

podiatry (ποντάιατρι) ποδιατρική

podium (πόουντιαμ) βήμα αρχιμουσικού

poem (πόουεμ) ποίημα

poesy (πόουεζι) ποίηση

poet (πόουετ) ποιητής, **-ry** ποίηση, **-ic** ποιητικός

poetaster (πόουετάστερ) ποιητής κακότεχνων ποιημάτων

poetess (πόουετες) ποιήτρια

pofaced (πόφέισντ) ο έχων σοβαρή και αποδοκιμαστική έκφραση στο πρόσωπο

pogrom (πόγκραμ) διωγμός

poignancy (πόινιανσι) δριμύτητα

poignant (πόινιαντ) δριμύς

point (πόιντ) άκρο, μύτη, σημείο, στιγμή, πόντος, βαθμός, σκοπός, ζήτημα, δείχνω, διευθύνω / at the point of: ακριβώς πριν / in point of fact: πράγματι / point the finger at: κατηγορώ / point up: τονίζω, δίνω έμφαση / point of view: άποψη

point blank (πόιντμπλάνκ) από πο-

λύ κοντά, ευθύς, δριμύς

pointed (πόιντιντ) μυτερός, αιχμηρός, οξύς

pointer (πόιντερ) δείκτης, κυνηγετικός σκύλος

pointless (πόιντλες) άσκοπος, μάταιος, αμβλύς

poise (πόιζ) ευστάθεια, ισορροπία, ισορροπώ

poised (πόιζντ) εκρεμής, ασταθής, κρεμάμενος, ισορροπημένος

poison (πόιζον) δηλητήριο, δηλητηριάζω, μολύνω, **-ous** δηλητηριώδης, δυσάρεστος, **-er** δηλητηριαστής, **-ing** δηλητηρίαση

poke (πόουκ) κεντώ, σκαλίζω, σπρώχνω, τεμπέλης, σάκκος, **-r** μεταλλικό αντικείμενο γιά σκάλισμα φωτιάς, χαρτοπαίγνιο / poke fun at: κοροϊδεύω

poker face (πόουκερφέις) ανέκφραστο πρόσωπο

poky (πόουκι) μικρός και άβολος

polar (πόουλαρ) πολικός, **-ity** πολικότητα, **-ize** προσδίδω πολικότητα, **-ization** πόλωση

pole (πόουλ) πόλος, παλούκι, πάσσαλος, σπρώχνω με κοντάρι / poles apart: εντελώς χωρισμένοι, χωρίς τίποτα κοινό, **-axe** χτυπώ και ρίχνω κάτω, **-cat** κουνάβι, **-star** πολικός αστέρας

polemic (πολέμικ) πολεμικός, σύγκρουση ιδεών, διατριβή

pole vault (πόλ βόλτ) άλμα επί κοντώ (αγώνισμα)

police (πολίς) αστυνομία, ελέγχω με τη συμμετοχή της αστυνομίας, **-man** αστυφύλακας, **-officer** μέλος αστυνομικής δύναμης, **-station** αστυνομικό τμήμα, **-woman** γυναίκα αστυφύλακας

policy (πόλισι) πολιτική, τακτική, συμβόλαιο ασφαλείας

polio (πόουλιοου) πολιομυελίτιδα (ασθένεια)

polish (πόλισσ) γυαλίζω τρίβοντας, υγρό γιά γυάλισμα επιφανειών, γυάλισμα, γυαλάδα, -**ed** γυαλισμένος, εξευγενισμένος
Polish (πόλισσ) Πολωνικός, Πολωνικά, Πολωνοί
polite (πολάιτ) ευγενικός, εξευγενισμένος, -**ness** ευγένεια
politic (πολίτικ) συνετός, έξυπνος
political (πολίτικαλ) πολιτικός
politician (πολιτίσσαν) πολιτικός
politicize (πολιτισάιζ) πολιτικοποιώ
politico (πολίτικοου) πολιτικός
politics (πολίτικς) τα πολιτικά, πολιτική
polity (πόλιτι) πολίτευμα
polka (πόουλκα) πόλκα (χορός)
poll (πόλ) ψηφοφορία, εκλογή, εκλογικός κατάλογος, κάνω ψηφοφορία, καταμετρώ ψήφους, -**tax** κεφαλικός φόρος
pollard (πόλαρντ) κόβω τα ψηλά κλαδιά δέντρου
pollen (πόλεν) γύρη (λουλουδιού)
pollinate (πόλινέιτ) γονιμοποιώ άνθος
pollination (πολινέισσον) γονιμοποίηση
polling booth (πόουλινγκ μπούθ) κάλπη
polling station (πόουλινγκ στέισσον) εκλογικό κέντρο
pollutant (πολιούταντ) ο μολύνων
pollute (πολιούτ) μολύνω
pollution (πολούσσον) μόλυνση
polonaise (πολονέιζ) μουσικό κομμάτι γιά πιάνο
poloneck (πόουλο νεκ) ζιβάγκο
poltergeist (πλτεγκέιστ) ταραχοποιό πνεύμα
poltroon (πολτρούουν) δειλός, -**ery** δειλία
polyandry (πολίαντρι) πολυανδρία
polyanthus (πολίανθος) πολύανθος (φυτό)
polyester (πολίεστερ) πολυεστέρας

polygamist (πολίγκαμιστ) πολύγαμος
polygamous (πολίγκαμος) πολύγαμος
polygamy (πολίγκαμι) πολυγαμία
polyglot (πόλιγκλοτ) πολύγλωσσος, γνώστης πολλών γλωσσών
polygon (πόλιγκον) πολύγωνο, -**al** πολύγωνος
polyhedral (πολιίντραλ) πολύεδρος
polyhedron (πολιίντρον) πολύεδρο
polymath (πόλιμαθ) πολυγνώστης
polymer (πόλιμερ) πολυμερές (χημ)
polymorphous (πολιμόορφας) πολύμορφος
polynomial (πολινόουμιαλ) πολυώνυμος
polyp (πόλιπ) πολύποδας (φυτό)
polyphonic (πολιφόνικ) πολυφωνικός
polyphony (πολίφονι) πολυφωνία
polysyllabic (πόλισιλάμπικ) πολυσύλλαβος
polysyllable (πολισίλαμπλ) πολυσύλλαβο
polytechnic (πολιτέκνικ) πολύτεχνος, πολυτεχνείο
polytheism (πολιθίιζμ) πολυθεϊσμός
polytheist (πολίθεϊστ) πολυθεϊστής, -**ic** πολυθεϊστικός
polyunsaturated (πολιανσατσερέϊτιντ) πολυακόρεστος
pomace (πόμας) λιωμένα μήλα
pomade (πομέϊντ) πομάδα, αλοιφή γιά γυάλισμα των μαλλιών
pomegranate (πομιγκράνιτ) ρόδι (φρούτο)
pommel (πάμελ) λαθή, κόμπος
pomp (πόμπ) πομπή, μεγαλοπρεπής τελετή
pomposity (πομπόσιτι) το πομπώδες
pompous (πόμπας) πομπώδης
ponce (πόνς) εκθηλυμένος άντρας
poncho (πόντσοου) σάλι
pond (πόντ) μικρή λίμνη
ponder (πόντερ) σκέφτομαι, εξετά-

P

ζω, ζυγίζω με το νού, -ous βαρύς,
σοβαρός
pong (πόονγκ) μυρίζω άσχημα, -y ο
κάκοσμος
poniard (πόονζιαρντ) στιλέτο, μα-
χαιράκι
pontiff (πόντιφ) πάπας, αρχιερέας
pontifical (ποντίφικαλ) παπικός, αρ-
χιερατικός
pontificate (ποντίφικέϊτ) εκφράζω
κρίση σα να ήταν η μόνη σωστή,
μιλώ με στόμφο
pontoon (ποντούουν) ρηχή βάρκα,
σχεδία
pony (πόουνι) πόνεϊ, είδος μικρού
αλόγου
ponytail (πόνιτέϊλ) αλογοουρά μαλ-
λιών, κότσος
pooch (πούτς) σκύλος
poodle (πούντλ) σκύλος με σγουρό
τρίχωμα
pooh-pooh (πού πού) χλευάζω, απο-
δοκιμάζω
pool (πούλ) πισίνα, μικρή λίμνη, κερ-
δοσκοπικός συνεταιρισμός, μπιλιάρ-
δο, -room αίθουσα μπιλιάρδου
poop (πούπ) κατάστρωμα της πρύ-
μνης
pooped (πούπντ) κατακουρασμένος
poor (πούρ) φτωχός, λειψός, κατώ-
τερος, αδύναμος, άτυχος, -house
φτωχοκομείο, -ness φτώχεια, -ly
φτωχά, άσχημα, άρρωστος, -spiri-
ted δειλός / think poorly of: έχω
άσχημη γνώμη γιά / poorly off: εν-
δεής, στερημένος, φτωχός
pop (πόοπ) κρότος, έκρηξη, αφρί-
ζων ποτό, τοποθετώ γρήγορα, πόπ
μουσική, πατέρας, -corn καλαμπόκι
ψημένο
pope (πόουπ) Πάπας
popgun (πόπγκάν) ψεύτικο πιστόλι
popinjay (πόπιντζέϊ) λιμοκοντόρος,
επιδεικτικά ντυμένος νέος άντρας
popish (πόπισσ) παπικός
poplar (πόπλαρ) λεύκα

poplin (πόπλιν) μεταξωτό ύφασμα
poppa (πόπα) πατέρας
poppet (πόπιτ) μικρό αγαπημένο
ζώο
poppy (πόπι) παπαρούνα
poppycock (πόπικοκ) ανοησίες
populace (πόπιουλας) πλήθος,
λαός, όχλος
popular (πόπιουλαρ) δημοφιλής,
κοινός, διαδεδομένος, -ity δημοτι-
κότητα, -ize κάνω διμοφιλή,
εκλαϊκεύω, -ization εκλαΐκευση,
-ly γενικά, απ' τους περισσότερους
ανθρώπους
populate (πόπιουλέϊτ) κατοικώ
population (ποπιουλέϊσσον) πλη-
θυσμός
populist (πόπιουλιστ) μέλος λαϊκού
πολιτικού κόμματος
populous (πόπιουλας) πολυπληθής,
πολυάνθρωπος
porcelain (πόρσλιν) πορσελάνη
porch (πόρτς) βεράντα
porcine (πόορσαϊν) όμοιος με γου-
ρούνι
porcupine (πόοκσουπάϊν)
σκαντζόχοιρος
pore (πόορ) πόρος / pore over: μελε-
τώ ή εξετάζω προσεκτικά
pork (πόρκ) χοιρινό κρέας, -er γου-
ρούνι, -y παχύς
porn (πόρν) πορνογραφία
pornographer (πορνογκράφερ) πορ-
νογράφος
pornographic (πορνογκράφικ) πορ-
νογραφικός
pornography (πορνόγκραφι) πορνο-
γραφία
porous (πόουρας) πορώδης, -ness το
πορώδες
porpoise (πόορπος) το δελφίνι
porridge (πόριτζ) κουρκούτι, χρό-
νος φυλάκισης
port (πόρτ) λιμάνι, αριστερή πλευ-
ρά πλοίου ή αεροσκάφους, είδος
Πορτογαλικού κρασιού

portable (πόρταμπλ) κινητός, φο-
ρητός
portage (πόρτετζ) μεταφορά
portals (πόρταλ) είσοδος, πύλη,
αρχή
portend (πόορτεντ) προμηνύω
portent (πόορτεντ) οιωνός, προ-
μήνυμα
portentous (πορτέντας) πομπώδης,
απειλητικός, δυσοίωνος
porter (πόρτερ) αχθοφόρος, θυρω-
ρός, **-age** αχθοφορικά έξοδα
portfolio (πορτφόλιοου) χαρτοφύ-
λακας
porthole (πόορτχόουλ) φινιστρίνι,
παράθρο αεροσκάφους
portico (πόορτικοου) πύλη
portion (πόρσσον) τμήμα, μερίδα,
μερίδιο / portion out: μοιράζω, **-er**
διαμοιραστής
portly (πόρτλι) χοντρός
portmanteau (ποορτμαντόου) μεγά-
λη βαλίτσα
portrait (πόορτριτ) πορτραίτο, **-ure**
τέχνη κατασκευής πορτραίτων
portray (ποορτρέϊ) απεικονίζω, **-al**
απεικόνηση
Portuguese (πόορτσουγκίζ) Πορτο-
γάλλος, Πορτογαλλικός, Πορτο-
γαλλικά
pose (πόουζ) ποζάρω, παρουσιάζω,
πόζα, **-er** ο ποζάρων, δύσκολο ζήτη-
μα / pose as: παρουσιάζομαι ως, πα-
ριστάνω
poseur (πόουζερ) ο φερόμενος με
επιτήδευση, επιδεικτικός
posh (πόσσ) πολυτελής, λαμπρός
position (ποζίσσον) τοποθεσία, θέ-
ση, τοποθετώ, κατάσταση, **-al** σχε-
τικός με θέση ή τοποθεσία
positive (πόζιτιβ) θετικός, **-ly** θετι-
κά, πράγματι, **-pole** θετικός πόλος,
άνοδος, **-ness** θετικότητα
posse (πόοσι) απόσπασμα αστυνο-
μίας
possess (ποσές) κατέχω, **-ed** κατη-

λημμένος από κακό πνεύμα, τρελός,
-ion κατοχή, κτήση, **-ive** κτητικός,
-iveness κτητικότητα, **-or** κάτοχος,
-ory κτητικός
posset (πόσιτ) ποτό με γάλα
possibility (ποσιμπίλιτι) πιθανότη-
τα, δυνατότητα
possible (πόσιμπλ) πιθανός, δυνα-
τός, κατάλληλος
possibly (πόσιμπλι) πιθανόν
post (πόστ) στύλος, σταθμός, ταχυ-
δρομείο, ταχυδρομικό κουτί, στέλ-
νω ταχυδρομικώς, πόστο, τοποθετώ,
-age ταχυδρομικά τέλη, **-al** ταχυδρο-
μικός, **-bag** τσάντα ταχυδρόμου,
σύνολο γραμμάτων, **-card** κάρτα,
-code ταχυδρομικός κώδικας, **-date**
χρονολογώ μελλοντικά
poster (πόουστερ) φωτογραφία ή ζω-
γραφιά που κολλάται στον τοίχο
posterior (ποστιέριορ) μεταγενέστε-
ρος, επόμενος, ύστερος, οπίσθιος
posterity (ποστέριτι) οι μεταγενέ-
στεροι
post free (πόστ φρίι) απαλλαγμένος
από ταχυδρομικά τέλη
postgraduate (πόστγκράτζουιτ) με-
τεκπαιδευόμενος
posthaste (πόστχέϊστ) πολύ γρήγο-
ρος, βεβιασμένος
posthumous (ποστιούμας) μεταθα-
νάτιος, **-ly** μετά θάνατον
postie (πόουστι) ταχυδρόμος
postman (πόστμαν) ταχυδρόμος
postmark (πόστμαρκ) σφραγίδα τα-
χυδρομίου
postmaster (πόστμάστερ) διευ-
θυντής ταχυδρομίου
postmeridiem (πόουστ μερίντιεμ)
μετά μεσημβρίας (p. m)
postmortem (ποστμόρτεμ) νεκροψία
postnatal (ποουστνέϊτλ) μετά τη
γέννηση
post office (πόστ όφις) ταχυδρομείο,
-box ταχυδρομικό κουτί
postpone (ποστπόουν) αναβάλλω,

-ment αναβολή, -er ο αναβάλλων

postprandial (πόουστπράντιαλ) μετά το γεύμα

postscript (πόουσκριπτ) υστερόγραφο

postulate (πόστσιουλέϊτ) δέχομαι αξιωματικά, απαιτώ

postulation (ποστσιουλέϊσσον) αξίωμα, υπόθεση

posture (πόστσουρ) στάση, συμπεριφορά, θέση, κομπασμός

postwar (πόουστουόρ) μεταπολεμικός, μεταπολεμικά

posy (πόουζι) μικρό μπουκέτο

pot (πότ) δοχείο, αγγείο, χρήματα παιζόμενα σε χαρτοπαίγνιο, -s μεγάλο χρηματικό ποσό, -able πόσιμος

potash (πότας) ποτάσσα

potassium (ποτάσιομ) κάλιο

potation (ποουτέϊσσαν) οινοποσία, αλκοολούχο ποτό

potato (ποτέϊτοου) πατάτα

potbelly (ποτμπέλι) εξέχουσα κοιλιά

potboiler (ποτμπόϊλερ) πρόχειρα φτιαγμένο και φτηνό έργο

poteen (ποτίιν) παράνομα παραγόμενο ουίσκυ

potency (πότενσι) δύναμη, ισχύς, ικανότητα

potent (πότεντ) δυνατός, πειστικός, ικανός

potentate (πόουτεντέϊτ) άρχοντας, δεσπότης

potential (ποτένσαλ) δυνατός, πιθανός, που μπορεί να συμβεί, το δυναμικό, -ity δυνατότητα

pothole (ποτχόουλ) λακκούβα σε δρόμο

pothunter (ποτχάντερ) ο διαγωνιζόμενος μόνο γιά το βραβείο

potion (πόουσσαν) ποτό

potluck (πότλακ) στην τύχη, διαλέγω χωρίς σκέψη, έχω πρόχειρο γεύμα (take potluck)

potplant (ποτπλάντ) διακοσμητικό φυτό εσωτερικού χώρου

potpourri (πόουπόουρι) ξεραμένα αρωματικά φυτά

potsherd (ποτσσέρντ) κομμάτι σπασμένου σκεύους

potshot (πότσσότ) άστοχος πυροβολισμός

potted (πότιντ) τοποθετημένος σε δοχείο, (γιά βιβλίο) συντομευμένος και απλοποιημένος

potter (πότερ) αγγειοπλάστης, ασχολούμενος με την κεραμική, βαδίζω αργά, σπαταλώ το χρόνο μου σε ασήμαντες ενέργειες, -y κεραμική τέχνη, πήλινα αγγεία / potter's wheel: κεραμικός τροχός

potting shed (πότινγκ σσέντ) σπιτάκι κηπουρού

potty (πότι) ανόητος, τρελός, παθιασμένος

pouch (πάουτς) σακκουλάκι (γιά καπνό, χρήματα κτλ.)

poulterer (πόουλτερερ) έμπορος πουλερικών

poultice (πόουλτις) κομπρέσα, κατάπλασμα

poultry (πόουλτρι) πουλερικά

pounce (πάουνς) ορμώ, επίθεση / pounce on: δέχομαι πρόθυμα, παρατηρώ αμέσως

pound (πάουντ) λίβρα (μονάδα μέτρησης βάρους), λίρα, τρίβω, χτυπώ, μάντρα, -ing χτύπος, ήττα

pour (πούουρ) ξεχειλίζω, χύνω, -ομαι, ρέω / pour oil on troubled waters: παρεμβαίνω σε καυγά προσπαθώντας επιφέρω ηρεμία

pout (πάουτ) φουσκώνω τα χείλη, σκυθρωπιάζω

poverty (πόβερτι) φτώχεια, στέρηση, -stricken πάμφτωχος

powder (πάουντερ) σκόνη, πούδρα, κάνω σκόνη, βάζω πούδρα, -ed ο έχων μορφή σκόνης, καλυμμένος με σκόνη, -keg κάτι επικίνδυνο κι έτοιμο να εκραγεί, -puff βαμβάκι γιά

πουδράρισμα, -y όμοιος με σκόνη
power (πάουερ) δύναμη, ισχύς,
εξουσία, παρέχω ενέργεια ή ισχύ,
κινώ γρήγορα, **-ful** δυνατός, **-less**
ανίσχυρος, **-boat** σκάφος αγώνων,
-dive απότομη καθοδική κίνηση αε-
ροσκάφους, **-house** σταθμός παρα-
γωγής ηλεκτρικού ρεύματος, **-plant,
station** σταθμός παραγωγής ηλε-
κτρικού ρεύματος / power of attor-
ney: πληρεξουσιότητα
powpow (πάουάου) συμβούλιο Αμε-
ρικανοϊνδών, σύσκεψη
pox (πόξ) σύφιλη (ασθένεια), ανε-
μοβλογιά
practicable (πράκτικαμπλ) κατορ-
θωτός, δυνατός, εφικτός
practical (πράκτικαλ) πρακτικός,
-ity πρακτικότητα, **-ly** πρακτικά, **-jo-
ke** αστείο εις βάρος κάποιου
practice (πράκτις) πρακτική, άσκη-
ση, συνήθεια
practise (πράκτιζ) εξασκούμαι,
ασκώ, χρησιμοποιώ, **-d** εξασκημέ-
νος, επιδέξιος, επιτεθειμένος
practitioner (πρακτίσσονερ) ο εξα-
σκών ιατρική ή νομική επιστήμη
pragmatic (πραγκμάτικ) πρακτικός,
-ally πρακτικά
pragmatism (πραγκμάτιζμ) πρακτι-
κότητα
prairie (πράερι) μεγάλη άδενδρη
πεδιάδα
praise (πρέϊζ) επαινώ, εγκωμιάζω,
δοξάζω, **-s** έπαινοι, **-worthy** αξιέ-
παινος
pram (πράμ) καροτσάκι μωρού
prance (πράνς) αναπηδώ
prank (πράνκ) αταξία, **-ster** άτακτος
prat (πράτ) ανάξιο άτομο, ανόητος
prate (πρέιτ) μιλώ ανόητα, φλυαρώ,
-r φλύαρος
prattle (πράτλ) μωρολογώ, μωρολο-
γία, φλυαρία, **-r** φλύαρος
prawn (πρόον) είδος γαρίδας
pray (πρέι) προσεύχομαι, ικετεύω,

(δίνει έμφαση σε αίτημα) παρακα-
λώ!, **-er** προσευχή,
preach (πρίιτς) κηρύττω, **-er** ιερο-
κήρυκας, **-ing** κήρυγμα
preamble (πρίαμπλ) εισαγωγή
prearrange (πριαρέιντζ) διευθετώ εκ
των προτέρων, **-ment** διευθέτηση εκ
των προτέρων
prebend (πρεμπέντ) μισθός ιερέα
prebendary (πρεμπένταρι) ιερέας
λαμβάνων μισθό
precarious (πρικάριας) επισφαλής,
επικίνδυνος, αβέβαιος, **-ness** αβε-
βαιότητα
precaution (πρικόοσσον) πρόληψη,
προφύλαξη, **-ary** προφυλακτικός
precede (πρισίντ) προηγούμαι, **-nce**
προτεραιότητα, **-nt** προηγούμενος,
προηγούμενο
preceding (πρισίντινγκ) προηγού-
μενος
precentor (πρισέντορ) πρωτοψάλ-
της
precept (πρίισεπτ) αρχή, δίδαγμα
precession (πρισέσσαν) προπόρευ-
ση
precinct (πρίισινκτ) περιοχή, τμήμα
πόλης, **-s** γειτονιά
preciosity (πρεσσιόσιτι) λεπτολογία
precious (πρέσσας) πολύτιμος, **-ness**
πολυτιμότητα
precipice (πρέσιπις) γκρεμός
precipitance (πρεσίπιτανς) ορμή,
βιασύνη, βία
precipitant (πρεσίπιταντ) εσπευ-
σμένος
precipitate (πρισιπιτέϊτ) επισπεύδω,
γκρεμίζω, βιαστικός
precipitation (πρεσιπιτέϊσσον)
γκρέμισμα, βιασύνη, βεβιασμένη
ενέργεια
precipitous (πρισίπιτας) κρημνώ-
δης, **-ness** το κρημνώδες, **-ly** ορμη-
τικά
precis (πρέισιιζ) περίληψη, συνο-
ψίζω

peecise (πρισάιζ) ακριβής, προσεκτικός, **-ly** ακριβώς
precision (πρεσίζαν) ακρίβεια, ακριβής
preclude (πρικλούουντ) εμποδίαζω, αποκλείω
preclusion (πρικλούζον) απόκλειση, παρεμπόδιση
precocious (πρικόουσσας) πρόωρα ανεπτυγμένος, **-ness, precocity** πρόωρη ανάπτυξη
precognition (πρικογκνίσσαν) πρόγνωση μελλοντικού γεγονότος
preconceive (πρικονσίβ) προκρίνω, προδικάζω, **-d** προκατειλημμένος
preconception (πρικονσέπσαν) προκατάληψη
preconcert (πρικονσέρτ) προσχεδιάζω
precursor (πρικέρσορ) πρόδρομος, **-y** προειδοποιητικός
predate (πριιντέϊτ) προηγούμαι χρονολογικά, είμαι παλιότερος
predatory (πρέντατόρι) αρπακτικός
predecessor (πρέντισέσορ) προκάτοχος
predestinate (πριιντεστινέϊτ) προορίζω, (πρεντέστινετ) προορισμός
predestination (πριιντέστινέϊσσον) προορισμός
predestine (πριντέστιν) προορίζω, προκαθορίζω
predetermine (πριντιτέρμιν) προαποφασίζω, προκαθορίζω
predicament (πριντίκαμεντ) άσχημη κατάσταση
predicate (πρέντικιτ) κατηγορηματικός, κατηγορούμενο (γραμμ.), (πρεντικέϊτ) βασίζομαι, δηλώνω
predicative (πρέντικέϊτιβ) δηλωτικός
predict (πρεντίκτ) προλέγω, **-able** προβλεπόμενος, που μπορεί να προλεχθεί, **-ion** πρόβλεψη, προφητεία, **-ive** προφητικός
predigest (πρίινταϊτζέστ) διευκολύ-

νω τη χώνεψη
predilection (πριιντιλέκσαν) προτίμηση
predispose (πριιντισπόουζ) προδιαθέτω
predisposition (πριντισποζίσσαν) προδιάθεση
predominance (πριντόμινανς) υπεροχή
predominant (πριντόμιναντ) ο υπερέχων, **-ly** κυρίως
predominate (πριντομινέϊτ) υπερισχύω, επικρατώ
preeminence (πριέμινενς) υπεροχή
preeminent (πριέμινεντ) εξέχων, υπερέχων
preempt (πριέμπτ) αχρηστεύω, καθιστώ μη αποδοτικό, προκατέχω, προαγοράζω, **-ion** προαγορά
preen (πρίιν) καθαρίζω με το ράφμος
preexist (πριιεγκζίστ) προϋπάρχω, **-ent** ο προϋπάρχων, **-ence** προϋπαρξη
prefabricate (πριιφαμπρικέϊτ) προκατασκευάζω τμήματα πλοίου ή οικοδομής, **-d** προκατασκευασμένος
prefabrication (πριιφαμπρικέϊσσον) προκαταβολική κατασκευή τμημάτων οικοδομής κτλ.
preface (πρέφις) πρόλογος, προλογίζω
prefatory (πρέφατόρι) προοιμιακός
prefect (πρίιφεκτ) νομάρχης
prefecture (πριιφέκτσαρ) νομαρχία
prefer (πριφέρ) προτιμώ, προτείνω, **-able** προτιμητός, **-ably** κατά προτίμηση, **-ence** προτίμηση, **-ential** προτιμητός
preferment (πρίιφερμεντ) προαγωγή
prefigure (πριιφίτζαρ) προεικονίζω
prefix (πρίιφιξ) πρόθεμα, προτάσσω
pregnancy (πρέγκνανσι) εγκυμοσύνη
pregnant (πρέγκναντ) η εγκυμονούσα, επιφορτισμένος, σημαίνων

preheat (πριχίιτ) προθερμαίνω
prehensile (πριχένσιλ) ικανός να
συλλάβει και να κρατήσει
prehistoric (πριιστόρικ) προϊστο-
ρικός
prehistory (πριιχίστορι) προϊστορία
prejudge (πριτζάτζ) προκρίνω, προ-
δικάζω, **-ment** προδίκαση
prejudice (πρέτζουντις) προκατάλη-
ψη, ζημιά, είμαι προκατειλημμένος,
βλάπτω, **-d** προκατειλημμένος
prejudicial (πρετζουντίσσαλ) θλα-
βερός
prelate (πρέλιτ) ιεράρχης
preliminary (πριλιμινέρι) προκα-
ταρκτικός
preliterate (πριλίτεριτ) ο μη έχων
γραπτό λόγο
prelude (πριλιούντ) εισαγωγή, προ-
μήνυμα, **-r** ο εισάγων
premarital (πριμάριταλ) προγαμια-
ίος, **-ly** πριν το γάμο
premature (πριματσούρ) πρόωρος,
-ness, prematurity το πρόωρο
premeditate (πριμέντιτέιτ) προμελε-
τώ, **-d** προμελετημένος
premenstrual (πριμένστρουαλ) ο
συμβαίνων πριν την έμμηνο ρύση
premier (πρέμιερ) πρωθυπουργός, ο
καλύτερος, **-ship** πρωθυπουργία
premiere (πρεμιέρ) πρώτη παρά-
σταση έργου, δίνω την πρώτη πα-
ράσταση
premise (πρέμις) προϋπόθεση, **-s** οι-
κοδομή, κτήμα
premium (πρίμιαμ) βραβείο / put a
premium on: καθιστώ πλεονεκτικό
premonition (πρεμονίσσαν) προαί-
σθηση
premonitory (πριμόνιτέρι) προειδο-
ποιητικός
prenatal (πρινέιτλ) πριν τη γέννηση
preoccupation (πριοκιουπέϊσσαν)
απασχόληση
preoccupied (πριοκιουπάϊντ) απα-
σχολημένος

preoccupy (πριοκιουπάϊ) απασχο-
λώ, προκατέχω
preordain (πριιορντέϊν) προαποφα-
σίζω, προορίζω
preordination (πριορντινέϊσσον)
προορισμός
prepack (πριιπάκ) προσυσκευάζω
τρόφιμα
preparation (πρεπαρέϊσσον) προε-
τοιμασία, προπαρασκευή
preparatory (πρεπαρέϊτορι) προπα-
ρασκευαστικός
prepare (πριπέαρ) προετοιμάζω, πο-
κατασκευάζω, **-d** προκατασκευα-
σμένος, προετοιμασμένος, **-dness**
προετοιμασία
prepay (πριπέϊ) προπληρώνω
preponderance (πριπόντερανς) υπε-
ρίσχυση, επικράτηση
preponderant (πριπόντεραντ) ο επι-
κρατών
preponderate (πριπουντερέϊτ) υπερι-
σχύω, επικρατώ
preposition (πρεποζίσσαν) πρόθεση,
-al προθετικός
propossess (πριποζές) προδιαθέτω
ευνοϊκά, προκαταλαμβάνω, **-ing** ελ-
κυστικός, **-ion** προδιάθεση
preposterous (πριπόστερας) παρά-
λογος, αστείος, ανόητος
preppy (πρέπι) καλοντυμένος, περι-
ποιημένος
prerecord (πριρικόορντ) καταγρά-
φω γιά μελλοντική χρήση
prerequisite (πριρέκουιζιτ) προα-
παιτούμενο
prerogative (πρερόγκατιθ) προνόμιο
presage (πρέσιτζ) προμήνυμα, προ-
μηνύω
presbyter (πρέσμπιτερ) πρεσβύτε-
ρος, **-y** πρεσβυτέριο
preschool (πρισκούλ) προσχολικός
prescience (πρίσιενς) πρόγνωση
prescient (πρίσιεντ) ο προγνωρίζων
prescribe (πρισκράϊμπ) γράφω
ιατρική συνταγή, καθορίζω πορεία,

P

-d προκαθορισμένος
prescript (πρίισκριπτ) κανόνας, εντολή, διαταγή
prescription (πρεσκρίπσον) συνταγή, οδηγία
prescriptive (πρεσκρίπτιθ) διαταγμένος
presence (πρέζενς) παρουσία, **-of mind** ετοιμότητα πνεύματος, ψυχραιμία
present (πρέζεντ) δώρο, δωρίζω, (πρεζέντ) παρουσιάζω, παρών, το παρόν, ενεστώτας, **-able** παρουσιάσιμος, **-ation** παρουσίαση / at present: στο παρόν, τώρα
present day (πρέσεντ ντέϊ) μοντέρνος, του παρόντος
presenter (πριζέντερ) παρουσιαστής (εκπομπής ραδιοφώνου κτλ.)
presentiment (πριζέντιμεντ) προαίσθημα
presently (πρέζεντλι) σύντομα, τώρα, στο παρόν
present participle (πρέζεντ πάρτισιπλ) ενεργητική μετοχή
present perfect (πρέζεντ πέρφεκτ) παρακείμενος (γραμμ.)
preservation (πρεζερβέϊσσον) διατήρηση, συντήρηση
preservative (πριζέρβατιθ) συντηρητικός, -ό
preserve (πριζέερβ) συντηρώ, διατηρώ, διαφυλάττω
preset (πρίισετ) τοποθετώ εκ των προτέρων
preside (πρισάϊντ) προεδρεύω, ηγούμαι, οδηγώ
presidency (πρέζιντενσι) προεδρία
president (πρέζιντεντ) πρόεδρος, πρύτανης, **-ship** προεδρία, **-ial** προεδρικός
presidium (πρζίντιαμ) προεδρείο
press (πρές) πιέζω, σιδερώνω, τύπος, πίεση, πιεστήριο, **-er** ο πιέζων, σιδερωτής, **-ing** επείγων, **-conference** συνέντευξη τύπου, **-ed** πιεσμένος,

ενδεής, στερημένος, **-man** ρεπόρτερ, **-up** πούσσ άπς (άσκηση γυμναστικής)
pressure (πρέσσαρ) πίεση
pressurization (πρεσσουριζέϊσσον) διατήρηση κανονικής ατμοσφαιρικής πίεσης
pressurize (πρέσσουράϊζ) διατηρώ κανονική ατμοσφαιρική πίεση
prestidigitation (πρεστιντιγκιτέϊσσαν) ταχυδακτυλουργία
prestidigitator (πρεστιντιγκιτέϊτορ) ταχυδακτυλουργός
prestige (πρέστιτζ) γόητρο
prestigious (πρεστίτζας) τιμητικός, που προσδίδει γόητρο
presto (πρέστοου) (γιά μουσικό κομμάτι) πολύ γρήγορος, πολύ γρήγορα
presumably (πριζιούμαμπλι) πιθανώς, υποθετικά
presume (πριζιούμ) υποθέτω, τολμώ, προϋποθέτω
presumption (πριζάμπσαν) υπόθεση, πιθανότητα, αλαζονεία
presumptive (πριζάμπτιθ) πιθανός
presumptuous (πριζάμπτσουας) θρασύς, αλαζονικός, **-ly** αλαζονικά
presuppose (πριισαπόουζ) προϋποθέτω
presupposition (πρισαποζίσσον) προϋπόθεση
pretence (πριτένς) πρόφαση
pretend (πριτέντ) προσποιούμαι, ισχυρίζομαι, προφασίζομαι, **-ed** προσποιητός, **-er** προσποιούμενος, διεκδικών
pretension (πριτένσαν) αξίωση
pretentious (πριτένσσας) απαιτητικός
preteri(e)) (πρέτεριτ) αόριστος (χρόνος γραμμ.), παρελθοντικός
preternatural (πριτερνάτσουραλ) υπερφυσικός, παράξενος
pretext (πριτέξτ) δικαιολογία, πρόσχημα, πρόφαση
prettify (πρίτιφάϊ) παραστολίζω,

καλλωπίζω
pretty (πρίτι) όμορφος (γιά γυναί-
κες), ελκυστικός, αρκετός, αρκετά,
-**penny** μεγάλο χρηματικό ποσό
pretzel (πρέτζελ) αλμυρό μπισκότο
prevail (πριβέϊλ) εξακολουθώ να
υπάρχω, επικρατώ, -**ing** επικρατών,
τρέχων
prevalent (πρέβαλεντ) επικρατών
prevaricate (πριβαρικέϊτ) υπεκφεύ-
γω, ψεύδομαι
prevarication (πρεβαρικέϊσσον)
υπεκφυγή
prevaricator (πρεβαρικέϊτορ) ο
υπεκφεύγων
prevent (πριβέντ) εμποδίζω, προλαμ-
βάνω, -**able** αποτρεπτός, προβλεπτός,
-**ion** παρεμπόδιση, πρόληψη, -**ive**
αποτρεπτικός, προληπτικός
preview (πριβιού) προβολή κινημα-
τιγραφικής ταινίας πριν παρουσια-
στεί στο κοινό, περιραφή, άποψη
previous (πρίβιας) προηγούμενος,
πρόωρος, -**ly** προηγουμένως
prevision (πριβίζαν) πρόβλεψη
prewar (πριιουόρ) προπολεμικός
prey (πρέι) λεία, κατασπαράζω,
αρπάζω
price (πράις) τιμή, τιμολογώ, -**less**
ανεκτίμητος, -**list** τιμοκατάλογος,
-**tag** ετικέτα με την τιμή προϊόντος
pricey (πράισι) ακριβός
prick (πρίκ) οξύς πόνος, τρύπημα,
όρχεις, τρυπώ, πονώ
prickle (πρίκλ) αγκάθι, κεντώ, οξύς
πόνος
prickly (πρίκλι) ακανθώδης, δύ-
σκολος
pride (πράϊντ) περηφάνεια, περηφα-
νεύομαι, το πιο πολύτιμο αντικείμε-
νο, -**of place** η υψηλότερη θέση
priest (πρίστ) ιερέας, -**ess** ιέρεια,
-**hood** ιερωσύνη, οι ιερείς, -**ly** ιερα-
τικός
prig (πρίγκ) ο καυχώμενος γιά την
υπακοή του στους νόμους

prim (πρίμ) τυπικός, κομψός, -**ness**
τυπικοτητα, κομψότητα, -**ly** κομψά
prima ballerina (πρίμα μπαλέρινα) η
πρώτη χορεύτρια μπαλέτου
primacy (πράϊμασι) πρωτεία
prima donna (πρίμα ντόνα) η πρώ-
τη τραγουδίστρια όπερας
primal (πράϊμαλ) πρωτόγονος, αρ-
χικός
primarily (πραϊμέρελι) κυρίως
primary (πράϊμαρι) κύριος, πρωταρ-
χικός, αρχικός, στοιχειώδης, προ-
κριματική ψηφοφορία, -**school** δη-
μοτικό σχολείο
primate (πράϊμέϊτ) ανθρωποειδές,
(πράϊμετ) αρχιεπίσκοπος, -**ship**
αξίωμα αρχιεπισκόπου
prime (πράϊμ) πρώτος, ακμή, αρχή,
κύριος, ετοιμάζω, γεμίζω όπλο,
-**cost** καθαρή τιμή προϊόντος, χον-
δρική τιμή, -**minister** πρωθυπουρ-
γός, -**number** περιττός αριθμός, -**ly**
έξοχα
primer (πράϊμερ) αλφαβητάριο
primeval (πραϊμίβαλ) πρωτόγονος
primitive (πρίμιτιθ) αρχέγονος,
αρχικός
primogeniture (πραϊμοτζένιτσερ)
πρωτοτόκια
primordial (πραϊμόρντιαλ) πρωταρ-
χικός, πρωτογενής
primp (πρίμπ) στολίζω
prince (πρίνς) πρίγκιπας, -**consort**
σύζυγος βασίλισσας, -**dom** πριγκι-
πάτο, -**ly** πριγκιπικός, λαμπρός, γεν-
ναιόδωρος
princess (πρίνσες) πριγκίπισσα
principal (πρίνσιπαλ) κύριος, σχο-
λάρχης, κεφάλαιο, αρχηγός, διευ-
θυντής, -**ity** πριγκιπάτο, -**ly** κυρίως
principate (πρίνσιπετ) ηγεμονία
principle (πρίνσιπλ) αρχή, ιδέα, πί-
στη, -**d** βασισμένος σε αρχές
print (πρίντ) αποτύπωμα, τυπώνω,
τύπος, εκτυπώνω, -**able** κατάλληλος
γιά εκτύπωση ή γιά διάβασμα, -**ing**

P

εκτύπωση, τυπογραφία, τυπογραφικός, -ed έντυπος, -er τυπογράφος, εκτυπωτής
printing press (πρίντινγκ πρές) πιεστήριο
prior (πράϊορ) προηγούμενος, ανώτερος, ηγούμενος, -ess ηγουμένη, -ity προτεραιότητα, -itize δίνω προτεραιότητα, -y μοναστήρι, κοινόβιο / prior to: πρίν
prise (πράϊζ) δες prize
prism (πρίζμ) πρίσμα, -atic πρισματικός
prison (πρίζον) φυλακή, φυλάκιση, -er φυλακισμένος
prissy (πρίσι) λεπτεπίλεπτος
pristine (πριστίιν) σώος, γνήσιος, αρχικός
prithee (πρίδι) παρακαλώ (παλαιά χρήση)
privacy (πράϊβασι) μυστικότητα
private (πράϊβιτ) προσωπικός, μυστικός, ιδιωτικός, ιδιαίτερος, ανεπίσημος, μοναχικός, -r ιδιωτικό καταδρομικό, -ness μοναχικότητα, -ly ιδιωτικά, κατ' ιδίαν, -parts γεννητικά όργανα, -sector ιδιωτικός τομέας
privation (πραϊβέϊσσαν) στέρηση
privatize (πράϊβιτάϊζ) ιδιωτικοποιώ
privet (πρίβιτ) είδος θάμνου χρησιμοποιούμενος ως φράκτης
privilege (πρίβιλιτζ) προνόμιο, δίνω προνόμια, -d προνομιούχος
privy (πρίβι) μυστικός, μυημένος, ιδιαίτερος, υπαίθρια αποχωρητήριο, -purse χρήματα παρεχόμενα στους βασιλείς
prize (πράϊζ) βραβείο, βραβευμένος, δινόμενος ως βραβείο, ολοκληρωτικός, αίσχατος, εκτιμώ, αναμοχλεύω, -fight δημόσιος αγώνας πυγμαχίας, -fighter πυγμάχος, -ring παλαίστρα
pro (προ) επαγγελματίας (professional), υπέρ / pros and cons: τα υπέρ και τα κατά
probability (προμπαμπίλιτι) πιθα-

νότητα / in all probability: κατά πάσσα πιθανότητα
probable (πρόμπαμπλ) πιθανός
probably (πρόμπαμπλι) πιθανά
probate (πρόουμπέϊτ) έλεγχος διαθήκης, επικύρωση διαθήκης
probation (προμπέϊσσον) δοκιμασία, αναστολή φυλακισης, -er κατάδικος που λαμβάνει αναστολή, -ary δοκιμαστικός, -officer επιτηρητής καταδίκου που έχει πάρει αναστολή
probe (πρόουμπ) τσιμπίδα, μεταλλικό ιατρικό όργανο, εξονυχιστική έρευνα, εξετάζω προσεκτικά
probity (πρόμπιτι) ακεραιότητα, τιμιότητα
problem (πρόμπλεμ) πρόβλημα, -atic προβληματικός, -atically προβληματικά
proboscis (προμπόσις) προβοσκίδα
procedural (προσίιντζαραλ) διαδικαστικός
procedure (προσίντζουρ) πορεία, τρόπος ενέργειας
proceed (προσίιντ) προοδεύω, προχωρώ, -ing πορεία, ενέργεια, -ings διαδικασία, -s έσοδα, πρόσοδοι / proceed against: δρώ ενάντια / proceed from: προέρχομαι από
process (πρόσες) πορεία, μέθοδος, διαδικασία
procession (προσέσσον) συνοδεία, πομπή, -al σχετικός με (θρησκευτική) πομπή
proclaim (προκλέϊμ) προκηρύσσω
proclamation (προκλαμέϊσσον) προκήρυξη
proclamatory (προκλαμέϊτορι) διακηρυκτικός
proclivity (προκλίβιτι) ροπή, τάση, κλίση
procrastinate (προκραστινέϊτ) καθυστερώ, αναβάλλω
procrastination (προκραστινέϊσσον) αναβολή
procrastinatory (προκραστινέϊτορι)

αναβλητικός
procreate (προκριέΐτ) παράγω, γεννώ
procreation (προκριέϊσσον) παραγωγή, γέννηση
procreative (προκριέϊτιβ) παραγωγικός
procreator (προκριέϊτορ) ο παράγων
proctor (πρόοκτορ) επιτηρητής
procure (προκιούρ) αποκτώ, προξενώ, **-ment** προμήθευση
prod (πρόντ) κεντώ, παροτρύνω, παρότρυνση, σουβλί
prodigal (πρόντιγκαλ) σπάταλος, άσωτος, **-ity** σπατάλη, ασωτεία
prodigious (προντίτζας) τεράστιος, θαυμάσιος
prodigy (πρόντιτζι) φαινόμενο, θαύμα
produce (προντιούς) παράγω, γεννώ, παρουσιάζω (πρόντιους) προϊόν, **-r** παραγωγός
product (πρόντακτ) προϊόν, αποτέλεσμα, **-ion** παραγωγή, προϊόν, **-ive** παραγωγικός, αποδοτικός, **-iveness**, **productivity** παραγωγικότητα, αποδοτικότητα
proem (πρόεμ) προΐμιο
profanation (προφανέϊσσον) βεβήλωση
profane (προφέιν) βεβηλώνω, ασεβής
profanity (προφάνιτι) ασέβεια, βλασφημία
profess (προφές) ομολογώ
profession (προφέσσον) επάγγελμα, ομολογία, **-al** επαγγελματικός, επαγγελαμτίας, **-alism** επαγγελματισμός
professor (προφέσορ) καθηγητής, **-ial** καθηγητικός, **-ship** θέση πανεπιστημιακού καθηγητή
proffer (προφέρ) προσφέρω
proficiency (προφισσενσι) πρόοδος
proficient (προφίσσεντ) προοδευμένος, εξασκημένος
profile (πρόουφαϊλ) προφίλ προσώ-

που, σύντομη περιγραφή
profit (πρόφιτ) κέρδος, ωφέλεια, ωφελώ, -ούμαι, **-ability** το επικερδές, **-able** επικερδής, **-ably** επικερδώς, **-eer** κερδοσκόπος, κερδοσκοπώ, **-margin** διαφορά μεταξύ κόστους παραγωγής και τιμής πώλησης
profligacy (πρόφλιγκασι) ανηθικότητα, ακολασία
profligate (προφλιγκέιτ) ανήθικος, ακόλαστος
profound (προφάουντ) βαθύς, εμβριθής, **-ity** βαθύτητα
profuse (προφιούζ) άφθονος, γενναιόδωρος
profusion (προφιούζον) αφθονία
progenitor (προουτζένιτερ) πρόγονος
progeny (πρότζινι) απόγονοι, γόνος
progesterone (προουτζεστερόουν) προγεστερόνη
prognathous (προγκνέιθας) ο έχων εξέχων σαγόνι
prognosis (προγκνόουσισ) πρόγνωση
prognosticate (προγκνόουστικέϊτ) προβλέπω, προμαντεύω
prognostication (προγκνόουστικέϊσσον) πρόβλεψη
program (πρόουγκραμ) πρόγραμμα, προγραμματίζω, **-mer προγραμματιστής**, **-able** προγραμματίσιμος
progress (πρόγκρες) πρόοδος, (προγκρές) προοδεύω, **-ive** προοδευτικός, **-ion** πρόοδος
prohibit (προχίμπιτ) απαγορεύω, εμποδίζω, **-ion** απαγόρευση, **-ionist** ο υποστηρίζων την απαγόρευση αλκοολούχων ποτών, **-ive**, **-ory** απαγορευτικός
project (πρότζεκτ) σχέδιο, (προτζέκτ) σχεδιάζω, εκτοξεύω, ρίχνω, **-ile** βλήμα, σφαίρα, **-ion** προεξοχή, σχεδίαση, **-or** προβολέας, **-ionist** ο χειριστής κινηματογραφικού προ-

P

βολέα

prole (πρόουλ) προλετάριος

prolegomena (προουλιγκόμενα) εισαγωγή, προλεγόμενα

proletarian προουλιτέϊριαν) προλετάριος

proletariat (προουλιτέϊριατ) προλεταριάτο

proliferate (προλίφερέϊτ) επαυξάνω, εξαπλώνω

proliferation (προλίφερέϊσσον) εξάπλωση

prolific (προλίφικ) γόνιμος, παραγωγικός

prolix (πρόουλιξ) εκτεταμένος και πληκτικός λόγος

prologue (πρόουλογκ) πρόλογος

prolong (πορολόνγκ) παρατείνω, **-ation** παράταση, επιμήκυνση, **-ed** παρατεταμένος

prom (πρόομ) σχολικός χορός

promenade (προμενάαντ) περίπατος, περπατώ

prominence (πρόμινενς) προεξοχή

prominent (πρόμινεντ) ο προεξέχων

promiscuity (πρόμισκιούιτι) μίξη χωρίς διάκριση και προσοχή

promiscuous (προμίσκουας) ο διαλέγων άνευ διακρίσεως

promise (πρόμιζ) υπόσχομαι, υπόσχεση / promise someone the moon (earth): υπόσχομαι να δώσω κάτι που είναι πάνω απ' τις δυνατότητές μου

Promised land (πρόμιζντ λάντ) η γή της επαγγελίας

promising (πρόμιζινγκ) υποσχόμενος, ελπιδοφόρος

promo (πρόουμοου) σύντομη διαφημιστική ταινία

promontory (προμάντερι) ακρωτήριο

promote (προμόουτ) προάγω, υποβοηθώ, **-r** προωθητής προϊόντων, ο προάγων

promotion (προμόσσον) προαγωγή,

προώθηση

prompt (πρόμπτ) παρακινώ, υπενθυμίζω, ταχύς, ακριβής, ακριβώς

promulgate (πρόμαλγκέϊτ) δημοσιεύω, διακηρύττω

promulgation (προμαλγκέϊσσον) δημοσίευση, διακήρυξη

prone (πρόουν) πιθανός να, ρέπων, **-ness** ροπή, κλίση

prong (πρόνγκ) σουβλί, μυτερό άκρο, **-ed** μυτερός

pronominal (προνόμιναλ) αντωνυμικός

pronoun (προνάουν) αντωνυμία

pronounce (προνάουνς) προφέρω, δηλώνω, εκφέρω κρίση, **-able** που μπορεί να προφερθεί, **-d** σαφής, ευδιάκριτος, **-ment** δήλωση

pronto (πρόντοου) αμέσως, πολύ γρήγορα

pronunciation (προνανσιέϊσσον) προφορά

proof (προύφ) απόδειξη, έλεγχος, δοκιμή, αδιαπέραστος, ασφαλής, προστατεύω, **-read** διορθώνω τυπογραφικά σφάλματα

prop (πρόπ) υποστήριγμα, υποστηρίζω

propaganda (προπαγκάντα) προπαγάνδα

propagandist (προπαγκάντιστ) προπαγανδιστής

propagandize (προπαγκαντάϊζ) προπαγανδίζω

propagate (προπαγκέϊτ) πολλαπλασιάζομαι, διαδίδω, **-ομαι**

propagation (προπαγκέϊσσον) διάδοση

propagator (προπαγκέϊτορ) ο διαδίδων

propane (προουπέϊν) προπάνιο

propel (πρόπελ) προωθώ, **-ler** προπέλα πλοίου

propensity (προπένσιτι) τάση, κλίση

proper (πρόπερ) σωστός, κατάλληλος, πραγματικός, ολοκληρωτικός, πρέπων, εντελώς, πολύ, **-ly** κατάλληλα, πραγματικά, ακριβώς, ολοκληρωτικά, **-noun** κύριο ουσιαστικό, **-ness** καταλληλότητα

propertied (πρόπερτιντ) ο έχων περιουσία, εύπορος

property (πρόπερτι) περιουσία, ιδιοκτησία

prophecy (πρόφισι) προφητεία

prophesy (πρόφισάϊ) προφητεύω

prophet (πρόφιτ) προφήτης, **-ess** η προφήτης, **-ic** προφητικός

prophylactic (προφυλάκτικ) προφυλακτικός, προστατεύων από ασθένεια

prophylaxis (προφίλαξις) πρόνοια, προφύλαξη από ασθένεια

propinquity (προπινκούιτι) εγγύτητα, συγγένεια

propitiate (προπίσσιέϊτ) εξιλεώνω

propitiation (προπίσσιέϊσσον) εξιλέωση, εξευμενισμός

propitiatory (προπίσσιέτορι) εξευμενιστικός

propitious (προπίσσας) πλεονεκτικός, ευνοϊκός

proponent (προπόουνεντ) προτείνων, υποστηρικτής

proportion (προπόρσαν) αναλογία, κανονίζω συγκρίνοντας τη σχέση (μεταξύ δύο πραγμάτων), **-al** αναλογικός, **-ate** ανάλογος, **-s** αναλογίες / out of all proportion to: ασύγκριτος, πάρα πολύ μεγάλος

proposal (προπόουσαλ) πρόταση

propose (προπόουζ) προτείνω, στοχεύω, σχεδιάζω

proposition (προποζίσσον) πρόταση, προτείνω

propound (προπάουντ) προτείνω για συζήτηση

proprietary (προπράϊατερι) ιδιοκτητικός

proprieties (προπράϊτις) οι τύποι, η κοινώς αποδεκτή συμπεριφορά

proprietor (προπράϊετορ) ιδιοκτήτης

proprietress (προπράϊετρες) ιδιοκτήτρια

propriety (προπράϊτι) αρμοδιότητα, κοσμιότητα

propulsion (προπάλσσον) προώθηση

propulsive (προπάλσιβ) προωθητικός

pro rata (πρόου ρέϊτα) κατ' αναλογία

prorate (πρόουρέϊτ) μοιράζω κατ' αναλογία

prorogue (προρόουγκ) διαλύω βουλή

prosaic (πρόουζέϊκ) ανιαρός, μονότονος, πεζός

pros and cons (πρόνσ εντ κόνς) υπέρ και κατά

proscenium (προσίνιαμ) προσκήνιο

proscribe (προσκράϊμπ) απαγορεύω με νόμο

prose (πρόουζ) πεζός λόγος

prosecute (προσεκιούτ) μηνύω, καταδιώκω νομικά, διεξάγω

prosecution (προσεκιούσσον) καταδίωξη, εκτέλεση

prosecutor (προσικιούτορ) κατήγορος

proselyte (προσιλάϊτ) προσήλυτος

proselytize (προσιλιτάϊζ) προσηλυτίζω

prosody (πρόσοντι) προσωδία

prospect (πρόσπεκτ) άποψη, προσδοκία, ερευνώ, **-ive** προσδοκόμενος, αναμενόμενος

prospectus (προσπέκτας) πρόγραμμα, σχέδιο

prosper (πρόσπερ) πλουτίζω, αναπτύσσομαι, ευδοκιμώ, **-ous** εύπορος, ευδοκιμών, **-ity** ευημερία

prostate (προστέϊτ) προστάτης (όργανο σώματος)

prostitute (πρόστιτιουτ) πόρνη, εκπορνεύω

P

prostitution (προστιτσούσσον) πορνεία

prostitutor (προστιτιούτορ) εκπορνευτής

prostrate (προστρέϊτ) κατάκοιτος, ξαπλωμένος κάτω, εξαντλημένος, ξαπλώνω, εξαντλώ

prostration (προστρέϊσσον) κατάπτωση, εξάντληση

prosy (πρόουζι) ανιαρός

protagonist (προουτάγκονιστ) πρωταγωνιστής

protean (πρόουτιαν) ευμετάβλητος

protect (προτέκτ) προστατεύω, φυλάττω, -ive προστατευτικός, -ion προστασία, -or προστάτης, -ionism προστασία εγχώριων προϊόντων, -ionist προστάτης εγχώριων προϊόντων, -iveness προστατευτικότητα

protectorate (προτέκτορετ) προτεκτοράτο

protege (προτιζέϊ) προστατευόμενος

protein (πρόουτιιν) πρωτεΐνη

pro tem (πρόου τεμ) του παρόντος

protest (προτέστ) διαμαρτύρομαι, (πρότεστ) διαμαρτυρία, -er διαμαρτυρόμενος

Protestant (πρότισταντ) διαμαρτυρόμενος, Προτεστάντης, -ism Προτεσταντισμός

protestation (προτεστέϊσσον) δήλωση, διαμαρτυρία

protocol (πρόουτοκολ) πρωτόκολλο

proton (πρόουτον) πρωτόνιο

protoplasm (πρόουτοπλασμ) πρωτόπλασμα

prototype (πρόουτοτάϊπ) πρωτότυπο

protozoa (προουτόζοουα) πρωτόζωα, -n πρωτόζωος

protract (προτράκτ) παρατείνω, -or ο παρατείνων, γωνιόμετρο, -ion παράταση

protrude (προτριούντ) προεξέχω

protrusion (προτρούζον) προεξοχή

protuberance (προτιούμπερανς) εξόγκωμα

protuberant (προτιούμπεραντ) εξογκωμένος

proud (πράουντ) περήφανος, -ness περηφάνεια

prove (προύβ) αποδεικνύω

proven (προύβν) αποδεδειγμένος, δοκιμασμένος

provenance (πρόβενενς) καταγωγή, προέλευση, απαρχή

provender (πρόβιντερ) τροφή, ξηρή τροφή ζώων

proverb (πρόβερμπ) παροιμία, -ial παροιμιακός, -ially παροιμιωδώς

provide (προβάϊντ) παρέχω, προμηθεύω, προνοώ / provided that: αν, αρκεί να

providence (πρόβιντενς) πρόνοια

provident (πρόβιντεντ) προνοητικός, -ial τυχερός, απ' τη θεία πρόνοια

provider (προβάϊντερ) προμηθευτής

providing (that) (προβάϊντινγκ δάτ) αν, αρκεί να

province (πρόβινς) επαρχία, δικαιοδοσία

provincial (προβίνσσαλ) επαρχιακός

provision (προβίζον) παροχή, φροντίδα, πρόνοια, εφοδιάζω, -al προσωρινός, -s προμήθειες

proviso (προβάϊζοου) όρος

provocation (προβικέϊσσαν) πρόκληση

provocative (προβόκατιβ) προκλητικός

provoke (προβόουκ) προκαλώ, -r ο προκαλών

provost (πρόβαστ) προϊστάμενος

prow (πράου) πλώρη πλοίου

prowess (πράους) ικανότητα, επιδεξιότητα, ανδρεία

prowl (πράουλ) περιφέρομαι ψάχνοντας τροφή, -er ληστής, περιφερόμενος προς αρπαγή

prox (πρόξ) του επόμενου μήνα

proximate (πρόξιμετ) πλησιέστα-

τος, άμεσος
proximity (προξίμιτι) εγγύτητα
proximo (πρόξιμοου) του επόμενου μήνα
proxy (πρόξι) πληρεξούσιος, πληρεξουσιότητα
prude (προύντ) σεμνότυφος
prudence (προύντενς) σύνεση, φρόνηση
prudent (προύντεντ) συνετός, **-ial** συνετός
prudery (προύντερι) σεμνοτυφία
prune (προύν) κλεδεύω
prurient (πρόουριεντ) ασελγής
Prussian blue (πράσσαν μπλού) βαθύ μπλέ χρώμα
prussic acid (πράσικ άσιντ) πρωσσικό οξύ (δηλητήριο)
pry (πράϊ) αναμιγνύομαι στις ιδιωτικές υποθέσεις των άλλων, ανοίγω με μοχλό
psalm (σααλμ) ψαλμός, **-ist** ψαλμωδός, **-ody** ψαλμωδία
psalter (σόολτερ) ψαλτήρι (βιβλίο)
psaltery (σόολτερι) ψαλτήρι (μουσικό όργανο)
pseudo (σούντο) ψεύτικος, ψεύδο-
pseudonym (σιούντονιμ) ψευδώνυμο, **-ous** ονομαζόμενος με ψευδώνυμο
psittacosis (σίτακόουσις) ψιττάκωση (ασθένεια πουλιών)
psoriasis (σοράϊασις) ψωρίαση
psyche (σάϊκι) ψυχή
psychedelic (σάϊκιντάλικ) ψυχεδελικός
psychiatrist (σαϊκάιετριστ) ψυχίατρος
psychiatry (σαϊκάιετρι) ψυχιατρική επιστήμη
psychic (ψίχικ) ψυχικός
psychoanalyse (σαϊκοουανάλάιζ) ψυχαναλύω
psychoanalysis (σαϊκοουανάλισις) ψυχανάλυση
psychoanalyst (σαϊκοουανάλιστ)

ψυχαναλυτής
psychological (σαϊκολότζικαλ) ψυχολογικός, **-warfare** ψυχολογικός πόλεμος
psychologist (σαϊκόλοτζιστ) ψυχολόγος
psychology (σαϊκόλοτζι) ψυχολογία
psychopath (σάϊκοπαθ) ψυχοπαθής, **-y** ψυχοπάθεια
psychosis (σαϊκόουσις) ψύχωση
psychosomatic (σαϊκοουσομάτικ) ψυχοσωματικός
psychotherapy (σαϊκοουθέραπι) ψυχοθεραπεία
psychotic (σαϊκότικ) ψυχωτικός
pterodactyl (τεράντακτιλ) πτεροδάκτυλος (προϊστορικό ζώο)
pteridophyte (τέριντοφάϊτ) πτεριδόφυτο
ptomaine (τόουμέϊν) πτωμαΐνη
pub (πάμπ) καπηλειό, μπυραρία, **-crawl** θαμώνας καπηλειών
puberal (πιούμπερλ) εφηβικός
puberty (πιούμπερτι) εφηβικός
pubescence (πιούμπεσενς) ήβη, εφηβεία
pubescent (πιουμπέσεντ) έφηβος
pubic (πιούμπικ) εφηβικός
public (πάμπλικ) δημόσιος, το δημόσιο, το κοινό, **-ation** δημοσίευση, δημοσίευμα, **-ist** δημοσιολόγος, **-ity** δημοσιότητα, **-ize** δημοσιεύω, **-spirited** εργαζόμενος γιά το κοινό καλό, **-convenience** δημόσιο αποχωρητήριο, **-house** πανδοχείο, καπηλειό, **-sector** δημόσιος τομέας, **-works** δημόσια έργα
publish (πάμπλιτζ) δημοσιεύω, εκδίδω, **-er** εκδότης
puck (πάκ) δίσκος από καουτσούκ
pucker (πάκερ) σουφρώνω, ζαρώνω
puckish (πάκις) παιχνιδιάρικος
pud (πάντ) πουτίγγα
pudding (πάντινγκ) πουτίγγα
puddle (πάντλ) λακκούβα με νερό, ανακατεύω

P

pudendum (πιούντενταμ) γυναικεία γεννητικά όργανα

pudgy (πάτζι) κοντόχοντρος

puerile (πούεράϊλ) παιδαριώδης, ανώριμος

puerperal (πιούερπέραλ) μετά τη γέννηση, επιλόχιος

puff (πάφ) φύσημα, φούσκωμα, φυσώ, φουσκώνω, εγκωμιάζω υπερβολικά, **-iness** πρήξιμο, **-y** φουσκωμένος, πρησμένος

puffin (πάφιν) είδος θαλάσσιου πουλιού

pug (πάγκ) είδος μικρόσωμου σκύλου

pugilism (πιούτζιλιзμ) πυγμαχία

pugilist (πιούτζιλιστ) πυγμάχος

pugnacious (παγκνέϊσσας) εριστικός, **-ness, pugnacity** εριστικότητα

puissance (πούλσανς) δύναμη

puissant (πούλσαντ) ισχυρός

puke (πιούκ) εμετός, κάνω εμετό

pukka (πάκε) ποιοτικός, γνήσιος

pulchritude (πάλκριτιουντ) ομορφιά

pull (πούλ) σέρνω, έλκω, τραβώ, τράβηγμα, επιρροή / pull down: κατεδαφίζω, καταστρέφω, καταρρέω / pull in: (για τρένο) φτάνω σε σταθμό, κερδίζω χρήματα / pull off: επιτυγχάνω κάτι δύσκολο, κατορθώνω / pull out: (για τρένο) φεύγω απ' το σταθμό, (για όχημα) προσπερνώ / pull throught (round): συνέρχομαι, αναρρώνω / pull up: σταματώ

pullet (πούλιτ) νεαρή κότα

pulley (πούλι) τροχαλία

pull in (πούλ ιν) χώρος στην άκρη του δρόμου για στάση αυτοκινήτων

pullman (πούλμαν) πολυτελής σιδηροδρομική άμαξα

pullon (πούλ ον) εφαρμοστό ρούχο

pullover (πουλόβερ) μάλλινη μπλούζα

pulmonary (πάλμονέρι) πνευμονικός

pulp (πάλπ) πολτός, μαλακό τμήμα

φρούτου, πολτοποιώ, κακής ποιότητας αναγνώσματα

pulpit (πάλπιτ) άμβωνας

pulsate (πάλσεϊτ) πάλλω, -ομαι

pulsation (παλσέϊσσον) παλμός, σφυγμός

pulsatory (παλσέϊτορι) σφυγμικός, παλμικός

pulse (πάλς) σφυγμός, πάλλομαι, όσπριο

pulverization (πάλβεριζέϊσσον) μετετροπή σε σκόνη, ολοκληρωτική ήττα

pulverize (πάλβεράϊζ) κάνω σκόνη, κατανικώ

puma (πούμα) πούμα (ζώο)

pumice (πάμις) ελαφρόπετρα

pummel (πάμελ) χτυπώ

pump (πάμπ) αντλία, αντλώ, παπούτσι χορού

pumpernickel (παμπένικελ) ψωμί από σίκαλη

pumpkin (πάμπκιν) κολοκυθιά

pun (παν) λογοπαίγνιο, παίζω με τις λέξεις

punch (πάντς) γροθιά, χτυπώ με γροθιά, ισχύς, είδος ποτού (πόντς)

punch ball (πάντς μπόλ) σάκκος για προπόνηση πυγμάχου

punchy (πάντσι) ισχυρός, οξύς

punctilio (πανκτίλιοου) αυστηρή τυπικότητα

punctilious (πανκτίλιας) τυπικός

punctual (πάνκτσουαλ) ακριβής, συνεπής στην ώρα, **-ity** ακρίβεια στην ώρα

punctuate (πάνκτσουέϊτ) βάζω σημεία στίξης

punctuation (πανκτσουέϊσσαν) στίξη, **-marks** σημεία στίξης

puncture (πάνκτσαρ) τρυπώ, τρύπημα

pundit (πάντιτ) ειδήμονας

pungent (πάντζεντ) δριμύς, ισχυρός

punish (πάνισσ) τιμωρώ, **-able** αξιοτιμώρητος, **-ing** εξαντλητικός,

άσχημη μεταχείρηση, **-ment** τιμω-
ρία, **-er** ο τιμωρών
punitive (πιούνιτιβ) τιμωρητικός
punk (πάνκ) πάνκ, αναρχικός, ενά-
ντιος στο νόμο, ο έχων κακή υγεία
punnet (πάνιτ) πανέρι, καλάθι
punster (πάνστερ) αυτός που ξέρει
λογοπαίγνια
punt (πάντ) μακρόστενη βάρκα, κι-
νώ ή κινούμαι με βάρκα
punter (πάντερ) πελάτης
puny (πάνι) μικρός κι αδύναμος
pup (πάπ) σκυλάκι, γεννώ σκυλάκια
pupa (πιούπα) χρυσαλλίδα εντόμου
pupil (πιούπιλ) μαθητής, κόρη μα-
τιού
puppet (πάπιτ) μαριονέτα, κούκλα,
-eer ο παίζων κουκλοθέατρο
puppy (πάπι) σκυλάκι
purblind (πέρμπλαϊντ) ανόητος
purchase (πέρτσες) αγοράζω, αγορά
pure (πιούρ) γνήσιος, αγνός, καθα-
ρός, **-ness** καθαρότητα, γνησιότητα,
-blooded γνήσιος απόγονος, χωρίς
πρόσμιξη με άλλες φυλές, **-bred** κα-
θαρόαιμος
puree (πιουρέ) πουρές, πολτός
purely (πιούρλι) καθαρά, ολοκλη-
ρωτικά
purgation (περγκέϊσσαν) κάθαρση,
εξαγνισμός
purgative (πέργκατιβ) καθαρτικός,
-ό
purgatory (περγκάτορι) καθαρτήριο
purge (πέερτζ) καθαίρω, καθαρίζω,
κάθαρση
purification (πιουριφικέϊσσον) κά-
θαρση, εξαγνισμός
purify (πιούριφάϊ) εξαγνίζω, καθα-
ρίζω
purist (πιούριστ) σχολαστικός στη
σωστή χρήση της γλώσσας
puritan (πιούριταν) πουριτανός, αυ-
στηρός στα ήθη, **-ic** πουριτανικός,
-ism πουριτανισμός
purity (πιούριτι) καθαρότητα, αγνό-

τητα
purl (πέρλ) κελαρύζω, κελάρυσμα,
είδος πλεξίματος
purlieus (πέελιουζ) περίχωρα
purloin (πέερλοϊν) κλέβω
purple (πέρπλ) βαθύ κόκκινο χρώ-
μα, πορφυρός, **-ish** πορφυροειδής
purport (πέερπορτ) σκοπεύω, ση-
μαίνω, σκοπός
purpose (πέρποζ) σκοπός, σκοπεύω,
-ful σκόπιμος, **-less** άσκοπος, **-ly**
σκόπιμα / on purpose: σκόπιμα
purr (πέερ) γουργουρίζω σα γάτα,
γουργούρισμα
purse (πέρς) πορτοφόλι, σακκούλα,
σακκουλιάζω, **-r** ταμείας πλοίου
persuance (πέρσουανς) επιδίωξη,
εκτέλεση
pursue (πέρσουου) επιδιώκω, κατα-
διώκω, ακολουθώ, **-r** ο καταδιώκων
pursuit (πέρσσιουτ) δίωξη, επιδίωξη
purulent (πιούρουλεντ) πυώδης
purvey (πέερβεϊ) προμηθεύω
purview (πέερβιου) όριο, σκοπός
pus (πάς) πύο
push (πούςς) ωθώ, ανοίγω δρόμο
σπρώχνοντας, εμπορεύομαι ναρκω-
τικά, προωθώ, ώθηση, **-er** ο ωθών,
-bike ποδήλατο, **-cart** χειράμαξο,
-chair καρότσι μωρού, **-ed** πιεσμέ-
νος, υπεραπασχολημένος, **-button**
ηλεκτρικό κουμπί, **-y** αποφασιστι-
κός / push ahead: προχωρώ, προο-
δεύω / push along: φεύγω / push in:
διακόπτω με αγένεια / push up: αυ-
ξάνω / push out: απολύω
pusillanimity (πιουσιλανίμιτι) μι-
κροψυχία
pusillanimous (πιουσιλάνιμας) μι-
κρόψυχος
puss (πούς) γάτα
pussy (πούσι) γατάκι, **-foot** προχω-
ρώ δειλά σα γάτα
pustule (πάστσουλ) εξάνθημα,
σπυρί
put (πούτ) βάζω, θέτω / put by: απο-

ταμιεύω / put forward: προτείνω, διατυπώνω / put off: αποβάλλω, σαλπάρω, αποδοκιμάζω / put out: σβήνω, παράγω, εξαρθρώνω, εκδίδω / put up: σηκώνω, ανυψώνω, τοιχοκολλώ, φιλοξενώ / put up with: αντέχω, ανέχομαι / put down: προσγειώνομαι, καταστέλλω, κατεβάζω / put in: διακόπτω, βάζω, υποβάλλω αίτηση, προτείνω / put on: φορώ, αυξάνω / put at: υπολογίζω
putative (πιούτατιβ) θεωρούμενος
put down (πούτ ντάουν) προσβλητικά λόγια
put off (πούτ οφ) δικαιολογία, πρόφαση
putrefaction (πιουτριφάκσεν) σήψη
putrefy (πιούτριφάϊ) σαπίζω
putrescent (πιούτρεσεντ) σάπιος, που αρχίζει να σαπίζει
putrid (πιούτριντ) σάπιος, άσχημος, χωρίς αξία
putsch (πουτς) πραξικόπημα
putt (πατ) βάζω το μπαλάκι του γκολφ στην τρύπα
putter (πούτερ) μπαστούνι του γκολφ, ο βάζων μπάλα του γκόλφ στην τρύπα

put up job (πούτ απ τζόμπ) «στημένη δουλειά», άτιμη προσχεδιασμένη ενέργεια
puzzle (πάζλ) μπερδεύω, καθιστώ αμήχανο, αίνιγμα, απορία, **-ment** μπέρδεμα, **-r** ο περιπλέκων, κάτι το μπερδεμένο
pygmy (πίγκμι) μικροσκοπικός, ασήμαντος
pyjamas (πιτζάμαζ) πιζάμες
pylon (πάϊλον) πυλώνας
pylorus (παϊλόουρας) πυλωρός στομάχου
pyorrhea (παϊόρια) πυόρροια
pyramid (πίραμιντ) πυραμίδα
pyre (πάϊαρ) νεκρική πυρά
pyrex (πάϊρεξ) είδος γυαλιού άθραυστο στην υψηλή θερμοκρασία
pyrites (παϊράϊτεζ) πυρίτης
pyrography (παϊρόγκραφι) πυρογραφία
pyromania (παϊρομέϊνια) πυρομανία, **-c** πυρομανής
pyrotechnics (παϊροτέκνικς) πυροτεχνήματα, πυροτεχνία
python (πάϊθον) πύθωνας
pyx (πίξ) δοχείο για φύλαξη πρόσφορου Θείας Λειτουργίας

Q

Q, q (κιού) το 17ο γράμμα του Αγγλικού αλφαβήτου
quack (κουάκ) κράζω, γιατρός, τσαρλατάνος, **-ery** αγυρτεία
quad (κουάντ) τετράγωνος ελεύθερος χώρος (σε σχολείο)
quadrangle (κουαντράνγκλ) τετράγωνο

quadrangular (κουαντράγκιουλαρ) τετράγωνο
quadrant (κουάντραντ) τέταρτο κύκλου
quadrate (κουάντρέϊτ) τετράγωνος, **-o**
quadratic (κουαντράτικ) τετραγωνικός

quadrature (κουαντρατσούρ) τετρα-
γωνισμός
quadrennial (κουαντρένιαλ) τε-
τραετής
quadrilateral (κουάντριλάτεραλ) τε-
τράπλευρος
quadrille (κουάντριλ) είδος χορού
quadrillion (κουαντρίλιαν) τετρακι-
σεκατομμύριο
quadroon (κουαντρούν) μιγάς
quadruped (κουαντρούπντ) τετρά-
ποδο ζώο
quadruple (κουαντρούπλ) τετρα-
πλάσιος, τετραπλασιάζω
quadruplet (κουαντρούπλιτ) τε-
τράδυμο
quaff (κουάφ) πίνω πολύ
quagmire (κουαγκμάϊερ) βάλτος
quail (κουέϊλ) ορτύκι (πουλί), τρέ-
μω, φοβάμαι
quaint (κουέϊντ) παράξενος, ασυ-
νήθιστος κι ελκυστικός, -ness πα-
ραδοξότητα
quake (κουέϊκ) τρέμω, σείω, σει-
σμός
qualification (κουαλιφικέϊσσον)
προσόν, όρος
qualified (κουαλιφάϊντ) ο έχων προ-
σόντα, περιορισμένος
qualifier (κουαλιφάϊερ) ο δίνων
προσόντα, ο κάνων ικανό
qualify (κουαλιφάϊ) δίνω προσόντα,
κάνω ικανό, τροποποιώ
qualitative (κουολιτέϊτιθ) ποιοτικός
quality (κουάλιτι) ποιότητα, χαρα-
κτηριστικό, ιδιότητα
qualm (κουάαμ) τύψη, ενδοιασμός
quandary (κουάντερι) απορία,
άγνοια
quantify (κουάντιφάϊ) υπολογίζω,
μετρώ
quantitative (κουαντιτέϊτιθ) ποσο-
τικός
quantity (κουόντιτι) ποσότητα, με-
γάλος αριθμός ή ποσό
quantum (κουάνταμ) ποσό ενέργει-

ας (φυσική)
quantum leap (κουάνταμ λίιπ) τε-
ράστια πρόοδος
quarantine (κουαραντίιν) περίοδος
απομόνωσης λόγω ασθένειας, απο-
μονώνω
quarrel (κουόρελ) τσακωμός, καυ-
γάς, καυγαδίζω, -some εριστικός,
φιλόνικος
quarry (κουόρι) λατομείο, θήραμα,
σκάβω
quart (κουόορτ) τέταρτο γαλλονίου
quarter (κουόρτερ) τέταρτο, τρίμη-
νο, έλεος, μοιράζω σε τέταρτα, πα-
ρέχω καταλύμματα, -deck κατά-
στρωμα πλοίου, -ly τρίμηνος, -mas-
ter στρατιωτικός υπεύθυνος γιά τις
προμήθειες, -s καταλύμματα, -staff
παλαιό όπλο με μυτερή αιχμή
quartet (κουόοτετ) κουαρτέτο, τε-
τραφωνία
quarto (κουάρτοου) τετράδιπλος
quartz (κουόρτζ) χαλαζίας
quash (κουάςς) ακυρώνω, συντρίβω
quassia (κουόσια) κασσία
quatercentenary (κουατεσεντίναρι)
περίοδος τετρακοσίων χρόνων
quatrain (κουατρέϊν) τετράστοιχο
quaver (κουέϊβερ) τρέμω, σείομαι,
μιλώ με τρεμάμενη φωνή, τρεμού-
λιασμα φωνής
quay (κίι) προκυμαία
queasy (κουίιζι) ο έχων ναυτία,
απρόθυμος
queen (κουίν) βασίλισσα, -consort
σύζυγος βασιλιά, -mother μητέρα
βασιλιά, -ly βασιλικός, -liness βασι-
λοπρέπεια
queensberry rules (κουίνσμπερι
ρούλς) κανονισμοί πυγμαχίας
queer (κουίαρ) παράξενος, δυσνόη-
τος, αδιάθετος, ομοφυλόφιλος
quell (κουέλ) καταβάλλω, κατα-
στέλλω, τερματίζω
quench (κουέντς) ξεδιψώ, σβήνω
querulous (κουέρουλας) παραπο-

Q

νιάρης, μεμψίμοιρος

query (κουέρι) ερώτηση, ρωτώ, εξετάζω

quest (κουέστ) έρευνα, αναζήτηση

question (κουέστσον) ερώτηση, ζήτημα, αμφιβολία, ρωτώ, αμφισβητώ, **-able** αμφίβολος, αμφισβητήσιμος, **-er** εξεταστής, ερωτών, **-ing** ο έχων ερωτήματα, ερωτηματικός, **-mark** ερωτηματικό, **-naire** ερωτηματολόγιο / in question: υπό εξέταση / out of the question: αδύνατος / there's no question of: δεν υπάρχει καμία πιθανότητα

queue (κιουόυ) ουρά, σειρά ανθρώπων, μπαίνω σε σειρά περιμένοντας

quibble (κούμπελ) υπεκφυγή, υπεκφεύγω, **-r** ο υπεκφεύγων

quick (κουίκ) γρήγορος, ζωηρός, γρήγορα, **-en** επιταχύνω, ζωογονώ, **-ie** βεβιασμένος, βιαστικός, **-step** χορός με γρήγορα βήματα, **-witted** έξυπνος, οξύνους, **-lime** ασβέστης, **-ness** ταχύτητα, **-silver** υδράργυρος, **-tempered** οξύθυμος

quid (κουίντ) ένα πάουντ (Αγγλικό νόμισμα)

quid pro quo (κουίντ πρόου κόου) αντάλλαγμα

quiescent (κουίεσαντ) ήρεμος, ήσυχος

quiet (κουάϊετ) ήσυχος, αθόρυβος, ήρεμος, ησυχία, ηρεμώ, **-ly** ήσυχα, **-ness**, **-ude** ηρεμία

quieten (κουάϊετν) ησυχάζω, κατευνάζω

quietus (κουάϊτας) θάνατος, απαλλαγή

quill (κουίλ) πέννα, φτερό πουλιού

quilt (κουίλτ) πάπλωμα κρεβατιού

quince (κουίνς) κυδώνι, κυδωνιά

quinine (κουινίιν) κινίνι (φάρμακο)

quinquennial (κουινκουένιαλ) πενταετής

quint (κουίντ) πεντάδυμος, **-o**

quintessence (κουίντεσενς) πρώτυ-

πο, τυπικό παράδειγμα

quintet (κουίντετ) πενταφωνία

quintuplet (κουίντουπλιτ) πεντάδυμος

quip (κουίπ) χλευασμός, ειρωνία, περιπαίζω, ειρωνεύομαι

quire (κουάϊαρ) δεσμίδα από 24 φύλλα χαρτί

quirk (κουίρκ) παράξενο γεγονός, ιδιοτροπία

quisling (κουίζλινγκ) ο συνεργαζόμενος με τους εχθρούς της πατρίδας του

quit (κουίτ) παραιτώ, αφήνω, απελευθερωμένος, απαλλαγμένος

quite (κουάϊτ) αρκετά, εντελώς

quits (κουίτς) εξοφλημένοι, ίσα ίσα

quittance (κουίτανς) απαλλαγή

quitter (κουίτερ) ο εγκαταλείπων, ο παραιτούμενος

quiver (κουίβερ) τρέμω από φόβο, τρεμούλιασμα, θήκη γιά βέλη

qui vive (κιί βίιβ) προσεκτικός, παρατηρητικός

quixotic (κουιξάτικ) ιπποτικός

quiz (κουίζ) παιχνίδι με ερωτήσεις, εξέταση, ρωτώ

quizzical (κουίζικαλ) αστείος

quod (κουόντ) φυλακή

quondam (κουόνταμ) παλαιότερος, πρώην

quonset hut (κουόνσετ χάτ) θολωτό μεταλλικό παράπηγμα

quorum (κουόοραμ) απαρτία

quota (κουότα) αναλογία

quotable (κουόταμπλ) που μπορεί ν' αναφερθεί

quotation (κουοτέϊσσον) αναφορά, παραπομπή, τιμή, **-marks** εισαγωγικά (σημείο στίξης)

quote (κουόουτ) παραθέτω, αναφέρω, καθορίζω τιμή, παραπομπή

quotidian (κουοουτίντιαν) καθημερινός

quotient (κουόουσσαντ) πηλίκο

R

R, r (έρ) το δέκατο όγδοο γράμμα του Αγγλικού αλφαβήτου
rabbi (πάμπαϊ) ραββίνος
rabbinical (ραμπίνικαλ) ραββινικός
rabbit (ράμπιτ) λαγός, κουνέλι, παραπονιέμαι συνεχώς, **-hutch** κλουβί κουνελιών, **-warren** περιοχή με τρύπες άγριων κουνελιών
rabble (ράμπλ) πλήθος, όχλος, λαός, **-rousing** που ξεσηκώνει τα πλήθη
rabid (ράμπιντ) λυσασμένος, μανιώδης, φανατικός, **-ness**, **-ity** μανία, λύσσα
rabies (ρέϊμπιιζ) λύσσα (ασθένεια)
raccoon (ρακούουν) τρωκτικό ζώο, η γούνα του ζώου αυτού
race (ρέις) αγώνας, αγωνίζομαι, ορμώ, φυλή, γένος, **-track** πίστα, στίβος αγώνων ή ιπποδρόμιο, **-course** ιπποδρόμιο, **-horse** άλογο γιά ιπποδρομίες, **-r** άλογο ιπποδρομιών, αυτοκίνητο αγώνων
racial (ρέισσαλ) φυλετικός, **-ism** ρατσισμός, **-ist** ρατσιστής, **-ly** φυλετικά
racing (ρέισινγκ) αγωνιστικός
racism (ρέισιμ) ρατσισμός
racist (ρέισιστ) ρατσιστής
rack (ράκ) ράφι, σχάρα, βασανιστήριο, βασανίζω, ερήπωση, καταστροφή / rack up: κερδίζω πόντους σε αγώνα
racket (ράκιτ) ρακέτα, δυνατός θόρυβος, εκβιαστική ενέργεια, **-eer** εκβιαστής, κακοποιός, **-eering** κα-

κούργημα, εκβιασμός
raconteur (ρακοντέερ) δεινός αφηγητής
racquet (ράκιτ) ρακέτα
racy (ρέϊσι) διασκεδαστικός, ζωηρός, άσεμνος
radar (ρέϊντααρ) ραντάρ
radial (ρέϊντιαλ) ακτινωτός
radiance (ρέϊντιανς) ακτινοβολία
radiant (ρέϊντιεντ) ακτινοβόλος, ακτινοβολών
radiate (ράντιέϊτ) ακτινοβολώ
radiation (ραντιέϊσσον) ακτινοβολία
radiator (ρέϊντιέϊτορ) καλοριφέρ
radical (ράντικαλ) ριζικός, ριζοσπαστικός, ριζοσπάστης
radio (ρέϊντιοου) ραδιόφωνο, ασύρματος, στέλνω μήνυμα τηλεγραφικά, **-active** ραδιενεργός, **-activity** ραδιενέργεια, **-cast** μεταδίδω ραδιοφωνικά, **-beacon** πύργος ελέγχου αεροδρομίου
radiogram (ρέϊντιογραμ) ραδιοτηλεγράφημα
radiographer (ρεϊντιογκράφερ) ακτινολόγος
radiography (ρεϊντιόγκραφι) ακτινογραφία
radiology (ρεϊντιόλετζι) ακτινολογία
radiotherapy (ρέϊντιοουθέραπι) ραδιοθεραπεία
radish (ράντισσ) ραπάνι
radium (ρέϊντιαμ) ράδιο (χημ.)
radius (ρέϊντιας) ακτίνα κύκλου

raffish (ράφιςς) ζωηρός, ασεβής

raffle (ράφλ) λαχνός, κερδίζω λαχνό

raft (ράφτ) σχεδία, μεγάλος αριθμός ή ποσότητα

rafter (ράφτερ) δοκάρι στέγης

rag (ράγκ) κουρέλι, κομμάτι υφάσματος, κάνω προσβλητικά αστεία, κοροϊδεύω / from rags to riches: από τη φτώχεια στον πλούτο

ragamuffin (ραγκεμάφιν) αλητόπαιδο

rag-and-bone man (ράγκ εντ μπόουν μαν) παλιατζής

ragbag (ράγκμπαγκ) ανακάτεμα, σύγχυση, ακατάστατος σωρός

rage (ρέιτζ) οργή, μανία, οργίζομαι, εξαπλώνομαι

ragged (ράγκιντ) κουρελιασμένος, τραχύς

raglan (ράγκλαν) είδος σακακιού

ragout (ραγκούου) είδος φαγητού με κρέας και λαχανικά

ragtime (ράγκταϊμ) είδος μουσικής με συχνές συγκοπές

ragtrade (ράγκτρέϊντ) βιομηχανία ενδυμάτων

raid (ρέϊντ) επιδρομή, επιδράμω, **-er** επιδρομέας

rail (ρέϊλ) μπάρα, ράγια σιδηροδρόμου, εγκλείω ή χωρίζω με μπάρες, διαμαρτύρομαι, παραπονιέμαι, **-ing** κιγκλίδωμα / go off the rails: συμπεριφέρομαι παράξενα

raillery (ρέϊλερι) φιλικό πείραγμα, αστεϊσμός

railroad (ρέϊλρόουντ) σιδηρόδρομος, επισπεύδω, ψηφίζω νομοσχέδιο βεβιασμένα

railway (ρέϊλουεϊ) σιδηρόδρομος, **-station** σιδηροδρομικός σταθμός

raiment (ρέϊμεντ) ρούχα

rain (ρέϊν) βροχή, (για βροχή) πέφτω, **-bow** ουράνιο τόξο, **-coat** αδιάβροχο, **-drop** σταγόνα βροχής, **-fall** βροχόπτωση, **-forest** τροπικό δά-

σος, **-gauge** όργανο για μέτρηση βροχοπτώσεων, **-proof** αδιαπέραστος στη βροχή, **-storm** καταιγίδα, **-s** εποχή βροχών (τροπικές χώρες), **-y** βροχερός / as right as rain: εντελώς υγιείς / for a rainy day: για περίοδο οικονομικής δυσχέρειας

raise (ρέϊζ) σηκώνω, αυξάνω, συλλέγω, ανατρέφω, ανεγείρω, κερδίζω περισσότερα χρήματα (σε χαρτοπαίγνιο), αύξηση, **-r** ο ανατρέφων, ο προξενών / raise the devil / hell / roof: εξαγριώνομαι / raise one's hand to (against) someone: κινούμαι να χτυπήσω κάποιον

raisin (ρέϊζεν) σταφίδα

raison d' etre (ρέϊζον ντέτρ) λόγος ύπαρξης

rajah (ράατζα) Ινδός ηγεμόνας

rake (ρέϊκ) δίκρανο, ισοπεδώνω με δίκρανο, σκαλίζω, εξετάζω, έκλυτος, **-off** παράνομο κέρδος / rake out: ανακαλύπτω ψάχνοντας / rake up: θυμάμαι κάτι δυσάρεστο, συλλέγω με δυσκολία

rakish (ρέϊκιςς) έκλυτος, λοξός

rallentado (ραλεντάντοου) (για μουσική) επιβραδυνόμενη

rally (ράλι) συναθροίζω, **-ομαι** για κοινό σκοπό, αναρρώνω, επανέρχομαι σε φυσιολογική κατάσταση, συλλαλητήριο, πειράζω, αστειεύομαι

ram (ράμ) κριάρι, μπήγω, έμβολο

ramble (ράμπλ) περιπλανούμαι, περπατώ, μακρολογώ ή γράφω ακατάστατα, περίπατος, **-r** περιπλανόμενος, περιπατών

rambling (ράμπλινγκ) (για προφορικό ή γραπτό λόγο) ακατάστατος, ακανόνιστος

rambunctious (ραμπάκςςας) θορυβώδης, ζωηρός

ramekin (ράμκιν) μικρό σκεύος για ψήσιμο φαγητού

ramification (ραμιφικέϊσσαν) δια-

κλάδωση, συνέπεια
ramify (ράμιφάϊ) διακλαδίζω
rampage (ραμπέϊτζ) ορμώ, έξαψη, ορμή, βία
rampant (ράπμαντ) ακατάσχετος, ανεξέλεγκτος
rampart (ραμπάαρτ) οχύρωμα
ramrod (ράμροντ) θέργα όπλου
ramshackle (ράμσσακλ) ερηπωμένος, ετοιμόρροπος
ran (ράν) αορ. του run
ranch (ράντς) ράντσο, κτήμα με ζώα, φυτεία, **-er** ιδιοκτήτης ράντσου, κτηματίας, κτηνοτρόφος, **-house** σπίτι μέσα σε κτήμα
rancid (ράσινντ) μπαγιάτικος, δύσοσμος (γιά τροφή)
rancour (ράνκαρ) μίσος, μνησικακία, **-ous** μνησίκακος
random (ράντομ) τυχαίος, τύχη
randy (ράντι) ο έχων σεξουαλικές επιθυμίες, ερωτικός
range (ρέϊντζ) έκταση, ακτίνα, σειρά, βεληνεκές, βολή, κορυφογραμμή, ποικίλλω, εκτείνομαι, περιπλανιέμαι, τακτοποιώ
ranger (ρέϊντζερ) δασοφύλακας, χωροφύλακας
rank (ράνκ) τάξη, σειρά, βαθμός, κατατάσσω, -ομαι, τακτοποιώ, βρίσκομαι σε υψηλότερη βαθμίδα, πυκνός, δύσοσμος, ολοκληρωτικός, **-er** βαθμοφόρος (στο στρατό), **-ing** ο ανήκων στην υψηλότερη βαθμίδα / rank and file: απλοί στρατιώτες, κοινός λαός
rankle (ράνκλ) εξερεθίζω
ransack (ρανσάκ) ερευνώ εξονυχιστικά, λεηλατώ
ransom (ράνσομ) λύτρα, απελευθερώνω πληρώνοντας λύτρα / hold someone to ransom: κρατώ ως όμηρο ζητώντας χρήματα
rant (ράντ) μιλώ ασυνάρτητα, **-er** κομπαστής, ο μιλών ασυνάρτητα
rap (ράπ) ελαφρό χτύπημα, χτυπώ,

εκστομίζω απότομα, αποδοκιμάζω, κάτι το ελάχιστο
rapacious (ραπέϊσσας) αρπακτικός, **-ness, rapacity** αρπακτικότητα
rape (ρέϊπ) βιάζω, βιασμός
rapid (ράπιντ) ταχύς, **-ity, -ness** ταχύτητα, **-s** κατωφέρεια ποταμού
rapier (ρέϊπιερ) λεπτό ξίφος
rapine (ραπάϊν) αρπαγή
rapist (ρέϊπιστ) βιαστής
rapport (ράποορτ) αρμονική σχέση
rapprochement (ραπρόουσσμεντ) επανασυμφιλίωση
rapscallion (ραπσκάλιαν) αλήτης
rapt (ράπτ) απορροφημένος
rapture (ράπτσαρ) χαρά
rapturous (ράπτσουρας) υπερβολικά χαρούμενος
rare (ρέαρ) σπάνιος, ελαφρός, μισοψημένος, **-ly** σπάνια
rarefaction (ρέαρφάκσσον) αραίωση
rarefied (ρέαριφάϊντ) αραιωμένος
rarefy (ρέαρφάϊ) αραιώνω
raring (ρέαρινγκ) πολύ πρόθυμος
rarity (ρεάριτι) σπανιότητα
rascal (ράασκαλ) άτιμος άνθρωπος, κατεργάρης, ζαβολιάρικο παιδί
rash (ράσσ) παράφορος, απερίσκεπτος, εξάνθημα
rasher (ράσσερ) λεπτή φέτα χοιρινού
rasp (ράσπ) λίμα, λιμάρω
raspberry (ράαζμπερι) βατόμουρο
rat (ράτ) αρουραίος, άτιμος άνθρωπος, αθετώ υπόσχεση, φέρομαι άτιμα
ratbag (ρατμπάγκ) άτομο χωρίς αξία
ratchet (ράτσετ) οδοντωτός τροχός ρολογιού
rate (ρέϊτ) βαθμός, ρυθμός, αξία, αναλογία, διατιμώ, εκτιμώ / at a rate of knots: πολύ γρήγορα / at any rate: εν πάση περιπτώσει
rateable, ratable (ρέϊταμπλ) εκτιμητός, διατιμητός

rather (ράδερ) μάλλον, κάπως, καλύτερα

ratification (ρατιφικέϊσσον) επικύρωση

ratify (ρατιφάϊ) επικυρώνω

rating (ρέϊτινγκ) διατίμηση, τάξη, κατάταξη

ratio (ρέϊσσιοου) αναλογία

ratiocination (ρατιοσσινέϊσσαν) συλλογισμός

ration (ρέσσαν) μερίδα, κατανέμω τρόφιμα, -ing κατανομή τροφίμων

rational (ράσσοναλ) λογικός, -ism ορθολογισμός, -ist ορθολογιστής, -ize λογικεύομαι, εξηγώ με τη λογική

rat race (ρατρέις) επιχειρηματικός ανταγωνισμός

ratsbane (ρατσμπέϊν) ποντικοφάρμακο

rat-rat (ρατ ράτ) ήχος από χτύπημα της πόρτας

rattle (ράτλ) κροταλίζω, κροτάλισμα, -snake κροταλίας, -trap παλιό θορυβώδες αυτοκίνητο

rattling (ράτλινγκ) πολύ

ratty (ράτι) οξύθυμος, κακόκεφος, κουρελιασμένος, γεμάτος ποντικούς

raucous (ρόοκας) τραχύς (γιά φωνές)

raunchy (ρόοντσι) προκλητικός, ερωτικός

ravage (ράβιτζ) καταστρέφω, αφανίζω, καταστροφή, ερήμωση

rave (ρέϊβ) παραληρώ, έπαινος

ravel (ράβελ) μπερδεύω, ξεμπλέκω

raven (ρέϊβεν) κόρακας (πουλί), -haired μαυρομάλλης

ravening (ράβενινγκ) αρπακτικός, αρπακτικότητα

ravenous (ράβενας) πάρα πολύ πεινασμένος, αρπακτικός

raver (ρέϊβερ) παραληρών, αυτός που ζεί έντονα

ravine (ραβίιν) λαγκαδιά, κοιλάδα

raving (ρέϊβινγκ) έξαλλος, παραληρών, υπερβολικός, αξιοθαύμαστος, -s φλυαρία

ravish (ράβισσ) γοητεύω, ενθουσιάζω, αρπάζω, ληστεύω, βιάζω, -er βιαστής, -ment αρπαγή, βιασμός, έκσταση, -ing γοητευτικός

raw (ρόο) ωμός, ακατέργαστος, ανειδίκευτος, άπειρος, κρύος (καιρός), -ness ωμότητα, -boned κοκκαλιάρης, -deal κακομεταχείρηση, -hide ακατέργαστο δέρμα αγελάδας

ray (ρέϊ) ακτίνα, ακτινοβολώ

rayon (ρέϊαν) τεχνητό μετάξι

raze (ρέϊζ) κατεδαφίζω, καταστρέφω ολοκληρωτικά

razor (ρέϊζορ) ξυράφι, -edge δύσκολη κατάσταση, -blade λεπίδα ξυραφιού

razzle (ράζλ) on the razzle: ζωή γεμάτη διασκεδάσεις

razzmatazz (ραζματάζ) επιδεικτική και θορυβώδης δραστηριότητα

re (ρίι) γύρω από το θέμα του
-'re (ερ) συντομία αντί are: είναι

reach (ρίιτς) φτάνω, εκτείνω, -ομαι, φθάσιμο, έκταση / reach for the stars: προσπαθώ να επιτύχω κάτι πολύ δύσκολο, σχεδόν αδύνατο

react (ριάκτ) αντιδρώ, -ion αντίδραση, -ionary αντιδραστικός, -ivate επαναδραστηριοποιώ, -ουμαι, -ive αντιδραστικός

reactor (ριάκτορ) αντιδραστήρας, πυρηνικός αντιδραστήρας

read (ρίιντ) διαβάζω, αναγιγνώσκω, διάβασμα, ανάγνωσμα, -able ευανάγνωστος, -er αναγνώστης, -ing διάβασμα, -dress αλλάζω διεύθυνση (σε γράμμα), -ship το αναγνωστικό κοινό

readily (ρέντιλι) πρόθυμα, εύκολα, γρήγορα

readiness (ρέντινις) ετοιμότητα, προθυμία

readjust (ρίαντιτζάστ) επαναπροσαρμόζω, ξανατοποθετώ

ready (ρέντι) έτοιμος, γρήγορος, εύκολος, πιθανός, εκ των προτέρων, ετοιμάζω, **-made** έτοιμος (όχι κατά παραγγελία), **-money** μετρητά χρήματα

reaffirm (ριιαφέερμ) ξαναβεβαιώνω, **-ation** επιβεβαίωση

reafforest (ριαφόριστ) αναδασώνω, **-ation** αναδάσωση

reagent (ριέϊτζεντ) αντενεργός χημική ουσία

real (ρίαλ) πραγματικός, ολοκληρωτικός, πολύ, **-estate** ακίνητη περιουσία, **-estate agent** κτηματομεσίτης, / for real: σοβαρός, σοβαρά

realism (ρίαλιζμ) πραγματισμός, ρεαλισμός

realistic (ριαλίστικ) ρεαλιστικός

reality (ριάλιτι) πραγματικότητα

realizable (ριαλάϊζαμπλ) πραγματοποιήσιμος

realization (ριαλαϊζέϊσσαν) πραγματοποίηση, αντίληψη, κατανόηση

realize (ριαλάϊζ) καταλαβαίνω, πραγματοποιώ

really (ρίαλι) πραγματικά, σωστά, πράγματι

realm (ρέλμ) βασίλειο, περιοχή

realtor (ριέλτορ) κτηματομεσίτης

ream (ρίμ) δεσμίδα 500 φύλλων χαρτιού, ανοίγω τρύπα, κακομεταχειρίζομαι, **-er** τρυπάνι γιά διεύρυνση τρυπών

reanimate (ριιανιμέϊτ) αναζωογονώ

reap (ρίπ) θερίζω, **-er** θεριστής

reappear (ριαπίαρ) ξαναεμφανίζομαι, **-ance** επανεμφάνιση

reappoint (ριαπόϊντ) διορίζω πάλι

reappraise (ριαπρέϊζ) επανεξετάζω

rear (ρίαρ) οπίσθιος, τελευταίος, ανατρέφω, ανυψώνω, -ομαι, **-guard** οπισθοφυλακή, **-most** έσχατος, **-ward** προς τα πίσω, **-admiral** υποναύαρχος

rearm (ριαάρμ) επανοπλίζω, **-ament** επανοπλισμός

rearrange (ριαρέϊντζ) επαναδιευθετώ, **-ment** επαναδιευθέτηση

reason (ρίζον) αιτία, λόγος, λογική, λογικεύομαι, πείθω, **-able** λογικός, μέτριος, αρκετά καλός, **-ably** λογικά, αρκετά, **-ed** λογικός, **-ing** συλλογισμός, λογική

reassemble (ριασέμπλ) ξανασυναθροίζομαι, ξανασυναρμολογώ

reassert (ριασέρτ) ξαναβεβαιώνω

reassess (ριασές) επανεκτιμώ

reassume (ριασιούμ) αναλαμβάνω πάλι

reassure (ριασσούρ) επαναβεβαιώνω

rebarbative (ριμπαρμπάτιθ) αποκρουστικός

rebate (ριμπέϊτ) επιστροφή χρημάτων, έκπτωση

rebel (ρέμπελ) επαναστατώ, **-lion** επανάσταση, ανταρσία, **-lious** επαναστατικός, αντάρτικος

rebind (ριιμπάϊντ) βάζω καινούριο κάλυμμα σε βιβλίο

rebirth (ριμπέρθ) αναγέννηση

reborn (ριμπόρν) αναγεννημένος

rebound (ριμπάουντ) αναπηδώ, αναπήδηση

rebuff (ριμπάφ) άρνηση, απόρριψη

rebuild (ριιμπίλντ) ξαναχτίζω

rebuke (ριμπιούκ) επιπλήττω, επίπληξη

rebus (ριπάς) γρίφος, παιχνίδι με λέξεις

rebut (ριμπάτ) αντικρούω, **-tal** αντίκρουση

recalcitrance (ρικάλκιτρανς) δυστροπία, ανυπακοή

recalcitrant (ρικάλσιτραντ) δύστροπος, ανυπάκουος

recall (ρικόλ) ανακαλώ, ανάκληση / beyond recall: αμετάτρεπτος, αμετάκλητος

recant (ρικάντ) αναιρώ, απαρνιέμαι

recap (ρικάπ) ανακεφαλαιώνω

recapitulate (ρικαπιτσουλέϊτ) ανακεφαλαιώνω

recapitulation (ρικαπιτσουλέϊσσον) ανακεφαλαίωση

recapture (ρικάπτσαρ) ανακτώ, συλλαμβάνω πάλι

recast (ρικάστ) δίνω νέο σχήμα, αναπλάσσω, αλλάζω ηθοποιούς έργου

recede (ρισίιντ) πέφτω, υποχωρώ, αποσύρομαι

receipt (ρισίιπτ) απόδειξη παραλαβής, παραλαβή, -s εισπράξεις

receivable (ρισίθαμπλ) εισπρακτός, αποδεκτός

receive (ρισίθ) αποκτώ, υφίσταμαι, δέχομαι, λαμβάνω, -ed γενικά αποδεκτός, -r ακουστικό τηλεφώνου, παραλήπτης, διαχειριστής περιουσίας σε χρεοκοπία

recent (ρίσεντ) πρόσφατος, -ly πρόσφατα

receptacle (ρισέπτακλ) δοχείο, θήκη

reception (ρεσέπσον) λήψη, υποδοχή, -ist προσδεχόμενος

receptive (ρεσέπτιθ) δεκτικός, -ness δεκτικότητα

recess (ρισές) διακοπή, κοίλωμα τοίχου, μυστικό απομακρυσμένο μέρος, φτιάχνω κοίλωμα, -ive υποχωρητικός

recession (ρισέσσαν) υποχώρηση, ύφεση, κάμψη, -al ύμνος στο τέλος Θείας λειτουργίας

recharge (ριτσάρτζ) επαναφορτίζω

recherchω (ρεσσερσσέϊ) παράξενος, εξωτικός

recidivist (ρισίντιβιστ) αμετανόητος εγκληματίας

recipe (ρέσιπι) συνταγή

recipient (ρισίπιεντ) δέκτης, παραλήπτης

reciprocal (ρισίπροκαλ) αμοιβαίος

reciprocate (ρισιπροκέϊτ) ανταποδίδω, ανταλλάσσω

reciprocation (ρεσιπροκέϊσσον) ανταλλαγή, ανταπόδοση

reciprocity (ρεσιπρόσιτι) αμοιβαιότητα

recital (ρισάϊτλ) απαγγελία, περιγραφή

recitation (ρεσιτέϊσσαν) απαγγελία, αφήγηση

recitative (ρεσίτατιθ) διηγηματικός

recite (ρισάϊτ) απαγγέλλω, απαριθμώ, -r ο απαγγέλλων

reck (ρέκ) φροντίζω, προσέχω, -less απρόσεκτος, -lessness απροσεξία

reckon (ρέκον) νομίζω, υπολογίζω, εκτιμώ, -ing υπολογισμός, λογαριασμός

reclaim (ρικλέϊμ) ζητώ την επιστροφή, επανορθώνω

recline (ρικλάϊν) πλαγιάζω, ξαπλώνω

recluse (ρικλούζ) ερημίτης

recognition (ρεκογκνίσσον) αναγνώριση

recognize (ρεκογκνάϊζ) αναγνωρίζω

recoil (ρικόϊλ) υποχωρώ, οπισθοδρομώ από φρίκη ή φόβο

recollect (ρικολέκτ) θυμάμαι, αναπολώ, -ion αναπόληση, ανάμνηση, -ive αναμνηστικός

recommend (ρικομέντ) συνιστώ, -ation σύσταση, -able αξιοσύστατος, -er ο συνιστών, -atory συστατικός

recommit (ρικομίτ) ξαναπαραπέμπω

recompense (ρικομπένσ) ανταμοιβή, ανταμοίβω

reconcile (ρικονσάϊλ) συνδιαλλάσσω, συμβιβάζω, -ment συνδιαλλαγή

reconciliation (ρικονσιλιέϊσσον) συνδιαλλαγή, συμβιβασμός

recondite (ρεκοντάϊτ) δυσνόητος

recondition (ρικοντίσσαν) επιδιορθώνω, ανακαινίζω

reconnaissance (ρικονίσανς) κατόπτευση, αναγνώριση

reconnoitre (ρικονόϊτερ) κατοπτεύω

reconsider (ρικονσίντερ) αναθεωρώ, ξανασκέφτομαι

reconstitute (ρικονστιτιούτ) ανασχηματίζω

reconstruct (ρικονστράκτ) ξαναχτίζω, **-ive** ανοικοδομητικός, **-ion** ανοικοδόμηση

record (ρικόρντ) καταγραφή, καταγράφω, ηχογραφώ, ηχογράφηση, σημείωση, **-er** αρχειοφύλακας, **-ing** καταγραφή / off the record: ανεπίσημα,

recount (ρικάουντ) διηγούμαι, απαριθμώ, απαρίθμηση

recoup (ρικούουπ) αναπληρώνω, αποζημιώνω

recourse (ρικόορς) καταφύγιο

recover (ρικάβερ) ανακτώ, ξαναβρίσκω, αναρρώνω, αλλάζω το κάλυμμα, **-y** ανάκτηση, ανάρρωση, **-able** ανακτητός, θεραπεύσιμος, **-er** ο επανακτών

recreance (ρέκριανσι) ανανδρία, απιστία

recreant (ρέκριαντ) άπιστος, άνανδρος

recreate (ρικριέϊτ) αναβιώνω, αντιγράφω, ξαναζωντανεύω, διασκεδάζω

recreation (ρικριέϊσσον) αναψυχή, διασκέδαση, **-al** διασκεδαστικός

recriminate (ρεκριμινέϊτ) ανταποδίδω κατηγορία

recriminatory (ρεκριμινέϊτορι) αντεγκλητικός

recrimination (ρεκριμινέϊσσον) αντικατηγορία

recrudescence (ρικρούντεσενς) υποτροπίαση, επανεμφάνιση

recruit (ρικρούτ) νεοσύλλεκτος, στρατολογώ, δίνω εργασία

rectangle (ρεκτάνγκλ) ορθογώνιο

rectangular (ρεκτάνγκιουλαρ) ορθογώνιος

rectification (ρεκτιφικέϊσσον) διόρθωση

rectifier (ρεκτιφάϊερ) διορθωτής

rectify (ρεκτιφάϊ) διορθώνω, ανορθώνω

rectilinear (ρεκτιλίνιαρ) ευθύγραμμος

rectitude (ρέκτιτιουντ) ευθύτητα χαρακτήρα, τιμιότητα

rector (ρέκτορ) εφημέριος, πρύτανης, **-y** κατοικία εφημερίου

rectum (ρέκταμ) παχύ έντερο

recumbent (ρικάμπεντ) πλαγιασμένος

recuperate (ρικούπερέϊτ) αναρρώνω

recuperation (ρικουπερέϊσσον) ανάρρωση

recuperative (ρικούπερέϊτιβ) αναρρωτικός

recur (ρικέρ) επανέρχομαι, ξανασυμβαίνω (γιά κάτι δυσάρεστο)

recurrence (ρικέρενς) επανάληψη

recurrent (ρικέρεντ) επαναλαμβανόμενος, **-ly** κατ' επανάληψη

recurve (ρικέρβ) λυγίζω, ανακυρτώνω

recusant (ρικούζαντ) αντικανονικός

recycle (ρισάϊκλ) ανακυκλώνω

red (ρέντ) κόκκινος, κόκκινο χρώμα, **-admiral** είδος πεταλούδας, **-blood cell** ερυθρό αιμοσφαίριο, **-blooded** δυνατός, αρρενωπός, **-cross** Ερυθρός σταυρός, **-currant** είδος βατόμουρου, **-dish** κοκκινωπός, **-handed** επ' αυτοφώρω, **-hot** πυρακτωμένος, **-letter day** μέρα χαράς, γιορτή

redden (ρέντνεν) κοκκινίζω

redecorate (ριντέκορέϊτ) αναδιακοσμώ

redeem (ριντίμ) πραγματοποιώ, επανορθώνω, εξαγοράζω, λυτρώνω, **-able** λυτρώσιμος

Redeemer (ριντίμερ) Λυτρωτής, Ιησούς

redemption (ριντέμπσαν) απολύτρωση, εξαγορά

redeploy (ριντιπλόϊ) αλλάζω θέσεις στρατιωτών, εργαζομένων κτλ., **-ment** ανατοποθέτηση

redevelop (ριντιβέλοπ) ξανακτίζω, ανακαινίζω

R

redirect (ρινταϊρέκτ) ανακατευθύνω, αλλάζω διεύθυνση

redistribute (ριντιστριμπιούτ) ανακατανέμω

redistribution (ριντιστριμπιούσσον) διανομή εκ νέου

red light (ρέντ λάϊτ) σήμα κινδύνου

redo (ριντού) ξανακάνω

redolent (ρίντολεντ) εύοσμος

redouble (ριντάμπλ) διπλασιάζω

redoubt (ριντάουτ) μικρό οχύρωμα

redoubtable (ριντάουταμπλ) τρομερός, αξιοσέβαστος

redound (ριντάουντ) συντελώ, καταλήγω

redress (ριντρές) επανορθώνω, αποζημιώνω, αποζημίωση / redress the balance: εξισώνω τη διαφορά

redskin (ρέντ σκιν) Ινδιάνος

red tape (ρέντ τέϊπ) ανώφελες λεπτομερείς διατυπώσεις

reduce (ριντιούς) μειώνω, χαμηλώνω, -d circumstances χειρότερες συνθήκες διαβίωσης

reduction (ριντάκσον) μείωση, σμίκρυνση

redundancy (ριντάτανσι) πλεονασμός

redundant (ριντάντταντ) ο πλεονάζων, περιττός

reduplicate (ριντιούπλικϊτ) επαναλαμβάνω, διπλασιάζω

reduplication (ρεντιούπλικέϊσσον) διπλασιασμός

reecho (ριέκοου) αντηχώ, αντήχηση

reed (ρίιντ) καλάμι

reeducate (ριεντζουκέϊτ) αναμορφώνω

reedy (ρίιντι) οξύς (ήχος), καλαμώδης

reef (ρίφ) ύφαλος, μαζεύω τα πανιά πλοίου

reefer (ρίιφερ) τσιγάρο με ναρκωτικό (μαριχουάνα)

reef knot (ρίιφ νότ) διπλός κόμπος

reek (ρίικ) άσχημη μυρωδιά, μυρίζω άσχημα, βγάζω καπνό

reel (ρίιλ) καρούλι, τρικλίζω, τρίκλισμα, στριφογυρίζω, γρήγορος Σκωτσέζικος χορός

reelect (ριελέκτ) επανεκλέγω, -ion επανεκλογή

reentry (ριέντρι) δεύτερη είσοδος

reeve (ρίιβ) επόπτης

reexamine (ριεξάμιν) επανεξετάζω

reface (ριφέις) αλλάζω την πρόσοψη

refashion (ριφάσσον) αναπλάθω

refasten (ριφάσεν) ξαναδένω, στερεώνω πάλι

refection (ριφέκσαν) ελαφρό φαγητό

refectory (ριφέκτορι) εστιατόριο, αναψυκτήριο

refer (ριφέρ) αναφέρω, -ομαι, σχετίζομαι, παραπέμπω, αποδίδω, -able αναφερτός, αποδοτέος

referee (ρέφερι) διαιτητής, διαιτητεύω

reference (ρέφερενς) αναφοράσχέση, παραπομπή, σύσταση / in (with) reference to: σχετικά με, γύρω από

referendum (ρεφερέντουμ) δημοψήφισμα

referral (ρίφεραλ) αναφορά

refill (ριφίλ) ξαναγεμίζω, συμπλήρωμα

refine (ριφάϊν) καθαρίζω, διυλίζω, εξευγενίζω, -d διυλισμένος, καθαρός, εξευγενισμένος, -ment διύληση, καθαρισμός, -ry διυλιστήριο, -r διυλιστής

refit (ριιφίτ) επισκευάζω, εφοδιάζω πάλι, επισκευή

reflate (ριφλέϊτ) αυξάνω την παροχή χρημάτων

reflect (ριφλέκτ) αντανακλώ, συλλογίζομαι, -ion αντανάκλαση, σκέψη, -ive σκεπτικός, -or κάτοπτρο, επιφάνεια που αντανακλά το φως

reflex (ριφλέξ) αντανάκλαση,

ακούσια κίνηση, **-ive** αντανακλαστικός

refluence (ρίφλουενς) παλίρροια

reflux (ριφλάξ) άμπωτη

reforest (ριφόρεστ) αναδασώνω, **-ation** αναδάσωση

reform (ριφόορμ) μεταρρυθμίζω, αναμορφώνω, μετασχηματίζω, μεταρρύθμιση, **-ation** αναμόρφωση, σωφρονισμός, **-able** αναμορφώσιμος, **-er, -ist** αναμορφωτής, **-ative** αναμορφωτικός

reformatory (ριφόρματόρι) σωφρονιστήριο, αναμορφωτήριο

refract (ριφράκτ) διαθλώ, **-ive** διαθλαστικός, **-ion** διάθλαση

refractory (ριφράκτορι) ανυπάκουος, ανυπότακτος

refrain (ριφρέϊν) απέχω, ρεφραίν τραγουδιού

refresh (ριφρές) αναζωογονώ, δροσίζω, **-ing** δροσιστικός, αναζωογονητικός, **-ment** αναζωογόνηση, αναψυχή, **-ments** αναψυκτικά

refrigerant (ριφρίτζεραντ) ψυκτικό, ουσία που ψύχει

refrigerate (ριφριτζερέϊτ) καταψύγω, παγώνω

refrigeration (ρεφριτζερέϊσσον) ψύξη

refrigerator (ρεφριτζερέϊτορ) ψυγείο, **-freezer** καταψύκτης

refuel (ριφουέλ) ξαναγεμίζω με καύσιμα

refuge (ριφιούτζ) καταφύγιο, **-e** πρόσφυγας

refulgent (ριφάλτζεντ) λαμπρός, ακτινοβόλος

refund (ριφάντ) επιστρέφω χρήματα, επιστροφή χρημάτων

refurbish (ριιφέρμπισσο) ανανεώνω, γυαλίζω

refusal (ριφιούζαλ) άρνηση

refuse (ριφιούζ) αρνούμαι, απορρίπτω, σκουπίδια

refute (ριφιούτ) διαψεύδω, αναιρώ

regain (ριγκέϊν) ανακτώ, φτάνω πάλι

regal (ρίγκαλ) βασιλικός, λαμπρός

regale (ριγκέϊλ) διασκεδάζω

regalia (ριγκέϊλια) εμβλήματα

regard (ριγκάαρντ) σέβομαι, υπολήπτομαι, σέβας, προσοχή, σχέση, προσέχω, θεωρώ, **-ful** προσεκτικός, ευσεβής, **-ing** θεωρώντας, σχετικά με, **-less** απρόσεκτος, ασεβής, **-s** ευχές, χαιρετίσματα

regatta (ριγκάτα) αγώνας κωπηλασίας

regency (ρίτζενσι) αντιβασιλεία

regenerate (ριτζενερέϊτ) αναγεννώ, -ιέμαι, ξαναναπτύσσομαι (ριτζένερετ) ξαναγεννημένος

regeneration (ριτζενερέϊσσον) αναγέννηση

regenerative (ριτζενερέϊτιβ) αναγεννητικός

regent (ρίτζεντ) αντιβασιλιάς, **-ship** αντιβασιλεία

reggae (ρέγκεϊ) είδος μουσικής των Ινδιών (ρέγκε)

regicide (ρετζισάϊντ) φόνος βασιλιά, βασιλοκτόνος

regime (ρέτζιμ) καθεστώς

regimen (ρέτζιμεν) πρόγραμμα διατροφής και άσκησης

regiment (ρέτζιμεντ) σύνταγμα, επιβάλλω πειθαρχία, **-ation** επιβολή πειθαρχίας, **-al** του συντάγματος

region (ρίτζαν) περιοχή, **-al** περιφερειακός / in the region of: περίπου

register (ρετζίστερ) καταγράφω, καταγραφή, κατάλογος, διατυπώνω, στέλνω με συστημένη επιστολή, **-ed letter** συστημένη επιστολή, **-er** ο εγγράφων

registrar (ρέτζιστρααρ) αρχειοφύλακας

registration (ρετζιστρέϊσσον) εγγραφή

registry (ρέτζιστρι) αρχείο, εγγραφή

regnant (ρέκγναντ) ο βασιλεύων

R

regress (ριγκρές) οπισθοδρομώ,
-ion οπισθοδρόμηση, -ive οπισθο-
δρομικός
regret (ριγκρέτ) μετανιώνω, λυπού-
μαι, μετάνοια, -ful λυπημένος,
-fulness θλίψη / have no regrets: δεν
αισθάνομαι λύπη
regrettable (ριγκρέταμπλ) λυπηρός
regrettably (ριγκρέταμπλι) λυπηρά,
ατυχώς
regroup (ριγκρούπ) ξανασυντάσσω
regular (ρέγκιουλαρ) κανονικός,
ομαλός, τακτικός, συνηθισμένος,
θαμώνας, -ness, -ity κανονικότητα,
-ize επισημοποιώ, -ization επιση-
μοποίηση, -ly τακτικά, κανονικά,
ομαλά
regulate (ρέγκιουλέϊτ) ρυθμίζω,
κανονίζω
regulation (ρεγκιουλέϊσσον) κανο-
νισμός, έλεγχος
regulator (ρεγκιουλέϊτορ) ρυθμι-
στής, -y ρυθμιστικός
regulo (ρεγκιουλοου) θερμοκρασία
ψησίματος
regurgitate (ριγκερτζιτέϊτ) κάνω
εμετό
regurgitation (ριγκερτζιτέϊσσον)
εμετός
rehabilitate (ριχαμπιλιτέϊτ) επανα-
καθιστώ, επανορθώνω
rehabilitation (ριχαμπιλιτέϊσσον)
επανόρθωση, αποκατάσταση
rehash (ριχάςς) παρουσιάζω παλιές
ιδέες ως νέες, αναμάσημα
rehear (ριχίαρ) ξανακούω
rehearsal (ριχάαρσαλ) πρόβα
rehearse (ριχέερς) κάνω πρόβα
rehouse (ριχάουζ) τοποθετώ σε και-
νούριο σπίτι
reign (ρέϊν) βασιλεία, βασιλεύω
reimburse (ριιμπέερς) αποζημιώνω,
-ment αποζημίωση
rein (ρέϊν) χαλινάρι, χαλιναγωγώ
reincarnate (ριινκαρνέϊτ) μετεν-
σαρκώνω

reincarnation (ριινκαρνέϊσσαν) με-
τενσάρκωση
reindeer (ρέϊντίερ) είδος ελαφιού
reinforce (ριινφόορς) ενδυναμώνω,
ενισχύω, -ment ενίσχυση
reinforced concrete (ρεϊνφόρσντ
κόνκριτ) μπετόν αρμέ
reins (ρέϊνς) νεφρά, ηνία
reinstate (ριινστέϊτ) αποκαθιστώ,
αποκατάσταση, -ment παλινόρθωση
reinsure (ριινσσούρ) ξανασφαλίζω
reissue (ρίισσου) ξαναεκδίδω, νέα
έκδοση
reiterate (ριιτερέϊτ) επαναλαμβάνω
reject (ριτζέκτ) απορρίπτω, απο-
βάλλω, σκουπίδι, -ion αποβολή,
απόρριψη
rejig (ριιτζίγκ) αναδιευθετώ, παρέ-
χω νέο εξοπλισμό
rejoice (ριτζόις) χαίρομαι
rejoicing (ριτζόϊσινγκ) μεγάλη χα-
ρά, αγαλλίαση
rejoin (ριτζόϊν) επανασυνδέω, ξα-
ναενώνομαι, απαντώ απότομα, -der
απάντηση
rejuvenate (ριτζούβενέϊτ) ανανεώ-
νω, ξανανιώνω
rejuvenation (ριτζουβενέϊσσον) ξα-
νάνιωμα, επαναφορά στη νεότητα
rekindle (ρίικιντλ) ξανανάβω
relapse (ριλάπς) ξανακυλώ, υποτρο-
πιάζω, υποτροπή
relate (ριλέιτ) διηγούμαι, σχετίζω,
-ομαι, -ed συγγενεύων, συνδεδεμέ-
νος
relation (ριλέϊσσον) συγγένεια, συγ-
γενής, διήγηση, -al σχετικός, συγ-
γενικός, -ship συγγένεια, σχέση -s
σχέσεις, διασυνδέσεις
relative (ρέλατιβ) συγγενής, σχετι-
κός, αναφορικός, -clause αναφορι-
κή πρόταση (γραμμ.), -ly σχετικά,
-pronoun αναφορικό επίρρημα
(γραμμ.)
relativity (ρελατίβιτι) σχετικότητα
relax (ριλάξ) αναπαύομαι, χαλαρώ-

νω, **-ation** ξεκούραση, χαλάρωση, **-ed** άνετος, χαλαρός, μη τυπικός, **-ing** ξεκουραστικός

relay (ριλέϊ) αντικαταστάτες, εφεδρεία, στέλνω προς αντικατάσταση, μεταβιβάζω

release (ριλίίζ) ελευθερώνω, απολύω, κάνω γνωστό, απόλυση, απελευθέρωση

relegate (ρελιγκέϊτ) τοποθετώ σε χειρότερο μέρος, εξορίζω

relegation (ρελιγκέϊσσον) ανάθεση σε άλλον, εξόριση

relent (ρίλεντ) υποχωρώ, γίνομαι λιγότερο σκληρός, σπλαχνίζομαι, **-less** αμείλικτος

relevant (ρέλιβαντ) σχετικός

reliable (ριλάϊαμπλ) αξιόπιστος, υπεύθυνος, **-ness** αξιοπιστία

reliance (ριλάϊανς) εμπιστοσύνη, εξάρτηση

reliant (ριλάϊαντ) εξαρτώμενος, στηριζόμενος σε καποιον

relic (ρέλικ) απομεινάρι

relict (ρέλικτ) ο εναπομείνας, χήρα

relief (ριλίίφ) ανακούφηση, δίωξη εχθρού, περίθαλψη, ανάγλυφο, **-map** ανάγλυφος χάρτης, **-road** δρόμος φτιαγμένος προς αποσυμφόρηση άλλου δρόμου

relieve (ριλίίβ) ανακουφίζω, απαλλάσσω από καθήκον, προσδίδω ενδιαφέρον, απομακρύνω εχθρό, **-d** ανακουφισμένος, απαλλαγμένος από στενοχώρια

religion (ρελίτζαν) θρησκεία

religiose (ρελίτζιόουζ) θρησκόληπτος

religiosity (ρελιτζιόσιτι) θρησκοληψία

religious (ρελίτζας) θρησκευτικός, θρήσκος, **-ly** προσεκτικά, λεπτομερώς

reline (ριλάϊν) βάζω καινούρια φόδρα

relinquish (ριλίνκουισσ) παραιτώ,

-ούμαι

reliquary (ρελίκουερι) λειψανοθήκη

relish (ρέλισσ) απολαμβάνω, ικανοποιούμαι, νοστιμίζω, απόλαυση

relive (ριιλίβ) αναβιώνω

reload (ριλόουντ) ξαναγεμίζω όπλο

relocate (ριλοκέϊτ) μεταθέτω, τοποθετώ σε άλλο μέρος

reluctance (ριλάκτανς) απροθυμία

reluctant (ριλάκταντ) απρόθυμος

rely (ριλάϊ) εμπιστεύομαι, βασίζομαι

remain (ριμέϊν) απομένω, παραμένω, **-der** απομεινάρι, υπόλοιπο, **-s** υπολείμματα

remake (ριμέϊκ) ξαναφτιάχνω, αναπαράγω

remand (ριμάντ) στέλνω πίσω στη φυλακή, επαναφυλάκιση

remark (ριμάρκ) παρατηρώ, παρατήρηση, προσοχή, **-able** αξιοπρόσεκτος, **-ably** αξιοπρόσεκτα, αξιοσημείωτα

remarry (ριμάρι) ξαναπαντρεύομαι

remediable (ριμίίντιαμπλ) θεραπεύσιμος

remedy (ρέμεντι) θεραπεία, θεραπεύω, επανορθώνω

remember (ριμέμπερ) θυμάμαι

remembrance (ριμέμπρανς) ανάμνηση, ενθύμιο

remind (ριμάϊντ) υπενθυμίζω, **-er** υπενθύμιση, ενθύμιο

reminisce (ρέμινις) αναπολώ, **-nce** ανάμνηση, **-nt** ο αναπολών

remiss (ρίμις) αδρανής, απρόσεκτος, αμελής

remission (ριμίσσαν) ελάττωση χρόνου φυλάκισης, άφεση

remit (ρίμιτ) απαλλάσσω, συγχωρώ, αδυνατίζω, **-tal** άφεση, **-ter** ο συγχωρών, ο μετριάζων

remittance (ριμίτανς) έμβασμα

remnant (ρέμναντ) απομεινάρι, υπόλοιπο

remodel (ριμόντελ) αλλάζω το σχή-

μα
remonstrance (ριμόνστρανς) παράπονο, διαμαρτυρία
remonstrate (ρεμονστρέιτ) παραπονιέμαι, διαμαρτύρομαι
remonstration (ριμονστρέισσον) διαμαρτυρία
remonstrative (ρεμονστρέιτιβ) ελεγκτικός
remonstrator (ρεμονστρέιτορ) ελεγκτής
remorse (ριμόορς) τύψη, **-ful** γεμάτος τύψεις, **-less** χωρίς τύψεις, ασυνείδητος
remote (ριμόουτ) απομακρυσμένος, μοναχικός, αδιάφορος, **-ness** το απομακρυσμένο, μοναχικότητα, **-ly** ελάχιστα, σε μικρό βαθμό
remount (ριμάουντ) ξανανεβαίνω
removal (ριμούβαλ) μετακίνηση, μετακόμιση, αφαίρεση
remove (ριμούβ) μετακινώ, μετακομίζω, μετοικώ, αφαιρώ, **-r** μετακινητής, ουσία γιά αφαίρεση άλλης ουσίας
remunerate (ριμιούνερέϊτ) αμοίβω
remuneration (ριμιουνερέϊσσον) ανταμοιβή
renaissance (ρινέϊσανς) αναγέννηση
rename (ρινέϊμ) μετονομάζω
renascent (ρινάσεντ) αναγεννημένος
rend (ρέντ) σχίζω, τραβώ βίαια, **-er** ο σχίζων
render (ρέντερ) καθιστώ, δίνω, εκτελώ
rendezvous (ράντεϊβούου) ραντεβού, συνάντηση, συναντιέμαι
rendition (ρεντίσσον) παράσταση, απόδοση
renegade (ρενικέϊντ) προδότης, λιποτάκτης
renege (ρινίιτζ) αθετώ υπόσχεση, παραβαίνω κανόνα παιχνιδιού, **-r** παραβάτης
renew (ρινιού) ανανεώνω, **-able** ανανεώσιμος, **-al** ανανέωση

rennet (ρένιτ) ουσία γιά παρασκευή τυριού
renounce (ρινάουνς) απαρνιέμαι, αποκηρύττω, **-ment** αποκήρυξη
renovate (ρινοβέϊτ) ανακαινίζω
renovation (ρινοβέϊσσον) ανακαίνιση
renovator (ρινοβέϊτορ) ο ανακαινίζων
renown (ρινάουν) δόξα, φήμη, **-ed** περίφημος
rent (ρέντ) νοικιάζω, νοίκι, **-able** ενοικιάσιμος, **-er** ενοικιαστής, **-al** ενοίκιο, **-free** χωρίς ενοίκιο
rentier (ρέντιεΐ) ο μη εργαζόμενος, που ζεί από τις επενδύσεις του
renunciation (ρινανσιέϊσσον) απάρνηση
reopen (ρίόουπεν) ξανανοίγω
reorganization (ριοργκαναϊζέϊσσον) αναδιοργάνωση
reorganize (ριοργκανάϊζ) αναδιοργανώνω
repaid (ριπέϊντ) ξαναπληρωμένος (αορ. και παθ. μτχ του repay)
repair (ριπέαρ) επιδιορθώνω, επισκευάζω, επισκευή, επιδιόρθωση
reparable (ρεπάραμπλ) επιδιορθώσιμος
repartee (ρεπαρτίι) ετοιμολογία, έξυπνες απαντήσεις
reparation (ρεπαρέϊσσαν) επιδιόρθωση, αποζημίωση
reparative (ρεπάρατιβ) επανορθωτικός, αποζημιωτικός
repast (ριπάστ) γεύμα
repatriate (ριπάτριέϊτ) επαναπατρίζω
repatriation (ριπατριέϊσσον) επαναπατρισμός
repay (ριπέϊ) ξαναπληρώνω, ανταποδίδω, **-able** ανταποδώσιμος, που πρέπει να ξεπληρωθεί, **-ment** ανταπόδωση
repeal (ριπίιλ) ακυρώνω νόμο, ακύρωση νόμου

repeat (ριπίτ) επαναλαμβάνω, **-edly** επανειλημμένα, **-ed** επαναλαμβανόμενος, **-er** ο επαναλαμβάνων, επαναληπτικό όπλο

repel (ριπέλ) απωθώ, αποκρούω, **-lent** απωθητικός, αποκρουστικός

repent (ριπέντ) μετανιώνω, **-ance** μετάνοια, **-ant** ο μετανοών

repercussion (ριπερκάσσεν) αντίκτυπος

repertoire (ρεπερτουάρ) ρεπερτόριο

repertory (ρεπέρτορι) εκτέλεση έργων του ίδιου ρεπερτορίου

repetition (ρεπιτίσσαν) επανάληψη

repetitious (ρεπιτίσσας) επαναλαμβανόμενος

rephrase (ριφρέϊζ) εκφράζω με διαφορετικά λόγια

repine (ριπάϊν) δυσαρεστούμαι, στενοχωριέμαι

replace (ριπλέϊς) αντικαθιστώ, ξανατοποθετώ, **-ment** αντικατάσταση

replay (ριπλέι) ξαναπαίζω, επανάληψη παιχνιδιού ή εκτέλεσης τραγουδιού

replenish (ριπλένιςς) ξαναγεμίζω, αναπληρώνω, **-ment** ξαναγέμισμα

replete (ριπλίιτ) γεμάτος, πλήρης, **-ness** πληρότητα

replica (ρέπλικα) απομίμηση, αντίγραφο

replicate (ρεπλικέιτ) αναπαράγω, επαναλαμβάνω με τον ίδιο τρόπο

reply (ριπλάι) απαντώ, απάντηση

report (ριπόρτ) αναφορά, έκθεση, κρότος, φήμη, αναφέρω, εκθέτω, διαδίδω, **-age** έκθεση νέων, ρεπορτάζ, **-edly** σύμφωνα με τα λεγόμενα, **-ed speech** πλάγιος λόγος, **-er** ανταποκριτής, ρεπόρτερ

repose (ριπόουζ) γαλήνη, ανάπαυση, αναπαύω, -ομαι

repository (ριπόζιτέρι) αποθήκη

repossess (ριποζές) ανακτώ, **-ion** ανάκτηση

reprehend (ρεπριχέντ) αποδοκιμά-ζω, επιπλήττω

reprehension (ρεπρεχένσον) αποδοκιμασία, επίπληξη

reprehensive (ρεπρεχένσιθ) αποδοκιμαστικός

represent (ρεπριζέντ) αντιπροσωπεύω, παριστάνω, παρουσιάζω, **-ation** αντιπροσώπευση, παράσταση, **-ational** παραστατικός

representative (ρεπριζέντατιθ) αντιπρόσωπος, αντιπροσωπευτικός

repress (ριπρές) καταπιέζω, καταστέλλω, **-ible** κατασταλτός, **-ion** καταστολή, **-ive** κατασταλτικός

reprieve (ριπρίιθ) αναστολή ποινής, αναστέλλω ποινή

reprimand (ρεπριμάαντ) καταδικάζω, επιπλήττω, επιτιμώ, επίπληξη

reprint (ριπρίιντ) ανατυπώνω, ανατυπωμένο βιβλίο

reprisal (ριπράιζαλ) αντεκδίκηση

reprise (ριπρίιζ) επανάληψη μουσικού κομματιού

reproach (ριπρόουτς) κατηγορία, αποδοκιμασία, μομφή, μέμφομαι, επιπλήττω

reprobate (ριπρομπέιτ) άτομο με κακό χαρακτήρα

reprocess (ριπροουσές) ξαναεπεξεργάζομαι

reproduce (ριπροντιούς) αναπαράγω

reproducible (ριπροντιούσιμπλ) ο δυνάμενος να αναπαραχθεί

reproduction (ριπροντάκσον) αναπαραγωγή

reproductive (ριπροντάκτιθ) αναπαραγωγικός, **-ness** αναπαραγωγικότητα

reproof (ριπρούφ) αποδοκιμασία, επίπληξη

reprove (ριπρούθ) επιπλήττω

reproving (ριπρούθινγκ) επιπληκτικός

reptile (ριπτάϊλ) ερπετό

reptilian (ρεπτίλιαν) ομοιάζων με ερπετό, αποκρουστικό άτομο, ερπε-

R

τό
republic (ριπάμπλικ) δημοκρατία,
-an δημοκρατικός, δημοκράτης, ρεπουμπλικάνος, **-anism** οι αρχές των ρεπουμπλικάνων
republish (ριπάμπλιςς) αναδημοσιεύω
repudiate (ριπιούντιέιτ) απορρίπτω, αποκηρύσσω, αποβάλλω
repugnance (ριπάγκνανς) αποστροφή
repugnant (ριπάγκναντ) απεχθής, αντίθετος
repulse (ριπάλς) απωθώ, αποκρούω, απώθηση
repulsion (ριπάλσον) απόκρουση
repulsive (ριπάλσιβ) αποκρουστικός
reputable (ρέπιουταμπλ) τίμιος, ευυπόληπτος
reputation (ρεπιουτέϊσσαν) υπόληψη, καλή φήμη
repute (ριπιούτ) φήμη, υπόληψη, **-d** θεωρούμενος, **-edly** καθώς λέγεται
request (ρικουέστ) έκκληση, αίτηση, παράκληση, ζητώ
requiem (ρεκούιαμ) επιμνημόσυνος ύμνος
require (ρικουάϊαρ) απαιτώ, χρειάζομαι, **-ment** απαίτηση
requisite (ρεκούιζιτ) απαιτούμενος, **-ness** χρεία, ανάγκη
requisition (ρεκουιζίσσαν) αίτηση, επίσημη έκκληση, απαιτώ, επιτάσσω
requital (ρικουάϊτλ) ανταπόδοση
requite (ρικουάϊτ) ξεπληρώνω, ανταποδίδω
reredos (ρίεερντός) διακοσμημένος τοίχος πίσω απ' την Αγία τράπεζα
rerun (ριράν) ξαναπροβάλλω (ταινία), επανάληψη
reschedule (ρισέτζουλ) μεταθέτω όριο πληρωμής γι αργότερα
rescind (ρισίντ) ακυρώνω, καταργώ
rescue (ρέσκιου) σώζω, σωτηρία, διάσωση

research (ρισέρτς) έρευνα, ερευνώ
resemblance (ριζέμπλανς) ομοιότητα
resemble (ριζέμπλ) ομοιάζω
resent (ρισέντ) μνησικακώ, **-ment** μνησικακία
reservation (ρεζερβέϊσσαν) επιφύλαξη, περιοχή προστατευόμενη όπου ζούν ελεύθερα ζώα, φύλαξη
reserve (ριζέρβ) φυλάττω, κρατώ, εξασφαλίζω, απόθεμα, εφεδρεία, **-d** ντροπαλός, κρατημένος
reservist (ρίζερβιστ) έφεδρος στρατιώτης
reservoir (ρεζερβουάρ) δεξαμενή
reset (ρισέτ) ξανατακτοποιώ
resettle (ρισέτλ) μετοικώ, εγκαθίσταμαι σε νέο τόπο, **-ment** νέα εγκατάσταση
reship (ρισσίπ) ξαναφορτώνω
reside (ριζάϊντ) κατοικώ, διαμένω
residence (ρέζιντενς) κατοικία
resident (ρέζιντεντ) διαμένων
residual (ριζίντζουαλ) υπόλοιπος
residuary (ριζιτζουέρι) υπολειμματικός
residue (ρέζιντιου) υπόλοιπο
resign (ριζάϊν) παραιτούμαι, παραιτώ, παραχωρώ, **-ation** παραίτηση
resillence (ριζίλιενς) ελαστικότητα
resilient (ριζίλιεντ) ελαστικός
resin (ρέζιν) ρετσίνι δέντρου, **-ous** ρητινώδης
resist (ρεζίστ) αντιστέκομαι, αντέχω, **-ance** αντίσταση, αντοχή, **-ant** αντιστεκόμενος, αντέχων, **-or** ηλεκτρική αντίσταση
resoluble (ρίζολιουμπλ) διαλυτός
resolute (ρεζολούουτ) αποφασισμένος, σταθερός
resolution (ρεζολούσσον) αποφασιστικότητα, απόφαση, διάλυση
resolvable (ριζόλβαμπλ) ευδιάλυτος
resolve (ριζόλβ) αναλύω, αποφασίζω, απόφαση
resonance (ρέζονανς) απήχηση, αν-

τήχηση
resonant (ρέζοναντ) ο αντηχών, συνεχής ήχος
resonate (ρεζανέϊτ) αντηχώ
resort (ριζόρτ) θέρετρο, καταφυγή, καταφεύγω, συχνάζω
resound (ρισάουντ) αντηχώ, **-ing** ο αντηχών, ολοκληρωτικός
resource (ρισόρς) πόρος, μέσο, **-less** άπορος, **-ful** εύπορος, εφευρετικός
respect (ρισπέκτ) σεβασμός, εκτίμηση, σέβομαι, αφορώ, **-er** σεβόμενος, **-able** σεβαστός, **-ful** ευσεβής, **-ing** θεωρώντας, σχετικά, **-ive** σχετικός, **ively** σχετικά
respiration (ρεσπιρέϊσσον) αναπνοή
respirator (ρεσπιρέϊτορ) αναπνευστήρας
respiratory (ρισπάϊρατόρι) αναπνευστικός
respire (ρισπάϊαρ) αναπνέω
respite (ρέσπιτ) αναβολή, διακοπή, ξεκούραση
resplendent (ρισπλέντεντ) περίλαμπρος
respond (ρισπόντ) απαντώ, αντιδρώ, ανταποκρίνομαι, **-ent** αποκρινόμενος, υπόδικος
response (ρισπόνς) απόκριση
responsibility (ρισπονσιμπίλιτι) ευθύνη
responsible (ρισπόνσιμπλ) υπεύθυνος
responsibly (ρισπόνσιμπλι) υπεύθυνα
responsive (ρισπόνσιβ) αποκριτικός, ο απαντών πρόθυμα
rest (ρέστ) ξεκούραση, σταμάτημα, υπόλοιπο, στήριγμα, αναπαύω, -ομαι, στηρίζω, -ομαι
restate (ριστέϊτ) επαναλαμβάνω
restaurant (ρέστοραντ) εστιατόριο
restaurateur (ρεστορατέερ) ιδιοκτήτης εστιατορίου
restcure (ρεστκιούρ) θεραπεία με ανάπαυση

restful (ρέστφουλ) ξεκουραστικός, **-ness** αναπαυτικότητα
restitution (ρεστιτιούσσαν) επιστροφή, ανταπόδοση
restive (ρέστιβ) νευρικός, ανήσυχος
restless (ρέστλες) ανήσυχος
restock (ριστόκ) ανεφοδιάζω με εμπορεύματα
restoration (ρεστορέϊσσαν) αποκατάσταση
restorative (ριστόορατιβ) αναρρωτικός, αποκαταστατικός
restore (ριστόουρ) επαναφέρω, αποκαθιστώ, ανταποδίδω, **-r** διορθωτής, ο αποκαθιστών
restrain (ριστρέϊν) συγκρατώ, **-er** ο αναχαιτίζων, **-ed** συγκρατημένος, ελεγχόμενος
restraint (ριστρέϊντ) συγκράτηση, περιορισμός
restrict (ρεστρίκτ) περιορίζω, **-ive** περιοριστικός, **-ion** περιορισμός
restructure (ριστράκτσερ) ανασαχηματίζω, διευθετώ πάλι
result (ριζάλτ) αποτέλεσμα, επακολουθώ, προκύπτω, (in) καταλήγω, **-ant** επακόλουθος
resume (ριζιούμ) ξαναρχίζω μετά από μικρή παύση, επαναλαμβάνω
resumω (ρεζιουμέϊ) περίληψη
resumption (ριζάμπσαν) επανάληψη
resurface (ρισέερφις) αλλάζω επιφάνεια, επανέρχομαι στην επιφάνεια
resurgence (ρισέρτζενς) επαναφορά ιδεών κτλ., ανέγερση
resurgent (ρισέρτζεντ) ογκούμενος, ανυψούμενος
resurrect (ρεζαρέκτ) επαναφέρω, ανασταίνω, **-ion** ανάσταση, επαναφορά
resuscitate (ρισασιτέϊτ) δίνω ζωή, ανασταίνω
resuscitation (ρισασιτέϊσσαν) αναβίωση, αναζωογόνηση
ret (ρετ) μουσκεύω, χαλαρώνω

R

retail (ριτέϊλ) πωλώ λιανικώς, λιανική πώληση, **-er** έμπορος λινικής πωλήσεως

retain (ριτέϊν) κρατώ, διατηρώ, μισθώνω, **-er** υπηρέτης, αμοιβή δικηγόρου, **-ment** κράτηση

retake (ριτέϊκ) ξαναπαίρνω, επανακτώ

retaliate (ριταλιέϊτ) εκδικούμαι

retaliation (ριταλιέϊσσον) αντεκδίκηση

retaliatory (ριτάλιέτορι) εκδικητικός

retard (ριτάαρντ) καθυστερώ, **-ation** επιβράδυνση, **-ed** καθυστερημένος, μη ανεπτυγμένος

retch (ρέτς) προσπαθώ να κάνω εμετό

retell (ριιτέλ) ξαναλέω

retention (ριτένσσαν) κράτηση, συνοχή

retentive (ριτέντιθ) ικανός να συγκρατεί (ειδ. στη μνήμη)

rethink (ριθίνκ) ξανασκέφτομαι, αναθεωρώ, δεύτερη σκέψη

retisence (ρέτισενς) εχεμύθεια

reticent (ρέτισεντ) λιγόλογος, εχέμυθος

reticular (ριτίκιουλαρ) δικτυωτός

reticulate (ριτικιουλέϊτ) δικτυώνω

reticulation (ριτικιουλέϊσσον) δικτύωμα

reticule (ρέτικιουλ) μικρή τσάντα

retina (ρέτινα) αμφιβληστροειδής χιτώνας ματιού

retinue (ρετινιού) ακολουθία

retire (ριτάϊαρ) αποσύρω, -ομαι, **-ed** (γιά άτομα) συνταξιούχος, (γιά τόπο) απόμερος, **-ment** αποχώρηση

retiring (ριτάϊρινγκ) σεμνός, εσωστρεφής

retort (ριτόορτ) απαντώ γρήγορα ή με αγένεια, ευφυής ή αγενής απάντηση

retouch (ριιτάτς) ξαναεπεξεργάζομαι

retrace (ριτρέις) ανιχνεύω

retract (ριτράκτ) αποσύρω, -ομαι, ανακαλώ, **-ion** ανάκληση, **-ive** ανακλητικός

retread (ριιτρέντ) αλλάζω λάστιχο τροχού

retreat (ριτρίτ) υποχώρηση, υποχωρώ

retrench (ριτρέντς) περιορίζω τα έξοδα, κάνω περικοπές, **-ment** περιστολή εξόδων

retribution (ρετριμπιούσσον) ανταπόδοση

retributive (ρετριμπιούτιβ) ανταποδοτικός

retrievable (ριτρίβαμπλ) διορθώσιμος, ανακτητός

retrieval (ριτρίιβαλ) ανάκτηση, βελτίωση

retrieve (ριτρίιβ) επανορθώνω, διασώζω, ανακτώ, **-r** είδος κυνηγετικού σκύλου

retroactive (ρετροουάκτιβ) αναδρομικός

retroactivity (ρετροουακτίβιτι) αναδρομικότητα

retrocede (ρετροσίιντ) οπισθοχωρώ

retrograde (ρετρογκρέϊτ) οπισθοδρομώ, οπισθοδρομικός

retrogress (ρετρογκρές) οπισθοδρομώ, **-ion** οπισθοδρόμηση, **-ive** οπισθοδρομικός

retrospect (ρετροσπέκτ) ανασκόπηση, **-ive** ανασκοπικός

retroussε (ρετρουσέ) στραμμένος προς τα πάνω

retroversion (ρετροβέρσσον) αναστροφή

retrovert (ρετροβέρτ) γυρίζω προς τα πίσω

retsina (ρετσίινα) είδος ελληνικού κρασιού, ρετσίνα

return (ριτέρν) επιστρέφω, ανταποδίδω, επιστροφή, απόδοση, κέρδος, αποτέλεσμα, **-able** επιστρεπτός

reunion (ριγιούνιον) επανένωση

reunite (ριγιουνάϊτ) ξανασυνδέω, -ομαι

reuse (ριγιούζ) ξαναχρησιμοποιώ, ανακυκλώνω

rev (ρέβ) αυξάνω ταχύτητα (μηχανής)

revalue (ριβάλιου) ανανεώνω ά αλλάζω την αξία

revamp (ριβάμπ) ανακαινίζω

reveal (ριβίλ) αποκαλύπτω, γνωστοποιώ, **-ing** αποκαλυπτικός, **-er** αποκαλυπτής

reveille (ριβάλι) εγερτήριο

revel (ρέβελ) γλεντώ, ζω διασκεδάζοντας έντονα, **-ler** ο γλεντών, το γλέντι, κραιπάλη

revelation (ρεβελέϊσσαν) αποκάλυψη

revelry (ρέβελρι) γλέντι

revenge (ριβέντζ) εκδίκηση, εκδικούμαι

revenue (ρεβένιου) εισόδημα, φόρος

reverberate (ριβέερμπερέϊτ) αντηχώ

reverberation (ριβέερμπερέϊσσον) αντήχηση

revere (ριβιέρ) σέβομαι, **-nce** θαυμασμός, σεβασμός, ευλάβεια

reverend (ρέβερεντ) αιδεσιμώτατος, ιερέας

reverent (ρέβερεντ) ευσεβής, ευλαβής, **-ial** ευλαβικός, με σεβασμό

reverie (ρέβερι) ονειροπόληση, ρεμβασμός

revers (ρίβιερς) ανάποδη όψη ενδύματος

reversal (ριβέρσαλ) αντιστροφή, ανατροπή

reverse (ριβέερς) ανατρέπω, αντιστρέφω, ακυρώνω, αντίστροφος, ατυχία

reversion (ριβέερσσαν) επιστροφή (σε δυσάρεστη κατάσταση), ανακληρονόμηση

revert (ριβέρτ) επιστρέφω (σε προηγούμενη ανεπιθύμητη κατάσταση),

ανακτώ περιουσία

review (ριβιού) αναθεωρώ, επιθεωρώ, αναθεώρηση, επιθεώρηση, σχολιάζω, κριτική, **-er** κριτικός, **-able** αναθεωρήσιμος

revile (ριβάϊλ) θρίζω, εκφράζω μίσος, **-r** υβριστής, **-ment** εξύβριση

revise (ριβάϊζ) αναθεωρώ, διορθώνω, επαναλαμβάνω

revision (ριβίζαν) επανάληψη, αναθεώρηση, **-al** αναθεωρητικός

revisory (ριβάϊζορι) διασκευαστικός

revitalize (ρεβιταλάϊζ) αναζωογονώ

revival (ριβάϊβαλ) αναβίωση

revive (ριβάϊβ) αναζωογονώ, αναβιώνω

revivification (ρεβιβιφικέϊσσον) αναζωογόνηση

revivify (ριβιβιφάϊ) αναζωογονώ

revocable (ρεβόκαμπλ) ανακλητός

revocation (ρεβοκέϊσσον) ανάκληση

revoke (ριβόουκ) ανακαλώ, ακυρώνω

revolt (ριβόλτ) επαναστατώ, επανάσταση, **-er** επαναστάτης

revolting (ριβόουλτινγκ) αποκρουστικός, απεχθής

revolution (ρεβολούσσον) επανάσταση, περιστροφή, **-ary** επαναστατικός, **-ize** επιφέρω ριζική αλλαγή, ανατρέπω, **-ist** επαναστάτης

revolve (ριβόλβ) περιστρέφομαι, περιστρέφω, **-r** περίστροφο

revue, review (ριβιού) επιθεώρηση

revulsion (ριβάλσαν) αηδία

reward (ριουόρντ) ανταμοίβω, ανταμοιβή, **-er** ο ανταμοίβων, **-ing** ικανοποιητικός, αξιόλογος

rewire (ριουάϊερ) ηλεκτρική εγκατάσταση σπιτιού

reword (ριουόρντ) διατυπώνω ξανά μεταχειριζόμενος άλλες λέξεις

rework (ροουόρκ) αναμορφώνω

rewrite (ριράϊτ) ξαναγράφω

rex (ρέξ) βασιλιάς

R

rhapsodist (ράπσοντιστ) ραψωδός
rhapsodize (ραπσοντάϊζ) επαινώ, ραψωδώ
rhapsody (ράπσοντι) ραψωδία
rheostat (ρίιοστατ) ρυθμιστής ηλεκτρικού ρεύματος
rhesus (ρίισες) είδος πιθήκου Β. Ινδίας
Rhesus factor (ρίισες φάκτορ) παράγοντας ρέζους (στο αίμα)
rhetoric (ρετάρικ) ρητορική τέχνη, ρητορικός λόγος, **-al** ρητορικός, **-ian** ρήτορας
rheumatic (ρουουμάτικ) ρευματικός
rheumaticky (ρουουμάτικι) ρευματικός
rheumatics (ρουουμάτικς) ρευματισμός
rheumatism (ρουουμάτιζμ) ρευματισμός
rhinal (ράϊναλ) ρινικός
rhinitis (ραϊνάϊτις) ρινίτιδα
rhinoceros (ραϊνόσερας) ρινόκερος
rhizome (ράϊζομ) ρίζωμα
rhododendron (ροουντόντεντρον) ροδοδάφνη
rhomboid (ρομπόϊντ) ρομβοειδής
rhombus (ρόμπας) ρόμβος
rhubarb (ρούουμπαμπ) ραβέντιο (φυτό), λογομαχία
rhyme (ράϊμ) ομοιοκαταληξία, ομοιοκαταληκτώ, **-r** στιχουργός, **-less** ανομοιοκατάληκτος, **-ster** στιχουργός (μη ταλαντούχος) / rhyme or reason: λογική, νόημα
rhythm (ρίθμ) ρυθμός, **-ic** ρυθμικός
rib (ρίμπ) πλευρά, ράβδωση, πειράζω
ribald (ρίμπαλντ) αγενής, αχρείος, **-ry** αχρειότητα
ribbed (ρίμπντ) ραβδωτός
ribbon (ρίμπαν) ταινία, κορδέλλα
rice (ράϊς) ρύζι, **-pudding** ρυζόγαλο
rich (ριτς) πλούσιος, ακριβός, **-es** τα πλούτη, **-ness** πλούτος, **-ly** πλούσια, λαμπρά

rick (ρίκ) θυμωνιά, σωρός, κουνώ ελαφρά (μέρος του σώματος)
rickets (ρίκετς) ραχίτιδα (ασθένεια)
rickety (ρίκιτι) ασταθής, ετοιμόρροπος
ricochet (ρικοσσέϊ) αναπήδηση βλήματος, αναπηδώ
rid (ρίντ) απαλλάσσω, ελευθερώνω, **-dance** απαλλαγή / get rid of: απαλλάσσομαι
riddle (ρίντλ) γρίφος, αίνιγμα, μυστήριο, κόσκινο, κοσκινίζω
ride (ράϊντ) ιππεύω, ταξιδεύω με όχημα ή ζώο, κινούμαι, παρενοχλώ, ταξίδι με όχημα ή ζώο, ιππασία, δρόμος κατάλληλος μόνο γιά διάβαση με ζώο, **-r** ιππέας, **-less** χωρίς ιππέα / in for a bumpy ride: πιθανόν να συναντήσει δυσκολίες / take someone for a ride: εξαπατώ
ridge (ρίτζ) οροσειρά, κορυφή, σχηματίζω ράχεις
ridicule (ριντικιούλ) περιγελώ, κοροϊδία
rediculous (ριντίκιουλας) γελοίος, **-ly** γελοία, εξευτελιστικά
rife (ράϊφ) κοινός, διαδεδομένος, συνηθισμένος
riffle (ρίφλ) ξεφυλλίζω, φυλλομετρώ
riff raff (ρίφ ράφ) όχλος, κακότροποι κι αχρείοι άνθρωποι
rifle (ράϊφλ) είδος όπλου, ραβδώνω, κλέβω, **-man** οπλοφόρος
rifler (ράϊφλερ) κλέφτης
rift (ρίφτ) άνοιγμα, σχισμή
rig (ρίγκ) εφοδιάζω πλοίο με τα κατάλληλα εξαρτήματα, κατάρτια πλοίου, ντύσιμο, ρουχισμός, διευθετώ προς όφελός μου, **-ging** σχοινιά πλοίου
right (ράϊτ) σωστός, δεξιός, δίκαιος, κατάλληλος, δίκαιο, σωστό, πολύ, κατ' ευθείαν, επανορθώνω, **-angle** ορθή γωνία / right and left: παντού, τριγύρω / right away: αμέσως,

χωρίς καθυστέρηση / too right: σω-
στά, συμφωνώ
righteous (ράιτας) δίκαιος, ηθικός,
-ness αρετή, ηθική
rightful (ράϊτφουλ) δικαιος, νόμιμος
right hand (ράιτ χάντ) στη δεξιά
πλευρά, δεξιός, **-ed** δεξιόχειρας,
-man πολύ χρήσιμος συνεργάτης
rightist (ράϊτιστ) ο ανήκων σε δεξιά
πολιτική παράταξη
rightly (ράϊτλι) σωστά, δίκαια, σί-
γουρα
rights (ράϊτς) δικαιώματα (πολιτι-
κά, νιμικά) / the rights and wrongs
of: τα αληθινά γεγονότα γιά κά-
ποιο συμβάν
right ward (ράϊτ ουόρντ) προς τα
δεξιά
rigid (ρίτζιντ) άκαμπτος, αυστηρός,
-ity αυστηρότητα, ακαμψία
rigmarole (ριγκμαρόουλ) μωρολο-
γία
rigor (ρίγκορ) ακαμψία
rigorous (ρίγκορας) ακριβής, εξονυ-
χιστικός, αυστηρός
rigour (ρίγκαρ) σκληρότητα, δρι-
μύτητα
rig-out (ρίγκ άουτ) εξεζητημένο
ντύσιμο
rile (ράϊλ) ενοχλώ, εξερεθίζω
rill (ρίλ) ρυάκι
rim (ρίμ) χείλος, άκρο, βρίσκομαι
τριγύρω
rind (ράϊντ) φλοιός φρούτων
ring (ρίνγκ) δακτυλίδι, παλαίστρα,
σκηνή τσίρκου, όμιλος, περικυ-
κλώνω, κουδουνίζω, κουδούνισμα /
ring off: τελειώνω τηλεφωνική συν-
διάλεξη / ring a bell: υπενθυμίζω σε
κάποιον κάτι / ring hollow: φαίνο-
μαι ανειλικρινής, ψεύτικος
ringer (ρίνγκερ) κωδονοκρούστης,
ο συμματέχων σε αγώνες παρά τον
κανονισμό
ring finger (ρίνγκ φίνγκερ) δάκτυλο
οπου φοριάται η βέρα

ringleader (ρίνγκλίντερ) αρχηγός
συμμορίας
ringlet (ρίνγκλετ) μπούκλα
ring road (ρίνγκ ρόουντ) περιφε-
ρειακός δρόμος
ring side (ρίνγκ σάϊντ) θέσεις δίπλα
στην παλαίστρα
ringworm (ρίνγκουόρμ) λειχήνα (
ασθένεια του δέρματος)
rink (ρίνκ) παγοδρόμιο
rinse (ρίνς) ξεπλύνω
riot (ράϊοτ) οχλαγωγία, ταραχή,
οχλαγωγώ / run riot: γίνομαι βίαιος
και ανεξέλεγκτος
riotous (ράϊοτας) βίαιος, άτακτος,
θορυβώδης
rip (ρίπ) ξεσχίζω, ξηλώνω, σχίσιμο
/ rip off: κλέβω
ripcord (ρίπκόρντ) σχοινί ανοίγμα-
τος αλεξιπτώτου
ripe (ράϊπ) ώριμος, -ness ωριμότητα,
-n ωριμάζω / ripe old age: πολύ με-
γάλη ηλικία
riposte (ριπόουστ) γρήγορη κι από-
τομη απάντηση
ripple (ρίπλ) σχηματίζω κύματα, κε-
λαρύζω, κυματισμός
rip roaring (ρίπρόαρινγκ) θορυβώ-
δης, αναξέλεγκτος
ripsaw (ριπσόο) πριόνι γιά κόψιμο
ξύλων κατά μήκος
rip tide (ρίππταϊντ) παλίρροια που
προκαλεί κύματα
rise (ράιζ) ανυψώνομαι, εγείρομαι,
ανατέλλω, (against, up) εξεγείρομαι
ενάντια, ύψωση, ανατολή, -r ο εγει-
ρόμενος απ' τον ύπνο / give rise to:
προκαλώ, οδηγώ
risible (ρίζιμπλ) γελοίος, προκα-
λών γέλιο
rising (ράϊζινγκ) εξέγερση, υψούμε-
νος, ανατέλλων, -damp μούχλα τοί-
χων κτιρίου
risk (ρίσκ) κίνδυνος, διακινδυνεύω,
-y ριψοκίνδυνος / at one's own risk:
σύμφωνος ν' αντιμετωπίσει απώλει-

R

ες ή κίνδυνο / risk one's neck: δια-
κινδυνεύω τη ζωή
risotto (ριζότοου) είδος φαγητού
με ρύζι
risqué (ρίσκεϊ) απρεπής ιστορία
rite (ράιτ) ιεροτελεστία, τελετή
ritual (ρίτσουαλ) τελετουργικός, το
τελετουργικό, το τυπικό, **-ism** τήρη-
ση θρησκευτικών τύπων, **-istic** τελε-
τουργικός
ritzy (ρίτζι) ακριβός, πολυτελής
rival (ράιβαλ) αντίπαλος, αμιλλώ-
μαι, ανταγωνίζομαι, **-ry** άμιλλα,
ανταγωνισμός
riven (ρίβεν) αποσπασμένος,
διασπασμένος
river (ρίβερ) ποτάμι, **-bed** κοίτη πο-
ταμού, **-side** όχθη ποταμού
rivet (ρίβιτ) καρφί γιά μέταλλα,
καρφώνω, στερεώνω
riveting (ρίβιτινγκ) συναρπαστικός
rivulet (ρίβιουλιτ) ποταμάκι
roach (ρόουτς) κατσαρίδα, είδος
κυπρίνου
road (ρόουντ) δρόμος, **-block** μπάρα
γιά κλείσιμο του δρόμου, **-hog**
απρόσεκτος οδηγός, **-house** ακτίνα
στην άκρη δρόμου, **-man** επισκευα-
στής δρόμων, **-side** άκρη δρόμου,
-works επισκευές δρόμων
roam (ρόαμ) περιπλανιέμαι
roan (ρόουν) παρδαλό άλογο
roar (ρόαρ) μουγκρητό, βρυχηθ-
μός, μουγκρίζω, **-ing** σε πολύ με-
γάλο βαθμό
roast (ρόουστ) ψήνω, -ομαι, ψητός,
ψητό κρέας, **-ing** πολύ (ζεστός),
επίπληξη
rob (ρόμπ) ληστεύω, **-ber** ληστής,
-bery ληστεία
robe (ρόουμπ) ρόμπα, φορώ ρόμπα
robin (ρόμπιν) πετρίτης(πτηνό)
robot (ρόουμποτ) ρομπότ, **-ics** η επι-
στήμη κατασκευής ρομπότ
robust (ρόμπαστ) ρωμαλαίος, υγιής,
-ness ευρωστία

rock (ρόκ) βράχος, πέτρα, κουνώ,
λικνίζομαι, **-bottom** ύψιστο σημείο,
κορυφή, **-bound** κυκλωμένος με
βράχια, **-er** κουνιστή πολυθρόνα
rock and roll (ρόκ εντ ρόλ) είδος
χορού
rocket (ρόκιτ) ρουκέτα, πύραυλος
rocky (ρόκι) πετρώδης, βραχώδης,
απόκρημνος, λικνιζόμενος
rod (ρόντ) ράβδος
rodent (ρόουντεντ) τρωκτικό
rodeo (ροουντίοου) βασιλικοί αγώ-
νες ιππασίας
rodomontade (ρονταμαντέϊντ) αλα-
ζονικός, καυχησιάρης τρόπος
συμπεριφοράς ή ομιλία
roe (ρόου) αυγά ψαριού
roentgen X (ρέντζνεντ χ) ακτίνες X
rogue (ρόουγκ) απατεώνας, αγύρ-
της, **-ry** ατιμία, κατεργαριά
roguish (ρόγκουισο) κατεργάρης,
παιχνιδιάρης, άτιμος
roisterer (ρόϊστερερ) ταραξίας
role (ρόουλ) ρόλος, πρόσωπο
roll (ρόλ) κυλώ, τυλίγω, -ομαι, κύ-
λινδρος, ψωμάκι, κύλισμα, κατάλο-
γος, **-er** κύλινδρος, ο κυλών, **-call**
ανάγνωση καταλόγου προϊόντων,
-ed gold επικάλυψη χρυσού, **-er ska-
te** πατίνι
rollick (ρόλικ) παίζω, θορυβώ, **-ing**
θορυβώδης, χαρούμενος
rolling (ρόλινγκ) κυλιόμενος, κυ-
ματιστός, **-pin** πλάστης ζύμης,
-stock βαγόνια σιδηροδρόμου,
-stone περιπλανώμενος / rolling in
it: πάμπλουτος
roll of honour (ρόλ οφ όνορ) λίστα
ονομάτων ατόμων που βραβεύονται
roll-on roll-off (ρόλ ον ρόλ όφ) επι-
τρέπων την κίνηση οχημάτων
roly poly (ρόλι πόλι) είδος γλυκού,
κοντόχοντρος
Roman (ρόμαν) Ρωμαίος, Ρωμαϊκός,
-Catholic Ρωμαιοκαθολικός
romance (ρομάνς) ρομάντζο, ειδύλ-

λιο, διηγούμαι φανταστικές ιστο
ρίες, **-language** λατινογενής γλώσ
σα
romantic (ρομάντικ) ρομαντικός,
-ism ρομαντισμός, **-ise** παρουσιάζω
ρομαντικό, μεγαλοποιώ
Romeo (ρόμιοου) Ρωμαίος (όνομα)
romp (ρόμπ) παίζω θορυβώντας,
ζωηρό παιχνίδι, **-ish** τρελός, ζωη
ρός, **-ers** παιδικό ρούχο
rood (ρούντ) σταυρός, Εσταυρω
μένος
roof (ρούφ) στέγη, στεγάζω, **-less**
άστεγος, **-gerden** κήπος στην ορο
φή κτιρίου, **-rack** σχάρα στην ορο
φή αυτοκινήτου
rook (ρούκ) εξαπατώ, είδος πουλιού
rookie (ρούκι) νεοσύλλεκτος, άπει
ρος
room (ρούμ) δωμάτιο, χώρος, τόπος,
μένω, κατοικώ, **-er** ενοικιαστής,
-mate σύνοικος, **-ing house** σπίτι με
ενοικιαζόμενα δωμάτια, **-iness** ευρυ
χωρία, **-y** ευρύχωρος
roost (ρούστ) φωλιά πουλιού, κουρ
νιάζω, **-er** κόκκορας
root (ρούτ) ρίζα, ριζώνω, ψάχνω
προκαλώντας αναστάτωση, **-beer**
αλκοολούχο ποτό από ρίζες φυτών,
-ed ριζωμένος, προερχόμενος από,
-less χωρίς ρίζες, **-stock** ρίζωμα, **-y**
ριζώδης
rope (ρόουπ) σχοινί, δένω με σχοινί
/ give someone plenty of rope: πα
ρέχω ελευθερία δράσης, **-ladder**
σκάλα από σχοινιά
ropy (ρόπι) σε άσχημη κατάσταση,
φθαρμένος
rosary (ρόουζαρι) κομποσχοίνι γιά
προσευχή
rose (ρόουζ) τριαντάφυλλο, ροδό
χρωμος / be not all roses: υπάρχουν
δυσκολίες, δεν είναι όλα ρόδινα
roseate (ρόουζιιτ) ρόδινος
rosebush (ρόουζμπούςς) τριαντά
φυλλιά

rosemary (ρόουζμαρι) δεντρολίβανο
rosette (ροουζέτ) κονκάρδα, κό
σμημα
rosewate (ρόουζουότερ) ροδόνερο
rosin (ρόσιν) ρετσίνα δέντρων
roster (ρόστερ) κατάλογος οναμά
των
rostrum (ρόστραμ) βήμα ομιλητή
rosy (ρόουζι) ρόδινος, όμορφος
rot (ρότ) σαπίζω, σήψη, ανοησία
rotary (ρόουτερι) περιστροφικός
rotate (ροουτέϊτ) περιστρέφω, **-ομαι**
rotation (ροουτέϊσσον) περιστροφή
rotatory (ροουτέϊτορι) περιστρο
φικός
rote (ρόουτ) ρουτίνα
rotgut (ρότγκατ) δυνατό αλκοολού
χο ποτό
rotisserie (ροουτίσερι) σούβλα ψη
σίματος
rotor (ρόουτορ) περιστρεφόμενο
μέρος μηχανής
rotten (ρότν) σάπιος, **-ness** σαπίλα
rotter (ρότερ) άτιμος, παλιάνθρωπος
rotund (ρόουτανγτ) κοντόχοντρος,
-ity στρογγυλότητα
rotunda (ροουτάντα) στρογγυλό
δωμάτιο
rouble (ρούουμπλ) ρούβλι
rouge (ρούζζ) ρουζ, καλλυντική βα
φή γιά το πρόσωπο, βάφω με ρουζ
rough (ράφ) σκληρός, άξεστος, βί
αιος, τρικυμιώδης, πρόχειρος,
άσχημα, εκτραχύνω / rough and
ready: απλός και χωρίς ανέσεις /
take the rough with the smooth: δέ
χομαι και τα καλά και τα κακά χω
ρίς διαμαρτυρία
roughage (ράφιτζ) μη θρεπτική
τροφή
rough and tumble (ράφ εντ τάμπλ)
καυγάς
roughcast (ράφκαστ) πρόχειρο
σχέδιο
roughen (ράφεν) τραχύνω, -ομαι
roughhewn (ραφχιούν) χονδροπε-

λεκημένος
roughhouse (ράφχάουζ) φασαρία,
τσακωμός
roughly (ράφλι) περίπου, τραχειά
roughness (ράφνες) τραχύτητα
roughstuff (ραφστάφ) βίαιη συμπεριφορά
roulette (ρούλετ) ρουλέτα
round (ράουντ) στρογγυλός, κύκλος, βολή, γύρος, κύκλος, στρογγυλεύω, κινούμαι κυκλικά, **-about** έμμεσος, **-ish** στρογγυλωπός, **-ly** εντελώς, **-robin** έγγραφο με γνώμες και παράπονα υπογεγραμμένο από πολλούς, **-shouldered** κυρτός, σκύβων, **-trip** ταξίδι με τ' επιστροφής, **-ness** στρογγυλότητα, **-up** συλλέγω
rouse (ράουζ) αφυπνίζω, εξεγείρω
rousing (ράουζινγκ) παρακινητικός
roustabout (ραουσταμπάουτ) χειρώνακτας
rout (ραούτ) ολοκληρωτική ήττα, κατανικώ
route (ρούτ) πορεία, κατευθύνω
routine (ρούτιν) ρουτίνα, τακτικός, συνηθισμένος
rove (ρόουθ) περιπλανιέμαι, **-r** περιπλανώμενος
row (ρόου) σειρά, στίχος, κωπηλατώ, κωπηλασία
row (ράου) ταραχή, τσακωμός, θόρυβος, φιλονικώ
rowdy (ράουντι) ταραξίας, εριστικός
royal (ρόϊαλ) βασιλικός, λαμπρός, βασιλιάς, **-ist** βασιλόφρων, **-ism** βασιλοφροσύνη, **-prerogative** βασιλικά δικαιώματα
royalty (ρόϊαλτι) μέλη βασιλικής οικογένειας, πληρωμή συγγραφέα
rozzer (ρόζερ) αστυνομικός
rub (ράμπ) τρίβω, τρίβομαι, τρίψιμο, δυσκολία, **-ber** τρίφτης, σβύστρα, **-dinghy** μικρή φουσκωτή βάρκα, **-neck** κοιτάζω με πολύ ενδιαφέρον και περιέργεια / rub

down: λιαίνω τρίβοντας / rub out: σβήνω, δολοφονώ / rub along: επιζώ, τα βγάζω πέρα, έχω καλές σχέσεις
rubbery (ράμπερι) ελαστικός, όμοιος με καουτσούκ
rubbish (ράμπιςς) σκουπίδια, ανοησίες, **-bin** σκουπιδοτενεκές, **-y** ανόητος, χωρίς αξία
rubble (ράμπλ) σπασμένες πέτρες, χαλίκια
rubdown (ράμπντάουν) γυάλισμα
rubicund (ρούμπικαντ) κοκκινωπός, υγιής
rubric (ρούμπρικ) οδηγίες με γράμματα διαφορετικού χρώματος
ruby (ράμπι) κόκκινος, ρουβίνιο (λίθος)
ruck (ράκ) κοινός τρόπος ζωής
racksack (ράκσακ) σακκίδιο φερόμενο στην πλάτη
ruckus (ράκας) φιλονικία
ruction (ράκσαν) φασαρίες, παράπονα
rudder (ράντερ) τιμόνι, πηδάλιο
ruddy (ράντι) κοκκινωπός
rude (ρούντ) τραχύς, αγενής, πρόχειρος, **-ly** αγενώς, πρόχειρα
rudimentary (ρουντιμένταρι) στοιχειώδης, βασικός
rudiments (ρούντιμεντς) οι βάσεις, στοιχειώδεις γνώσεις
rue (ρού) μετανιώνω, λυπάμαι πολύ, **-ful** θλιμμένος
ruff (ράφ) περιλαίμιο
ruffian (ράφιαν) παλιάνθρωπος
ruffle (ράφλ) πτυχή, τσαλακώνω, ταράζω
rug (ράγκ) χαλί / pull the rug out from under: παύω να υποστηρίζω ή να βοηθώ
rugby (ράγκμπι) είδος παιχνιδιού
rugged (ράγκιντ) τσαλακωμένος, τραχύς, ανώμαλος, **-ly** ανώμαλα
ruin (ρούιν) γκρεμίζω, καταστρέφω, αφανίζω, καταστροφή, απώλεια / in

ruins: ερειπωμένος
ruination (ρουινέϊσσον) αφανισμός, καταστροφή
ruinous (ρούινας) καταστροφικός
rule (ρουλ) κανόνας, διοίκηση, κυβερνώ, χαρακώνω, **-d** (χαρτί) με παράλληλες γραμμές, **-r** κυβερνήτης, χάρακας
rum (ράμ) παράξενος, ασυνήθιστος, αλκοολούχο ποτό
rumble (ράμπλ) κάνω υπόκωφο θόρυβο, αποκαλύπτω, υπόκωφος θόρυβος
rumbustious (ραμπάστσας) ζωηρός, χαρούμενος
ruminant (ρούμιναντ) μηρυκαστικός, μηρυκαστικό ζώο
ruminate (ρουμινέϊτ) μηρυκάζω, αναμασώ, συλλογίζομαι
ruminative (ρουμινέϊτιβ) σκεπτικός
rummage (ράμιτζ) έρευνα, ερευνώ αναποδογυρίζοντας αντικείμενα
rummy (ράμι) χαρτοπαίγνιο
rumour (ρούμορ) φήμη, διάδοση, **-ed** φημολογούμενος
rump (ράμπ) γλουτός
rumple (ράμπλ) αναστατώνω, ανακατεύω
rumpus (ράμπας) φιλονικία, θόρυβος
run (ράν) τρέχω, δρόμος, τρέξιμο / in the long run: στο απώτερο μέλλον / in the short run: στο προσεχές μέλλον / on the run: υπό καταδίωξη, προσπαθώντας να δραπετεύσει / run after: καταδιώκω / run across: συναντώ τυχαία / run away: το σκάω, δραπετεύω / run down: χτυπώ και ρίχνω κάτω (με όχημα), πάυω να λειτουργώ, βρίσκω / run into: τρακάρω (όχημα), συναντώ τυχαία / run out: ξεμένω, τελειώνω, καταναλώνω εντελώς / run up: υψώνω, φτιάχνω στα γρήγορα
runabout (ραναμπάουτ) μικρό αυτοκίνητο

runaround (ράναράουντ) υπεκφυγή
runaway (ραναουέϊ) δραπέτης, εκτός ελέγχου
rundown (ράνντάουν) παλιός και φθαρμένος, καταβεβλημένος
rung (ράνγκ) σκαλοπάτι σκάλας
run-in (ράνιν) φιλονικία
runnel (ράνλ) ρυάκι
runner (ράνερ) δρομέας, παραφυάδα, **-up** δεύτερος νικητής αγώνα
running (ράνινγκ) τρέξιμο, έλεγχος, διεύθυνση, ο τρέχων, συνεχόμενα / in running order: (γιά μηχανή) σε κανονική λειτουργία
runny (ράνι) ρευστός, λιωμένος, ρέων
runt (ράντ) μικρό ζώο
runway (ρανουέϊ) διάδρομος προσγείωσης αεροπλάνων
rupture (ράπτσαρ) διάρρηξη, σπάσιμο, διασπώ, διαρρηγνύω, κύστη
rural (ρούραλ) αγροτικός
ruse (ρούς) τέχνασμα
rush (ράς) ορμώ, δρώ γρήγορα, ορμή, βια, βούρλο, **-hour** ώρα αιχμής
rusk (ράσκ) μπισκότο
russet (ράσιτ) κοκκινόμαυρος
Russian (ράσσαν) Ρωσσικός, Ρωσσικά, Ρώσσος
rust (ράστ) σκουριά, σκουριάζω
rustic (ράστικ) ρουστίκ, αγροτικός, χωριάτικος, χωριάτης
rusticate (ραστικέϊτ) αποβάλλω απ' το σχολείο
rustle (ράσλ) θροΐζω, ψίθυρος, θρόϊσμα
rustler (ράσλερ) ζωοκλέφτης
rustproof (ράστπρούφ) που δε σκουριάζει
rusty (ράστι) σκουριασμένος
rut (ράτ) αυλάκι, αυλακώνω, οργώνω
ruthful (ρούθφουλ) εύσπλαχνος
ruthless (ρούθλες) ανήλεος
rye (ράϊ) σίκαλη

R

S

S, s (ές) το δέκατο έννατο γράμμα στο Αγγλικό αλφάβητο
Sabbath (σάμπαθ) Σάββατο, Κυριακή
sabbatical (σαμπάτικαλ) Σαββατικός, του Σαββάτου
sable (σέϊμπλ) μαύρη γούνα ζώου, μαύρος
sabotage (σαμποτάαζζ) σαμποτάζ, κωλυσιεργία, κωλυσιεργώ
saboteur (σαμποτέερ) κωλυσιεργός
sabra (σάαμπρα) πολίτης του Ισραήλ
sabre (σέϊμπερ) σπαθί
sac (σάκ) σακκίδιο
saccharine (σάκαριν) σακχαρίνη (γλυκιά χημική ουσία)
sacerdotal (σασερντόουταλ) ιερατικός
sachet (σάσσεϊ) σακκουλάκι, κουτί πούδρας
sack (σάκ) σάκκος, απολύω από δουλειά, λεηλατώ, λεηλασία, σακκουλιάζω, -er συλητής, -race τσουβαλοδρομίες
sacrament (σάκραμεντ) Θεία ευχαριστία, μυστήριο, -al μυσταγωγικός
sacred (σέϊκριντ) ιερός, -ness ιερότητα
sacrifice (σακριφάϊς) θυσία, θυσιάζω, -r θυσιαστής
sacrificial (σακριφίσσαλ) θυσιαστικός
sacriledge (σάκριλιτζ) ιεροσυλία, βεβήλωση
sacristan (σάκρισταν) νεοκόρος

sacristy (σάκριστι) ιεροφυλάκιο
sacrosanct (σάκροουσανκτ) ιερώτατος
sad (σάντ) λυπημένος, λυπηρός, -den λυπώ, θλίβω / sad to say: δυστυχώς
saddle (σαντλ) σαμάρι, σέλα, σελώνω, κάθομαι σε σέλα, -bag δισάκι, -r σελοποιός, -ry σαγματοποιία
sadism (σέϊντισμ) σαδισμός
sadist (σέϊντιστ) σαδιστής
sadly (σάντλι) λυπημένα
sadness (σάντνις) λύπη, μελαγχολία
sadomasochism (σεϊντοουμάσοκιζμ) σαδομαζοχισμός
safari (σαφάαρι) κυνήγι άγριων ζώων στην Αφρική
safe (σέϊφ) σώος, ασφαλής, χρηματοκιβώτιο, -breaker διαρρήκτης , -guard προστατεύω, σωματοφύλακας, -keeping διαφύλαξη, φύλαξη / safe and sound: σώος και αβλαβής / play it safe: δεν διακινδυνεύω καθόλου
safety (σέϊφτι) ασφάλεια, -belt ζώνη ασφαλείας (σε αεροπλάνο, κτλ.), -first προσεκτικός, μη ριψοκίνδυνος, -pin καρφίτσα ασφαλείας, -valve ασφαλιστική βαλβίδα
saffron (σάφραν) κρόκκος (φυτό), πορτοκαλί χρώμα
sag (σάγκ) κάμπτομαι, γέρνω απ' το βάρος, μειώνομαι, πτώση, μείωση, λύγισμα
sagacious (σαγκέϊσσας) οξύνους
sagacity (σαγκάσιτι) οξύνοια

sage (σέϊτζ) σοφός, φασκομηλιά
saggy (σάγκι) ο κλίνων, πεσμένος
Sagittarius (σατζιτέϊριας) Τοξότης (ζώδιο)
sago (σέϊγκοου) αλεύρι από φοίνικες
said (σέντ) αορ. του say
sail (σέϊλ) πανί πλοίου, σύντομο ταξίδι με πλοιάριο, πλέω, **-or** ναύτης, **-ing** ιστιοπλοΐα, **-plane** ανεμόπλανο, **-cloth** καραβόπανο / set sail: ξεκινώ ταξίδι / sail into: επιτίθεμαι
saint (σέντ) άγιος, **-ed** άγιος, αγιάσας, **-ly** άγιος, **-liness** αγιότητα
saith (σέθ) λέει (αρχ.)
sake (σέϊκ) χάρη, αιτία / for God's sake: γιά τ' όνομα του Θεού!
salaam (σαλάαμ) υπόκλιση ανατολιτών
salable (σέϊλαμπλ) πωλήσιμος
salacious (σαλέϊσσας) λάγνος, ερωτικός, **-ness, salacity** ασέλγεια, λαγνεία
salad (σάλαντ) σαλάτα, **-days** περίοδος νιότης και απειρίας
salamander (σαλαμάντερ) σαλαμάνδρα
salami (σαλάαμι) σαλάμι
salary (σάλαρι) μισθός
sale (σέϊλ) πώληση, έκπτωση, **-room** αίθουσα δημοπρασιών
salesgirl (σέϊλσγκέρλ) πωλήτρια
salesman (σέϊλσμαν) πωλητής, **-ship** ικανότητα πωλητή
salesperson (σέϊλσπέρσον) αντιπρόσωπος πωλήσεων
salience (σέϊλιενς) προεξοχή
salient (σέϊλιεντ) προεξέχων
saline (σέϊλαϊν) αλατισμένος
saliva (σάλιβα) σάλιο, **-ry** σιελογόνος
salivate (σαλιβέϊτ) σαλιώνω
sallow (σάλοου) κιτρινωπός, αρρωστιάρικος, ιτιά, **-ness** ωχρότητα
sally (σάλι) εξόρμηση, έξοδος, εξορμώ

salmon (σάμον) σολομός
salmonella (σαλμονέλα) σαλμονέλα (βακτήρια)
salon (σαλόον) σαλόνι, αίθουσα
saloon (σαλούν) ποτοπωλείο
salt (σόολτ) αλάτι, αλατίζω, αλμυρός, **-cellar** αλατιέρα, **-water** του αλμυρού νερού, **-y** αλμυρός, **-less** ανάλατος
salubrious (σαλούμπριας) υγιεινός
salutary (σαλιουτέρι) σωτήριος
salutation (σαλιουτέϊσσαν) χαιρετισμός
salutatory (σαλιουτέϊτορι) χαιρετιστήριος
salute (σαλιούτ) χαιρετώ, χαιρετισμός
salvage (σάλβιτζ) διάσωση, διασωθέντα αντικείμενα, περισώζω
salvation (σαλβέϊσσαν) σωτηρία
salve (σάαλβ) αλοιφή, αλείφω, θεραπεύω, **-r** δίσκος
salvo (σάλβοου) ξέσπασμα, επίσημος χαιρετισμός
Samaritan (σαμάριταν) Σαμαρείτης
samba (σάμπα) Βραζιλιάνικος χορός
same (σέϊμ) ίδιος, όμοια, **-ness** ομοιότητα, ταυτότητα, **-y** μονότονος / same as: ακριβώς όπως
samovar (σαμοβάρ) σαμοβάρι
sampan (σάμπαν) Κινέζικο πλοιάριο
sample (σάμπλ) δείγμα, δοκιμάζω
samurai (σαμουράϊ) Γιαπωνέζος στρατιώτης
sanatorium (σανατόριαμ) θεραπευτήριο
sanctify (σανκτιφάϊ) αγιοποιώ
sanctimonious (σανκτιμόουνιας) ψευδευλαβής, **-ness** ψευδευλάβεια
sanction (σάνκσσαν) επικύρωση, έγκριση, εγκρίνω, επικυρώνω
sanctity (σάνκτιτι) αγιότητα
sanctuary (σάνκτσουερι) περιοχή όπου απαγορεύεται το κυνήγι, άσυ-

S

λο, ιερό ναού
sanctum (σάνκταμ) ιερός τόπος,
ιδιαίτερο δωμάτιο
sand (σάντ) άμμος, καλύπτω με άμ-
μο, **-bank** σωρός άμμου, **-blast** καθα-
ρίζω μα άμμο, **-paper** γυαλόχαρτο,
γυαλίζω, **-piper** νεροκότσυφος, **-pit**
αμμόλακκος γιά παιχνίδι
sands (σάντς) έκταση καλυμμένη
με άμμο
sandal (σάντλ) σανδάλι
sandwich (σάντουιτς) σάντουιτς,
βάζω ανάμεσα, στριμώχνω
sandy (σάντι) αμμώδης
sane (σέϊν) λογικός, υγιειής στο
μυαλό
sangfroid (σάνγκφρόϊντ) ψυχραιμία
sanguinary (σανγκουίνερι) αιμοχα-
ρής
sanguine (σάνγκουιν) εύελπις, εν-
θουσιώδης
sanitary (σάνιτέρι) υγιεινός, υγειο-
νομικός
sanitation (σανιτέϊσσαν) υγειονομία
sanitize (σάνιτάϊζ) εξομαλύνω,
μειώνω τη δρυμύτητα
sanity (σάνιτι) λογικό, διανοητική
υγεία
sank (σάνκ) αόριστος του sink
sans (σάνς) χωρίς
Santa Claus (σάντα κλόοζ) Άγιος
Βασίλης
sap (σάπ) χυμός, ανόητος, υποσκά-
πτω, υπονομεύω
sapience (σέϊπιενς) σοφία
sapient (σέϊπιεντ) σοφός
sapling (σάπλινγκ) νεαρό δέντρο
saponify (σαπόνιφάϊ) σαπονοποιώ,
-ουμαι
sapor (σέϊπορ) γεύση, **-ous** νόστιμος
sapper (σάπερ) εργαζόμενος σκά-
βοντας
sapphire (σάφαϊρ) σαπφείρι
sappy (σάπι) χυμώδης, ανόητος
sarcasm (σάρκασμ) σαρκασμός
sarcastic (σαρκάστικ) σαρκαστικός

sarcophagus (σααρκοφάγκας) σαρ-
κοφάγος (νεκρού)
sardine (σαρντίιν) σαρδέλλα
sardonic (σαρντόνικ) σαρδόνιος
sari (σάαρι) σάρι, ένδυμα γυναικών
της Ινδίας
sarky (σάρκι) σαρκαστικός
sarong (σαρόογκ) φούστα κατοί-
κων Μαλαισίας
sartorial (σαατόριαλ) ραπτικός
sash (σάς) σάρπα, πλαίσιο παραθυ-
ρόφυλου
sashay (σασσέϊ) κινούμαι απαλά
satan (σέϊτν) Σατανάς
satanic (σατάνικ) σατανικός
satanism (σατάνισμ) σατανισμός,
λατρεία του σατανά
satchel (σάτσελ) βαλίτσα, τσάντα
sate (σέϊτ) ικανοποιώ, χορταίνω
sateen (σατίιν) σατέν (ύφασμα)
satellite (σατιλάϊτ) δορυφόρος
satiable (σέϊσιαμπλ) κορεστός
satiate (σέϊσσιέϊτ) χορταίνω, ικανο-
ποιώ πλήρως
satiety (σατέϊετι) κορεσμός
satin (σάτιν) σατέν
satiny (σάτινι) απαλός, λείος,
λαμπερός
satire (σατάϊαρ) σάτυρα
satirical (σατίρικαλ) σατυρικός
satirize (σατιράϊζ) σατυρίζω
satisfaction (σατισφάκσαν) ικανο-
ποίηση
satisfactory (σατισφάκτορι) ικανο-
ποιητικός
satisfy (σατισφάϊ) ικανοποιώ, **-ing**
ικανοποιητικός
satrap (σέϊτραπ) σατράπης, **-y** σα-
τραπεία
saturate (σατσουρέϊτ) μουσκεύω, **-d**
κορεσμένος
saturation (σατσουρέϊσσον) κορε-
σμός, διάβρεξη, **-point** σημείο κο-
ρεσμού
Saturday (σατερντέϊ) Σάββατο
saturn (σάτερν) (πλανήτης) Κρόνος

saturnalia (σατερνέϊλια) όργια
saturnine (σατενάϊν) σοβαρός, σκυθρωπός
satyr (σάτιρ) σάτυρος (αρχαίος Ελληνικός Θεός)
sauce (σός) σάλτσα, αυθάδεια, μιλώ με ασέβεια, **-pan** κατσαρόλα, **-r** πιατάκι φλυτζανιού
saucily (σόσιλι) αγενώς
saucy (σόσι) αυθάδης
sauna (σάουνα) σάουνα, δωμάτιο με ατμούς γιά χαλάρωση
saunter (σόοντερ) βαδίζω αργά, περίπατος
sausage (σόσατζ) λουκάνικο
sautω (σαουτέϊ) τσιγαριστός, τσιγαρίζω
savage (σάβιτζ) άγριος, βίαιος, επιτίθεμαι, **-ry** αγριότητα, θηριωδία
savanna (σαβάνα) άδενδρη πεδιάδα
savant (σάβαντ) σοφός
save (σέϊβ) σώζω, αποταμιεύω, εκτός, **-r** ο σώζων, οικονόμος
saving (σέϊβινγκ) σωτήριος, σωτηρία, **-s** οικονομίες
savings bank (σέϊβινγκς μπάνκ) ταμιευτήριο
saviour (σέϊβιορ) σωτήρας, λυτρωτής
savor (σέϊβορ) γεύση, άρωμα, έχω γεύση, **-less** ανούσιος
savoriness (σέϊβόρινις) νοστιμιά
savory (σέϊβορι) νόστιμος
savvy (σάβι) πρακτική γνώση
saw (σόο) πριόνι, πριονίζω, ρητό, παροιμία, **-dust** πριονίδια, **-mill** πριονιστήριο, **-er** πριονιστής
saxophone (σακσοφόουν) πριονίζω
saxophonist (σακσοφόνιστ) παίκτης σαξοφώνου
say (σέϊ) λέω, γνώμη, **-ing** ρητό, **-er** ο λέγων, **-so** προσωπική αναπόδεικτη άποψη / say someone nay: απαγορεύω
scab (σκάμπ) ξηραμένο αίμα πληγής, ψώρα ζώων

scabbard (σκάμπαρντ) θήκη
scabby (σκάμπι) ψωριάρης
scabies (σκέϊμπιιζ) ψώρα
scabrous (σκάϊμπρας) τραχύς, άπρεπος
scad (σκάντ) μεγάλη ποσότητα
scaffold (σκάφολντ) σκαλωσιά
scalable (σκέϊλαμπλ) αναβατός
scalawag (σκαλαουάγκ) παλιάνθρωπος
scald (σκάλντ) ζεματίζω, κάψιμο, **-ing** καυτός
scale (σκέϊλ) σκάλα, ζυγαριά, μουσική κλίμακα, αναρριχώμαι
scalene (σκεϊλίιν) σκαληνό (τρίγωνο)
scales (σκέϊλς) ζυγαριά
scallop (σκάλαπ) οδοντώνω, κτένι (όστρακο)
scalp (σκάλπ) δέρμα του κεφαλιού
scalpel (σκάλπελ) νυστέρι, γλυφίδα
scaly (σκέϊλι) λεπιδωτός
scam (σκάμ) παράνομο σχέδιο δράσης
scamp (σκάμπ) παιχνιδιάρικο, άτακτο παιδί
scamper (σκάμπερ) φεύγω γρήγορα
scan (σκάν) εξετάζω προσεκτικά, εξονυχιστική εξέταση, διαβάζω έμμετρα
scandal (σκάντλ) σκάνδαλο, **-monger** ο διαδίδων σκάνδαλα
scandalize (σκανταλάϊζ) σκανδαλίζω
scandalous (σκάνταλας) σκανδαλώδης
scansion (σκάνσσαν) μετρική ανάλυση στίχων
scant (σκάντ) ανεπαρκής, λιγοστός, **-ness** ανεπάρκεια
scantling (σκάντλινγκ) μικρή δοκός
scanty (σκάντι) ανεπαρκής, τσιγγούνης
scapegoat (σκέϊπγκόουτ) αποδιοπομπιαίος τράγος
scapegrace (σκέϊπγκρέϊς) παλιά-

S

νθρωπος
scar (σκάρ) ουλή, σημάδι, σημαδεύω
scarab (σκάραμπ) σκαθάρι
scarce (σκάρς) σπάνιος, με δυσκολία, **-ly** σπάνια, μόλις, **-ness** σπανιότητα
scarcity (σκάρσιτι) έλλειψη
scare (σκέαρ) φοβίζω, τρομάζω, φόβος
scarecrow (σκέαρκρόου) σκιάχτρο
scarf (σκάρφ) κασκόλ
scarify (σκάριφάϊ) χαράζω δέρμα, οργώνω
scarlet (σκάρλιτ) άλικος, **-woman** πόρνη
scarp (σκάαπ) απότομα βράχια
scarper (σκάαπερ) δραπετεύω
scary (σκέαρι) έντρομος, φοβερός
scat (σκάτ) φεύγω αμέσως
scathing (σκέϊδιν) δριμύς
scatter (σκάτερ) διασκορπίζω, -ομαι, **-brain** ελαφρόμυαλος
scavenge (σκάβεντζ) καθαρίζω, ψάχνω για τροφή, **-r** ρακοσυλλέκτης
scenario (σιινέριοου) σενάριο
scenarist (σιινέριστ) σεναριογράφος
scene (σίιν) σκηνή / behind the scenes: κρυφά, μυστικά / on the scene: παρών
scenery (σίινερι) σκηνογραφία, θέα
scenic (σίινικ) σκηνικός, θεαματικός
scent (σέντ) μυρωδιά, οσφραίνομαι, **-less** άοσμος
scepter (σέπτερ) σκήπτρο
sceptic (σκέπτικ) σκεπτικιστής, **-al** σκεπτικός
scepticism (σκέπτισισμ) σκεπτικισμός
schedule (σκέτζουλ) δρομολόγιο, πρόγραμμα, σχεδιάζω
schema (σκίιμα) διάγραμμα, σχήμα
schematic (σκιμάτικ) σχηματικός
scheme (σκίιμ) σχέδιο, σχεδιάζω, σκευωρώ, σκευωρία

scherzo (σκέρτζοου) είδος ζωηρής μουσικής
schism (σκίζμ) σχίζμα, **-atic** σχισματικός
schist (σσίστ) σχιστόλιθος
schizoid (σκίζοϊντ) σχιζοφρενής
schizophrenia (σκιτσοουφρίινια) σχιζοφρένεια
schizophrenic (σκιζοφρένικ) σχιζοφρενικός
schlep (σσλέπ) σύρω, τραβώ με δυσκολία
schmuck (σσμάκ) βλάκας
scholar (σκόλαρ) λόγιος, σπουδαστής, **-ly** λόγιος, **-ship** υποτροφία
scholastic (σκολάστικ) σχολικός, ακαδημαϊκός
school (σκούλ) σχολείο, σχολή, κοπάδι ψαριών, εκπαιδεύω, **-child** μαθητής, **-fellow**, mate συμμαθητής, **-house** σχολείο, **-ing** σχολική εκπαίδευση, **-master** δάσκαλος, **-room** σχολική αίθουσα
schooner (σκούνερ) γολέτα, ψηλό ποτήρι κρασιού
sciatic (σαϊάτικ) ισχιακός
sciatica (σαϊάτικα) ισχιαλγία
science (σάϊενς) επιστήμη, **-fiction** επιστημονική φαντασία
scientific (σαϊεντίφικ) επιστημονικός
scientist (σάϊεντιστ) επιστήμονας
scimitar (σίμιταρ) γιαταγάνι
scintilla (σιντίλα) ίχνος
scintillate (σιντιλέϊτ) σπινθηροβολώ
scion (σάϊον) γόνος, βλαστός, παραφυάδα
scissors (σίιζορς) ψαλίδι
sclerosis (σκλιρόουσις) σκλήρωση
scoff (σκόφ) χλευάζω, εμπαιγμός, τρώω λαίμαργα, **-er** ο χλευαστής
scold (σκόουλντ) μαλώνω, επιπλήττω, γκρινιάρα γυναίκα
sconce (σκόνς) κηροστάτης τοίχου, οχύρωμα, προφυλάσσω
scoop (σκούπ) κουτάλα, κενώνω,

δημοσιογραφική επιτυχία, επιτυγχάνω

scoot (σκούτ) τρέχω γρήγορα, ορμώ

scooter (σκούτερ) δίτροχο όχημα

scope (σκόουπ) θέα, στάδιο, έκταση, σκοπός

scorch (σκόρτς) καψαλίζω, -ομαι, τσουρούφλισμα, κάψιμο, **-er** πολύ ζεστή μέρα

score (σκόουρ) χαράζω, λογαριασμός, σημειώνω, επικρίνω

scorn (σκόρν) καταφρονώ, περιφρόνηση, **-ful** περιφρονητικός, **-fulness** περιφρονητικότητα

scorpio (σκόοπιοου) Σκορπιός (ζώδιο)

scorpion (σκόοπιον) σκορπιός

scotch (σκότς) σταματώ, τελειώνω

Scotch (σκότς) Σκωτικός, Σκωτική διάλεκτος, οι Σκοτσέζοι

scot free (σκότ φρίι) αβλαβής

Scotland (σκότλαντ) Σκωτία

Scottish (σκότιςς) Σκωτικός

scoundrel (σκάουντρελ) παλιάνθρωπος, **-ly** φαύλος

scour (σκάουρ) καθαρίζω, ερευνώ, καθάρισμα

scourge (σκέρτζ) μαστίζω, μάστιγα, **-r** βασανιστής

scout (σκάουτ) πρόσκοπος, κατάσκοπος, κατασκοπεύω, **-master** αρχηγός προσκόπων

scow (σκάου) μαούνα

scowl (σκάουλ) συνοφρυώνομαι, συνοφρύωση

scrabble (σκράμπλ) αναρριχώμαι, προχειρογράφω, ψάχνω κινώντας τα δάκτυλα

scrag (σκράγκ) επιτίθεμαι άγρια, λαιμός

scraggly (σκράγκλι) ισχνός, καχεκτικός (ή scraggy)

scram (σκράμ) φεύγω γρήγορα

scramble (σκράμπλ) αναρριχώμαι, αγωνίζομαι ν' αποκτήσω, ανακατεύω, διαμάχη, **-ed eggs** αυγά ομελέτα

scrap (σκράπ) κομματάκι, υπόλειμμα, απόκομμα, ξύσμα, πετώ ως άχρηστο, φιλονικώ, φιλονικία

scrape (σκρέϊπ) ξύνω, ξύσιμο, δύσκολη κατάσταση, **-r** ξύστρα / scrape a living: έχω μόλις τ' απαραίτητα γιά να ζήσω

scrapings (σκρέϊπινγκς) ξύσματα

scrappy (σκράπι) τεμαχισμένος, φιλόνικος

scratch (σκράτς) ξύνω, γραντζουνιά, γραμμή εκκίνησης δρομέας, τυχαίος, **-y** γρατζουνισμένος / up to scratch: σε καλή κατάσταση / from scratch: ξεκινώντας απ' την αρχή

scrawl (σκρόολ) κακογραφώ, κακογραφία, **-er** κακογράφος

scrawny (σκρόονι) αδύνατος, κοκκαλιάρης

scream (σκρίμ) φωνάζω, κραυγάζω, κραυγή, κάτι πολύ αστείο, **-ingly** πολύ αστεία

screech (σκρίιτς) κραυγάζω, σκούζω, καραυγή, οξύς ήχος

screed (σκρίντ) μακρύς λόγος

screen (σκρίν) παραπέτασμα, προφυλακτήρας, οθόνη κινηματογράφου, κόσκινο, κοσκινίζω, προφυλάσσω, σκεπάζω, προβάλλω στην οθόνη, **-ing** προβολή ταινίας, **-play** σενάριο ταινίας

screw (σκρού) βίδα, βιδώνω, κοχλίας, **-ball** τρελός, ιδιόμορφος, **-driver** εργαλείο γιά βίδωμα, **-y** μισότρελος, παράξενος

scribble (σκρίμπλ) γράφω γρήγορα κι απρόσεκτα, κακογραφία, **-r** κακογράφος

scribe (σκράϊμπ) γραφέας

scrimmage (σκρίμιτζ) ταραχή, καυγάς

scrimp (σκρίμπ) αποταμιεύω χρήματα με δυσκολία

scrip (σκρίπ) σημείωση, απόδειξη

script (σκρίπτ) χειρόγραφο, αλφάβητο

S

scriptural (σκρίπτσαραλ) Βιβλικός
scripture (σκρίπτσερ) Βίβλος
scrod (σκρόντ) είδος βακαλάου
scrofula (σκρόφιουλα) χελώνια (α-
σθένεια)
scroll (σκρόλ) έγγραφο σε κύλινδρο
scrotum (σκρόταμ) θύλακας των
όρχεων
scrounge (σκράουντζ) κλέβω, -r
κλέφτης
scrub (σκράπ) σφουγγαρίζω, σφουγ-
γάρισμα, σβήνω, ακυρώνω, θάμνος
scrubber (σκράμπερ) πόρνη
scrubby (σκράμπι) μικρός, ασή-
μαντος
scruff (σκράφ) τράχηλος, ακατά-
στατο και βρώμικο άτομο
scruffy (σκράφι) βρώμικος, ακα-
τάστατος
scrump (σκράμπ) κλέβω φρούτα
scrumptious (σκράμπσας) νόστιμος,
εξαίσιος
scrunch (σκράντς) ζαρώνω, τσαλα-
κώνω
scruple (σκρούπλ) ενδοιασμός, τύ-
ψη, διστάζω
scrupulous (σκρούπιουλας) ευσυ-
νείδητος, ακριβολόγος
scrutineer (σκρουτινίιρ) ο καταμε-
τρητής ψήφων σε εκλογές
scrutinize (σκρουτινάϊζ) εξετάζω
προσεκτικά
scrutiny (σκρούτινι) εξονυχιστική
εξέταση
scud (σκάντ) (γιά σύννεφα) κινού-
μαι γρήγορα
scuff (σκάφ) γδέρνω, γδάρσιμο
scuffle (σκάφλ) ταραχή, καυγάς,
καυγαδίζω
scull (σκάλ) μικρή βάρκα, κωπηλα-
τώ, -er κωπηλάτης
scullery (σκάλερι) μικρό δωμάτιο
γιά πλύσιμο μαγειρικών σκευών
scullion (σκάλιαν) υπηρέτης μαγει-
ρίου
sculptor (σκάλπτορ) γλύπτης

sculptural (σκάλπτσουραλ) γλυπτι-
κός
sculpture (σκάλπτσαρ) γλυπτική
τέχνη, γλυπτό, φτιάχνω γλυπτά
scum (σκάμ) ανήθικο άτομο, ξα-
φρίζω
scummy (σκάμι) βρώμικος
scupper (σκάπερ) βυθίζω (πλοίο)
σκόπιμα, οπή πλοίου γιά απόρριψη
νερού στη θάλασσα
surf (σκάρφ) πιτυρίδα, -y ο έχων
πιτυρίδα
scurrility (σκερίλιτι) βωμολοχία
scurrilous (σκέριλας) βωμολόχος
scurry (σκάρι) φεύγω γρήγορα, ορ-
μώ, σπεύδω, γρήγορη φυγή
scurvy (σκέεβι) αχρείος, ανάξιος
σεβασμού
scuttle (σκάτλ) φεγγίτης, φεύγω
τρέχοντας, βυθίζω πλοίο
scuzzy (σκάζι) βρωμερός, δυσάρε-
στος
scythe (σάϊδ) δρεπάνι, θερίζω
sea (σίι) θάλασσα, -anemone πολύ-
ποδας (θαλάσσιο ζώο), -bed η στε-
ριά στο ύψος της θάλασσας, -bird
θαλασσοπούλι, -borne θαλάσσιος,
-change σταδιακή ολοκληρωτική
αλλαγή, -dog θαλασσόλυκος, -food
βρώσιμα θαλασσινά, -going ποντο-
πορών, -gull γλάρος, -horse ιππό-
καμπος, -wall κυματοθραύστης,
-weed φύκι, -man ναυτικός
seal (σίλ) φώκια, σφραγίδα, σφρα-
γίζω, -ing κυνήγι φώκιας, -ery πε-
ριοχή με πολλές φώκιες, -ing wax
βουλοκέρι
seam (σίμ) ραφή, συρράπτω, φλέβα
μεταλλεύματος, -stress μοδίστρα
seamy (σίμι) άσχημος, δυσάρεστος
(όχι γιά πρόσωπα)
seance (σέϊανς) πνευματιστική
συγκέντρωση
seaplane (σιπλέϊν) υδροπλάνο
seaport (σιπόρτ) λιμάνι
seapower (σιπάουερ) ναυτική δύ-

ναμη, στόλος
sear (σίαρ) καίω, καψαλίζω, ξη-
ραίνω
search (σέρς) ερευνώ, ψάχνω, έρευ-
να, **-ing** διαπεραστικός, ερευνητι-
κός, **-er** ερευνητής, **-warrant** ένταλ-
μα έρευνας
searing (σίερινγκ) καυτός, καυστι-
κός
seashore (σιισσόρ) παραλία
seasick (σιισίκ) ο έχων ναυτία εξαι-
τίας θαλασσοταραχής, **-ness** ναυτία
λόγω τρικυμίας, **-side** ακτή
season (σίιζον) εποχή, καθιστώ γευ-
στικό, **-able** επίκαιρος, **-al** εποχια-
κός, **-ed** έμπειρος σε κάποια δρα-
στηριότητα, **-ing** καρύκευμα, **-ticket**
εισητήριο διαρκείας
seat (σίτ) κάθισμα, έδρα, καθίζω,
-belt ζώνη ασφαλείας
seaworthy (σιιουόρθι) κατάλληλος
γιά ταξίδι, σε καλή κατάσταση
secateur (σέκατερ) κλαδευτήρι
sebaceous (σιμπέïσσας) λιπώδης
secant (σίικαντ) διχοτόμος
secede (σισίιντ) αποχωρώ, χωρίζο-
μαι
secession (σισέζαν) αποχώρηση, **-ist**
αποστάτης
seclude (σικλούντ) απομονώνομαι,
-d απομονωμένος
seclusion (σικλούζαν) απομόνωση
seclusive (σικλούσιβ) απομονωτικός
second (σέκοντ) δεύτερος, δευτερό-
λεπτο, υποστηρίζω πρόταση, **-er**
υποστηρικτής πρότασης, **-ary** δευ-
τερεύων, **-class** δεύερης τάξης, κα-
τώτερος, **-hand** μεταχειρισμένος,
δείκτης δευτερολέπτων ρολογιού,
-ly κατά δεύτερο λόγο, **-rate** κατώτε-
ρης ποιότητας, **-sight** προφητική
ικανότητα, **-thought** δεύτερη σκέψη
προς αναθεώρηση απόφασης
secrecy (σίκρεεσι) μυστικότητα
secret (σίκρετ) μυστικό, μυστικός,
-agent μυστικός πράκτορας

secretariat (σεκριτέριατ) γρμματεία
secretary (σέκριτέρι) γραμματέας,
υπουργός
secrete (σικρίιτ) κρύβω, εκκρίνω
secretion (σικρίισσαν) έκκριση,
κρύψιμο
secretive (σίικριτιβ) μυστικοπαθής
secretory (σικρίιτορι) εκκριτικός
sect (σέκτ) αίρεση, σχίσμα, **-arian**
σχισματικός, αιρετικός
sectary (σέκταρι) σχισματικός
section (σέκσον) τμήμα, τομή, τέ-
μνω, **-al** τμηματικός
sector (σέκτορ) τομέας, **-ial** του το-
μέα
secular (σέκιουλαρ) κοσμικός, **-ism**
κοσμικότητα, **-ist** υλιστής, **-ize** κα-
θιστώ κοσμικό (μη κληρικό)
secure (σεκιούρ) ασφαλής, ασφα-
λίζω, **-ly** ασφαλώς
security (σεκιούριτι) ασφάλεια, εγ-
γύηση
sedate (σεντέϊτ) ατάραχος, ήρεμος,
-ness αταραξία
sedation (σεντέïσσαν) ηρεμία, κα-
θησύχαση
sedative (σέντατιβ) πραϋντικός, ηρε-
μιστικός, ηρεμιστικό φάρμακο
sedentary (σεντεντέρι) καθιστικός,
εγκατεστημένος
sedge (σέντζ) βρούλο
sediment (σέντιμεντ) κατακάθι, **-ary**
καθιζηματικός
sedition (σιντίσσαν) ανταρσία
seditious (σιντίσσας) αντάρτικος,
στασιαστικός
seduce (σιντιούς) αποπλανώ, δε-
λεάζω, **-r** αποπλανητής
seduction (σιντάκσαν) αποπλάνηση
seductive (σιντάκτιβ) αποπλανητι-
κός
sedulity (σετζούλιτι) φιλεργία
sedulous (σέτζουλας) φίλεργος
see (σίι) βλέπω, καταλαβαίνω, θεω-
ρώ, επισκοπή / see eye to eye: σωμ-
φωνώ σε όλα / see red: εξοργίζομαι

/ see off: συνοδεύω σε αεροδρόμιο, σταθμό κτλ. κάποιον που φεύγει, καταδιώκω / see out: διαρκώ ως το τέλος / see round (over): επισκέπτομαι, εξετάζω / see through: διακρίνω την αλήθεια / see to: ασχολούμαι, φροντίζω

seed (σίιντ) σπόρος, σποριάζω, **-er** σπορέας, **-ling** σπορόφυτο, **-vessel** περικάρπιο

seedy (σίιντι) αφρόντιστος, βρώμικος, αποθαρρημένος

seeing (σίινγκ) θεωρώντας, αφού

seek (σίικ) ερευνώ, ζητώ

seem (σίιμ) φαίνομαι, **-ly** ευπρεπής, **-ingly** καθώς φαίνεται

seep (σίιπ) διαρρέω, **-age** διαρροή, **-y** ο στάζων

seer (σίερ) μάντης, **-ess** μάντισσα

seesaw (σίισο) τραμπάλα, ανεβοκατεβαίνω

seethe (σίιδ) εξάπτομαι, είμαι θυμωμένος

see-through (σίι θρού) διαφανής

segment (σέγκμεντ) τμήμα, διατέμνω, **-ation** διαίρεση, χωρισμός, **-ary** τμηματικός

segregate (σεγκριγκέϊτ) διαχωρίζω

segregation (σεγκριγκέϊσσον) διαχωρισμός, **-ist** ο ευνοών τις φυλετικές διακρίσεις

seine (σέϊν) δίχτυ ψαρέματος

seismic (σάϊζμικ) σεισμικός

seismograph (σάϊσμογκραφ) σεισμογράφος

seismology (σεϊσμόλοτζι) σεισμολογία

seize (σίζ) συλλαμβάνω, αρπάζω

seizing (σίζινγκ) κατάσχεση

seizure (σίιζουρ) κατάσχεση, κατάληψη

seldom (σέλντομ) σπάνια

select (σελέκτ) εκλέγω, διαλέγω, εκλεκτός, **-ive** εκλεκτικός, **-ness** εκλεκτικότητα, **-ion** εκλογή, επιλογή, **-ivity** εκλεκτικότητα, **-ee** κλη-

ρωτός

self (σέλφ) εαυτός, ο ίδιος

selfabsorbed (σέλφαμπσόρμπντ) προσηλωμένος στις δικές του υποθέσεις

selfacting (σέλφάκτινγκ) αυτόματος

selfadmiration (σελφαντμιρέϊσσον) αυτοθαυμασμός

selfassertion (σελφασέρσον) αυθαιρεσία

selfassured (σελφασσούρντ) ο έχων αυτοπεποίθηση

selfcentered (σέλφσέντερντ) εγωκεντρικός

selfcolored (σέλφκόλορντ) μονόχρωμος

selfconfident (σέλφκόνφιντεντ) ο έχων αυτοπεποίθηση

selfconscious (σελφκόνσσας) αυτοσυνείδητος

selfcontained (σελφκοντέϊντ) αυτάρκης

selfcontrol (σελφκοντρό) αυτοέλεγχος, εγκράτεια

selfdeception (σελφντεσέπσον) αυταπάτη

selfdefense (σελφντιφένς) άμυνα εαυτού

selfdenial (σέλφντένιαλ) αυταπάρνηση

selfdestruction (σελφντιστράκσαν) αυτοκαταστροφή

selfdetermination (σελφντετερμινέϊσσον) αυτοδιάθεση

selfesteem (σελφεστίμ) αυτοσεβασμός

selfevident (σελφέβιντεντ) εμφανής, αυταπόδεικτος

selfexplanation (σελφεξπλανέϊσσον) αυτοεξέταση, αυτοανάλυση

selfexplanatory (σελφεξπλανέϊτορι) αυτεξήγητος

selfexpression (σελφεξπρέσσαν) αυτοέκφραση

selfgovernment (σελφγκάθερμεντ) αυτοδιοίκηση

selfhelp (σελφχέλπ) αυτοβοήθεια

selfimportance (σελφιμπόρτανς) αυταρέσκεια

selfinterest (σελφίντερεστ) ιδιοτέλεια

selfish (σέλφιςς) εγωιστής, φίλαυτος

selfknowledge (σελφκνόουλιτζ) αυτογνωσία

selfless (σέλφλες) ανιδιοτελής, ταπεινός

selfmade (σελφμέϊντ) αυτοδημιούργητος

selfpity (σέλφπίτι) οίκτος γιά τον εαυτό

selfpossessed (σέλφποζέσντ) ήρεμος, εγκρατής

selfpreservation (σελφπρεσζερβέϊσσον) αυτοσυντήρηση

selfprotection (σελφπροτέκσον) αυτοπροστασία

selfreliance (σελφρέλιανς) αυτοπεποίθηση

selfrespect (σελφρισπέκτ) αυτοσεβασμός, **-ing** ο έχων αυτοσεβασμό

selfrestraint (σελφριστρέϊντ) εγκράτεια

selfrighteous (σελφράϊτας) ο θεωρών τον εαυτό του δίκαιο

selfsacrifice (σελφσακριφάϊς) αυτοθυσία

selfsame (σελφσέϊμ) ακριβώς ο ίδιος

selfsatisfied (σελφσατισφάϊντ) αυτάρεσκος

selfseeking (σελφσίκινγκ) ιδιοτελής

selfservice (σελφσέρβις) αυτεξυπηρέτηση

selfstarting (σελφστάρτινγκ) ο ξεκινών αυτόματα

selfstyled (σελφστάϊλντ) αυτοκαλούμενος

selfsufficient (σελφσαφίσσεντ) αυτάρκης

selfsupporting (σελφσαπόρτινγκ)

αυτοσυντηρούμενος

selfwill (σελφουίλ) ισχυρογνωμοσύνη, **-ed** ισχυρογνώμων

selfwinding (σελφουίντινγκ) αυτοκουρδιζόμενος

sell (σελ) πουλώ, απατώμαι, εξαπάτηση / sell off: ξεπουλώ, πουλώ πολύ φθηνά / sell out: πουλώ καθετί

seller (σέλερ) πωλητής

selling (σέλινγκ) πώληση, ο πωλών

sellotape (σελοτέϊπ) σελατέϊπ, διαφανής ταινία γιά κόλλημα, κολλώ με σελοτέϊπ

sell-out (σελ άουτ) ξεπούλημα, προδοσία

selvage (σέλβιτζ) στρίφωμα ρούχου

selves (σέλβς) πληθ. του self

semantic (σεμάντικ) σημαντικός, με σημασία, **-ally** σημασιολογικά

semaphore (σεμαφόορ) σηματογράφος

semblance (σέμπλανς) ομοιότητα, όψη

semen (σίιμεν) σπέρμα

semester (σίμεστερ) σχολικό εξάμηνο

semi (σέμι) ημί-, μισό-

semiautomatic (σεμιοτομάτικ) ημιαυτόματος

semicircle (σεμισέρκλ) ημικύκλιο

semicircular (σεμισέρκιουλαρ) ημικυκλικός

semicolon (σέμικόλον) άνω τελεία (:)

semidetached (σεμιντιτάτστ) εν μέρει χωριστός

semifinal (σεμιφάϊναλ) ημιτελικός

seminal (σέμιναλ) σπερματικός

seminar (σέμιναρ) ομάδα σπουδαστών

seminary (σεμινέρι) Θεολογική σχολή, σχολείο

semiprecious (σεμιπρέσσας) ημιπολύτιμος

semitone (σεμιτόουν) ημιτόνιο

semivowel (σεμιβάουελ) ημίφωνο

S

semiweekly (σεμιουίκλι) γινόμενος δύο φορές τη βδομάδα
semolina (σεμολίινα) σιμιγδάλι
senate (σένετ) γερουσία, σύγκλητος
senator (σένατορ) γερουσιαστής
senatorial (σενατόουριαλ) γερουσιαστικός
send (σέντ) στέλνω / send someone packing: διώχνω κάποιον ανεπιθύμητο / send down: μειώνω, αποβάλλω (από σχολείο), φυλακίζω / send out: στέλνω από κάποιο κεντρικό σημείο / send up: ανυψώνω, κοροϊδεύω
sender (σέντερ) αποστολέας
send-off (σέντ οφ) κατευόδωση
senescent (σινέσεντ) γέρος
senile (σίνιλ) γεροντικός
senility (σινίλιτι) το γήρας
senior (σίνιορ) πρεσβύτερος, αρχαιότερος, -ity αρχαιότητα προτεραιότητα
sensate (σενσέϊτ) αισθητός
sensation (σενσέϊσσον) αίσθηση, -al εντυπωσιακός
sense (σένς) αίσθηση, νούς, λογικό, έννοια, νόημα, -less παράλογος, αναίσθητος / make sense: έχω νόημα / make sense out of: καταλαβαίνω
sensible (σένσιμπλ) λογικός, αισθητός
sensibly (σένσιμπλι) αισθητά, συνετά
sensitive (σένσιτιβ) ευαίσθητος, -ness, sensitivity ευαισθησία
sensitize (σενσιτάϊζ) ευαισθητοποιώ
sensory (σένσορι) αισθητήριος
sensual (σένσσουαλ) σαρκικός, φιλήδονος, -ity φιληδονία, -ist φιλήδονος
sensuous (σένσσουας) αισθητικός
sentence (σέντενς) πρόταση, απόφαση, καταδίκη, καταδικάζω
sententious (σεντένσσας) αποφθεγματικός

sentient (σένσαντ) ευαίσθητος, αισθητικός
sentiment (σέντιμεντ) αίσθημα, -al αισθηματικός, -ism αισθηματικότητα, -ist αισθηματίας
sentimentalize (σεντιμενταλάϊζ) μιλώ ή χειρίζομαι με αίσθημα
sentinel (σέντινελ) φρουρός
sentry (σέντρι) σκοπός
separable (σέπαραμπλ) διαχωριστός
separate (σεπερέϊτ) χωρίζω, διαχωρίζω, (σέπεριτ) χωριστός
separation (σεπερέϊσσον) διαχωρισμός
separatist (σεπαρέϊτιστ) σχισματικός
separative (σεπαρέϊτιβ) χωριστικός
separator (σεπαρέϊτορ) διαχωριστής
sepia (σίιπια) σουπιά, καστανόχρωμος
sepsis (σέπσις) σηψαιμία
September (σεπτέμπερ) Σεπτέμβριος
septet (σέπτετ) ομάδα επτά μουσικών, επταφωνία
septic (σέπτικ) σηπτικός
septicemia (σεπτισίμια) σηψαιμία
septuagenarian (σεπτσουατζινέϊριαν) εβδομηντακονταετής
septuple (σέπτιουπλ) εφταπλός, εφταπλασιάζω
sepulcher (σέπαλκερ) τάφρος / Holy sepulcher: Άγιος τάφος
sequel (σίκουελ) επακόλουθο
sequence (σίικουενς) ακολουθία, σειρά
sequential (σικουένσαλ) ακολουθητικός
sequestered (σίκουεστεντ) κρυμμένος, αφανής
sequestrate (σικουεστρέϊτ) κατάσχω
sequestration (σικουεστρέϊσσον) κατάσχεση
sequin (σίικουιν) φλουρί, κόσμημα φορέματος
seraph (σέραφ) σεραφείμ, άγγελος,

-ic αγγελικός

sere (σίαρ) αποξηραμένος

serenade (σέρινέϊντ) σερενάτα, τραγουδώ σερενάτα

serene (σιρίιν) γαλήνιος

serf (σέρφ) δουλοπάροικος, -dom δουλεία

serge (σέρτζ) μάλλινο ύφασμα

sergeant (σάαρτζεντ) λοχίας, -first class επιλοχίας

serial (σίριαλ) διαδοχικός, έργο σε συνέχειες (σίριαλ), -ize προβάλλω έργο σε επεισόδια

series (σίριζ) σειρά

seriocomic (σιριοουκόμικ) σοβαροκωμικός

serious (σίριας) σοβαρός, σπουδαίος, -ly σοβαρά

sermon (σέερμαν) κήρυγμα

sermonize (σεερμανάϊζ) κηρύττω, νουθετώ

serpent (σέερπεντ) φίδι

serpentine (σεερπεντάϊν) καμπύλος, κυματοειδής, φιδίσιος

serrated (σιρέϊτιντ) οδοντωτός

serried (σέριντ) πολυπληθής, γεμάτος

serum (σίρομ) ορός

servant (σέρβαντ) υπηρέτης

serve (σέρβ) υπηρετώ, εξυπηρετώ, σερβίρω, χρησιμεύω, -r υπηρέτης, δίσκος / serve someone right: αξίζω την τιμωρία

service (σέρβις) υπηρεσία, εξυπηρέτηση, λειτουργία, υπηρετώ, εξυπηρετώ, -able χρήσιμος, -man μέλος ενόπλεων δυνάμεων / of service: εξυπηρετικός, χρήσιμος

serviette (σέερβιετ) πετσέτα κουζίνας

servile (σεερβάϊλ) δουλοπρεπής

servility (σεερβίλιτι) δουλοπρέπεια

servitor (σέρβιτορ) υπηρέτης

servitude (σέρβιτιουντ) δουλεία

sesame (σέσαμι) σισάμι

session (σέσσαν) σύνοδος, συνε-

δρίαση, -al συνεδριακός

set (σέτ) τοποθετώ, βάζω, κανονίζω, προσαρμόζω, δύω, στερεώνω, τοποθετημένος, σταθερός, σειρά, συλλογή, δύση / set about: ξεκινώ, επιτίθεμαι / set against: αντιπαραθέτω / set aside: φυλάγω για κάποιο σκοπό / set in: αρχίζω για τα καλά (για καιρό, ασθένεια) / set off: ξεκινώ ταξίδι, προκαλώ / set out: εκθέτω, τοποθετώ / set back: καθυστερώ, κοστίζω πολλά χρήματα

set back (σέτ μπάκ) καθυστέρηση

setee (σετίι) καναπές

seter (σέτερ) ο τοποθετών, ο θέτων

setting (σέτινγκ) δύση, σκηνικό, περιοχή, σύνθεση, τοποθέτηση

settle (σέτλ) εγκαθίσταμαι, καθορίζω, τακτοποιώ, θρανίο, -ment αποκατάσταση, τοποθέτηση, αποικισμός, εξόφληση, -r άποικος, -d αμετάτρεπτος, σταθερός

setto (σέτου) καυγάς

setup (σέταπ) οργανισμός, τοποθέτηση

seven (σέβεν) επτά, -th έβδομος

seventeen (σεβεντίιν) δεκαεπτά

seventy (σέβεντι) εβδομήντα

sever (σέβερ) διαχωρίζω, αποκόπτω, χαλώ σχέση, σπώ, -ance διαχωρισμός

several (σέβεραλ) διάφοροι, μερικοί, διαφορετικός, χωριστός, -ly χωριστά

severe (σιβίαρ) δριμύς, αυστηρός, δύσκολος

severity (σιβέριτι) αυστηρότητα, δριμύτητα

sew (σόου) ράβω, -er ράφτης, -ing ράψιμο / sew up: μπαλώνω, επιδιορθώνω ράβοντας, ελέγχω ολοκληρωτικά

sewage (σιουίτζ) ακαθαρσίες υπονόμων

sewer (σούερ) υπόνομος

sewerage (σούερετζ) σύστημα υπο-

S

νόμων

sex (σάξ) φύλο, γένος, διακρίνω το φύλο

sexagenarian (σεξατζινέϊριαν) άτομο άνω των εξήντα ετών

sex appeal (σεξ απίλ) έλξη του αντίθετου φύλου

sexless (σέξλες) ουδέτερος, χωρίς φύλο, αδιάφορος γιά το σέξ

sexology (σεξόλοτζι) μελέτη της σεξουαλικής συμπεριφοράς

sextant (σέξταντ) γωνιόμετρο

sextet (σέξτετ) εξαφωνία

sexton (σέξτον) νεωκόρος

sextuple (σέξτιουπλ) εξαπλός

sexual (σέξουαλ) φυλετικός, **-ity** γεννετήσια ορμή

sexy (σέξι) σέξι, ελκυστικός

shabby (σσάμπι) κουρελιασμένος, ευτελής, άτιμος

shack (σσάκ) καλύβα

shackle (σσάκλ) δεσμεύω, δένω, **-s** δεσμά

shade (σσέϊντ) σκιά (ακίνητη), σκιάζω, φάντασμα, απόχρωση, **-s** σκοτάδι / put into the shade: επισκιάζω, δείχνω λιγότερο σημαντικό

shading (σσέϊντινγκ) σκίαση, απόχρωση

shadow (σσάντοου) σκιά (κινητή), σκιάζω, παρακολουθώ κρυφά, **-y** σκιερός, **-iness** σκιερότητα

shady (σσάντι) σκιερός, άτιμος

shaft (σσάφτ) κοντάρι, ράβδος, βέλος, μονοπάτι, μεταχειρίζομαι άδικα και σκληρά

shaggy (σσάγκι) μαλλιαρός, τραχύς

shah (σσάχ) σάχης

shake (σσέϊκ) τινάζω, κλονίζω, τίναγμα, τρεμούλιασμα, **-r** ο τινάζων, σκεύος γιά σείσιμο, **-up** αναδιοργάνωση, ανασχηματισμός, **-down** εκβιασμός, εκβιάζω

shaky (σσέϊκι) κλονιζόμενος, επισφαλής, ασταθής

shall (σσάλ) θά, μέλλω να

shallow (σσάλοου) ρηχός, επιπόλαιος, γίνομαι ρηχός, **-ness** ρηχότητα, επιπολαιότητα

shalt (σσάλτ) β' ενικό πρόσωπο του shall

sham (σσάμ) απάτη, προσποίηση, απατηλότητα, ψευδής, απατηλός, απατώ

shamble (σσάμπλ) τρεκλίζω

shambolic (σσαμπόλικ) ακατάστατος

shame (σσέϊμ) ντροπή, ντροπιάζω, **-ful** ντροπιαστικός, αισχρός, **-fulness** αισχρότητα, **-less** αδιάντροπος

shampoo (σσαμπού) σαμπουάν, σαπουνίζω

shamrock (σσάμροκ) τριφύλλι

shank (σσάνκ) κνήμη, κρέας απ' το πόδι ζώου

shan't (σσάντ) συντομία αντί shall not

shanty (σσάντι) καλύβα, παράπηγμα

shape (σσέϊπ) σχήμα, μορφή, πλάθω, δίνω μορφή, **-less** άμορφος, άσχημος, **-ly** συμμετρικός, **-r** πλάστης

shard (σσάρντ) πήλινο τεμάχιο

share (σσέαρ) μοιράζω, μετέχω, μερίδιο, μετοχή, **-holder** μέτοχος

shark (σσάρκ) καρχαρίας, άρπαξ, κερδοσκόπος

sharp (σσάρπ) οξύς, μυτερός, δριμύς, ακριβώς, δίεση, **-en** οξύνω, ακονίζω, **-ener** τροχιστής, μηχανή γιά ακόνισμα, **-ish** γρήγορα, **-shooter** ικανός σκοπευτής

shatter (σσάτερ) θρυμματίζω, συγκλονίζω, αποδυναμώνω, **-y** εύθραυστος, **-proof** άθραυστος

shave (σσέϊβ) ξυρίζω, -ομαι, ξύρισμα, **-r** μηχανή ξυρίσματος

shawl (σσόολ) σάλι

she (σσί) αυτή, θηλυκό

sheaf (σσίφ) δεμάτι, δέσμη

shear (σσίαρ) κουρεύω, **-s** μεγάλο ψαλίδι

sheath (σσίθ) θήκη

sheathe (σσίθ) βάζω σε θήκη

sheathing (σσίδινγκ) εξωτερικό προστατευτικό κάλυμμα

shebang (σσίμπανγκ) δουλειά, υπόθεση

shed (σσέντ) χύνω, απορρίπτω, καλύβα

sho̱d (σσίντ) συντόμευση γιά τα she would, she had

sheen (σσίιν) γυαλάδα, **-y** λαμπερός

sheep (σσίιπ) πρόβατο, **-dog** τσοπανόσκυλο, **-ish** ντροπιασμένος, αμήχανος, **-fold** μάνδρα προβάτων

sheer (σσίιρ) καθαρός, απόλυτος, πολύ λεπτός, κατακόρυφα, αλλάζω κατεύθυνση

sheet (σσίτ) σεντόνι, φύλλο μετάλλου, χαρτιού κτλ.

shelf (σσέλφ) ράφι / on the shelf: ανύπαντρη, χωρίς προοπτική γάμου

shell (σσέλ) όστρακο, κέλυφος, βόμβα, βομβαρδίζω, ξεφλουδίζω

sho̱ll (σσίλ) συντομία αντί she will

shellac (σσέλακ) βερνίκι

shellacking (σσέλακινγκ) ήττα, κατατρόπωση

shellfish (σσέλφιςς) οστρακόδερμο

shelter (σσέλτερ) καταφύγιο, άσυλο, προφυλάσσω, παρέχω άσυλο

shelve (σσέλβ) παραμερίζω, αναβάλλω, τοποθετώ σε ράφι

shepherd (σσέπχερντ) βοσκός, **-ess** βοσκοπούλα

sheriff (σσέριφ) αστυνόμος, σερίφης

shibboleth (σσίμπολεθ) παλαιό και μη ισχύον έθιμο

shield (σσίλντ) ασπίδα, προασπίζω, προστατεύω

shift (σσίφτ) μετακινώ, **-ούμαι**, υπεκφεύγω, υπεκφυγή, αλλαγή, **-less** τεμπέλης, απρόθυμος, **-y** πονηρός, πανούργος

shilling (σσίλινγκ) σελίνι (νόμισμα)

shilly-shally (σσίλι σσάλι) διστάζω

shimmer (σσίμερ) λαμπυρίζω, φέγγω, λαμπύρισμα, φέγγος

shin (σσίν) εμπρός μέρος της κνήμης, αναρριχώμαι

shindig (σσίντινγκ) διασκέδαση, διαφωνία

shine (σσάϊν) γυαλίζω, λάμπω, λάμψη, γυάλισμα

shingle (σσίνγκλ) χαλίκια, πλάκα ή σανίδα στέγης

shining (σσάϊνινγκ) λάμπων, εξέχων

shiny (σσάϊνι) λαμπερός, γυαλισμένος

ship (σσίπ) πλοίο, μεταφέρω ή στέλνω με πλοίο, αποστέλλω, **-board** πάνω στο πλοίο, **-mate** ναύτης στο ίδιο πλοίο, **-ment** φορτίο πλοίου, **-master** πλοίαρχος, **-wreck** ναυάγιο, **-wright** επισκευαστής πλοίων, **-yard** ναυπηγείο, **-per** αποστολέας, φορτωτής

shire (σσάϊρ) επαρχία

shirk (σσίρκ) φυγοπονώ, **-er** φυγόπονος

shirt (σσέρτ) πουκάμισο

shiver (σσίβερ) τρέμω, ριγώ, ρίγος, **-y** ο τρέμων

shoal (σσόουλ) κοπάδι ψαριών, πλήθος

shock (σσόκ) ταραχή, θημωνιά, ταράζω, τινάζω, **-absorber** απορροφητής τινάγματος, **-ed** συνταραγμένος, **-er** ο τινάζων, ο λέγων απρέπειες, **-ing** αισχρός, συνταρακτικός

shod (σσόντ) ο φορών υποδήματα

shoddy (σσόντι) πρόχειρος, φθηνός, άτιμος

shoe (σσού) παπούτσι, πέταλο, πεταλώνω, **-lace** κορδόνι παπουτσιού, **-shine** γυάλισμα παπουτσιών, **-tree** καλαπόδι, **-r** πεταλωτής, **-gun** Ιάπωνας στρατιωτικός αρχηγός

shoo (σσού) φύγε!, αποδιώκω

shoot (σσούτ) πυροβολώ, πυροβολισμός, βλαστός, εκφύομαι, εξακοντίζω, **-ομαι**, **-er** ο πυροβολών, **-ing**

τουφέκισμα, **-ing star** διάττοντας αστέρας / shoot at (for): προσπαθώ, σκοπεύω / shoot up: αυξάνω, ανυψώνω

shop (σσόπ) κατάστημα, δραστηριότητα, εργασία, ψωνίζω, **-keeper** καταστηματάρχης, **-assistant** πωλητής, **-lift** κλοπή εμπορευμάτων καταστήματος, **-per** πελάτης, **-ping** αγορά, ψώνισμα

shore (σσόρ) παραλία, υποστηρίζω

short (σσόρτ) μικρός, κοντός, ελλειπής, δυνατό αλκοολούχο ποτό, **-age** έλλειψη, **-change** δίνω λιγότερα ρέστα, εξαπατώ, **-circuit** βραχυκύκλωμα, **-coming** ελάττωμα, **-cut** συντομότερος δρόμος, **-en** κονταίνω, **-hand** στενογραφία, **-handed** ο έχων έλλειψη εργατικών χεριών, **-lived** βραχύβιος, **-sighted** μύωπας, **-wave** βραχύ κύμμα (ραδίου) / make short work of: τελειώνω γρήγορα / nothing short of: τίποτα λιγότερο από / in short: με λίγα λόγια

shot (σσότ) πυροβολισμός, βολή, σφαίρα, τελειωμένος, καταρακωμένος

should (σσούντ) θα ήθελα, έπρεπε (αόριστο του shall)

shoulder (σσόουλντερ) ώμος, βάζω στον ώμο, αναλαμβάνω, **-blade** ωμοπλάτη / shoulder to cry on: συμπαράσταση

shouldn't (σσούντν) δεν θα έπρεπε (αντί should not)

shout (σσάουτ) φωνάζω, κραυγάζω, κραυγή

shove (σσόβ) σπρώχνω, ωθώ

shovel (σσόβελ) φτυάρι, φτυαρίζω

show (σσόου) δείχνω, φαίνομαι, θέαμα, έκθεση / show off: περηφανεύομαι, επιδεικνύω / show one's teeth: είμαι απειλητικός / show a leg: σηκώνομαι απ' το κρεβάτι

showcase (σσόυκέϊς) βιτρίνα

showroom (σσόυρούμ) αίθουσα επίδειξης εμπορευμάτων

show down (σσόουντάουν) διευθέτηση διαφωνίας

shower (σσόουερ) σύντομη βροχόπτωση, βρέχω ραγδαία, κατακλύζω, κάνω ντούζ, ντούζ, **-y** βροχερός

showing (σσόουινγκ) έκθεση

show-off (σσόου οφ) επιδεικτικός

showy (σσόουι) επιδεικτικός

shred (σσρέντ) μικρό καμμάτι, κομματιάζω, σχίζω

shrew (σσρού) στρίγγλα, **-ish** δύστροπος

shrewed (σσρούντ) οξύνους, **-ness** οξύνοια

shriek (σσρίκ) σκούζω, κραυγάζω, κραυγή

shrill (σσρίλ) διαπεραστικός (ήχος), οξύς, **-ness** οξύτητα, διαπεραστικότητα

shrimp (σσρίμπ) γαρίδα, ανθρωπάκι

shrine (σσράιν) ναός, ιεροφυλάκιο

shrink (σσρίνκ) συστέλλομαι, ζαρώνω, **-age** συστολή, ζάρωμα

shrivel (σσρίβελ) ζαρώνω, συστέλλομαι

shroud (σσράουντ) σάβανο, σαβανώνω, σκεπάζω

shrub (σσράμπ) θάμνος, χαμόκλαδο

shrug (σσράγκ) σηκώνω τους ώμους, σήκωμα των ώμων

shuck (σσάκ) κέλυφος, φλούδα, ξεφλουδίζω

shudder (σσάντερ) φρίττω, ανατριχιάζω, φρικίαση, ανατριχίλα

shuffle (σσάφλ) ανακατεύω χαρτιά, ανακατεύω, περπατώ σέρνοντας τα πόδια, ανακάτεμα, σύρσιμο ποδιών

shun (σσάν) υπεκφεύγω, αποφεύγω

shunt (σσάντ) αλλάζω τροχιά, αλλαγή τροχιάς, σύγκρουση

shush (σσάσσ) σωπαίνω

shut (σσάτ) κλείνω, κλειστός / shut up: σώπα! / shut down: σταμάτημα εργασιών

shutter (σσάτερ) παραθυρόφυλλο

shuttle (σσάτλ) σαΐτα, όχημα συχνά
πηγαινοερχόμενο
shy (σσάϊ) ντροπαλός, σεμνός, συ-
νεσταλμένος, ρίχνω, ρίξιμο, -ly
ντροπαλά, -ness δειλία
shyster (σσάϊστερ) άτιμος (ειδ. πο-
λιτικός ή δικηγόρος)
Siam (σαϊάμ) το Σιάμ
Siamese (σαϊαμίιζ) Σιαμέζος
sibilant (σάμπιλαντ) συριστικός
(ήχος)
sibling (σίμπλινγκ) αδελφός
sibyl (σίμπιλ) μάντισσα
sic (σίκ) έτσι
sick (σίκ) άρρωστος, νιώθων ναυτία,
ναυτία, -bay αίθουσα με κρεβάτια
ασθενών, -en αρρωσταίνω, -ening αη-
διαστικός, -ish αδιάθετος
sickle (σίκλ) δρεπάνι
sickly (σίκλι) ασθενικός
sickness (σίκνες) ασθένεια
side (σάϊντ) πλευρά, μέρος, όψη,
πλαγιά, -board μπουφές, -effect πα-
ρενέργεια, -kick στενός φίλος, -line
δεύτερη εργασία, -long λοξός, πλά-
για, -step παραμερίζω, αποφεύγω,
-street πάροδος, -swipe κτυπώ πλά-
για, -track παρεκκλίνω, παραμερίζω,
-wise λοξά, πλάγια
siding (σάϊντινγκ) σιδηροδρομική
διακλάδωση
sidle (σάϊντλ) κινούμαι δειλά και
κρυφά
siege (σίιτζ) πολιορκία
sierra (σιέρα) οροσειρά
siesta (σιέστα) μασημεριανός ύπνος
sieve (σίβ) κόσκινο, κοσκινίζω
sift (σίφτ) κοσκινίζω, εξετάζω προ-
σεκτικά
sigh (σάι) αναστεναγμός, αναστε-
νάζω
sight (σάιτ) όραση, όψη, θέα, βλέπω,
-ed ικανός να βλέπει, -less τυφλός,
-seeing επίσκεψη αξιοθέατων
sign (σάιν) σημείο, νεύμα, υπογρά-
φω, θαύμα

signal (σάιναλ) σύνθημα, σημείο,
κάνω σύνθημα, αξιοσημείωτος
signalize (σιναλάιζ) καθιστώ ξεχω-
ριστό κι αξιοπρόσεκτο, διακρίνω
signatory (σιγκνατόρι) ο υπογράφων
signature (σίγκνατσουρ) υπογραφή
significance (σιγκνίφικανς) σημασία
significant (σιγκνίφικαντ) αξιοση-
μείωτος, σημαντικός
signification (σιγκνιφικέϊσσον) ση-
μασία, έννοια
signify (σιγκνιφάϊ) δηλώνω, ση-
μαίνω
signpost (σάϊν πόστ) οδοδείκτης,
δείχνω το δρόμο με πινακίδες, δεί-
χνω
silence (σάϊλενς) σιωπή, κατασι-
γάζω
silent (σάϊλεντ) σιωπηλός
silhouette (σίλουετ) σκιαγραφία,
σκιαγραφώ, εικονίζω
silica (σίλικα) πυρόλιθος
silicious (σιλίκιας) πυριτικός
silicon (σίλικον) πυρίτιο
silk (σίλκ) μετάξι
silken (σίλκεν) απαλός και γυαλι-
στερός σα μετάξι
silkworm (σιλκουόρμ) μεταξο-
σκώληκας
silky (σίλκι) μετάξινος, λείος
sill (σίλ) πρεβάζι παραθύρου
silly (σίλι) ανόητος
silt (σίλτ) λάσπη, (up) λασπώνω,
-ομαι
silver (σίλβερ) ασημένιος, ασήμι,
ασημώνω, μαχαιροπήρουνα, -s αργυ-
ροχόος, -tongued ευφράδης, -ware
ασημικά, -plated επάργυρος
simian (σίμιαν) πίθηκος, όμοιος με
πίθηκο
similar (σίμιλαρ) παρόμοιος,
όμοιος, -ity ομοιότητα, -ly όμοια
simile (σίμιλι) παρομοίωση
simmer (σίμερ) σιγοβράζω, σιγανό
βράσιμο
simoon (σιμούν) λίβας

S

simper (σίμπερ) χαμογελώ αφύσικα, προσποιητό γέλιο
simple (σίμπλ) απλός, ευκολονόητος, απλοϊκός, ανόητος, **-minded** χαζός, ολιγόμυαλος, **-ness** απλότητα
simpleton (σίμπλταν) ανόητος
simplicity (σιμπλίσιτι) αφέλεια, απλότητα
simplification (σιμπλιφικέϊσσαν) απλοποίηση
simplify (σιμπλιφάϊ) απλοποιώ
simplistic (σιμπλίστικ) υπεραπλουστευμένος
simply (σίμπλι) απλά, μόνο, πραγματικά
simulate (σιμιουλέϊτ) υποκρίνομαι, απομιμούμαι
simulation (σιμιουλέϊσσον) μίμηση, απομίμηση, υποκρισία
simultaneous (σιμαλτέϊνιας) ταυτόχρονος, **-ly** ταυτόχρονα
sin (σίν) αμαρτία, αμαρτάνω
since (σίνς) αφού, αφότου, επειδή
sincere (σινσίαρ) ειλικρινής
sincerity (σινσέριτι) ειλικρίνεια
sine (σάϊν) ημίτονο (μαθ.)
sinew (σίνιου) τένοντας, νεύρο, **-y** ρωμαλέος, νευρώδης
sinful (σίνφουλ) αμαρτωλός
sing (σίνγκ) τραγουδώ, **-er** τραγουδιστής
singe (σίντζ) καίω, καψαλίζω, τσουρουφλίζω, καψάλισμα
single (σίνγκλ) μόνος, μονός, ανύπαντρος, (out) ξεχωρίζω, **-file** σε μία σειρά, **-handed** εκτελούμενος από ένα άτομο, μόνος, **-minded** ο έχων ένα μόνο σκοπό, **-ness** απλότητα, συγκέντρωση, **-hearted** ειλικρινής
singly (σίνγκλι) χωριστά, ένας ένας
sing song (σίνγκ σόνγκ) μονότονος τόνος ομιλίας
singular (σίνγκιουλαρ) μοναδικός, παράξενος, ενικός αριθμός, **-ity** μοναδικότητα

sinister (σίνιστερ) κακοήθης, απειλητικός, δυσοίωνος
sink (σίνκ) βυθίζω, -ομαι, πέφτω, μικραίνω, χειροτερεύω, παρακμάζω, **-er** βαρύδι ψαρέματος,
sinner (σίνερ) αμαρτωλός
sinology (σαϊνόλοτζι) μελάτη του Κινεζικού πολιτισμού
sinuous (σίνιουας) ελικοειδής, φιδίσιος
sinus (σάϊνας) ρινική κοιλότητα
sip (σίπ) σιγοπίνω
siphon (σάϊφαν) σιφόνι, μεταγγίζω με σιφόνι
sir (σέρ) κύριος, ιππότης
sire (σάϊαρ) πατέρας ζώου
siren (σάϊρεν) σειρήνα
sirloin (σέελοϊν) φιλέττο βοδινού
sirocco (σιρόκοου) λίβας
sissy (σίσι) κοριτσίστικος, αδελφούλα
sister (σίστερ) αδελφή, **-hood** αδελφότητα, **-in-law** κουνιάδα, **-ly** αδελφικός
sit (σίτ) κάθομαι, συνεδριάζω, **-ter** καθήμενος, **-ing** κάθισμα, συνεδρίαση, **-down** καθιστική απεργία / sit on: καθυστερώ να δράσω
site (σάϊτ) θέση, τοποθεσία
situate (σιτσουέϊτ) τοποθετώ
situation (σιτσουέϊσσον) θέση, κατάσταση
six (σίξ) έξι, **-fold** εξαπλός
sixth (σίξθ) έκτος
sixteen (σιξτίιν) δεκαέξι
sixtieth (σίξτιεθ) εξηκοστός
sixty (σίξτι) εξήντα
size (σάϊζ) μέγεθος, κόλλα, κολλώ, **-able** αρκετά μεγάλος
sizzle (σίζλ) τσιτσιρίζω, τσιτσίρισμα
skate (σκέϊτ) παγοδρομώ, **-r** παγοδρόμος, πατινέρ, **-board** πατίνι, παγοπέδιλο
skating (σκέϊτινγκ) παγοδρομία, **-rink** παγοδρόμιο

skein (σκέϊν) κουβάρι νήματος
skeletal (σκέλιταλ) σκελετικός
skeleton (σκέλετον) σκελετός
sceptic (σκέπτικ) σκεπτικιστής, -al
σκεπτικός, αμφιβάλλων, -ism σκε
πτικισμός
sketch (σκέτς) σχεδιάγραμμα, σχε
δίασμα, σχεδιάζω, σκιαγραφώ, -er
σχεδιαστής, -y ατελής
skew (σκιού) λοξός, λοξότητα, λο
ξεύω
ski (σκί) λεπτές σανίδες ως πέδιλα
στις χιονοδρομίες, χιονοδρομώ, -er
χιονοδρόμος
skid (σκίντ) γλυστρώ, γλύστρημα
skiff (σκίφ) σκάφος, βάρκα
skilful (σκίλφουλ) επιδέξιος
skill (σκίλ) επιδεξιότητα, εμπειρία,
-ed επιδέξιος, ειδικευμένος
skillet (σκίλιτ) κατσαρόλα
skim (σκίμ) διαβάζω στα γρήγορα,
ξαφρίζω, αγγίζω ελαφρά, -med milk
αποβουτυρωμένο μέρος
skimp (σκίμπ) αμελώ, παρέχω λιγό
τερα απ' όσα χρειάζονται, -y τσιγ
γούνης, ελλιπής
skin (σκίν) δέρμα, φλοιός, γδέρνω,
ξεφλουδίζω, -deep επιφανειακός,
επιπόλαιος, -fint τσιγγούνης, -ny
κοκκαλιάρης
skip (σκίπ) υπερπηδώ, παραλείπω
skipper (σκίπερ) πλοίαρχος, οδηγώ,
ηγούμαι
skirl (σκέελ) οξύς ήχος
skirt (σκέρτ) φούστα, περιτριγυρί
ζω, περιζώνω
skit (σκίτ) σύντομο κωμικό έργο
skitter (σκίτερ) τρέχω γρήγορα
skittish (σκίτιςς) ελαφρόμυαλος,
επιπόλαιος, δειλός
skulduggery (σκαλντάγκερι) κα
τεργαριά
skulk (σκάλκ) ενεδρεύω
skull (σκάλ) κρανίο, -cap σκούφος
sky (σκάϊ) ουρανός, -blue γαλάζιος,
-high πανύψηλος, -jack αεροπειρα

τής, -lark διασκεδάζω, -scraper ου
ρανοξύστης
slab (σλάμπ) πλάκα, τετράγωνο
κομμάτι
slack (σλάκ) χαλαρός, αργός,
τεμπελιάζω
slacken (σλάκεν) τεμπελιάζω, αρ
γοπορώ
slacks (σλάκς) φαρδύ πατελόνι
slag (σλάγκ) σκουριά μετάλλου
slake (σλέϊκ) ξεδιψώ, δροσίζω
slam (σλάμ) κτυπώ, κλείνω απότο
μα, κλείσιμο πόρτας με κτύπημα
slander (σλάντερ) συκοφαντία, συ
κοφαντώ, -er συκοφάντης
slang (σλάνγκ) λαϊκή γλώσσα,
αργκώ
slant (σλάντ) λοξός, λοξότητα, λο
ξεύω
slap (σλάπ) χαστούκι, χαστουκίζω,
-dash βιαστικός, απρόσεκτος, -happy χαρούμενος κι επιπόλαιος, -stick
χοντροκομμένος
slash (σλάςς) σχίζω, σχίσιμο,
εγκοπή
slat (σλάτ) σανίδα
slate (σλέϊτ) πλάκα, πλακοστρώνω,
κρινώ με δριμύτητα, εγγράφω σε
κατάλογο
slattern (σλάτερν) απεριποίητη γυ
ναίκα
slaughter (σλόοτερ) σφαγή, σφάζω,
-er φονιάς, -house σφαγείο
slave (σλέϊβ) δούλος, δουλεύω
σκληρά, -r δουλέμπορος, πλοίο
χρησιμοποιούμενο γιά δουλεμπό
ριο, -ry δουλεία
Slavic (σλάβικ) Σλαυϊκός
slavish (σλάβιςς) δουλικός, δουλο
πρεπής
slay (σλέϊ) σκοτώνω, σφάζω
sleazy (σλίιζι) αδύνατος, μη υπο
λήψιμος
sled (σλέντ) έλκηθρο, οδηγώ έλκη
θρο, -der ο επιβαίνων σε έλκηθρο
sledge (σλέτς) έλκηθρο, οδηγώ

έλκηθρο
sleek (σλίκ) λείος, γυαλιστερός, γυαλίζω
sleep (σλίπ) κοιμάμαι, ύπνος, **-er** κοιμισμένος, βαγόνι ύπνου, **-ing bag** υπνόσακκος, **-less** άϋπνος, **-lessness** αϋπνία, **-walker** υπνοβάτης, **-y** νυσταγμένος, **-yhead** νυσταλέος, που αγαπά τον ύπνο
sleet (σλίιτ) χιονόνερο
sleeve (σλίβ) μανίκι, **-less** χωρίς μανίκια, **-d** με μανίκια
sleigh (σλέϊ) έλκυθρο, οδηγώ έλκυθρο
sleight of hand (σλέϊ οφ χάντ) επιδεξιότητα χεριών
slender (σλέντερ) αδύνατος, κομψός, **-ize** λεπταίνω
slew (σλού) μεγάλος αριθμός
slice (σλάϊς) λεπτό κομμάτι, φέτα, κόβω σε φέτες
slick (σλίκ) επιτήδειος, λείος, λειαίνω
slicker (σλίκερ) αδιάβροχο, απατεώνας
slide (σλάϊντ) γλυστρώ, κυλώ, γλύστρημα, **-rule** χάρακας
slight (σλάϊτ) ελαφρός, μικρός, αδύνατος, ασήμαντος, μεταχειρίζομαι ως ασήμαντο, προσβολή, **-ly** ελαφρά, λίγο, **-ness** ελαφρότητα
slim (σλίμ) κομψός, λεπτός, προσπαθώ ν' αδυνατίσω
slime (σλάϊμ) γλοιώδης ουσία (σάλιο) παραγόμενη από ζώα, μύξα, λάσπη
slimy (σλάϊμι) γλοιώδης
sling (σλίνγκ) σφεντόνα, τινάζω
slink (σλίνκ) κινούμαι κρυφά, ξεγλιστρώ
slip (σλίπ) γλιστρώ, ξεφεύγω, χειροτερεύω, σφάλλω, γλίστρημα, σφάλμα, βλαστός, **-knot** θηλειά, **-cover** κάλυμμα επίπλου, **-on** φορετός χωρίς δέσιμο, **-age** πτώση, μείωση, **-per** παντόφλα, **-pery** γλιστερός

slit (σλίτ) σχισμή, σχίζω
slither (σλίδερ) γλιστρώ, **-y** γλιστερός
sliver (σλίβερ) λεπτό κομμάτι
slob (σλόομπ) τραχύς, αφρόντιστος, βρώμικος
slobber (σλόμπερ) σαλιώνω
slog (σλόγκ) εργάζομαι ασταμάτητα, περίοδος σκληρής δουλειάς, χτυπώ δυνατά, δυνατό χτύπημα
slogan (σλόγκαν) σύνθημα
sloop (σλούπ) μικρό καράβι με ένα κατάρτι
slop (σλόπ) λερώνω, χύνω
slope (σλόουπ) κλίση, πλαγιά, κλίνω
sloppy (σλόπι) πρόχειρος, μη προσεγμένος, ακάθαρτος, ανόητος
slosh (σλόςς) λάσπη, πιτσιλίζω, περπατώ σε λάσπη, **-ed** μεθυσμένος
slot (σλότ) σχισμή, κάνω σχισμή, βάζω σε σχισμή
slothful (σλόθφουλ) τεμπέλης
slouch (σλάουτς) κάθομαι σκυφτός, νωθρός, **-hat** καπέλο με κατεβασμένο γύρο
slough (σλάου) βάλτος, λασπώδης περιοχή
slough (σλάφ) off: αλλάζω δέρμα (γιά φίδια), απαλλάσσομαι από
sloven (σλάβεν) ακατάστατο άτομο, **-ly** ακατάστατος
slow (σλόου) αργός, επιβραδύνω, **-coach** αργό άτομο, **-down** επιβράδυνση, **-ness** βραδύτητα
sludge (σλάτζ) λάσπη
slue (σλού) περιστρέφ, -ομαι, περιστροφή
slug (σλάγκ) γυμνοσάλιαγκας, κτυπώ δυνατά, κομμάτι μετάλλου, **-gard** τεμπέλης, **-gish** αργοκίνητος
sluice (σλούς) φράγμα, ρέω, εκχύνομαι
slum (σλάμ) φτωχογειτονιά, επισκέπτομαι φτωχή περιοχή
slumber (σλάμπερ) κοιμάμαι,

ύπνος, -ous νυσταγμένος

slump (σλάμπ) πτώση, ύφεση, πέφτω

slur (σλέρ) προφέρω μπερδεμένα, μπερδεμένη ομιλία, δυσφημώ

slurp (σλέερπ) πίνω θορυβώντας, (γιά υγρό) κινούμαι κάνοντας ήχο

slush (σλάςς) μισολιωμένο χιόνι, αισθηματικά μυθιστορήματα

slut (σλάτ) ανήθικη γυναίκα

sly (σλάϊ) δόλιος, πονηρός, -ness πονηριά

smack (σμάκ) γρήγορος ήχος, χτύπημα, κάϊκι, ηχηρό φιλί, γεύση, έχω γεύση, φιλώ ηχηρά, δυνατά, ακριβώς

small (σμόλ) μικρός, λίγος, -ness μικρότητα, -beer ασήμαντος, -fry νέος ή ασήμαντος, -hours πρωινές ώρες, -minded μικρόψυχος, -time ασήμαντος

smallpox (σμόλπόξ) ανεμοβλογιά (αρρώστια)

smart (σμάρτ) κομψός, έξυπνος, οξύς πόνος, δριμύς, πονώ, -ness κομψότητα, εξυπνάδα, -en up κάνω κομψύ, βελτιώνω την εμφάνιση

smash (σμάςς) συντρίβω, σπάζω, διάσπαση, -ed μεθυσμένος, -er πολύ ελκυστικός, -ing θαυμάσιος, άριστος, -up μεγάλη σύγκρουση (οχημάτων)

smattering (σμάτερινγκ) ημιμάθεια

smear (σμίαρ) αλείφω, λερώνω, μουντζούρα

smell (σμέλ) μυρωδιά, όσφρηση, μυρίζω, -y δύσοσμος

smidgin (σμίτζιν) μικρή ποσότητα, κομματάκι

smile (σμάϊλ) χαμογελώ, χαμόγελο

smirch (σμίρτς) κηλιδώνω, λερώνω

smirk (σμίρκ) χαμογελώ επιτηδευμένα

smite (σμάϊτ) χτυπώ

smith (σμίθ) σιδεράς

smithereens (σμίδερίινς) θρύμματα

smithy (σμίθι) σιδηρουργείο

smock (σμόκ) φαρδιά μπλούζα

smog (σμόγκ) καυσαέριο

smoke (σμόουκ) καπνός, καπνίζω, -r καπνιστής, -stack φουγάρο πλοίου ή εργοστασίου, -ing κάπνισμα / go up in smoke: δεν έχω αποτέλεσμα

smoky (σμόκι) καπνισμένος

smolder (σμόουλντερ) καίω χωρίς φλόγα

smooth (σμούθ) λείος, λειαίνω, απαλός

smother (σμάδερ) καλύπτω εντελώς, πνίγω

smoulder (σμόουλτερ) δες smolder

smudge (σμάτζ) κηλίδα, μουντζούρα, μουτζουρώνω

smug (σμάγκ) αυτάρεσκος, -ness αυταρέσκεια

smuggle (σμάγκλ) εισάγω λαθραία, -r λαθρέμπορος

smuggling (σμάγκλινγκ) λαθρεμπόριο

smut (σμάτ) κηλιδώνω, κηλίδα, ερυσίβη (ασθένεια φυτών), αισχρό ανάγνωσμα, ομιλία κτλ., -ty ανήθικος, αισχρός

snack (σνάκ) πρόχειρο φαγητό, -bar καντίνα

snaffle (σνάφλ) κλέβω, χαλινάρι

snafu (σνάφουου) σφάλμα, τέλεια σύγχυση

snag (σνάγκ) απροσδόκητη δυσκολία, προεξοχή

snake (σνέϊκ) φίδι, κινούμαι στριφογυρίζοντας

snaky (σνέϊκι) φιδίσιος

snap (σνάπ) σπάζω, κροτώ, κρότος, δαγκώνω, μπισκότο, μιλώ γρήγορα, φωτογραφίζω, προσπάθεια, γρήγορος / snap to it: βιάσου!

snappish (σνάπιςς) κακοδιάθετος, απότομος

snapshot σνάπσσότ) στιγμιαία φωτογραφία

snare (σνέαρ) παγίδα, παγιδεύω

snarl (σναρλ) γρυλίζω, γρύλισμα, μιλώ θυμωμένα, -up εμπλοκή

snatch (σνατς) αρπάζω, αρπαγή, σύντομη (χρονική) περίοδος, κομμάτι

snazzy (σνάζι) όμορφος, κομψός

sneak (σνίικ) προχωρώ κρυφά, κλέβω, κλέφτης, ύπουλος, -ing κρυφός, ανέκφραστος, -y ύπουλος

sneer (σνίαρ) χλευάζω, χλευασμός, -er χλευαστής

sneeze (σνίιζ) φταρνίζομαι, φτάρνισμα

snicker (σνίκερ) κρυφογελώ, κρυφό γέλιο

snide (σνάϊντ) υπαινικτικός, εξευτελιστικός

sniff (σνίφ) ρουθουνίζω

sniffy (σνίφι) περήφανος, δυσαρεστημένος

snifter (σνίφτερ) μικρή ποσότητα ποτού

snigger (σνίγκερ) κρυφογελώ

snip (σνίπ) ψαλιδίζω, ψαλίδισμα

snipe (σνάϊπ) πυροβολώ κρυφά, μπεκάτσα

snippet (σνίπιτ) μικρό κομμάτι

snitch (σνίτς) καταδίδω, καταδότης, κλέβω

snivel (σνίβελ) κλαψουρίζω, παραπονιέμαι

snob (σνόμπ) ψωροπερήφανος, κενόδοξος, ακατάδεκτος, -bery κενοδοξία, ακαταδεξία

snoop (σνούπ) κατασκοπεύω, ενεδρεύω, κατασκόπευση

snooty (σνούτι) φαντασμένος

snooze (σνούζ) ελαφρός ύπνος, λαγοκοιμάμαι

snore (σνόουρ) ροχαλίζω, ροχάλισμα

snorkel (σνόρκελ) αναπνευστήρας δύτη

snort (σνόρτ) ρουθουνίζω, ρουθούνισμα

snot (σνότ) μύξα, -ty μυξιάρης

snout (σνάουτ) μύτη, στόμιο

snow (σνόου) χιόνι, χιονίζω, -ball μπάλα από χιόνι, -bank χιονοστιβάδα, -bound αποκλεισμένος απ' το χιόνι, -fall χιονόπτωση, -flake νιφάδα, -shoe χιονοπέδιλο, -man χιονάνθρωπος, -plough εκχιονιστικό μηχάνημα, -storm χιονοθύελα, -y χιονισμένος, χιονώδης

snub (σνάμπ) περιφρονώ, περιφρόνηση, επιπλήττω

snuff (σνάφ) σβήνω, ταμπάκο

snuffle (σνάφλ) ρουθουνίζω, ηχηρή αναπνοή

snug (σνάγκ) αναπαυτικός

snuggle (σνάγκλ) φωλιάζω

so (σόου) έτσι, τόσο, ώστε, συνεπώς / so…as: τόσο...όσο / so as to: για να / so long: αντίο

soak (σόουκ) μουσκεύω, εμποτίζω

soap (σόαπ) σαπούνι, σαπουνίζω, -opera σαπουνόπερα, -y σαπουνισμένος, σαπουνώδης

soar (σόουρ) πετώ, πτήση

sob (σόμπ) λυγμός, κλαίω με λυγμούς

sober (σόμπερ) εγκρατής, σοβαρός, γίνομαι σκεφτικός

sobriety (σομπράϊτι) σοβαρότητα, εγκράτεια

sobriquet (σοουμπρίκεϊ) παρατσούκλι, υποκοριστικό

so-called (σόου κόλντ) καλούμενος

soccer (σόκερ) ποδόσφαιρο

sociable (σόσσιαμπλ) κοινωνικός

social (σόσσιαλ) κοινωνικός, -ly κοινωνικά

socialism (σόσσιαλιζμ) σοσιαλισμός

socialist (σόσσιαλιστ) σοσιαλιστής, σοσιαλιστικός

socialite (σόουσελαϊτ) κοινωνικό άτομο

socialization (σοσσιαλαϊζέϊσσον) κοινωνικοποίηση

socialize (σοσσιαλάϊζ) κοινωνικο-

ποιώ, -ούμαι
society (σοσάϊτι) κοινωνία, εται-
ρεία, συντροφιά
sociology (σοουσιόλοτζι) κοινω-
νιολογία
sock (σόκ) κοντή κάλτσα, χτύπη-
μα, χτυπώ
socket (σόκιτ) κοίλωμα όπου
συγκρατείται κάτι, πρίζα
socking (σόκιν) πολύ μεγάλος
sod (σόντ) ανόητος, δυσχέρεια, χώ-
μα με τις ρίζες
soda (σόουντα) σόδα
sodden (σάντν) μουσκεμένος
sodium (σόουντιαμ) νάτριο
sofa (σόουφα) καναπές
soft (σόφτ) μαλακός, απαλός, **-boi-
led** βρασμένος ελαφρά, **-hearted**
εύσπλαχνος, άκακος, **-drink** μη αλ-
κοολούχο ποτό, **-y** εύπιστος / soft in
the head: ανόητος, τρελός
soggy (σόγκι) υγρός
soil (σόιλ) έδαφος, περιοχή, λερώ-
νω, ακαθαρσία
soiree (σουαρέι) εσπερίδα, ποιητική
ή μουσική βραδιά
sojourn (σατζέερν) διαμμένω, προ-
σωρινή διαμονή
solace (σάλις) παρηγοριά, παρηγο-
ρώ
solar (σόλαρ) ηλιακός
solarium (σολάριαμ) ηλιόλουστο
δωμάτιο
solder (σόλντερ) κολλώ
soldier (σόλντιερ) στρατιώτης, **-ing**
θητεία, **-ly** στρατιωτικός, **-y** στρατός
sole (σόουλ) μόνος, μοναδικός, πέλ-
μα, γλώσσα (ψάρι)
solecism (σάλισιζμ) ασυνταξία
solely (σόουλι) μόνο
solemn (σόλεμν) σοβαρός, επίση-
μος, **-ity** επισημότητα, σοβαρότητα,
-ize επισημοποιώ
solicit (σολίσιτ) ζητώ, παρακαλώ,
-or δικηγόρος, **-ation** παράκληση
solicitous (σολίσιτας) πρόθυμος,

έντονα ενδιαφερόμενος
solicitude (σολίσιτιουντ) φροντίδα
solid (σόλιντ) στερεός, συμπαγής,
στερεό σώμα **-ness** στερεότητα
solidarity (σολιντάριτι) ευστάθεια
solidify (σολιντιφάϊ) στερεοποιώ
solidity (σολίντιτι) στερεότητα
soliloquize (σολιλοκουάϊζ) μονο-
λογώ
soliloquy (σολιλόκουι) μονόλογος
solitary (σόλιτάρι) μοναχικός,
ερημικός
solitude (σόλιτιουντ) ερημιά, μο-
ναξιά
solo (σόλο) μονωδία
soloist (σόουλοουιστ) σολίστας
solstice (σόλστις) ηλιοστάσιο
soluble (σόλιουμπλ) λυτός, διαλυ-
τός
solution (σολόυσσον) λύση, διάλυ-
ση
solve (σόλβ) λύνω, **-er** ο λύνων
solvent (σόλβεντ) διαλυτικό μέσο
sombre (σόμπρ) σοβαρός, μελαγχο-
λικός, **-ness** σοβαρότητα
some (σάμ) μερικοί, κάποιος, λίγο,
περίπου, μερικός, **-more** ακόμη
λίγο, **-body** κάποιος, **-day** κάποτε,
-how κάπως, με κάποιο τρόπο, **-one**
κάποιος, **-time** κάποτε, **-times** μερι-
κές φορές, **-what** κάπως, **-where**
κάπου
somersault (σάμερσόλτ) τούμπα, κυ-
βίστηση, κάνω τούμπα
something (σάμθινγκ) κάτι / some-
thing to do with: (έχω) σχέση με
somnambulism (σομναμπιούλιζμ)
υπνοβασία
somnambulist (σομναμπιούλιστ)
υπνοβάτης
somnolent (σόμνολεντ) νυσταγμέ-
νος
son (σάν) γιός
sonance (σόνανς) ηχηρότητα
sonata (σονάατα) σονάτα
song (σόνγκ) τραγούδι, **-ster** τρα-

S

γουδιστής, -stress τραγουδίστρια
sonorous (σονόορας) ηχηρός
soon (σούν) σύντομα, νωρίς
soot (σούτ) καπνιά
soothe (σούουδ) κατευνάζω, καταπραΰνω
soothsayer (σούσέϊερ) μάντης
sop (σόπ) βούτημα, βουτώ, βρέχω
sophism (σόφιζμ) σόφισμα
sophist (σόφιστ) σοφιστής
sophistic(al) (σοφίστικαλ) σοφιστικός
sophisticated (σοφιστικέϊτιντ) πεπειραμένος, πολυγνώστης, πονηρευμένος sophistication (σοφιστικέϊσσον) πείρα, γνώση
sophistry (σόφιστρι) σοφιστεία
sophomore (σοφομόορ) δευτεροετής φοιτητής
soporific (σοπορίφικ) υπνωτικός
sopping (σόπινγκ) μουσκεμένος, υγρός
soppy (σόπι) συναισθηματικός, ανόητος
soprano (σοπράνο) υψίφωνος τραγουδίστρια όπερας
sorcerer (σόοσερερ) μάγος
sorcery (σόοσερι) μαγεία
sordid (σόοντιντ) άτιμος, βρώμικος
sore (σόορ) έλκος, πληγή, πονεμένος, -ness φλόγωση, πόνος
sorely (σόολι) πάρα πολύ
sorrow (σόροου) λύπη, λυπάμαι, -ful περίλυπος
sorry (σόρι) λυπημένος, λυπηρός, αξιολύπητος
sort (σόρτ) είδος, ταξινομώ, επιδιορθώνω, (out) διαλέγω, ξεχωρίζω / out of sorts: ενοχλημένος / sort of: μάλλον, σε κάποιο βαθμό
sortie (σοουρτίι) εξόρμηση, έξοδος
so-so (σό σο) όχι πολύ καλά
sot (σότ) ηλίθιος, μεθύστακας
sottish (σότιςς) ανόητος
sough (σάφ, σόου) ψίθυρος, θρόϊσμα

sought-after (σόουτ άφτερ) δημοφιλής λόγω σπανιότητας ή καλής ποιότητας
soul (σόουλ) ψυχή, το σπουδαιότερο τμήμα, -ful καλόψυχος, -less άψυχος, άκαρδος
sound (σάουντ) ήχος, ηχώ, διαδίδω, πορθμός, υγιής, ολοκληρωτικός, σκληρός, -ing βυθομέτρηση, βολιδοσκόπηση, -less αθόρυβος, -proof μονωμένος, μη διαπερατός στον ήχο
soup (σούουπ) σούπα
sour (σάουαρ) ξυνός, ξυνίζω, ξυνό, -puss ανικανοποίητος, μόνιμα δυσαρεστημένος
source (σόρς) πηγή
souse (σάουζ) βουτώ, βρέχω, -ed μεθυσμένος
south (σάουθ) νότιος, νότος, νότια, -bound κατευθυνόμενος προς το νότο, -east νοτιοανατολικός, -erly πρός το νότο, -ern νότιος, -pole νότιος πόλος, -ward προς το νότο, -west νοτιοδυτικός
souvenir (σουβενίρ) ενθύμιο
soviet (σόουβιετ) σοβιέτ, κομμουνιστικό συμβούλιο
sow (σάου) θηλυκό γουρούνι
sow (σόου) σπείρω
soya (σόϊα) σόγια
spa (σπά) ιαματικό μεταλλικό νερό
space (σπέϊσ) χώρος, τόπος, διάστημα, αραιώνω, τοποθετώ ανά διαστήματα, -age πολύ μοντέρνος, -craft διαστημόπλοιο, -man αστροναύτης, -ship διαστημόπλοιο
spacious (σπέϊσσας) ευρύχωρος
spade (σπέϊντ) σκαπάνι, τσάπα, σκάβω
spaghetti (σπαγκέτι) σπαγγέτι, μακαρόνια
span (σπάν) περίοδος, έκταση μεταξύ δύο στηριγμάτων, καμάρα, κατασκευάζω καμάρα, περιλαμβάνω
spangle (σπάνγκλ) γυαλιστερό στολίδι, διακοσμώ

Spaniard (σπάνιαρντ) Ισπανός
Spanish (σπάνιςς) Ισπανικός,
Ισπανικά
spank (σπάνκ) δέρνω, πλέω γρήγορα, -ing γοργός
spar (σπάρ) ιστός (πλοίου), πυγμαχώ, λογομαχώ
spare (σπέαρ) εξοικονομώ, φείδομαι, χωρίς, αδύνατος, διαθέσιμος,
ελεύθερος
sparing (σπέαρινγκ) τσιγγούνης
spark (σπάρκ) σπίθα, σπινθηροβολώ, ενθαρρύνω, παρακινώ
sparkle (σπάρκλ) σπινθηροβολώ,
σπινθηρισμός
sparring (σπάρινγκ) πυγμαχία, φιλονικία
sparrow (σπάροου) σπουργίτι
sparse (σπάρσ) σποραδικός
spartan (σπάρταν) σπαρτιάτικος,
τραχύς
spasm (σπάσμ) σπασμός, -odic(al)
σπασμωδικός
spat (σπάτ) γκέτα, καυγάς
spatter (σπάταρ) ραντίζω, πιτσιλίζω, σταγόνα, ράνισμα
spatula (σπάτσουλα) σπάτουλα
spawn (σπόουν) αυγά ψαριών, γεννώ αυγά (γιά ψάρια)
spay (σπέϊ) ευνουχίζω
speak (σπίκ) μιλώ, -er ομιλητής,
-ing ομιλία / speak one's mind: εκφράζω τις σκέψεις μου ευθέως
spear (σπίαρ) δόρυ, κοντάρι, λογχίζω, -mint δυόσμος, -head αρχηγός
επίθεσης
special (σπέσσαλ) ειδικός, ιδιαίτερος, ξεχωριστός, -ism ειδίκευση,
-ist ειδικός, -ity ειδικότητα, -ize
εξειδικεύω, -ization ειδίκευση
species (σπίσσιζ) είδος, γένος
specific (σπεσίφικ) ειδικός, ιδιαίτερος
specification (σπεσιφικέϊσσον)
προσδιορισμός, ειδίκευση
specify (σπεσιφάϊ) ειδικεύω, προσ-

διορίζω ακριβώς
specimen (σπέσιμιν) δείγμα, υπόδειγμα
specious (σπίισσες) ευλογοφανής
speck (σπέκ) κηλίδα, στίγμα
speckle (σπέκλ) κηλίδα
spectacle (σπέκτακλ) θέαμα, -s γυαλιά γιά τα μάτια
spectacular (σπακτάκιουλαρ) θεαματικός
spectator (σπεκτέϊτορ) θεατής
spectral (σπέκτραλ) φασματικός
spectre, specter (σπέκτερ) φάντασμα, φάσμα
spectroscope (σπεκτροσκόουπ) φασματοσκόπιο
spectrum (σπέκτραμ) πρισματικό
φάσμα
speculate (σπεκιουλέιτ) σκέφτομαι,
θεωρώ, μελετώ, κερδοσκοπώ
speculation (σπεκιουλέϊσσον) κερδοσκοπία, μελέτη
speculator (σπεκιουλέϊτορ) κερδοσκόπος, μελετητής
speech (σπιτς) λόγος, ομιλία, -less
άλαλος, άναυδος
speed (σπιντ) ταχύτητα, κινούμαι
γρήγορα, επιταχύνω, -boat γρήγορο
σκάφος, -ing παραβίαση του ορίου
ταχύτητας, -ometer ταχύμετρο, -y
ταχύς, -up επιτάχυνση / speed
someone on their way: κατευοδώνω
spell (σπελ) συλλαβίζω, σημαίνω,
αντικαθιστώ, -bind γοητεύω, μαγεύω, -ing ορθογραφία
spend (σπεντ) ξοδεύω, -er ο ξοδεύων, -thrift σπάταλος
spent (σπεντ) ξοδεμένος, φθαρμένος
sperm (σπερμ) σπέρμα, -ic σπερματικός
spermaceti (σπερμασέτι) λίπος
φάλαινας
spermatozoa (σπερματόζοουα)
σπερματοζωάρια
spew (σπιού) κάνω εμετό, εκχύνομαι
σε μεγάλες ποσότητες

sphere (σφίαρ) σφαίρα
spherical (σφέρικαλ) σφαιρικός
spheroid (σφερόϊντ) σφαιροειδής
sphinx (σφίνξ) σφίγγα
spice (σπάϊς) μπαχαρικό, καρυκεύω
spicy (σπάϊσι) πικάντικος, ζωηρός
spider (σπάϊντερ) αράχνη, **-web** ιστός αράχνης, **-y** αραχνώδης
spigot (σπίγκατ) κάνουλα
spike (σπάϊκ) καρφί, στάχυ, καρφώνω
spiky (σπάϊκι) ακανθώδης, οξύθυμος
spill (σπιλ) χύνω, χύσιμο, πέσιμο
spin (σπίν) γνέθω, στρίβω, γνέσιμο, πανικός
spinach (σπίνιτζ) σπανάκι
spinal (σπάϊναλ) σπονδυλικός, **-cord** νωτιαίος μυελός
spindle (σπίντλ) αδράχτι
spindly (σπίντλι) ισχνός, λεπτός
spine (σπάϊν) σπονδυλική στήλη, αγκάθι, **-chilling** ανατριχιαστικός, φρικιαστικός, **-less** ασπόνδυλος, δειλός
spinnaker (σπίνακερ) τρίγωνο ιστίο
spinning wheel (σπίνινγκ ουίλ) ανέμη
spinous (σπάϊνας) ακανθώδης
spiny (σπάϊνι) ακανθώδης
spiral (σπάϊραλ) σπιροειδής, ελικοειδής, ελατήριο
spire (σπάϊαρ) πυργίσκος, τρούλος
spirit (σπίριτ) ψυχή, πνεύμα, φρόνημα, **-ed** ζωηρός, θαρραλέος
spiritual (σπιρίτσουαλ) πνευματικός, **-ity** πνευματικότητα, **-ism** πνευματισμός, **-ist** πνευματιστής
spirituous (σπιρίτσουας) αλκοολικός
spit (σπίτ) φτύνω, φτύσιμο
spite (σπάϊτ) κακία, παρενοχλώ, βλάπτω, πείσμα, **-ful** πεισματάρης / in spite of: παρά, αν και
spitfire (σπιτφάϊερ) οξύθυμος
spitting (σπίτινγκ) φτύσιμο
spittle (σπίτλ) σάλιο, φτύσιμο

spitoon (σπιτούν) πτυελοδοχείο
splash (σπλάςς) τσαλαβουτώ, πιτσιλίζω, πλατάγισμα, **-down** προσθαλάσσωση αεροσκάφους, **-y** φανταχτερός
splatter (σπλάτερ) πιτσιλίζω
splay (σπλέϊ) εξαρθρώνω, εξαπλώνω
spleen (σπλίιν) σπλήνα, θυμός
splendid (σπλέντιντ) εντυπωσιακός, όμορφος, λαμπρός
splendour (σπλέντιαρ) μεγαλείο
splenetic (σπλινέτικ) κακοδιάθετος, δύστροπος
splice (σπλάϊς) συνδέω, ενώνω, συνένωση
splint (σπλίντ) πελεκούδι
splinter (σπλίντερ) μικρό λεπτό κομμάτι, σχίζω σε λεπτά κομμάτια
split (σπλίτ) σχίζω, χωρίζω, διαιρώ, χαλώ (σχέση, δεσμό κτλ.), χώρισμα, διαίρεση, **-ting** σφοδρός
splosh (σπλόςς) πλατσουρίζω, τσαλαβουτώ
splurge (σπλέερτζ) πομπώδης, επιδεικτικός
splutter (σπλάτερ) μιλώ ακατανόητα, συγκεχυμένη ομιλία
spoil (σπόϊλ) καταστρέφω, φθείρω, **-ομαι**, παραχαϊδεύω, λάφυρο, **-age** φθορά, **-er** ο χαλών / be spoiling for a fight: πρόθυμος γιά καυγά
spoke (σπόουκ) ακτίνα τροχού
spokesman (σπόουκσμαν) εκπρόσωπος
spoliation (σπολιέϊσσον) λαφυραγωγία, αρπαγή
sponge (σπόνζ) σφουγγάρι, σβήνω με σφουγγάρι, ζώ παρασιτικά, **-r** ο ζων παρασιτικά
spongy (σπάντζι) σπογγώδης
sponsor (σπόνσορ) υποστηρικτής, εγγυητής, εγγυώμαι
spontaneity (σπποντανίτι) αυθορμητισμός
spontaneous (σπποντέϊνιας) αυθόρμητος

spoof (σπούφ) κοροϊδία
spook (σπούκ) φάντασμα, τρομάζω ζώο, **-y** στοιχειωμένος
spool (σπούλ) κουβαρίστρα, μασούρι
spoon (σπούν) κουτάλι, πιάνω με κουτάλι, **-ful** κουταλιά, **-feed** ταΐζω με κουτάλι
spoor (σπούρ) ίχνη ζώου
sporadic (σποράντικ) σποραδικός
spore (σπόορ) σπόρος φυτού, έχω σπόρους
sport (σπόουρτ) αθλητισμός, παιχνίδι, πρόσχαρο άτομο, αστείο, διασκεδάζω, επιδεικνύω, -ομαι, **-ing** φίλαθλος, **-ive** παιχνιδιάρης, **-s** αγώνας, **-sman** φίλαθλος, ενασχολούμενος με τον αθλητισμό
sporty (σπόορτι) φίλαθλος, επιδεικτικός, όμορφος
spot (σπότ) κηλίδα, σημείο, τόπος, κηλιδώνω, ακριβώς, **-less** ολοκάθαρος, **-light** εστιάζω την προσοχή, προβολέας σκηνής, κέντρο προσοχής / on the spot: αμέσως, στον τόπο του γεγονότος
spotted (σπότιν τ) κηλιδωμένος
spotty (σπότι) στικτός, ποικίλος
spouse (σπάους) ο /η σύζυγος
spout (σπάουτ) εκχύνω, αναβλύζω, στόμιο / up the spout: αβοήθετος, σε δύσκολη κατάσταση
sprain (σπρέϊν) εξαρθρώνω, εξάρθρωση
sprawl (σπρόολ) ξαπλώνω, -ομαι, εξαπλώνομαι, εξάπλωση
spray (σπρέϊ) ράντισμα, ψεκαστήρας, ψεκάζω, βλαστός
spread (σπρέντ) εξαπλώνω, -ομαι, διαδίδω, -ομαι, απλώνω, έκταση, εξάπλωση
spree (σπρίι) γλέντι, γλεντώ
sprig (σπρίγκ) βλαστός
sprightly (σπράϊτλι) ζωηρός, χαρούμενος
spring (σπρίνγκ) άνοιξη, πηγή,

εκτίναξη, πήδημα, πηδώ, εκφύομαι, πηγάζω, **-iness** ελαστικότητα, **-time** άνοιξη, **-y** ελαστικός
sprinkle (σπρίνκλ) ραντίζω, ράντισμα, ψιλή βροχή, **-r** ραντιστήρι
sprinkling (σπρίνκλινγκ) μικρός αριθμός ή ποσότητα
sprint (σπρίντ) γρήγορο τρέξιμο, τρέχω γρήγορα μικρή απόσταση, αγώνας δρόμου ταχύτητας
sprite (σπράϊτ) στοιχειό
sprout (σπράουτ) βλαστάνω, βλαστός
spruce (σπρούς) έλατο, κομψός, (up) καλλωπίζομαι
spry (σπράϊ) δραστήριος, ζωηρός, ευκίνητος
spud (σπάντ) πατάτα
spume (σπιούμ) αφρός, αφρίζω
spunk (σπάνκ) θάρρος
spur (σπέερ) σπιρούνι, κεντρίζω, παρακινώ, **-ious** πλαστός, νόθος, εσφαλμένος
spurn (σπέερν) απορρίπτω, διώχνω
spur-of-the-moment (σπέερ οφ δε μόμεντ) χωρίς προετοιμασία, μη προσχεδιασμένος
spurt (σπέερτ) αναβλύζω, εντείνω την προσπάθεια, συγκεντρώνω τις δυνάμεις, ένταση δυνάμεων, έκχυση
sputter (σπάτερ) μιλώ ασυνάρτητα, φτύνω
sputum (σπιούταμ) φτύσμα
spy (σπάϊ) κατάσκοπος, κατασκοπεύω, ανακαλύπτω
squab (σκουάμπ) μικρό περιστέρι
squabble (σκουάμπλ) φιλονικώ, φιλονικία
squad (σκουάντ) ομάδα, **-car** περιπολικό αυτοκίνητο
squadron (σκουάντραν) μοίρα (στρατιωτικό σώμα)
squalid (σκουάλντ) βρώμικος, ελεεινός, ανήθικος
squall (σκουόολ) θύελλα, κλαίω, ξεφωνίζω

S

squalor (σκουάλορ) βρωμιά

squander (σκουάντερ) σπαταλώ

square (σκουέαρ) τετράγωνος, τίμιος, τετράγωνο, πλατεία, τετραγωνίζω, κανονίζω, **-ly** δίκαια, ευθέως, **-one** σημείο εκκίνησης, **-root** τετραγωνική ρίζα (μαθ.)

squash (σκουάςς) συντρίβω, κατασιγάζω, συνθλίβω, σύνθλιψη, πολτός, **-y** μαλακός

squat (σκουάτ) κάθομαι οκλαδόν, θέση οκλαδόν

squawk (σκουόοκ) κράζω, παραπονιέμαι, κρώξιμο,

squeak (σκουίικ) οξεία φωνή, τσιρίζω σα ποντικός, τρίζω

squeal (σκουίλ) φωνάζω, κραυγή, προδίδω

squeamish (σκουίιμιςς) σιχασιάρης, εύκολα ενοχλούμενος

squeeze (σκουίζ) στίβω, σφίγγω, -ομαι, σφίξιμο, αγκάλιασμα

squelch (σκουέλτς) συντρίβω

squid (σκουίντ) καλαμάρι

squidgy (σκουίντζι) μαλακός, λασπώδης

squiffy (σκουίφι) μισομεθυσμένος

squint (σκουίντ) αλοιθωρίζω, στραβισμός

squire (σκουάϊαρ) ακόλουθος ιππότη

squirm (σκουέερμ) κινούμαι ανήσυχα

squirrel (σκουίρελ) σκίουρος

squirt (σκουίρτ) εκχύνω με ορμή, κατακλύζω, καταβρέχω

stab (στάμπ) μαχαιρώνω, μαχαιριά, οξύς πόνος, / stab in the back: προδοσία

stability (σταμπίλιτι) σταθερότητα

stabilization (σταμπιλαϊζέϊσσον) σταθεροποίηση

stabilize (σταμπιλάϊζ) σταθεροποιώ, **-r** ο σταθεροποιών

stable (στέϊμπλ) στάβλος, σταβλίζω, σταθερός

stack (στάκ) σωρός, θυμωνιά, δεματιάζω

stadium (στέϊντιαμ) στάδιο

staff (στάφ) προσωπικό, ραβδί, παρέχω προσωπικό

stag (στάγκ) αρσενικό ελάφι

stage (στέϊτζ) στάδιο, σκηνή, σκηνοθετώ, **-coach** λεωφορείο, **-hand** εργαζόμενος στο θέατρο

stagger (στάγκερ) τρεκλίζω, κλονίζω, -ομαι, κλονισμός, **-ing** απίστευτος, εκπληκτικός

staging (στέϊτζινγκ) σκηνοθεσία, πρόχειρη εξέδρα

stagnant (στάγναντ) λιμνάζων, στάσιμος

stagnate (σταγκνέϊτ) λιμνάζω

stagnation (σταγκνέϊσσαν) στασιμότητα

stag party (στάγκ πάρτι) πάρτυ μόνο γιά άνδρες

stagy (στέϊτζι) επιτηδευμένος, θεατρικός

staid (στέϊντ) σοβαρός

stain (στέϊν) κηλίδα, θάβω, κηλιδώνω, **-less** ακηλίδωτος, ανοξείδωτος

stair (στέαρ) σκαλοπάτι, **-case** σκάλα, **-well** κλιμακοστάσιο

stake (στέϊκ) πάσσαλος, στοίχημα, στοιχηματίζω, στηρίζω με πασσάλους

stalactite (σταλακτάϊτ) σταλακτίτης

stalagmite (σταλαγκμάϊτ) σταλαγμίτης

stale (στέϊλ) μπαγιάτικος, μπαγιατεύω, παλιώνω

stalemate (στεϊλμέϊτ) αδιέξοδο, ακινησία, φέρνω σε αδιέξοδο

stalk (στέλκ) κοτσάνι φυτού, κυνηγώ ακολουθώντας σιωπηλά, περπατώ περήφανα, κινούμαι απειλητικά

stall (στόλ) φάτνη, στάβλος, παράπηγμα, σταβλίζω, καθυστερώ, αναβάλλω, σταματώ

stalwart (στοολουέρτ) σταθερός, αποφασιστικός, ρωμαλέος

stamen (στέϊμεν) στήμονας (άνθους)

stamina (στάμινα) αντοχή

stammer (στάμερ) τραυλίζω, τραύλισμα, **-er** τραυλός

stamp (στάμπ) γραμματόσημο, σφραγίδα, σφραγίζω, τυπώνω, κολλώ γραμματόσημο

stampede (σταμπίιντ) αφηνιάζω, ξαφνιάζω, άτακτη φυγή ζώων

stanch (στάντς) δες staunch

stanchion (στάαντσαν) στήριγμα, στύλος

stand (στάντ) στέκομαι, εξέδρα, πάγκος, αντέχω / stand a chance (hope): έχω ευκαιρία, ελπίδα / stand corrected: παραδέχομαι ότι η άποψη μου είναι λανθασμένη / stand to reason: είναι λογικό / stand by: υποστηρίζω, τηρώ / stand down: παραιτούμαι / stand for: αντιπροσωπεύω, σημαίνω / stand out: εξέχω, είμαι ευδιάκριτος / stand up: αντέχω

standard (στάνταρντ) κανονικός, υπόδειγμα, σημαία, **-bearer** σημαιοφόρος, **-of living** επίπεδο ζωής

standardize (στανταράϊζ) τυποποιώ, κάνω κανονικό

stand-in (στάντ ιν) αντικαταστάτης

standing (στάντινγκ) διάρκεια

stand offish (στάντ όφιςς) ψυχρός, τυπικός, μη φιλικός

standpoint (σταντπόϊντ) άποψη

standstill (σταντστίλ) στάση, ακινησία

stanza (στάνζα) στροφή ποιήματος

staple (στάπλ) κύριο προϊόν, συνδετήρας, συνδέω, βασικός, συνήθης

star (στάρ) αστέρι, πρωταγωνιστής, πρωταγωνιστώ, **-crossed** άτυχος, **-board** δεξιά πλευρά σκάφους, **-fish** αστερίας (θαλ. ζώο), **-gazer** αστρολόγος, **-light** φως αστεριών, **-let** νεαρή ηθοποιός, **-ry** γεμάτος αστέρια

starch (στάρςς) άμυλο, κολλαρίζω, **-y** αμυλώδης

stare (στέαρ) ατενίζω, ατένισμα

start (στάρτ) αρχίζω, αναχωρώ, ξεκίνημα, εκκίνηση, **-er** ο ξεκινών / start over: ξαναρχίζω / start something: ξεκινώ καυγά, φασαρία

startle (στάρτλ) καταπλήσσω, τρομάζω

starvation (σταρβέϊσσον) λιμός

starve (στάρβ) λιμοκτονώ, στερούμαι, **-ling** λιμοκτονών, κάτισχνος

stash (στάςς) κρύβω, κρύψιμο

state (στέϊτ) κατάσταση, πολιτεία, τελετή, δηλώνω, καθορίζω, **-craft** διακυβέρνηση, **-less** χωρίς χώρα, άπατρις, **-ly** τελετουργικός, μεγαλοπρεπής

statement (στέϊτμεντ) έκθεση, δήλωση, λογαριασμός

statesman (στέϊτσμαν) πολιτικός αρχηγός, **-ship** πολιτική ικανότητα

static (στάτικ) στατικός, στατικός ηλεκτρισμός

station (στέϊσσον) σταθμός, θέση, τοποθετώ

stationary (στεϊσσανέρι) σταθερός, ακίνητος

stationer (στέϊσσανερ) χαρτοπώλης, **-y** χαρτοπωλείο

statistic (στατίστικ) στατιστικός, **-ian** επιστήμονας ασχολούμενος με τη στατιστική, **-s** στατιστική

statuary (στατσούερι) αγάλματα, αγαλματοποιία

statue (στάτσιου) άγαλμα

statuesque (στάτσουεσκ) όμοιος με άγαλμα

statuette (στάτσουετ) αγαλματάκι

stature (στάτσαρ) ανάστημα

status (στάτους) κοινωνική θέση, κατάσταση, **-quo** παρούσα κατάσταση πραγμάτων

statute (στάτσουτ) νόμος, θεσμός, **-law** γραπτοί νόμοι

statutory (στάτσουτόρι) θεσπισμένος

staunch (στόοντς) πιστός, σταθερός, σταματώ τη ροή

S

stave (στέϊβ) πεντάγραμμο, σανίδα βαρελιού

stay (στέϊ) σταματώ, μένω, σταμάτημα, διαμονή, -at-home σπιτόγατος, -er ο αντέχων, -s στηθόδεσμος

stead (στέντ) θέση

steadfast (στέντφαστ) σταθερός, ακίνητος

steady (στέντι) σταθερός, σταθεροποιώ, προσοχή !

steak (στέϊκ) μπριζόλα

steal (στίλ) κλέβω, κλοπή, -er κλέφτης

stealth (στέλθ) κλοπή, -y μυστικός, κρυφός

steam (στίμ) ατμός, εκπέμπω ατμό, κινούμενος με ατμό, -ed up θυμωμένος, οργισμένος, -er ατμόπλοιο, κατσαρόλα ατμού, -roller οδοστρωτήρας, -ship ατμόπλοιο

steel (στίλ) ατσάλι, ατσαλώνω, σκληραίνω, -y ατσάλινος, σκληρός

steep (στίιπ) απότομος, απόκρημνος, υπερβολικός, βρέχω, -en γίνομαι κρημνώδης

steeple (στίιπλ) καμπαναριό

steeplechase (στίπλτσέϊς) ιπποδρομία μετ' εμποδίων

steeplejack (στίπλτζλάκ) επισκευαστής καμπαναριών, καπνοδόχων κτλ.

steer (στίαρ) οδηγώ, κατευθύνω, ευνουχισμένος, -ing wheel τιμόνι, -sman πηδαλιούχος

stein (στάϊν) κανάτα, ψηλό ποτήρι μπύρας

stellar (στέλαρ) αστρικός

stem (στέμ) κοτσάνι, κορμός, στέλεχος, (from) πηγάζω, αναχαιτίζω

stench (στέντσ) δυσωδία

stencil (στένσιλ) φύλλο με τυπωμένα γράμματα, τυπώνω

stenographer (στενόγκραφερ) στενογράφος

stenographic (στενογκράφικ) στενογραφικός

stenography (στενόγκραφι) στενογραφία

step (στέπ) βήμα, βαθμίδα, βηματίζω, πατώ, -brother ετεροθαλής αδελφός, -parent θετός γονιός, -ladder φορητή σκάλα

steppe (στέπ) στέππα

stepping stone (στέπινγκ στόουν) πέτρα γιά διάβαση

stereometry (στερεόμετρι) στερεομετρία

stereophonic (στερεοφόνικ) στερεοφωνικός

stereoscope (στερεοσκόουπ) στερεοσκόπιο

stereoscopic(al) (στερεοσκόπικ, -αλ) στερεοσκοπικός

stereotype (στερεοτάϊπ) στερεοτυπία, στερεοτυπώ

sterile (στεράϊλ) άγονος

sterility (στερίλιτι) αφορία, στειρότητα

sterilize (στεριλαΐζ) αποστειρώνω, καθιστώ άγονο

sterling (στέρλινγκ) αγνός, λίρα στερλίνα

stern (στέρν) αυστηρός

sternum (στέρναμ) στέρνο

steroid (στρόϊντ) στεροειδή

stethoscope (στεθοσκόουπ) στηθοσκόπιο

stevedore (στιιβντόουρ) φορτωτής πλοίου

stew (στιού) σιγοβράζω, ανησυχία, σύγχυση

steward (στιούαρντ) οικονόμος, οικονόμος, -ship επιστασία

stick (στίκ) κολλώ, τρυπώ, βάζω, ραβδί / stick at: συνεχίζω να εργάζομαι / stick out: προεξέχω / stick up: απειλώ, ληστεύω / stick with: μένω κοντά / stick in one's throat: δέχομαι με δυσκολία

sticker (στίκερ) επιγραφή, ταμπέλα, αποφασισμένος, -point σημείο διαφωνίας, -in the mud άτομο με αμε-

τάβλητες ιδέες
stickle (στίκλ) τσακώνομαι, **-r** φιλόνικος
stick-up (στίκ απ) ένοπλη ληστεία
sticky (στίκι) κολλώδης, αμήχανος, δύσκολος, απρόθυμος
stiff (στίφ) αλύγιστος, σκληρός, υπερβολικά, νεκρός, **-en** σκληρύνω, **-necked** πείσμων
stiffle (στάϊφλ) αποπνίγω, καταπνίγω
stigma (στίγκμα) στίγμα
stigmatize (στιγκματάϊζ) στιγματίζω
stile (στάϊλ) μικρή περιστρεφόμενη πόρτα
stiletto (στιλέτοου) στιλέτο, μαχαιράκι
still (στίλ) ακόμη, επιπλέον, ακίνητος, χωρίς ανέμους, ηρεμώ, καθησυχάζω, ηρεμία, **-birth** μωρό που γεννιέται νεκρό, **-y** ήσυχος, ήρεμος
stilt (στίλτ) ξυλοπόδαρο
stilted (στίλτιντ) πομπώδης, πολύ τυπικός
stimulant (στίμιουλαντ) διεγερτικό, κίνητρο
stimulate (στιμιουλέϊτ) παρακινώ, διεγείρω, ερεθίζω
stimulating (στιμιουλέϊτινγκ) διεγερτικός, τονωτικός
stimulus (στίμιουλας) κίνητρο, ελατήριο (πληθ. stimuli)
sting (στίνγκ) κεντρίζω, προκαλώ οξύ πόνο, πονώ, κεντρί, πόνος, **-y** τσιγγούνης
stink (στίνκ) μυρίζω άσχημα, δυσοσμία, **-ing** δύσοσμος, **-er** ενόχληση, κάτι πολύ δυσάρεστο
stint (στίντ) περιορίζω, περιορισμός
stipe (στάϊπ) κοτσάνι
stipend (στάϊπεντ) μισθός, **-iary** μισθωτός
stipple (στίπλ) ζωγραφίζω με στιγμές
stipulate (στιπιουλέϊτ) συμφωνώ
stipulation (στιπιουλέϊσσον) συμ-

φωνία, όρος
stir (στίρ) ταράζω, -ομαι, ανακατεύω, ταραχή, φυλακή, **-rer** ταραχοποιός, **-ring** συνταρακτικός, **-rup** αναβολέας αλόγου
stitch (στίτς) βελονιά, βελονιάζω
stock (στόκ) κορμός, γένος, ζώα, παρακαταθήκη, μετοχή, αποθηκεύω, προμηθεύω, προμηθεύω, συνήθης, **-ade** φράχτης από πασσάλους, περιφράζω **-breeder** κτηνοτρόφος, **-broker** μεσίτης χρηματιστηρίου, **-exchange** χρηματιστήριο, **-holder** μέτοχος, **-ing** κάλτσα, **-market** χρηματιστήριο, **-room** αποθήκη εμπορευμάτων, **-still** ακίνητος, **-taking** καταγραφή εμπορευμάτων, **-y** στιβαρός, **-yard** φάρμα ζώων
stodgy (στότζι) βαρύς, ανιαρός
stoic (στόουικ) στωικός, **-ism** στωικότητα
stoke (στόουκ) βάζω κάρβουνα ή άλλο καύσιμο, **-r** θερμαστής
stole (στόουλ) γυναικείο ένδυμα που φοριέται στους ώμους
stolid (στόλιντ) απαθής, **-ity** απάθεια, αταραξία
stomach (στόμακ) στομάχι, όρεξη, υπομένω, χωνεύω, **-ache** στομαχόπονος
stomp (στόμπ) βαδίζω με βαρύ βήμα
stone (στόουν) πέτρα, λιθοβολώ, **-cold** υπερβολικό κρύο, **-deaf** εντελώς κουφός, **-less** χωρίς πέτρες, **-mason** λιθοξόος, **-ware** πήλινα αγγεία / leave no stone unturned: κάνω ότι είναι δυνατό
stony (στόουνι) πετρώδης, σκληρός, **-broke** απένταρος
stooge (στούτζ) ηθοποιός υποδυόμενος ηλίθιο πρόσωπο, άβουλος και υπάκουος
stool (στούλ) σκαμνί, κόπρανα, **-pigeon** πληροφορητής
stoop (στούπ) σκύβω, σκύψιμο, προπύλαια

S

stop (στόπ) σταματώ, εμποδίζω, τελειώνω, μένω, φράζω, παύση, στάση, στιγμή, τελεία, -**cock** κάνουλα, -**gap** προσωρινό μέτρο, -**over** σταμάτημα κατά τη διάρκεια ταξιδιού, -**page** παύση, φράξιμο, -**per** βούλωμα

storage (στόοριτζ) αποθήκευση

store (στόορ) κατάστημα, μεγάλος αριθμός, αποθήκη, αποθηκεύω, εφοδιάζω, -**s** προμήθειες, -**keeper** καταστηματάρχης, -**room** αποθήκη / in store: αποθηκευμένος

storey (στόορι) πάτωμα, όροφος

storied (στόριντ) περίφημος, ιστορικός

stork (στόρκ) πελαργός

storm (στόρμ) καταιγίδα, κατακλυσμός, μαίνομαι, επιτίθεμαι, -**bound** αποκλεισμένος λόγω θύελλας, -**cloud** σύννεφο που φέρνει βροχή, -**y** θυελλώδης

story (στόρι) ιστορία, παραμύθι, πάτωμα (storey), -**teller** παραμυθάς, διηγούμενος ιστορίες

stoup (στούπ) κύπελλο

stout (στού) εύσωμος, γενναίος, -**hearted** άφοβος, αποφασισμένος

stove (στόουβ) σόμπα

stow (στόου) στοιβάζω, -**age** στοίβαγμα

straddle (στράντλ) διασκελίζω, διασκελισμός

strafe (στρέϊφ) βομβαρδίζω

straggle (στράγκλ) αποπλανιέμαι, πλανιέμαι, παρεκλίνω

straggly (στράγκλι) εκτρεπόμενος, παρεκλίνων

straight (στρέϊτ) ευθύς, ίσιος, σωστός, σοβαρός, ευθέως, κατ᾽ ευθείαν, -**away** αμέσως, -**en** ευθύνω, ισιώνω / go straight: σταματώ να εγκληματώ / straight out: ξεκάθαρα, ευθέως

strain (στρέϊν) ένταση, τέντωμα, γένος, εντείνω, τεντώνω, στραγγίζω,

σουρώνω, -**ed** τεταμένος, βεβιασμένος, -**er** σουρωτήρι, στραγγιστήρι

strait (στρέϊτ) πορθμός, στενός

straitened (στρέϊτεντ) δύσκολος λόγω έλλειψης χρημάτων

straitjacket (στρέϊτζάκιτ) ζουρλομανδύας, εμπόδιο ελεύθερης ανάπτυξης, -**laced** αυστηρός

straits (στρέϊτς) δύσκολη κατάσταση

strand (στράντ) νήμα, ίνα, ακτή, -**ed** καραβοτσακισμένος, σε πολύ άσχημη κατάσταση

strange (στρέϊντζ) παράξενος,ξένος, -**r** ξένος, άγνωστος, αλλοδαπός

strangle (στράνγκλ) πνίγω, στραγγαλίζω, -**r** στραγγαλιστής

strangulate (στρανγκιουλέϊτ) πνίγω, σφίγγω, στραγγαλίζω

strangulation (στρανγκιουλέϊσσον) στραγγαλισμός

strap (στράπ) λουρίδα, δένω, -**less** έξωμος

strapped (στράπτ) ενδεής, απένταρος

strapping (στράπινγκ) ρωμαλέος

stratagem (στράτατζεμ) στρατήγημα

strategic (στρατέτζικ) στρατηγική

strategist (στρατίτζιστ) στρατηγός

strategy (στράτιτζι) στρατηγική

stratification (στρατιφικέϊσσαν) στρωμάτωση

stratify (στρατιφάϊ) τοποθετώ κατά στρώματα

stratosphere (στρατοσφίαρ) στρατόσφαιρα

stratum (στράταομ) στρώμα (γής)

straw (στρόο) άχυρο

strawberry (στρόμπερι) φράουλα

stray (στρέϊ) εκτρέπομαι, απομακρύνομαι, αδέσποτος, αποπλανημένος

streak (στρίικ) γραμμή, ράβδωση, ραβδώνω, κινούμαι γρήγορα

stream (στρίμ) ρεύμα, ποτάμι, ρέω, -**er** γιρλάντα, -**lined** αεροδυναμικός

street (στρίιτ) οδός, δρόμος, -**walker**

πόρνη, -**wise** έμπειρος, έξυπνος, -**car**
τράμ
strength (στρένγκθ) δύναμη, -**en** δυ-
ναμώνω
strenuous (στρένιουας) εντατικός,
σφοδρός
streptococcus (στρεπτόκοκας) στρε-
πτόκκοκος (βακτήριο)
stress (στρές) ένταση, πίεση, τόνος,
τονίζω, -**ful** πιεστικός, στενόχωρος
stretch (στρέτς) εκτείνομαι,
τεντώνω, έκταση, τέντωμα, -**er** φο-
ρείο, -**er bearer** ο μεταφέρων φο-
ρείο, -**y** ελαστικός
strew (στρού) σκορπίζω, στρώνω
striated (στραιέϊτιντ) ραβδωτός, με
ρίγες
strict (στρίκτ) αυστηρός, απόλυτος,
ακριβής, -**ness** αυστηρότητα
stricture (στρίκτσαρ) κατηγορία,
επίκριση, περιορισμός
stride (στράιντ) βηματίζω με μεγά-
λους διασκελισμούς, διασκελι-
σμός, πρόοδος / to take smth in
one's stride: ασχολούμαι με κάτι
δύσκολο επιτυχώς
strident (στράινιεντ) τραχύφωνος
strides (στράιντς) πατελόνι
strife (στράιφ) σύγκρουση, διαμάχη
strike (στράικ) χτυπώ, απεργώ, επι-
τίθεμαι, απεργία, χτύπημα, επίθεση,
-**breaker** απεργοσπάστης, -**r** απερ-
γός / strike down: αρρωσταίνω σο-
βαρά, πεθαίνω / strike off: διαγράφω
/ strike on: ανακαλύπτω / strike up:
αρχίζω να παίζω (γιά ορχήστρα
κτλ.), ξεκινώ φιλία
striking (στράικινγκ) κτυπητός, που
τραβάει την προσοχή, -**distance** πο-
λύ κοντά
string (στρίνγκ) χορδή, σπάγγος,
σειρά, κουρδίζω / no strings at-
tached: χωρίς περιοριστικούς
όρους / pull strings: χρησιμοποιώ
κρυφή επιρροή
stringent (στρίντζεντ) αυστηρός,

στενόχωρος
stringy (στρίνγκι) ινώδης, λεπτός
strip (στρίπ) λουρίδα, ταινία, απο-
γυμνώνω, διασπώ, ξεντύνω, -ομαι
stripe (στράϊπ) γραμμή, ράβδωση,
-**d** με ραβδώσεις
stripling (στρίπλινγκ) νεαρός
άντρας
striptease (στριπτίιζ) στριπτίζ
strive (στράϊβ) αγωνίζομαι
stroke (στρόουκ) χτύπημα, εγκεφα-
λικό επεισόδειο, ύπτιο στύλ κολύμ-
βησης, χτύπος ρολογιού, προσβο-
λή, μολυβιά / at a stroke: αμέσως
stroll (στρόλ) περίπατος, περπατώ,
-**er** ο περιπατών, -**ing** περιπλανώμε-
νος
strong (στρόνγκ) δυνατός, ανθεκτι-
κός, -**box** χρηματοκιβώτιο, -**hold**
φρούριο, -**language** βλασφημίες, κα-
τάρες, -**minded** αποφασισμένος,
σταθερός στις πεποιθήσεις του
strontium (στρόντιαμ) στρόντιο
(μέταλλο)
strop (στρόπ) λουρί γιά ακόνισμα
ξυραφιών
strophe (στρόφ) στροφή ποιήματος
structural (στράκτσαραλ) οικοδο-
μικός
structure (στράκτσαρ) οικοδομή,
δομή, τακτοποιώ λογικά
struggle (στράγκλ) μάχομαι, αγώ-
νας, πάλη
strumpet (στράμπιτ) πόρνη
strung out (στράνγκ άουτ) ισχυρά
εθισμένος
strung up (στράνγκ απ) αγχωμένος,
ανήσυχος
strut (στράτ) περπατώ επιδεικτικά,
επιδεικτικό περπάτημα
stub (στάμπ) στέλεχος, κορμός, χτυ-
πώ τα δάκτυλα σκοντάφτοντας
stubble (στάμπλ) καλάμι από στάχυ
stubborn (στάμπορν) πεισματάρης,
ισχυρογνώμονας
stubby (στάμπι) κοντόχοντρος

S

stucco (στάκοου) στόκκος
stuck (στάκ) κολλημένος, σφηνωμένος, αρεσκόμενος έντονα, φασαρία, -up περήφανος, αλαζόνας
stud (στάντ) χοντρό καρφί, κουμπί, τοποθετώ καρφιά
student (στιούντεντ) μαθητής
studied (στάντιντ) μελετημένος
studio (στούντιο) στούντιο ραδιοφωνικών ή τηλεοπτικών εκπομπών, αίθουσα εργασίας καλλιτέχνη
studious (στιούντιας) μελετηρός, προσεκτικός
study (στάντι) μελετώ, σπουδάζω, μελέτη, σπουδή, σπουδαστήριο / in a brown study: σε βαθειά σκέψη
stuff (στάφ) υλικό, ρουχισμός, γεμίζω, παρατρώω, -ing γέμισμα, -y αποπνικτικός, τυπικός
stultify (σταλτιφάϊ) μωραίνω
stumble (στάμπλ) σκοντάφτω, σκόνταμμα
stump (στάμπ) κούτσουρο κομμένου δέντρου, κινούμαι αδέξια, -y κοντόχοντρος
stun (στάν) εκπλήσσω, καθιστώ αναίσθητο
stunner (στάνερ) πολύ ελκυστική γυναίκα
stunning (στάνινγκ) ελκυστικός, εκπληκτικός
stunt (στάντ) αναχαιτίζω την ανάπτυξη, κατόρθωμα
stupefy (στιούπιφάϊ) ζαλίζω, αποναρκώνω
stupendous (στιουπέντας) εκπληκτικός
stupid (στιούπιντ) ανόητος, -ity μωρία, βλακεία
stupor (στιούπορ) νάρκη, αναισθησία
sturdy (στέερντι) δυνατός, ανθεκτικός, σθεναρός
stutter (στάτερ) τραυλίζω, τραύλισμα
sty (στάϊ) χοιροστάσιο

stye (στάϊ) κριθαράκι ματιού
style (στάϊλ) τρόπος, ύφος, ρυθμός, μόδα, σχεδιάζω, προσαγορεύω
stylish (στάϊλιςς) κομψός, μοντέρνος
stylist (στάϊλιστ) σχεδιαστής μόδας, συγγραφέας
stylize (στάϊλάϊζ) συμμορφώνομαι με ορισμένο ύφος
stylus (στάϊλας) σμίλη
styptic(al) (στίπτικ, αλ) στυπτικός, στυπτικός
suave (σουάβ) γλυκός, ευγενικός
sub (σάμπ) υποβρύχιο
subaltern (σαμπόουλτερν) υπαξιωματικός
subaqua (σαμπάκουα) υποβρύχια σπόρ
subatomic (σαμπατόμικ) μικρότερος απ' το άτομο
subcommittee (σαμπκομίιτι) υποεπιτροπή
subconscious (σαμπκόνσσιας) υποσυνείδητος, -ο
subcontract (σάμπκόντρακτ) υποσυμβόλαιο
subcutaneous (σαμπκιουτέϊνιας) υποδόριος
subdivide (σαμπντιβάϊντ) υποδιαιρώ
subdue (σαμπντιού) υποτάσσω, κατανικώ
subhead (σαμπχέντ) υπότιτλος
subject (σάμπτζεκτ) υποκείμενος, υποκείμενο, ζήτημα, αιτία, τείνω, υποτάσσω, εκθέττω, -ion υποταγή, κατάκτηση, -ive υποκειμενικός
subjoin (σαμπτζόϊν) επισυνάπτω
subjugate (σαμπτζουγκέϊτ) υποδουλώνω
subjunctive (σαμπτζάνκτιβ) υποτακτική (έγκλιση)
sublieutenant (σαμπλιουτέναντ) ανθυπολοχαγός
sublimate (σαμπλιμέϊτ) εξατμίζω, αεροποιώ
sublime (σαμπλάϊμ) μαγευτικός, με-

γαλειώδης, θείος / from the sublime
to the ridiculous: από κάτι θαυμάσιο
σε κάτι ανόητο
submachine gun (σαμπμασσί γκάν)
οπλοπολυβόλο
submarine (σαμπμαρίν) υποβρύχιο,
υποβρύχιος
submerge (σαμπμέρτζ) βυθίζω, -ο-
μαι, καλύπτω εντελώς
submersible (σαμπμέρσιμπλ) κατα-
δυτός
submersion (σαμπμέρσον) κατάδυ-
ση
submission (σαμπμίσσαν) υποταγή
submissive (σαμπμίσιθ) υποτακτι-
κός, υπάκουος
submit (σαμπμίτ) υποτάσσομαι,
υποβάλλω
subnormal (σαμπνόρμαλ) λιγότερος
απ' το κανονικό
subordinate (σαμπόορντινετ) υπο-
δεέστερος, (σαμπόορντινέϊτ) βάζω
σε χειρότερη θέση, υποβιβάζω,
-clause δευτερεύουσα πρόταση
suborn (σαμπόορν) πείθω γιά κάτι
κακό
subpœna (σαμπίνα) κλίση, δίνω
κλίση, καλώ σε δίκη
subscribe (σαμπσκράϊμπ) υπογρά-
φω, συνεισφέρω, είμαι συνδρομη-
τής, **-r** συνδρομητής
subscription (σαμπσκρίπσον) συν-
δρομή
subsection (σαμπσέκσον) υποδιαί-
ρεση
subsequent (σαμπσίκουεντ) ακόλου-
θος, επακολουθών, **-ly** συνεπώς,
επομένως
subservient (σαμπσέερβιεντ) δουλι-
κός, εξυπηρετικός
subside (σαμπσάϊντ) χαμηλώνω, κα-
τακάθομαι
subsidence (σάμπσιντενς) κατάπτω-
ση, υποχώρηση
subsidiary (σαμπσίντιέρι) παράρτη-
μα, παραρτηματικός

subsidize (σαμπσιντάϊζ) δίνω επιχο-
ρήγηση
subsidy (σάμπσιντι) επιχορήγηση
subsist (σαμπσίστ) υπάρχω, συντη-
ρούμαι, **-ence** συντήρηση, ύπαρξη
subsoil (σαμπσόϊλ) υπέδαφος
subsonic (σαμπσόνικ) ο έχων ταχύτη-
τα μικρότερη απ' αυτή του ήχου
substance (σάμπστανς) ουσία,
πλούτος, πραγματικότητα
substandard (σαμπστάνταρντ) υπο-
βαθμισμένος, υποτυπώδης, κατώτε-
ρος απ' το κανονικό
substantial (σαμπστάνσσαλ) ουσιώ-
δης, σημαντικός, **-ly** κυρίως, αρκετά
substantiate (σαμπστανσιέϊτ) απο-
δεικνύω την ορθότητα
substantive (σάμπσταντιβ) ουσια-
στικό, ουσιαστικός
substation (σαμπστέϊσσον) μικρός
σταθμός παραγωγής ηλεκτρισμού
substitute (σάμπστιτσιουτ) αντικα-
θιστώ, αντικαταστάτης, αντικατά-
σταση
substratum (σαμπστράαταμ) υπό-
στρωμα
substructure (σαμπστράκτσαρ) υπο-
δυμή, θεμέλιο
subsume (σαμπσιούμ) συμπεριλαμ-
βάνω
subtend (σαμπτέντ) βρίσκομαι
απέναντι
subterfuge (σαμπτερφιούτζ) υπεκ-
φυγή
subterranean (σαμπτερέϊνιαν)
υπόγειος
subtitle (σαμπτάϊτλ) υπότιτλος
subtle (σάμπτλ) λεπτός, οξύνους,
-ty εφυΐα
subtract (σαμπτράκτ) αφαιρώ, **-ion**
αφαίρεση
subtropical (σαμπτρόπικαλ) κοντά
σε τροπική περιοχή
suburb (σαμπέερμπ) προάστιο
suburban (σαμπέερμπαν) προά-
στιος, **-ite** κάτοικος προαστίων

S

subvention (σαμπβένσσαν) επιχορήγηση
subversive (σαμπβέρσιθ) ανατρεπτικός, επαναστατικός, -ness ανατρεπτικότητα
subvert (σαμπβέρτ) ανατρέπω
subway (σαμπουέϊ) υπόγειος σιδηρόδρομος ή δρόμος
suceed(σαξίιντ) πετυχαίνω, διαδέχομαι, ακολουθώ
success (σαξές) επιτυχία, -ful επιτυχημένος
succession (σαξέσσον) διαδοχή
successive (σαξέσιθ) διαδοχικός
successor (σαξέσορ) διάδοχος
succinct (σακίνκτ) σύντομος και σαφής, -ness σαφήνεια
succour (σάκορ) βοήθεια, βοηθώ
succulent (σάκιουλεντ) χυμώδης
succumb (σακάμπ) υποκύπτω, υποχωρώ
such (σάτς) τέτοιος, -like παρόμοιος
suck (σάκ) θηλάζω, θηλασμός, -ero θηλάζων, παραφυάδα, αφελής ανόητος
suckle (σάκλ) θηλάζω, -ling βρέφος ή μικρό ζώο που βυζαίνει
suction (σάκσσαν) απορρόφηση
sudden (σάντν) ξεφνικός / all of a sudden: ξαφνικά
suds (σάντς) σαπουνάδες
sue (σιού) ενάγω
suede (σουέϊντ) ακατέργαστο δέρμα
suffer (σάφερ) υποφέρω, πάσχω, ανέχομαι, -ance ανοχή, -er ο υποφέρων, -ing ταλαιπωρία
suffice (σάφις) επαρκώ
sufficiency (σαφίσσενσι) επάρκεια
sufficient (σαφίσσαντ) επαρκής, αρκετός
suffix (σάφιξ) κατάληξη
suffocate (σαφοκέϊτ) πνίγω, ασφυκτιώ
suffocation (σαφοκέϊσσαν) ασφυξία
suffragan (σαφράγκαν) επίσκοπος
suffrage (σάφριτζ) δικαίωμα ψήφου

suffuse (σαφιούζ) εκχέω, απλώνομαι, καλύπτω
sugar (σούγκαρ) ζάχαρη, βάζω ζάχαρη, γλυκαίνω, -cane ζαχαροκάλαμο, -y ζαχαρώδης
suggest (σατζέστ) προτείνω, υποδηλώνω, -ible ευεπηρέαστος, -ion πρόταση, εισήγηση, υπαινιγμός, -ive υπαινικτικός
suicidal (σουισάιντλ) ο έχων την τάση ν' αυτοκτονήσει, θανάσιμος
suicide (σουσάιντ) αυτοκτονία, ο αυτόχειρας
suit (σιουτ) κουστούμι, ενδυμασία, αγωγή, ταιριάζω, -able κατάλληλος, -ability αρμοδιότητα
suitcase (σούτκεις) βαλίτσα
suite (σουίιτ) ακολουθία, σειρά
suitor (σιούτορ) ο ενάγων
sulfur (σάλφερ) θειάφι, -ic θειικός
sulfurous (σάλφιουρας) θειούχος
sulk (σάλκ) κατσουφιάζω, σκυθρωπιάζω, -s μελαγχολική διάθεση, σκυθρωπότητα, -y σκυθρωπός
sullen (σάλεν) σκυθρωπός, κατσούφης
sully (σάλι) αμαυρώνω, κηλιδώνω, λερώνω
sulphate (σάλφέϊτ) θειικό άλας
sulphide (σάλφάιντ) θειούχος
sulphur (σάλφερ) θειάφι, -ic θειικός
sultan (σάλταν) σουλτάνος, -a σουλτάνα
sultanate (σάλτανέϊτ) σουλτανάτο
sultry (σάλτρι) ζεστός και πνιγηρός (καιρός), προκλητικός
sum (σάμ) ποσό, άθροισμα, (up) αθροίζω, υπολογίζω
summarize (σαμαράϊζ) συνοψίζω
summary (σάμαρι) περίληψη, σύντομος
summation (σαμέϊσσαν) σύνοψη, ανακεφαλαίωση
summer (σάμερ) καλοκαίρι, περνώ το καλοκαίρι, -y καλοκαιρινός
summit (σάμιτ) κορυφή

summon (σάμον) καλώ, -s δικαστι-
κή κλήση, καλώ στο δικαστήριο
sump (σάμπ) τεπόζιτο βενζίνης, δε-
ξαμενή
sumptuous (σάμπτσουας) πολυτε-
λής, ακριβός
sun (σάν) ήλιος, κάθομαι στον ήλιο,
-baked ηλιοψημένος, -bathe κάνω
ηλιοθεραπεία, -beam ακτίνα ήλιου,
-burn εγκαύματα απ' τον ήλιο
Sunday (σάντι) Κυριακή
sunder (σάντερ) διασπώ, χωρίζω
sundown (σάνντάουν) ηλιοβασίλε-
μα
sundry (σαντράϊ) διάφοροι
sunflower (σανφλάουερ) ηλιοτρό-
πιο
sunglasses (σανγκλασιζ) γυαλιά
ηλίου
sunken (σάνκεν) βυθισμένος, υπό-
γειος
sunless (σάνλες) χωρίς ηλιακό φώς,
σκοτεινός
sunlight (σανλάϊτ) ηλιακό φως
sunlit (σάνλιτ) ηλιοφώτιστος
sunlounge (σανλούντζ) ηλιόλουστο
δωμάτιο
sunny (σάνι) ηλιόλουστος, φωτει-
νός
sunrise (σανράϊζ) ανατολή ήλιου
sunset (σάνσετ) ηλιοβασίλεμα
sunshine (σανσσάϊν) το φως του
ήλιου
sunstroke (σανστρόουκ) ηλίαση
suntan (σαντάν) μαύρο χρώμα δέρ-
ματος λόγω έκθεσης στον ήλιο
sup (σάπ) δειπνώ
super (σούπερ) θαυμάσιος
superabundant (σουπεράμπανταντ)
υπεράφθονος
superannuated (σουπερανιουέϊτιντ)
πολύ παλιός, απαρχαιωμένος
superb (σουπέρμπ) άψογος, εξαί-
σιος
supercharge (σουπερτσάρτζ) επιβα-
ρύνω, παραφορτώνω

supercilious (σουπερσίλιας) υπε-
ρόπτης
superduper (σουπερντιούπερ) θαυ-
μάσιος
superego (σουπεριγκόου) υπερεγώ
superficial (σουπερφίσσαλ) επιφα-
νεικός, επιπόλαιος
superfluity (σουπερφλούιτι) υπερε-
πάρκεια, περίσσεια
superfluous (σουπέρφλουας) περιτ-
τός, περισεύων
superhuman (σουπερχιούμαν) υπε-
ράνθρωπος
superimpose (σουπεριμπόουζ) τοπο-
θετώ πάνω από
superintend (σουπεριντέντ) επιβλέ-
πω, -ent επιστάτης, επόπτης
superior (σουπίριορ) ανώτερος, κα-
λύτερος, άνω, ηγούμενος
superlative (σουπέρλατιθ) υπερθετι-
κός, -ly σε πολύ μεγάλο βαθμό
superman (σούπερμαν) υπεράν-
θρωπος
supermarket (σούπερμάρκετ) μεγά-
λο κατάστημα
supernatural (σουπερνάτσουραλ)
υπερφυσικός
supernumerary (σουπερνιούμερέρι)
υπεράριθμος
superpower (σούπερπάουερ) υπερ-
δύναμη
supersede (σουπερσίιντ) αντικαθι-
στώ
supersonic (σουπερσόνικ) υπερη-
χητικός
superstition (σουπερστίσσαν) δεισι-
δαιμονία
superstitious (σουπερστίσσας) προ-
ληπτικός, δεισιδαίμονας
superstructure (σουπερστράκσαρ)
οικοδομή πάνω απ' τη γή
supertax (σούπερτάξ) πρόσθετος
φόρος
supervene (σουπερβίν) συμβαίνω
απρόσμενα
supervise (σουπερβάϊζ) επιβλέπω

S

supervision (σουπερβίζαν) επίβλεψη
supine (σουπάίν) ύπτιος, ανάσκελα
supper (σάπερ) δείπνο
supplant (σαπλάαντ) παραγκωνίζω
supple (σάπλ) ευλύγιστος
supplement (σάπλεμεντ) συμπλήρω-
μα, παράρτημα, προσθέτω, συμπλη-
ρώνω, -ary συπμληρωματικός
suppliance (σάπλιανς) ικεσία, πα-
ράκληση
suppliant (σάπλιαντ) ικέτης
supplicant (σάπλικαντ) ικέτης
supplicate (σάπλικέϊτ) ικετεύω
supplier (σαπλάϊερ) προμηθευτής
supplies (σαπλάϊς) προμήθειες
supply (σαπλάϊ) προμηθεύω, εφο-
διάζω, προμήθεια
support (σαπόρτ) υποστηρίζω, πα-
ρέχω χρήματα, υποστήριξη, υπο-
στήριγμα, συντήρηση, -er υποστη-
ρικτής, -ive υποστηρικτικός
suppose (σαπόουζ) υποθέτω, πι-
στεύω, -dly υποθετικά
supposition (σαποζίσσαν) υπόθεση,
-al υποθετικός
suppository (σαπόζιτόρι) υπόθετο
(φάρμακο)
suppress (σαπρές) καταστέλλω,
αποκρύπτω, -ion καταστολή, -or ο
καταστέλλων
suppurate (σαπιουρέϊτ) σχηματίζω
πύον
supranational (σουπρανάσσοναλ)
υπερεθνικός
supremacy (σουπρέμασι) υπεροχή
supreme (σουπρίμ) ο υπερέχων, ύψι-
στος, -ly υπερβολικά
surcharge (σεερτσάαρτζ) υπερφορ-
τώνω
surcoat (σεερκόουτ) αμάνικο πανο-
φώρι
sure (σσούαρ) σίγουρος, σίγουρα,
-fire βέβαιος να συμβεί, -footed ο
περπατών σταθερά, ακριβής, αλάν-
θαστος, -ly βεβαίως, σίγουρα / make
sure of something: επιβεβαιώνω, σι-

γουρεύομαι
surety (σούριτι) εγγυητής, εγγύηση
surf (σέρφ) αφρός κυμάτων, ιστιο-
σανίδα (άθλημα)
surface (σέρφας) επιφάνεια, έρχο-
μαι στην επιφάνεια, επιφανειακός
surfboard (σερφμπόουρντ) σανίδα
του σέρφ (σπόρ)
surfeit (σέερφιτ) κορέννυμαι, κορε-
σμός, χόρτασμα
surge (σέερτζ) μεγάλο κύμα, φου-
σκώνω
surgeon (σέερτζαν) χειρούργος
surgery (σέερτζερι) χειρουργική
surgical (σέερτζικαλ) χειρουργικός
surly (σέερλι) σκυθρωπός, άγριος
surmise (σερμάϊζ) εικασία, υπόθε-
ση, υποθέτω
surmount (σεερμάουντ) υπερνικώ,
υπερβαίνω
surname (σεερνέϊμ) επώνυμο
surpass (σερπάς) υπερέχω, -ing
υπέροχος
surplice (σέερπλις) άσπρο ράσο
surplus (σέερπλας) πλεόνασμα
surprise (σαρπράϊζ) εκπλήσσω, έκ-
πληξη
surprising (σαρπράϊζινγκ) εκπλη-
κτικός
surrealism (σέριαλιζμ) σουρεαλι-
σμός
surrealist (σέριαλιστ) σουρεαλι-
στής, -ic σουρεαλιστικός
surrender (σαρέντερ) παραδίδω, -ο-
μαι, υποτάσσομαι, παράδοση
surreptitious (σαρεπτίσσας) κρυ-
φός, μυστικός
surrogate (σαραγκέϊτ) αντικατα-
στάτης
surround (σαράουντ) περικυκλώνω,
-ing περιβάλλον, -ings περίχωρα
surveillance (σεερβέϊλανς) επιτή-
ρηση
survey (σαρβέϊ) επιθεωρώ, επιθεώ-
ρηση, -or επόπτης
survival (σαρβάϊβαλ) επίζηση

survive (σαρβάϊβ) επιζώ
survivor (σαρβάϊβορ) επιζών
susceptible (σασκέπτιμπλ) ευεπη-
ρέαστος, επιδεκτικός
suspect (σάσπεκτ) υποπτεύω, -ομαι,
ύποπτος
suspend (σασπέντ) σταματώ, απο-
βάλλω (από αγώνα), κρέμομαι, -ers
τιράντες
suspense (σασπένς) εκκρεμότητα
suspension (σασπένσσαν) σταμάτη-
μα, αποβολή
suspicion (σασπίσσαν) υποψία
suspicious (σασπίσσας) ύποπτος,
καχύποπτος
suss (σάς) καταλαβαίνω
sustain (σαστέϊν) υποφέρω, υποστη-
ρίζω, διατηρώ
sustenance (σαστέναν) συντήρηση,
διατροφή
suture (σούτσερ) ραφή τραύματος,
ράβω
suzerain (σουζερέϊν) άρχοντας, -ty
επικυριαρχία
svelte (σβέλτ) κομψός
swab (σουάμπ) σφουγγαρόπανο,
καθαρίζω
swaddle (σουάντλ) φασκιώνω
swaddling clothes (σουάντλινγκ
κλόθς) φασκιές
swag (σουάγκ) κλοπιμαία
swagger (σουάγκερ) περπατώ περή-
φανα, κομπάζω, κομπασμός
swain (σουέϊν) νεαρός χωρικός
swallow (σουάλοου) καταπίνω, κα-
τάποση / swallow ono s words: πα-
ραδέχομαι το λάθος μου
swamp (σουάμπ) βάλτος, πλημμυ-
ρίζω
swan (σουάν) κύκνος
swank (σουάνκ) επίδειξη, αριστο-
κρατικός
swap (σουάπ) ανταλλάζω, ανταλ-
λαγή
sward (σουόρντ) λειβάδι
swarm (σουόρμ) συρρέω, συνω-

στίζομαι, σμήνος, πλήθος
swarthy (σουόοδι) μελαψός
swastika (σουόστικα) σβάστικα
swat (σουάτ) κυνηγώ έντομα, μυγο-
σκοτώστρα
swatch (σουότς) δείγμα υφάσματος
swatφυῖ (σουάθ) αυλακιά, περιοχή
swatter (σουάτερ) μυγοσκοτώστρα
sway (σουέι) επηρεάζω, ταλαντεύο-
μαι, ταλάντευση, επηροή
swear (σουέαρ) βλαστημώ, ορκίζο-
μαι
sweat (σουέτ) ιδρώτας, ιδρώνω
sweater (σουέτερ) πουλόβερ
sweaty (σουέτι) ιδρωμένος, πολύ
ζεστός
sweep (σουίπ) σκουπίζω, κινούμαι
γρήγορα, εκτείνομαι, σκούπισμα,
-er σαρωτής, -ing εκτεταμένος, γενι-
κός, -ings σκόνη, σκουπίδια
sweet (σουίτ) γλυκός, ευχάριστος,
ευγενικός, γλυκό, -bread πάγκρεας
ζώου, -en γλυκαίνω, καλοπιάνω, -e-
ner γλυκαντική ουσία, -heart αγα-
πημένος, -ie αγαπητός, ελκυστικός,
-meat γλυκό, ζαχαρωτό
swell (σουέλ) πρήζομαι, φουσκώνω,
πρήξιμο, κάλλιστος, -ing πρήξιμο
swelter (σουέλτερ) ζεσταίνομαι
υπερβολικά
swerve (σουέρβ) παρεκκλίνω,
εκτρέπομαι, εκτροπή
swift (σουίφτ) γρήγορος
swig (σουίγκ) πίνω πολύ
swill (σουίλ) πλύνω, πίνω υπερβολι-
κά, αποφάγια για χοίρους
swim (σουίμ) κολυμπώ, ζαλίζω, κο-
λύμπι / swim against the tide: συμπε-
ριφέρομαι διαφορετικά απ' τα κα-
θιερωμένα
swimming (σουίμινγκ) κολύμβη-
ση, -ly εύκολα κι επιτυχημένα,
-pool πισίνα
swindle (σουίντλ) εξαπατώ, απάτη
swine (σουάϊν) γουρούνι, ανεπιθύ-
μητος, -herd χοιροβοσκός

S

swing (σουίνγκ) αιωρούμαι, κουνιέμαι, κούνια / swing the lead: αποφεύγω καθήκον, εργασία κτλ. / in full swing: σε πλήρη δράση

swinger (σουίνγκερ) κοινωνικός, άσωτος

swinging (σουίνγκινγκ) ζωηρός

swinish (σουίνιςς) δυσάρεστος, δύσκολος

swipe (σουάϊπ) χτυπώ, κλέβω, κτύπημα

swirl (σουίρλ) στροβιλίζομαι, στρόβιλος

swish (σουίσς) μαστιγώνω, θροΐζω, ακριβός, πολυτελής

Swiss (σουίς) Σουηδία

switch (σουίτς) διακόπτης ρεύματος, βέργα, ραβδίζω, μαστιγώνω

swivel (σουίβελ) στρέφω, -ομαι, περιστρεφόμενος

swiz (σουίζ) κάτι το απογοητευτικό, απάτη

swollen (σουόλεν) πρησμένος, εξογκωμένος

swoon (σουούν) λιποθυμώ, χαίρομαι υπερβολικά, λιποθυμία

swoop (σούπ) ορμώ, αρπάζω, επιτίθεμαι, αρπαγή, επίθεση

sword (σουόρντ) ξίφος, σπαθί, -fish ξιφίας (ψάρι), -play ξιφομαχία, -sman ξιφομάχος

sworn (σουόρν) παθ. μτχ. του swear, αμετάλλακτος

sybarite (σιμπαράϊτ) μαλθακός

sycamore (σικαμόουρ) συκομουριά

sycophant (σίκοφαντ) κόλακας

syllabic (σιλάμπικ) συλλαβικός

syllable (σίλαμπλ) συλλαβή

syllabus (σίλαμπας) ύλη (πρός μάθηση)

syllogism (σίλατζισμ) συλλογισμός

sylph (σίλφ) νεράϊδα, -like ελκυστικός (γία γυναίκες)

symbol (σίμπολ) σύμβολο, -i(al)

συμβολικός, -ism συμβολισμός, -ize συμβολίζω

symmetric(al) (σιμέτρικ, -αλ) συμμετρικός

symmetry (σίμετρι) συμμετρία

sympathetic (σιμπαθέτικ) συμπαθητικός

sympathize (σιμπαθάϊζ) συμπαθώ, συμπονώ

sympathy (σίμπαθι) συμπόνια, συμπάθεια

symphony (σίμφανι) συμφωνία

symposium (σιμπόουζιαμ) συμπόσιο

symptom (σίμπτομ) σύμπτωμα, -atic συμπτωματικός

synagogue (σίναγκάγκ) συναγωγή

synchronism (σίνκρονισμ) συγχρονισμός

sychronize (σινκρονάϊζ) συγχρονίζω

sychronous (σίνκρονας) σύγχρονος

syncopate (σινκοπέϊτ) συγκόπτω

syndicalism (σίντικαλιζμ) συνδικαλισμός

syndicate (σιντικέϊτ) συνδικάτο

syndrome (σίντροουμ) σύνδρομο

synod (σίνοντ) σύνοδος

synonym (σίνονιμ) συνώνυμο, -ous συνώνυμος

synopsis (σίνοψις) σύνοψη

synoptic (σινόπτικ) συνοπτικός

syntactic (σιντάκτικ) συντακτικός

syntax (σίνταξ) σύνταξη

synthesis (σίνθεσισ) σύνθεση

synthesize (σινθεσάϊζ) συνθέτω

synthetic (σινθέτικ) συνθετικός

syphilis (σίφιλις) σύφιλη

syringe (σιρίντζ) σύριγγα

syrup (σίραπ) σιρόπι, -y γλυκός, σιροποειδής

system (σίστεμ) σύστημα, -atic(al) συστηματικός, -atize συστηματοποιώ

systemic (σιστέμικ) του συστήματος

systole (σιστόλι) συστολή

T

T, t (τί) το εικοστό γράμμα στο Αγγλικό αλφάβητο
tab (τάμπ) λουρί, λογαριασμός / keep a tab on: παρακολουθώ στενά
tabasco (ταμπάσκοου) είδος πικάντικης σάλτσας
tabby (τάμπι) παρδαλή γάτα
tabernacle (ταμπέρνακλ) ναός
table (τέϊμπλ) τραπέζι, πίνακας, θέτω για συζήτηση, αναβάλλω συζήτηση, -**cloth** τραπεζομάντηλο, -**land** οροπέδιο, -**spoon** κουτάλα για σερβίρισμα, -**wine** επιτραπέζιο κρασί
tablet (τάμπλιτ) ταμπλέτα, χάπι, πινακίδα
tableware (τέϊμπλουέαρ) επιτραπέζια σκεύη
tabloid (ταμπλόϊντ) εφημερίδα μικρού σχήματος
taboo (ταμπούου) απαγόρευση, απαγορευμένος λόγω θρησκευτικών ή κοινωνικών αντιλήψεων
tabular (τάμπιουλαρ) πινακοειδής
tabulate (τάμπιουλέϊτ) τακτοποιώ σε πίνακα
tachometer (ταχομίτερ) ταχύμετρο
tacit (τάκιτ) σιωπηλός
taciturn (τασσιτέερν) ολιγόλογος
tack (τάκ) μικρό καρφί, διεύθυνση πλεύσης, αλλαγή τακτικής, καρφώνω, αλλάζω τακτική
tackle (τάκλ) ασχολούμαι, επιχειρώ, εξαρτήματα
tacky (τάκι) κουρελιάρης, φτωχικός
tact (τάκτ) λεπτότητα, τάκτ, -**ful** προσεκτικός, λεπτός

tactical (τάκτικαλ) τακτικός, στρατηγικός
tactician (τακτίσσαν) στρατηγικός, ικανός στη διεύθυνση
tactile (τακτάϊλ) απτός
tadpole (ταντπόουλ) γυρίνος
tag (τάγκ) ετικέτα, βάζω ετικέτα, θεωρώ
tail (τέϊλ) ουρά, παρακολουθώ, -**light** / not be able to make head or tail of: δεν μπορώ να διακρίνω / heads or tails: κορώνα ή γράμματα
tailor (τέϊλορ) ράφτης, ράβω, -**made** φτιαγμένος στα μέτρα κάποιου
tailpiece (τέϊλπΐις) συμπλήρωμα στο τέλος
tailpipe (τέϊλ πάϊπ) εξάτμιση
taint (τέϊντ) μολύνω, κηλίδα, μόλυνση
take (τέϊκ) παίρνω, κυριεύω, δέχομαι, / take after: μοιάζω / take down: γράφω, κατεβάζω / take in: εξαπατώ, καταλαβαίνω, περιλαμβάνω, στενεύω / take off: απογειώνομαι, μιμούμαι / take out: βγάζω / take up: αρχίζω καινούργιο χόμπι κτλ.
take off (τέϊκ οφ) απογείωση
taker (τέϊκερ) ο δεχόμενος προσφορά, παραλήπτης
taking (τέϊκινγκ) ελκυστικός
tale (τέϊλ) μύθος, -**bearer** μυθολόγος
talent (τάλεντ) ταλέντο
talisman (τάλιζμαν) φυλακτό
talk (τόοκ) μιλώ, κουτσομπολεύω, συνομιλώ, ομιλία, -**er** ομιλητής, -**ative** ομιλητικός

talking to (τόοκινγκ του) επίπληξη, κριτική

talks (τόοκς) συνομιλίες

tall (τόλ) ψηλός, **-boy** έπιπλο με συρτάρια

tall story (τάλ στόρι) απίστευτη ιστορία

tally (τάλι) λογαριασμός, λογαριάζω

talon (τάλαν) νύχι όρνιου

tamable (τέϊμαμπλ) δαμαστός

tambourine (ταμπουρίιν) ταμπούρλο

tame (τέϊμ) ήμερος, εξημερώνω, **-less** ατίθασος

tamp (τάμπ) βουλώνω

tamper (with) (τάμπερ ουίθ) αναμιγνύομαι σε κάτι χωρίς να μου επιτρέπεται προκαλώντας ζημιά

tan (τάν) ηλιοκαίω, θυρσοδεψώ, κιτρινοκάστανος, ηλιοκαμμένος

tang (τάνγκ) έντονη οσμή ή γεύση

tangency (τάνκγενσι) επαφή

tangent (τάνγκεντ) εφαπτομένη (γεωμ.)

tangential (τανγκένσσαλ) περιφερειακός

tangerine (τάντζερίιν) μανταρίνι

tangible (τάντζιμπλ) απτός

tangle (τάνγκλ) μπερδεύω, κόμπος, μπέρδεμα

tango (τανγκόου) ταγγό (χορός), χορεύω ταγγό

tank (τάνκ) δεξαμενή

tankard (τάνκαρντ) κανάτα

tanker (τάνκερ) πετρελαιοφόρο πλοίο

tanner (τάνερ) θυρσοδέψης, **-ry** θυρσοδεψείο

tantalize (τανταλάϊζ) βασανίζω, ερεθίζω

tantamount (τάνταμάουντ) ισάξιος

tantrum (τάντραμ) παραφορά, οργισμένη επίθεση

Taoism (τάουιζμ) Ταοϊσμός

tap (τάπ) χτυπώ ελαφρά, κάνω τηλεφωνική υποκλοπή, τρυπώ, εκχύνω,

αποσπώ χρήματα, κάνουλα / on tap: διαθέσιμος

tape (τέϊπ) κορδέλα, δένω

taper (τέϊπερ) μικραίνω, μειώνομαι προοδευτικά

tapestry (τάπιστρι) τάπητας, ταπετσαρία

tapir (τέϊπερ) είδος ζώου όμοιο με χοίρο

taproom (ταπρούμ) ποτοπωλείο

taproot (ταπρούτ) κύρια ρίζα

tar (τάρ) πίσσα, καλύπτω με πίσσα

taramasalata (ταραμασαλάατα) ταραμοσαλάτα

tarantella (ταραντέλα) ταραντέλα, γρήγορος Ιταλικός χορός

tarantula (ταράντσουλα) είδος μεγάλης αράχνης

tardy (τάρντι) αργός, καθυστερημένος

tare (τέαρ) απόβαρο, ζιζάνιο

target (τάργκετ) στόχος, στοχεύω

tariff (τάριφ) ταρίφα, διατίμηση

tarnish (τάρνιςς) θολώνω, χάνω τη λάμψη, θαμπάδα

tarpaulin (τααρπόολίν) αδιάβροχο ρούχο

tarry (τάαρι) παραμένω, αργώ να φύγω, πισσώδης

tarsus (τάρσας) ταρσός, αστράγαλος

tart (τάρτ) τάρτα (γλυκό), ξυνός, σαρκαστικός

tartan (τάαρτν) καρό ύφασμα

task (τάσκ) καθήκον, έργο, / take someone to task: επιπλήττω, αποδοκιμάζω

tassel (τάσελ) φούντα

taste (τέϊστ) γεύση, γούστο, προτίμηση, γεύομαι, δοκιμάζω, **-ful** καλόγουστος, **-less** χωρίς γούστο, ανούσιος

tester (τέστερ) δοκιμαστής

tasty (τέιστι) γευστικός, ελκυστικός

tat (τατ) αντικείμενο κακής ποιότητας

tata (τατάα) αντίο

tattered (τάτερντ) κακοντυμένος, κουρελιασμένος

tatters (τάτεζ) κουρέλια

tattle (τάτλ) μιλώ για ασήμαντα πράγματα, φλυαρώ

tatoo (τατού) τατουάζ, κάνω τατουάζ

tatty (τάτι) κουρελιασμένος, φθαρμένος

taught (τόοτ) αορ. και παθ. μτχ. του teach

taunt (τόοντ) χλευάζω, χλευασμός

Taurus (τόορας) Ταύρος (ζώδιο)

taut (τόοτ) τεντωμένος, βρισκόμενος σε ένταση

tauten (τόοτεν) τεντώνω

tautology (τοοτόλοτζι) ταυτολογία

tavern (τάβερν) ταβέρνα, πάμπ

tawdry (τόοντρι) άκομψος, κακόγουστος

tawny (τόονι) κιτρινόμαυρος

tax (τάξ) φόρος, επιβάρυνση, φορολογώ, επιβαρύνω, **-ation** φορολογία, **-free** αφορολόγητος

taxi (τάξι) ταξί, κινούμαι στο διάδρομο προσγείωσης (για αεροπλάνο)

taxidermist (ταξιντέρμιστ) ταριχευτής δερμάτων ζώων

taxidermy (ταξίντερμι) ταρίχευση

taximeter (ταξιμίιτερ) ταξίμετρο

taxing (τάξινγκ) δύσκολος, απαιτητικός

taxonomy (ταξόνομι) σύστημα ταξινόμησης

taxpayer (ταξπέϊερ) φορολογούμενος

tea (τίι) τσάϊ, **-bag** φακελάκι τσαγιού

teach (τίιτς) διδάσκω, **-er** δάσκαλος, **-ing** διδασκαλία

tea cosy (τίι κόοζι) σκέπασμα τσαγιέρας

tea cup (τίι κάπ) φλυτζάνι τσαγιού

teal (τίιλ) άγρια πάπια

team (τίιμ) ομάδα, ζεύγος ζώων, **-work** ομαδική εργασία, **-ster** ζευγολάτης

teapot (τίιποτ) τσαγιέρα

tear (τίαρ) δάκρυ, / in tears: κλαίγοντας

tear (τέαρ) σχίζω,-ομαι, σχίσιμο / tear off: γράφω ή παράγω γρήγορα / tear into: βλαστημώ, επιτίθεμαι λεκτικά / tear smth to shreds: κρίνω αυστηρά

tear drop (τίαρ ντρόπ) σταγόνα δακρύου

tease (τίιζ) πειράζω, πειρασμός

teaser (τίιζερ) δύσκολη ερώτηση, ο πειράζων

teat (τίιτ) θηλή μαστού

technical (τέκνικαλ) τεχνικός, **-ity** τεχνική, **-cian** έμπειρος εργάτης, τεχνίτης

technique (τεκνίικ) τεχνική, τεχνοτροπία

technocrat (τέκνοκρατ) τεχνοκράτης

technological (τεκνολότζικαλ) τεχνολογικός

technologist (τεκνόλοτζιστ) τεχνολόγος

technology (τεκνόλοτζι) τεχνολογία

tedious (τίντιας) ανιαρός

tedium (τίντιαμ) ανία

teem (τίιμ) αφθονώ, βρέχω πολύ έντονα, **-ing** γεμάτος ζώα

teenage (τιινέϊτζ) είμαι έφηβος

teenager (τιινέϊτζερ) έφηβος

teens (τίινς) νεανικά χρόνια (13-19 ετών)

teeny weeny (τίινι ουίνι) πολύ μικρός

teeter (τίιτερ) κουνιέμαι ασταθώς

teeth (τίιθ) δόντια (εν. tooth)

teethe (τίιδ) βγάζω δόντια

teething (τίιδινγκ) οδοντοφυΐα

teetotal (τιιτόουτλ) εγκρατής, μη πίνων αλκοολούχα ποτά, **-ler** ο απέχων από οινοπνευματώδη ποτά

telecast (τελικάαστ) τηλεοπτική εκ-

πομπή
telecommunications (τελεκομιουνι-κέϊσσονς) τηλεπικοινωνίες
telegram (τέλεγκραμ) τηλεγράφημα
telegraph (τέλεγκραφ) τηλέγραφος, τηλεγραφώ, **-er** τηλεγραφητής, **-ic** τηλεγραφικός
teleological (τελεολότζικαλ) τελεο-λογικός
teleology (τελεόλοτζι) τελεολογία
telepathy (τιλέπαθι) τηλεπάθεια
telephone (τελεφόουν) τηλέφωνο, τηλεφωνώ, **-box** τηλεφωνικός θά-λαμος, **-directory** τηλεφωνικός κα-τάλογος
telephonist (τελέφονιστ) τηλεφωνη-τής
telephony (τελέφονι) τηλεφωνία
telescope (τελισκόουπ) τηλεσκόπιο
telescopic (τελισκόπικ) τηλεσκοπι-κός
televise (τελεβάϊζ) εκπέμπω τηλεο-πτικά
television (τελεβίζζαν) τηλεόραση
tell (τέλ) λέω, δηλώνω, (from) δια-κρίνω, **-er** καταμετρητής ψήφων, τα-μίας τράπεζας, **-ing** σπουδαίος, απο-τελεσματικός, **-ing off** επίπληξη, μάλωμα / tell off: επιπλήττω / all told: συνολικά / there is no telling: είναι αδύνατο να γνωρίζεις
telltale (τέλτέϊλ) καταδότης, προ-δοτικός
telly (τέλι) τηλεόραση
temerity (τιμέριτι) παραφορά, πα-ράλογη τόλμη
temper (τέμπερ) διάθεση, έξαψη, κράμα, μαλακώνω / out of temper: θυμωμένος
temperament (τέμπεραμεντ) ιδιο-συγκρασία, χαρακτήρας, **-al** ευμε-τάβλητος, ευαίσθητος
temperance (τέμπερανς) εγκράτεια
temperate (τέμπερετ) εγκρατής, με-τριοπαθής, εύκρατος
temperature (τέμπερτσαρ) θερμο-

κρασία
tempest (τέμπιστ) καταιγίδα
tempestuous (τεμπάστσουας) θυε-λώδης
temple (τέμπλ) ναός
tempo (τέμποου) ρυθμός
temporal (τέμποραλ) εφήμερος, κοσμικός
temporarily (τέμπορέριλι) προσω-ρινά
temporary (τέμπορέρι) προσωρινός
temporize (τεμποράϊζ) χρονοτριβώ, καιροσκοπώ
tempt (τέμπτ) δελεάζω, **-ation** δελεα-σμός, δέλεαρ, πειρασμός
ten (τεν) δέκα / ten to one: πολύ πι-θανός
tenable (τέναμπλ) λογικός, συγκρατητός
tenacious (τινέϊσσας) συνεκτικός, επίμονος
tenancy (τένενσι) κατοχή, ενοικία-ση
tenant (τέναντ) ένοικος
tend (τέντ) τείνω, φροντίζω, περι-ποιούμαι
tender (τέντερ) τρυφερός, μαλακός, ευγενικός, άμαξα, μικρή βάρκα, προσφέρω, **-foot** αρχάριος, άπει-ρος, **-hearted** καλόψυχος, **-ness** τρυφε-ρότητα
tenderloin (τεντερλόϊν) φιλέτο βο-δινού
tendon (τένταν) τένοντας
tendril (τεντρίλ) λεπτός βλαστός συγκρατών αναρριχητικό φυτό
tenement (τένιμεντ) φτωχικό κτίριο
tenet (τένετ) δόγμα
tenfold (τένφολντ) δεκαπλάσιος
tennis (τένις) τέννις (παιχνίδι)
tenon (τέναν) εξοχή ξύλου αρμόζου-σα σε αντίστοιχη εγκοπή
tenor (τένορ) τενόρος, σκοπός, ση-μασία
tense (τενς) τεταμένος, χρόνος ρή-

ματος, εντείνω, -d up αγχωμένος,
βρισκόμενος σε ένταση
tensile (τενσάιλ) εντατός, εκτατός
tension (τένσσον) ένταση
tent (τέντ) σκηνή
tentacle (τέντακλ) κεραία εντόμου
tentative (τέντατιθ) δοκιμαστικός
tenter hooks (τέντερχούκς) ανήσυ-
χος, εν αναμονή
tenth (τένθ) δέκατος
tenuous (τένιουας) λεπτός, ανεπαί-
σθητος
tenure (τένιουρ) κατοχή
tepee (τιπίι) σκηνή Ινδιάνων
tepid (τέπιντ) χλιαρός
tercentenary (τεσέντινέρι) τριακο-
σαετής
term (τέρμ) προθεσμία, ονομάζω / in
the long (short) term: στο απώτερο
(εγγύς) μέλλον
termagant (τέρμαγκαντ) θορυβώ-
δης, φιλόνικος
terminal (τέρμιναλ) τελικός
terminate (τερμινέϊτ) τερματίζω,
λήγω
termination (τερμινέϊσσαν) τερματι-
σμός, λήξη
terminology (τερμινόλοτζι) ορολο-
γία
terminus (τέρμινας) τελικός σταθ-
μός σιδηροδρόμου
termite (τεερμάϊτ) τερμίτης
tern (τέρν) είδος θαλάσσιου χελι-
δονιού
terpsichorean (τερψικορίιαν) χο-
ρευτικός
terra (τέρα) γή
terrace (τέρις) ταράτσα
terrain (τερέϊν) έδαφος
terrestrial (τερέστριαλ) γήινος
terrible (τέριμπλ) τρομακτικός, τρο-
μερός, απαίσιος
terribly (τέριμπλι) τρομερά, απαίσια
terrific (τερίφικ) φοβερός, άριστος,
τεράστιος, -ally υπερβολικά
terrified (τεριφάϊντ) τρομοκρατημέ-

νος
terrify (τεριφάϊ) τρομοκρατώ, φο-
βερίζω
territorial (τεριτόριαλ) εδαφικός
territory (τέριτόρι) χώρα, περιοχή
terror (τέρορ) τρόμος, τρομοκρατία
terrorism (τέρορισμ) τρομοκρατία
terrorize (τεροράϊζ) τρομοκρατώ
terse (τερς) σύντομος
tertiary (τέερσσερι) τρίτος
tess/elate (τεσελέϊτ) ψηφιδώνω
test (τέστ) δοκιμή, εξέταση, δοκι-
μάζω, εξετάζω
testament (τέσταμεντ) διαθήκη, -ary
της διαθήκης
testate (τέστέϊτ) ο έχων αφήσει
διαθήκη
testator (τεστέϊτορ) κληροδότης
test ban (τέστ μπάν) συμφωνία για
σταμάτημα πυρηνικών δοκιμών
testicle (τέστικλ) όρχις
testify (τεστιφάϊ) δίνω ένορκη μαρ-
τυρία, αποδεικνύω
testimonial (τεστιμόουνιαλ) συστα-
τικός
testimony (τέστιμίνι) ένορκη μαρ-
τυρία
test tube (τέστ τιούμπ) δοκιμαστι-
κός σωλήνας
testy (τέστι) κακοδιάθετος, οξύθυ-
μος
testanus (τέστανας) τέτανος
tetchy (τέτσι) εύθικτος
tether (τέδερ) δένω, αλυσίδα ζώου
text (τέξτ) κείμενο, -book σχολικό
βιβλίο, ιδανικός
textile (τεξτάϊλ) υφαντός, ύφασμα
textual (τέξτσουαλ) του κειμένου
texture (τέξτσουρ) υφή, πλέξη
thank (θένκ) ευχαριστώ, κατηγορώ,
-ful ευγνώμων, **-less** αγνώμων, **-les-
sness** αχαριστία
thanksgiving (θένκς γκίβινγκ) ευχα-
ριστήρια
that (δάτ) εκείνος, -η, -ο, ώστε, τόσο
/ that is: δηλαδή

thaw (θόο) λιώσιμο, λιώνω, βελτίωση σχέσεων

the (δέ) ο, η, το (οριστικό άρθρο)

theater (θίατερ) θέατρο, -goer ο παρακολουθών συχνά θέατρο

theatrical (θεάτρικαλ) θεατρικός, -s παραστάσεις

thee (δίι) εσύ

theft (θέφτ) κλοπή

their (δέϊρ) δικός τους

them (δέμ) αυτούς

theme (θίμ) θέμα

themeselves (δεμσέλβς) αυτοί οι ίδιοι

then (δέν) τότε, έπειτα, επίσης, λοιπόν

thence (δένς) από εκεί, γι' αυτό το λόγο, -forth από κει και πέρα, από τότε

theologian (θιολόουτζαν) θεολόγος

theology (θιόλοτζι) θεολογία

theorem (θίορεμ) θεώρημα

theoretical (θιορέτικαλ) θεωρητικός, -ly θεωρητικά

theorist (θίοριστ) ο θεωρητικός

theorize (θιοράϊζ) δημιουργώ θεωρία

theory (θίορι) θεωρία

therapeutic (θεραπιούτικ) θεραπευτικός, -s θεραπευτική

therapist (θέραπιστ) θεραπευτής

therapy (θέραπι) θεραπεία

there (δέαρ) εκεί, -abouts περίπου, εκεί γύρω, -after έπειτα, -fore συνεπώς, γι' αυτό το λόγο, -in σ' αυτό, -on πάνω σ' αυτό, -to εκεί, σ' αυτό, -under κάτω απ' αυτό, -then αμέσως, έπειτα

thermal (θέρμαλ) θερμικός, θερμός

thermodynamics (θεερμοουνταϊνάμικς) θερμοδυναμική

thermometer (θερμομίτερ) θερμόμετρο

thermonuclear (θεερμονιουκλίαρ) θερμοπυρηνικός

thermoplastic (θερμοουπλάστικ)

thermoplastικό, -ς

thermos (θεεμός) θερμός, δοχείο που διατηρεί τη θερμοκρασία του περιεχομένου

thermostat (θέερμοστατ) θερμοστάτης

thesaurus (θισόορας) βιβλίο λέξεων

these (δίιζ) αυτά (πληθ. του this)

thesis (θέσισ) θέση, θέμα

thespian (θέσπιαν) ηθοποιός θεάτρου

they (δέϊ) αυτοί, αυτές, αυτά

thick (θίκ) χοντρός, πυκνός, ανόητος, -en χοντραίνω, πυκνώνω, -ness πυκνότητα, πάχος, -headed πολύ βλάκας, -set χοντρός / thick and fast: γρήγορα και σε μεγάλες ποσότητες / thick on the ground: άφθονος / as thick as two short planks: ανόητος

thief (θίφ) κλέφτης

thieve (θίβ) κλέβω

thigh (θάι) μηρός

thimble (θίμπλ) δακτυλήθρα

thin (θιν) λεπτός, αδύνατος, αραιός, ανεπαρκής, λεπτύνω, αραιώνω, -ομαι / thin on the ground: όχι άφθονος, σπάνιος / thin on top: φαλακρός

thine (θάιν) δικός σου

thing (θίνγκ) πράγμα

think (θίνκ) σκέπτομαι, νομίζω, καταλαβαίνω, σκέψη, -ing σκέψη, σκεπτόμενος / think twice: σκέπτομαι προσεκτικά / not think much of: έχω κακή γνώμη γιά / think up: επινοώ

thinner (θίνερ) αραιωτής

thin skinned (θίν σκίντ) ευαίσθητος

third (θέρντ) τρίτος

thirst (θέρστ) δίψα, διψώ, -y διψασμένος

thirteen (θερτίιν) δεκατρία

thirty (θέρτι) τριάντα

this (δίς) αυτός, -η, -ο

thistle (θίσλ) αγκάθι

thither (δίδερ) προς τα εκεί

thong (θόνγκ) λουρί

thoracic (θοράσικ) θωρακικός

thorax (θόουραξ) θώρακας

thorn (θόορν) αγάθι, -y αγκαθωτός

thoroughbred (θόροουμπρέντ) καθαρόαιμος

thorough (θόροου) ολοκληρωτικός, πλήρης, λεπτολόγος, -going εξονυχιστικός, ολοκληρωτικός

those (δόουζ) εκείνοι,-ες,-α

thou (δάου) εσύ

though (δάου) αν και, εντούτοις / as though: σα να

thought (θότ) σκέψη, αορ. του think, -ful σκεπτικός, συνετός, -less άσκεπτος, απρόσεκτος

thousand (θάουζαντ) χίλιοι, χίλιες, χίλια

thraldom (θρόολνταμ) δουλεία

thrall (θρόολ) δούλος, δουλεία

thrash (θράςς) χτυπώ, νικώ

thread (θρέντ) κλωστή, βελονιάζω, -bare φθαρμένος

threat (θρέτ) απειλή

threaten (θρέτεν) απειλώ, -er ο απειλών, -ingly απειλητικά

three (θρίι) τρία, τρείς, -cornered έχων τρείς γωνίες, -dimensional τρισδιάστατος, -fold τριπλός, -star καλής ποιότητας

threnody (θρέναντι) θρηνωδία

thresh (θρέςς) αλωνίζω

threshold (θρεσσόολντ) κατώφλι

threw (θριού) αορ. του throw

thrice (θράϊς) τρείς φορές

thrift (θρίφτ) οικονομία, καλή διαχείρηση, -y οικονόμος

thrill (θρίλ) ανατριχιάζω, συγκινώ, συγκίνηση, -er συναρπαστική ιστορία

thrive (θράϊβ) ανθώ, ευδοκιμώ

throat (θρόουτ) λαιμός, λάρυγγας, -y τραχύφωνος, βραχνός

throb (θρόμπ) παλμός, πάλλω, -ομαι

throe (θρόου) οδύνη

thrombosis (θρομπόουσις) θρόμβωση

throne (θρόουν) θρόνος

throng (θρόνγκ) πλήθος, συνωστίζομαι

throttle (θρότλ) στραγγαλίζω, πνίγω, βαλβίδα

through (θρού) διά μέσου, διά, τελειωμένος, -out καθ' όλη τη διάρκεια ή έκταση

throw (θρόου) ρίχνω, πετώ, ρίψη / throw away: απαλλάσσομαι, απορρίπτω / throw off: απαλλάσσομαι, απελευθερώνομαι / throw out: απορρίπτω, πετώ / throw over: χαλώ σχέση

thrown (θρόουν) παθ. μτχ του throw

thrust (θράστ) σπρώχνω, σπρώχνω, σπρώξιμο, τρύπημα

thruway (θρούουέϊ) λεωφόρος, δρόμος γιά ανάπτυξη μεγάλης ταχύτητας

thud (θάντ) κτύπος, κτυπώ, γδούπος

thug (θάγκ) εγκληματίας

thumb (θάμπ) αντίχειρας, -nail σύντομος / under someone's thumb: υπό τον έλεγχο κάποιου

thump (θάμπ) χτύπημα, χτυπώ

thunder (θάντερ) βροντή, βροντώ, φωνάζω, -bolt κεραυνός, -cloud σκοτεινό σύννεφο, -ous βροντώδης, -storm καταιγίδα με κεραυνούς, -struck κεραυνόπληκτος

Thursday (θέερζντι) Πέμπτη

thus (δάς) έτσι, μ' αυτόν τον τρόπο

thwart (θουόοτ) εμποδίζω, ματαιώνω

thy (δάϊ) εσένα, σου

thyme (τάϊμ) θυμάρι

thyroid (θαϊρόϊντ) θυροειδής

thyself (δάϊσελφ) εσύ ο ίδιος

tiara (τιάαρα) τιάρα

tic (τίκ) τίκ, ακούσια κίνηση

tick (τίκ) ήχος ρολογιού, χτυπώ

ticker (τίκερ) καρδιά

ticket (τίκετ) εισητήριο

tickle (τίκλ) γαργαλίζω, γαργαλητό

ticklish (τίκλιςς) αυτός που γαργα-

λιέται εύκολα, δύσκολος
tidal (τάϊντλ) παλιρροιακός
tidbit (τίντμπίτ) μεζές
tide (τάϊντ) παλίρροια, εναλλασ-
σόμενη διάθεση / tide over: τα κα-
ταφέρνω
tidings (τάϊτινγκς) νέα
tidy (τάϊντι) καθαρός, τακτοποιη-
μένος, σημαντικός, τακτοποιώ
tie (τάϊ) δένω, ισοψηφώ, δεσμός,
γραβάτα, -**r** ο δένων, σειρά, -**up**
σχέση, σύνδεση, παύση εργασιών
tiff (τίφ) φιλονικία
tiger (τάϊγκερ) τίγρης
tight (τάϊτ) σφικτός, στενός, πιε-
σμένος, μεθυσμένος, τσιγγούνης ,
-**fisted** τσιγγούνης, -**lipped** σιωπη-
λός / in a tight spot: σε δύσκολη
περίσταση
tighten (τάϊτεν) σφίγγω
tigress (τάϊγκρες) θηλυκή τίγρης
tile (τάϊλ) κεραμίδι, σκεπάζω με κε-
ραμίδια
till (τίλ) μέχρι, καλλιεργώ, -**age** καλ-
λιέργεια γής, -**er** καλλιεργητής, πη-
δάλιο
tilt (τίλτ) κλίνω, γέρνω, πλαγιά,
κλίση
timber (τίμπερ) ξυλεία
time (τάϊμ) χρόνος, εποχή, περίοδος,
περίσταση, φορά, χρονομετρώ, κα-
νονίζω το χρόνο, -**bomb** ωρολογιακή
βόμβα, -**consuming** χρονοβόρος,
-**keeper** χρονομέτρης, -**less** παντοτι-
νός, -**ly** επίκαιρος, -**piece** ρολόϊ, -**r** ο
μετρών την ώρα, -**table** δρομολόγιο /
all the time: συνεχώς / in no time: πο-
λύ γρήγορα / at one time: κάποτε / at
times: μερικές φορές
timid (τίμιντ) δειλός, φοβισμένος
timing (τάϊμινγκ) υπολογισμός του
χρόνου
timorous (τίμαρας) δειλός, φοβι-
σμένος
timpanist (τίμπανιστ) τυμπανιστής
tin (τίν) κασσίτερος, τενεκές, δια-

τηρώ τροφή συσκευάζοντας την σε
μεταλλικά κουτιά
tinder (τίντερ) προσάναμμα
tine (τάϊν) δόντι πηρουνιού, μυτε-
ρό άκρο
ting (τίνγκ) κουδουνίζω, κουδούνι-
σμα
tinge (τίντζ) χρωματίζω ελαφρά,
ελαφρός χρωματισμός, χροιά
tingle (τίνγκλ) αισθάνομαι μικρό
πόνο
tinker (τίνκερ) επιδιορθωτής μεταλ-
λικών σκευών, μπαλώνω
tinkle (τίνκλ) κουδουνίζω
tinny (τίνι) τενεκεδένιος
tin opener (τίν όπενερ) ανοικτήρι
μεταλλικών κουτιών
tin plate (τιν πλέϊτ) φύλλο μετάλλου
tinsel (τίνσελ) λεπτά μεταλλικά δια-
κοσμητικά φύλλα, φτηνός
tint (τίντ) χροιά, βάφω ελαφρά
tintinnabulation (τιντιναμπιουλέϊσ-
σαν) κωδονοκρουσία
tiny (τάϊνι) μικροσκοπικός, ασή-
μαντος
tip (τίπ) άκρο, φιλοδώρημα, δίνω
φιλοδώρημα, χύνω, γέρνω, -**off** μυ-
στική πληροφορία
tippler (τίπλερ) πότης, μεθύστακας
tipsy (τίπσι) μεθυσμένος
tiptoe (τιπτόυ) ακροστασία, βαδί-
ζω στις μύτες
tip top (τίπ τόπ) άριστος
tirade (ταϊρέϊντ) αποδοκιμασία,
ύβρις
tire (τάϊαρ) κουράζω, -ομαι, λάστι-
χο τροχού, -**d** κουρασμένος, -**less**
ακούραστος, -**some** κουραστικός /
tired out: εξουθενωμένος
tissue (τίσιου) ιστός, πλέγμα
tit (τίτ) μαστός, θηλή, ανόητος
titan (τάϊτν) τιτάνας, πολύ ισχυρός,
-**ic** δυνατός, τιτάνιος
titfer (τίτφερ) καπέλο
tit for tat (τιτ φορ τάτ) μία σου και
μία μου

tithe (τάϊδ) δέκατο

titillate (τιτιλέϊτ) εξερεθίζω, εξάπτω

titivate (τιτιβέϊτ) ντύνομαι κομψά, περιποιούμαι τον εαυτό μου

title (τάϊτλ) τίτλος, τιτλοφορώ

titter (τίτερ) γελώ ανόητα

tittle (τίτλ) μικρή ποσότητα

tittle-tattle (τίτλ τάτλ) κουτσομπολιό, κουτσομπολεύω

titular (τίτιουλαρ) επίτιμος

tizzy (τίζι) ζάλη, σύγχυση

to (τού) πρός, να, μέχρι

toad (τόουντ) βάτραχος, **-stool** δηλητηριώδες μανιτάρι, **-y** κολακεύω, κολακευτικός, δουλοπρεπής

to-and-fro (τού εντ φρό) μπρός-πίσω

toast (τόουστ) φρυγανιά, πρόποση, φτιάχνω φρυγανιές, ζεσταίνω

tobacco (ταμπάκοου) καπνός, **-nist** καπνοπώλης

tocsin (τόκσιν) σήμα κινδύνου

tod (τόντ) μόνος

today (τουντέϊ) σήμερα, σημερινός, παροντικός

toddle (τόντλ) βαδίζω με μικρά ασταθή βήματα, **-r** νήπιο που μόλις πρωτοπερπατάει

to-do (το ντού) φασαρία

toe (τόου) δάκτυλο ποδιού, υπακούω / to one's toes: σε εγρήγορση , σ' επιφυλακή

toff (τοφ) καλοντυμένος, πλούσιος

toffee, toffy (τόφι) ζαχαρωτό, **-nosed** περήφανος

tog (τόγκ) ντύνομαι

toga (τόουγκα) τήβεννος

together (τουγκέδερ) μαζί, **-ness** αίσθηση συντροφικότητας / together with: επιπλέον, επίσης

toggle (τόγκλ) συνδετήρας

toil (τόϊλ) κόπος, μοχθώ, αργοκινούμαι

toilet (τόϊλετ) τουαλέτα, λουτρό, **-paper** χαρτί τουαλέτας, **-water** κολώνια

toils (τόϊλζ) παγίδα

token (τόουκεν) ένδειξη, δείγμα, σύμβολο, συμβολικός

told (τόλντ) αο. και παθ. μτχ του tell

tolerable (τόλεραμπλ) ανεκτός, υποφερτός

tolerance (τόλερανς) ανοχή, ανθεκτικότητα

tolerant (τόλεραντ) ανεκτικός

tolerate (τολερέϊτ) ανέχομαι, υποφέρω

toleration (τολερέϊσσον) ανεξιθρησκία, ανοχή

toll (τόλ) διόδια, κωδωνισμός, φόρος, **-gate** τόπος πληρωμής διοδίων

tomato (τομάτοου) ντομάτα

tomb (τόμπ) τύμβος

tomboy (τόμποϊ) αγοροκόριτσο

tombstone (τομπστόουν) επιτύμβιος λίθος

tomcat (τόμ κάτ) γάτος

tome (τόουμ) τόμος

tomfoolery (τόμφούλερι) ανόητη συμπεριφορά

tomorrow (τομόροου) αύριο

ton (τόν) τόνος

tonal (τόουνλ) τονικός, **-ity** τονικότητα

tone (τόουν) τόνος (μουσικός), χροιά, **-less** άχρωμος, ανιαρός / tone up: δυναμώνω / tone in: εναρμονίζω, ταιριάζω / tone down: μετριάζω

tong (τόνγκ) τσιμπίδα

tongue (τόνγκιου) γλώσσα

tonic (τόνικ) τονικός, τονωτικός, τονωτικό φάρμακο

tonight (τουνάϊτ) απόψε

tonnage (τάνετζ) χωρητικότητα, ναυτιλία

tons (τόνς) πάρα πολύ

tonsil (τόνσιλ) αμυγδαλή λαιμού, **-litis** αμυγδαλίτιδα (ασθένεια)

tonsure (τόνσσουρ) κούρεμα

too (τού) επίσης, πολύ

took (τούκ) αορ. του take

tool (τούλ) εργαλείο, κατεργάζομαι

toot (τούτ) σαλπίζω, σάλπισμα

tooth (τούθ) δόντι, -ache πονό-
δοντος, -brush οδοντόβουρτσα,
-past οδοντόπαστα

tootle (τούτλ) βαδίζω αργά

tootsie (τούτσι) πόδι

top (τόπ) κορυφή, σκέπασμα, ανώτα-
τος, καλύπτω, υπερέχω, -coat πανω-
φόρι, -hat ψηλό καπέλο, -heavy επι-
σφαλής / from top to toe: εντελώς,
ολοκληρωτικά / on top of: επιπλέον /
at top speed: πολύ γρήγορα

topic (τόπικ) θέμα, ζήτημα, -al του
θέματος

topknot (τόπνότ) φιόγκος γιά τα
μαλλιά

topmost (τόπμόστ) ύψιστος

topographer (τοπόγκραφερ) τοπο-
γράφος

topography (τοπόγκραφι) τοπο-
γραφία

topping (τόπινγκ) επικάλυψη, άρι-
στος

topple (τόπλ) ανατρέπω

tops (τόπς) κορυφαίοι

topsecret (τόπσίκρετ) απόρρητο
μυστικό

topsy-turvy (τόπσι τέρβι) ακατα-
στασία

torch (τορτς) φακός, δαυλός, -light
φως δαυλού

tore (τόουρ) αορ. του tear

toreador (τοριαντόορ) ταυρομάχος

torment (τόρμεντ) βάσανο, βασανί-
ζω, -or βασανιστής

torn (τόρν) παθ. μτχ. του tear

tornado (τοορνέϊντοου) ανεμο-
στρόβιλος

torpedo (τορπίντοου) τορπίλλη,
τορπιλλίζω

torpid (τόρπιντ) αδρανής, ναρκω-
μένος

torpor (τόορπορ) αδράνεια, νάρκη

torque (τόορκ) περιστροφική δύ-
ναμη

torrent (τόρεντ) χείμμαρος, -ial κα-
ταρακτώδης

torrid (τόριντ) πολύ ζεστός

torsion (τόορσσαν) συστροφή,
στρίψιμο

torso (τόρσοου) κορμός σώματος

tort (τόρτ) αδίκημα

tortoise (τόορτας) χελώνα, -shell κα-
βούκι χελώνας

tortuous (τόορτσουας) πολύπλοκος,
περιστρεφόμενος

torture (τόορτσαρ) βασανίζω, βα-
σανισμός

toss (τός) πετώ, ρίχνω προς τα πάνω,
τινάζομαι, πέταγμα, -up αβέβαιη έκ-
βαση, πέταγμα νομίσματος

tot (τότ) μικρό παιδί, -up προσθέτω

total (τόουτλ) συνολικός, προσθέτ-
τω

totalitarian (τοταλιτεάριαν) απολυ-
ταρχικός, ολοκληρωτικός, -ism
απολυταρχία

totality (τοτάλιτι) συνολικότητα,
σύνολο

tote (τόουτ) σύρω, μεταφέρω μα δυ-
σκολία

totem (τόουτεμ) τοτέμ, ιερό σύμβο-
λο Ινδιάνων

totter (τότερ) τρεκλίζω, -y ασταθής

touch (τατς) επαφή, συγκίνηση, αγ-
γίζω, συγκινώ, -and-go αβέβαιος,
-down προσγείωση, -ed ευγνώμων,
-ing συγκινητικός

touchy (τάτσι) ευέξαπτος, ευπρό-
σβλητος, σχετικός

tough (τάφ) σκληρός, τραχύς, -en
σκληρύνω, -ομαι

tour (τούρ) ταξίδι, περιοδεία, πε-
ριοδεύω, -ist τουρίστας, -isty του-
ριστικός

tournament (τούρναμεντ) αγώνας

tourney (τάρνι) αγώνας

tourniquet (τούρνικετ) επίδεσμος

tousle (τάουζλ) αναστατώνω, ακα-
τάστατος

tout (τάουτ) ζητώ πελάτες

tow (τάου) ρουμουλκώ, ρουμούλκι-
ση

towards (τόουαρντς) προς, σε σχέση

towel (τάουελ) πετσέτα

tower (τάουερ) πύργος, **-ing** ψηλός, εξέχων

town (τάουν) κωμόπολη, **-hall** δημαρχείο, **-ship** δήμος, **-sman** πολίτης

toxaemia (τόξίιμια) δηλητηρίαση του αίματος

toxic (τόξικ) τοξικός

toxin (τόξιν) τοξίνη

toy (τόϊ) παιχνίδι

trace (τρέϊς) ιχνογραφώ, εξιχνιάζω

trachea (τρέϊκια) τραχεία αρτηρία

tracing (τρέϊσινγκ) εξιχνίαση, ιχνογράφηση

track (τράκ) ίχνος, σιδηροδρομική γραμμή, μονοπάτι, ακολουθώ τα ίχνη, **-event** αθλητικός αγώνας, **-less** αδιάβατος, χωρίς δρόμο / track down: βρίσκω ακολουθώντας τα ίχνη / make tracks: φεύγω βιαστικά / keep track of: ακολουθώ

tract (τράκτ) έκταση, κείμενο, **-able** ελεγχόμενος, ευάγωγος

traction (τράκσαν) τράβηγμα, μεταφυρά

tractor (τράκτορ) τρακτέρ

trade (τρέϊντ) εμπόριο, επιδεξιότητα, προσωπικό, εμπορεύομαι, συναλλάσσομαι, **-name** μάρκα προϊόντος, **-price** λιανική τιμή προϊόντος, **-r** έμπορος, **-sman** εμπορευόμενος, **-union** σωματείο

tradition (τραντίσσον) παράδοση, **-al** παραδοσιακός, **-alism** σεβασμός γιά την παράδοση

traduce (τραντιούς) δυσφημώ

traffic (τράφικ) κυκλοφορία, μεταφορά, παράνομο εμπόριο, **-jam** κυκλοφορική συμφόρηση, **-er** έμπορος παράνομων προϊόντων, **-light** φανάρι τροχαίας

tragedian (τρατζίιντιαν) τραγωδός, τραγικός ηθοποιός

tragedy (τράγκεντι) τραγωδία

tragic (τράγκικ) τραγικός

trail (τρέϊλ) μονοπάτι, ίχνος, σέρνω, περπατώ αργά, **-er** όχημα συρόμενο από άλλο όχημα

train (τρέϊν) τρένο, σειρά, γυμνάζω, ομαι, προπονώ, -ούμαι, διευθύνω, **-ee** εκπαιδευόμενος, γυμναζόμενος, **-er** γυμναστής, **-ing** εξάσκηση, γύμναση

traipse (τρέϊπς) περιπλανιέμαι

trait (τρέϊτ) χαρακτηριστικό

traitor (τρέϊτορ) προδότης, **-ous** προδοτικός

tram (τράμ) τράμ, **-lines** ράγες πάνω στις οποίες κινείται το τράμ

trammels (τράμελς) εμπόδιο

tramp (τράμπ) βαδίζω αργά, αλήτης, οδοιπορεία

trample (τράμπλ) συντρίβω πατώντας

trampoline (τραμπολίιν) τραμπολίνο

trance (τράνς) ύπνωση

tranquil (τράνκουιλ) ήρεμος, **-ize** ηρεμώ, **-izer** ηρεμιστικός, -ό, **-lity** ηρεμία

transact (τρανσάκτ) εκτελώ, **-ion** επιτέλεση, πράξη

transatlantic (τρανσατλάντικ) υπερατλαντικός

transcend (τρανσέντ) υπερβαίνω, ξεπερνώ, **-ence** υπεροχή, **-ent** υπερβολικός, υπερέχων, **-ental** υπερφυσικός

transcontinental (τρανσκοντινένταλ) διηπειρωτικός

transcribe (τρανσκράϊμπ) αντιγράφω

transcript (τρανσκρίπτ) αντίγραφο, **-ion** αντιγραφή

transfer (τράνσφερ) μεταφέρω, μεταφορά, μεταβιβάζω, μεταβίβαση, εισητήριο διαρκείας

transfigure (τρανσφίγκιουρ) μεταμορφώνω

transfix (τρανσφίξ) διατρυπώ, προκαλώ σόκ

transform (τρανσφόρμ) μετατρέπω, μετασχηματίζω, **-er** μετασχηματιστής ρεύματος, **-ation** μεταμόρφωση

transfusion (τρανσφιούζζαν) μετάγγιση αίματος

transgress (τρανσγκρές) υπερβαίνω, παραβαίνω, καταπατώ

transient (τράνσιεντ) παροδικός, εφήμερος

transistor (τρανσίστορ) τρντζίστορ

transit (τράνσιτ) διάβαση, **-ive** μεταβατικός, **-ion** μετάβαση

translate (τρανσλέϊτ) μεταφράζω

translation (τρανσλέϊσσον) μετάφραση

translator (τρανσλέϊτορ) μεταφραστής

transliterate (τρανσλιτερέϊτ) μεταγλωττίζω

translucent (τρανζλούσαντ) ημιδιαφανής

transmigration (τρανσμιγκρέϊσσαν) μετενσάρκωση

transmission (τρανσμίσσαν) μεταβίβαση, μετάδοση (από ραδιόφωνο κτλ.)

transmit (τρανσμίτ) μεταδίδω, μεταβιβάζω, **-ter** μεταδότης, διαβιβαστής

transmute (τρανσμιούτ) μετατρέπω

transom (τράνσαμ) μεσαίο ξύλο παραθυριού

transparency (τρανσπάρενσι) διαφάνεια

transparent (τρανσπάρεντ) διαφανής

transpiration (τρανσπιρέϊσσαν) διάδοση, συμβάν

transpire (τρανσπάϊρ) διαδίδω, συμβαίνω, αναδίνω

transplant (τρανσπλάντ) μεταφυτεύω, μεταφύτευση

transport (τράνσπορτ) μεταφέρω, γεμίζω χαρά, μεταφορά, παραφορά,

-ation μεταφορά, **-er** μετακομιστής

transpose (τρανσπόουζ) μεταθέτω, αλλάζω θέση

transposition (τρανσποζίσσαν) μετατόπιση, αλλαγή θέσης

transverse (τρανσβέρς) εγκάρσιος, λοξός

trap (τράπ) παγίδα, παγιδεύω, εξαπατώ, εμποδίζω, **-door** καταπακτή

trapezium (τραπίιζιαμ) τραπέζιο

trapezoid (τραπιζόϊντ) τραπεζοειδής

trapper (τράπερ) κυνηγός άγριων ζώων με παγίδες

trappings (τράπινγκς) στολίδια, διακοσμητικά αντικείμενα

trash (τράςς) σκουπίδια, καταστρέφω, βρωμίζω, **-can** σκουπιδοντενεκές, **-y** κακής ποιότητας

trauma (τρόομα) τραύμα, **-tic** τραυματικός, **-tize** τραυματίζω

travail (τραβέϊλ) σκληρή δουλειά, πόνοι τοκετού, εργάζομαι σκληρά

travel (τράβελ) ταξιδεύω, ταξίδι, **-ler** ταξιδιώτης, **-ling** ταξίδι, **-ogue** ταξιδιωτικό μυθιστόρημα ή προφορική περιγραφή ταξιδιού, **-sick** άρρωστος λόγω ταξιδιού με όχημα

traverse (τραβέρς) διαβαίνω, διασταυρώνω, διασταύρωση

travesty (τράβεστι) παρωδία, διακωμώδηση

trawl (τρόολ) δίκτυ ψαρέματος, ψαρεύω με δίκτυ, **-er** ψαρόβαρκα

tray (τρέϊ) δίσκος

treacherous (τρέτσαρας) ύπουλος, προδοτικός

treachery (τρέτσερι) απιστία, προδοσία

treacle (τρίικελ) σιρόπι

treacly (τρίικλι) γλυκός

tread (τρέντ) πάτημα, βάδισμα, βαδίζω, **-mill** ποδόμυλος

treason (τρίιζαν) προδοσία, **-able** προδοτικός

treasure (τρέζαρ) θησαυρός, φυλάσσω ως πολύτιμο, πολύτιμος

treasury (τρέζαρι) θησαυροφυλά-
κιο, ταμείο
treat (τρίτ) συμπεριφέρομαι, μετα-
χειρίζομαι, περιποιούμαι, κερνώ,
κέρασμα, -ment μεταχείρηση, θε-
ραπεία
treaty (τρίιτι) συνθήκη
treble (τρέμπλ) τριπλός, τριπλα-
σιάζω
tree (τρίι) δέντρο, -less άδεντρος
trefoil (τριιφόϊλ) τριφύλλι
trek (τρέκ) κάνω μακρύ και δύσκο-
λο ταξίδι, δύσκολο ταξίδι
trellis (τρέλις) στήριγμα γιά αναρρι-
χητικά φυτά
tremble (τρέμπλ) τρέμω, τρεμού-
λιασμα
tremendous (τρίμεντας) τρομερός,
πελώριος, θαυμάσιος
tremolo (τρεμολόου) τρεμάμενος
ήχος
tremor (τρέμαρ) κούνημα, τρεμού-
λιασμα
tremulous (τρέμιουλας) τρεμάμενος
trench (τρέντς) χαντάκι, χαράκωμα
trenchant (τρέντσαντ) δριμύς, οξύς
trencher (τρέντσερ) ξύλινο πιάτο
trend (τρέντ) τάση, ροπή, τείνω, -y
μοντέρνος, του συρμού
trepan (τρίπαν) πριόνι χειρούργου
trephine (τριφάϊν) χειρουργικό
τρυπάνι
trepidation (τρεπιντέϊσσαν) τρόμος,
ανησυχία
trespass (τρέσπάς) καταπατώ, παρα-
βαίνω, αμαρτάνω, καταπάτηση,
αμάρτημα
tresses (τρέσιζ) μακριά μαλλιά γυ-
ναίκας
trestle (τρέσλ) στήριγμα
trews (τρούουζ) πατελόνι
triad (τράϊαντ) τριάδα
trial (τράϊαλ) δοκιμή, δίκη, -run δο-
κιμή / trial and error: (μέθοδος) δο-
κιμής και πλάνης
triangle (τράϊανγκλ) τρίγωνο

triangular (τριάνγκιουλαρ) τρίγω-
νος, τριγωνικός
triangulation (τριανγκιουλέϊσσαν)
τριγωνισμός
tribal (τράϊμπαλ) φυλετικός
tribe (τράϊμπ) φυλή, -sman μέλος
της φυλής
tribulation (τριμπιουλέϊσσαν) δοκι-
μασία, ταλαιπωρία
tribune (τριμπιούν) υπερασπιστής
δικαιωμάτων των πολιτών (αρχ.
Ρώμη)
tributary (τρίμπιουτέρι) παραπότα-
μος, ο πληρώνων φόρο
tribute (τριμπιούτ) φόρος
trice (τράϊς) in a trice: στη στιγμή
triceps (τράϊσεπς) τρικέφαλος μύς
trick (τρίκ) τέχνασμα, παιχνίδι, ζα-
βολιά, παιχνιδιάρης, εξαπατώ, -ery
κατεργαριά
trickle (τρίκλ) στάζω, σταγόνες
trickster (τρίκστερ) απατεώνας
tricky (τρίκι) απατηλός, δύσκολος
tricolour (τρικολόορ) τρίχρωμος
tricycle (τράϊσικλ) ποδήλατο με
τρεις τροχούς
trident (τρίντεντ) τρίαινα
tried (τράϊντ) δοκιμασμένος
triennial (τραϊένιαλ) τριετής, συμ-
βαίνων κάθε τρία χρόνια
trier (τράϊερ) ο προσπαθών, δοκι-
μαστής
trifle (τράϊφλ) ασήμαντο και μικρό
πράγμα, (with) μεταχειρίζομαι χω-
ρίς σοβαρότητα
trigger (τρίγκερ) σκανδάλη όπλου,
τραβώ τη σκανδάλη
trigonometry (τριγκανάμιτρι) τρι-
γωνομετρία
trihedron (τραϊχίιντραν) τρίεδρο
trilateral (τριλάτεραλ) τρίπλευρος
trilingual (τριλίνγκιουαλ) ομιλών
τρείς γλώσσες
trill (τρίλ) τιτίβισμα, τιτιβίζω
trillion (τρίλιαν) τρισεκατομμύριο
trilogy (τρίλατζι) τριλογία

T

trim (τρίμ) στολίζω, τακτοποιώ, κόψιμο, τάξη, στολισμός, τακτοποιημένος, κομψός
trimester (τρίμεστερ) τρίμηνο
trimming (τρίμινγκ) στολισμός
trinity (τρίνιτι) τριάδα
Trinity (τρίνιτι) Αγία Τριάδα
trinket (τρίνκιτ) διακοσμητικό αντικείμενο μικρής αξίας
trio (τρίοου) τριωδία
trip (τρίπ) ταξιδεύω, βρίσκομαι υπό την επήρεια ναρκωτικού, προκαλώ κάποιον να σφάλλει, σφάλμα, ταξίδι
tripartite (τριπαρτάϊτ) τριμερής
tripe (τράϊπ) στομάχι ζώου, πατσά
triple (τρίπλ) τριπλασιάζω, τριπλός, -jump άλμα τριπλούν
triplet (τρίπλιτ) τρίδυμο
triplicate (τριπλικέϊτ) τριπλός, τρίτο αντίγραφο
tripod (τράϊποντ) τρίποδας
tripper (τρίπερ) ταξιδιώτης
trippingly (τρίπινγκλι) εύκολα
trireme (τραϊρίημ) τριήρης
trisect (τραϊσέκτ) χωρίζω σε τρία μέρη
trite (τράϊτ) τετριμμένος
triumph (τράϊαμφ) θρίαμβος, θριαμβεύω, -al θριαμβευτικός, -ant θριαμβευτικός
triumvirate (τραϊάμβιριτ) τριάδα, τριανδρία
trivet (τρίβιτ) τρίποδας
trivia (τρίβια) ασήμαντα πράγματα
trivial (τρίβιαλ) ασήμαντος, -ity μηδαμινότητα, -ize μεταχειρίζομαι ως ασήμαντο
trochee (τροουκίι) τροχαϊκό μέτρο (ποίηση)
trod (τρόντ) αορ. του tread
trodden (τράντν) παθ. μτχ. του tread
troglodyte (τρογκλοντάϊτ) τρωγλοδύτης
troika (τρόϊκα) τριανδρία
Trojan (τρόουτζαν) Τρωικός,

Τρώας, -horse Δούρειος ίππος / work like a Trojan: εργάζομαι πολύ σκληρά
trolley (τρόολι) καροτσάκι με ρόδες, τρόλλεϋ (όχημα), τράμ
trollop (τρόλαπ) ακατάστατη γυναίκα, πόρνη
trombone (τρομπόουν) τρομπόνι (πνευστό μουσικό όργανο)
trombonist (τρομπόουνιστ) παίκτης τρομπονιού
troop (τρούπ) ομάδα, πλήθος, ιππικό, προχωρώ ομαδικά, συμπορεύομαι, -er ιππέας, -s στρατεύματα, -ship μεταγωγικό πλοίο
trophy (τρόουφι) έπαθλο, τρόπαιο
tropic (τρόπικ) τροπικός, -al τροπικός
troposphere (τροποσφίαρ) τροπόσφαιρα
trot (τρότ) καλπασμός αλόγου, καλπάζω, κινούμαι γρήγορα
trotter (τρόοτερ) καλπάζων άλογο
trouble (τράμπλ) ανησυχία, δυσκολία, ταλαιπωρία, ενοχλώ, στενοχωρώ, -maker ταραχοποιός, -shooter διορθωτής, -some ενοχλητικός, ανήσυχος
trough (τράφ) σκάφη, γαβάθα
trounce (τράουνς) κατανικώ
troupe (τρουπ) ομάδα, θίασος, -r ηθοποιός
trousseau (τρουσόο) προίκα
trousers (τράουζερς) πατελόνι
trout (τράουτ) πέστροφα (ψάρι)
trowel (τράουελ) μυστρί
truancy (τρούανσι) αδικαιολόγητη, σκόπιμη απουσία απ' το σχολείο
truant (τρούαντ) ο απουσιάζων ηθελημένα και αδικαιολόγητα απ' το σχολείο / play truant: κάνω «κοπάνα», απουσιάζω απ' τα μαθήματα
truce (τρούς) ανακωχή
truck (τράκ) φορτηγό, καρότσι, λαχανικά, μεταφέρω, -er οδηγός φορτηγού, -load φορτίο

truckle (τράκλ) (το) υπακούω δουλικά

truculent (τράκιουλαντ) εριστικός, άγριος

trudge (τράτζ) βαδίζω αργά με προσπάθεια, αργό περπάτημα

true (τρού) αληθινός, πιστός, γνήσιος, πραγματικός, ακριβώς, πιστά, **-blue** νόμιμος, πιστός, **-hearted** πιστός, **-life** πραγματικός

truism (τρούιζμ) φανερή αλήθεια

truly (τρούλι) αληθινά, ειλικρινά

trump (τράμπ) καλό χαρτί (σε χαρτοπαίγνιο), κερδίζω καλό χαρτί

trumpery (τράμπερι) φτηνά στολίδια

trumpet (τράμπετ) σάλπιγγα, σαλπίζω, **-er** σαλπιγγτής

truncate (τρανκέϊτ) κολοβώνω, περικόπτω

truncheon (τράντσαν) ρόπαλο

trundle (τράντλ) κυλώ

trunk (τράνκ) κορμός, προβοσκίδα ελέφαντα

truss (τράς) δένω, στηρίζω, ζώνη, στήριγμα

trust (τράστ) εμπιστεύομαι, εμιστοσύνη, πίστωση, **ful** γεμάτος πίστη, **-ee** επίτροπος, **-worthy** αξιόπιστος, **-y** πιστός, έμπιστος

truth (τρούθ) αλήθεια, **-ful** αληθής / in truth: πράγματι, αληθινά

try (τράϊ) προσπαθώ, δοκιμάζω, δοκιμή, προσπάθεια, **-ing** δύσκολος, **-out** δίκη, δοκιμή

tryst (τρίστ) κρυφή συνάντηση εραστών

tsar (τσάαρ) τσάρος

tsarinsa (ζαρίνα) τσαρίνα

T- shirt (τί σσέρτ) κοντομάνικο μπλουζάκι

tub (τάμπ) κάδος, σκάφη, μικρή βάρκα

tubby (τάμπι) κοντόχοντρος

tube (τιούμπ) σωλήνας

tuber (τιούμπερ) βολβός (πατάτας, κτλ)

tubercular (τουμπέρκιουλαρ) φυματικός

tuberculosis (τιουμπέρκιουλόουσις) φυματίωση

tubing (τιούμπινγκ) σωλήνωση

tubular (τούμπιουλαρ) σωληνοειδής

tuck (τάκ) συμμαζεύω, πτυχή

Tuesday (τιούζντι) Τρίτη

tuft (τάφτ) θύσανος, τούφα

tug (τάγκ) τραβώ δυνατά, δυνατό τράβηγμα

tuition (τουίσσαν) διδασκαλία, δίδακτρα

tulip (τούλιπ) τουλίπα

tulle (τιουλ) τούλι

tumble (τάμπλ) κατρακυλώ, πέφτω, καταλαβαίνω ξαφνικά, πτώση, **-down** ετοιμόρροπος

tumbler (τάμπλερ) ποτήρι, ακροβάτης

tumescent (τιούμεσαντ) πρησμένος

tumid (τιούμιντ) πρησμένος

tummy (τάμι) στομάχι

tumour (τιούμαρ) όγκος, πρήξιμο

tumult (τιούμαλτ) φασαρία, θόρυβος, **-uous** θορυβώδης

tuna (τούνα) τόννος (ψάρι)

tundra (τούντρα) τούνδρα, άδενδρη πεδιάδα

tune (τιούν) τόνος(μουσικός), ήχος, κουρδίζω (μουσικό όργανο), συντονίζω, **-ful** μελωδικός, **-less** άχαρος, μη αρμονικός

tuner (τιούνερ) κουρδιστής

tune -up (τιούν απ) κούρδισμα

tunic (τούνικ) χιτώνας

tuning fork (τιούνινγκ φόρκ) διαπασών

tunnel (τούνελ) τούνελ, σήραγγα, κατασκευάζω τούνελ

turban (τέερμπαν) σαρίκι

turbid (τούρμπιντ) θολός, ασαφής

turbine (τεερμπάϊν) μηχανή λειτουργούσα με ατμό

turbojet (τούρμποτζέτ) αεριωθούμε-

νη μηχανή αεροπλάνου, αεριωθού-
μενο αεροπλάνο
turbulence (τέερμπιουλανς) ταραχή
turbulent (τέερμπιουλαντ) ταραγ-
μένος
turd (τέρντ) κόπρανα
turf (τάρφ) έδαφος με χλόη, -out
απαλλάσσομαι
turgid (τέρτζιντ) ογκώδης, πρη-
σμένος
turkey (τέερκι) γαλοπούλα, αποτυ-
χία, ανόητος
Turkey (τέρκι) Τουρκία
Turkish (τέρκιςς) Τουρκικός
turmoil (τεερμόϊλ) ταραχή, σύγχυ-
ση
turn (τέρν) στρέφω, γυρίζω, στρί-
βω, στροφή, αλλαγή κατεύθυνσης,
σειρά / turn away: αρνούμαι να επι-
τρέψω ή να βοηθήσω / turn down:
αρνούμαι πρόταση ή προσφορά,
χαμηλώνω την ένταση / turn in:
επιστρέφω, παραδίδω στην αστυνο-
μία / turn off: στρίβω, σταματώ
(ροή κτλ), κλείνω (ράδιο), αποθώ /
turn on: ανοίγω (βρύση, ράδιο),
εξαρτώμαι από / turn out: εξελίσ-
σομαι, αποδεικνύομαι, σβήνω / turn
up: δυναμώνω την ένταση / turn
over: σκέφτομαι καλά
turncoat (τέρν κόουτ) ο αλλάζων πε-
ποιθήσεις
turning (τέρνινγκ) στροφή, -point
κρίσιμο σημείο
turnip (τέρνιπ) γογγύλι
turnkey (τέρνκίι) φυλακισμένος,
έτοιμος, προσχεδιασμένος
turn-on (τέρν ον) διεγερτικό
turn out (τέρν άουτ) ακροατήριο,
παραγωγή
turn over (τέρν όουβερ) αλλαγή,
ανατροπή, σύνολο εισπράξεων επι-
χείρησης
turnpike (τερνπάϊκ) δρόμος με
διόδια
turnstile (τέρνστάϊλ) μικρή περι-

στρεφόμενη πόρτα
turpitude (τέερπιτιουντ) αισχρότη-
τα
turquoise (τεερκοίζ) πολύτιμος λί-
θος
turret (τάριτ) πυργίσκος
turtle (τέρτλ) θαλάσσια χελώνα
tusk (τάσκ) χαυλιόδοντας (ελέ-
φαντα)
tusker (τάσκερ) ελέφαντας
tussle (τάσλ) αγωνίζομαι, πάλη
tutelage (τιούτιλιτζ) διδασκαλία,
προστασία, κηδεμονία
tutelary (τιούτιλέρι) κηδεμονικός,
προστατευτικός
tutor (τιούτορ) ιδιωτικός δάσκαλος,
διδάσκω
tutorial (τιουτόριαλ) παιδαγωγικός
tutti-frutti (τούτι φρούτι) ανάμικτα
φρύτα
twaddle (τουάντλ) μωρολογία,
φλυαρία
twain (τουέϊν) ζεύγος, δύο (ποιητ.)
twang (τουάνγκ) ένρινος ήχος, πα-
ράγω ένρινο ήχο
'twas (τουάς) συντ. αντί it was
(ποιητ)
tweak (τουίκ) τσιμπώ, τσιμπιά
tweezers (τουίζερσ) τσιμπίδα
twelfth (τουέλφ) δωδέκατος
twelve (τουέλθ) δώδεκα
twenty (τουέντι) είκοσι
twerp (τουέρπ) ανόητος
twice (τουάϊς) δύο φορές
twiddle (τουίνιλ) στριφογυρίζω,
στροφή
twig (τουίγκ) βλαστός, καταλαβαί-
νω ξαφνικά
twilight (τουίλάϊτ) λυκόφως
twin (τουίν) δίδυμος, δίδυμο
twine (τουάιν) σπάγγος, στρίβω
twinge (τουίντζ) οξύς πόνος, τσιπμώ
twinkle (τουίνκλ) σπινθηροβολώ,
λάμψη, ματιά
twinkling (τουίνκλινγκ) στιγμή
twirl (τουέερλ) στρέφω, στροβιλίζω,

στρόβιλος
twist (τουίστ) στρίβω, περιπλέκω, συστροφή, είδος χορού, **-ed** διεστραμμένος, **-er** απατεώνας
twit (τουίτ) ανόητος, κοροϊδεύω
twitch (τουίτς) τραβώ απότομα, τινάζομαι, τίναγμα
twitter (τουίτερ) κελάηδημα, κελαηδώ
twixt (τουίξτ) μεταξύ
two (τού) δύο, **-bit** ασήμαντος, **-faced** απατηλός, άτιμος, **-penny** αξίας δύο πεννών, **-piece** διμερής, **-some** ζευγάρι, **-ply** δίφυλλος, διπλός, **-tone** δίχρωμος / two's company, three's a crowd: «στους δύο τρίτος δε χωρεί»
tycoon (τικούουν) μεγιστάνας
tyke (τάϊκ) παλιόπαιδο
tympanist (τίμπανιστ) τυμπανιστής
tympanum (τίμπαναμ) τύμπανο
type (τάιπ) τύπος, δακτυλογραφώ, **-setter** στοιχειοθέτης, **-writter** δα-

κτυλογράφος, γραφομηχανή, **-write** δακτυλογραφώ
typhoid (τιφόϊντ) τυφοειδής
typhoon (τιφούν) τυφώνας
typhus (τάϊφας) τύφος (ασθένεια)
typical (τίπικαλ) τυπικός, χαρακτηριστικός, **-ly** τυπικά
typify (τιπιφάϊ) χαρακτηρίζω, συμβολίζω
typist (τάϊπιστ) δακτυλογράφος
typographer (ταϊπόγκραφερ) τυπογράφος
typographic, al (ταϊπογράφικ, αλ) τυπογραφικός
typography (ταϊπόγκραφι) τυπογραφία
tyrannical (τιράνικαλ) τυραννικός
tyrannize (τιρανάϊζ) τυραννώ
tyranny (τίρανι) τυραννία
tyre (τάϊαρ) λάστιχο τροχού
tyro (τάϊροου) αρχάριος
tzar (ζάαρ) τσάρος

U

U, u (γιού) το 21ο γράμμα του Αγγλικού αλφαβήτου
ubiquitous (γιουμπίκουιτας) πανταχού παρών
udder (άντερ) μαστός θηλαστικού ζώου
U.F.O (γιού εφ όου) unidentified Flying Objects, διαστημόπλοιο εξωγήινων
ugly (άγκλι) άσχημος
U.K (γιου κέϊ) United Kingdom, Μεγάλη Βρετανία
ukulele (γιουκουλέϊλι) μικρή κιθά-

ρα
ulcer (άλσερ) έλκος, πληγή
ulcerate (άλσερέϊτ) πληγιάζω
ulna (άλνα) ωλένη (οστό)
ult (άλτ) του προηγούμενου μηνός
ulterior (αλτίριαρ) κρυφός, μυστικός
ultimate (άλτιμιτ) τελικός, αίσχατος, **-ly** τελικά
ultimatum (αλτιμέϊταμ) τελεσίγραφο
ultramarine (άλτραμαρίιν) βαθύ μπλέ χρώμα

ultrasonic (άλτρασόνικ) υπερηχητικός

ultraviolet (αλτραβάϊολιτ) υπεριώδης

umber (άμπαρ) καστανόχρωμος

umbilical cord (αμπίλικαλ κόρντ) ομφάλιος λώρος

umbrage (άμπρετζ) δυσαρέσκεια

umbrella (αμπρέλα) ομπρέλα

umpire (αμπάϊαρ) διαιτητής, διαιτητεύω

umpteen (αμπτίιν) μεγάλος αριθμός, αναρίθμητος

unabashed (αναμπάσσντ) αδιάντροπος

unabated (αναμπέϊτιντ) αμείωτος

unable (ανέϊμπλ) ανίκανος

unabridged (αναμπρίτζντ) αγεφύρωτος

unacceptable (αναξέπταμπλ) απαράδεκτος

unaccompanied (ανακομπάνιντ) ασυνόδευτος

unaccountable (ανακάουνταμπλ) ανεξήγητος

unaccustomed (ανακάσταμπντ) ασυνήθιστος

unadulterated (ανατζαλτερέϊτιντ) ανόθευτος, ολοκληρωτικός

unadvised (αναντβάϊζντ) ασύνετος, απερίσκεπτος

unaffected (αναφέκτιντ) ανεπηρέαστος

unalloyed (αναλόϊντ) αμιγής

unanimity (γιουνανίμιτι) ομοφωνία

unanimous (γιουνάνιμας) ομόφωνος

unanswerable (ανάνσεραμπλ) αναπάντητος, αναντίρρητος

unapproachable (αναπρόουτσαμπλ) απρόσιτος

unarmed (ανάρμντ) άοπλος

unattached (ανατάτσιντ) άγαμος, αποσπασμένος, χωριστός

unattended (ανατέντιντ) ασυνόδευτος

unavailing (αναβέϊλινγκ) ανώφελος

unavoidable (αναβόϊνταμπλ) αναπόφευκτος

unaware (αναουέαρ) αγνοών, -s απροσδόκητα, άθελα

unbalance (άνμπάλανς) τρελαίνω, -d ανισόρροπος

unbar (ανμπάρ) ανοίγω, ξεκλειδώνω

unbearable (ανμπίαραμπλ) ανυπόφορος

unbeknown (ανμπινόουν) εν αγνοία

unbelief (ανμπιλίφ) απιστία

unbelievable (ανμπελίβαμπλ) απίστευτος

unbeliever (ανμπελίβερ) άπιστος

unbend (ανμπάντ) ισιώνω, χαλαρώνω, -ing ανένδοτος

unbidden (ανμπίντεν) απρόσκλητος

unbind (ανμπάϊντ) λύνω

unblemished (ανμπλέμισσντ) ακηλίδωτος, μη κατηγορητός

unborn (ανμπόρν) αγέννητος

unbosom (ανμπόσομ) εκμυστηρεύομαι

unbounded (ανμπάουντιντ) απεριόριστος

unbowed (ανμπάουντ) ανίκητος

unbridled (ανμπρίντλντ) αχαλίνωτος

unbuckle (ανμπάκλ) λύνω

unburden (ανμπάρντεν) ανακουφίζω

unburied (ανμπέριντ) άταφος

uncalled (ανκόλντ) απρόσκλητος

uncanny (ανκάνι) παράξενος, μυστηριώδης

unceremonious (ανσερεμόνιας) βιαστικός, μη τυπικός

uncertain (ανσέρτεν) αβέβαιος, -ty αβεβαιότητα

uncertified (ανσερτιφάϊντ) απιστοποίητος

unchangeable (αντσέϊτζμπλ) αμετάτρεπτος, αμετάβλητος

uncharitable (αντσάριταμπλ) μη ελεήμων

unchecked (αντσλεκντ) ανεξέλεγκτος

unchristian (ανκρίστσαν) αντιχριστιανικός

uncle (άνκλ) θείος / say uncle: παραιτούμαι

unclean (ανκλίν) ακάθαρτος

uncomfortable (ανκόμφορταμπλ) άβολος, μη αναπαυτικός

uncommitted (ανκομίτεντ) αναποφάσιστος, μη δεσμευμένος

uncommonly (ανκόμονλι) ασυνήθιστα

uncompromising (ανκομπρομάϊζινγκ) ασυμβίβαστος

unconcerned (ανκονσέρντ) αδιάφορος

unconditional (ανκοντίσσοναλ) χωρίς όρους

unconscionable (ανκάνσσαναμπλ) ασύλληπτος, πολύ μεγάλος

unconscious (ανκόνσσας) αναίσθητος, αγνοών

unconsidered (ανκονσίντερεντ) απερίσκεπτος

unconsoled (ανκονσόλντ) απαρηγόρητος

unconstitutional (ανκονστιτιούσσοναλ) αντισυνταγματικός

uncontested (ανκοντέστεντ) αδιαμφισβήτητος

uncontradicted (ανκοντραντίκτεντ) αδιάψευστος

uncontrolled (ανκοντρόλντ) ακράτητος, ανεξέλεγκτος

unconventional (ανκονβένσσοναλ) μη συμβατικός, ασυνήθιστος

unconvincing (ανκονβίνσινγκ) μη πιστευτός

uncork (ανκόρκ) ανοίγω, βγάζω το πώμα

uncountable (ανκάουνταμπλ) μη αριθμήσιμος

uncounted (ανκάουντεντ) αμέτρητος

uncouple (ανκάπλ) λύνω, χωρίζω

uncouth (ανκουθ) αγενής

uncover (ανκάβερ) αποκαλύπτω, ξεσκεπάζω

uncritical (ανκρίτικαλ) μη κρίνων

uncrowded (ανκράουντιντ) μη συνωστισμένος

uncrowned (ανκράουντ) μη εστεμμένος

unctuous (άνκσσας) κολακευτικός

uncut (ανκάτ) άκοπος

undamaged (αννττάματζντ) αβλαβής

undated (αντέϊτιντ) αχρονολόγητος

undaunted (αντόοντιντ) ατρόμητος

undeceive (αντισίβ) απελαυθερώνω απ' την πλάνη, λέω την αλήθεια

undecided (αντισάϊτιντ) αναποφάσιστος

undeniable (αντένιαμπλ) αναντίρρητος

under (άντερ) κάτω από, κάτω, στην τάξη του, υπό την κυριαρχία του, υπό

underage (άντερέϊτζ) ανήλικος

underbelly (άντερμπάλι) αδύνατο σημείο

underbrush (άντερμπράςς) χαμόκλαδα

undercapitalize (αντερκαπιταλάϊζ) χρηματοδοτώ επιχείρηση ανεπαρκώς

undercharge (άντερτσάρτζ) δίδω σε χαμηλότερη τιμή

underclothes (άντερκλόδς) εσώρουχα

undercover (άντερκάβερ) μυστικός

undercurrent (άντερκάρεντ) υπόγειο ρεύμα

underdeveloped (άντερντιβέλοπντ) υποανάπτυκτος

underdog (άντερντόγκ) ασθενέστερος

underdone (άντερντάν) μισοψημένος

underestimate (αντερεστιμέϊτ) υποτιμώ, υποτίμηση

underfloor (άντερφλόορ) κάτω από το πάτωμα

underfoot (άντερφουτ) κάτω απ' τα πόδια

undergarment (άντεργκάρμεντ) εσώρουχο

undergo (άντεργκόου) υφίσταμαι

underground (άντεργκράουντ) υπόγειος, μυστικός, υπόγεια, υπόγειος σιδηρόδρομος

undergrowth (άντεργκρόουθ) αγριόχορτα, θάμνοι

underhand (άντερχάντ) ύπουλος, άτιμος

underlie (άντερλάϊ) βρίσκομαι από κάτω

underline (άντερλάϊν) υπογραμμίζω

undermanned (άντερμάντ) με ελλειπές προσωπικό

undermine (άντερμάϊν) υπονομεύω

underneath (άντερνίθ) κάτω από

undernourished (άντερνούρισσντ) ατροφικός

underpay (άντερπέϊ) πληρώνω λιγότερο απο το πρέπον

underpin (άντερπίν) υποστηρίζω, ενδυναμώνω

underpriviledged (αντερπρίβιλιτζντ) στερούμενος προνομίων

underrate (άντερέϊτ) υποτιμώ

underscore (άντερσκόορ) υπογραμμίζω

undersecretary (αντερσέκρετρι) υφυπουργός

undersell (άντερσέλ) πουλώ φθηνότερα

undershirt (άντερσσέρτ) εσώρουχο

underside (άντερσάϊντ) κάτω πλευρά

undersign (άντερσάϊν) υπογράφω στο κάτω μέρος

undersized (άντερσάϊζντ) πολύ μικρός

understaffed (άντερστάφντ) ο έχων ανεπαρκές προσωπικό

understand (αντερστάντ) καταλαβαίνω, εννοώ, -able κατανοητός, -ing κατανόηση, αντίληψη, ο έχων κατανόηση / on the understanding that: με την προϋπόθεση ότι

understate (άντερστέϊτ) υποτιμώ, μιλώ συγκρατημένα

understudy (άτερστάντι) αντικαταστάτης ηθοποιού

undertake (αντερτέϊκ) αναλαμβάνω

undertaker (αντερτέϊκερ) εργολάβος κηδειών

undertaking (αντερτέϊκινγκ) επιχείρηση

undertone (άντερτόουν) χαμηλή φωνή

undervalue (άντερβάλιου) υποτιμώ

underwater (άντερουότερ) κάτω απ' την επιφάνεια του νερού

underwear (άντερουέαρ) εσώρουχα

underweight (άντερουέϊτ) λιποβαρής

underwent (άντερουέντ) αορ. του undergo

underworld (άντερουέρλντ) Άδης, υπόκοσμος

underwrite (άντεράϊτ) υποστηρίζω, ασφαλίζω, -r ασφαλιστής

undesirable (αντιζάϊραμπλ) ανεπιθύμητος

undeveloped (αντιβέλοπντ) υποανάπτυκτος

undetermined (αντετερμάϊντ) αναποφάσιστος

undeterred (αντιτέρντ) ακράτητος

undiluted (αντιλιούτιντ) αδιάλυτος

undiminished (άντιμίνισσντ) αμείωτος

undiscernible (αντισέρνομπλ) δυσδιάκριτος

undischarged (αντιστσάρτζντ) απλήρωτος

undivided (αντιβάϊντιντ) ολοκληρωτικός, αδιάσπαστος

undo (αντού) λύνω, καταστρέφω, -ing καταστροφή

undone (αντάν) κατεστραμμένος, λυμένος

undoubted (αντάουτιντ) αναμφίβολος

undress (αντρές) ξεντύνω, -ομαι,

γυμνότητα
undue (άντιού) υπερβολικός
undulate (αντιουλέιτ) κυματίζω
unduly (αντζιούλι) υπερβολικά
undying (αντάιινγκ) αιώνιος
unearned (ανέρντ) μη κερδιθείς, μη αξίζων
unearth (ανέρθ) ξεθάβω, **-ly** υπερφυσικός, αφύσικος
unease (ανίζ) στενοχώρια
uneasy (ανίζι) ανήσυχος
unedifying (αναντιφάιινγκ) ανήθικος, άπρεπος
uneducated (ανετζουκέιτιντ) αμόρφωτος
unemployed (άνεμπλόιντ) άνεργος
unemployment (ανεμπλόιμεντ) ανεργία
unending (ανέντινγκ) ατελείωτος
unenlightened (ανινλάιτεντ) αδιαφώτιστος, αγνοών, δεισιδαίμων
unenviable (ανένβιαμπλ) ανεπιθύμητος
unequal (ανίκουοαλ) άνισος, **-led** απαράμιλλος
unequivocal (ανικουίβοκαλ) σαφής
unerring (ανέρινγκ) αλάνθαστος
uneven (ανίβεν) άνισος, ανώμαλος, περιττός (αριθμός)
uneventful (ανιβέντφουλ) μη συναρπαστικός, συνηθισμένος
unexampled (ανεξάμπλντ) απαράμιλλος
unexceptionable (ανεξέπσσοναμπλ) άμεμπτος
unexceptional (ανεξέπσοναλ) συνήθης
unexpected (ανεξπέκτιντ) απροσδόκητος
unexplained (ανεξπλέιντ) ανεξήγητος
unexplored (ανεξπλόορντ) ανεξερεύνητος
unexpressed (ανεξπρέσεντ) ανέκφραστος
unfalling (ανφόλινγκ) σταθερός, ασφαλής, μόνιμος
unfair (ανφέαρ) άδικος
unfaithful (ανφέιθφουλ) άπιστος
unfaltering (ανφάλτερινγκ) ακλόνητος, σταθερός
unfamiliar (ανφαμίλιαρ) άγνωστος, ασυνήθιστος
unfathomable (ανφάθομαμπλ) μυστήριος, ανεξιχνίαστος
unfavourable (ανφέϊθοραμπλ) δυσμενής
unfeeling (ανφίλινγκ) αναίσθητος, άπονος
unfettered (ανφέτερντ) αδέσμευτος
unfit (ανφίτ) ακατάλληλος, σε άσχημη φυσική κατάσταση
unflagging (ανφλάγκινγκ) ακούραστος, άκαμπτος
unflappable (ανφλάπαμπλ) ψύχραιμος
unflinching (ανφλίντσινγκ) ατρόμητος
unfold (ανφόλντ) ξεδιπλώνω, αποκαλύπτω
unforeseen (ανφορσίιν) απροσδόκητος
unforgettable (ανφοργκέταμπλ) αξέχαστος
unforgotten (υνψυργκύτεν) αξέχαστος
unfortunate (ανφόρτσουνετ) άτυχος, **-ly** δυστυχώς
unfounded (ανφάουντιντ) αβάσιμος
unfrequented (ανφρίκουεντιντ) ερημικός
unfurl (ανφέερλ) ξεδιπλώνω, ανοίγω
unfurnished (ανφέρνισσντ) μη επιπλωμένος
ungainly (ανγκέϊνλι) άκομψος
ungodly (ανγκόντλι) ασεβής, άπιστος
ungovernable (ανγκάθερναμπλ) ανεξέλεγκτος
ungrateful (ανγκρέϊτφουλ) αγνώμων
unguarded (ανγκάαρντιντ) αφύλακτος

unguent (ανγκούαντ) αλοιφή
unhand (ανχάντ) αφήνω
unhappily (ανχάπιλι) δυστυχώς, δυστυχισμένα
unhappy (ανχάπι) δυστυχής, άτυχος
unhealthy (ανχέλθι) ασθενικός, αρρωστημένος
unheard (ανχέρντ) ανήκουστος
unhinge (ανχίντζ) αναστατώνω, τρελαίνω
unholy (ανχόλι) τρομερός, παράλογος, ανίερος
unhook (ανχούκ) ξεκρεμώ, λύνω
unhoped (ανχόπντ) ανέλπιστος
unhorse (ανχόρς) ρίχνω απο άλογο
unicorn (γιουνικόορν) μονόκερος
unidentified (ανιντεντιφάϊντ) άγνωστος
unification (γιουνιφικέϊσσον) συνένωση, ενοποίηση
uniform (γιουνιφορμ) στολή, ομοιόμορφος, -ed ο φορών στολή
unify (γιούνιφάϊ) ενοποιώ
unilateral (γιουνιλάτεραλ) μονόπλευρος
unimpaired (ανιμπέαρντ) αμείωτος, αβλαβής
unimpeachable (ανιμπίτσαμπλ) άμεμπτος
uninformed (ανινφόρμντ) απληροφόρητος
uninhabited (ανινχάμπιτεντ) ακατοίκητος
uninhibited (ανινχίμπιτιντ) ανεμπόδιστος
uninitiated (ανινισσιέϊτιντ) αμύητος
uninspired (ανινσπάϊρντ) μη εμπνευσμένος
uninspiring (ανινσπάϊρινγκ) μη εμπνέων
uninterested (ανίντερστιντ) αδιάφορος
uninterrupted (ανιντεράπτιντ) αδιάκοπος, συνεχής
uninvited (ανινβάϊτιντ) απρόσκλητος

union (γιούνιον) σωματείο, ένωση, -ize οργανώνω σε σωματείο
Union Jack (γιούνιον τζάκ) Αγγλική σημαία
unique (γιουνίκ) μοναδικός
unisex (γιούνισέξ) χρησιμοποιούμενος κι απ' τα δύο φύλα
unison (γιούνισαν) ομοφωνία
unit (γιούνιτ) μονάδα
Unitarian (γιουνιτάριαν) Ουνιταριανός (χριαστιανός αιρετικός)
unite (γιουνάϊτ) ενώνω, συνενώνω, -d ενωμένος
United Kingdom (γιουνάϊτιντ κίνγκντομ) Μ. Βρετανία
United Nations (γιουνάϊτεντ νέισσονς) Ηνωμένα έθνη
United States (γιουνάϊτιντ στέιτς) Ηνωμένες Πολιτείες
unity (γιούνιτι) ενότητα
universal (γιουνιβέρσαλ) γενικός, παγκόσμιος
universe (γιουνιβέρς) υφήλιος
university (γιουνιβέρσιτι) πανεπιστήμιο
unjust (αντζάστ) άδικος
unkempt (ανκέμπτ) αχτένιστος
unkind (ανκάϊντ) αγενής
unknowing (ανόουινγκ) αγνοών
unknown (ανόουν) άγνωστος
unlawful (ανλόοφουλ) παράνομος
unlearn (ανλέρν) ξεμαθαίνω, ξεχνώ
unleash (ανλίιςς) απελευθερώνω
unleavened (ανλέβεντ) άζυμος
unless (ανλές) αν μη, εκτός
unlettered (ανλέτερντ) αγράμματος, αναλφάβητος
unlike (ανλάϊκ) ανόμοιος
unlikelihood (ανλάϊκλιχουντ) μη πιθανότητα
unlikely (ανλάϊκλι) απίθανος
unload (ανλόουντ) ξεφορτώνω
unlock (ανλόκ) ξεκλειδώνω
unloose (ανλούζ) απελευθερώνω, λύνω
unlucky (ανλάκι) άτυχος

unmake (ανμέϊκ) χαλώ
unmanned (ανμάντ) χωρίς πλήρωμα, χωρίς άνδρες
unmannerly (ανμάνερλι) αγενής, κακομαθημένος
unmarried (ανμάριντ) ανύπαντρος
unmask (ανμάσκ) αποκαλύπτω την αλήθεια, αφαιρώ το προσωπείο
unmatched (ανμάτσντ) απαράμιλλος
unmentionable (ανμένσσοναμπλ) αμελέτητος
unmindful (ανμάϊντφουλ) απρόσεκτος, χωρίς να λαμβάνει υπόψιν
unmistakable (ανμιστέϊκαμπλ) αλάνθαστος
unmitigated (ανμιτιγκέϊτιντ) αμετρίαστος, ολοκληρωτικός
unmoved (ανμούθντ) ασυγκίνητος
unnamed (ανέϊμντ) ανώνυμος
unnatural (ανάτσουραλ) αφύσικος
unnecessary (ανεσεσέρι) μη αναγκαίος, περιττός
unnerve (ανέρβ) αποθαρρύνω
unnumbered (ανάμπερντ) αναρίθμητος, μη αριθμημένος
unobstructed (ανομπστράκτεντ) ανεμπόδιστος
unobtainable (ανομπτέϊναμπλ) ανεπίτευκτος
unofficial (ανοφίσσαλ) ανεπίσημος
unorthodox (ανόρθοντοξ) ανορθόδοξος
unpack (ανπάκ) αδειάζω περιεχόμενο κουτιού ή αποσκευών
unpalatable (ανπαλάταμπλ) μη αποδεκτός, δυσάρεστος
unparalleled (ανπάραλελντ) απαράμιλλος
unpardonable (ανπάρντοναμπλ) ασυχώρητος
unpin (ανπίν) ξεκαρφώνω
unplanned (ανπλάντ) ασχεδίαστος
unpleasant (ανπλέζαντ) δυσάρεστος, -ly δυσάρεστα
unpledged (ανπλίτζντ) αδέσμευτος
unpolluted (ανπολιούτιντ) αμόλυντος

unpopular (ανπόπιουλαρ) μη δημοφιλής
unpractical (ανπράκτικαλ) μη πρακτικός
unpracticed (ανπράκτισντ) άπειρος
unprecedented (ανπρέσιντέντιντ) ανεπανάληπτος, άνευ προηγουμένου
unpredictable (ανπρεντίκταμπλ) απρόβλεπτος
unprejudiced (ανπρετζάντάϊσντ) αποκατάληπτος
unpremeditated (απριμεντιτέϊτιντ) απρομελέτητος
unprepared (ανπριπέαρντ) απροετοίμαστος
unpretentious (ανπριτένσσας) σεμνός
unprincipled (ανπρίνσιπλντ) χωρίς αρχές
unproductive (ανπρονοτάκτιβ) μη παραγωγικός
unprofessional (ανπροφέσσοναλ) αντιεπιστημονικός, αντιεπαγγελματικός
unprompted (ανπρόμπτιντ) αυθόρμητος
unprovoked (ανπροβόουκτ) απρόκλητος
unpunished (ανπάνισσντ) ατιμώρητος
unqualified (ανκουαλιφάϊντ) ο μη έχων προσόντα, ολοκληρωτικός
unquestionable (ανκουέστσιοναμπλ) αναμφισβήτητος
unquiet (ανκουάϊετ) ανήσυχος
unquote (ανκουόουτ) κλείνω τα εισαγωγικά (»)
unravel (ανράβελ) λύνω, ξεπλέκω
unready (ανρέντι) ανέτοιμος
unreal (ανρίαλ) μη πραγματικός
unreasonable (ανρίζοναμπλ) παράλογος
unreasoning (ανρίζονινγκ) παράλογος

U

unredeemed (ανριντίμιντ) αλύτρωτος

unreel (ανρίιλ) ξετυλίγω

unrefined (ανριφάϊντ) αδιύλιστος, μη επεξεργασμένος

unregenerate (ανριτζένεριτ) αδιόρθωτος

unrelenting (ανρελέντινγκ) αδιάκοπος, αμείωτος

unreliable (ανρέλιαμπλ) ανεύθυνος

unreligious (ανρελίτζας) άθρησκος

unremitting (ανριμίτινγκ) αδιάλειπτος, συνεχής

unrequited (ανρικουάϊτιντ) ανανταπόδοτος

unreserved (ανριζέρβντ) απεριόριστος, ολοκληρωτικός, ανεπιφύλακτος

unrest (ανρέστ) ανησυχία

unrestrained (ανριστρέϊντ) ακράτητος

unrivalled (ανράϊβαλντ) απαράμιλλος

unroll (ανρόλ) ξετυλίγω, αναπτύσσω

unruffled (ανράφλντ) ήρεμος

unruly (ανρούλι) ανυπότακτος, ανήσυχος

unsaddle (ανσάντλ) ξεσελώνω, κατεβαίνω από άλογο

unsafe (ανσέϊφ) επισφαλής

unsaid (ανσέντ) ανείπωτος

unsatisfactory (ανσατισφάκτορι) μη ικανοποιητικός

unsavoury (ανσέϊβορι) ανούσιος

unscatched (ανσκέϊτσντ) αβλαβής

unscramble (ανσκράμπλ) ερμηνεύω, ξεμπλέκω

unscrew (ανσκρού) ξεβιδώνω

unscripted (ανσκρίπτιντ) μη προσχεδιασμένος

unscrupulous (ανσκρούπιουλας) ασυνείδητος

unseasonable (ανσίζοναμπλ) άκαιρος

unseat (ανσίτ) εκτοπίζω, βγάζω απ'

τη θέση

unseeing (ανσίινγκ) τυφλός, που δεν παρατηρεί

unseemly (ανσίιμλι) άπρεπος

unseen (ανσίιν) αόρατος

unsettle (ανσέτλ) ταράζω, αναστατώνω

unsettled (ανσέτλντ) ακαθόριστος, άστατος, αδιάθετος

unshaken (ανσσέϊκεν) ακλόνητος

unshaven (ανσσέϊβεν) αξύριστος

unsightly (ανσάϊτλι) άσχημος

unskilled (ανσκίλντ) ανειδίκευτος

unsociable (ανσόσσιαμπλ) ακοινώνητος

unsophisticated (ανσοφιστικέϊτιντ) απονήρευτος

unsound (ανσάουντ) ασταθής, επισφαλής / of unsound mind: τρελός

unsparing (ανσπέαρινγκ) γενναιόδωρος, σπάταλος

unspeakable (ανσπίκαμπλ) ακατονόμαστος

unstable (ανστάμπλ) ασταθής, άστατος

unstinting (ανστίντινγκ) ακρατής, άφθονος

unstop (ανστόπ) ανοίγω, ξεβουλώνω

unstuck (ανστάκ) ξεκολλημένος

unstudied (ανστάτιιντ) έμφυτος, αυθόρμητος unsubstantial (ανσαμπστάνσσαλ) επουσιώδης

unsuccessful (ανσαξέσφουλ) ανεπιτυχής

unsuitable (ανσούταμπλ) ακατάλληλος

unsuited (ανσούτεντ) ανάρμοστος

unsupported (ανσαπόρτιντ) ανυποστήρικτος

unswept (ανσουέπτ) ασκούπιστος

unswerving (ανσουέρβινγκ) σταθερός, αμετάλλακτος

untamable (αντέϊμπαμπλ) αδάμαστος, μη εξημερώσιμος

untangle (αντάνγκλ) ξεμπλέκω

untapped (αντάπντ) αναξιοποίητος

untenable (αντέναμπλ) αστήρικτος
unthinkable (ανθίνκαμπλ) αδιανόητος
unthinking (ανθίνκινγκ) άσκεπτος
utie (αντάϊ) λύνω
until (αντίλ) μέχρι, ώσπου
untimely (αντάϊμλι) πρόωρος, άκαιρος
untiring (αντάϊρινγκ) ακούραστος
unto (αντού) το: σε (αρχ.)
untold (αντόλντ) ανείπωτος, ανεκδιήγητος
untouchable (αντάουτσαμπλ) άθικτος
untoward (αντάουοορντ) ανεπιθύμητος, δυσάρεστος
untrammelled (αντράμελντ) ανεμπόδιστος
untrue (αντρού) ψευδής
untruth (αντρούθ) ψέμμα
unused (ανγιούζντ) αχρησιμοποίητος
unusual (ανγιούζαλ) ασυνήθιστος
unutterable (ανάτεραμπλ) τρομερός, ανέκφραστος
unvarnished (ανθάρνισσντ) αστίλβωτος, απλός
unveil (ανθείλ) αποκαλύπτω
unversed (ανθέρσντ) άπειρος, μη εντριφής
unvoiced (ανθόϊσντ) ανέκφραστος
unwaged (ανγουέϊτζιντ) άνεργος
unwarranted (ανγουάραντιντ) χωρίς εγγύηση
unwell (ανουέλ) άρρωστος
unwieldy (ανγουίλντι) δυσχείριστος
unwilling (ανγουίλινγκ) απρόθυμος
unwind (ανγουάϊντ) ξεκουρδίζω, χαλαρώνω
unwitting (ανουίτινγκ) αγνοών
unwonted (ανγουόντιντ) ασυνήθιστος
unworthy (ανγουόρθι) ανάξιος
unwrap (ανράπ) ξεδιπλώνω
unwritten law (ανρίτεν λόο) άγραφος νόμος

unwrought (ανρόοτ) ακατέργαστος
up (άπ) πάνω, όρθιος, σηκώνω, αυξάνω / up against: αντιμετωπίζω / what's up: τι συμβαίνει / up till: μέχρι
up-and-coming (απ έντ κάμινγκ) ανερχόμενος
up-and-up (άπ έντ άπ) επιτυχής, τίμιος
upbeat (απμπίτ) χαρούμενος, ελπιδοφόρος
upbraid (απμπρέϊντ) επιπλήττω, μαλώνω
upbringing (απμπρίνγκινγκ) ανατροφή
upcoming (άπκάμινγκ) επικείμενος
update (απντέϊτ) εκσυγχρονίζω
upend (απέντ) χτυπώ και ρίχνω κάτω, εξουδετερώνω
upgrade (απγκρέϊντ) προάγω
upheaval (απχίβαλ) αναστάτωση
uphill (απχίλ) προς τα πάνω, ανηφορικός, δύσκολος
uphold (απχόλντ) υποστηρίζω, επιβεβαιώνω
upholster (απχόλστερ) ντύνω έπιπλα με καλύμματα, -y ταπετσαρία
upkeep (απκίπ) διατήρηση
upland (άπλάντ) ορεινή χώρα
uplift (απλίφτ) ενθαρρύνω, ανυψώνω, ανύψωση
upon (απον) πάνω, σε
upper (άπερ) άνω, ανώτερος, -**most** ανώτατος, υπέρτατος
uppity (άπιτι) αλαζονία
upright (άπράϊτ) ευθύς, όρθιος, τίμιος
uprising (άπράϊζινγκ) επανάσταση
uproar (απρόαρ) οχλαγωγία, φασαρία, -**ious** ταραχώδης
uproot (απρούτ) ξεριζώνω
upset (άπσετ) ανατρέπω, ανατροπή
upshot (άπσσότ) έκβαση
upside (απσάϊντ) το πάνω μέρος, ανοδικός, -**down** άνω-κάτω
upstairs (απστέαρσ) στο πάνω πάτω-

μα
upstanding (άπστάντινγκ) έντιμος
upstart (απστάρτ) νεόπλουτος, αυτός που πρόσφατα έχει αποκτήσει δύναμη
upstream (απστρίμ) αντίθετα στο ρεύμα
upsurge (απσέερτζ) ξαφνική αύξηση
uptake (απτέϊκ) αντίληψη
up-to-date (άπ του ντέϊτ) σύγχρονος, νεώτερος
upturn (απτέρν) ανοδική πορεία, **-ed** στραμμένος προς τα πάνω
upward (άπγουορντ) ανοδικός, **-s** προς τα πάνω
uranium (γιουρέϊνιαμ) ουράνιο
urban (έρμπαν) αστικός
urbane (ερμπέϊν) ευγενικός
uremia (γιουρίιμια) ουραιμία
urethra (γιουρίθρα) ουρήθρα
urge (άρτζ) παρωθώ, παρακινώ, παρόρμηση
urgency (άρτζενσι) επείγουσα ανάγκη
urgent (άρτζεντ) επείγων
uric (γιούρικ) ουρικός
urinal (γιούριναλ) ουροδοχείο
urinary (γιουρινέρι) ουρητικός
urinate (γιουρινέϊτ) ουρώ
urination (γιουρινέϊσσον) ούρηση
urine (γιούριν) ούρο
urn (έρν) υδρία, δοχείο

us (άς) εμάς
usage (γιούσατζ) χρήση
use (γιούζ) χρησιμοποιώ, μεταχειρίζομαι, χρήση, χρησιμότητα, **-ful** χρήσιμος, **-fulness** χρησιμότητα, **-less** άχρηστος, **-lessness** αχρηστία, **-r** μεταχειριζόμενος
usher (άσσερ) ταξιθέτης, φέρνω μέσα
usual (γιούζαλ) συνήθης, **-ly** συνήθως
usurer (γιούζουρερ) τοκογλύφος
usurious (γιουζούριας) τοκογλυφικός
usurp (γιουζέερπ) σφετερίζομαι, **-ation** σφετερισμός
usury (γιούζερι) τοκογλυφία
utensil (γιουτένσιλ) σκεύος
utilitarian (γιουτιλιτάριαν) ωφελιμιστής, **-ism** ωφελιμισμός
utility (γιουτίλιτι) χρησιμότητα, δημόσια υπηρεσία
utilize (γιουτιλάιζ) χρησιμοποιώ, αξιοποιώ
utmost (άτμοστ) υπέρτατος
utopia (γιουτόουπια) ουτοπία, **-n** ουτοπικός
utter (άτερ) προφέρω, **-ance** προφορά, το λεγόμενο, έκφραση
utterly (άτερλι) ολοκληρωτικά, εντελώς
uvula (γιούβιουλα) σταφυλίτης

V

V, v (βί) το 22ο γράμμα στο Αγγλικό αλφάβητο
vacancy (βέικανσι) κενότητα, κενή

θέση
vacant (βέικαντ) κενός
vacate (βακέιτ) αδειάζω, παύω να

χρησιμοποιώ
vacation (βακέισσον) διακοπή, αργία, κάνω διακοπές, **-er** ο έχων διακοπές
vaccinate (βακσινέιτ) εμβολιάζω
vaccination (βακσινέισσον) εμβολιασμός
vaccine (βάκσιιν) εμβόλιο
vacillate (βασιλέιτ) ταλαντεύομαι
vacuity (βακιούιτι) ανοησία, κενότητα
vacuous (βάκιουας) κενός
vacuum (βάκιουαμ) κενό, σκουπίζω με ηλεκτρική σκούπα, **-cleaner** ηλεκτρική σκούπα
vagabond (βάγκαμπαντ) περιπλανώμενος, αλήτης
vagary (βέιγκαρι) φαντασιοπληξία
vagina (βατζάινα) κόλπος (γυναικείου σώματος)
vagrancy (βέιγκρανσι) αλητεία
vagrant (βέιγκραντ) αλήτης
vague (βέιγκ) αόριστος, ασαφής, **-ness** ασάφεια
vain (βέιν) ματαιόδοξος, **-glory** ματαιοδοξία
valance (βάλανς) κουρτίνα
vale (βέιλ) κοιλάδα
valediction (βαλεντίζαν) αποχαιρετισμός
valedictory (βαλεντίκτορι) αποχαιρετιστήριος
valency (βέιλανσι) σθένος χημικού στοιχείου
valentine (βαλεντάιν) κάρτα στελλόμενη την ημέρα του Αγίου Βαλεντίνου
valet (βάλιτ) θαλαμηπόλος
valetudinarian (βαλιτιουντιναέριαν) ασθενικός, ο φροντίζων υπερβολικά γιά την υγεία του
valiant (βάλιαντ) γενναίος
valid (βάλιντ) έγκυρος
validate (βαλιντέιτ) επικυρώνω
valise (βαλίιζ) βαλίτσα
valley (βάλι) κοιλάδα

valour (βάλαρ) θάρρος, ανδρεία
valuable (βάλιουαμπλ) πολύτιμος
valuation (βαλιουέϊσσαν) αξία, εκτίμηση
value (βάλιου) αξία, τιμή, εκτιμώ, **-r** εκτιμητής αξίας, **-s** αξίες, **-less** χωρίς αξία
valve (βαλβ) βαλβίδα
vamoose (βαμούους) φεύγω βιαστικά
vamp (βαμπ) προκλητική γυναίκα
vampire (βαμπάιαρ) βρυκόλακας, **-bat** νυκτερίδα
van (βαν) φορτηγό
vandal (βάντλ) βάνδαλος, **-ism** βανδαλισμός, **-alize** καταστρέφω, κάνω βανδαλισμούς
vane (βέιν) πτέρυγες έλικα
vanguard (βάνγκαρντ) εμπροσθοφυλακή
vanilla (βανίλα) βανίλια
vanish (βάνιςς) εξαφανίζομαι
vanity (βάνιτι) ματαιοδοξία
vanquish (βάνκουισσ) κατανικώ
vantage (βάντατζ) πλεονέκτημα, υπερτερία
vanward (βάνγουορντ) προς τα εμπρός
vapid (βάπιντ) ανούσιος, ανιαρός
vaporize (βεϊπόράιζ) εξατμίζω
vapour (βέιπαρ) ατμός, **-ous** ατμώδης
variable (βάράιαμπλ) ευμετάβλητος, μεταβλητός
variance (βέριανς) διαφωνία, διαφορά
variant (βέριαντ) διάφορος, διφέρων, παραλλαγή
variation (βαριέισσαν) παραλλαγή, παρέκκλιση
varied (βάέριντ) ποικίλος
variegate (βαριγκέιτ) διαποικίλλω
variegation (βαριγκέϊσσαν) διαποίκιλση
variety (βαράϊετι) ποικιλία, είδος
various (βάριας) ποικίλος, κάθε εί-

δους, -ly διαφορετικά
varnish (βάρνιςς) βερνίκι, βερνικώνω
varsity (βάαρσιτι) πανεπιστήμιο
vary (βαράι) ποικίλλω, αλλάζω
vascular (βάσκιουλαρ) αγγειακός
vase (βάιζ) βάζο
vaseline (βασιλίιν) βαζελίνη
vassal (βάσαλ) δουλοπάροικος
vast (βάστ) απέραντος, αχανής, -ly υπερβολικά, -ness το αχανές
vat (βάτ) κάδος, μεγάλο βαρέλι
Vatican (βάτικαν) Βατικανό
vault (βόολτ) αποθήκη, θόλος, κρύπτη, πηδώ, -ing υπερβολικός, θόλος
vaunt (βόοντ) καυχιέμαι, περηφάνεια
veal (βίιλ) κρέας μοσχαριού
veer (βίαρ) στρίβω, αλλάζω κατεύθυνση
veg (βέγκ) λαχανικό
vegan (βέγκαν) χορτοφάγος
vagetable (βέγκεταμπλ) λαχανικό, φυτό, φυτικός
vegetarian (βετζιτάριαν) χορτοφάγος, γιά χορτοφάγους, -ism χορτοφαγία
vegetate (βετζιτέϊτ) φυτοζωώ
vegetation (βετζιτέϊσσαν) βλάστηση
vehement (βίιμεντ) ορμητικός, δυνατός
vehicle (βίικλ) όχημα
vehicular (βιίκιουλαρ) των οχημάτων
veil (βέϊλ) βέλο, πέπλο, καλύπτω, -ed καλυμμένος
vein (βέϊν) φλέβα, ύφος
vellum (βέλαμ) περγαμηνή
velocipede (βιλοσιπίιντ) ποδήλατο
velocity (βελόσιτι) ταχύτητα
velvet (βέλβιτ) βελούδο, -y βελούδινος
velveteen (βελβιτίιν) φτηνό βελούδο
venal (βίινλ) εξαγοραζόμενος, δωροδοκούμενος
vend (βέντ) πουλώ
vendetta (βεντέτα) βεντέτα, έχθρα μεταξύ οικογενειών
vendor (βέντορ) πωλητής
veneer (βινίαρ) επικάλυψη από ξύλο, καλύπτω
venerable (βένεραμπλ) σεβαστός
venerate (βενερέϊτ) σέβομαι, τιμώ
venereal (βινίριαλ) αφροδισιακός
Venetian (βινίσσαν) Ενετικός
vengeance (βέντζανς) εκδίκηση
vengeful (βέντζφουλ) εκδικητικός
venial (βίινιαλ) ασήμαντος, συγχωρητός
venison (βένιζαν) κρέας ελαφιού
venom (βέναμ) δηλητήριο, -ous δηλητηριώδης, κακεντρεχής
venous (βίινας) φλεβικός
vent (βέντ) διέξοδος, βρίσκω διέξοδο, εκφράζω, άνοιγμα
ventilate (βεντιλέϊτ) αερίζω
ventilator (βεντιλέϊτορ) ανεμιστήρας, αναπνευστήρας
ventricle (βέντρικλ) κόλπος (καρδιάς)
ventriloquist (βεντριλόκουιστ) εγγαστρίμυθος
venture (βέντσαρ) τόλμημα, ριψοκινδυνεύω, τολμώ, -er ο τολμών, -some παράτολμος
venue (βένιου) τόπος συμβάντος
Venus (βίινας) (πλανήτης) Αφροδίτη
veracious (βαρέϊσσας) ειλικρινής, αληθινός
veracity (βεράσσιτι) ειλικρίνεια, φιλαλήθεια
veranda (βεράντα) βεράντα
verb (βέρμπ) ρήμα, -al ρηματικός, προφορικός, -ally προφορικά
verbalize (βερμπαλάϊζ) εκφράζω με λέξεις
verbatim (βεερμπέϊτιμ) κατά λέξη
verbiage (βέερμπιιτζ) πολυλογία
verbose (βέρμπουουσ) φλύαρος

verdant (βέρνταντ) πράσινος, καλυμμένος με βλάστηση

verdict (βέρντικτ) ετυμηγορία ενόρκου

verdigris (βέερντιγκρις) πράσινη ουσία σε χάλκινα οξειδωμένα σκεύη

verdure (βεερτζαρ) πρασινάδα

verge (βέρτζ) άκρη, χείλος, (on, upon) πλησιάζω

verify (βεριφάϊ) επιβεβαιώνω

verily (βέριλι) πραγματικά, αληθινά

verisimilitude (βερισιμίλιτιουντ) αληθοφάνεια

veritable (βέριταμπλ) πραγματικός, αληθινός

verity (βέριτι) αλήθεια γενικά αποδεκτή

vermicelli (βερμισέλι) είδος ζυμαρικού

vermicide (βερμισάϊτ) σκωληκοκτόνο

vermiculate (βερμικιουλέϊτ) σκωληκοειδής

vermiculation (βερμικιουλέϊσσαν) σκωληκίαση

vermilion (βερμίλιαν) ανοιχτό κόκκινο χρώμα

vermin (βέρμιν) ζιζάνια, ζωύφια, -ous ακάθαρτος, γεμάτος ζωύφια

vermouth (βέερμαθ) βερμούτ (ποτό)

vernacular (βερνάκιουλαρ) ιδιωματική γλώσσα

vernal (βέρναλ) ανοιξιάτικος

versatile (βεερσατάϊλ) πολυμήχανος, εύστροφος

verse (βερς) ποίημα, στίχος, -d έμπειρος

versifiation (βερσιφικέϊσσαν) στιχουργία

versifier (βερσιφάϊερ) στιχουργός

versify (βερσιφάϊ) στιχουργώ

version (βέρσσαν) εκδοχή

verso (βέερσοου) αριστερή σελίδα βιβλίου

versus (βέρσας) αντίθετα

vertebra (βεερτίμπρα) σπόνδυλος

vertebrate (βέερτιμπριτ) σπονδυλωτό ζώο

vertex (βέερτεξ) κορυφή

vertical (βέρτικαλ) κάθετος

vertiginous (βερτίτζινας) ο πάσχων από ίλιγγο

vertigo (βεερτίγκοου) ίλιγγος

verve (βέρβ) ζωηρότητα

very (βέρι) πολύ

vesicate (βεσικέϊτ) προκαλώ φουσκάλες

vesicle (βέσικλ) φουσκάλα

vesper (βέσπερ) βραδάκι, -s εσπερινός (λειτουργία)

vessel (βέσελ) πλοίο, βαρέλι

vest (βέστ) γιλέκο, (in) ανήκω

vestal virgin (βέσταλ βίρτζιν) παρθένα

vestibule (βέστιμπιουλ) είσοδος, προθάλαμος

vestige (βέστιτζ) ίχνος

vestigial (βεστίτζιαλ) ο εναπομείνας, μη ανεπτυγμένος

vestment (βέστμεντ) άμφιο

vestry (βέστρι) ιεροφυλάκιο

vesture (βέστσιουρ) ένδυμα

vet (βέτ) κτηνίατρος, εξετάζω

vetch (βέτς) αρακάς

veteran (βέτεραν) απόμαχος, έμπειρος

veterinarian (βετερινέριαν) κτηνίατρος

veterinary (βετερινέρι) κτηνιατρικός

veto (βίτοου) αρνησικυρία, αρνούμαι, απαγορεύω

vex (βέκς) δυσαρεστώ, ενοχλώ, -ation ενόχληση, θυμός, -atious ενοχλητικός

via (βία) διά μέσου, μέσω

viable (βάϊαμπλ) εφικτός, βιώσιμος

viaduct (βαϊαντάκτ) οδογέφυρα

viands (βάϊαντζ) τροφή

vibrant (βάϊμπραντ) ζωηρός, δυνατός

vibrate (βαϊμπρέϊτ) δονώ, -ούμαι

V

vibration (βαϊμπρέϊσσαν) δόνηση
vibrator (βάϊμπρέϊτορ) δονητής
vicar (βίκαρ) εφημέριος, -age κατοικία εφημέριου
vicarious (βικάριας) αντιπροσωπευτικός
vice (βάϊς) κακία, κακή συνήθεια
vice-admiral (βαϊς αντμάϊραλ) αντιναύαρχος
vice-gerent (βάϊς τζέρεντ) αντιπρόσωπος
vice-president (βάϊς πρέζιντεντ) αντιπρόεδρος
vicelike (βάϊςλάϊκ) δυνατός, σφικτός
vice-regal (βάϊςρίγκαλ) του αντιβασιλέα
vice-reine (βάϊς ρέϊν) σύζυγος αντιβασιλέα
viceroy (βάϊςρόϊ) αντιβασιλέας
vice versa (βάϊς βέρσα) το αντίθετο
vicinity (βισίνιτι) εγγύτητα
vicious (βίσσας) κακός, επικίνδυνος, -ness κακία
vicissitude (βισίσιτιουντ) συνεχής αλλαγή, περιπέτεια
victim (βίκτιμ) θύμα
victimize (βικτιμάϊζ) καθιστώ κάποιον θύμα, βασανίζω
victor (βίκτορ) νικητής
Victorian (βικτόριαν) Βικτωριανός
victorious (βικτόριας) νικηφόρος
victory (βίκτορι) νίκη
victual (βίτλ) τροφοδοτώ, αποθηκεύω τρόφιμα
vide (βάϊντι) κοιτάζω, βλέπω
video (βιντιόου) βίντεο, τραβώ βίντεο
vie (βάϊ) αμιλλώμαι
view (βιού) άποψη, θέα, θεωρώ, εξετάζω, παρακολουθώ, -er θεατής, -less αόρατος, -point άποψη / in view of: λαμβάνοντας υπόψιν / on view: σε δημόσια θέα
vigil (βίτζιλ) αγρυπνία
vigilance (βίτζιλανς) επαγρύπνηση

vigilant (βίτζιλαντ) ο βρισκόμενος σε επαγρύπνηση, -e φρουρός
vignette (βινιέτ) σχέδιο βιβλίου
vigour, vigor (βίγκαρ) ενεργητικότητα, ρώμη, δύναμη, -ous δυνατός
vile (βάϊλ) αχρείος, πρόστυχος, -ness κακία, φαυλότητα
vilification (βιλιφικέϊσσαν) εξύβριση
vilify (βιλιφάϊ) εξευτελίζω, βρίζω
villa (βίλα) βίλα, εξοχικό σπίτι
village (βίλατζ) χωριό, -r χωριάτης
villain (βίλαν) παλιάνθρωπος, εγκληματίας, -ous κακός, αχρείος, απειλητικός
villainy (βίλενι) κακία, αχρειότητα
villein (βίλεν) δουλοπάροικος
vim (βίμ) ενεργητικότητα, ζωτικότητα
vindicate (βιντικέϊτ) δικαιώνω, υπερασπίζω
vindictive (βιντίκτιβ) εκδικητικός
vine (βάϊν) κλήμα, αναρριχητικό φυτό
vinegar (βίνιγκαρ) ξύδι, -y ξυνός, κακός, αγενής
vino (βίνοου) κρασί
vinous (βάϊνας) οινώδης
vintage (βίντιτζ) τρύγος, εποχή τρύγου
vintner (βίντνερ) οινέμπορος
viol (βάϊολ) βιολί (του 17ου αι.)
viola (βιόουλα) βιόλα (μουσικό όργανο)
violate (βαϊολέϊτ) παραβιάζω, παραβαίνω
violation (βαϊολέϊσσαν) παραβίαση
violence (βάϊολενς) βία, κακομεταχείρηση
violent (βάϊολεντ) βίαιος, σφοδρός
violet (βάϊολετ) μενεξές
violin (βάϊολιν) βιολί, -ist βιολιστής
violoncello (βιολοντσέλοου) βιολεντσέλο
viper (βίπερ) οχιά
virago (βιρέϊγκοου) στρίγγλα, δυ-

νατή γυναίκα
virgin (βίρτζιν) παρθένα, **-al** παρθε-
νικός, **-ity** παρθενικότητα
Virgo (βίργκοου) Παρθένος (ζώδιο)
virile (βίριλ) δυνατός
virility (βιρίλιτι) αρρενωπότητα,
δύναμη
virtually (βίρτσουαλι) σχεδόν
virtue (βέρτσου) αρετή, πλεονέκτη-
μα, υπεροχή
virtuosity (βεερτσουόσιτι) αριστο-
τεχνία
virtuoso (βεερτσουόζο) αριστοτέ-
χνης μουσικός
virtuous (βέερτσουας) ενάρετος
virulent (βίρουλεντ) δηλητηριώδης,
μοχθηρός
virus (βάιαρας) ιός
visa (βίζα) θεώρηση διαβατηρίου,
επικυρώνω διαβατήριο
visage (βίζιτζ) πρόσωπο, όψη
vis-a-vis (βιζ α βίι) σε σχέση με
viscera (βισέρα) σπλάχνα
viscount (βαϊκάουντ) υποκόμης, **-ess**
υποκόμισσα
viscous (βίσκας) κολλώδης
vise (βάισ) εργαλείο γιά σύσφιξη
visibility (βιζιμπίλιτι) ορατότητα,
θέα
visible (βίζιμπλ) ορατός
visibly (βίζιμπλι) φανερά
vision (βίζαν) όραση, όραμα, **-ary**
ονειροπόλος, φανταστικός
visit (βίζιτ) επισκέπτομαι, επίσκε-
ψη, **-or** επισκέπτης
visor (βάιζαρ) προσωπίδα
vista (βίστα) μακρυνή θέα
visual (βίζουαλ) ορατός
visualize (βιζουαλάιζ) οραματίζο-
μαι, φαντάζομαι, εικονίζω
vital (βάιταλ) ζωτικός, **-ity** ζωτικό-
τηατ, **-ly** υπερβολικά, **-s** όργανα του
σώματος
vitamine (βάϊταμιν) βιταμίνη
vitiate (βισσιέϊτ) αποδυναμώνω,
βλάπτω

viticulture (βιτικάλτσαρ) αμπελο-
κομία
vitreous (βίτριας) υαλώδης
vitrify (βιτριφάϊ) υαλοποιώ
vitriol (βίτριαλ) βιτριόλι
vitriolic (βιτριόλικ) καυστικός
vituperation (βιτιουπερέϊσσαν)
ύβρις
vituperative (βιτιουπέρατιϐ) υβρι-
στικός, αποδοκιμαστικός
vivace (βιϐάατσι) γρήγορη και ζωη-
ρή (μουσική)
vivacious (βιϐέϊσσας) ζωηρός
vivarium (βαϊϐεάριαμ) ζωολογικός
κήπος
viva voce (βάϊϐα βόοσι) προφορικές
εξετάσεις σε πανεπιστήμιο
vivid (βίϐιντ) ζωηρός, ζωντανός,
-ness ζωντάνια
vivify (βιϐιφάϊ) ζωογονώ
vivisection (βιϐισέκσαν) ζωοτομία,
-ist ζωοτόμος
vixen (βίκσαν) θηλυκή αλεπού, κα-
κιά γυναίκα, **-ish** κακοδιάθετος,
εριστικός
viz (βίζ) δηλαδή
vizier (βιζίαρ) βεζίρης
vocabulary (βοκαμπιουλέρι) λεξι-
λόγιο
vocal (βόουκαλ) φωνητικός, ομιλη-
τικός, **-ist** τραγουδιστής
vocation (βοκέϊσσαν) επάγγελμα, **-al**
επαγγελματικός
vocative (βόκατιϐ) κλητική πτώση
vociferate (βασιφερέϊτ) ο φωνάζων
vociferous (βασίφερας) ο φωνάζων,
θορυβώδης
vodka (βόντκα) βότκα
vogue (βόουγκ) μόδα, μοντέρνος
voice (βόϊς) φωνή, εκφράζω, **-less**
άφωνος, **-box** λάρυγγας / with one
voice: μαζί, ομόφωνα
void (βόϊντ) άδειος, χωρίς, άκυρος,
κενό, αδειάζω, ακυρώνω
voile (βόϊλ) πολύ λεπτό ύφασμα
volatile (βόλατιλ) πτητικός, ευμε-

τάβολος, άστατος
volcanic (βολκάνικ) ηφαιστειώδης, σφοδρός
volcano (βολκάνοου) ηφαίστειο
volition (βολίσσαν) βούληση
volley (βόλεϊ) συνεχείς πυροβολισμοί, χτυπώ τη μπάλα πριν ακουμπήσει στο έδαφος, πυροβολώ, -**ball** πετοσφαίριση (παιχνίδι)
volt (βολτ) βολτ (ηλεκτρική μονάδα), -**age** δυναμικό ρεύματος
voluble (βόλιουμπλ) ομιλητικός, πολύλογος
volume (βόλιουμ) όγκος, τόμος
voluminous (βολιούμινας) ογκώδης
voluntarily (βολουντάριλι) εκούσια
voluntary (ωολάντερι) εκούσιος, εθελοντικός
volunteer (βολουντίαρ) εθελοντής, προσφέρω εθελοντικά
voluptuary (βολαπσουέρι) φιλήδονος
voluptuous (βολάπσουας) φιλήδονος, ηδονικός
vomit (βόμιτ) εξεμώ, εμετός
voodoo (βουντούου) μαγεία των Ινδών
voracious (βαρέϊσσας) αδηφάγος,

-**ness** αδηφαγία
votary (βόουταρι) λάτρης
vortex (βόορτεξ) στρόβιλος
vote (βόουτ) ψηφίζω, ψήφος, -**r** ψηφοφόρος
votive (βόουτιθ) αφιερωτικός
vouch (βάουτς) εγγυώμαι
voucher (βάουτσερ) κουπόνι πληρωμής
vouchsafe (βόουτσσέϊφ) παραχωρώ, δίνω
vow (βάου) επίσημη υπόσχεση, ορκίζομαι, υπόσχομαι
vowel (βάουελ) φωνήεν
voyage (βόϊιτζ) θαλάσσιο ταξίδι, ταξιδεύω διά θαλάσσης, -**r** ταξιδιώτης
voyeur (βουαγιέρ) ηδονοβλεψίας
vulcanize (βαλκανάϊζ) σκληραίνω καουτσούκ
vulgar (βάλγκαρ) τραχύς, κακόγουστος, χυδαίος, -**ity** χυδαιότητα
vulgarize (βουλγκαράϊζ) εκχυδαΐζω
Vulgate (βαλγκέϊτ) Λατινική μετάφραση Αγ. Γραφής
vulnerable (βούλνεραμπλ) τρωτός, ευαίσθητος
vulture (βάλτσουρ) γύπας
vulva (βάλβα) αιδείο γυναίκας

W

W, w (ντάμπλ γιού) το 23ο γράμμα του Αγγλικού αλφαβήτου
wacky (γουάκι) ανόητος, τρελούτσικος
wad (γουάντ) στουπί, στουπώνω
waddle (γουόντλ) βαδίζω με μικρά βήματα
wade (γουέϊντ) περπατώ μέσα στο

νερό
wafer (γουέϊφερ) όστια, -**thin** πολύ λεπτός
waffle (γουάφλ) τηγανίτα, μιλώ ή γράφω ασυνάρτητα
waft (γουάφτ) κινώ, -ούμαι μέσω αέρα ή νερού
wag (γουάγκ) σείω, -ομαι, κινώ,

σείσιμο, αστειευόμενος

wage (γουέϊτζ) μισθός, διεξάγω πόλεμο

wager (γουέϊτζερ) στοίχημα, στοιχηματίζω

weggish (γουέγκιςς) αστειολόγος

waggle (γουάγκλ) σείω, -ομαι

wagon (γουάγκαν) βαγόνι, -**lit** βαγόνι ύπνου

wagtail (γουάγκτέϊλ) σουσουράδα (πτηνό)

waif (γουέϊφ) άστεγο και απροστάτευτο παιδί

wail (γουέϊλ) κλαίω, κλάμα

wainscot (γουέϊνσκατ) κάλυψη με σανίδες

waist (γουέϊστ) μέση, -**band** ζώνη, -**coat** γιλέκο, -**line** μέση

wait (γουέϊτ) περιμένω, αναμένω, αναμονή, -**ing list** αναμονής, -**ing room** αίθουσα αναμονής

waiter (γουέϊτερ) σερβιτόρος

waitress (γουέϊτρες) σερβιτόρα

waive (γουέϊβ) παραιτούμαι από δικαίωμα, -**r** παραίτηση

wake (γουέϊκ) ξυπνώ, αυλάκι, -**ful** άϋπνος / in the wake of: στα ίχνη

waken (γουέϊκεν) ξυπνώ

wakey-wakey (γουέϊκι γουέϊκι) ξύπνα

waking (γουέϊϊνγκ) ξύπνημα

walk (γουόκ) περπατώ, βάδισμα, δρόμος, -**away** αγώνας που κερδίζεται εύκολα, -**er** περιπατών, βαδιστής, -**stick** μπαστούνι, -**out** απεργία

wall (γουόλ) τοίχος, περιτειχίζω

wallaby (γουάλαμπι) είδος μικρού καγκουρώ

wallet (γουάλιτ) πορτοφόλι, τσάντα

wallop (γουάλαπ) δέρνω, κατανικώ, δαρμός

walloping (γουάλοπινγκ) πολύ μεγάλος

wallow (γουάλοου) κυλιέμαι σε λάσπη, κύλισμα

wall painting (γουόλ πέϊντινγκ) εικόνα ζωγραφισμένη σε τοίχο

wallpaper (γουόλπέϊπερ) ταπετσαρία

walnut (γουόλνάτ) καρύδι, καρυδιά

walrus (γουόλρας) θαλάσσιος ίππος

waltz (γουόολς) βαλς (χορός), χορεύω βαλς

wampum (γουάμπαμ) στολίδια Ινδιάνων

wan (γουάν) ασθενικός, αδύνατος

wand (γουάντ) ραβδί μάγου

wander (γουάντερ) περιπλανιέμαι, (off) απομακρύνομαι, -**ings** περιπλάνηση, -**lust** πόθος για μακρυνά ταξίδια, -**er** περιπλανώμενος

wane (γουέϊν) μειώνομαι, ελάττωση, αποδυνάμωση

wangle (γουάνγκλ) αποκτώ με πλάγια μέσα

wanker (γουάνκερ) ανόητος

wanna (γουάνα) θέλω να

want (γουόντ) θέλω, χρειάζομαι, οφείλω, έχω έλλειψη, έλλειψη, -**ing** ο έχων ανάγκη, στερούμενος

wanton (γουάνταν) ακόλαστος, αχαλίνωτος

wapiti (γουάπιτι) μεγάλο ελάφι

war (γουόρ) πόλεμος

warble (γουάρμπλ) κελαηδώ, -**r** πουλί που κελαηδάει

ward (γουόρντ) τμήμα νοσοκομείου ή πόλης, κηδεμονευόμενος, -**off** απομακρύνω

warder (γουάρντερ) φύλακας φυλακών

wardrobe (γουορντρόουμπ) ντουλάπα, καρναρόμπα

warehouse (γουέαρχάουζ) αποθήκη

wares (γουέαρς) εμπορεύματα

warfare (γουορφέαρ) εχθροπραξία, πόλεμος

wargame (γουόργκέϊμ) στρατιωτικά γυμνάσια

warhead (γουόρχέντ) μπροστά μέρος βλήματος

warily (γουάριλι) προσεκτικά

W

warlike (γουόλάϊκ) φιλοπόλεμος
warm (γουόρμ) ζεστός, ζεσταίνω,
-**blooded** θερμόαιμος, -**hearted** ευγε-
νικός, φιλικός, -**ing pan** θερμοφόρα
warmonger (γουόρμόνγκερ) πολε-
μοχαρής, πολεμοκάπηλος
warmth (γουόρμθ) ζέστη
warn (γουόρν) προειδοποιώ, -**ing**
προειδοποίηση
warp (γουόρπ) στρέφω, στραβώνω,
στράβωμα
warpath (γουόρπάθ) προετοιμασία
γιά μάχη
warrant (γουάραντ) δικαιολογώ, εγ-
γυώμαι, εξουσιοδοτώ, εγγύηση, -**y**
εγγύηση, -**er, or** εγγυητής
warren (γουάρεν) μέρος εκτροφής
κουνελιών
warrior (γουάριαρ) πολεμιστής
warship (γουόρσσιπ) πολεμικό
πλοίο
wart (γουόορτ) κρεατοελιά
wartime (γουότάϊμ) καιρός πολέμου
wary (γουέαρι) προσεκτικός
was (γουόζ) ήταν, ήμουν
wash (γουόςς) καθαρίζω, πλύνω,
μπουγάδα, -**able** αυτός που μπορεί
να πλυθεί, -**basin** νιπτήρας, -**ed out**
ξεθωριασμένος, κουρασμένος, -**ed
up** αποτυχημένος, -**er** πλυντήριο,
πλύντης, πλύντρια, -**ing** πλύσιμο,
-**ing machine** πλυντήριο, -**out** αποτυ-
χία, -**room** λουτρό
wasn't (γουόζντ) was not: δεν ήταν
wasp (γουάσπ) σφίγγα
waspish (γουάσπισσ) κακόκεφος,
δύστροπος
wast (γουάστ) you were: ήσουν
wastage (γουέϊστιτζ) απώλεια,
φθορά
waste (γουέϊστ) σπατάλη, φθορά,
χέρσα έκταση γής, σπαταλώ, φθεί-
ρω, άχρηστος, κατεστραμένος, -**ful**
σπάταλος, -**paper** άχρηστο χαρτί,
-**product** παραπροϊόν, -**r** σπάταλος
watch (γουότς) παρακολουθώ, προ-

σέχω, επιτηρώ, προσοχή, επιτήρη-
ση, φρουρός, ρολόϊ χεριού, -**dog**
σκύλος προς φύλαξη περιουσίας,
-**ful** προσεκτικός, -**fulness** προσοχή,
-**maker** ρολογάς, -**man** φύλακας,
-**strap** λουράκι ρολογιού, -**word**
σύνθημα
water (γουότερ) νερό, ποτίζω,
υγραίνω / above water: χωρίς σο-
βαρές (οικονομικές) δυσκολίες /
water under the bridge: περασμένα
γεγονότα που δε μπορούν πιά ν'
αλλάξουν
waterbird (γουότυερμπέρντ) θαλάσ-
σιο πουλί
waterbutt (γουότερμπάτ) μεγάλο
βαρέλι γιά συλλογή νερού βροχής
watercloset (γουότερκλόσετ) απο-
χωρητήριο
watercolour (γουότερκόλορ) νε-
ρομπογιά
watercourse (γουότερκόορσ) πορ-
θμός
watered down (γουότερντ ντάουν)
αποδυναμωμένος
waterfall (γουότερφόλ) καταρρά-
κτης
watering (γουότερινγκ) πότισμα,
-**pot** ποτιστήρι
waterish (γουότεριςς) νερουλός
waterlilly (γουότερλίλι) νούφαρο
Waterloo (γουότερλούου) Βατερλώ
watermain (γουότερμέϊν) αγωγός
νερού
watermark (γουότερμάρκ) στάθμη
νερού
watermelon (γουότερμέλον) καρ-
πούζι
watermill (γουότερμίλ) νερόμυλος
waterproof (γουότερπρούφ) αδιά-
βροχος, καθιστώ αδιάβροχο
watershed (γουότερσσέντ) κοιλάδα
μεταξύ δύο ποταμών
waterside (γουότερσάϊντ) όχθη
water skiing (γουότερσκίινγκ) θα-
λάσσιο σκί

waterspout (γουότερσπάουτ) τυφώνας

watertight (γυότερτάϊτ) αδιαπέρστος απ' το νερό

waterwheel (γουότεργουίλ) υδροκίνητος τροχός

waterworks (γουότεργουόρκς) σύστημα άρδρευσης

watery (γουότερι) νερουλός, χλωμός

watt (γουάτ) μονάδα ηλεκτρικού ρεύματος

wattle (γουάτλ) βέργα

wave (γουέϊθ) κύμα, κίνηση χεριού σε χαιρετισμό, κινώ, χαιρετώ κουνώντας το χέρι

wever (γουέβερ) κυμαίνομαι, ταλαντεύομαι, **-ing** διστακτικός

wavy (γουέϊθι) κυματιστός

wax (γουάξ) κερί, κερώνω, γίνομαι, **-en** κέρινος, **-y** κέρινος, χλωμός

way (γουέϊ) δρόμος, τρόπος, **-farer** οδοιπόρος, **-lay** ενεδρεύω, **-out** μοντέρνος, ασυνήθιστος, **-s** έθιμα, συνήθειες, **-ward** ευμετάβολος, δυσάγωγος, άτακτος / make one's way: πηγαίνω / out of the way: ασυνήθιστος

we (γουί) εμείς

weak (γουίκ) αδύνατος, μη ικανός, **-kneed** δειλός, υποχωρητικός, **-ling** αδύναμος άνθρωπος, **-ness** αδυναμία

weaken (γουίκεν) αδυνατίζω, αποδυναμώνω

weal (γουίλ) μώλωπας

wealth (γουέλθ) πλούτος, **-y** πλούσιος

wean (γουίν) απογαλακτίζω

weapon (γουέπον) όπλο, **-ry** όπλα, οπλισμός

wear (γουέαρ) φορώ, φθείρομαι, επιτρέπω, δέχομαι, φόρεμα, φθορά, ρούχα, **-ing** κουραστικός, **-isome** κουραστικός

weary (γουέαρι) κουρασμένος, κουράζω

weasel (γουίζελ) νυφίτσα, **-out**

υπεκφεύω, αποφεύγω καθήκον

weather (γουέδερ) καιρός, διέρχομαι ασφαλώς, αερίζω, **-beaten** ανεμοδαρμένος, **-bound** αποκλεισμένος λόγω κακοκαιρίας, **-forecast** πρόβλεψη του καιρού, **-proof** αντέχων σε κάθε καιρό

weave (γουέϊθ) υφαίνω, **-r** υφαντής

web (γουέμπ) ιστός, μεμβράνη, **-bed** ο έχων μεμβράνη, **-footed** ο έχων δάκτυλα ενωμένα με μεμβράνη

wed (γουέντ) παντρεύω

wod (γουίντ) we had, we would

wedded (γουέντιντ) παντρεμένος

wedding (γουέντινγκ) γάμος

wedge (γουέτζ) σφήνα, σφηνώνω

wedlock (γουέντ λόκ) γάμος

Wednesday (γουέζντι) Τετάρτη

wee (γουίι) πολύ μικρός

weed (γουίιντ) αγριόχορτο, ξεριζώνω αγριόχορτα

weeds (γουίντς) μαύρα ρούχα πένθους

weedy (γουίντι) ασθενής, γεμάτος αγριόχορτα

week (γουίκ) βδομάδα, **-day** καθημερινή, **-end** Σαββατοκύρακο, περνώ το Σαββατοκύριακο, **-ly** εβδομαδιαίος, εβδομαδιαίο περιοδικό

weep (γουίπ) κλαίω, **-y** λυπηρός, κλαψιάρης

weft (γουέφτ) ύφασμα

weigh (γουέϊ) ζυγίζω, βαρύνω, υπολογίζω

weight (γουέϊτ) βάρος, προσθέτω βάρος, **-less** αβαρής, **-lifting** άρση βαρών, **-y** βαρύς, βαρυσήμαντος

weir (γουίαρ) υδροφράκτης

weird (γουίαρντ) παράξενος, εξωτικός

weirdo (γουίαρντου) ιδιόμορφος άνθρωπος

welcome (γυέλκαμ) καλωσορίζω, καλωσόρισμα, ευπρόσδεκτος

weld (γουέλντ) συγκολλώ

welfare (γουέλφεαρ) ευημερία,

βοήθεια, αγαθοεργία
welkin (γουέλκιν) ουρανός
well (γουέλ) καλά, υγιής, πηγάδι / as well: επίσης / well and truly: ολοκληρωτικά, εντελώς
welladjusted (γουέλατζάστιντ) ομαλά κοινωνικά προσαρμοσμένος
welladvised (γουέλαντβάϊζντ) συνετός
well-balanced (γουέλ μπάλανσντ) ισορροπημένος
wellbeing (γουέλμπίινγκ) ευημερία
wellbred (γουέλμπρέντ) καλοαναθρεμμένος
well-chosen (γυοέλτσόουζεν) προσεκτικά διαλεγμένος
well-disposed (γουέλντισπόουζντ) ευνοϊκά διατεθειμένος, φιλικός
welldone (γουέλντάν) καλοψημένος
wellfavored (γουελφέϊβορντ) ελκυστικός, όμορφος
well-found (γουέλφάουντ) καλά εξοπλισμένος
well-groomed (γουέλγκρούμντ) κομψός, καθαρός
well-grounded (γουέλγκράουντιντ) βάσιμος
well-heeled (γουέλχίλντ) πλούσιος
well-known (γουέλνόουν) γνωστός
well-lined (γουέλλίντ) γεμάτος χρήματα
well- nigh (γουέλνάϊ) σχεδόν
well-off (γουέλ όφ) πλούσιος
well-spring (γουέλ σπρίνγκ) αστείρευτη πηγή
well-to-do (γοοέλ του ντού) πλούσιος
well-worn (γουέλέγουόρν) πολυφορεμένος, πολυχρησιμοποιημένος
welsh (γουέλςς) δεν πληρώνω, αθετώ υπόσχεση
welt (γουέλτ) κράσπεδο, ούγια, κρασπεδώνω, μαστιγώνω
welter (γουέλτερ) σύγχυση, ταραχή
wench (γουέντς) γυναίκα, κορίτσι
wend (γουέντ) κινούμαι, κατευθύνο-

μαι
went (γουέντ) αορ. του go
wept (γουέπτ) αορ. του weep
were (γουέαρ) αορ. του be
werewolf (γουέαρβόλφ) λυκάνθρωπος
wert (γουέρτ) you were
west (γουέστ) δύση, δυτικός, δυτικά, -**bound** κατευθυνόμενος προς τα δυτικά, -**erly**, -**ern** δυτικός, -**erner** κάτοικος της δύσης, -**ward** προς τη δύση
westernize (γουεστερνάϊζ) επιβάλλω το Δυτικό πολιτισμό
wet (γουέτ) υγρός, αδύναμος, υγραίνω, υγρασία, -**blanket** απαισιόδοξος, αποθαρρυντικός
wove (γουίβ) we have
whack (γουάκ) χτυπώ, χαστουκίζω, χαστούκι, -**ing** πολύ μεγάλος, χτύπημα
whale (γουέϊλ) φάλαινα, -**bone** οστό φάλαινας, -**r** κυνηγός φάλαινας, πλοίο γιά κυνήγι φάλαινας
wham (γουάμ) δυνατό χτύπημα
wharf (γουάρφ) αποβάθρα
what (γουότ) τι, οτι, ποιός, -**ever** οτιδήποτε / what's more: και το πιό σημαντικό
whatnot (γουότντ) οτιδήποτε, έπιπλο με ράφια
wheat (γουίιτ) σιτάρι
wheedle (γουίντλ) κολακεύω, καλοπιάνω
wheel (γουίλ) τροχός, τιμόνι, στρέφω, γυρίζω, πετώ κυκλικά, -**barrow** καρότσι, -**chair** καρέκλα με τροχούς (αναπηρική), -**s** όχημα
wheeze (γουίζ) ασθμαίνω, άσθμα
wheezy (γουίζι) ασθμαίνων
when (γουέν) όταν, πότε, -**ever** οποτεδήποτε, κάθε φορά
whence (γουένς) από που
where (γουέαρ) όπου, που, -**abouts** το μέρος που βρίσκεται κάποιος, που, -**as** αλλά, -**by** μέσω του οποίου,

σύμφωνα με το οποίο, -fore γιατί, γι' αυτό το λόγο, -in σε τι, στο οποίο, -of περί τίνος, -soever οπουδήποτε, -to σε ποιό μέρος, που

wherever (γουέαρέθερ) οπουδήποτε

wherewithal (γουέαργουίδολ) τα μέσα

whet (γέτ) ακονίζω, -stone ακόνη

whether (γουέδερ) αν, είτε

whey (γουέϊ) ορός γάλακτος

which (γουίτς) ο οποίος, η οποία, το οποίο, ποιός, -ά, -ό, -ever οποιοσδήποτε

whiff (γουίφ) πνοή, φύσημα, -y δύσοσμος

while (γουάϊλ) ενώ, χρονική περίοδος, -away περνώ το χρόνο μου

whim (γουίμ) ιδιοτροπία

whimper (γουίμπερ) κλαίω, κλαυθμυρισμός

whimsical (γουίμσικαλ) ιδιότροπος, παράξενος

whimsy (γουίμσι) ιδιοτροπία

whine (γουάϊν) κλαίω, παραπονιέμαι, παράπονο

whinge (γουίντζ) παραπονιέμαι συνεχώς

whinny (γουάϊνι) χλιμιντρίζω, χλιμίντρισμα

whip (γουίπ) μαστιγώνω, μαυ τίγιο, κλέβω, χτυπώ, -cord είδος χοντρού υφάσματος, -hand πλεονεκτική θέση, -lash λουρί μαστιγίου

whippet (γουίπιτ) μικρός σκύλος αγώνων

whipping (γουίπινγκ) μαστίγωμα

whirl (γουίρλ) στροβιλίζω, -ομαι, στροβιλισμός, δίνη

whirligig (γουέρλιγκινγκ) σβούρα

whirlpool (γουέρπουλ) δίνη νερού, ρουφήχτρα

whirlwind (γουίρλγουάϊντ) ανεμοστρόβιλος

whisk (χουίσκ) κινώ ή απομακρύνω γρήγορα, γρήγορη κίνηση

whisker (χουίσκερ) φαβορίτα, μου-

στάκι ζώου (γάτας κτλ)

whiskey (ουίσκι) ουίσκι (ποτό)

whisper (χουίσπερ) ψιθυρίζω, ψίθυρος

wist (χουίστ) χαρτοπαίγνιο

whistle (χουίσλ) σφυρίκτρα, σφυρίζω, σφύριγμα

whit (χουίτ) ελάχιστο, μικρή ποσότητα

white (γουάϊτ) άσπρο, άσπρος, -ant τερμίτης, -bait μαρίδα, -collar υπάλληλος γραφείου, -sepulchre υποκριτής, -elefant κάτι ακριβό και άχρηστο, -hot λευκοπυρακτωμένος, -House Λευκός οίκος, -lie αθώο ψέμα, -magic λευκή μαγεία

whiten (γουάϊτεν) λευκαίνω

whither (γουίδερ) όπου, που

whitlow (χουίτλοου) παρανυχίδα

whittle (γουίτλ) κόβω, μειώνω

whiz (χουίζ) συρίζω λόγω γρήγορης κίνησης, σύριγμα

who (χού) ποιός, ποιά, ποιό, οποίος, -α, -ο, -ever οποιοσδήποτε

whoa (χόου) σταμάτα! (λεγόμενο σε άλογο)

whole (χόουλ) ολόκληρος, -food φυσική τροφή, -hearted εγκάρδιος, -meal ολικής αλέσεως, -sale χονδρικός, χονδρικής πώλησης, -saler χονδρέμπορος, -some υγιεινός **wholly** (γουόλι) εντελώς, ολοκληρωτικά

whom (χούμ) τον οποίον

whoop (χούπ) κραυγάζω, κραυγή, ζητοκραυγή

whopper (χόοπερ) κάτι ασυνήθιστα μεγάλο, μεγάλο ψέμα

whopping (χόπινγκ) πολύ μεγάλος

whore (χόορ) πόρνη, -house οίκος ανοχής

whorl (γουόορλ) κυκλικό λουλούδι

whose (χούζ) του οποίου

whosoever (χουσοουέβερ) οποιοσδήποτε

why (γουάϊ) γιατί

wick (γουίκ) φυτίλι

W

wicked (γουίκντ) κακός, **-ness** τόλμη

wide (γουάϊντ) πλατύς, πλατιά, **-ness** ευρύτητα, **-awake** πολύ έξυπνος, άγρυπνος, **-eyed** ανοικτομάτης, **-ly** πλατειά

widen (γουάϊντεν) πλαταίνω, ευρύνω

wide-open (γουάϊντ όπεν) ορθάνοικτος

wide-spread (γουάϊντ σπρέντ) πολύ διαδεδομένος

widgeon (γουίτζαν) είδος πάπιας

widow (γουίντοου) χήρα, **-er** χήρος, **-hood** χηρεία

width (γουίντθ) πλάτος, **-wise** κατά πλάτος

wield (γιέλντ) χειρίζομαι, ασκώ

wife (γουάϊφ) η σύζυγος, **-ly** συζυγικός

wig (γουίγκ) περούκα

wigging (γουίγκινγκ) μάλωμα, θυμός

wiggle (γουίγκλ) κάνω μικρές κινήσεις, συστρέφω

wight (γουάϊτ) πρόσωπο

wild (γουάϊλντ) άγριος, **-boar** αγριόχοιρος, **-cat** αγριόγατα, **-erness** έρημος, **-fire** γρήγορα κι ανεξέλεγκτα, **-oats** νεανική τρέλα / the wilds: έρημη περιοχή

wiles (γουάϊλ) πανουργία, δόλος

wilful (γουίλφουλ) θεληματικός, αποφασιστικός

will (γουίλ) επιθυμία, διαθήκη, θά, θέλω, επιθυμώ, **-ing** πρόθυμος, **-ess** χωρίς διαθήκη, **-o- the-wisp** οφθαλμαπάτη

willow (γουίλοου) ιτιά, **-y** λυγερός

willpower (γουίλπάουερ) δύναμη θελήσεως

willy-nilly (γουίλι νίλι) εκούσια-ακούσια

wilt (γουίλτ) μαραίνω, **-ομαι**, κουράζομαι

wily (γουίλι) πανούργος

wimp (γουίμπ) αδύναμος, άεργος

wimple (γουίμπλ) πέπλο καλογριάς

win (γουίν) κερδίζω, νικώ, νίκη

wince (γουίνς) οπισθοδρομώ, δειλιάζω

winch (γουίντς) βαρούλκο

wind (γουίντ) άνεμος, αερίζω

wind (γουάϊντ) κουρδίζω, στρέφω, περιτυλίγω, στροφή, **-bag** φλύαρος, **-fall** απροσδόκητη τύχη, **-ing** ελισσόμενος, ελικοειδής, **-instrument** πνευστό όργανο, **-mill** ανεμόμυλος

window (γουίντοου) παράθυρο, **-pane** τζάμι παραθύρου, **-dressing** διακόσμηση βιτρινών, **-shop** κοιτάζω τις βιτρίνες

windpipe (γουίντπάϊπ) τραχεία

windscreen (γουίντσκρίν) παμπρίζ αυτοκινήτου, **-wiper** υαλοκαθαριστήρας αυτοκινήτου

windstorm (γουίντστόρμ) ανεμοθύελλα

windsurfing (γουίντσέρφινγκ) ιστιοσανίδα (σπόρ)

windward (γουίντουούρντ) προς τον άνεμο

windy (γουίντι) ανεμώδης, κομπαστικός

wine (γουάϊν) κρασί, διασκεδάζω πίνοντας κρασί

wing (γουίνγκ) φτερό, πτέρυγα, πετώ, **-ed** φτερωτός / take wing: πετώ

wink (γουίνκ) ανοιγοκλείνω το μάτι, ματιά, σύντομος ύπνος

winner (γουίνερ) νικητής

winning (γουίνινγκ) γοητευτικός, ελκυστικός, **-s** χρηματικό βραβείο

winnow (γουίνοου) λιχνίζω

winsome (γουίνσαμ) ελκυστικός, χαρούμενος

winter (γουίντερ) χειμώνας, περνώ το χειμώνα

wintry (γουίντρι) χειμωνιάτικος (ή wintery)

wipe (γουάϊπ) σφουγγίζω, σκούπισμα, **-d out** εξουθενωμένος

wire (γουάιαρ) σύρμα, τηλεγράφημα, συνδέω με σύρματα, στέλνω τηλεγράφημα, **-less** ασύρματος, **-tap** τηλεφωνική υποκλοπή

wiry (γουάϊρι) λυγερός, νευρώδης

wisdom (γουΐζντομ) σοφία, σύνεση

wise (γουάϊζ) σοφός, συνετός, τρόπος, **-ly** συνετά, **-crack** αστεία παρατήρηση, κάνω έξυπνη παρατήρηση / get wise to: καταλαβαίνω τη συμπεριφορά και τον τρόπο κάποιου

wish (γουίςς) εύχομαι, επιθυμώ, ευχή, επιθυμία, **-ful** ο επιθυμών, **-er** ευχόμενος

wishy-washy (γουίσσι γουάσσι) ισχνός, νερουλός

wisp (γουίσπ) δέσμη, τούφα

wistful (γουίστφουλ) σκεπτικός, αναπολών

wit (γουίτ) πνεύμα, εφυΐα, έξυπνος

witch (γουίτς) μάγισσα, **-craft** μαγεία

with (γουλιθ) μαζί, με / with that: τότε

withal (γουίδοολ) επιπλέον, όμοια

withdraw (γουιθντρόο) αποσσύρω, -ομαι, **-al** απόσυρση, ανάκληση

withdrawn (γουιθντράουν) ήρεμος, απορροφημένος στις σκέψεις του

wither (γουίδερ) μαραίνω, -ομαι, **-ing** μειωτικός

withers (γουίδερς) ώμοι πλ όγου

withhold (γουιθχόλντ) κρατώ, συγκρατώ, αρνούμαι να δώσω

within (γουιθίν) μέσα σε

without (γουιθάουτ) χωρίς, έξω

withstand (γουιθστάντ) αντιστέκομαι, αντικρούω

witless (γουίτλες) ανόητος

witness (γουίτνες) μάρτυρας, μαρτυρία, μαρτυρώ

witticism (γουίτισισμ) έξυπνη παρατήρηση, εφυϊολογία

witty (γουίτι) έξυπνος

wives (γουάϊβς) πληθ. του wife: σύζυγος

wizard (γουίζαρντ) μάγος, **-ry** μαγεία, καταπληκτική ικανότητα

wizened (γουίζεντ) μαραμένος

wobble (γουόμπλ) τρεκλίζω, τρέμω

wobbly (γουόμπλι) τρεμάμενος

woe (γουόου) μεγάλη λύπη, **-begone** θλιμμένος, **-ful** αξιολύπητος, θλιβερός

wog (γουόγκ) νέγρος

woke (γουόουκ) αορ. του wake

woken (γουόουκεν) παθ. μτχ. του wake

wold (γουόλντ) άδενδρη, λοφώδης χώρα

wolf (γουλφ) λύκος, **-like** λυκοειδής

wolfram (γουλφραμ) θολφράμιο

wolfsbane (γουλφσμπέϊν) ακόνιτο (φυτό)

woman (γουόμαν) γυναίκα, **-hood** γυναικεία φύση, **-ish** γυναικείος, εκθηλυμένος, **-ly** γυναικείος

womb (γουμπ) μήτρα

wombat (γουόμπατ) μαρσιποφόρο ζώο της Αυστραλίας

women (γουΐμεν) γυναίκες, **-folk** οι γυναίκες

won (γουόν) αορ. του win

wonder (γουόντερ) θαυμάζω, θαυμασμός, απορώ, έκπληξη, **-ment** θαυμασμός, έκπληξη, **-land** χώρα των θαυμάτων / do (work) wonders. κάνω θαύματα

wonderful (γουόντερφουλ) θαυμάσιος

wondrous (γουόντρας) θαυμάσιος

wonky (γουόνκι) ασταθής, ετοιμόρροπος

wont (γουόντ) συνήθεια, συνηθισμένος

won't (γουόντ) will not: δεν θα

woo (γουόυ) ερωτολογώ, προσπαθώ να κερδίσω την εύνοια, **-er** μνηστήρας, εραστής

wood (γουντ) δάσος, ξύλο, **-less** χωρίς δάση, **-cock** μπεκάτσα, **-craft** γνώση της ζωής στο δάσος, **-cut** ξυλογραφία, **-cutter** ξυλοκόπος, **-ed** δασωμένος, **-en** ξύλινος, **-land** δασώδης περιοχή, **-pecker** τρυποκάρυδος, **-sman** ξυλοκόπος, εργαζόμενος σε δάσος, **-work** ξύλινα αντικείμενα, **-y** ξύλινος, δασώδης

woof (γούφ) υφάδι

wool (γούλ) μαλλί, **-gathering** ονειροπόληση, **-len** μάλλινος, **-ly** μαλλιαρός

woozy (γούζι) ζαλισμένος, συγχυσμένος

word (γουόρντ) λέξη, λόγος, εκφράζω, διατυπώνω, **-ing** διατύπωση, **-less** σιωπηλός, άλεκτος, **-processor** επεξεργαστής κειμένου (Η/Υ), **-y** πολύλογος / get a word in edgeways: έχω τη ευκαιρία να μιλήσω / keep one's word: τηρώ το λόγο μου

wore (γουόρ) αορ. του wear

work (γουέρκ) δουλειά, δουλεύω, έργο, **-able** χρήσιμος, κατεργαστός, **-aday** συνήθης, ανιαρός, **-aholic** σκληρά εργαζόμενος, **-bag** τσάντα εργαλείων, **-bench** πάγκος εργασίας, **-book** τετράδιο ασκήσεων / work off: απαλλάσσομαι, διώχνω / work out: καταλαβαίνω, υπολογίζω, εξελίσσομαι, γυμνάζομαι / work over: επιτίθεμαι / work up: εξάπτω, συμπληρώνω

worker (γουόρκερ) εργάτης

workforce (γουόρκφόρς) εργατικό δυναμικό

workhouse (γουόρκχάουζ) πτωχοκομείο

working (γουόρκινγκ) εργαζόμενος, χρήσιμος, **-knowledge** πρακτική γνώση

workload (γουόρκλόουντ) φόρτο εργασίας

workman (γουόρκμαν) εργάτης, **-like** εργατικός, έντεχνος, **-ship** τέχνη

workplace (γουόρκπλέϊς) εργαστήριο

works (γουέρκς) εργοστάσιο, καθετί

word (γουέρλντ) κόσμος, **-class** μεταξύ των καλύτερων του κόσμου, **-ly** εγκόσμιος, υλικός, **-wide** παγκόσμιος / not for the world: σίγουρα όχι / out of this world: ασυνήθιστος, υπέροχος / worlds apart: εντελώς διαφορετικοί / all the world to: πολύ σημαντικός γιά

worm (γουόρμ) σκουλήκι, έλικας, εισέρχομαι με δυσκολία, **-eaten** φαγωμένος από σκουλήκια, φθαρμένος, **-y** σκωληκοειδής

worn (γουόρν) παθ. μτχ. του wear

worn out (γουόρν άουτ) φθαρμένος, παλιός, εξαντλημένος

worried (γουόριντ) στενοχωρημένος

worrisome (γουόρισαμ) ενοχλητικός

worry (γουόρι) στενοχωρώ, -ιέμαι, ανησυχώ, ανησυχία, στενοχώρια, **-wart** εύκολα στενοχωρούμενος

worse (γουόρς) χειρότερος, χειρότερα / worse luck: δυστυχώς

worsen (γουόρσεν) χειροτερεύω

worship (γουόρσσιπ) λατρεία, λατρεύω

worst (γουόρστ) χείριστος, χείριστα, ηττώμαι, **-ed** μάλλινο ρούχο / get the worst of: ηττώμαι

worth (γουέρθ) αξία, αξίζω, **-less** χωρίς αξία, **-while** άξιος λόγου, **-y** άξιος προσοχής, σπουδαίος / not worth the candle: δεν αξίζει την προσπάθεια

wot (γουότ) γνωρίζω

would (γούντ) ήθελα, **-be** ο επιθυμών να είναι / would rather: θα προτιμούσα

wouldn't (γούντντ) would not

wouldst (γούτζστ) you would

wound (γάουντ) αορ. και παθ. μτχ. του wind

wound (γούντ) τραύμα, τραυματίζω, **-ed** πληγωμένος

wound up (γάουντ απ) αγχωμένος, σε έξαψη

wove (γόουβ) αορ. του weave

woven (γόουβεν) παθ. μτχ. του

weave

wow (γουάου) μεγάλη επιτυχία, προκαλώ έκπληξη ή θαυμασμό

wraith (ρέϊθ) φάντασμα

wrangle (ράνγκλ) φιλονικώ, φιλονικία, **-r** εριστικός

wrap (ράπ) τυλίγω, περιτυλίγω, ρούχο που καλύπτει του ώμους, **-per** περιτύλιγμα, **-ping** περιτύλιγμα, περικάλυμμα / wrap up: ντύνομαι ζεστά, σιωπώ

wrath (ράθ) οργή, θυμός

wreak (ρίικ) εκτελώ, προκαλώ

wreath (ρίιθ) στεφάνι

wreathe (ρίιδ) στεφανώνω, σχηματίζω κύκλους

wreck (ρέκ) ερείπιο, ναυάγιο, καταστρέφω, ναυαγώ, **-age** απομεινάρια ναυαγίου ή καταστροφής, **-er** ο περισυλλέγων απομεινάρια ναυαγίου

wrench (ρέντς) στρέφω βίαια, στρίψιμο, διαστρέφω, διάστρεμμα

wrest (ρέστ) αποκτώ με κόπο, απομακρύνω

wrestle (ρέστλ) παλεύω, πάλη, **-r** παλαιστής

wretch (ρέτς) άθλιος, άτυχος, δυστυχής, **-ed** δυστυχής, αποθαρρημένος, χείριστος

wriggle (ρίγκλ) κινούμαι ελικοειδώς, ελικοειδής κίνηση, **-out of**: ξεγλιστρώ, ξεφεύγω

wring (ρίνγκ) στραγγίζω, στρίβω, στρίψιμο, στράγγισμα, σφίγγω, **-er**

μηχανή γιά στράγγισμα βρεγμένων ρούχων

wrinkle (ρίνκλ) ζάρα, ρυτίδα, ζαρώνω, ρυτιδώνω

wrist (ρίστ) καρπός χεριού, **-band, -let** λουράκι ρολογιού, **-watch** λουράκι χεριού

writ (ρίτ) ένταλμα

write (ράϊτ) γράφω, συγγράφω, **-r** συγγραφέας, **-off** κατεστραμμένος, **-up** κριτική έργου κτλ. / write down: καταγράφω / write off: καταστρέφω, διαγράφω

writing (ράϊτινγκ) γράψιμο, γραφικός χαρακτήρας, συγγραφή, **-s** συγγράμματα

written (ρίτν) γραμμένος παθ. μτχ. του write

wrong (ρόνγκ) εσφαλμένος, άδικος, ακατάλληλος, εσφαλμένα, σφάλμα, αδίκημα, αδικώ / get hold of the wrong end of the stick: παρανοώ, καταλαβαίνω λάθος / on the wrong foot: απροετοίμαστος

wrongdoing (ρόνγκντούινγκ) σφάλμα, άδικο

wrongful (ρόνγκφουλ) άδικος, άνομος

wrote (ρόουτ) αορ. του write

wroth (ρόοθ) οργισμένος

wrought (ρόοτ) κατεργασμένος, **-up** νευρικός, σε έξαψη

wrung (ράνγκ) αορ. του wring

wry (ράϊ) λοξός, στραβός

X, x (έξ) το 24ο γράμμα στο Αγγλικό αλφάβητο

xanthic (ζάνθινκ) υπόξανθος

xanthous (ζάνθας) ξανθός

xenon (ζίναν) ξένο (αέριο)

xenophobia (ζενοφόουμπια) ξενο-

φοβία
Xenophon (ζένοφον) Ξενοφώντας
xeroderma (ζίιρουντέρμα) ξηρό-
δερμα
Xmas (κσίμας) Χριστούγεννα
X-ray (έξ ρέϊ) ακτίνα Χ, ακτινογρα-

φώ
xylograph (ζάϊλογκραφ) ξυλογρα-
φία
xyloid (ζάϊλόϊντ) ξυλώδης
xylophone (ζάϊλοφόουν) ξυλόφωνο
xyster (ζίστερ) ξυστήρας

Y

Y, y (ουάϊ) το 25ο γράμμα του Αγ-
γλικού αλφαβήτου
yacht (γιόοτ) γιώτ, ιστιοφόρο πλοίο,
-**ing** ιστιοπλοΐα, -**sman** ιδιοκτήτης
ιστιοφόρου
yak (γιάκ) ζώο της Ασίας όμοιο με
βόδι, φλυαρώ
yam (γιάμ) γλυκοπατάτα
yammer (γιάμερ) μιλώ συνεχώς,
θορυβώ
yank (γιάνκ) τραβώ βίαια, τινάζω,
-ομαι, απότομο τράβηγμα
Yankee (γιάνκι) πολίτης των Η.Π.Α
yap (γιάπ) γαυγίζω, φλυαρώ, φλυα-
ρία, γαύγισμα
yard (γιάρντ) γιάρδα, κοντάρι κα-
ταρτιού, μάντρα, -**age** μήκος σε
γιάρδες, -**stick** μέτρο μιας γιάρδας
yarn (γιάρν) νήμα, υπερβολική
ιστορία, διηγούμαι υπερβολικές
ιστορίες
yashmak (γιάςςμακ) φερετζές
yaw (γιόο) εκτρέπομαι απ' την πο-
ρεία, παρέκκλιση, εκτροπή
yawl (γιόολ) βάρκα, πλοιάριο με
δύο πανιά
yawn (γιόον) χασμουριέμαι, χα-
σμουρητό, κάτι το ανιαρό
yaws (γιόοζ) ασθένεια του δέρματος
των τροπικών περιοχών

ye (γιί) you, the
yea (γιέϊ) yes: ναι
year (γίαρ) χρόνος, -**dot** πριν πάρα
πολύ καιρό, -**ing** ζώο ενός έτους,
-**long** διαρκών ένα χρόνο, -**ly** ετή-
σιος
yearn (γιέερν) λαχταρώ, επιθυμώ,
-**ing** πόθος, λαχτάρα
yeast (γίιστ) προζύμι
yell (γιέλ) φωνάζω, φωνή
yellow (γιέλοου) κίτρινος, δειλός,
κιτρινίζω, -**fever** κίτρινος πυρετός
yelp (γιέλπ) ουρλιάζω, ξεφωνίζω
yen (γιέν) Ιαπωνικό νόμισμα, σφο-
δρή επιθυμία
yeoman (γιόουμαν) κτηματίας, -**ry**
κτηματίες
yes (γιές) ναι, -**man** ο συμφωνών
πάντα
yesterday (γιεστερντέϊ) χθές
yesteryear (γιέστεργίαρ) πρόσφατο
παρελθόν
yet (γιέτ) ακόμη / as yet: μέχρι τώρα
yield (γιέλντ) υποχωρώ, αποφέρω,
παράγω, παραχωρώ, σοδειά, -**ing**
υποχωρητικός
yodel (γιόουντλ) λαρρυγγίζω, λα-
ρυγγισμός
yoga (γιόγκα) γιόγκα
yoghurt, yogurt (γιόγκαρτ) γιαούρτι

yoke (γιόουκ) ζυγός, ζευγνύω
yokel (γιόουκελ) απλοϊκός, αφελής
yolk (γιόουκ) κρόκος αυγού
yonder (γιόντερ) εκείνος εκεί, κεί πέρα
yonks (γιόνκς) πολύς καιρός
you (γιού) εσύ, εσείς, εσένα, εσάς
young (γιάνγκ) νέος, νεογνό ζώου, -er νεώτερος, -ster νεαρό αγόρι
your (γιόορ) δ'κός σου, δικός σας
yours (γιόορς) δικός σου, δικός σας

yourself (γιοόρσελφ) ο εαυτός σου, εσύ ο ίδιος
youth (γιούθ) νεότητα, -ful νεαρός, νεανικός, -hostel ξενοδοχείο νέων
yowl (γιάουλ) ουρλιάζω, ουρλιαχτό
yo-yo (γιό γιό) γιογιό (παιχνίδι)
yucca (γιάκα) είδος φυτού με ά-σπρα άνθη
yucky (γιάκι) δυσάρεστος, άσχημος
yule (γιούλ) Χριστούγεννα, -tide Χριστούγεννα

Z

Z, z (ζέτ) το 26ο γράμμα στο Αγγλι-κό αλφάβητο
zany (ζέϊνι) ανόητος, αστείος
zap (ζάπ) ζωτικότητα, ζωντάνια, επι-τίθεμαι, καταστρέφω, κινώ γρήγορα
zeal (ζίιλ) ζήλος, -ot ο έχων ζήλο, -ous ένθερμος, πρόθυμος
zebra (ζίμπρα) ζέμπρα (ζώο)
zenith (ζενίθ) ζενίθ, αποκορύφωμα
zephyr (ζέφερ) σιγανός άνεμος
zero (ζίροου) μηδέν, -hour ώρα έναρξης επιχείρησης
zest (ζέστ) νοστιμιά, ζέση
zigzag (ζίγκ ζάγκ) γραμμή ζικ-ζάκ, σχηματίζω γραμμή ζίκ ζάκ
zillion (ζίλιαν) τεράστιος αριθμός
zinc (ζίνκ) ψευδάργυρος
Zionism (ζάϊονισμ) Σιωνισμός
zip (ζίπ) ενεργητικότητα, σύριγμα, συρίζω
zipper (ζίπερ) φερμουάρ
zippy (ζίπι) ενεργητικός

zither (ζίθερ) σαντούρι
zit (ζίτ) στίγμα δέρματος
zizz (ζίζ) σύντομος ύπνος
zodiac (ζόουντιακ) ζωδιακός κύκλος
zoic (ζόουικ) ζωικός
zombie (ζόομπι) βρυκόλακας
zonal (ζόουνλ) της ζώνης
zone (ζόουν) ζώνη, χωρίζω σε ζώνες
zoning (ζόουνινγκ) χωρισμός σε ζώνες
zonked (ζόνκιντ) εξουθενωμένος, υπό την επήρεια ποτού ή ναρκωτι-κού
zoo (ζούου) ζωολογικός κήπος, -lo-gist ζωολόγος, -logy ζωολογία
zoom (ζούμ) κινούμαι γρήγορα, αυ-ξάνομαι απότομα, γρήγορη κίνηση
zoophyte (ζόοφάιτ) ζωόφυτο
Zulu (ζούλου) ζουλού
zyme (ζάιμ) προζύμι
zymosis (ζαϊμόουσις) ζύμωση

Όμιλος Φροντιστηρίων Αγγλικής

New
English – Greek
and
Greek – English
DICTIONARY

Νέο
Αγγλοελληνικό
και
Ελληνοαγγλικό
ΛΕΞΙΚΟ

MONOTONIKO

A

A, α alpha, the first letter of the Greek alphabet
α! (επιφώνημα) oh!, (of laughter) ha, ha
αβαθής shallow
αβαθμολόγητος ungraded
αβάκιο chessboard, slate
άβαλτος unplaced, not laid, unworn
άβακας abacus
αβάπτιστος unbaptized, not christened
αβαρής light
αβαρία discharge of load, damage at sea
αβασάνιστος untormented, untried
αβασίλευτος without a king
αβάσιμος groundless
αβάσκαντος unenvied, not affected by evil eye
αβάσταχτος unsupported, unbearable, intolerable
άβατος impassable, pathless
άβαφος undyed, uncoloured
αββάς abbot
άβγαλτος inexperienced
αβγάτισμα augmentation
αβδηριτισμός vanity
αβέβαιος uncertain
αβεβαιότητα uncertainty
αβεβαίωτος unconfirmed
αβεβήλωτος unprofaned
αβερνίκωτος unpolished
αβίαστος unforced, free, easy
αβίδωτος unscrewed
αβιταμίνωση lack of vitamins
αβίωτος inable to live, intolerable,

unbearable
αβλάβεια harmlessness
αβλαβής harmless, unhurt
αβλεψία carelessness, inattention, oversight
αβοήθητος helpless, unaided, unhelped
αβόλευτος uneasy
άβολος inconvenient
αβόσκητος unpastured, unfed
αβούλητος involuntary
αβούλιακτος not sunk
αβούλωτος unsealed
άβουλος inconsiderate, imprudent
αβούτηκτος undipped
Αβραάμ Abraham
αβράβευτος unrewarded
άβραστος unboiled, raw
αβράχνιαστος not hoarse
άβρεκτος dry, not wet
αβροδίαιτος luxurious, effeminate
αβρός gentle, polite, dainty
αβρότητα politness, delicacy
αβροφροσύνη urbanity
αβροχιά drought, lack of rain
άβροχος dry, not wet
αβρώμιστος clear
αβύζακτος unsucked, unsuckled
άβυσσος abyss, depth
αγαθά riches, goods
αγαθιάρης naive, fetherhearted
αγαθοεργία charity, beneficence
αγαθοεργός beneficent, charitable
αγαθοεργώ do good
αγαθοπιστία credulity
αγαθόπιστος credulous

αγαθός good, kind
αγαθότητα goodness, good-heartedness
αγάλια slowly, softly, gently
αγαλλιάζω be happy
αγαλλίαση delight, joy, exultation
άγαλμα statue
αγαλματένιος statue-like, statuesque
αγαλμάτιο statuette
αγαλματοποιός statuary
αγαμία single life, celibacy
άγαμος single, unmarried
αγανάκτηση indignation
αγανακτώ be angry / indignant
άγανο awn
αγάνωτος unpolished, not tinned
αγάπη love, affection
αγαπημένος beloved
αγαπητικός sweetheart, amorous
αγαπητός dear, darling, beloved
αγαπίζω reconcile, make up
αγαπώ love, be fond of
αγαρικό agaric
αγαρμπιά clumsiness
άγαρμπος clumsy, awkward
αγάς aga
αγαστός admirable, wonderful
αγγαρεία compulsory labour, task
αγγάρευμα forcing to work
αγγαρεύω force to work, commandeer
αγγείο pot, vessel, vase
αγγειοπλαστείο pottery
αγγειοπλάστης potter
αγγειοπλαστική pottery
αγγελία announcement, advertisment, news, message
αγγελιοφόρος messenger
αγγελικός angelic
αγγέλλω announce, declare
άγγελμα news, message
αγγελοκαμωμένος angel-like, angelic
άγγελος angel, messenger
αγγελούδι little angel
αγγελόψυχος kind-hearted

άγγιγμα touch
άγγικτος intact, untouched
Αγγλία England
Αγγλίδα English woman
αγγλίζω imitate the English
Αγγλικά, Άγγλοι English
Αγγλικός English
Άγγλος Englishman
αγγουράκι small cucumber
αγγούρι cucumber
αγγουριά cucumber plant
άγδαρτος not skinned, not flayed
άγδυτος dressed
αγελάδα cow
αγελαδάρης cow-herd
αγελαδινός of a cow
αγέλαστος sullen, grave
αγέλη herd, flock
αγέμιστος empty, unfilled
αγένεια rudeness
αγένειος beardless
αγενής rude, impolite, ignoble
αγέννητος unborn
αγενώς rudely, basely, impolitely
αγέραστος ever young, not grown old, ageless
αγέρι wind
αγερικό severe wind, ghost
αγέρωχος haughty, arrogant
άγευστος untasted
αγεφύρωτος unbridged
αγεωγράφητος not knowing geography
αγεώργητος uncultivated
αγεωμέτρητος not knowing geometry
άγημα corps, landing party
αγήρατος ageless
αγιάζω sanctify
αγίασμα sanctification
αγιασμός holy water, sanctification
αγιαστήριο sanctuary
αγιαστής sanctifier
αγιάτρευτος uncured, uncurable
αγίνωτος unripe, undone
αγιοβασιλιάτικος new year's

αγιοδύτης churchrobber, thief of sacred things
αγιογραφία hagiography
αγιογραφικός hagiographic
αγιογράφος hagiographer, painter of holy icons
Άγιοι τόποι Holy Land
αγιοκέρι church candle
αγιόκλημα honeysuckle
άγιος saint, holy, sacred -ία saintess, Άγιο Πνεύμα Holy Ghost, Αγία Γραφή Holy Bible, Άγιος Τάφος Holy Sepulchre
αγιότητα holiness, sanctity
αγκαζέ arm in arm, engaged
αγκαθάκι little thorn
αγκάθι thorn, thistle
αγκάθινος thorny
αγκαθωτός thorny
αγκαλιά embrace, bosom, armful
αγκαλιάζω embrace, hug
αγκάλιασμα embrace, hag
αγκίδα thorn, splinter
αγκινάρα artichoke
αγκίστρι hook, fish hook
αγκιστρώνω angle, fish
αγκομαχητό gasping, panting
αγκομαχώ gasp, pant
αγκύλη elbow, bracket
αγκύλος crooked
αγκύλωμα prikling, sting
αγκυλώνω sting, prick
αγκυλωτός crooked, hooked, thorny, prickly, curved
άγκυρα anchor
Αγκυρα Ankara
αγκυροβόλημα anchoring, mooring
αγκυροβόλι anchorage
αγκυροβολώ moor, cast anchor
αγκωνάρι corner stone
αγκώνας elbow
αγλαός splendid
αγναντεύω perceive from afar
αγνάντια opposite to survey
Αγνή Agnes
αγνίζω purify, sanctify, refine

άγνοια ignorance
αγνός pure, chaste
αγνότητα purity, chastity
αγνοώ ignore
αγνωμονώ be ungrateful
άγνωμος without opinion, inexperienced, fool
αγνωμοσύνη ingratitude
αγνώμων ungrateful
αγνώριστος unrecognizable
άγνωρος unrecognizable, ignorant
αγνωστικισμός agnosticism
αγνωστικιστής agnostic
άγνωστος unknown, obscure
αγόγγυστα without complaints, ungrudgingly
αγόγγυστος uncomplaining, unmurmured
άγομαι be driven by
αγονία sterility, infertility
άγονος sterile, infertile
αγορά purchase, market
αγοράζω buy, purchase
αγοραίος of the market / αγοραίο αμάξι: cab / αγοραία τιμή: market price
αγοράκι little boy
αγορανομία market laws
αγορανόμος market inspector
αγοραπωλησία barter, buying and selling
αγοραστής buyer
αγοραστός bought, purchasable
αγόρευση speech, address
αγορεύω make a speech
αγορητής speaker, orator
αγόρι boy
άγος abomination
αγουρίδα sour grape
αγουρόλαδο green oil
άγουρος sour, unripe
αγράμματος illiterate
αγραμματοσύνη illiteracy
άγραφος unwritten
αγριάδα ferocity, wildness
αγριάμπελη wild vine

αγριάνθρωπος wild man, savage
αγριάπιδο wild pear
αγριελιά wild olive tree
αγριεύω get angry, become fierce, infuriate, get irritated
αγρίμι venison, wild beast
αγριόγατα wild cat
αγριόγιδα wild goat
αγριογούρουνο wild boar
αγριοκοιτάζω look at fiercely
αγριολούλουδο wild flower
αγριομέλισσα wild bee
αγριόμορφος wild looking
αγριόπαπια wild duck
αγριοπερίστερο wild pigeon
άγριος wild, fierce, savage
αγριοσυκιά wild fig-tree
αγριότητα wildness, ferocity, cruelty
αγριοτριανταφυλλιά eglantine bush
αγριόχηνα wild goose
αγριόχοιρος wild boar
αγριωπός grim, sullen, stern
αγροικία rusticity, coarseness, farm
αγροίκος rude, coarse, boorish
αγροικώ listen
αγροκήπιο farm, orchard
αγρονομία agronomy, rural economy
αγρονομικός agrarian
αγρός field, plain, farm
αγρότης peasant, rustic
αγροτικός rural, rustic
αγροφυλακή agrarian police
αγροφύλακας rural guard
αγρυπνία sleeplessness, wakefulness, vigilance
άγρυπνος vigilant
αγρυπνώ be awake
αγυάλιστος unpolished
αγυμνασία lack of exercise
αγύμναστος untrained, unexercised
αγύρευτος unsought
αγύριστος unreturned, stubborn, obstinate
αγυρτεία quackery, roguery
αγυρτεύω be a rogue, cheat

αγύρτης quack, charlatan, rogue
αγύρτικος roguish
αγχίνοια cleverness, acuteness, sagacity
αγχίνους clever, sagacious, ingenious
αγχιστεία relationship by marriage
αγχόνη gallows, gibbet
άγω lead, conduct
αγωγή education, bringing, (δικαστική) suit
αγωγιάτης guide, driver
αγώγι fare, porterage
αγώγιμος manageable
αγωγιμότητα conductance
αγωγός conductor
αγώνας struggle, strife, contest, fight
αγωνία agony, anxiety
αγωνίζομαι struggle, fight, contend, combat
αγώνισμα contest, combat, strife
αγωνιστής fighter, combatant, contestant
αγωνιστικός contending, struggling
αγωνιώ be in agony, struggle
αγωνιώδης agonizing
αγωνοδίκης umpire
αγωνοθέτης umpire
αγωνοθετώ organize games
αδαημοσύνη ignorance, inexperience
αδαής inexperienced, ignorant
αδάκρυτος tearless
Αδάμ Adam
αδαμάντινος adamantine
αδαμαντοπωλείο jeweller's shop
αδαμαντοπώλης jeweller
αδάμαστος untamed, indomitable
αδαμιαίος of Adam, naked
αδαπάνητος unspent
αδάπανος inexpensive
άδαρτος unbeaten, unwhipped
αδασμολόγητος duty-free
αδεής fearless, intrepid
άδεια leave, permission
αδειάζω empty, evacuate, discharge

A

άδειος empty, unoccupied
αδείπνητος supperless
αδέκαστος unbribed, impartial
αδελέαστος not allured, unswayed
αδελφάκι little brother
αδελφάτο brotherhood, fraternity
αδελφή sister
αδελφικός brotherly, sisterly, fraternal
αδελφοκτονία fratricide
αδελφοκτόνος fratricide
αδελφοποίηση fraternization
αδελφοποιώ fraternize
αδελφός brother
αδελφοσύνη brotherhood, sisterhood, fraternity
αδελφότητα fraternity, brotherhood, sisterhood
άδενδρος treeless
αδενίτιδα inflammation of the glands
αδενοειδής glandular, adenoid
αδενοπάθεια adenopathy
αδενώδης glandular
αδέξιος awkward, clumsy, unskilful
αδεξιότητα awkwardness, unskilfulness
αδέσμευτος free, unbound
αδέσποτος unowned, unfounded
άδετος untied, loose, unbound
άδηλος unseen, uncertain, occult
αδήλωτος not declared
αδήμευτος unconfiscated
αδημιούργητος uncreated, not made
αδημονία anxiety, impatience, uneasiness
αδημονώ be anxious
αδημοσίευτος unpublished
αδήριτος unconquerable
άδης hell, Hades
αδηφαγία gluttony, voracity
αδηφάγος gluttonous, voracious
αδιάβαστος unread, unreadable
αδιάβατος impassable
αδιάβλητος incontestable, unslandered

αδιάβροχος waterproof
αδιάγνωστος not diagnosed
αδιάδοτος unspread
αδιάζευκτος inseparable
αδιαθεσία indisposition
αδιάθετος indisposed, unwell
αδιαθετώ be indisposed
αδιαίρετος indivisible
αδιάκοπος uninterrupted
αδιακόσμητος undecorated
αδιακρισία indiscretion
αδιάκριτος indiscreet
αδιάλειπτος unceasing
αδιάλεκτος not chosen
αδιάλλακτος irreconcilable
αδιαλλαξία irreconcilability
αδιάλυτος indissoluble
αδιαμαρτύρητα uncomplainingly
αδιαμαρτύρητος unprotested
αδιαμόρφωτος unformed, unshaped
αδιαμφισβήτητος indisputable
αδιανέμητος undivided
αδιανόητος inconceivable
αδιάντροπα impudently
αδιαντροπιά impudence
αδιάντροπος impudent
αδιαπαιδαγώγητος uncultivated
αδιαπέραστος impenetrable
αδιάπλαστος unshaped, undeveloped
αδιάπλευστος unnavigable
αδιάπτωτος undiminished
αδιάρρηκτος unbreakable
αδιασάφητος unexplained
αδιάσειστος unshakeable
αδιάσπαστος unbreakable, inseparable
αδιατάρακτος undisturbed
αδιατίμητος unestimated
αδιάτρητος unperforated
αδιατύπωτος unformulated
αδιαφάνεια pacity
αδιαφανής opaque
αδιάφθορος incorrupt, incorruptible
αδιαφιλονίκητος indisputable
αδιαφορία indifference

αδιάφορος indifferent
αδιαχώρητος impenetrable
αδιαχώριστος inseparable
αδιάψευστος uncontradicted, irrefutable
αδίδακτος untaught
αδιέξοδος impassable, blind alley
αδιερεύνητος unexplored
αδιευκρίνητος unexplained
αδιήγητος untold, unspeakable
αδιήθητος unfiltered
αδικαιολόγητος unjustified, unjustifiable
αδικαίωτος unjustified
αδίκαστος unjudged, untried
αδίκημα wrong, crime, injustice
αδικία unjustice, wrong-doing, offence, iniquity
άδικο unjustice, wrong / έχω άδικο: be wrong
αδικοπραγώ do wrong, commit an unjustice
άδικος unfair, unjust, wrong
αδικώ do wrong
αδίκως unjustly, wrongfully
αδιοίκητος unruled, ungoverned
αδιόρατος invisible, indiscernible
αδιοργάνωτος unorganized
αδιόρθωτος uncorrected, incorrigible
αδιόριστος unappointed, indefinite, unplaced
αδίπλωτος unfolded
αδίστακτος unhesitating, undoubting
αδιύλιστος unfiltered, undistilled
αδίχαστος undivided
αδοκίμαστος untried
αδόκιμος inexpert, unapproved
άδολος guileless, unadulterated
αδόξαστος unglorified, unfamed
άδοξος insignificant, inglorious
αδούλευτος unwrought, unserved
αδούλωτος unsubdued, unslaved
αδράκτι spindle
αδράνεια inertia, inactivity

αδρανής inactive, inert
αδρανώ be inactive, remain motionless
αδρεναλίνη adrenaline
άδρεπτος ungathered
αδρός generous, abundant, big
άδροσος dry, dewless
αδρότητα exuberance
αδυναμία weakeness, inability
αδύναμος lean, weak, feeble, meagre
αδυνατίζω weaken
αδύνατος weak, feeble, impossible
αδυνατώ be unable, cannot
αδυσώπητα inexorably
αδυσώπητος inexorable
άδυτο sanctuary, shrine
άδυτος impenetrable
άδω sing
αδωροδόκητος bribeless
άδωρος ungifted, unrewarded
αεί ever, always
αειθαλής evergreen
αεικινησία perpetual motion
αεικίνητος restless, ever moving
αείμνηστος unforgotten, unforgettable, ever memorable
αειπάρθενος ever virgin
αείμνηστος unforgotten, ever to be remembered
αείποτε always, for ever
αέναος perpetual, eternal
αεράκι breeze, light wind
αεράμυνα air-defense
αεραντλία air-pump
αέρας air, wind
αεργία idleness, inaction
άεργος inactive, idle
αερίζω ventilate, air, fan
αεριόμετρο aerometer, gas meter
αέριο gas
αέριος airy, aerial
αεριοποιώ aerify
αεριούχος gaseous
αεριόφως gas, gas light
αέρισμα airing, ventilation

αερισμός airing, ventilation
αεριστήρας ventilator, fan
αεριώδης gaseous
αεριωθούμενος jet-propelled
αεροβάτης dreamer, visionary
αεροβατώ be a visionary
αεροδρομία aviation
αεροδρόμιο airport, airfield, airdrome
αεροδυναμική aerodynamics
αεροδυναμικός aerodynamic
αερόλιθος aerolite, meteor
αερολογία idle talk
αερολογώ talk nonsense
αερομάντης weather prophet
αερομαχία air battle
αερομαχώ fight in the air
αερόμετρο aerometer
αεροναύτης aeronaut, aviator
αεροναυτική aviation
αεροναυτιλία air-navigation
αεροπλάνο aeroplane, airplane
αεροπλανοφόρο air-craft carrier
αερόπλοιο aircraft
αεροπορία aviation
αεροπορικά by air
αεροπορικός aerial, by air
αεροπόρος flyer, aviator, airman, pilot
αεροσκάφος air-craft
αεροστατική aerostatics
αερόστατο balloon, airship, aerostat
αεροστεγής airtight
αεροσυμπιεστής air-compressor
αεροφοβία fear on the air
αερόφρενο air-brake
αερώδης airy, gaseous, windy
αέτειος aquiline
αετός eagle
αέτωμα pediment
αζάρωτος unwrinkled
αζεμάτιστος not scalded
αζευγάρωτος unpaired, not coupled
άζευκτος unmarried
αζήλευτος unenvied
αζήμιος harmless

αζημίωτος without loss, undamaged
αζήτητος unsought
αζύγιστος unweighed
άζυμος unleavened
αζύμωτος unkneaded
αζωγράφιστος unpainted
άζωστος ungirt
άζωτο azote, nitrogen
αζωτούχος nitrogenous
αηδία disgust, loathing, nasea
αηδιάζω be disgusted
αηδιαστικός disgusting
αηδόνι nightingale
αήττητος unbeaten, invincible
άηχος silent, soundless
αθανασία immortality
αθάνατα immortally
αθάνατος immortal
άθαφτος unburied
αθέατος unseen, invisible
αθεΐα atheism
αθεϊστής atheist
αθέλητα, άθελα unwillingly
αθέλητος unwilling
αθεμελίωτος groundless
αθέμιτα illegally
αθέμιτος illicit, illegitimate, illegal
άθεος atheist, irreligious, godless
αθεόφοβος impious
αθεράπευτος incurable, irreparable
αθέρας edge, flower
αθέριστος unreaped, unmowed
αθέρμανστος unwarmed, unheated
αθέτηση violation, breach
αθετώ violate, infringe, break
αθεώρητος unobserved, unexamined
αθηλύκωτος unbuckled, unbuttoned
Αθηνά Athena, Minerva
Αθήνα Athens
Αθηναίος, Αθηναϊκός Athenian
άθικτος untouched, intact
άθλημα contest, feat
άθληση exercise, athletic sports
αθλητής athlete
αθλητικός athletic, gymnastic
αθλητισμός athletics

άθλιος miserable, wretched
αθλιότητα misery, wretchedness
αθλοθετώ set the prizes
άθλο prize
άθλος feat
αθλώ contest, contend for a prize
άθολος, αθόλωτος clear
αθόρυβα noiselessly
αθόρυβος noiseless, quiet
άθραυστος infrangible
άθρεπτος unfed
αθρήνητος unlamented
άθρησκος irreligious
αθροίζω add, sum up, gather, collect
άθροιση addition, gathering, collection
άθροισμα sum, total
αθροιστικός collective
αθρόος numerous, crowded
αθυμία low spirits
άθυμος low spirited
αθυμώ be dejected
άθυρμα toy
αθυρόγλωσσος talkative, indiscreet, blabber
αθυρόστομος garrulous
αθυσίαστος unsacrificed
αθώα innocently
αθώος innocent, harmless
αθωότητα innocence
αθώρητος invisible, unseen
αθωώνω acquit
αθώωση acquittal, discharge
αίγαγρος chamois, wild goat
Αιγαίο (πέλαγος) Aegean sea
αιγιαλός beach, seashore
αιγίδα aegis
αίγλη brilliance, splendor, brightness
αιγοβοσκός goatherd
Αιγόκερως Capricorn
Αιγύπτιος Egyptian
Αίγυπτος Egypt
αιδεσιμώτατος reverend
αιδημοσύνη bashfulness
αιδοίο pudenda, genitals

αιδώς shame, bashfulness
αιθάλη soot
αιθέριος ethereal, airy
Αιθίοπας negro
Αιθιοπία Ethiopia
Αιθιοπικός Ethiopian
αίθουσα salon, hall, drawing room
αιθρία clear sky
αίθριος clear, fair
αιθυλένιο ethylene
αίλουρος wild cat
αίμα blood
αιμάσσω bleed
αιματέμεση vomiting of blood
αιματηρός bloody
αιματίνη haematin
αιματίτης hematite
αιματοκύλισμα bloodshed, carnage, massacre
αιματοκυλώ massacre
αιματόχρωμος blood-colored
αιματοχυσία bloodshed
αιματώδης bloody
αιμάτωμα bleeding
αιματωμένος bloody
αιματώνω bleed, stain with blood
αιμοβαφής blood-stained
αιμοβόρος bloodthirsty
αιμοδιψής bloodthirsty
αιμομιξία incest
αιμοπτυσία spitting of blood
αιμοπτύω spit blood
αιμορραγία hemorrhage, bleeding
αιμορροΐδες hemorrhoids
αιμοσταγής blood-dripping
αιμοστατικός stopping the blood
αιμοσφαιρίνη hemoglobin
αιμοσφαίριο blood corpuscle
αιμοφιλία hemophilia
αιμοφόρο αγγείο blood vessel
αιμόφυρτος blood-covered
αιμοχαρής sanguinary, bloodthirsty
αινετός praiseworthy
αίνιγμα enigma, riddle
αινιγματικά enigmatically
αινιγματικός enigmatical

αινιγμός allusion
αινίσσομαι allude
αίρεση heresy
αιρετικός heretical
αιρετός elected, chosen
αισθάνομαι feel, perceive
αίσθημα feeling, sentiment
αισθηματίας sentimentalist
αισθηματικότητα sentimentalism, sentimentality
αισθηματολογία sentimentality
αισθηματολόγος sentimentalist
αίσθηση feeling, sensation, sense
αισθητήριο sensorium, organ of sense
αισθητική aesthetics
αισθητικός aesthetic, sensitive
αισθητικότητα sensibility, sensitiveness
αισθητός sensible, noticeable, perceptible
αισιόδοξα optimistically
αισιοδοξία optimism
αισιόδοξος optimistic, optimist
αισιοδοξώ be optimist
αίσιος auspicious, favourable
αισίως propitiously, auspiciously, favourably
αίσχιστος most shameful
αίσχος shame, disgrace, dishonour
αισχρόβιος depraved
αισχροκέρδεια sordid avarice, sordid gain, profiteering
αισχροκερδής profiteer, sordid, greedy
αισχροκερδώ speculate sordidly, trade maenly
αισχρολογία obscenity, filthy talk, indecency
αισχρολόγος obscence, foulmouthed
αισχρολογώ use obscence language, speak filthily
αισχρά shamefully, indecently, lewdly, ignominiously
αισχρός shameful, immoral, villain-ous

αισχρότητα shamefulness, indecency
αισχύνη shame, disgrace
αισχύνομαι be ashamed
αισχύνω disgrace
αίτημα request, demand, petition
αίτηση demand, application, request, claim
αιτητής applicant, petitioner
αιτία cause, reason
αιτίαση accusation, charge
αιτιατική (πτώση) accusative case
αιτιατός causal
αιτιολογία given reason, explanation
αιτιολογικός explaining, causative
αιτιολογώ give a reason, account for
αίτιος causing, responsible for
αιτιότητα causality
αιτιώδης causal
αιτιώμαι accuse, blame, charge
αιτούμαι beg, request
αιτώ ask for, beg, request
αιφνιδιασμός surprise attack
αιφνίδιος sudden
αιφνιδίως suddenly
αιχμαλωσία captivity, capture
αιχμαλωτίζω capture
αιχμάλωτος captive, prisoner
αιχμή point, edge
αιχμηρός pointed
αιώνας century, age
αιώνια eternally
αιώνιος eternal, perpetual
αιωνιότητα eternity, perpetuity
αιωνόβιος everliving
αιώρα swing, hammock
αιώρηση swinging in the air
αιωρούμαι swing, float in the air
ακαβαλίκευτος unbroken (horse), unridden
ακαδημαϊκός academic(al), academician
ακαδημία academy
ακαθάριστος uncleaned, unpuri-

fied, uncleansed
ακαθαρισία dirt, uncleanness, impurity
ακάθαρτα dirtily
ακάθαρτος dirty, filthy, unclean
ακάθεκτος unrestrained, unchecked
ακάθιστος unseated, acathistus, standing
άκαιρος untimely, unseasonable
ακακία acacia, innocence
άκακος benignant, guileless, harmless
ακαλαισθησία lack of taste
ακαλαίσθητος untasteful, unrefined
ακάλεστος uninvited
ακαλλιέργητος uncultivated
ακαλλώπιστος unadorned
ακάλυπτος uncovered, unhidden
ακαμάτης lazy, loafer
ακάματος indefatigable, untiring
άκαμπτος unbending, inflexible
ακαμψία inflexibility, stiffness
ακάμωτος undone
άκανθα thorn, thistle
ακάνθινος thorny, pricking
ακανόνιστος irregular, unsettled
άκαπνος smokeless
άκαρδα faint-heartedly
άκαρδος heartless, faint-hearted
ακαριαία instantaneously
άκαρπα fruitlessly
ακαρπία unfruitfulness
άκαρπος fruitless, unfruitful
ακάρφωτος unnailed, not pinned
ακατάβλητος indomitable, invincible
ακατάβρεκτος not sprinkled
ακαταγώνιστος invincible
ακαταδάμαστος indomitable
ακατάδεκτος disdainful, snobbish
ακαταδεξία disdain, snobbishness
ακαταδίκαστος uncondemned
ακαταδίωκτος unpersecuted
ακαταίσχυντος unashamed
ακατάκριτος blameless, uncondemned, irreproachable

ακατάληκτος without termination
ακατάληπτος incomprehensible
ακατάλληλος unfit, unsuitable, improper
ακαταλόγιστος irrational, incalculable
ακατάλυτος indestructible, unabolished
ακαταμάχητος invincible
ακαταμέτρητος immeasurable, unmeasured, immense
ακατανίκητος invincible
ακατανόητος inconceivable
ακατάπαυστα unceasingly
ακατάπαυστος unceasing, endless
ακατάπειστος unpersuadable, unpersuaded
ακαταπόνητος indefatigable
ακατάργητος unabolished
ακατάρτιστος unformed, unprepared
ακατάσβεστος inextinguishable
ακατασκεύαστος unconstructed
ακαταστασία disorder, untidiness
ακατάστατος untidy, unsettled, unsteady
ακατάσχετος unrestrainable, irresistible
ακαταφρόνητος not to be slighted
ακατέργαστος raw, unwrought
ακατεύναστος unappeasable
ακατηγόρητος unaccused
ακατήχητος uncatechized
ακάτιο small boat, skiff
ακατοίκητος uninhabited
ακατονόμαστος unnamable, unutterable
ακατόρθωτος unfeasible, unachievable, impracticable
άκαυστος unburnt, incombustible
ακέντητος not embroidered
ακένωτος unemptied, inexhaustible
ακέραιος whole, entire, integral, honest, upright
ακεραιότητα integrity, honesty
ακέραστος unmixed, not treated

ακερδής gainless, unprofitable
ακέφαλος headless
ακήδευτος unburied
ακηλίδωτος spotless, unstained, unsullied
ακήρυχτος undeclared, unproclaimed, unpublished
ακίδα spear-point
ακιδωτός pointed, barbed
ακίνδυνος not dangerous, harmless, safe
ακινησία immobolity, stillness
ακινητοποίηση immobilization
ακινητοποιώ immobilize
ακίνητος immovable, motionless
ακινητώ be motionless, remain still
ακκίζομαι act affectedly
ακλάδευτος unpruned, uncut
άκλαυτος unwept, unlamented
ακλεής inglorious
ακλείδωτος unlocked
ακληρονόμητος uninherited
άκληρος heirless, without heirs
άκλητος uninvited
άκλιτος indeclinable, inconjugable
ακλόνητος unshaken, firm, steady
ακμάζω thrive, prosper, flourish
ακμαίος flourishing, thriving, prosperous, vigorous
ακμή point, edge, prosperity, bloom, vigor
άκμονας anvil
ακοή hearing
ακοίμητος sleepless, wakeful, vigilant
ακοινώνητος unsociable
ακολάκευτος unflattered
ακολασία debauchery
ακόλαστος libertine, wanton
ακόλλητος unglued, unattached
ακολούθημα consequence
ακολούθηση following, attendance
ακολουθητικός consequent
ακολουθία attendance, escort / Θεία ακολουθία: divine service / κατ' ακολουθία: in consequence

ακόλουθο aftermath
ακόλουθος following, next, attendant, attachω
ακολουθώ follow, attend, pursue
ακόμα still, yet, more, besides / ακόμη μια φορά: once more / όχι ακόμη: not yet
ακομμάτιστος independent of political parties
άκομψος inelegant, homely, simple, plain
ακόνι whetstone, hone
ακονίζω whet, sharpen, grind
ακόνισμα whetting, sharpening
ακονιστήρι sharpener, grind-stone
ακονιστής whetter, sharpener
ακοντίζω dart, shoot, hurl, lance
ακόντιο javelin, dart
ακόντισμα hurling a javelin
ακοντιστής javelin-thrower, darter
ακοπάνιστος not pounded
ακοπίαστος without labour
άκοπος easy, untiring, uncut
άκορτος uncut
ακόρεστος insatiable, insatiate
ακοσκίνιστος unsifted
ακόσμητος unadorned
ακοσμία indecency, impropriety
άκοσμος indecent, indecorous
ακουαρέλλα aquarelle, water-colors
ακουαφόρτε aquafortis
ακουμπιστήρι support, prop
ακουμπώ lean, rest
ακούραστος untiring, indefatigable
ακούρδιστος not wound up, not tuned
ακούρευτος without a haircut, not clipped
ακούσιος involuntary
ακουσίως involuntarily
άκουσμα report, rumor, news
ακουστική acoustics
ακουστικός acoustic(al), auditory
ακουστός famous, audible, renowned
ακούω hear, listen

άκρα end, extremity
ακράδαντα firmly, unshakeably
ακράδαντος unshaken, steadfast
ακραίος extreme, endmost, last
ακρασία intemperance, incontinence
ακράτεια intemperance, lack of self control
ακρατής intemperate, incontinent
ακράτητος unrestrained, rash, incontrolable
άκρατος pure, unmixed
ακρέμαστος unhung
άκρη end, point, extremity
ακριβαίνω increase the price of, raise the price of
ακρίβεια exactness, precision, accuracy, high price, expensiveness
ακριβής exact, precise, punctual, right
ακριβοδίκαιος righteous, upright
ακριβολογία minuteness, precise language
ακριβολόγος punctilious
ακριβολογώ examine accurately, speak precisely
ακριβοπληρώνω pay dearly
ακριβός dear, expensive, costly
ακριβώς exactly, precisely
ακρίδα locust, grasshoper
ακρινός last, endmost
ακρισία inconsiderateness, thoughtlessness
ακρίτης defender of the borderland
ακριτικός of the border
ακριτομυθία indiscretion
ακριτόμυθος indiscreet
άκριτος inconsiderate, thoughtless
ακροάζομαι listen, attend
ακροαματικός auditory
ακρόαση hearing, listening, audience
ακροατήριο audience
ακροατής listener, hearer, auditor
ακροβασία acrobatics
ακροβάτης acrobat, rope-dancer

ακροβατικός acrobatic
ακροβατώ be an acrobat
ακροβολισμός skirmish, skirmishing
ακροβολιστής skirmisher
ακρογιαλιά seashore, coast
ακρογωνιαίος λίθος corner-stone
ακροθαλασσιά beach, seashore
ακρόπολη acropolis, citadel
άκρος extreme, terminal, supreme, utmost
ακροστιχίδα acrostic
ακροσφαλής precarious, dangerous
ακροτελεύτιος last, final
ακρότητα extremity
άκρυπτος unconcealed
ακρυστάλλωτος not crystallized
ακρώρεια top of a mountain
ακρωτηριάζω mutilate
ακρωτηριασμός mutilation
ακρωτήριο cape, promontory
Ακρωτήριο Καλής Ελπίδας cape of good hope
ακταιωρός coast-guard, vessel
ακτένιστος uncombed
ακτή coast, beach, seashore
ακτημοσύνη poverty, lack of property
ακτήμονας poor, without property
ακτινοβολία radiation, beaming, irradiancy, brilliancy
ακτινοβόλος radiant, beaming
ακτινοβολώ radiate, beam, shine, irradiate
ακτινογραφία radiography
ακτινοθεραπεία radiotherapy
ακτινολογία actinology
ακτινολόγος radiologist
ακτινοσκόπηση radioscopy, X-ray examination
ακτινοσκοπώ examine with X-rays
ακτινωτός radiated
ακτίνα ray, sunbeam, (τροχού) spoke
άκτιστος unbuilt
ακτοπλοΐα coasting
ακτοπλοϊκός of coasting

ακτοπλοώ sail along the coast
ακτοφύλακας coast-guard
ακτύπητος unbeaten
ακυβερνησία absence of government
ακυβέρνητος ungoverned
ακύλιστος unrolled
ακύμαντος waveless, calm, unruffled
ακυνήγητος unhunted
ακύλιευτος unconquered, impregnable
άκυρα illegally
άκυρος invalid, void, null
ακυρότητα invalidity
ακυρώνω nullify, annul, invalidate, void, cancel
ακύρωση invalidation, reversal, annulment
ακυρώσιμος cancelable, voidable
ακυρωτικός abrogative, revocatory
ακύρωτος unratified
ακώλυτος unhindered, unobstructed
αλαβάστρινος of alabaster
αλάβαστρος alabaster
αλάβωτος unhurt, not wounded
αλάδωτος not oiled, unanointed
αλαζόνας arrogant, haughty, conceited
αλαζονεία arrogance, haughtiness
αλαζονεύομαι boast, be haughty
αλαζονικός arrogant, haughty, boastful
αλάθητο infallibility
αλάθητος infallible
αλαλαγμός shouting, cry of joy, war cry
αλαλάζω cry out, shout for joy
αλάλητος ineffable, speechless
άλαλος speechless, mute, dumb
αλάνθαστος infallible, unerring
αλάξευτος unrefined, unhewn
αλάτι salt
αλατιέρα saltcellar
αλατίζω salt, season with salt
αλάτισμα salting
αλατισμένος salted

αλατοδοχείο saltcell
αλατούχος saline, salty
αλατωρυχείο salt-mine
αλαφρόπετρα pumice stone
Αλβανίδα Albanian woman
Αλβανία Albania
Αλβανός, Αλβανικός, Αλβανικά Albanian
άλγεβρα algebra
αλγεβρικός algebraic
αλγεινός painful, sorrowful
άλγος pain, grief, ache, sorrow
αλέθω grind
άλειμμα grease, fat, coating
αλείφω coat with, smear, anoint, daub
αλέκιαστος clean
αλέκτορας cock
αλεκτορομαχία cock-fight
Αλεξάνδρεια Alexandria
Αλέξανδρος Alexander
αλεξήλιο sunshade
αλεξήνεμο wind-shield
αλεξητήριος preventive
αλεξικέραυνο lighting-rod
αλεξιπτωτιστής parachutist
αλεξίπτωτο parachute
αλεπού fox
αλεποφωλιά fox's hole
άλεση grinding
άλεσμα grinding, grist
αλεστικά grinding charges
αλέτρι plough
αλετρίζω plough, plow
αλευθέρωτος unredeemed
αλεύρι flour, meal
αλευρόκολλα starch paste
αλευρόμυλος flour-mill
αλευροπώλης flour merchant
αλευρώδης floury
αλεύρωμα sprinkling flour
αλευρώνω coat with flour
αλήθεια truth
αληθεύω be true
αληθής true
αληθινά truly, really, indeed

αληθινός true, truthful, genuine, real
αληθοφάνεια apparent truth
αληθοφανής apparent
αλησμόνητος unforgettable, unforgotten
αλήστευτος unrobbed
αλητεία vagrancy, vagabondage
αλητεύω be a vagrant, wander
αλήτης vagrant, vagabond, tramp
αλιεία fishing, fishery
αλιευτικός fishing
αλιεύω fish
αλική salt-mine
άλικος dark red, bright red
αλίμενος harbourless
αλίπαστος salted, salt
αλισίβα lye
αλιτήριος villainous, villain, rogue
αλιφασκιά sage plant
αλκάλι alkali
αλκαλικός alkaline
αλκαλικότητα alkalinity
αλκή strenght
άλκιμος strong, robust
αλκοόλ alcohol
αλκοολικός alcoholic
αλκοολισμός alcoholism
αλκυώνα halcyon, kingfisher
αλλά but
αλλαγή change, alteration, variation
αλλάζω change, alter
αλλαντοποιός sausage-maker
αλλαξιά change, suit of clothes, barter, exchange
αλλαξοπιστία change of faith
αλλαξοπιστώ change religion
αλλάσσω change, alter
αλλαχού elsewhere
αλλεπάλληλος successive, repeated
αλληγορία allegory
αλληγορικός allegorical
αλληγορώ allegorize
αλληλεγγύη mutual support / guarantee
αλληλέγγυος jointly responsible

αλληλένδετος bound together
αλληλεξάρτηση interdependence
αλληλεπίδραση interaction
αλληλεπιδρώ interact
αλληλοβοήθεια mutual help
αλληλογραφία correspondence
αλληλογράφος correspondent
αλληλογραφώ correspond
αλληλοδιαδοχικός successive
αλληλοδιαδοχικά successively, by turns
αλληλοδιδακτικός mutually instructive
αλληλοκτονία mutual killing
αλληλοκτόνος internecine
αλληλοπαθής reflective
αλληλοσφαγή mutual slaughter
αλληλούϊα hallelujah
αλλήλους each other, one another
αλληλουχία coherence
αλληλοφάγωμα fighting one another
αλληλοφθονία mutual envy
αλληθωρίζω squint
αλληθώρισμα squinting, strabismus
αλλήθωρος squint-eyed, cross-eyed
αλλιώς differently, in an other way
αλλιώτικος different, strange
αλλογενής of another race
αλλόγλωσσος of a foreign language
αλλοδαπός foreign, alien, foreigner
αλλοδοξία different religion
αλλόδοξος of another religion
αλλοεθνής foreign, alien
άλοθι alibi
αλλόθρησκος of another religion
αλλοίμονο alas!, woe!
αλλοιώνω alter, change
αλλοίωση change, alteration
αλλόκοτος strange, odd, queer
αλλόπιστος of another faith
αλλοπρόσαλλος changeable, inconstant, fickle
άλλος another, other, else / δίχως άλλο: without fail / κάθε άλλος: everyone else

A

άλλοτε formerly, another time
αλλότριος strange, alien
αλλοτριώνω alienate
αλλοτρίωση alienation
αλλού elsewhere
αλλοφρονώ become insane
αλλοφροσύνη madness, frenzy
αλλόφυλος of another race
αλλόφωνος of another language
αλλοιώς otherwise, else, differently
άλμα jump, leap, spring, -σε μήκος long jump, -σε ύψος high jump, -επί κοντώ pole jump
αλματικός leaping
άλμη brine, pickle
αλμύρα saltness, salinity
αλμυρίζω make salty, be salty
αλμυρός salty, saline, briny
αλμυρότητα saltness
αλογάκι little horse
αλογάριαστος incalculable, not reckoned, unaccounted
αλογίσιος of a horse
αλογιστία thoughtlessness
αλόγιστος thoughtless, inconsiderate, irrational
αλογόμυϊγα horsefly
άλογο horse
άλογος unreasonable, absurd
αλόη aloe
αλοιφή ointment, unguent, salve
αλουμίνιο aluminium
άλουστος unwashed, unbathed
άλσος grove, wood, thicket
Άλπεις Alps
αλτρουϊσμός altruism
αλτρουϊστής altruist
αλύγιστος inflexible, stiff
αλυκή salt-works, salt-marsh
αλύπητα pitilessly, mercilessly
αλύπητος unmerciful
αλυσίβα lye
αλυσίδα chain
αλυσιδωτός chainlike
αλυσοδένω chain, bind in chains
αλυσόδετος chained up, bound in

chains
άλυτος tied, unsolved
αλύτρωτος unredeemed
άλωτος not melted, undissolved
άλφα alpha
αλφαβητάριο primer, first reader, spelling-book
αλφαβητικά alphabetically
αλφαβητικός alphabetical
αλφάβητο alphabet
αλφάδι level, spirit level
αλφαδιάζω level
αλφάδιασμα levelling
αλχημεία alchemy
αλχημιστής alchemist
αλώβητος intact, uninjured
αλώνι threshing floor
αλωνίζω thresh
αλώνισμα threshing
αλωνιστής thresher
αλωνιστική μηχανή threshing machine
αλωνιστικός threshing
άλωση capture, conquest
αλώσιμος conquerable
άμα as soon as
αμάδα quoit
αμάδητος unplucked
αμάζευτος ungathered, uncollected
Αμαζόνα Amazon
αμάθεια ignorance, illiteracy
αμαθής uneducated, illiterate, ignorant
αμάθητος untaught, untrained
αμάλακτος unsoftened, untouched
άμαλλος without hair
αμάλωτος unscolded
αμανάτι pledge, pawn
αμάντευτος unpredicted, unguessed
άμαξα carriage, coach, cab
αμαξάδα by carriage
αμαξάκι little car, small carriage
αμαξάς coachman, carter, cabdriver
αμαξηλάτης coachman, driver
αμάξι coach, carriage, cab
αμαξιτή carriage road

αμαξοποιός coachmaker
αμαξοστάσιο carriage house
αμαξοστοιχία train
αμάρα channel, trench
αμαράντινος amaranthine
αμάραντος unfading, (φυτό) amarantha
αμαρταίνω sin
αμάρτημα sin, fault
αμαρτία sin
αμαρτύρητος not witnessed
αμαρτωλός sinful, sinner
αμάσητος unchewed
αμαστίγωτος unwhipped
αμαυρώνω darken, dim, sully, obscure
αμαύρωση darkening
αμάχη enmity
αμαχητί without fighting
άμαχος unable to fight, not combatant
αμβλυγώνιος obtuseangled
αμβλύνοια dulness
αμβλύνους dull
αμβλύνω blunt
αμβλύς blunt, obtuse
αμβλύτητα dullness, bluntness
άμβλωση abortion
αμβροσία ambrosia
άμβωνας pulpit
αμέ why not, what
αμέθοδος unmethodical
αμεθόδευτος unmethodical
αμέθυστος unintoxicated, (λίθος) amethyst
αμείβω reward, recompense
αμείλικτα implacably
αμείλικτος implacable, inexorable
αμείωτος undiminished
αμέλεια negligence, carelessness
αμελέτητος unstudied, unprepared
αμελής negligent, careless
αμελώ neglect
αμελώς carelessly
άμεμπτος blameless, irreproachable
αμερικανίζω imitate the Americans

Αμερικανίδα American woman
αμερικανικός American
αμερικανισμός Americanism
Αμερικανός American
Αμερική America
αμεριμνησία carelessness
αμέριμνος careless, carefree
αμερόληπτα impartially, justly
αμερόληπτος impartial, just
αμεροληψία impartiality
αμέρωτος untamed
άμεσος immediate, direct
αμέσως immediately, directly
αμετάβατος intransitive
αμεταβίβαστος not transferable
αμετάβλητος unchanged, immutable
αμετάγγιστος not transfused
αμετάδοτος not delivered, not contagious, untransmitted
αμετάθετος untransposed, not removed, immovable
αμετακίνητος immovable
αμετάκλητα irrevocably
αμετάκλητος irrevocable
αμεταμέλητος unrepentant
αμεταμόρφωτος not transformed
αμετανόητος unrepentant
αμετάπειστος unpersuaded, inconvertible
αμεταποίητος unaltered, unchanged
αμετάπτωτος unabated
αμετάτρεπτος irreversible, irrevocable, firm
αμετάφραστος untranslated
αμεταχείριστος unused, unworn, first hand
αμέτοχος unparticipating
αμέτρητος countless, innumerable, immeasurable
αμήν amen
αμήνυτος unsued, unsummoned
αμηχανία embarassment, confusion, loss, perplexity
αμηχανώ be perplexed, be embarassed, be at a loss
αμίαντο amianthus

αμίαντος unpolluted, unsullied, pure
αμιγής unmixed, unmingled, pure
άμικτος unmixed
αμίλητος silent, unsociable
άμιλλα rivalry, competition
αμιλλώμαι rival, compete
αμίμητα inimitably
αμίμητος inimitable
αμισθί gratis, without pay
άμισθος unsalaried, unpaid, without pay
αμίσθωτος not hired, unoccupied, without pay
άμισχος stemless
αμμοδόχη sand box
αμμοκονία mortar, plaster
αμμόλιθος sandstone
άμμος sand
αμμοδερός sandy
άμμουδιά sandy beach, sand bank
αμμώδης sandy
αμμωνία ammonia
αμνημόνευτος unmentioned, immemorial
αμνημοσύνη forgetfulness
αμνησία amnesia
αμνησικακία forgivingness
αμνησίκακος forgiving, unresenting
αμνησικακώ be unresenting
αμνηστεύω grant amnesty
αμνηστία amnesty
αμνός lamb
αμοιβαίος mutual, reciprocal
αμοιβαιότητα reciprocity
αμοιβάδα amoeba, ameba
αμοιβή reward, recompense
αμοίραστος undivided, undistributed
άμοιρος unfortunate, unlucky
αμόλευτος undefiled, untainted, spotless
αμόλυντος spotless, not contaminated, untainted, immaculate
αμολώ slacken, loosen
αμόνι anvil
αμόνοιαστος unreconciled, unreconcilable

αμορφία deformity, ugliness
άμορφος shapeless, ugly
αμόρφωτος uneducated
αμουσία lack of refinement
αμούσκευτος not soaked
άμουσος illiterate, uneducated, uninspired
αμούστακος without a mustache
αμούχλιαστος not moldy
άμοχθος unlaboured, efortless, easy
αμπαζούρ abatjour
αμπαλάρισμα packing, wrapping up
αμπαλάρω pack up
αμπάρα bar, bolt
αμπάρι storeroom, granary
αμπαρώνω bar
αμπάριζα prisoner's base
αμπέλι vineyard
αμπελουργία vine-growing, cultivation of vines
αμπελουργός vine-grower
αμπελοφύλακας guard of a vineyard
αμπελόφυλλο vine-leaf
αμπελόφυτος planted with vines
αμπελοφυτεία plantation of vines
αμπελοχώραφα fields and vineyard
αμπελώνας vineyard
αμπέρ ampere
αμπερόμετρο ampere meter
αμπέχονο military jacket
αμπόλιαστος not vaccinated
άμποτε so may it be
άμπωτη ebb, ebbtide
άμυαλος brainless, foolish, frivolous
αμυγδαλάτος dressed with almonds
αμυγδαλιά almond tree
αμυγδαλίτιδα tonsillitis
αμύγδαλο almond
αμυγδαλόλαδο almondoil
αμυγδαλωτός almond like
αμυδρός dim, faint
αμυδρότητα dimness, faintness
αμύητος uninitiated
αμύθητος ineffable, fabulous
άμυλο starch

αμυλώδης starchy
άμυνα defense, resistance
αμύνομαι defend oneself, resist
αμυνόμενος defender
αμυντικός defensive
αμύριστος odorless
αμύρωτος unchristened
αμυχή scratch
αμφί round, about
αμφιβάλλω doubt
αμφίβιος amphibious
αμφιβληστροειδής retina
αμφιβολία doubt
αμφίβολος doubtful, dubious
αμφιδέξιος ambidextrous
αμφίεση dress, clothing
αμφιθεατρικός amphitheatrical
αμφιθέατρο amphitheater
αμφίκοιλος double concave
αμφίκυρτος double convex
αμφιλογία ambiguity
αμφίλογος ambiguous
άμφιο vestment
αμφίρροπος wavering, hesitating
αμφισβητήσιμος disputable, questionable, debatable
αμφισβητώ dispute
αμφίστομος two-edged
αμφιταλαντεύομαι waver, hesitate
αμφιταλάντευση wavering, hesitation
αμφορέας jar, pitcher
αμφοτεροβαρής reciprocal
αμφότεροι both
άμωμος blameless
αν if, whether / αν και: although, though
ανά on, upon, in, at, through, about, by
αναβαθμός stair, step
ανάβαθρο stairs, platform
αναβάλλω postpone, put off, adjourn
αναβαπτίζω rebaptize
αναβαπτισμός rebaptization
ανάβαση going up, ascension

αναβάτης rider, horseman, climber
αναβατός mountable
αναβιβάζω raise, lift up
αναβίβαση raising, lifting, rise
αναβιώνω revive
αναβίωση revival
αναβλαστάνω grow again
αναβλέπω look up, see again
ανάβλεψη looking up
αναβλητικός dilatory, procrastinating, delaying
αναβλητικότητα dilatoriness
αναβλύζω spring, bubble up
αναβοκατεβαίνω go up and down
αναβολέας stirrup
αναβολή delay, postponement, adjournment
αναβοώ cry out, shout
αναβράζω boil up
αναβρασμός boiling up, agitation, excitement, fermentation
αναβροχιά lack of rain, drought
αναβρυτήριο spring, fountain
αναβρύζω spout forth
ανάβω light, kindle
αναγαλλιάζω cheer up, grow cheerful
αναγγελία announcement, notice, declaration
αναγγέλλω announce, proclaim, declare
αναγέννηση regeneration, revival
αναγεννητής regenerator
αναγεννώ regenerate
αναγεννώμαι be reborn
αναγκάζω force, compel
αναγέρνω incline, bend
αναγκαίος necessary, needed
αναγκαιότητα necessity
αναγκαστικός compulsory, obligatory
ανάγκη necessity, need, want
ανάγλυφο bas-relief, work in relief
ανάγλυφος wrought in relief
αναγνωρίζω recognize
αναγνώριση recognition

αναγνωριστικός reconnoitering, recognizing
ανάγνωση reading
αναγνώσιμος legible
ανάγνωσμα lecture, reading
αναγνωστήριο reading-room
αναγνώστης reader
αναγνωστικό reader
αναγνωστικός reading, of reading
αναγόρευση proclamation, nomination
αναγορεύω proclaim, nominate
αναγούλα nausea
αναγουλιάζω nauseate, feel sick
αναγραμματίζω anagrammatize
αναγραμματισμός anagrammatism
αναγραφέας recorder
αναγραφή record, registry
αναγράφω record
ανάγω bring to, refer, lead, attribute
αναγωγή referring, bringing up
αναγωγικός of reduction
ανάγωγος ill-bred, ill-educated, perverse
αναδασμός distribution of land
αναδασώνω reforest
αναδάσωση reforestation, replanting
αναδεικνύω show, mark out, exhibit, raise
ανάδειξη showing, rendering, distinction, raising
αναδεκτός godson
αναδένω tie up, bind up
αναδεξιμιά goddaughter
αναδεξιμιός godson, godchild
αναδεύω mix, shake
αναδέχομαι undertake
αναδημιουργία recreation
αναδημιουργώ recreate
αναδημοσίευση republication
αναδημοσιεύω republish
αναδίνω emit, produce
αναδικάζω try again
αναδιοργανώνω reorganise
αναδιοργάνωση reorganization

αναδιορίζω reappoint
αναδιορισμός reappointment
αναδιπλασιάζω redouble
αναδιπλασιασμός redoubling
αναδίπλωση refolding
αναδίφηση research
αναδιφώ search over
ανάδοση emission
αναδουλειά lack of work
αναδοχή undertaking, acceptance
ανάδοχος godfather, sponsor
αναδρομή retrospection, going back, retrogression
αναδρομικά retrogressively, retroactively
αναδρομικός retroactive, retrospective
αναδρομικότητα retroactivity
ανάδυση emersion, emergence
αναδύω, -ομαι emerge
ανάερος light
αναζήτηση search, looking for, investigation
αναζητώ look for, search for
αναζύμωση fermentation
αναζωογόνηση reanimation, revival, invigoration
αναζωογονητικός reviving
αναζωογονώ revive, reanimate, invigorate
αναζωπύρωση reanimation
αναζωπυρώνω reanimate, rekindle
αναθαρρεύω regain courage
αναθάρρηση new courage
αναθαρρύνω give new courage
ανάθεμα curse, anathema
αναθεματίζω curse, anathematize
αναθεματισμός anathematizing
αναθερμαίνω warm again
αναθέρμανση rewarming, reheating
ανάθεση entrusting
αναθέτω entrust, commission, commit, charge
αναθεώρηση revision, review
αναθεωρητής reviser, examiner
αναθεωρώ revise, review

ανάθημα offering
αναθηματικός dedicatory, votive
ανάθρεμμα nurseling
αναθυμιάζω emit fumes, exhale
αναθυμίαση exhalation, fume, vapor
αναίδεια shamelessness, effrontery, impudence
αναιδής impudent, shameless
αναίμακτα without bloodshed
αναίμακτος bloodless
αναιμία anaemia, anemia
αναιμικός anaemic, anemic
αναίρεση refutation
αναιρέσιμος refutable
αναιρετικός refuting
αναιρώ refute, revoke
αναισθησία insensibility, senselessness
αναισθητικός anaesthetic
αναισθητοποιώ anaesthetize
αναίσθητος senseless, unconscious
αναισχυντία shamelessness
αναίσχυντος shameless, impudent
αναισχυντώ be impudent
αναίτιος without cause, unjustified
ανακαγχάζω burst out laughing
ανακαθίζω sit up
ανακαινίζω renew, renovate
ανακαίνιση renewal, renovation
ανακαινισμός renewal, renovation
ανακαινιστής renovator
ανακαινιστικός renewing, renovating
ανακαλύπτω discover
ανακάλυψη discovery
ανακαλώ recall, call back, revoke
ανακάμπτω bend back, return
ανάκαμψη bending backwards
ανάκατα mixed up, pell-mell
ανακατανομή reallocation
ανακατάταξη new classification
ανακατεύομαι meddle, mix, intermeddle
ανακατεύω mix, stir up, mingle
ανακάτωμα mixing, confusion
ανακατωμένος mixed, confused

ανακατώνω mix, stir up, confuse
ανακατωσούρης meddler, agitator
ανακεφαλαιώνω recapitulate, summarize
ανακεφαλαίωση recapitulation, summary
ανακεφαλαιωτικός recapitulatory
ανακήρυξη proclamation, declaration
ανακηρύττω proclaim, declare
ανακίνηση stirring, bringing up, moving
ανακινώ stir up, agitate
ανάκλαση refraction
ανακλαστικός refractive
ανάκληση recall, revocation
ανακλητός revocable
ανακλητήριο recall
ανάκλιντρο couch, sofa
ανακοινωθέν communiquω
ανακοίνωση communication
ανακοινώνω communicate, announce
ανακολουθία inconsistency
ανακόλουθος inconsistent, incoherent
ανακομιδή removal, bringing back
ανακομίζω bring back
ανακοπή interruption, checking, adjournment
ανακόπτω check, stop, hold
ανακουφίζω relieve, alleviate, ease
ανακούφιση relief, alleviation
ανακουφιστικός relieving, alleviating, easing
ανακράζω exclaim, cry out
ανακρεμώ hang up, suspend
ανακρίβεια inaccuracy
ανακριβής inaccurate
ανακρίνω examine, question, investigate
ανάκριση inquiry, examination
ανακριτής examining magistrate, inquisitor
ανακριτικός examining, inquisitorial
ανακροτώ clap, applaud

ανάκρουση playing
ανακρούω play
ανάκτηση recovery
ανακτητός recoverable
ανακτοβούλιο cabinet council
ανακτορικός royal
ανάκτορο palace, royal house
ανακτώ recover, regain
ανακύπτω lift up the head
ανακωχή armistice, truce
αναλαμβάνω resume, recover, regain, undertake
αναλαμπή flash, glare
αναλάμπω flash, glitter
ανάλαμψη flash, glitter
ανάλατος saltless, unsalted
ανάλαφρος light, frothy
αναλγησία lack of feeling, cruelty
ανάλγητος cruel, unfeeling
ανάλεκτα selections
ανάλεστος unground
αναλήθεια untruth
αναλήθης untrue
ανάληψη resumption, undertaking
ανάλλαγος not having changed clothes
αναλλοίωτος unaltered, unchangeable, constant
αναλογία analogy, proportion, relation, quota
αναλογίζομαι consider, think, reflect
αναλογικός proportional
αναλόγιο book-stand
αναλογισμός thought, reflection
ανάλογος proportionate, analogous
αναλογώ be analogous
αναλόγως proportionately
ανάλυση analysis
αναλυτικός analytic(al)
αναλύω analyze
αναλφάβητος illiterate
ανάλωση consumption
αναλωτής consumer
αναλωτικός consuming, costly
αναμάρτητος sinless, impeccable

αναμάσημα rumination
αναμασώ ruminate
ανάμειξη mixing
ανάμεικτος mixed
αναμένω wait for, expect
ανάμεσα between, among, amid
αναμεταξύ between, among
αναμέτρηση remeasuring, recalculating
αναμετρώ measure again, recalculate
αναμηρυκάζω ruminate
αναμηρυκαστικός ruminant
αναμιγνύομαι meddle, interfere, mix
αναμιγνύω mix up, blend
ανάμικτα miscellany
ανάμικτος mixed, miscellaneous
αναμισθώνω lease again, hire
αναμίσθωση new lease
άναμμα lighting, kindling
αναμμένος kindled, lit
ανάμνηση rememberance, recollection
αναμνηστικός memorial, commemorative
αναμονή waiting
αναμορφώνω reform
αναμόρφωση reformation
αναμορφωτής reformer
αναμορφωτικός reformative
αναμοχλεύω stir
αναμπουμπούλα confusion, affray
αναμφίβολος doubtless, indubitable
αναμφισβήτητος indisputable, unquestionable
ανανάς pineapple
ανανδρία cowardice
άνανδρος coward
ανανεώνω renew, renovate
ανανέωση renewal
ανανεωτής renewer, renovator
ανανεωτικός renovating
ανανήφω get sober
ανάνηψη recovering, getting sober
ανανταπόδοτος unreturned
αναντικατάστατος irreplaceable

αναντίρρητος uncontradictable, incontrovertible, incontestable
αναξαίνω rake, scratch again
ανάξια unworthily
αναξιοπαθής suffering undeservedly
αναξιοπαθώ suffer undeservedly
αναξιοπιστία unreliability
αναξιόπιστος unreliable, unworthy of credit
αναξιοπρεπής undignified
ανάξιος unworthy, undeserving, incapable
αναξιότητα unworthiness, incapacity
αναξιόχρεος insolvent, inreliable
αναπαλλοτρίωτος inalienable
αναπάλλω vibrate
αναπάντητος unanswered
αναπαράγω reproduce
αναπαραγωγή reproduction
αναπαράσταση representation
αναπαριστώ represent
ανάπαυλα rest, respite
αναπαύομαι rest, repose, relax
ανάπαυση repose, convenience, comfort
αναπαυτήριο resting place
αναπαυτικά comfortably, at ease
αναπαυτικός comfortable, restful
αναπαύω rest, give rest to, ease
αναπέμπω send up
αναπετώ fly up
αναπήδηση leaping, jumping up
αναπηδώ rebound, leap, spring up
αναπηρία disability, infirmity, mutilation, crippledom
ανάπηρος disabled, invalid
αναπλάθω reform, transform
ανάπλαση reformation
αναπλαστικός reformative
αναπλέω sail up, set sail
αναπλήρωμα complement, supplement
αναπληρωματικός supplementary, supplemental
αναπληρώνω fill up, refill, substitu-

te, replace
αναπλήρωση filling up, replacement
αναπληρωτής substitute, alternate
αναπνευστικός respiratory, breathing
αναπνέω breathe, respire
αναπνοή breath, respiration
ανάποδα upside down, in the wrong way
αναπόδεικτος unproved
αναπόδεκτος unacceptable
ανάποδη the wrong side
αναποδιά misfortune, bad luck
αναποδίζω go back
αναποδογυρίζω upset, overturn
αναποδογύρισμα upsetting, overturning
ανάποδος wrong, reversed, ill-natured
αναπόδοτος unreturned
αναπόδραστος unavoidable, inevitable
αναπόκριτος unanswered
αναπόληση recollection
αναπολώ recollect, recall
αναπόσβεστος unextinguished
αναπόσπαστος inseparable
αναπότρεπτος undeterred
αναποφάσιστος undecided, irresolute
αναπόφευκτος inevitable
αναπροσαρμογή readjustment, readaptation
αναπτερώνω reanimate, revive
αναπτέρωση revival
αναπτερωτικός raising
αναπτήρας cigarette lighter
αναπτυγμένος developed
ανάπτυξη development
αναπτύσσω develop, unfold
αναργυρία poverty, penury
ανάργυρος penniless, without money
άναρθρος inarticulate
αναρίθμητος innumerable
αναρμόδιος incompetent, unfit

αναρμοδιότητα unfitness, incompetence

αναρμοστία unsuitability

ανάρμοστος unsuitable, unfit (for)

αναρπάζω snatch away, carry off

ανάρπαστος snatched away, carried off, in great demand

αναρράπτω sew up

αναρρηγνύω burst

ανάρρηση ascension, elevation

αναρριπίζω kindle, excite

αναρρίπτω toss, throw up

αναρρίχηση climbing

αναρριχητικός climbing

αναρριχώμαι climb

αναρροφώ sip, suck

αναρρώνω recover, convalesce

ανάρρωση recovery, convalescence

αναρρωτήριο convalescent home

αναρρωτικός recuperative

ανάρτηση hanging, suspension

αναρτώ hang, suspend

αναρχία anarchy, disorder

αναρχικός anarchic, anarchist

άναρχος without beginning

αναρωτιέμαι wonder

ανάσα breath, rest

ανασαίνω breathe, respire

αναπαλεύω budge

ανασέρνω draw up, pull up

ανασείω shake up, swing

ανασήκωμα raising, lifting up

ανασηκώνομαι get up, rise

ανασηκώνω raise, lift up

ανασκαλεύω poke up, dig up

ανασκάπτω dig up, excavate

ανασκαφή excavation, digging up

ανάσκελα on the back, supinely

ανασκευάζω refute, rearrange, confute

ανάσκητος unexercised, untrained

ανασκίρτηση springing up

ανασκιρτώ spring, be thrilled

ανασκόπηση review, consideration

ανασκοπώ review, consider

ανασκούμπωμα rolling up, getting ready

ανασκουμπώνω, -ομαι pull up my sleeves

ανασπώ draw out

ανασταίνω revive, resuscitate

ανασταλτικός suspensive, suspensory, restraining

ανάσταση resurrection, rising

αναστάσιμος resurrectional

ανάστατος upside down, excited

αναστατώνω stir up, rouse

αναστάτωση disorder, confusion, rousing

αναστέλλω suspend, stop

αναστεναγμός sigh

αναστενάζω sigh, groan

αναστηλώνω erect, raise, restore

αναστήλωση erection, restoration

ανάστημα height, stature, size

αναστολή suspension, reprieve, restraint

αναστόμωση broadening, sharpening

αναστρέφω turn back, reverse

άναστρος starless

ανάστροφος inverted, reversed

ανασυγκροτώ recreate, reform

ανασυνδέω rejoin, reconnect

ανασυνιστώ reestablish

ανασύρω draw up, pull up

ανασύσταση reestablishment

ανασφάλιστος uninsured

ανασχηματίζω reconstruct

ανασχηματισμός reconstruction

αναταράσσω stir up, agitate

αναταραχή agitation, confusion

ανάταση holding up, raising up

ανατείνω stretch up, hold up, lift up

ανατειχίζω rebuild the walls

ανατέλλω rise, dawn

ανατέμνω dissect

ανατίμηση raising of price

ανατιμώ raise the price

ανατίναγμα shock, shaking

ανατίναξη blowing up

ανατινάσσω blow up, shake up

ανατοκίζω compound interest
ανατοκισμός compound interest
ανατολή east, sunrise(ήλιου)
Ανατολή Orient
ανατολικός east, eastern
ανατολίτης oriental, levantine
ανατομείο dissection room
ανατομή dissection
ανατομία anatomy, dissection
ανατομικός anatomic
ανατόμος dissector, anatomist
ανατρεπτικός subversive, re-
volutionary
ανατρέπω overthrow, overturn,
upset
ανατρέφω bring up, raise, rear
ανατρέχω run back to
ανατριχιάζω shiver, shudder
ανατριχιαστικός fearful, terrifying
ανατριχίλα shiver, shudder
ανατροπέας overthrower, subverter
ανατροπή overthrow, subversion
ανατροφή breeding, bringing up,
training
ανατυλίσσω wind up
ανατυπώνω reprint
ανατύπωση reprint, reprinting
άναυδος speechless, dumb
founded, mute
άναυλος without paying fare
αναύλωτος not chartered
αναυτολόγητος unregistered
αναφαίνομαι reappear, emerge
αναφαίρετος inalienable
αναφέρω report, refer, relate,
mention
αναφλέγω set on fire, inflame, kin-
dle, -ομαι take fire
ανάφλεξη ignition, inflaming,
kindling
αναφορά relation, reference, peti-
tion
αναφορικός reffering, relative
αναφυλαξία allergy
αναφυλλητό sob, sobbing
αναφύομαι spring up

αναφυσώ blow up
αναφυτεύω replant
αναφύω reproduce, spring up again
αναφώνηση exclamation
αναφωνώ exclaim, cry out
αναχαιτίζω restrain, hold back,
check
αναχαίτιση restraint, check, stop-
ping
αναχαράζω engrave upon
αναχρονισμός anachronism
αναχρωματίζω recolour, repaint
ανάχωμα bank, dyke
αναχώνω bank up
αναχώρηση departure
αναχωρητήριο hermitage
αναχωρητής hermit
αναχωρώ set out, leave, depart, go
away
αναψυκτήρας refrigerator
αναψυκτήριο refreshment room
αναψυκτικό refreshment
αναψυκτικός refreshing
αναψυχή recreation, amusement,
refreshment
ανδραγάθημα feat, exploit,
achievement
ανδραγαθία brave deed
ανδραγαθώ do brave deeds, feast
ανδραδέλφη sister-in-law
ανδράδελφος brother-in-law
ανδραποδίζω enslave
ανδραποδισμός enslavement
ανδράποδο slave
άνδρας man
ανδρεία bravery
ανδρειεύομαι assume courage
ανδρείκελο manikin, puppet
ανδρείος brave
ανδρειωμένος brave, courageous
ανδριάντας statue
ανδρίζω inspire courage
ανδρικός male, belonging to a
man, manly
ανδρισμός bravery, manliness
ανδρογυναίκα virago

ανδρόγυνο married couple, man and wife

ανεβάζω raise, lift up

ανεβαίνω ascend, mount, rise

ανέβασμα lifting up, raising

ανεβακατεβαίνω go up and down

ανέγγιχτος intact, untouched

ανεγείρομαι rise, get up

ανέγερση raising, erection

ανειλικρίνεια insincerity

ανειλικρινής insincere

ανείσπρακτος uncollected

ανέκαθεν from the beginning, from old

ανεκδιήγητος ineffable, untold, unutterable

ανεκδίκητος unavenged

ανέκδοτο anecdote

ανέκδοτος unedited, unpublished

ανεκκαθάριστος unliquidated

ανέκκλητος revocable

ανεκμετάλλευτος unexploited, unworked

ανεκπλήρωτος unfulfilled

ανεκρίζωτος unrooted

ανεκτά tolerably, bearably

ανεκτέλεστος unexecuted, unperformed

ανεκτικός tolerant

ανεκτικότητα tolerance, indulgence

ανεκτίμητος priceless, inestimable, invaluable

ανεκτός tolerable, bearable

ανέκφραστα inexpressibly, unutterably

ανέκφραστος inexpressible, unutterable

ανελέητος without receiving charity

ανελεύθερα servilely, slavishly

ανελευθερία illiberality

ανελεύθερος illiberal, slavish, servile

ανέλιξη unfolding, evolution, unrolling

ανελίσσω unroll, unfold

ανέλκυση pulling up, drawing up

ανελκυστήρας lift, elevator

ανελλιπής not deficient, complete

ανέλπιστος unexpected

ανέμη spinning-wheel, reel

ανεμίζω reel, ventilate, air

ανέμισμα ventilation, airing

ανεμιστήρας ventilator, fan

ανεμοβλογιά chicken-pox

ανεμόβροχο wind with rain

ανεμόδαρτος wind beaten, weatherbeaten

ανεμοδείκτης weather cock, vane

ανεμοδούρα whirl-wind, weather cock

ανεμοζάλη storm, hurricane

ανεμομάζωμα ill-gotten goods

ανεμόμετρο anemometer

ανεμόμυλος wind-mill

ανεμοπύρωμα erysipelas

άνεμος wind

ανεμόσκαλα rope ladder

ανεμοστρόβιλος whirlwind

ανεμότρατα drag-net

ανεμπόδιστος unhindered

ανεμώδης windy

ανεμώνη anemone, windflower

ανενδοίαστος unhesitating

ανένδοτος unyielding, inflexible

ανενόχλητος undisturbed, untroubled

ανεξαίρετος not excepted

ανεξαιρέτως without exception

ανεξακρίβωτος unverified, unascertained

ανεξάλειπτος indelible

ανεξάντλητος inexhaustible

ανεξαργύρωτος not cashed, unpaid

ανεξαρτησία independence

ανεξάρτητα independently

ανεξάρτητος independent

ανεξέλεγκτα uncontrollably

ανεξέλεγκτος uncontrollable, unexamined

ανεξερεύνητος unexplored, inscrutable

ανεξέταστος unexamined

ανεξήγητος inexplicable

ανεξιθρησκεία tolerance
ανεξίθρησκος tolerant
ανεξικακία forbearance, indulgence
ανεξίκακος forbearing
ανεξιλέωτος inexpiable, inexorable
ανεξίτηλος indelible
ανεξιχνίαστος untraceable, inscrutable
ανέξοδος inexpensive, cheap
ανεξοικείωτος unaccustomed
ανεξομολόγητος unconfessed
ανεξόφλητος unpaid
ανεόρταστος uncelebrated
ανεπαίσθητος imperceptible, slight
ανεπαίσχυντος unashamed
ανεπανόρθωτος irreparable
ανεπάρκεια insufficiency
ανεπαρκής insufficient
ανεπαρκώς insufficiently
ανέπαφος untouched, intact
ανεπεξέργαστος unfinished
ανεπηρέαστος uninfluenced
ανεπίβλεπτος not watched
ανεπίγραφος unaddressed
ανεπίδεκτος incapable of, insusceptible
ανεπίδοτος undelivered, not handed
ανεπιείκεια inclemency
ανεπιεικής inclement
ανεπιθύμητος undesirable
ανεπικύρωτος unconfirmed
ανεπίληπτος irreproachable
ανεπίσημος unofficial
ανεπιστρεπτί irrevocably
ανεπίτευκτος unattainable
ανεπιτήδειος unskilful, awkward
ανεπιτηδειότητα unskilfulness, awkwardness
ανεπιτήδευτα unaffectedly, artlessly
ανεπιτήδευτος unaffected, artless
ανεπιτήρητος not supervised
ανεπιτυχής unsuccessful
ανεπιτυχώς unsuccessfully
ανεπιφύλακτος unreserved
ανεπούλωτος unhealed
ανεπτυγμένος developed

ανέραστος unloved
ανεργία unemployment
άνεργος unemployed
ανερεύνητος unsearched, unexplored
ανερευνώ search, investigate
ανερμάτιστος unballasted, unbalanced
ανερμήνευτος unexplained
ανερυθρίαστος unblushing
ανέρχομαι go up, ascend, mount up
ανερώτητος unasked, unquestioned
ανέρωτος not watered
άνεση ease, comfort, rest, repose
ανέσπερος eternal, never setting
ανέστιος homeless
ανεστραμμένος reversed, inverted
ανέτοιμος unprepared, unready
άνετα comfortably
άνετος comfortable, easy
άνευ without
ανεύθυνα irresponsibly
ανεύθυνος irresponsible
ανευλάβεια irreverence, disrespect
ανευλαβής irreverent, disrespectful
ανευλόγητος unblessed
ανεύρεση finding out, discovery, invention
ανεύρετος undiscovered, not found
ανευρίσκω find out, discover
ανεύρυσμα enlargement, broadening
ανευφημώ acclaim, applaud
ανεφάρμοστος inapplicable, unapplied
ανέφελος cloudless, unclouded
ανέφικτος unattainable
ανεφοδιάζω supply again
ανεφοδιασμός supplying again
ανέχεια poverty, want
ανέχομαι tolerate
ανεψιά niece
ανεψιός nephew
ανήθικα immorally
ανήθικος immoral
ανηθικότητα immorality
άνηθο anise

ανήκεστος incurable
ανήκοος heedless, inattentive
ανήκουστος unheard of
ανήκω belong, appertain
ανηλεής merciless, cruel, pitiless
ανηλικιότητα minority
ανήλικος minor, under age
ανήλιος sunless, not sunny
ανήμερα on the same day
ανήμερος wild, fierce, savage
ανημποριά indispotion
ανήμπορος indisposed
ανήξερος unknowing, ignorant
ανήσυχα restlessly, uneasily, anxiously
ανησυχητικός disquietening, troublesome
ανησυχία uneasiness, anxiety, trouble
ανήσυχος unquiet, anxious, uneasy, restless
ανησυχώ be anxious, be uneasy, disturb, annoy
ανηφορίζω go up, ascend, mount
ανηφορικός ascenting, steep, uphill
ανήφορος ascent, uphill, acclivity
ανθέμιο blossom
ανθεκτικός endurable, enduring
ανθεκτικότητα endurance, durability
ανθηρός blooming, flourishing
ανθηρότητα flourishing condition
άνθηση blooming, blossoming, flowering
ανθίζω bloom, blossom, flourish
άνθινος of flowers, flowery
άνθισμα blooming, flowering
ανθοβολία shedding of blossom
ανθοβολώ blossom, bud
ανθόγαλα cream
ανθοδέσμη bouquet, nosegay
ανθοδοχείο flower-pot, vase
ανθοκήπιο flower garden
ανθόκηπος flower garden
ανθοκομία floriculture
ανθοκόμος floriculturist, florist

ανθοκομώ cultivate flowers
ανθολογία anthology, gathering of flowers
ανθολογώ gather flowers
ανθόνερο rose-water
ανθοπωλείο flower-store, flower shop
ανθοπώλης flower-man, florist
άνθος flower, blossom
ανθός flower, blossom
ανθόσπαρτος strewn with flowers
ανθοστεφής crowned with flowers
ανθοστόλιστος decorated with flowers
ανθόστρωτος strewn with flowers
ανθοφόρος flowery, flower-bearing
ανθοφορώ bear flowers
ανθρακαποθήκη coal-bin, bunker
ανθρακασβέστιο calcium, lime carbonate
ανθράκευση coaling
ανθρακεύω coal, take in coal
ανθρακιά coal fire, heap of coals
ανθρακικός carbonic, -ό οξύ carbon dioxide, -ό ασβέστιο carbonate of lime, -ό άλας carbonate
ανθρακίτης anthracite
ανθρακοειδής coal-like
ανθρακοποίηση carbonization
ανθρακοποιώ carbonize
ανθρακοπωλείο coal-shop
ανθρακοπώλης coal- man, coal-merchant
ανθρακούχος carbonic
ανθρακοφόρος coal-bringing, carboniferous
ανθρακωρυχείο coal-mine, coal-pit
ανθρακωρύχος coal- miner, collier
ανθράκωση carbonation
ανθρωπάκι little man, (μτφ) unworthy
ανθρωπάριο little man, dwarf
ανθρωπιά politeness, civility, good breeding
ανθρωπίζω civilize, humanize
ανθρωπινά humanly, properly

ανθρώπινος human, -ο γένος human kind

ανθρωπισμός humanism, humanity, civility

ανθρωπιστής humanist

ανθρωποειδής anthropoid, man-like, human-like

ανθρωποθάλασσα great crowd

ανθρωποθυσία human sacrifice

ανθρωποκτονία homicide, murder, man-slaughter

ανθρωποκτόνος homicide, murderer

ανθρωπολάτρης man-worshipper

ανθρωπολογία anthropology

ανθρωπολογικός anthropologic(al)

ανθρωπολόγος anthropologist

ανθρωπομετρία anthropometry

ανθρωπομορφισμός anthropomorphism

ανθρωπόμορφος human-like, resembling a man

άνθρωπος man, human being, (άτομο) person, individual

ανθρωπότητα humanity, man-kind, human race

ανθρωποφαγία cannibalism

ανθρωποφάγος cannibal

ανθρωποφοβία anthropophobia, fear of men, unsociability

ανθυγιεινός unhealthy, unwholesome

ανθυπασπιστής warrant- officer

ανθυπατεία proconsulship

ανθύπατος proconsul

ανθυπίατρος assistant surgeon

ανθυπίλαρχος sublieutenant of cavalry

ανθυπνωτικός sleep-dispelling

ανθυποβάλλω propose in turn

ανθυπολοχαγός sublieutenant

ανθυπομοίραρχος second lieutenant of gendarmerie

ανθυποπλοίαρχος second lieutenant in the navy

ανθυποσημηναγός pilot officer

ανθώ bloom, blossom, flourish, thrive

ανθώνας flower-bed, flower garden

ανία weariness, dulness, annoyance, boredom

ανιαρός wearisome, tedious, annoying, dull, uninteresting

ανιαρότητα tediousness, weariness, beredom, annoyance

ανίατος incurable

ανίδεος having no idea, unknowing, ignorant

ανιδιοτέλεια disinterestedness

ανιδιοτελής disinterested

άνιδρος without sweating

ανίερος profane, unholy

ανικανοποίητος unsatisfied

ανίκανος unable, incapable, unskilful

ανικανότητα incapability, inability

ανίκητος invincible, inconquerable

ανιλίνη aniline

ανίσκιος shadeless

ανισοβαρής of unequal weight

ανισογώνιος of unequal angles

ανισομερής of unequal parts

ανισόμετρος unsymmetrical

ανισόπλευρος unequilateral

ανισορροπία insanity, madness, unsteadiness

ανισόρροπος unbalanced, unsteady, insane

άνισος unequal, uneven

ανισοσκελής not isosceles

ανισοταχής of unequal speed

ανισότητα inequality, unevenness

ανισούψής of different height

ανιστόρητος having no knowledge of history, not recorded in history

ανίσχυρος powerless, weak, feeble

άνιφτος unwashed

ανίχνευση tracking, searching, tracing

ανιχνευτής tracker, searcher

ανιχνευτικός searching, tracking

ανιχνεύω search, track, trace, investigate

ανοδικός going up, ascending

άνοδος ascent, going up, ascension, anode(ηλεκτρόδιο), accession

ανοησία foolishness, stupidity, silliness, folly

ανόητος silly, foolish, stupid, absurd

ανόθευτος pure, unadulterated

άνοια foolishness, thoughtlessness

άνοιγμα opening, aperture, hole, uncorking(ξεβούλωμα), mouth

ανοιγοκλείνω open and shut, open and close, wink(τα μάτια)

ανοιγοκλείσιμο opening and shutting

ανοίγω open

ανοίκειος unfit, unsuitable, unseemly, improper

ανοικειότητα impropriety, inconvenience

ανοίκιαστος not rented, unhired

ανοικοδόμηση rebuilding, restoration

ανοικοδόμητος unbuilt

ανοικοδομώ rebuild, reconstruct, erect

ανοικοκύρευτος untidy

ανοικονόμητος unmanageable, intractable

ανοικτά openly, plainly

ανοικτός open, (χρώμα)light

άνοιξη spring

ανοιξιάτικος of the spring

ανοιχτόκαρδος open-hearted, cheerful, gay

ανοιχτομάτης clear-sighted, wide-awake

ανοιχτοχέρης generous, open-handed, free-handed

ανοιχτοχεριά generosity

ανομβρία lack of rain, drought, dryness

ανόμημα unlawful act, sin

ανομία iniquity, wrong-doing, injustice, lawlessness

ανομίλητος speechless, unsociable

ανομοθέτητος unlegislated, not having been decreed by law

ανόμοια dissimilarly, unlikely

ανομοιογένεια dissimilarity, heterogeneity

ανομοιογενής heterogenous, dissimilar

ανομοικατάληκτος without rhymes, not rhyming

ανομοιομερής of different parts or kinds

ανομοιομορφία lack of uniformity, dissimilarity

ανομοιόμορφος not uniform

ανόμοιος unlike, dissimilar

ανομοιότητα dissimilarity, unlikeness

ανομολόγητος unconfessed, unadmitted

άνομος unlawful, iniquitous

ανοξείδωτος stainless, inoxidizable

ανόργανος inorganic

ανοργάνωτος unorganized

ανόρεκτα unwillingly

ανόρεκτος without appetite

ανορεξία want of appetite

ανορθογραφία misspelling, incorrect writting

ανορθόγραφος misspelled, faulty

ανορθογραφώ misspell, write wrong

ανορθώνω set up, erect, raise up

ανόρθωση setting up, rebuilding, re-erection

ανορθωτής restorer, redresser

ανορθωτικός restorative

άνορκος not sworn

ανόρυξη excavation, digging up

ανορύσσω excavate, dig up

ανοσία immunity from disease

ανόσιος nefarious, impious

ανοσιότητα wickedness, impiety, unholiness

ανοσιούργημα profane act, adominable act

ανοσιουργία atrocity

ανοσιουργός atrocious, evil doer

ανοσιουργώ commit impious acts

άνοσος immune from disease
άνοστα insipidly, sillily
ανοσταίνω become insipid, lose my taste, make tasteless
ανοστιά insipidity, tastelessness
άνοστος tasteless, insipid
ανουθέτητος unadvised
ανουρία anuria
ανούσιος insipid, dull
ανοχή tolerance, forbearance
ανοχύρωτος unfortified
ανταγωγή cross action, counter suit
ανταγωγικός relative to a cross action
ανταγωνίζομαι rival, oppose to compete
ανταγωνισμός competition, rivalry
ανταγωνιστής competitor, rival, opponent
ανταγωνιστικός competitive
ανταλλαγή exchange, interchange
αντάλλαγμα equivalent, thing exchanged, exchange
ανταλλακτικά spare parts
ανταλλακτικός pertaining, exchange
ανταλλάξιμος interchangeable, exchangeable
ανταλλάσσω exchange, interchange, barter
αντάμα together
ανταμείβω reward, recompense, repay
ανταμοιβή reward, recompense
αντάμωμα meeting
ανταμώνω meet, come across, -ομαι meet each other
αντάμωση meeting
αντανάκλαση reflection, reverberation
αντανακλαστήρας reflector
αντανακλαστικός reflecting, reflective, reverberating
αντανακλώ reflect, mirror, reverberate
αντάξιος worthy, deserving, equal
ανταπαίτηση counter-claim, cross-demand

ανταπαιτητής counterclaimer
ανταπαιτώ demand in turn
ανταπάντηση reply, rejoinder
ανταπαντώ reply, rejoin
ανταπεργία lock-out
ανταποδεικνύω give proof to the contrary
ανταπόδειξη proof to the contrary, counterproof
ανταποδίδω return, give in return, repay
ανταπόδοση repayment, return, giving in return
ανταποκρίνομαι correspond, come up to
ανταπόκριση correspondence
ανταποκριτής correspondent
ανταπολογία counter reply, replication, rejoinder
ανταπολογούμαι apologize in return
αντάρα storm, noise, uproar
ανταριάζω be covered by fog
ανταρκτικός antarctic, southern
ανταρσία rebellion, revolt, uproar, uprising
αντάρτης rebel, insurgent, guerilla
αντάρτικος rebellious
ανταυγάζω reflect, illuminate
ανταύγεια reflection
ανταφροδισιακός antivenereal, antaphrodisiac
αντεγγύηση counter-guarantee
αντέγκληση recrimination
αντεγκλητικός recriminatory
αντεθνικός antinational, unpatriotical
αντεισαγγελέας assistant to the public prosecutor
αντεισάγω introduce in turn
αντεισήγηση suggestion to the contrary
αντεκδίκηση reprisal, revenge
αντεκδικούμαι retaliate, revenge
αντεμετικός antiemetic
αντενδεικνύω prove the opposite

αντένδειξη counter-indication
αντενέργεια counteraction, reaction
αντενεργός reactionary, reactive
αντενεργώ counteract, react, oppose
αντέννα antenna, sailyard
αντένσταση rejoinder, counter-exception
αντεξετάζω cross-examine, cross-question
αντεξέταση cross-examination, cross-questioning
αντεπαινώ praise in turn
αντεπανάσταση counter-revolution
αντεπαναστάτης counter-revolutionist
αντεπαναστατικός counter-revolutionary
αντεπαναστατώ make a counter revolution
αντεπεξέρχομαι march out against
αντεπίδραση counteraction
αντεπιδρώ counteract, react
αντεπίθεση counter-attack
αντεπικρίνω criticize in turn
αντεπίκριση counter-criticism
αντεπισκέπτομαι return a visit
αντεπίσκεψη visit returned
αντεπιστημονικός antiscientific
αντεπιτίθεμαι counterattack
αντεπιχείρημα counter-argument
αντεραστής rival (in love)
αντεράστρια rival in love
αντέρεισμα support, counter-prop
αντευεργέτημα benefaction returned
αντευεργετώ return a benefaction
αντευχαριστώ thank back
αντέφεση counter-appeal
αντέχω resist, withstand, hold out
αντηλιά reflection of the sun
αντήχηση resonance, echo, echoing, resounding
αντηχητικός resounding, resonant, echoing
αντηχώ resound, echo
αντί instead of, in place of, against
αντιαεροπορικός anti-aircraft

αντιαισθητικός antiaesthetic
αντιαρματικός anti-tank
αντιασθματικός antasthmatic
αντιασφυξιογόνος antiasphyxiating
αντιασφυκτικός antiasphyxiating
αντιαφροδισιακός antisexual, antiaphrodisiac
αντιβαίνω go against, be contrary
αντιβάλλω collate
αντίβαρο counter-weight, counter-balance
αντιβασιλεία regency, vice-royalty
αντιβασιλεύς viceroy, regent
αντιβασιλεύω be a regent, be viceroy
αντιβασιλικός contrary to a king
αντιβιοτικός antibiotic
αντιβοηθώ help in return
αντιβολή collation
αντιβράχιο forearm
αντιγνωμία difference in opinion
αντιγνωμώ differ in opinion
αντιγραφέας copyist, copier
αντιγραφή copying, copy
αντιγραφικός of a copy
αντίγραφο copy, transcript, reproduction
αντιγράφω copy, write over again
αντιδημοκρατικός undemocratic, antidemocratic
αντιδημοτικά unpopularly
αντιδημοτικός unpopular
αντιδημοτικότητα unpopularity
αντίδι endive
αντιδιαβητικός antidiabetic
αντιδιαβρωτικός anticorrosive
αντιδιαδήλωση counter-demonstration
αντιδιαστέλλω distinguish, discern
αντιδιαστολή distinction, distinguishing
αντιδικία opposition, contrast
αντίδικος opponent, adversary in court
αντιδικώ be the party opposing to
αντιδιφθεριτικός antidiphtheric

αντιδονητικός antivibrating
αντίδοτο antidote
αντίδραση reaction, counteraction
αντιδραστήριο reagent, test (φυσ)
αντιδραστικός reactive, coun-
teracting
αντιδρώ react, counteract, oppose
αντιδυναστικός against the dynasty,
antidynastic
αντιδωρεά return gift
αντίδωρο holy bread, blessed bread
αντιεμετικός against vomiting, anti-
emetic
αντιεπαναστατικός reactionary,
counterrevolutionary
αντιζηλία rivalry, jealousy, emula-
tion
αντίζηλος rival, emulator, com-
petitor
αντιζυγία counter-balance
αντιζυγίζω counter-balance, coun-
terpoise
αντίθεος opposed to God, ungodly,
enemy of God
αντιθερμικός antithermical
αντίθεση contrast, opposition
αντιθετικός negative, opposing,
contrasting
αντίθετος contrary to, opposed to,
opposite to
αντιθέτω oppose, contrast
αντιθρησκευτικός against religion,
irreligious, atheistic
αντίθρησκος impious, atheistic
αντικαθεστωτικός against the re-
gime, opposed to the regime
αντικαθιστώ substitute, replace
αντικαθολικός anticatholic
αντικαθρεφτίζω reflect, mirror
αντικανονικός irregular, nonconfor-
mist, contrary to regulations
αντικαταβολή payment on delivery,
reimbursement
αντικατασκοπεία counter-espionage
αντικατασταίνω substitute, replace
αντικαταστάσιμος replaceable

αντικατάσταση substitution, re-
placement
αντικαταστάτης substitute, proxy
αντικατηγορία countercharge,
counter-accusation
αντικατηγορώ counteraccuse,
counter-charge
αντικατοπτρίζω reflect, mirror
αντικατοπτρισμός mirage, reflec-
tion, mirroring
αντικειμενικά objectively
αντικειμενικός objective, imper-
sonal
αντικειμενικότητα objectivity
αντικείμενο object, objective, arti-
cle, thing
αντικλείδι false-key, pass-key, mas-
ter-key
αντικληρικός against the clergy,
anticlerical
αντίκλητος attorney at law
αντικνήμιο shinbone, tibia
αντικοινοβουλευτικός antipar-
liamentary
αντικοινωνικός antisocial, unsoci-
able
αντικομμουνιστής anticommunist
αντικομμουνιστικός anticom-
munistic
αντικραδασμικός shock absorbing
αντικρινός opposite
αντίκρουση repulse, repulsion, re-
futation
αντικρούω repulse, oppose, rejoin,
refute
αντίκρυ opposite, over against, face
to face
αντικρύζω face, front, stand oppo-
site
αντίκρυσμα facing, being opposite,
guarantee
αντίκτυπος repercussion, effect, re-
sult, resound, echoing
αντικυβερνητικός against the gov-
ernment, oppositionist
αντικυκλώνας anticyclone

αντιλαβή dolphinhandle, becket
αντιλαϊκός antipopular, unpopular
αντίλαλος echo, resound
αντιλαλώ re-echo, resound, echo
αντιλαμβάνομαι understand, perceive, sense, realise, notice
αντιλάμπω shine
αντιλέγω contradict, object, oppose
αντιληπτικός perceptive, conceptive
αντιληπτός perceptible, perceivable, comprehensible, noticed, observed
αντίληψη perception, conception, comprehension, assistance
αντιλογία contradiction, gainsaying
αντιλογικός contradictory, controversial, illogical
αντίλογος reply, counter-speech
αντιλοιμικός antipestilential, disinfectant
αντιλόπη antelope
αντιλυσσικός antirabic
αντιμαγνητικός antimagnetic
αντιμαρτυρία counter-witness
αντιμάχομαι oppose, fight against, be contrary
αντίμαχος opponent, adversary
αντιμεθαύριο the third day from tomorrow
αντιμεθυστικός against intoxication
αντιμέμφομαι blame in return
αντιμετάθεση transposition
αντιμεταθέτω transpose mutually
αντιμεταρρυθμιστής enemy of reforms
αντιμέτρηση counter-measuring
αντιμετρούμαι cope with
αντιμετρώ counterbalance
αντιμετωπίζω face, confront, cope with, meet
αντιμετώπιση facing, confronting, encounter
αντιμέτωπος face to face, faced, front to front
αντιμήνσιο altar-cloth
αντιμήνυση countersuit
αντιμηνύω bring a countersuit

αντιμηχανεύομαι counter plot
αντιμιασματικός disinfectant
αντιμιλιταρισμός antimilitarism
αντιμιλώ speak back, cheek
αντιμισθία salary, wages
αντιμολυσματικός disinfectant
αντιμοναρχικός against the monarchy, antimonarchical
αντιμόνιο antimony
αντιναυαρχία vice-admiralty
αντιναύαρχος rear-admiral, vice-admiral
αντινευραλγικός antineuralgic
αντινομία antinomy
αντινομικός counter-acting the law
αντίξοος contrary, opponent
αντιξοότητα adversity
αντίο good-bye, bye-bye
αντιπάθεια antipathy, dislike
αντιπαθής antipathetic, repulsive, repugnant
αντιπαθητικός repulsive, repugnant, antipathetic
αντιπαθώ dislike, have an aversion
αντιπαιδαγωγικός not pedagogical
αντίπαλος opponent, adversary, antagonist
αντιπαραβάλλω compare, confront
αντιπαραβολή comparison, confronting
αντιπαραγγελία counter-order
αντιπαραγέλλω countermand
αντιπαράθεση comparison, juxtaposition, contrast
αντιπαραθέτω compare, contrast
αντιπαράσταση confrontation
αντιπαράταξη enemy's order of battle, counter-array
αντιπαρατάσσω array against
αντιπαρέχω repay, render, return
αντιπαροχή return, repaying
αντιπατριώτης antipatriot, traitor
αντιπατριωτικός unpatriotic
αντιπειθαρχικός against discipline
αντιπείθω dissuade
αντίπερα on the other side

αντιπερισπασμός distraction, diversion
αντιπερισπώ distract, divert
αντιπερνώ pass by
αντιπληθωρικός deflationary
αντιπληθωρισμός deflation
αντιπλημμυρικός preventing flood
αντιπληρωμή remuneration
αντιπλοίαρχος lieutenant commander
αντιπνευματικός not spiritual
αντίποδες antipodes
αντίποινα reprisals
αντιπολιτεύομαι oppose in politics
αντιπολίτευση opposition
αντιπολιτευτικός of the opposition
αντιπολιτικός impolitic
αντίπραξη counteraction, reaction, opposition
αντιπράττω counteract, oppose, act against
αντιπροεδρεύω be vice-president
αντιπροεδρία vice-presidency
αντιπρόεδρος vice-president
αντιπροκαλώ challenge in return
αντιπροοδευτικός unprogressive, conservative
αντιπροσφέρω counter-offer, offer in return
αντιπροσωπεία representation, delegation
αντιπροσώπευση representation
αντιπροσωπευτικός representative
αντιπροσωπεύω represent
αντιπρόσωπος representative, deputy, agent
αντιπρόταση counter-proposition, counter-suggestion
αντιπροτείνω counter propose
αντιπροχθές three days ago
αντιπροχθεσινός of the other day
αντιπρύτανης subrector, vice rector
αντιπυρετικός antipyretic, against fever
αντιρραχιτικός antirachitic
αντιρευματικός antirheumatic

αντίρρηση objection, contradiction
αντιρρησίας objectionist
αντίρροπος counterbalancing
αντισεισμικός against earthquakes
αντισήκωμα counter-balance, compensation
αντισηκώνω counter-balance, compensate
αντισημίτης anti-semite
αντισημιτισμός anti-semitism
αντισηπτικός antiseptic
αντισηψία antisepsis
αντίσκηνο tent, army-tent
αντισκορβουτικός antiscorbutic
αντισκωριακός antirust
αντισοσιαλιστής antisocialist
αντισπασμωδικός antispasmodic(al)
αντισπαστικός antispastic, revulsive
αντισταθμίζω counterbalance, compensate
αντιστάθμιση counterbalancing
αντιστάθμισμα compensation, counterbalance
αντίσταση resistance, opposition
αντιστέκομαι oppose, resist, withstand
αντιστήριγμα buttress, support
αντιστηρίζω support, prop up, uphold
αντιστήριξη supporting, proping up
αντίστιξη counterpoint
αντίστοιχα correspondingly, correlatively
αντιστοιχία correlation
αντίστοιχος corresponding, correspondent
αντιστοιχώ correspond, be entitled
αντιστρατεύομαι be opposed to, oppose, be contrary to
αντιστρατήγημα counter-maneuver, countertrick
αντιστράτηγος lieutenant general
αντιστρατιωτικός antimilitarist
αντιστρατοπεδεύω encamp against
αντιστρέφω reverse, revert, invert
αντιστροφή inversion, reversal

αντίστροφος inverse, reverse
αντισυναλλαγματική redraft
αντισυνταγματάρχης lieutenant colonel
αντισυνταγματικός unconstitutional
αντισυφιλιδικός antisyphilitic
αντισφαίριση tennis
αντισφαιριστής tennis player
αντίσωμα antibody
αντίταξη opposing
αντιτάσσω oppose, object, resist, bring against
αντιτείχισμα counter-wall, supporting wall
αντιτετανικός antitetanic
αντιτίθεμαι oppose, go against
αντίτιμο equivalent
αντιτοξικός antitoxical
αντιτορπιλλικό torpedo-boat, destroyer, torpedo-destroyer
αντίτυπο copy of a book
αντιτυφικός against typhus
αντιφάρμακο antidote, counter-poison
αντίφαση contradiction, discrepancy
αντιφάσκω contradict oneself
αντιφατικός contradictory, inconsistent
αντιφεγγίζω shine back, reflect
αντιφεμινισμός antifeminism
αντιφεμινιστής antifeminist
αντιφρονώ be of a contrary opinion
αντιφωνώ answer, reply
αντίχειρας thumb
αντιχολερικός against cholera
αντιχριστιανικός antichristian
αντίχριστος antichrist, devil, satan
αντιψυκτικό antifreeze
άντλημα pail
άντληση drawing up, pumping
αντλία pump
αντλώ draw up, pump
αντονομασία antonomasia
αντοχή endurance, resistance, tenacity
άντρας δες άνδρας

αντρειεύω grow up, become brave
αντρειωμένος valiant, brave, courageous
αντρίκιος manly
άντρο cave, cavern, grotto
αντρογυναίκα virago
αντρόγυνο husband and wife
αντωνυμία pronoun
αντωνυμικός pronominal
ανυδρία drought, dryness
ανυδρίτης anhydrite
άνυδρος waterless, dry
ανυμνώ praise, glorify
ανύμφευτος unmarried, single
ανυπακοή disobedience
ανύπαντρος unmarried, single
ανύπαρκτος non-existent, not existing
ανυπαρξία non-existence
ανυπεράσπιστος undefended, unprotected
ανυπέρβατος insurmountable, insuperable
ανυπέρβλητος insuperable, incomparable
ανυπόγραφος insigned
ανυπόληπτος not respected, dishonorable
ανυποληψία disrepute, disesteem
ανυπολόγιστος incalculable
ανυπομονησία anxiety, impatience
ανυπόμονος anxious, impatient
ανυπομονώ be impatient, be anxious
ανύποπτος unsuspicious, unsuspected
ανυπόστατος groundless, unfounded
ανυποστήρικτος unsupported, indefensible
ανυποταγή disobedience
ανυπότακτος disobedient, undisciplined, unsubdued
ανυποταξία insubordination, disobedience
ανυπόφορος unbearable, intolerable, insupportable
άνυσμα vector

ανύφαντος unwoven
ανυψώνω raise, elevate, lift up
ανύψωση elevation, raising
ανυψωτήρας elevator, lift
ανυψωτικός lifting
άνω over, up, above, upper, on
ανώγειο upper floor
ανώδυνος painless, lenitive
ανωμαλία irregularity
ανώμαλος irregular, abnormal, rough
ανωνυμία anonymity
ανώνυμος anonymous
ανώριμος immature, unripe
άνωση pushing up, buoyancy
ανώτατος highest, supreme
ανώτερος higher, superior
ανωτερότητα superiority
ανωφέλεια uselessness
ανωφελής useless
ανωφέρεια acclivity, ascent
ανωφερής ascending, uphill, steep
ανώφλι lintel
άξαφνα suddenly
άξαφνος sudden
αξάφριστος unskimmed
αξεγύμνωτος dressed, not naked
αξεδιάλεκτος unclarified, unselected
αξεκαθάριστος unsettled, uncleared, unpicked
αξεμολόγητος unconfessed
αξεμπέρδευτος unravelled
αξένοιαστος careless, carefree
άξενος inhospitable
αξεπέραστος unsurpassed
αξερρίζωτος ineradicable
αξεσήκωτος uncopied, not revolted
άξεστος rude, impolite, unpolished
αξεφλούδιστος unskinned, unpeeled
αξέχαστος unforgettable
αξεχώριστος unseparated, inseparable
αξία value, worth, price, cost, merit
αξιαγάπητος amiable, lovely, lovable
αξιέπαινος praiseworthy

αξίζω merit, deserve
αξίνη hotchet, axe
αξιοδάκρυτος lamentable, deplorable
αξιοδιήγητος worth-telling
αξιοζήλευτος enviable
αξιοθαύμαστος admirable, wonderful
αξιοθέατος worth-seeing, remarkable
αξιοθρήνητος lamentable, deplorable, miserable
αξιοκατάκριτος blamable, blameworthy
αξιοκαταφρόνητος contemptible
αξιολάτρευτος adorable
αξιόλογος remarkable, considerable
αξιολύπητος pitiful
αξιόμαχος in fighting condition, prepared for war
αξιόμεμπτος blameworthy, blamable
αξιομνημόνευτος memorable, worth of mention
αξιοπερίεργος curious, odd, peculiar
αξιοπιστία credibility
αξιόπιστος creditable
αξιοποίηση development, reclamation, making worthy
αξιοποιώ make worthy, develop, reclaim
αξιοπρέπεια dignity, decorum
αξιοπρεπής dignified, decent
άξιος worthy, deserving, able
αξιοσέβαστος vanerable, respected
αξιοσημείωτος notable, noticeable
αξιοσύστατος commendable, recommendable
αξιότιμος honourable, respectable
αξιοτιμώρητος punishable
αξίωμα dignity, charge, office
αξιωματικός officer
αξιωματούχος officer
αξιώνω deign, claim
αξίωση claim, pretention

αξόδευτος unspent
αξομολόγητος unconfessed
άξονας axis, axle
αξονικός axial
αξύριστος unshaven
άξυστος unscraped, unscratched
αόμματος blind, sightless
άοπλος unarmed, armless
αόρατος invisible
αοριστία indefiniteness, vagueness
αοριστολογία vague speaking, vague words
αοριστολογικός indefinite, vague
αόριστος vague, indefinite
αορτή aorta
άοσμος scentless, inodorous
απαγάγω lead away, carry off
απαγγελία recitation
απαγγέλλω recite, pronounce
απαγίδευτος untrapped
απαγορευμένος forbidden, prohibited
απαγόρευση prohibition
απαγορεύω prohibit, forbid
απαγχονίζω hang, strangle
απαγχονισμός hanging
απαγωγέας abductor
απαγωγή abduction
απάγωτος unfrozen
απάθεια apathy, indifference
απαθής cool, apathetic, indifferent
απαιδαγώγητος untrained, uneducated
απαιδευσία lack of education
απαίδευτος uneducated, untaught
απαίνευτος unpraised
απαισιοδοξία pessimism
απαισιόδοξος pessimistic
απαίσιος ill-omened, sinister, horrible, evil
απαίτηση demand, claim
απαιτητικός demanding, exacting, importune
απαιτώ demand, claim
απαλείφω wipe off, wipe out
απαλλαγή deliverance, release

απαλλαγμένος free of, exempt from
απαλλάσσω deliver, discharge, release, set free, -ομαι get rid of
απαλλοτριώνω expropriate, alienate
απαλλοτρίωση expropriation, alienation
απαλός soft, tender
απαλότητα softness, tenderness, delicacy
απαλύνω soften, mollify, make delicate
απάνθισμα selection, choice, anthology
απανθρακώνω carbonize, char
απανθράκωση charring, carbonization
απανθρωπιά inhumanity, cruelty
απάνθρωπος inhuman, cruel
άπαντα the complete works
απαντέχω expect
απάντηση answer, reply
απαντοχή expectation
απάντρευτος unmarried, single
απαντώ answer, reply, encounter, meet
απάνω up, high up, above, on
απανωτός successive
απαξιώ disdain, consider unworthy
απαξίωση disdain, refusal
απαράβατος inviolable, inviolate
απαραβίαστος inviolable
απαράγραπτος inalienable, inviolable
απαράδεκτος unacceptable
απαραίτητος indispensable
απαράλλακτος identical, exactly the same
απαράμιλλος unrivalled, incomparable
απαρασάλευτος unshakable, steady, unwavering
απαρασκεύαστος unprepared, unready
απαρατήρητος unnoticed, unobserved
απαραχάρακτος unalterable

απαραχώρητος unyielded
απαρέγκλιτος inflexible, firm
απαρέμφατο infinitive
απαρέσκεια despleasure, dislike
απαρηγόρητος inconsolable
απαρίθμηση enumeration
απαριθμώ enumerate, count, number
απάρνηση renunciation
απαρνιέμαι renounce, give up, deny
απαρτία quorum
απαρχαιωμένος old-fashioned, obsolete
απασχόληση occupation, distraction
απασχολώ occupy
απατεώνας deceiver, cheat
απάτη fraud, cheat, deceit
απάτητος untrodden
άπατος bottomless
απατός self
απατώ deceive, cheat, defraud
απαύδηση fatigue, exhaustion
απαυδώ become tired, get exhausted
άπαυτος unceasing, perpetual
άπαχος lean, thin
απεγνωσμένος desperate, in despair
απειθάρχητος undisciplined, insubordinate
απειθαρχία lack of discipline, indiscipline
απειθαρχώ disobey
απείθεια disobedience
απειθώ disobey
απεικάζω portray
απεικονίζω represent, paint, portray
απεικόνιση representation, portrayal
απειλή threat, menace
απειλητικός threatening, menacing
απειλώ threaten, menace
απείρακτος not offended
απειράριθμος innumerable, countless
απειρία inexperience
απειροελάχιστος microscopic, minute

απειρομεγέθης huge, immense
άπειρο infinity, immensity
άπειρος inexperienced, inexpert
άπειστος unpersuaded
απέλαση expulsion, exile
απελαύνω expel, deport
απελέκητος unhewn, gross, rough
απελεύθερος freed, liberated
απελευθερώνω set free, liberate
απελευθέρωση entranchisement, deliverance
απελευθερωτής deliverer, liberator
απελευθερωτικός liberative
απελπίζω despair, dishearten, discourage
απελπισία desperation, despair
απελπιστικός hopeless, desperate, discouraging
απέναντι opposite
απεναντίας on the contrary
απενταρία poverty
απένταρος penniless, poor
απεραντολογία prolixity, endless talk
απεραντολόγος verbose, prolix
απεραντολογώ speak at great length
απέραντος boundless, endless
απέραστος impassable
απεργία strike
απεργιακός of a strike
απεργοσπάστης strike-breaker
απεργώ be on strike
απερίγραπτος indescribable
απεριόριστος unlimited
απεριποίητος neglected, not taken care of
απερίσκεπτος inconsiderate, thoughtless
απερισκεψία inconsiderateness, thoughtlessness
απερίσπαστος undistracted
απέριττος plain, simple, unaffected
απερίφραστος plain and direct
απεσταλμένος deputy, envoy
απεστειρωμένος sterilized
απευθύνω address, direct

απεύχομαι deprecate
απεχθάνομαι detest, loathe
απέχθεια aversion, repugnance, loathing
απέχω abstain, desist
απήχηση echo, echoing, resound
απηχώ reecho, resound
άπιαστος untouched, new, intact
απίδι pear
απίθανος improbable, unlikely
απίστευτος unbelievable, incredible
απιστία infidelity
άπιστος faithless, unfaithful
απιστώ disbelieve, be unfaithful
απλανής fixed
άπλαστος not shaped, unformed, unmodelled
άπλετος abundant
απλησίαστος inaccessible, unapproachable
απληστία insatiability, greediness, avidity
άπληστος greedy, insatiate
απλοϊκός simple, unaffected, natural
απλοϊκότητα simplicity, artlessness
απλοποίηση simplification
απλοποιώ simplify
απλούστευση simplification
απλουστεύω simplify
απλοχέρης open-handed
απλοχεριά generosity, liberality
απλόχωρος roomy, spacious
απλυσιά dirtiness
απλώνω extend, spread, stretch
άπνοια stillness, calm
από from, by, since, than
αποβάθρα wharf, landing-place
αποβάλλω cast away, reject
απόβαρο tare
απόβαση landing, disembarking
αποβιβάζω land, disembark
αποβιώνω die, expire
αποβίωση death, dicease
αποβλακώνω stupefy
αποβλάκωση stupefaction

αποβολή rejection, expelling
αποβουτυρώνω remove the cream, skim
αποβουτύρωση skimming
απόβρασμα decoction, boiling off
αποβρόχια last rain
απογαλακτίζω wean
απόγειο zenith, apogee
απογειώνομαι take off
απογείωση taking off
απόγευμα afternoon
απόγνωση despair
απογοήτευση disappointment
απογοητεύω disappoint
απόγονος descendant
απογραφή census
απόγραφο copy
απογράφω take a census, enroll
απογυμνώνω unclothe, strip
αποδασώνω deforest
αποδεδειγμένος proved, obvious
αποδεικτικό certificate, proof
αποδείχνω prove, demonstrate
απόδειξη proof, receipt
αποδεκατίζω decimate, tithe
αποδεκάτιση decimation
αποδέκτης receiver, recepient
αποδεκτός accepted, admissible
αποδέχομαι accept, admit
αποδημητής traveller
αποδημητικός migratory, travelling about
αποδημία migration
απόδημος migrant
αποδημώ migrate
αποδίδω return, restore, give back
αποδιοπομπαίος persecuted
αποδιοργάνωση disorganization
αποδοκιμάζω disapprove, reject
αποδοκιμασία disapproval, rejection
απόδοση return, restoring
αποδοτικός attributive, productive
αποδοτικότητα productivity
αποδοχή acceptance, admission
απόδραση escape, evasion
αποδυτήριο dressing-room, vestiary

αποζημιώνω compensate, indemnify
αποζημίωση indemnification, compensation
αποζητώ seek
αποθάρρυνση discouragement
αποθαρρύνω discourage, dishearten
απόθεμα deposit, reserve
απόθεση deposition
αποθέτω lay aside, deposit
αποθεώνω deify, glorify
αποθέωση deification
αποθηκάριος storehouse keeper
αποθηκεύω store up
αποθήκη ware-house, store-house
αποθησαυρίζω store up a treasure
αποθρασύνω make audacious
αποίκηση emigration, colonization
αποικία colony
αποικιακός colonial
αποικίζω colonize
αποικιοκρατία colonialism
αποκαθίσταμαι establish oneself, settle
αποκάλυψη revelation, exposure
αποκαλύπτω reveal, disclose
αποκαλώ call, name
αποκατασταίνω reinstate, restore
αποκατάσταση restoration, repair
αποκάτω under, below, beneath
αποκεντρώνω decentralize
αποκέντρωση decentralization
αποκεφαλίζω behead, decapitate
αποκεφαλισμός decapitation, beheading
αποκήρυξη disinheriting, renouncement
αποκηρύττω renounce, disinherit
αποκλεισμός blockade, exclusion
αποκλείω exclude, blockade
αποκληρώνω disinherit
αποκοιμίζω lull
αποκολλώ unglue
αποκομιδή removal, conveying
αποκομίζω convey, remove, carry away
απόκομμα fragment

αποκοπή cutting
αποκορύφωμα height, peak
αποκοτιά petulance, boldness
αποκρεύω eat meat for the last time before the lent
απόκρημνος steep, craggy
αποκρίνομαι answer, reply
απόκριση answer, reply
απόκρουση driving back, rejection, repulsion
αποκρουστικός repulsive, repugnant
αποκρούω drive back, repulse
αποκρυπτογράφηση decoding, deciphering
αποκρυπτογραφώ decode, decipher
σποκρυσταλλώνω crystallize
αποκρυφισμός occultism
αποκρυφιστής occultist
απόκρυφος occult, secret, mysterious
απόκρυψη hiding, concealing
απόκτημα acquisition
αποκτηνώνω brutalize
αποκτήνωση brutalization
απόκτηση acquisition
αποκτώ acquire, get, obtain
απολαβή earning, gain, income
απολαμβάνω enjoy
απόλαυση enjoyment
απόλεμος unwarlike
απολέπιση scaling, peeling
απολίθωμα fossil
απολιθώνω petrify
απολίθωση petrification
απολίτευτος indifferent to politics
απολίτιστος uncivilized
απολογία apology
απολογισμός account, report
απολογούμαι apologize (for)
απολυμαίνω disinfect
απολύμανση disinfection
απολυμαντικό disinfectant
απόλυση letting, loose
απολυταρχία absolutism
απολυταρχικός absolute
απολυτήριο certificate of graduation

απολυτήριος dismissal, of graduation

απολυτίκιο dismissal hymn

απόλυτος absolute

απολυτρώνω deliver

απολύτρωση deliverance, liberation

απολύω loose

απομαγνητίζω demagnetize

απομάκρυνση removal, sending away

απομακρύνω remove

απόμαχος disabled warrior, invalid

απομεινάρι remnant, remain

απομένω remain

απόμερος out of the way, remote, lonely

απομεσήμερο afternoon

απομίμηση imitation

απομιμητικός imitative

απομιμούμαι imitate

απομνημονεύματα memoirs

απομνημονεύω memorize

απομονώνω isolate

απομόνωση isolation

απομονωτήριο retreat

απομύζηση sucking in, absorption

απομυζώ suck in, absorb

απομωραίνω stupefy

αποναρκώνω benumb, numb

απονεκρώνω deaden, mortify

απονέκρωση mortification, deadening

απονέμω bestow, grant, award

απονεύρωση enervation

απονήρευτος guileless, unsophisticated

απονομή bestowal, granting, award

άπονος painless, heartless, cruel

αποξενώνω estrange, alienate

αποξένωση estrangement, alienation

αποξήρανση drying, desiccation

απόξω outside

αποπαίρνω scold

αποπάνω from above, over

αποπάτηση going to stool, excretion

απόπατος water-closet, toilet

αποπατώ go to stool

απόπειρα attempt, trial

αποπειρώμαι attempt, try

αποπέμπω pack off, send away

αποπεράτωση finishing, ending

αποπλάνηση wandering, misleading, seduction

αποπλανώ lead astray, mislead, seduce

αποπλέω sail away

αποπληξία apolpexy

απόπλους sailing

αποπνικτικός suffocating, stifling

αποπομπή dismissal, discharge

απόρθητος impregnable

απορία hesitation, doubt, perplexity

άπορος impassable, poor, needy

απορρέω emanate, flow out

απόρρητος secret, mysterious, private

απόρριμα refuse, rubbish

απορρίπτω reject, decline, refuse

απόρριψη rejection, denial, throwing down

απόρροια emanation, result

απορροφητικός absorbent, absorbing

απορροφώ suck, absorb

απορώ wonder, be at a loss

αποσαφηνίζω elucidate, clarify

απόσβεση extinguishing

αποσβολώνω dumfound, confuse, abash

αποσιώπηση hushing, silencing

αποσιωπώ hush up

αποσκεπάζω uncover

αποσκευή baggage, luggage

αποσκίρτηση desertion

αποσκοπώ aim (at)

αποσόβηση averting, avertion

αποσοβώ avert

απόσπαση detaching

απόσπασμα detachment

αποσπερίτης evening star

αποσπώ detach
απόσταγμα distillation
αποστάζω distil
αποστακτήρας distiller
αποστατώ revolt, rebel
αποστειρώνω sterilize
αποστέλλω send, despatch
αποστέρηση deprivation, loss
αποστηθίζω learn by heart, memorize
αποστομώνω silence, hush
αποστραγγίζω strain, drain
αποστράγγιση straining, draining
αποστρατεύω demobilize, put out of military service
απόστρατος veteran, retired soldier
αποστροφή aversion, dislike
αποσύνδεση dissociation
αποσυνδέω dissociate
αποσυνθέτω decompose, dissolve
αποσύρω withdraw
αποσφραγίζω unseal
αποσώνω finish, complete
αποταμίευση storing, treasuring
αποταμιεύω store up
αποτελειώνω complete, finish
αποτέλεσμα result, effect
αποτελεσματικός effective
αποτελεσματικότητα effectiveness
αποτελματώνω bring to deadlock
αποτελμάτωση deadlock
αποτελώ constitute, form
αποτεφρώνω burn to ashes, incinerate
αποτινάζω shake off
αποτίναξη shaking off
απότιστος unwatered
αποτολμώ venture, dare
απότομος abrupt, blunt
αποτρέπω prevent, deter, dissuade
αποτρόπαιος abominable
αποτροπιασμός abhorrence, detestation
αποτσίγαρο cigarette-tip
αποτύπωμα impress, stamp
αποτυχαίνω miss, fail in

αποτυχία failure, miscarriage
απούλητος unsold, not sold
απουσία absence
απουσιάζω be absent
αποφάγι remnants of a meal
απόφαση decision, resolution
αποφασίζω decide, resolve
αποφασιστικός decisive
αποφασιστικότητα resoluteness, decisiveness
αποφέρω produce, bear
αποφεύγω avoid
απόφθεγμα apophthegm, saying
αποφλοιώνω peel
αποφοιτήριο certificate
αποφοίτηση graduation
απόφοιτος graduate
αποφυγή avoiding, avoidance
αποφυλακίζω discharge
αποχαιρετίζω bid farewell, bid adieu
αποχαιρετισμός taking leave of
αποχαλινώνω unbridling
αποχαυνώνω make languid
αποχαύνωση languor
απόχη net
αποχή abstinence
αποχρωματίζω decolorize
απόχρωση shade, hue
αποχώρηση withdrawal, retiring
αποχωρίζω seperate, detach
αποχωρισμός seperation
αποχωρώ withdraw, retire
απόψε this evening, tonight
άποψη view, aspect
απόψυξη cooling, refrigeration
αποψύχω refrigerate
απραγματοποίητος unpracticable
άπραγος inexpert
άπρακτος unsuccessful, without effect
απραξία inaction
απρέπεια indecency
απρεπής indecent
Απρίλιος April
απροβίβαστος unpromoted
απρόβλεπτος unforeseen

απροειδοποίητος unwarned, uninformed
απροετοίμαστος unready, unprepared
απροθυμία unwillingness, reluctance
απρόθυμος unwilling, reluctant
απροκάλυπτος unfeigned, frank
απροκατάληπτος unbiased, unprejudiced
απρόκλητος unprovoked
απρονοησία improvidence, imprudence
απρονόητος imprudent, improvident
απρόοπτος unexpected
απροπόνητος untrained
απροσάρμοστος unadapted
απρόσβλητος immune, unattacked
απροσδιόριστος indeterminate, indefinite
απροσδόκητος unexpected
απρόσεκτος careless, inattentive
απροσεξία carelessness, inattention
απρόσιτος inaccessible
απρόσκλητος uninvited
απροσπέλαστος inaccessible, unapproachable
απροσποίητος unfeigned
απροστάτευτος unprotected
απρόσφορος inconvenient
απροσχεδίαστος unprepared
απροσωπόληπτος impartial, fair
απρόσωπος impersonal
απροφύλακτος unguarded
άπταιστος faultless, correct
απτόητος fearless, intrepid
απτός tangible, palpable
απύθμενος bottomless
απύρετος without fever
Άπω Ανατολή Far East
απώθηση repulsion
απωθώ repel
απώλεια loss, perdition
απών absent, missing
απώτατος farthest, utmost
απώτερος farther

άρα therefore, thus
αραβόσιτος maize, corn
αραβούργημα arabesque
άραγε wonder if
άραγμα mooring, anchoring
αράδα line, row
αραδιάζω place in a line, arrange, align
αράζω anchor
αραθυμιά irascibility, irritability
αράθυμος irascible, irritable
αραιός not dense, scattered
αραίωμα interspare, rarefaction
αραιώνω thin out, rare
αρακάς green-pea
αράπης arab, negro
αραπίνα negress
αραποσίτι corn
αράχνη spider
αραχνοΰφαντος very finely woven
αρβύλα military shoe
αργά slowly
αργαλειός loom
αργία inaction, idleness
άργιλος clay, argil
αργκώ slang
αργοκίνητος slow-moving
αργόμισθος sinecurist
αργοναύτης argonaut
αργοπορία delay
αργοπορώ delay, be late, walk slowly
αργός inactive, not busy, slow
αργόσχολος unoccupied
αργυραμοιβός money-changer
αργύριο coin, money
άργυρος silver
αργυρούχος argentiferous
αργυρόχρωμος silvery, silver-coloured
αργώ be late, be slow
άρδευση irrigation, watering
αρδεύω irrigate, water
άρειος martial
αρέσει (μου) (απρόσωπο ρ.) I like
αρετή virtue, merit

Άρης Mars, Ares
αρθριτικός arthritic, gouty
άρθρο article
αρθρώνω articulate, utter
άρθρωση articulation, joint
αρίδα auger, leg
αρίθμηση enumeration, counting
αριθμητής reckoner
αριθμητική arithmetic
αριθμητικός numerical, arithmetical
αριθμητός countable, numerable
αριθμός number, figure
αριθμώ count, number
άριστα very well, best, perfectly
αριστείο first prize
αριστερά to the left
αριστερός left
αριστερόχειρας left-handed
αριστοκράτης aristocrat, noble
αριστοκρατικός aristocratical
άριστος the very best, excellent
αριστούργημα masterpiece
αριστούχος winner of the first prize
αρκετά enough
αρκετός enough, sufficient
αρκούδα bear
αρκουδίζω crawl on all fours
αρκούμαι be satisfied
αρκτικός arctic, initial
άρκτος bear, north
άρμα arm, gun
άρμα chariot, car
αρμάδα fleet, navy
αρμαθιά bunch, row, string
αρμαθιάζω string, thread
άρματα arms, weapons
αρματώνω arm
αρματωσιά arming
άρμεγμα milking
αρμέγω draw milk, milk, drain
αρμενίζω sail
άρμη salt-water, brine
αρμογή connection, joint
αρμόδιος convenient, suitable
αρμοδιότητα aptness, suitableness, fitness

αρμόζω fit, suit
αρμολογώ adjust
αρμονία harmony, concord
αρμονικός harmonious
αρμόνιο harmonium, organ
αρμός joint, articulation
αρμοστής high commisioner
αρμοστία governorship
αρμύρα saltness
αρνάκι young lamb
αρνησίθεος atheist, godless
αρνησικυρία veto
άρνηση denial, disavowal
αρνητικός negative, denying
αρνί lamb
αρνιέμαι deny, refuse
άροση tilling
άροτρο plough
αρουραίος rat, field mouse
άρπα harp
αρπαγή snatching away, carrying off
αρπάζω snatch away, carry away
αρπακτικός rapacious, greedy
αρπιστής harper
αρραβώνας engagement
αρραβωνιάζω engage, promise in marriage
αρραβωνιαστικιά fiancee
αρραβωνιαστικός fiancω
αρρενωπός manly, manlike
άρρηκτος unbroken, solid
αρρίγωτος unruled
αρρίζωτος rootless
άρρυθμος unrhythmical
αρυτίδωτος unwrinkled
αρρωσταίνω fall sick, be ill
αρρώστια sickness, illness, disease
άρρωστος sick, ill
αρσενικός male, masculine
άρση raising
Άρτεμη Diana
αρτηρία artery
αρτηριακός arterial
αρτηριοσκλήρωση arteriosclerosis, hardening of the arteries
αρτιμελής able-bodied

άρτιος whole, entire
αρτοποιείο bakery
αρτοποιός baker
αρτοπωλείο baker's shop
άρτος bread
αρτοφόριο ciborium
άρτυμα condiment, seasoning
αρχάγγελος archangel
αρχαϊκός antique, archaic
αρχαιοκαπηλία smuggling of antiquities
αρχαιοκάπηλος smuggler of antiquities
αρχαιολογία archaeology
αρχαιολόγος archaeologist
αρχαίος ancient
αρχαϊσμός archaism
αρχάριος beginner, novice
αρχείο archives
αρχή beginning
αρχηγείο headquarters
αρχηγία command, leadership
αρχηγός leader, chief
αρχιδιάκονος archdeacon
αρχιεπισκοπή archbishopric
αρχιεπίσκοπος archbishop
αρχιερέας bishop
αρχίζω begin, commence, start
αρχικά primarily, originally
αρχικός initial
αρχιστράτηγος commander-in-chief
αρχισυντάκτης chief-editor
αρχιτέκτονας architect
αρχιτεκτονική architecture
αρχιφύλακας chief-guard
αρχιχρονιά new year's day
άρχοντας noble man, lord, richman
αρχοντιά nobility
αρχοντικός noble
αρχύτερα previously, before
αρωγή help, aid
αρωγός helper
άρωμα odour, smell
αρωματίζω perfume, aromatize
αρωματοποιία perfumery
αρωματοποιός perfumer

ας let, may
ασάλευτος unshaken
άσαρκος meagre, lean, thin
ασάφεια obscurity, vagueness
ασαφής obscure
ασβέστης lime, asbestus
ασβέστιο calcium
ασβεστοκάμινο lime-kiln
ασβεστόλιθος lime-stone
ασβεστούχος calcareous, limy
ασβέστωμα plastering, liming
ασβεστώνω plaster
ασέβεια impiety, irreligion
ασεβής impious, profane
ασέλγεια debauchery
ασελγής wanton, debauched
ασέληνος moonless
άσεμνος indecent
ασετυλίνη acetyline
ασήκωτος unremoved
ασημάδευτος unmarked
ασήμαντος unimportant, trivial, insignificant
ασημένιος silvery
ασήμι silver
άσημος trifling, insignificant
ασημότητα insignificance
ασημώνω silver, silverplate
ασθένεια sickness, illness, disease
ασθενής sick, ill
ασθενικός sickly, weakly
άσθμα asthma
ασθμαίνω gasp, pant
Ασία Asia
Ασιατικός asiatic
ασιδέρωτος not ironed
ασιτία fasting, starvation
ασκάλιστος uncarved
ασκέπαστος uncovered
ασκέρι army
άσκηση exercise, practice
ασκητήριο hermitage
ασκητής hermit
ασκί leather, bottic
ασκίαστος unshaded
άσκιαχτος fearless

ασκληραγώγητος not mortified
άσκοπος purposeless, aimless
ασκούπιστος unswept
ασκούριαστος rustless
ασκώ exercise
ασπάζομαι kiss, embrace
άσπαρτος unsown, wild
ασπασμός kiss, embracement
ασπίδα shield
ασπιδιφόρος shield-bearer
άσπιλος spotless
ασπιρίνη aspirin
άσπλαχνος pitiless, merciless
ασπόνδυλος invertebrate
άσπορος seedless
ασπούδαστος uneducated, un-
studied
ασπράδι white
ασπρίζω make white, whiten
άσπρισμα whitening
ασπριτζής whitewasher
άσπρο farthing
ασπρομάλλης white-haired
ασπροπρόσωπος white-faced, de-
cent
ασπρόρουχα linen
ασπρόχωμα clay, argil
άσσος ace
αστάθεια instability
ασταθής instable
αστάθμητος unweighed
αστακός lobster
ασταμάτητος not stopping, con-
tinuous
αστάρι lining
αστασίαστος not revolted
άστατος inconstant
άστεγος homeless, without a roof
αστειεύομαι joke, jest, trifle
αστειολόγος humorist, joker
αστείο joke, jest
αστείος funny, amusing
αστείρευτος inexhaustible, limitless
αστερέωτος unfixed, unsettled
αστέρι star
αστερίσκος asterisk

αστερισμός constellation
αστεροσκοπείο observatory
αστεφάνωτος uncrowned
αστήρικτος unsupported, unprop-
ped
αστιγμάτιστος unstigmatized
αστικός civil, urban
αστίλβωτος unpolished
αστόλιστος unadorned, undeco-
rated
άστοργος unaffectionate, heartless
αστός citizen
αστόχαστος thoughtless, inconsid-
erate
αστοχία failure
άστοχος unsuccessful
αστοχώ miss, fail
αστράγαλος ankle
αστράγγιστος unstrained
αστραπή lighting
αστράφτω lighten, flash
αστράτευτος not recruited
αστρικός starry, sidereal
άστρο star
αστρολογία astrology
αστρολόγος astrologer
αστρονομία astronomy
αστρονόμος astronomer
αστροπελέκι thunderbolt
αστροφεγγής starlit
αστροφεγγιά starlight
αστυνομία police
αστυνομικός policeman
αστυφύλακας policeman
ασυγκίνητος unmoved, untouched
ασυγκράτητος unrestrained, rushing
ασύγκριτος incomparable
ασυγύριστος untidy, disorderly
ασυγχρόνιστος not synchronized,
out of date
ασύγχυστος unconfused, untroubled
ασυγχώνευτος unmixed
ασυγχώρητος unpardonable, unfor-
givable
ασύδοτος enjoying immunity
ασυζήτητος undiscussed

A

ασυλία inviolability
ασύλληπτος uncaught, unconceived
ασυλλογισία thoughtlessness, inconsiderateness
ασυλλόγιστος thoughtless, inconsiderate
άσυλο asylum
ασυμβίβαστος incompatible
ασυμβούλευτος unadvised
ασυμμετρία want of symmetry
ασύμμετρος disproportionate
ασυμόρφωτος unruly, disobedient
ασύμφορος unprofitable
ασυμφωνία discord, disagreement, dissension
ασύμφωνος discordant, noy agreeing
ασυναγώνιστος irresistible, unrivalled
ασυναίσθητος unconscious, insensible
ασυνάρμοστος unsuitable, unadapted
ασυναρτησία inconsistency
ασυνάρτητος inconsistent
ασύνδετος unconnected
ασυνείδητος inconscientious
ασυνέπεια inconsequence
ασυνεπής inconsequent
ασύνετος imprudent, unwise
ασυνήθιστος unusual
ασυννέφιαστος unclouded, cloudless
ασυνόδευτος unaccompanied
ασυνταξία want of construction
ασυρματιστής wireless operator
ασύρματος wireless
ασύστολος shameless
ασφάλεια security, safety
ασφαλής safe, secure
ασφαλίζω secure, insure
ασφάλιση insurance
ασφαλιστής insurer
άσφαλτος asphalt
ασφαλτοστρώνω asphalt
ασφαλτόστρωτος paved with as-

phalt
ασφόδελος daffodil, asphodel
ασφράγιστος unsealed
ασφυκτικός suffocating, asphyxiating
ασφυκτιώ suffocate
ασφυξία suffocation
ασφυξιογόνος asphyxiating
άσχετος unrelated
άσχημα uglily, deformedly, badly
ασχημαίνω disfigure, deform, spoil
ασχημάνθρωπος ugly fellow
ασχημία ugliness, deformity
άσχημος deformed, ugly, unsightly
ασχολία occupation, business
ασχολίαστος without comment, uncommented
ασχολούμαι be occupied
ασώματος incorporeal
ασωτεία prodigality, dissipation, profligacy
άσωτος profligate, prodigal, lavish
αταίριαστος unmatched, unfit
ατακτοποίητος disarranged, untidy
άτακτος irregular, unruly, noisy
αταξία disorder
αταξινόμητος unassorted, unclassified
αταπείνωτος unfumbled
ατάραχος undisturbed
αταραξία calmness, coolness
άταφος unburied
ατείχιστος unwalled, without walls
άτεκνος childless
ατέλεια imperfection, defect
ατελείωτος unfinished
ατελιέ atelier, studio
ατεμάχιστος undivided
ατενίζω look up, stare at
άτεχνος artless, rough
ατημέλητος untidy, dressed carelessly
ατίθασος untamed
ατιμάζω disgrace, dishonour
ατιμία dishonesty, dishonour
άτιμος dishonest, dishonourable,

infamous
ατιμωρησία impunity
ατίμωση disgracing
ατιμωτικός disgraceful
άτιτλος untitled
Ατλαντικός Atlantic
ατμάκατος steamlaunch
ατμάμαξα locomotive
ατμοκίνητος moved by steam
ατμόλουτρο steam bath
ατμομηχανή steam-engine
ατμόμυλος steam-mill
ατμοπλοῖα steam navigation
ατμόπλοιο steam-boat, steamer
ατμός steam, vapour
ατμοστεγής steam-proof
ατμόσφαιρα atmosphere
ατμοσφαιρικός atmospheric
άτοκος sterile, without interest
άτολμα timidly
ατολμία timidity
άτολμος timid, cowardly, timorous
ατομικά individually
ατομικισμός individualism
ατομικιστής individualist
ατομικός individual
ατομικότητα individuality
ατομιστής atomist, individualist
άτομο individual
άτονος languid, indolent
ατονώ languish, slaken, be weak
άτοπο absurdity
άτοπος absurd
ατόφιος massive
ατρακτοειδής spindle-shaped
άτρακτος spindle, bobbin
ατράνταχτος unshaken
ατραυμάτιστος unwounded
ατρόμητα undauntedly
ατρόμητος intrepid, undaunted
ατροποποίητος unmodified
ατροφία inanition, atrophy
ατροφικός atrophic, underde-
veloped
άτρωτος invulnerable, unhurt
ατσάκιστος unbroken

ατσαλάκωτος unwrinkled
ατσαλένιος steely, of steel
ατσάλι steel
ατσαλώνω convert into steel, plate
with steel
ατσίγγανος gipsy
ατύλιχτος unfolded
ατύχημα misfortune, accident
ατυχής unlucky, unfortunate
ατυχία badluck, mischance
αυγερινός morning star, venus
αυγή dawn, day-break
αυγό egg
αυγοτάραχο fish roe
Αύγουστος August
αυθάδεια audacity
αυθάδης impertinent, insolent
αυθαιρεσία arbitrary act
αυθαίρετα arbitrarily
αυθαίρετος arbitrary
αυθεντία authenticity
αυθεντικός authentic, genuine
αυθημερόν on the same day
αυθόρμητα instinctively
αυθορμητισμός spontaneity
αυθόρμητος spontaneous, instinctive
αυθύπαρκτος self-existent
αυθυποβολή autosuggestion
αυλαία stage curtain
αυλάκι channel, trench
αυλακιά furrow, groove
αυλή court, court-yard
αυλητής flute-player
αυλόγυρος yard wall
αυλόθυρα gate
άϋλος immaterial
αυλός flute
αυξάνω increase, augment
αύξηση increase, growth
αϋπνία sleeplessness
άϋπνος sleepless
αύρα breeze
αύριο tomorrow
αυστηρός strict, severe
αυστηρότητα strictness, severity
Αυσταλία Australia

Αυστραλός Australian
Αυστρία Austria
Αυστριακός Austrian
αυτάδελφος blood brother
αυταπάρνηση self-denial
αυταπάτη self-deceit, illusion
αυταπόδεικτος self-evident, obvious
αυτάρεσκος self-conceited, self-pleased
αυτάρκεια self-sufficiency
αυτάρκης self-sufficient
αυταρχικός authoritative, dictatorial
αυτενέργεια self-activity
αυτενεργός self-acting
αυτεξούσιος independent
αυτή she
αυτί ear
αυτοβιογραφία autobiography
αυτογνωσία self-knowledge
αυτογραφία autography
αυτόγραφο autograph
αυτοδημιούργητος self-made
αυτοδιάθεση self-disposal
αυτοδίδακτος self-taught
αυτοθυσία self-sacrifice
αυτοκινητιστής automobilist
αυτοκινητόδρομος highway
αυτοκίνητο car, motor-car, automobile
αυτοκράτορας emperor
αυτοκρατορία empire
αυτοκυριαρχία self-possession, self-control
αυτοματισμός automatism
αυτόματος automatic
αυτονόητος self-evident, obvious
αυτονομία autonomy
αυτόνομος autonomous
αυτοπεποίθηση self-confidence
αυτοπροαίρετος voluntary
αυτοπροσωπογραφία self-portrait
αυτός, -ή, -ό he, she, it
αυτοσεβασμός self-respect
αυτοσχεδιάζω improvise, extemparize
αυτοτέλεια independence, self-suffi-

ciency
αυτουργός author
αυτούσιος identical, self-same
αυτόφωρος on the act
αυτοψία autopsy
αυχένας neck
αφαίμαξη bleeding
αφαίρεση taking away, deduction, removal
αφαιρετέος minuend
αφαιρέτης subtracter
αφαιρώ take away, pull out, subtract
αφαλατώνω desalt
αφάνεια obscurity
αφανίζω ruin, destroy, make unseen
αφανισμός disappearance
άφαντος invisible, vanished
αφασία aphasia, speechlessness
άφατος inexpressible, ineffable
αφέλεια artlessness, naivety
αφελής artless, naive
αφέντης master, lord
αφεντιά nobleness
αφεντικό employer, boss
αφετηρία starting point
αφέτης starter
αφέψημα decoction
αφή touch, feeling
αφήγημα narrative, recital
αφηγηματικός narrative, narratory
αφήγηση narration
αφηγητής narrator, teller
αφηγούμαι narrate, relate, tell
αφηνιάζω bolt
αφήνω leave, let, give up
αφηρημάδα abstraction
αφηρημένος absent-minded
αθφαρσία imperishableness, incorruption
άφθαρτος incorruptible
αφθονία abundance
άφθονος abundant
αφιερώνω dedicate, devote
αφιέρωση consecration
αφιλόξενος inhospitable
αφιλόστοργος unloving, not affec-

tionate
αφιλότιμος mean, base, wanting in self-respect
άφιξη arrival, coming
άφοβος fearless, intrepid
αφομοιώνω assimilate
αφομοίωση assimilation
αφοπλίζω disarm
αφοπλισμός disarmament
αφορία sterility
αφορίζω excommunicate
αφορμή cause, reason, motive
αφοσιώνομαι devote onself
αφοσίωση devotion
αφ' ότου since, ever since
αφού after, since
αφουγκράζομαι listen
άφραστος unspeakable
αφράτος frothy, foamy
αφρίζω froth, foam
αφροδισιακός sexual, venereal
Αφροδίτη Venus
αφροντισιά carelessness
αφρόντιστος neglected, carefree
αφρός foam, froth
αφρούρητος unguarded
αφυπνίζω awake, awaken
αφύσικος unnatural
άφωνος mute, speechless
αφωσιωμένος devoted, faithful
αχ! oh!, ah!
αχάλαστος not spoiled, not destroyed
αχαλίνωτος unbridled
αχανής vast, immense
αχαράκωτος unruled, plain
αχαρακτήριστος unprincipled, nondescript

αχαριστία ingratitude
αχάριστος ungrateful
άχαρος ungraceful, dull
αχθοφόρος porter, carrier
αχλάδι pear
αχλαδιά pear-tree
αχνάρι trace, track, footprint
άχνη fine flour, steam
αχνίζω evaporate, steam
αχόρταγος insatiable
αχούρι stable, stall
άχραντος immaculate
αχρείαστος needless
αχρηστεύω make useless
άχρηστος useless, out of use
αχρωμάτιστος uncoloured, plain
αχρωματοψία colour-blindness
αχτίδα beam
αχυρένιος made of straw
αχυρόστρωμα straw-mattress
αχυρώνα straw-store, barn
αχώνευτος undigested
αχώριστος inseparable
άψαλτος unsung
άψητος unbaked
αψήφιστος disregarded, unvoted
αψηφώ defy, disregard, scorn, ignore, despise, disdain
αψίδα arch, arcade
αψιδωτός arched
αψιθυμία irritability
αψίθυμος irritable
αψιμαχία skirmish, brush
άψογος irreproachable
αψύς acrid, charp
αψυχολόγητος ignorant of psychology
άψυχος lifeless, inanimate, spiritless

B

B, β the second letter of the Greek alphabet
βαβά grandmother
βαβυλωνία babel, chaos
βάγια nurse
βάγιο palm
βαγόνι wagon, truck
βάδην in walking step, step by step
βαδίζω walk, march
βάδισμα gait, pace, step
βαζελίνη vaseline
βάζο vase
βάζω put, place, set, lay
βαθαίνω deepen
βάθεμα deepening
βαθμηδόν gradually, progressively, step by step
βαθμιαίος gradual, progressive
βαθμίδα step, stair, rung
βαθμολογία gradation, graduation
βαθμολογώ graduate, give marks
βαθμός degree, grade, rank, mark
βαθμοφόρος officer
βάθος depth, profundity
βαθουλός hollow, deep
βαθούλωμα hollowness, cavity
βαθουλώνω deepen, hollow
βάθρο base, pedestal, step
βαθυκόκκινος scarlet, dark red
βάθυνση deepening
βαθύνω deepen, penetrate
βαθύπλουτος very rich
βαθύρριζος deep-rooted
βαθύς deep, profound
βαθύσκιωτος shadowy
βαθυστόχαστος wise, profound, deep in thought
βαθύτητα profundity, depth
βαθύφωνος bass, deep-voiced
βαθύχρωμος dark-coloured
βακαλάος salted codfish, stockfish
βάκιλλος bacillus
βακτηρία stick, cane, staff
βακτήρια bacilli, bacteria
βακτηρίδιο bacterium, bacillus
βακτηριολογία bacteriology
βακτηριολογικός bacteriological
βακτηριολόγος bacteriologist
βακχεύω celebrate the mysteries of Bacchus, feast
βακχικός bacchic, convivial
βαλανίδι acorn
βαλανιδιά oak
βαλανοειδής acorn-shaped
βάλανος acorn, gland
βαλανοφάγος acorn-eating
βαλάντιο purse, pocketbook
βαλάντωμα exhaustion, wearing
βαλαντώνω be exhausted, be worn out
βαλβίδα valve, starting post
βαλές knave
βαλιστικός ballistic
βαλίτσα valise, suitcase, traveling bag
βαλκανικός balkan
βάλλω put, place, lay, set
βάλς waltz
βάλσαμο balm, balsam
βαλσαμώδης balmy, balsamic
βαλσάμωμα embalming
βαλσαμώνω embalm

βαλσαμωτής embalmer
βάλσιμο placing, putting, setting
βάλτος marsh, bog, swamp
βαλτός set on purpose
βαλτότοπος marshy place
βαλτώδης boggy, marshy, swampy
βαλτώνω be bogged, sink in a swamp
βαμβακέλαιο cotton-seed oil
βαμβακερός cotton, of cotton
βαμβάκι cotton
βαμβακιά cotton plant
βαμβακοπυρίτιδα gun-cotton
βαμβακόσπορος cottonseed
βαμβακουργείο cotton-mill
βαμβακουργία cotton industry
βαμβακουργός cotton-spinner
βαμβακοφυτεία cotton-plantation
βαμβακοχώραφο cotton field
βάμμα tincture, tint, dye
βαναυσολογία vulgarity, coarse language
βαναυσολογώ speak vulgarly
βάναυσος coarse, rude, gross, vulgar
βαναυσότητα rudeness, coarseness
βανδαλικός vandalic, barbaric
βανδαλισμός vandalism, barbarism
βάνδαλος vandal, barbarian
βανίλλια vanilla
βαπόρι steamboat, steamer
βαπτίζω baptize, christen
βάπτιση baptizing, christening
βαπτιστήριο baptistery
βαπτιστής baptist
βαπτιστικός baptismal, godson, godchild
βάραθρο abyss, gulf
βαραθρώδης abysmal, bottomless
βαραθρώνω engulf
βαραίνω burden, make heavy, weigh on
βαρβαρικός barbaric
βαρβαρισμός barbarism
βάρβαρος barbarous, barbarian
βαρβαρότητα barbarity
βαρβάτος strong, robust, vigorous

βάρδια watch, sentry, guards, garrison
βάρδος bard, poet
βαρειά seriously, heavily, deeply, badly
βαρεία hommer, grave accent
βαρελάκι keg, small barrel
βαρελάς barrel-maker, cooper
βαρέλι barrel, cask
βαρεμάρα weariness, annoyance, boredom
βαρετός wearisome, tedious, boring
βαρηκοΐα hard hearing, dullness of hearing
βαρήκοος hard of hearig
βαριακούω be hard of hearing
βαριαστενάζω sigh deeply, groan
βαρίδι counter-weight
βαριέμαι be tired, feel dull
βαριοκοιμούμαι sleep deeply
βαριόμοιρος unhappy, ill-fated
βάριο barium
βάρκα boat
βαρκάδα boating
βαρκάρης boatman
βαρκαρόλλα barcarole
βαρκούλα small boat
βαρομετρικός barometric
βαρόμετρο barometer
βάρος weight, charge, burden, load
βαρούλκο wind-lass, winch, derric
βαρυγγομώ curse, be unhappy
βαρυθυμία gloom, sadness
βαρύθυμος sad, afficted, grieved
βαρυθυμώ be sad
βαρύνω tender heavy, burden
βαρυποινίτης long sentenced
βαρύς heavy, weighty, onerous
βαρυσήμαντος momentous, weighty
βαρυστομαχιά indigestion
βαρυστομαχιάζω have a heavy stomach
βαρύσωμος stout, heavy
βαρύτητα gravity, weight, heaviness, importance
βαρύτιμος precious, valuable, costly

βαρύτονος barytone
βαρύφωνος strong-voiced
βαρυχειμωνιά severe winter, heavy winter
βαρώ beat, strike, hit
βαρώνη baroness
βαρωνία barony, baronage
βαρώνος baron
βασάλτης basalt
βασανίζω torture, torment
βασανισμός torturing, torture, torment
βασανιστήριο torture, ordeal
βασανιστής torturer, tormenter
βασανιστικός torturing, tormenting
βάσανο torture, torment, trouble
βασίζω base, ground
βασικός basic, fundamental, primary
βασιλεία kingdom, reign, royalty
βασίλειο kingdom, realm
βασίλεμα setting, sinking, sunset
βασιλεύω reing, rule
βασιλιάς king
βασιλική basilica
βασιλικός kingly, royal, regal
βασιλικός(φυτό) basil
βασιλίσκος petty king
βασίλισσα queen
βασιλοκτόνος regicide
βασιλομήτωρ queen-mother, royal-mother
βασιλόπιτα new year's cake
βασιλοπούλα royal princess
βασιλόφρων royalist
βάσιμος well-founded, sound, positive
βασιμότητα soundness, certainty
βασκαίνω bewitch
βασκανία evileye, charm
βάσταγμα support, load
βαστάζος porter, carrier
βαστάζω, βαστώ bear, carry, support, hold
βάτα wadding
βατίστα batiste, cambric

βατόμουρο blackberry
βάτος bramble, brier
βατός passable, practicable, accessible
βάτραχος frog
βάττ watt
βαυκάλημα lulling
βαυκαλίζω lull
βαφέας dyer, tinter
βαφείο dyer's shop
βαφή dye, tint
βάφω dye, colour
βάψιμο dyeing, colouring
βγάζω take out, draw out
βγαίνω go out, come out
βγάλσιμο taking out, coming out
βδέλλα leech
βδέλυγμα abomination, disgusting thing
βδελυρός abominable, detestable
βδομάδα week
βέβαια surely, certainly
βέβαιος certain, sure
βεβαιότητα certainty
βεβαιώνω assure, affirm
βεβαίωση assurance
βεβαιωτής confirmer
βεβαιωτικός affirmarive, assuring
βέβηλος profane, impious
βεβηλώνω profane, desecrate
βεβήλωση desecration, profanation
βεβηλωτής desecrator, profaner
βεβιασμένος forced, unnatural
βεγγαλικά bengal lights
βεγγέρα evening party
βεζύρης vizier
βελάζω bleat, bellow
βέλασμα bleating, bellowing
βελγικός Belgian
Βέλγιο Belgium
Βέλγος Belgian
βελέντζα coarse
βεληνεκές the distance covered by a missile, range of a gun
βέλο veil
βελόνα needle

βελονιά stitch, point
βελονιάζω stitch
βελόνιασμα stitching
βελονοθήκη needle-case
βέλος arrow, dart
βελούδινος velvet, velvety
βελούδο velvet
βελτιώνω improve, ameliorate, better
βελτίωση improvement
Βενετία Venice
Βενετσιάνος Venetian
βενζινάκατος small motor-boat
βενζινάροτρο motor-plough
βενζίνη benzine, gasoline
βενζινοκινητήρας petrolengine
βενζινοκίνητος motor-driven
βεντάλια fan
βεντούζα cupping
βέρα wedding-ring
βεράντα veranda, porch
βερβερίτσα squirrel
βέργα rod, stick
βερεσέ on credit
βερικοκιά apricot-tree
βερίκοκο apricot
βερνίκι varnish, polish
βερνίκωμα varnishing, polishing
βερνικώνω polish, varnish
βερνικωτής polisher, varnisher
βεστιάριο vestiary
βετεράνος veteran
βέτο veto
βήμα step, pace
βηματίζω step, pace
βηματισμός footstep, stepping
βήξιμο coughing
βήχας cough
βήχω cough
βία force, violence
βιάζω urge, force, compel, violate, rape
βιαιοπραγία outrage, act of violence
βιαιοπραγώ do violence
βίαιος violent, forcible
βιαιότητα violence, force

βιασμός violation, rape
βιαστής ravisher, violator
βιαστικός hasty, pressing, hurried
βιασύνη hurry, haste
βιβλιάριο booklet
βιβλικός biblical
βιβλιογραφία bibliography
βιβλιοδεσία book binding
βιβλιοδετείο book-bindery
βιβλιοδέτης book-binder
βιβλιοδετώ bind books
βιβλιοθηκάριος librarian
βιβλιοθήκη book-case, library
βιβλιοθηκονομία librariaship
βιβλιοκρισία book-review
βιβλιομανής bibliomaniac, book-worm
βιβλιομανία bibliomania
βιβλίο book
βιβλιοπωλείο book-shop
βιβλιοπώλης book-seller
βιβλιοφάγος bookworm
βιβλιόφιλος book-lover
βιβλιοχαρτοπωλείο stationery-shop
Βίβλος Bible
βίγλα post, watch
βιγλάτορας sentinel, sentry
βιγλίζω stand sentry
βίδα screw, nut
βίδωμα screwing
βιδώνω screw
βιδωτήρι screwdriver
βίζιτα visit
βίκος vetch
βίλλα villa
βιογραφία biography
βιογραφικός biographical
βιογράφος biographer
βιογραφώ write a biography
βιόλα wall-flower
βιολετί violet
βιολέττα violet
βιολί violin, fiddle
βιολιστής violinist, fiddler
βιολογία biology
βιολογικός biological

βιολόγος biologist
βιολοντσέλλο violencello, cello
βιομηχανία industry, manufacture
βιομηχανικός industrial
βιομηχανοποίηση industrialization
βιομηχανοποιώ industrialize
βιομήχανος industrialist, manufacturer
βιοπαλαιστής breadwinner, labourer
βιοπαλεύω struggle for life
βιοπάλη struggle for a living
βιοπορισμός earning a living
βιοποριστικός providing a living
βίος life, existence
βιός wealth, property
βιοτέχνης craftsman, artificer
βιοτεχνία handicraft, industry
βιοτεχνικός of handicraft
βιοτικός of life, vital, living
βιοχημία biochemistry
βιοχημικός biochemical
βιοψία biopsy
βισμούθιο bismuth
βιταμίνη vitamin
βιτρίνα shopwindow, show-case
βιτριόλι vitriol
βίτσα thin stick
βιώνω live, exist
βίωμα experience
βιώσιμος livable, viable
βλαβερός harmful, pernicious
βλαβερότητα harmfulness
βλάβη harm, injury, damage
βλάκας stupid, fool
βλακεία stupidity, foolishness
βλακώδης stupid, silly
βλαπτικός injurious, harmful
βλάπτω harm, hurt, damage
βλασταίνω grow, bud, sprout, shoot
βλαστάρι bud, young shoot
βλαστήμια profane speaking, cursing, blasphemy
βλάστημος profane, impious
βλαστημώ insult, curse, swear
βλάστηση germination, vegetation

βλαστολογώ prune, disbud
βλαστός shoot, sprout
βλάχος Vlach, rustic fellow
βλέμμα look, glance, gaze
βλέννα mucus, snot, phlegm
βλεννογόνος mucous
βλεννόρροια gonorrhoea
βλεννώδης mucous, snotty
βλέπω see, look, glance
βλεφαρίζω blink, wink, twinkle
βλεφαρίδα eyelash
βλαφαρισμός spasm of the eyelids
βλέφαρο eyelid
βλέψη view
βλήμα missile, bullet, projectile
βλητική ballistics
βλήτο noth-weed
βλητός vulnerable
βλογιά small-pox
βλογιοκομμένος affected with small-pox
βλοσυρός stern, grim, fierce
βλοσυρότητα sternness, grimness, fierceness
βόας boa
βογγητό groan, moan
βόδι bull, ox
βοδινός bovine, beef
βοή shout, cry, roar
βοήθεια aid, help, assistance
βοήθημα assistance, help, relief
βοηθητικός aiding, helping
βοηθός helper, aider, assistant
βοηθώ help, aid, assist
βόθρος ditch, pit
βοϊδάμαξα bullock-cart, ox-carriage
βολβοειδής bulbous
βολβός bulb, corm
βολετός convenient
βολεύω accommodate, manage
βολή shot, stroke, throw, fire
βόλι ball, bullet, shot
βολιδοσκόπηση sounding, circum-examination
βολιδοσκοπώ sound
βολικός accommodating, con-

venient, easy
βόλλεϋ-μπώλ volley-ball
βόλτ volt
βόλτα walk, stroll
βολτάρω stroll about
βαλτόμετρο voltmeter
βολφράμιο wolfram
βόμβα bomb
βομβαρδίζω bomb, bombard
βομβαρδισμός bombardment
βομβαρδιστής bombardier
βομβαρδιστικό bombing-airplane,
bomber
βόμβος buzz, humming, buzzing
βομβώ hum, buzz
βορά prey
βόρβορος mud, mire, dirt
βορβορώδης muddy, miry
βορεινός north, northen
βορειοανατολικός northeast
βορειοδυτικός northwest
βόρειος northern
βοριάς north
βοσκή pasture, grazing
βόσκηση pasturing, grazing
βοσκοπούλα shepherd girl
βοσκόπουλο shepherd boy
βοσκός shepherd
βοσκότοπος grazing ground,
meadow
βόσκω pasture, graze, feed
βόστρυχος curl
βοτάνι herb
βοτανίζω weed, botanize
βατανική botany
βοτανικός botanic, botanist
βοτάνισμα weeding
βοτανολογία botany, botanology
βοτανολόγος botanist
βοτανολογώ botanize
βότανο herb
βότσαλο pebble
βουβαίνω render dumb
βουβαμάρα dumbness, muteness
βουβός dumb, mute
βουβωνικός bubonic, inguinal

Βούδας Buddha
Βουδισμός Buddhism
βουδιστής buddhist
βουητό buzz, humming
βουίζω buzz, hum
βούκεντρο goad
βούκινο horn, trumpet
βουκολικός bucolic, pastoral
βουκόλος cowboy, herdsman
βουλγαρικός Bulgarian
Βούλγαρος Bulgarian
βούλευμα decree, order
βουλεύομαι deliberate
βουλευτήριο parliament
βουλευτής deputy, representative
βουλευτικός parliamentary
βουλή will, volition, parliament
βούληση will, volition, wish, desire
βουλητικός of the will, voluntary
βούλιαγμα sinking, submersion
βουλιάζω sink, immerse
βουλιμία great hunger
βούλλα seal, stamp
βουλλοκέρι sealing-wax
βουνήσιος of a mountain
βουνό mountain, mount
βουνοπλαγιά slope, declivity
βουνοσειρά range of mountains
βουνώδης mountainous
βούρδουλας whip, lash
βουρδουλιά lash
βούρκος mud, mire
βουρκώνω be filled with tears
βούρλο rush, bulrush
βούρτσα brush
βουρτσίζω brush
βούρτσισμα brushing
βουστάσιο ox-stall
βούτηγμα dipping
βουτηχτής diver
βούτημα dipping
βουτιά plunge, dive
βουτυράς dairy-man
βουτυρένιος of butter
βουτυρόγαλα buttermilk
βουτυροκομείο butter dairy

βούτυρο butter
βουτυρώδης buttery
βουτυρώνω butter
βουτώ dip, plunge
βραβείο prize, award
βράβευση rewarding
βραβεύω award, reward a prize
βραδιάζει it is getting dark
βραδινός of the evening
βράδυ evening
βραδυγλωσσία stammering, stuttering
βραδύγλωσσος stammering, stuttering
βραδυκαρδία bradyrhythmia
βραδυκίνητος slow-moving
βραδυλογία drawl
βραδύνοια dullness
βραδύνους dull, dull-witted
βραδύνω be late, be slow
βραδυπορία slow walk
βραδύτητα slowness, tardiness
βράζω boil, seethe
βράκα large breechless
βράσιμο boiling
βρασμός boiling, agitation
βραστήρας boiler
βραστός boiled
βραχιόλι bracelet
βραχίονας arm, branch
βραχνάδα hoarseness
βραχνάς nightmare
βραχνιάζω become hoarse
βραχνός hoarse
βράχος rock, cliff, crag
βραχύβιος short-lived
βραχύνω shorten, abbreviate
βραχυπρόθεσμος short-termed, short-dated
βραχύς short, brief
βραχώδης rocky
βρεγμένος wet, soaked
βρέξιμο wetting, soaking
Βρετανία Britain
Βρετανικός British
βρεφικός infantile

βρεφοκομείο infant asylum
βρεφοκτονία infanticide
βρεφοκτόνος infanticide
βρέφος infant, baby
βρέχω damp, moisten, wet
βρίζω insult, abuse
βρισιά insult, abuse
βρογχίτιδα bronchitis
βρόγχοι bronchi
βρόγχος gullet
βροντερός roaring, noisy
βροντή thunder, roar
βρόντος noise, roar
βροντόφωνος loud
βροντώ thunder
βρούλο rush, bulrush
βροχερός rainy, wet
βροχή rain
βρόχινος of rain, pluvial
βροχόμετρο rain gauge
βρυκόλακας ghost, vampire
βρύο moss
βρύση fountain, spring, tap
βρυχηθμός roaring, roar
βρυχώμαι roar
βρυώδης mossy
βρώμη oat
βρωμιά dirt
βρώμικος dirty, filthy
βρώμιο bromium
βρωμιούχος bromidic
βρωμόπαιδο naughty child
βρωμώ dirty, smell badly
βυζαίνω suckle
Βυζαντινός Byzantine
Βυζάντιο Byzantium
βυζί breast, nipple
βυθίζω sink, plunge
βύθιση sinking, dipping
βυθομέτρηση sounding
βυθομετρώ sound
βυθός bottom, depth
βυρσοδεψείο tannery
βυρσοδέψης tanner, currier
βυσσινάδα drink of sour cherries syrup

βύσσινο sour cherry
βυσσινύς crimson, purple
βωβός dumb, mute
βωλοδέρνω suffer, worry
βώλος clod, lump

βωμολόχος foul-mouthed
βωμολοχώ use foul language
βωμός altar
βώτριδα moth

Γ

Γ, γ the third letter of the Greek alphabet
γαβάθα porringer, basin, bowl
γάγγλιο ganglion, gland
γαγγλιώδης gangliform
γάγγραινα gangrene
γαγγραινιάζω gangrene
γάζα gauze
γαζί stitch
γαζία kind of acacia
γάζωμα stitching
γαζώνω stitch
γαιάνθρακας coal
γάϊδαρος ass, donkey
γαϊδουράγκαθο holy-thistle, blessed-thistle
γαϊδουράκι little ass
γαϊδουριά rudeness, gross baseness
γαϊδουρινός asinine, rude
γαιοκτήμονας land owner, land holder
γαϊτάνι string, lace, ribbon
γαιώδης earthy, earthly
γάλα milk
γαλάζιος blue
γαλαζοαίματος blue-blooded
γαλαζόπετρα turquoise
γαλακτερός milky, made of milk
γαλακτόζη lactose
γαλακτοκομείο dairy
γαλακτοκομία dairy-farming

γαλακτόμετρο lactometer
γαλακτομπούρεκο milk pie
γαλακτοπωλείο dairy, milk-shop
γαλακτοπώλης milkman, dairy man
γαλακτούχος containing milk
γαλακτοφόρος giving milk, lactiferous
γαλακτώδης lacteal, milky
γαλάκτωμα emulsion
γαλανόλευκος blue and white
γαλανομάτης blue-eyed
γαλανός blue
γαλαξίας galaxy
γαλαρία gallery
γαλατάς dairyman
γαλατομπούρεκο milkpie
γαλατόπιτα milk-pie
γαλβανίζω galvanize
γαλβανισμός galvanism
γαλβανιστής galvanizer
γαλβανόμετρο galvanometer
γαλβανοτυπία electrotype
γαλέρα galley
γαλέττα galette
γαλήνεμα calming
γαληνεύω become calm, calm, quiet
γαλήνη calm, calmness, peace
γαλήνιος calm, peaceful, quiet
γαλιάντρα calandra
γαλιφεύω flatter
γαλίφης coaxer, adulator, flatterer

γαλιφιά adulation, coaxing, flattery
γαλιφίζω flatter, coax
γαλλικός french
γαλλισμός imitation of the French
γαλλιστί in French
γαλλομαθής speaking French
Γάλλος Frenchman
γαλόνι gallon
γαλοπούλα turkey-hen
γαλόπουλο young turkey
γάλος turkey
γαλούχηση suckling, nursing
γαλουχώ suckle, nurse
γαμήλιος bridal, nuptial
γάμος marriage, wedding
γάμπα calf, leg
γαμπριάτικος of a bridegroom
γαμπρός bridegroom
γαμψός hooked
γαμψότητα hookedness
γαμψώνυχος having hooked claws
γανιάζω get clammy
γάντζος hook
γάντζωμα hooking
γαντζώνω hook on
γάντι glove
γάνωμα tinning
γανώνω tin
γανωτής tinner, tinker
γαργάλημα tickling
γαργαλίζω tickle
γαργάλισμα tickling
γαργαλιστικός ticklish
γαργάρα gargle
γαργαρίζω gargle
γαργάρισμα gargarism, gargle
γάργαρος clear, limpid
γαρδένια gardenia
γαρίδα shrimp, prawn
γαρνίρισμα garnishment
γαρνίρω garnish
γαρνιτούρα trimming, garniture
γαρυφαλλιά carnation
γαρύφαλλο carnation, pink
γαστέρα belly
γάστρα flower pot

γαστραλγία belly-ache
γαστρικός gastric
γαστριμαργία gluttony, greediness
γαστρίμαργος gluttonous, greedy
γαστρίτιδα gastritis
γαστροκνήμιο the calf of the leg
γαστρολογία gastrology
γαστρονομία gastronomy
γαστρονομικός gastronomic
γαστρορραγία gastrorrage
γάτα cat
γατάκι kitten
γάτος tom cat
γαυγίζω bark, bay
γαύγισμα barking, baying
γαύρος arrogant
γδάρσιμο excoriation, skinning
γδέρνω excoriate, skin
γδύνω undress, strip
γδύσιμο undressing, stripping
γδυτός undressed
γεγονός fact, event
γέννα hell, inferno
γειά health, good bye
γείσο eaves, cornice
γεισώνω furnish with a cornice
γείτονας neighbour
γειτονεύω live near, adjoin, be a
neighbour
γειτονιά neighbourhood, vicinity
γειτονικός neighbouring, adjoining
γειτόνισσα neighbouress
γελαδάρης cow boy
γέλασμα laughing, cheating
γελασμένος deceived
γελαστός smiling, merry
γέλιο laughter, laugh
γελοιογραφία caricature, cartoon
γελοιογραφικός comic, caricaturist
γελοιογράφος caricaturist, car-
toonist
γελοιογραφώ caricature
γελοιοποίηση ridiculing, derision
γελοιοποιώ ridicule, make a fool of
γελοίος ridiculous, comical
γελοιότητα ridiculousness

γελώ laugh, cheat, trick
γελωτοποιός clown, buffon
γεμάτος full, filled up
γεμίζω fill, load
γέμισμα filling, stuffing, loading
γεμιστής filler, loader
γεμιστός filled, stuffed
γενάκι little beard
γενάρχης head of race, headman
γενάτος bearded
γενεά generation, family
γενεαλογία genealogy, lineage
γενεαλογικός genealogical
γενέθλια birthday
γενεθλιακός natal
γενέθλιος of a birthday, of birth
γενειάδα beard
γενειοφόρος bearded
γενεσιουργία creation
γενεσιουργός creative
γένεση birth, origin
γενέτειρα mother-country
γενέτης begetter, parent
γενετήσιος generative, genital
γενετικός genetic
γενιά generation, race
γενικά generally
γενίκευση generalization
γενικευτής generalizer
γενικευτικός generalizing
γενικεύω generalize
γενική genitive
γενικός general, universal, common
γενικότητα generality
γενίτσαρος janissary
γέννα birth, child-birth
γενναιοδωρία generosity, liberality
γενναιόδωρος generous, liberal
γενναιόκαρδος brave, stout-hearted
γενναίος courageous, brave, valiant
γενναιότητα bravery, valour, courage
γενναιόφρονας generous, magnanimous
γενναιοφροσύνη generosity, liberality

γενναιοψυχία bravery, courage
γενναιόψυχος brave, valiant, courageous
γέννημα offspring, issue, progeny
γέννηση birth, nativity
γεννητής father, begetter
γεννητικός generative, genital
γεννητούρια child-birth
γεννήτρια generator, dynamo
γεννιέμαι be born
γεννοβολώ produce many children
γεννώ give birth to, bear
γένος race, family, breed
γερά strongly
γεράζω grow old, get old
γεράκι falkon, hawk
γεράματα old age
γεράνι geranium
γερανός whinch, crane
γερατειά old age
Γερμανία Germany
Γερμανικά German
γερμανικός german
γέρνω lean, bend
γερνώ get old, grow old
γεροντάκι little old man
γέροντας old man
γεροντικός senile, old
γεροντοκόρη old maid
γεροντολογία gerontology
γεροντολογικός gerontological
γεροντολόγος gerontologist
γεροντοπαλήκαρο old bachelor
γεροντότερος older
γέρος old, old man
γερός strong, sound
γερούνδιο gerund
γερουσία senate
γερουσιαστής senator
γεύμα dinner, lunch, meal, noon
γευματίζω dine, have dinner
γεύομαι taste, try
γεύση taste, flavour, savour
γευστικός tasty, savoury, flavoury
γέφυρα bridge
γεφυροποιία bridge building

γεφυροποιός bridge engineer
γεφύρωμα bridge, bridging
γεφυρώνω bridge over
γεφύρωση bridging
γεωγραφία geography
γεωγραφικός geographical
γεωγράφος geographer
γεωγραφώ describe geographically
γεώδης earthy
γεωκτήμονας landowner
γεωλογία geology
γεωλογικός geological
γεωλόγος geologist
γεωμέτρης geometer
γεωμετρία geometry
γεωμετρικός geometrical
γεωμετρώ measure geometrically
γεώμηλο potato
γεωπονία agriculture
γεωπονικός agricultural
γεωπόνος agriculturist
γεωργία agriculture, farming
γεωργικός agricultural, farming
γεωργός farmer, cultivator, agriculturist
γεώτρηση drilling
γεωτρύπανο drill
γεωφυσική geophysics
γεωχημεία geochemistry
γή earth, ground, land
γηγενής indigenous, native
γήινος earthly, earthy
γήλοφος hillock, hill, mound
γήπεδο ground, plot, site, ground
γηραιός old, senile, aged
γηροκομείο home for the aged
γηροκόμος nurse for aged people
γηροκομώ take care of the aged
γητειά incantation, enchantment
γητεύω witch, fascinate
γιά for
γιαγιά grondmother
γιαίνω recover
γιακάς collar
γιαλός sea-shore, beach
γιαούρτι yaourt, yogurt

γιασεμί jasmine
γιαταγάνι yataghan
γιατί why, because
γιατρειά cure, healing, treatment
γιατρεύω cure, heal
γιατρικό drug, medicine
γιατρός doctor
γιατροσόφι practical medicine
γιαχνί ragout, stew
γίγαντας giant
γιγάντειος gigantic, huge
γιγαντομαχία battle between giants
γιγαντόσωμος huge
γιγαντώδης gigantic
γίδα goat
γιδήσιος goatish
γίδι young goat
γιδοβοσκός goatherd
γιδοτόμαρο goat's skin
γιλέκο waistcoat
γινάτι spite, obstinacy
γίνομαι become, be done, grow, get, turn
γινόμενο product
γινωμένος done, fulfilled, ripe
γιόκας dear son
γιορτάζω celebrate, feast
γιορτή celebration, feast
Γιουγκοσλαβία Yugoslavia
Γιουγκοσλαβικός Yugoslavian
γιουγκοσλάβος yugoslav
γιούλι violet
γιουρούσι onset, violent attack
γιουχαΐζω hoot, boo
γιουχαϊσμός booing, hooting
γιρλάντα garland, festoon
γιώτ yacht
γκαβός blind, cross-eyed
γκάζι gas
γκαζιέρα gas-stove
γκαζόζα lemonade
γκαζολίνη gasoline
γκάιδα bag-pipe
γκαρίζω bray
γκάρισμα braying
γκαρσόνι waiter

γκαρσονιέρα bachelor's flat
γκάφα gross blunder
γκέμι bridle, rein
γκέττα gaiter
γκίνια bad luck
γκιώνης howlet
γκλίτσα shepherd's stick
γκόλφ golf
γκουβερνάντα governess, nurse
γκρεμίζω throw down, demolish
γκρέμισμα demolition
γκρεμός precipice, crag
γκρίζος gray
γκρίνια grumbling, growl
γκρινιάζω grumble, growl
γκρινιάρης grumbling
γλάρος gull
γλαρώνω feel sleepy
γλάστρα flower pot
γλαυκός blue, sky-coloured
γλαυκότητα blueness
γλαύκωμα glaucoma
γλαύκωση glaucoma
γλαφυρός elegant, polished, graceful
γλαφυρότητα elegance, grace, gracefulness
γλείφω lick
γλείψιμο licking
γλεντζές mirt-loving, lover of fun
γλέντι amusement, feast, mirth
γλεντώ feast, enjoy oneself
γλίνα grease, dirt
γλιστερός slippery
γλίστρημα slipping, sliding
γλιστρίδα purslane, purslain
γλιστρώ slip, slide
γλίσχρος paltry, poor
γλισχρότητα niggardiness, paltriness
γλίτσα dirt, grease
γλοιώδης slimy, viscous, sticky
γλόμπος bulb, globe
γλουτιαίος of the buttocks
γλουτός buttock
γλύκα sweetness

γλυκά sweetly
γλυκάδι vinegar
γλυκαίνω sweeten, make sweet
γλυκανάλατος tasteless
γλυκάνισο anise
γλυκαντικός making sweet
γλυκερίνη glycerine
γλυκερός sweet, sweetish
γλύκισμα sweetmeat, cake, pie
γλυκό stewed fruit, jam, candy, pastry
γλυκόγλωσσος sweet-tongued
γλυκόζη glucose
γλυκοκελαηδώ sing sweetly
γλυκοκουβεντιάζω talk lovingly
γλυκοκοιτάζω look at lovingly
γλυκολαλώ sing sweetly
γλυκομίλητος affable, courteous
γλυκομιλώ talk sweetly
γλυκοπατάτα sweet potato
γλυκόπιοτος sweet to drink
γλυκόρριζα licorice
γλυκός sweet
γλυκούτσικος sweetish
γλυκοφιλώ kiss tenderly
γλυκοχάραγμα daybreak
γλυκοχαράζει the day is breaking
γλυκύτητα sweetness
γλύπτης sculptor
γλυπτική sculpture
γλυπτικός sculptural
γλυπτός sculptured
γλύτωμα escape, rescue
γλυτώνω save, escape
γλυφίδα chisel
γλυφός brackish
γλύφω carve, engrave
γλώσσα tongue, language, speech
γλωσσάριο glossary, vocabulary
γλωσσικός lingual, linguistic
γλωσσοδέτης string under the tongue
γλωσσολογία glossology, linguistics
γλωσσολογικός linguistic
γλωσσολόγος linguist
γλωσσομάθεια knowledge of

foreign languages
γλωσσομαθής knowing many languages
γλωσσοτρώγω backbite, slander
γλωσσού prattling woman
γλωσσοφαγιά backbiting
γναθιαίος of the jaw
γνάθος jaw-bone
γνέθω spin
γνέμα thread, yarn
γνέσιμο spinning
γνέφω nod, beckon
γνέψιμο nodding, nod
γνήσιος genuine, real
γνησιότητα genuinity, purity
γνωμάτευση opinion
γνωματεύω express an opinion
γνώμη opinion, view
γνωμικό motto, saying
γνωμικός sententious
γνωμοδότης adviser, counsellor
γνωμοδοτικός consulative, advisory
γνωμοδοτώ give an opinion
γνώμονας setsquare
γνωρίζω know, be acquainted with
γνωριμία acquaintance
γνώριμος familiar, known
γνώρισμα mark, sign, characteristic
γνώση knowledge
γνώστης expert
γνωστικισμός gnosticism
γνωστικός sensible, prudent
γνωστοποίηση notification, notice
γνωστοποιώ make known, notify
γνωστός known
γόβα slipper, woman's shoe
γογγύζω grumble, moan
γογγύλι turnip
γογγυσμός grumbling, murmuring
γοερός woeful, mournful
γόης enchanter, charmer
γόησσα enchantress
γοητεία enchantment, fascination, charm
γοήτευμα enchantment
γοητευτικός enchanting, charming,

fascinating
γοητεύω enchant, attract, charm
γόητρο prestige, charm
γολέττα schooner
Γολγοθάς Calvary
γομάρι jackass, donkey
γόμμα gum, rubber, eraser
γομολάστιχα rubber, eraser
γόμωση charge of firearms
γονατίζω kneel
γονάτισμα kneeling
γονατιστός kneeling down
γόνατο knee
γόνδολα gondola
γονδολιέρης gondolier
γονικός parental
γονιμοποίηση fecundation, fertilization
γονιμοποιώ fertilize
γόνιμος fertile, fecund, fruitful
γονιμότητα fertility, fecundity
γονιός father, genitor, parent
γονόκοκκος gonococcus
γονόρροια gonorrhea
γόνος offspring
γονυκλινής kneeling
γονυκλισία genuflection, kneeling
γονυπετής kneeling down
γόος wailing, moaning
γόπα minnow, cigarette-end
γοργοκίνητος fast-moving
γοργόνα mermaid
γοργοπόδαρος swift-footed
γοργός quick, alert, swift
γορίλλας gorilla
γοτθικός Gothic
Γότθος Goth
γούβα cavity, pit, hollow
γουδί mortar
γουδοχέρι pestle
γουλί beet, stump
γουλιά mouthful
γούνα fur
γουναράδικο fur-shop
γουναράς furrier
γουναρική furriery

γουναρικό fur
γουργουρητό rumbling
γουργουρίζω rumble
γουργούρισμα rumbling
γούρι good luck
γουρλής bringing good luck
γουρλίδικος lucky, bringing good luck
γουρλομάτης goggle-eyed
γούρλωμα goggling
γουρλωμένος wide-open, glaring
γουρλώνω open the eyes wide
γούρνα basin
γουρούνα sow
γουρουνάκι little pig
γουρούνι pig, hog, swine
γουρουνοβοσκός swineherd
γουρουνότριχα bristle
γουρσούζης unlucky
γουρσουζιά misfortune, bad luck
γουρσούζικος luckless, unfortunate
γουστάρω feel like, like
γουστέρα lizard
γούστο taste, fun
γοφός haunch, hip
γράμμα letter
γραμμάριο gramme
γραμματέας secretary, clerk
γραμματεία secretaryship, secretariat, secretary's office
γραμματιζούμενος educated
γραμματική grammar
γραμματικός grammatical
γραμμάτιο note, bill
γραμματισμένος educated, lettered
γραμματοθήκη letter-case
γραμματοκιβώτιο letter-box
γραμματόσημο stamp, postage-stamp
γραμματοσυλλέκτης stamp-collector
γραμματοφυλάκιο filing cabinet
γραμμένος written
γραμμή line, stripe
γραμμικός linear
γραμμόφωνο gramophone

γραμμωτός striped, ruled
γρανάζι gear
γρανίτης granite
γρανιτικός granitic
γραπτός written
γραπώνω seize, grip
γρασίδι grass-plot
γρασσαδόρος grease pressure gun
γρασσάρισμα greasing
γρασσάρω grease
γρατσουνίζω scratch
γρατσούνισμα scratching
γραφέας writer, scribe
γραφείο office, desk
γραφειοκράτης bureaucrat
γραφειοκρατία bureaucracy
γραφειοκρατικός bureaucratic
γραφή writing
γραφίδα pen, pencil
γραφικός of writing, graphic
γραφικότητα picturesqueness
γραφίτης graphite
γραφολογία graphology
γραφολόγος graphologist
γραφομηχανή typewriter
γραφτό writen
γράφω write
γράψιμο writing
γρήγορα quickly, soon
γρηγοράδα quickness
γρήγορος quick, speedy
γρηγορώ be awake, be on watch
γριά old woman
γρίλια grille
γρίπη grip, flu
γριπιασμένος down with the flu
γρίφος riddle, enigma
γριφώδης enigmatical, riddle-like
γροθιά punch, fist
γρονθοκόπημα boxing
γρονθοκοπώ box, punch
γρόσι piaster, piastre
γρυλίζω grunt, squeak
γρύλισμα grunt, squeaking
γρύλος cricket, jack, screw-crane
γυάλα glass bowl

γυαλάδα shining, glistering
γυαλάδικο glass-ware shop
γυαλάς glazier
γυαλί glass
γυαλίζω shine, polish
γυαλικά glass-ware
γυάλινος vitreous, of glass
γυάλισμα polishing, shining
γυαλιστερός shining, polished
γυαλιστήρι burnisher
γυαλιστής polisher
γυαλόχαρτο sandpaper
γυάρδα yard
γυλιός knapsack
γυμνάζω exercise, drill, train
γύμναση training
γυμνάσια drills
γυμνασιάρχης headmaster of a college
γυμνασιαρχία headmastership
γυμνάσιο college, gymnasium
γυμνασιόπαιδο high school student
γύμνασμα exercise, drill
γυμναστήριο gymnasium
γυμναστής gymnast, trainer
γυμναστική gymnastics, exercise, physical education
γυμναστικός gymnastic
γυμνικός gymnic
γυμνισμός nudism, gymnism
γυμνιστής nudist
γυμνοπόδαρος bare-footed
γυμνός naked, bare, undressed
γυμνοσάλιαγκος slug
γυμνότητα nakedness, nudity, bareness
γύμνωμα stripping
γυμνώνω strip, undress, take off
γύμνωση stripping, undressing, denudation
γυναίκα woman
γυναικαδέλφη sister-in law
γυναικάδελφος brother in law
γυναικάς fond of women
γυναικείος feminine, womanish
γυναικοδουλειά woman's affair

γυναικοειδής womanish
γυναικοκρατία domination by women
γυναικολογία gynecology
γυναικολογικός gynecological
γυναικολόγος gynecologist
γυναικόμορφος womanlike
γυναικόπαιδα women and children
γυναικοπρέπεια effeminacy
γυναικοπρεπής effeminate, womanish
γυναικοφοβία avoidance of women
γυναικωνίτης ladies' apartments
γυρεύω seek, look for, search
γύρη pollen
γυρίζω turn, revolve, return, go around
γυρίνος a young frog
γύρισμα turn, turning, return
γυρισμός going around, return
γυριστός turned, crooked
γυρμένος bent, inclined
γυρολόγος peddler
γύρος turn, rim, brim
γυροσκοπικός gyroscopic
γυροσκόπιο gyroscope
γυρτός bent, inclined
γύρω round, around
γυφτιά meanness, stinginess
γύφτικο smithy
γύφτικος of a gypsy
γύφτισσα gypsy woman
γυφτοπούλα gypsy girl
γύφτος gypsy
γύψινος of plaster
γύψος plaster of Paris
γύψωμα plastering
γωψώνω coat with gypsum
γυψωτής plasterer
γυψωτός covered with plaster of Paris
γωνία corner, angle
γωνιάζω square
γωνιαίος of a corner, angular
γωνιασμός squaring
γωνιόλιθος corner-stone

γωνιομετρία goniometry
γωνιομετρικός goniometric

γωνιόμετρο goniometer
γωνιώδης angular, cornered

Δ, δ the fourth letter of the Greek alphabet
δάγκαμα bite, sting
δαγκαματιά bite, bite mark
δαγκανιάρης biting
δαγκάνω bite, sting
δάδα torch
δαδί torch
δαδούχος torchbearer
δαίδαλος labyrinth
δαιδαλώδης daedalian, complicated, intricate
δαίμονας demon, devil
δαιμονιακός demoniacal
δαιμονίζω make furious, drive mad, enrage
δαιμονικό evil spirit
δαιμονικός diabolical, devilish, satanic
δαιμόνιο evil, demon
δαιμόνιος divine, godlike
δαιμονισμένος demoniac, frantic
δαιμονολατρία worship of demons
δαιμονολάτρης worshipper of demons
δαιμονόληπτος demoniac
δαιμονολογία demonology
δάκρυ tear
δακρύβρεκτος wet with tears
δακρυγόνος producing tears
δακρυδόχος tear-duct
δακρύζω shed tears
δάκρυσμα shedding of tears
δακτυλήθρα thimble

δακτυλιά finger print
δακτυλιδένιος ring-shaped
δακτυλίδι ring
δακτυλικός dactylic
δακτύλιος ring, circlet
δακτυλιωτός consisting of rings
δάκτυλο finger
δακτυλογραφημένος type-written
δακτυλογράφηση type-writing, typing
δακτυλογραφία typewriting
δακτυλογράφος typist
δακτυλογραφώ type, typewrite
δαλτωνικός daltonic
δαλτωνισμός daltonism
δαμάζω tame
δαμάλι heifer, young cow
δαμαλίζω vaccinate
δαμαλισμός vaccination
δαμασκηνιά plum-tree
δαμάσκηνο plum
δάμασμα taming
δαμαστής tamer
δανδής fop, dandy
δανείζω lend, loan, -ομαι borrow
δανεικά loan, as a loan
δανεικός lent, borrowed
δάνειο loan
δάνεισμα lending, borrowing
δανειστήριο loan office
δανειστής lender
δανειστικός lending, loaning
Δανία Denmark
Δανικός Danish

Δανός Dane
δαντέλλα lace
δαντελλωτός dantellated, lacy
δαπάνη expense, expenditure, cost
δαπανηρός expensive, costly
δαπανητής spender, waster
δαπανώ spend, waste
δάπεδο floor, ground
δαρβινισμός darwinism
δαρβινιστής darwinian
Δαρβίνος Darwin
δάρσιμο beating
δασαρχείο forests' inspection
δασάρχης forest inspector, chief forester
δασικός forestal
δασκάλα school mistress
δασκάλεμα schooling, teaching
δασκαλεύω teach, instruct
δάσκαλος schoolmaster, teacher
δασμολόγηση taxation
δασμολογικός of taxation
δασμολόγιο tariff
δασμολόγος customs collector
δασμολογώ tax
δασμός duty, tax
δασόβιος living in forests
δασοκομία forestry
δασοκόμος forester
δασολογία forestry
δασολόγος forester
δασονομείο forester's office
δασονομία forest administration
δασονομικός forestal
δασονόμος forester
δάσος forest, wood
δασοσκέπαστος woody
δασότοπος woodland
δασοφύλακας forest-guard
δασοφυλακή forest-guards corps
δασόφυτος wooded
δασύμαλλος thick-fleeced
δασύνω aspirate, thicken
δασύς bushy, thick, dense
δασώδης woody, wooded, forested
δαυλός fire-brand

δαφνέλαιο laurel oil
δάφνη laurel, bay
δάφνινος of laurel
δαφνοστεφανωμένος laureate
δαφνοστόλιστος adorned with laurel
δαφνώνας laurel thicket
δέηση prayer
δεητικός praying, begging
δείγμα sample, specimen
δειγματοληψία samples, sample collection
δειγματολόγιο samples
δείκτης indicator, pointer
δεικτικός indicative, pointing, demonstrative
δείλι evening
δειλία timidity, cowardice
δειλιάζω feel timid, lose courage
δείλιασμα timidity, loss of courage
δειλινό afternoon
δειλός timid, cowardly
δεινά sufferings, evils
δεινοπάθημα suffering, distress, trouble
δεινοπαθώ suffer hardships
δεινός dreadful, fearful, terrible
δεινόσαυρος dinosaur
δεινότητα dreadfulness, force, sterness, terribleness
δείξιμο showing, demonstration
δείπνο evening meal, supper, dinner
δειπνώ take supper
δεισιδαίμονας superstitious
δεισιδαιμονία superstition
δείχνω show, point at
δέκα ten
δεκάγωνο decagon
δεκάγωνος decagonal
δεκαδικός decimal
δεκάδραχμο ten drachmas note
δεκάεδρο decahedron
δεκάεδρος decahedral
δεκαεννέα nineteen
δεκαέξι sixteen
δεκαεξαετής sixteen years old

δεκαεπτά seventeen
δεκαετηρίδα decennial, period of ten years
δεκαετής ten years old
δεκαετία decade
δεκαήμερο a period of ten days
δεκάλεπτος lasting ten minutes
δεκάλιτρο decaliter
δεκάλογος decalogue
δεκαμελής of ten members
δεκαμερής of ten parts
δεκάμετρο decameter
δεκάμηνος of ten months
δεκανέας corporal
δεκανίκι crutch, stick
δεκαοχτώ eighteen
δεκαπενθήμερο fortnight
δεκαπενθήμερος fortnightly
δεκαπενταετής fifteen years old
δεκαπεντασύλλαβος of fifteen syllables
δεκαπέντε fifteen
δεκαπλασιάζω increase tenfold
δεκαπλάσιος tenfold
δεκάπλευρος of ten sides
δεκάρα dime
δεκαριά about ten
δεκαρολογία collection of small money contributions
δεκαρολογώ hoard up money basely
δεκατέσσερα fourteen
δεκατημόριο the tenth part
δεκατίζω tithe
δεκάτισμα tithing
δεκατισμός decimation
δεκάτομος of ten volumes
δέκατος tenth
δεκατρία, δεκατρείς thirteen
Δεκέμβριος December
δέκτης receiver, recipient, acceptor
δεκτικός receptive, susceptible
δεκτικότητα susceptibility, receptivity
δεκτός accepted, received
δελεάζω allure, entice, tempt
δέλεαρ allurement, enticement

δελεασμός temptation, allurement, enticement
δελεαστικός alluring, tempting, seducing, enticing
δέλτα delta
δελτίο bulletin, note, card
δελφίνι dolphin
δέμα package, packet
δεμάτι bundle, sheaf, parcel
δεματιάζω bundle up
δεμάτιασμα tying in bundles
δεν no, not
δενδρικός of a tree
δενδροκαλλιέργεια tree-cultivation
δενδρόκηπος park
δενδροκομία arboriculture
δενδροκομικός arboricultural
δενδροκόμος arboriculturist
δενδρολίβανο rosemary
δενδροστοιχία row of trees
δενδροφύτευση planting of trees
δενδροφυτεύω plant trees
δενδρόφυτος wooded, planted with trees
δένω bind, link, tie, fasten
δεξαμενή tank, cistern
δεξιά on the right
δεξιός right
δεξιόστροφος clockwise
δεξιοτέχνης skilful, masterly craftsman
δεξιοτεχνία dexterity, skilfulness
δεξιότητα dexterity, skill
δεξιόχειρας right-handed
δεξιώνομαι welcome, receive
δεξίωση reception
δεοντολογία deontology
δεοντολογικός deontological
δεοντολόγος deontologist
δέος awe, fear
δέρας skin, fleece
δερβίσης dervish
δέρμα skin, leather
δερματέμπορος hide-dealer
δερματικός of the skin, dermic
δερμάτινος of leather, leathern

δερματίτιδα dermatitis, dermatosis
δερματολογία dermatology
δερματολόγος dermatologist
δερματοπάθεια skin disease
δερματουργία tannery
δερματουργός tanner
δέρνω beat, flog, strike, whip
δέσιμο binding, tying, fastening
δεσμά chains, bonds, fetters
δέσμευση enchainment, binding
δεσμευτικός binding, limiting
δεσμεύω enchain, tie, bind, fetter
δέσμη bundle, pack, bunch
δεσμίδα bundle
δέσμιος bound, in bounds
δεσμός tie, bond, link
δεσμοφύλακας prison guard, jailer
δεσμωτήριο jail, prison
δεσμώτης prisoner, convist
δεσπόζω dominate, govern, reign
δέσποινα mistress, matron, madam
δεσποινίδα miss, young lady
δεσποτεία dominion, rule, despotism
δεσπότης ruler, master, dominator, bishop
δεσποτικός despotic, tyrannical
δεσποτισμός despotism, imperialism, tyranny
δέτης rope-band
Δευτέρα Monday
δευτερεύων secondary, inferior
δευτεροβάθμιος of the second degree, of the second class
δευτερογενής second born
δευτεροετής of the second year
δευτερόλεπτο second
δευτερολογία rejoinder, reply
δευτερολογώ speak again, rejoin, reply
δεύτερος second
δευτερότοκος second-born
δέχομαι accept, receive
δήθεν so to say, as if, apparently
δηκτικός biting, scathing, caustic
δηκτικότητα bitterness, sarcasm,

causticity
δηλαδή that is, that is to say
δηλητηριάζω poison
δηλητηρίαση poisoning
δηλητηριαστής poisoner
δηλητήριο poison, venom
δηλητηριώδης poisonous
δηλώνω declare, show
δήλωση declaration, notice
δηλωτικός declaratory, indicative
δημαγωγία demagogism, demagogy
δημαγωγικός demagogical
δημαγωγός demagogue, agitator
δημαρχείο town-hall, city-hall
δήμαρχος mayor
δήμευση confiscation
δημεύω confiscate
δημηγορία harangue, oration
δημηγορώ speak in public
δημητριακά cereals, crops, grain
δήμιος executioner, hangman
δημιούργημα creation, creature
δημιουργία creation, constitution
δημιουργικός creative
δημιουργικότητα creative power
δημιουργός creator, maker
δημιουργώ create
δημογραφία demography
δημογραφικός demographic
δημοδιδάσκαλος teacher of a primary school
δημοκοπία demagogism
δημοκόπος demagog(ue)
δημοκράτης democrat, republican
δημοκρατία democracy, republic
δημοκρατικός democratic, republican
δημοπρασία public sale, auction
δημοπρατήριο auction room
δημοπράτης auctioneer
δήμος municipality, community
δημόσια publicly, in public
δημοσίευμα publication
δημοσίευση publication, publishing
δημοσιεύω publish, issue, bring out
δημοσιογραφία journalism

δημοσιογραφικός journalistic
δημοσιογράφος journalist
δημοσιογραφώ be a journalist
δημοσιολογία study of public affairs
δημοσιολόγος publicist
δημόσιο the public
δημοσιονομία national economy
δημοσιονομικός financial
δημοσιονόμος financier
δημόσιος public, common
δημοσιότητα publicity
δημοσυντήρητος maintained by a commune
δημότης citizen of a municipality
δημοτική demotic (language)
δημοτικίζω write demotic
δημοτικός communal, municipal, popular
δημοτικότητα popularity
δημοφιλής popular
δημοψήφισμα plebiscite, referendum
δημώδης popular, belonging to the people
δηνάριο denarius
διά for, by, with, by means of, through
διαβάζω read, study
διαβαθμίζω graduate, grade
διαβάθμιση graduation
διαβαίνω pass through, cross, traverse
διαβάλλω slander, calumniate
διάβαση passing, crossing, passage
διάβασμα reading, lecture
διαβασμένος well-read, learned
διαβατήριο passport
διαβάτης passer-by, way-farer
διαβατικός transient, transitory
διαβατός passable
διαβεβαιώνω assure, affirm
διαβεβαίωση affirmation, assurance
διαβεβαιωτικός affirmative, assuring
διάβημα step, proceeding
διαβήτης compass, a pair of compasses

διαβητικός diabetic
διαβιβάζω transmit, forward, transport, convey
διαβίβαση transmission, forwarding
διαβιβαστικός transmissible
διαβιώνω live
διαβίωση living, way of living
διαβλητός accusable
διαβόητος famous, notorious, noised abroad
διαβολάκι little devil, an imp
διαβολεμένος bedevilled, devilish
διαβολή slander, calumny
διαβολιά cunning, devilry, black magic
διαβολικός diabolic, devilish
διαβολόκαιρος very bad weather
διαβολομαζώματα ill-gotten gains
διάβολος devil, satan, fiend
διαβουκολώ delude with vain hopes
διαβουλεύομαι confer together, deliberate
διαβούλιο secret meeting
διαβοώ proclaim, declare
διαβρέχω saturate
διάβρωση corrosion
διαβρωτικός corrosive
διαγγέλλω notify, announce
διάγγελμα address, official notification, message
διάγνωση discrimination, discernment, diagnosis
διαγνωστικός diagnostic
διάγραμμα drawing, diagram
διαγραφή tracing out, drawing, effacement
διαγράφω efface, erase, trace out, cross out
διαγωγή behaviour, conduct
διαγωνίζομαι take an examination, compete, strive
διαγώνιος diagonal
διαγωνισμός competition, examination
διαγωνιστής competitor
διαδέχομαι follow, succeed

διάδηλος obvious, manifest
διαδηλώνω demonstrate, manifest
διαδήλωση demonstration, manifestation
διαδηλωτής demonstrator
διάδημα diadem, crown
διαδίδω give out, spread abroad, circulate
διαδικασία proceedings, hearing of an action
διάδικος litigant, a party in a suit
διαδόσιμος transmissible
διάδοση rumour, spreading
διαδότης transmitter
διαδοχή succession
διαδοχικός successive
διάδοχος heir, successor
διαδραματίζω play, act
διαδρομή course, running through
διάδρομος corridor, hall
διαζευγνύω disunite, disjoin, divorce
διαζευκτικός disjunctive
διάζευξη disjoining
διαζύγιο divorce
διάζωμα frieze, cornice
διαθερμία diathermy
διάθεση disposal, disposition
διαθέσιμος free, disposable
διαθεσιμότητα availability
διαθέτω dispose, arrange, put in order
διαθήκη testament, will
διάθλαση refraction
διαθλαστικός refractive
διαθλώ refract
διαίρεση division, partition, separation
διαιρετέος dividend
διαιρέτης divisor, divider
διαιρετικός dividing, seperative
διαιρετός separable, divisible
διαιρετότητα divisibility
διαιρώ divide, partition, distribute
διαισθάνομαι perceive, have a presentiment
διαίσθηση presentiment, foresight

διαισθητικός prescient
δίαιτα diet, regiment
διαιτησία arbitration, umpirage
διαιτητής arbitrator, umpire, referee
διαιτητικός regiminal, dietetic
διαιτολόγιο diet-plan
διαιώνιση perpetuation, eternity
διαιωνίζω perpetuate, eternize
διακαής ardent, fervent, passionate, burning
διακανονίζω regulate, settle
διακανόνιση settlement, regulation
διακατέχω hold, have a possession of
διακεκριμένος distinguished, famous
διάκενο gape, empty space, vacuum
διάκενος empty, vacant, hollow
διακήρυξη proclamation, declaration
διακηρύττω proclaim, announce, declare
διακινδύνευση risking
διακινδυνεύω risk, endanger
διακλαδίζομαι ramify, branch out
διακλάδωση branching out, ramification
διακοινώνω notify, make known
διακοίνωση communication, notification
διακομιδή transport, conveyance
διακομίζω transport, convey
διακομιστής carrier
διακονεύω beg
διακονία deaconry, deaconship
διακονιά beggary, begging
διακονιάρης beggar
διακονικός diaconal
διακόνισσα deaconess
διάκονος deacon
διακονώ be a deacon
διακοπή breaking off, interruption
διακόπτης switch, breaker
διακόπτω break off, interrupt
διάκος deacon

διακοσαριά about two hundred
διακόσιοι two hundred
διακοσιοστός two hundredth
διακόσμηση decoration, adorning
διακοσμητής decorator
διακοσμητικός decorative, decorating
διάκοσμος decoration
διακοσμώ adorn, decorate
διακρίνω distinguish, discern
διάκριση distinction, discernment
διακριτέος discernible
διακριτικός distinctive, distinguishing
διακριτικότητα discretion, tact
διακυβέρνηση ruling, governing
διακυβερνώ govern, rule
διακύβευση risking, hazarding
διακυβεύω hazard, risk
διακυμαίνομαι waver, fluctuate
διακύμανση waving, fluctuation
διακωμώδηση ridiculing, mockering
διακωμωδώ ridicule
διαλάληση announcement
διαλαλητής public crier, towncrier
διαλαλώ proclaim, cry out
διαλάμπω shine bright, glitter
διάλεγμα choice
διαλεγμένος selected, chosen
διαλέγω choose, select
διάλειμμα interval, intermission, break
διαλείπω intermit, break off
διάλειψη intermittence, intermission
διαλεκτική dialectics
διαλεκτικός dialectical
διάλεκτος dialect
διαλεκτός select, choice, chosen
διάλεξη conference, talk, lecture
διαλευκαίνω elucidate, explain
διαλεύκανση elucidation, explanation
διαλλαγή reconciliation
διαλλακτικός conciliatory
διαλλακτικότητα conciliatory mood
διαλογή sorting

διαλογίζομαι consider, think, meditate
διαλογικός dialogic, dialogical, conversational
διαλογισμός thought, meditation, consideration
διάλογος dialogue, conversation
διάλυμα solution
διάλυση dissolution, solution
διαλύτης dissolver, solver
διαλυτικός diluting, dissolving, solvent
διαλυτός dissolvable, soluble
διαλυτότητα solubility
διαλύω dissolve, melt, liquefy
διαμαντένιος of diamond
διαμάντι diamond, virtuous
διαμαρτύρηση protestation, claim
διαμαρτύρομαι protest, oppose
διαμαρτυρόμενος protesting, complaining
διαμελίζω dismember, split up
διαμέλιση dismemberment
διαμελισμός dismemberment
διαμένω remain, stay
διαμερίζω part, divide, partition
διαμέρισμα flat, apartment
διαμερισμός division
διαμεριστής divider
διάμεσος intermediate
διαμέτρημα caliber, gauge
διαμετρικός diametrical
διάμετρος diameter, gauge
διαμοιράζω distribute, divide
διαμοίραση sharing, distribution
διαμοιραστής distributor
διαμονή residence, stay
διαμορφώνω form, shape
διαμόρφωση shaping, formation
διαμορφωτής shaper, former
διαμορφωτικός formative, forming
διαμπερής penetrating, passing through
διαμφισβητώ contest, dispute
διανεμητής distributor
διανέμω distribute, share

διανθίζω decorate with flowers
διανόημα thought, notion
διανοητικός intellectual, mental
διάνοια mind, intellect
διανοίγω open
διανομέας distributor
διανομή distribution, dispensation
διανοούμαι think
διανοούμενος intellectualist
διανυκτέρευση spending the night
διανυκτερεύω stay overnight
διάνυσμα vector
διανύω travel, go through
διαξιφισμός fencing
διαπαιδαγώγηση education, bringing up
διαπαιδαγωγώ educate, bring up
διαπαντός for ever, always
διαπασών diapason
διαπέμπω transmit, forward
διαπεραιώνω ferry over, take across
διαπεραστικός piercing, penetrating
διαπερνώ pierce, penetrate
διαπηδώ leap through
διαπίδυση gushing up
διαπιστευτήρια credentials
διαπιστεύω, -ομαι accredit, confide
διαπίστωση ascertainment
διαπιστώνω realize, ascertain, make sure of
διάπλαση shaping, formation
διαπλάσσω shape, form, mold
διάπλατα widely open
διαπλατύνω enlarge, widen
διαπλέκω interlace
διαπληκτίζομαι come to blows
διαπληκτισμός quarrel, fight
διαπνέομαι be driven, be animated
διαπνέω blow through
διαποικίλλω variegate
διαπόμπευση mockery, ridiculization
διαπομπεύω burlesque, ridicule
διαπορεύομαι traverse, pass through
διαπόρευση passage
διαπορθμεύω ferry

διαποτίζω wet, soak, saturate
διαπότιση wetting, soaking
διαπραγματεύομαι bargain, negotiate, treat
διαπραγμάτευση negotiation, negotiating
διάπραξη commiting, doing, performing
διαπράττω commit, perpetrate, perform, commit
διαπρεπής outstanding, eminent, distinguished
διαπρέπω excel, be eminent, be distinguished
διάπυρος red-hot, fiery
διαπυρώνω ignite, fire up
διαρθρώνω articulate
διάρθρωση articulation, joint
διάρκεια duration, continuance
διαρκής constant, durable, permanent
διαρκώ last, endure, continue
διαρπάζω pillage, despoil, plunder
διαρρέω run out, flow out
διαρροή leak, leakage
διαρρυθμίζω regulate, arrange
διαρρύθμιση regulating, arrangement
διαρρυθμιστής regulator, disposer
διαρχία duality
διασαλεύω agitate, disturb
διασαφηνίζω elucidate, explain
διασαφήνιση elucidation, explanation
διασαφητικός explanatory
διάσειση shaking, concussion
διάσελο saddle, pass
διάσημα insignia
διάσημος illustrious, famous, celebrated
διασημότητα celebrity, notability
διασκεδάζω scatter abroad, dispel, amuse someone, recreate
διασκέδαση party, amusement, recreation
διασκεδαστικός amusing, enter-

taining
διασκελίζω overleap, stride out, stride over
διασκελισμός striding over, striding
διασκευάζω arrange, put in order
διασκευαστής arranger
διασκευή arrangement, puting in order, disposition, structure
διάσκεψη conference, deliberation
διασκορπίζω scatter, disperse
διασκόρπιση dispersion, scattering
διασπαθίζω waste, squander
διασπάθιση wasting, squandering
διάσπαση breaking up, splitting, separation, divulsion
διασπώ break, seperate with violence, split, part forcibly
διασταλτικότητα expansibility, dilatability
διασταλτός expansible
διάσταση separation, disagreement
διασταυρώνω cross
διασταύρωση crossing, junction
διαστέλλω expand, dilate
διάστημα space, distance, interval
διαστίζω punctuate, dot
διάστικτος spotted, dotted
διάστιχο lead, space line
διαστολή dilation, expansion
διαστρεβλώνω deform, distort
διαστρέβλωση distortion, alteration
διαστρεβλωτής distorter
διάστρεμμα sprain
διαστρέφω distort, twist
διαστροφή distortion, perversion
διασυρμός defamation, ridicule
διασύρω defame, traduce, detract
διασχίζω tear, split, traverse
διάσχιση tearing
διασώζω rescue, save
διάσωση saving, rescue, preservation
διαταγή order, command
διάταγμα edict, decree
διατάζω order, command
διατακτικός imperative

διάταξη disposition, arrangement
διατάραξη trouble, disturbance, disorder, perturbation
διαταράσσω disturb, upset, agitate
διαταραχή trouble, disturbance
διάταση distention, strain
διατάσσω set in order, dispose, arrange
διατεθειμένος disposed, willing
διατείνω distend, tend, stretch
διατελώ remain, continue, be, stand
διατήρηση preservation, preserving
διατηρητής keeper, preserver
διατηρώ maintain, keep, preserve
διατίθεμαι be disposed
διατίμηση tariff, appraisal
διατιμώ value, tariff
διατομή cut, cutting
διατραγώδηση tragic narration
διατραγωδώ relate in a tragic manner
διατρέφω nourish, feed
διατρέχω go over, go through
διάτρηση drilling, perforation, piercing
διάτρητος holed, perforated, pierced
διατριβή stay, sojourn, treatise
διατροφή alimentation, nourishing, feeding
διατρυπώ pierce, perforate, drill
διατυμπανίζω trumpet, advertise, broadcast
διατυπώνω express, state
διατύπωση formulation, expression
διαύγεια clarity, clearness, limpidity
διαυγής clear, limpid
διαφάνεια transparency, clearness
διαφανής transparent, limpid
διαφεντεύω defend, protect
διαφέρω differ, be different from
διαφεύγω escape, evade
διαφημίζω advertise
διαφήμιση advertisement
διαφημιστής advertiser
διαφθείρω demoralize, corrupt,

spoil
διαφθορά corruption, depravity
διαφθορέας seducer, corrupter
διαφορά difference, dissimilarity
διαφορετικός different, dissimilar
διαφορικός differential
διάφορο gain, advantage
διαφοροποίηση differentiation
διαφοροποιώ differentiate
διάφορος different, diverse
διάφραγμα partition
διαφυγή escape, evasion
διαφύλαξη keeping, preservation
διαφυλάσσω keep, preserve, protect
διαφωνία discord, disagreement, dissent
διαφωνώ dissent, disagree
διαφωτίζω enlighten, elucidate
διαφώτιση enlightenment
διαφωτιστικός enlightening
διαχειμάζω winter, hibernate
διαχείμαση wintering, hibernation
διαχειρίζομαι administer, manage, handle
διαχείρηση management, administration
διαχειριστής administration manager
διαχειριστικός administrative
διαχέω pour out
διάχυση shedding, pouring out
διαχυτικός effusive, demonstrative
διαχυτικότητα demonstrativeness
διαχωρίζω separate, divide, part
διαχωρισμός separation, division
διαψεύδω belie, contradict
διάψευση denial, contradiction
δίβουλος double-minded
δίγαμος bigamist
διγλωσσία use of two languages, biglossy
δίγλωσσος bilingual
διγνωμία duplicity of mind
δίγνωμος of two minds
δίδαγμα instruction, lesson
διδακτική didactics

διδακτικός instructive
διδάκτορας doctor
διδακτορία doctorate, doctorship
διδακτορικός doctoral
δίδακτρα teacher's fees
διδασκαλείο teaching place
διδασκαλία teaching, instruction
διδάσκαλος teacher, schoolmaster
διδάσκω teach, instruct
διδαχή teaching, instruction
δίδυμος twin-born
δίδω give
διεγείρω incite, excite, stimulate
διέγερση excitement, stimulation
διεγερτικός inciting, stimulating
δίεδρος dihedral
διεθνής international
διεθνισμός internationalism
διεθνιστής internationalist
διεθνοποίηση internationalization
διεθνοποιώ internationalize
διείσδυση penetration
διεισδύω penetrate
διεκδίκηση claim, demand
διεκδικώ claim, demand
διεκπεραιώνω send off, expedite
διεκπεραίωση sending off, expedition
διεκτραγωδώ relate tragically, lament
διεκτραγώδηση lamentation
διέλευση going through, passage
διελκυστίνδα tug of war
διένεξη dispute, quarrel
διενέργεια operation
διενεργώ effect, operate, accomplish
διεξάγω conduct, carry out
διεξαγωγή execution, carrying out
διεξοδικός extensive, detailed
διέξοδος outlet, passage
διέπω rule, manage
διερεύνηση exploration, research
διερευνητικός searching, investigating
διερευνώ search through
διερμηνέας interpretor, translator

δίεση sharp, diesis
διεσταλμένος expanded, dilated
διεστραμμένος perverse
διετής biennial
διετία a period of two years
διευθέτηση arrangement, settling
διευθετώ arrange
διεύθυνση management, direction, control, address
διευθυντής director, manager
διευθύντρια manageress, directress
διευθύνω direct, manage, conduct
διευκόλυνση accomodation, facilitation
διευκολύνω facilitate, accomodate
διευκρίνηση elucidation, explanation
διευκρινίζω clear up, elucidate
διεύρυνση dilatation, broadening
διευρύνω enlarge, dilate
δίζυγο parallel bars
διήγημα story, tale
διηγηματικός narrative
διήγηση narration
διηγητής narrator
διηγούμαι relate, narrate, tell
διήθημα filter
διήθηση filtration
διηθώ filter
διθύραμβος dithyrambous
δικάζω try, judge
δικαιοδοσία jurisdiction, resort
δικαιολόγηση justification
δικαιολογητικός justificatory
δικαιολογία justification, excuse
δικαιολογώ justify, excuse
δίκαιο right, justice
δίκαιος just, upright, righteous, fair
δικαιοσύνη justice, equity
δικαιούμαι be entitled to
δικαιούχος beneficiary, payee
δικαιώνω do justice, justify, realize
δικαίωμα right, tax, title
δικαιωματικός lawful, legitimate
δικαίωση justification
δικανικός juridical, legal

δικαστήριο court of justice
δικαστής judge
δικαστικός judicial, judiciary
δικέφαλος two-headed
δίκη trial, suit
δικηγόρος lawyer, advocate
δικηγορώ practice law
δίκλινος diclinous
δικογραφία legal papers
δικολάβος attorney, solicitor
δικονομία legal procedure
δίκοπος two-edged
δικοτυλήδονος dicotyledonous
δίκρανο pitchfork
δικτατορία dictatorship
δικτατορικός dictatorial
δικτάτορας dictator
δίκτυ net, netting
δικτυωτός latticed, grated
δίλημμα dilemma
διμερής of two parts
δίμηνος of two months
διμοιρία platoon, section
δίμορφος two-faced, double-formed
δίνη whirlpool
διογκώνω swell, inflate
διόγκωση dilatation, swelling
διόδια toll, wharfage
δίοδος passage
διοίκηση administration, government
διοικητήριο governor's house
διοικητής governor
διοικητικός administrative
διοικώ govern, administer
διόλου by no means, not at all
διοξείδιο dioxide
διόπτρα field glass, spy-glass
διόραση perspicuity
διορατικός clear-sighted, perspicacious
διορατικότητα perspicacity
διοργανώνω organize
διοργάνωση organization
διοργανωτής organizer
διορθώνω correct, repair

διόρθωση correction, repairing
διορθωτής repairer, restorer
διορία term, time limit
διορίζω fix, appoint, assign
διορισμός appointment, assignment, nomination
διότι because, for, as
διουρητικός diuretic
διοχέτευση conveyance through pipes
διοχετεύω convey through pipes
δίπατος having two stores
δίπλα by, beside, next to
διπλανός near-by, contiguous
διπλασιάζω double
διπλάσιος double, twofold
δίπλευρος double-sided
διπλοπροσωπία duplicity, deceit
διπρόσωπος double-faced, deceitful
διπλός double, twofold
διπλότυπο duplicate
δίπλωμα diploma, certificate degree
διπλωμάτης diplomat
διπλωματία diplomacy
διπλωματικός diplomatic
διπλωματούχος graduate, diplomated
διπλώνω fold, fold up, wrap
δίπλωση folding, wrapping
δίποδος two-footed, two-legged
διπολικός bipolar
δίπτυχος folded in two
δισάκκι saddle-bag, travelling-bag
δισέγγονος great-grand-child
δισεκατομμύριο billion
δισεκατομμυριούχος billionaire
δίσεκτος bissextile
δισέλιδος of two pages
δισκοβολία discus throwing
δισκοβόλος discus-thrower
δισκοπότηρο chalice
δίσκος tray, disk, discus
δισταγμός hesitation, doubt
διστάζω hesitate, doubt
διστακτικός hesitating, hesitant
δίστηλος two-columned

δίστοιχο distich, couplet
δισύλλαβος dissyllabic
δισυπόστατος of two substances
δίτροχος two-wheeled
διττανθρακικός bicarbonate
διυλίζω filter, filtrate, strain
διύλιση filtration
διυλιστήριο filter
διφθερίτιδα diptheria
δίφθογγος diphthong
δίφορος biferous
διφορούμενος equivocal, of double meaning
δίφωνος duet, having two natures
διχάζω divide, disunite
διχάλα pitch-fork
διχαλωτός forked, cloven
διχασμός division in two
διχογνωμία dissent, disagreement
διχόνοια discord, dissension
διχοτόμηση bisection, separation
διχοτόμος bisector
διχοτομώ bisect, cut in two
δίχρονος of two years, two years old
δίχρωμος of two colours
δίχτυ networκ, net
δίχως without, apart
δίψα thirst
διψασμένος thirsty
διψήφιος of two figures
διψώ be thirsty
διωγμός expulsion, persecution
διώκτης persecutor
διώκω run after, persecute
διώνυμο binomial
δίωξη expulsion, persecution
δίωρος of two hours
διώροφος two-storied
διώρυγα canal, trench
δόγης doge
δόγμα doctrine, dogma
δογματίζω dogmatize
δογματικός dogmatic
δόκανο trap, snare
δοκάρι beam, rafter
δοκησίσοφος presumptuous, con-

ceited
δοκιμάζω try, test
δοκιμασία trial, test
δοκιμαστής tester
δοκιμαστικός tentative, testing
δοκιμή trial, test
δόκιμιο essay, treatise
δόκιμος tested, essayed
δοκός beam, girder
δολερός cunning, sly
δολιεύομαι beguile, intrigue, cheat
δόλιος crafty, fraudulent
δολιότητα fraud, deceit, guile
δολλάριο dollar
δολοπλοκία intrigue, plot
δόλος guile, fraud
δολοφονία assassination, murder
δολοφόνος murderer, assassin
δολοφονώ murder, spoil, assassinate
δόλωμα bait, lure, decoy
δολώνω bait, decoy
δομή structure
δόνηση vibration, shock
δονητικός vibratory
δόντι tooth
δονώ vibrate, shake
δόξα glory, fame
δοξάζω glorify, praise
δοξάρι bow, fiddle-stick
δοξασία belief, doctrine
δοξαστικός glorifying
δοξολογία doxology
δοξολογώ praise, glorify
δόρυ spear, javelin
δορυφόρος satellite
δοσίλογος liable to give an account
δόση giving, dose, instalment
δόσιμο giving
δοσοληψία transaction
δούκας duke
δουκάτο dukedom
δούκισσα duchess
δουλεία slavery
δουλειά work, business, job, occupation
δουλεμπόριο slave-traffic

δουλέμπορος slave-trader
δουλευτής hard-worker, workman
δουλεύω serve, work
δουλικός servile, slavish
δουλοπρέπεια servility, obsequiousness
δουλοπρεπής servile, obsequious
δούλος servant, slave, enslaved
δούρειος a wooden horse
δοχείο pot, vase
δράκαινα ogress
δράκος dragon, ogre
δράμα drama, play
δραματικά dramatically
δραματικός dramatical, tragical
δραματογράφος dramatist
δραματοποίηση dramatizing
δραματοποιός dramatic poet
δραματοποιώ dramatize
δράμι dram, grain
δραπέτευση escape, flight
δραπετεύω escape, run away
δραπέτης fugitive, runaway
δράση action, activity
δρασκελιά stride
δραστήριος active, energetic
δραστηριότητα activity, energy
δράστης perpetrator, culprit
δραστικός drastic, efficient
δραχμή drachma
δρεπάνι scythe, sickle
δρεπανοειδής sickle-like
δρέπω pick, gather
δριμύς acrid, severe, bitter
δριμύτητα acridness, bitterness, severity, pungency
δρομάκι narrow street
δρομέας runner, courier
δρομολόγιο time-table, itinerary
δρομόμετρο speedometer
δρόμος way, road, street
δροσερός cool, fresh
δροσιά coolness, dew
δροσίζω cool, refresh
δροσιστικός cooling, refreshing
δρύινος oak, oaken

δρυμός wood, forest, oak coppice
δρώ act, do, work, operate
δυαδικός dual, binary
δυαδισμός dualism
δύναμη power, force
δυναμικός dynamic, vigorous, powerful
δυναμίτιδα dynamite
δυναμιτιστής dynamiter
δυναμόμετρο dynamometer
δυνάμωμα strengthening, recovery
δυναμώνω strengthen
δυναμωτικός strengthening
δυναστεία dynasty, domination, rule
δυνάστευση oppression, domineering
δυναστευτικός oppressive, ruling
δυναστεύω dominate, oppress
δυνάστης ruler, sovereign
δυνατός strong, powerful, vigorous
δυνατότητα possibility
δύνη dyne
δυνητικός potential
δύο two
δυόσμος mint, spearmint
δυσανάγνωστος illegible, difficult to read
δυσαναλογία disproportion
δυσανάλογος disproportionate
δυσαναπλήρωτος irreplaceable
δυσανασχέτηση impatience
δυσανασχετώ be anxious, fret
δυσαρέσκεια displeasure, discontent
δυσαρεστημένος displeased
δυσάρεστος disagreeable, unpleasant
δυσαρεστώ displease, dissatisfy
δυσαρμονία discord, dissonance
δυσαρμονικός incompatible, inharmonious
δυσβάστακτος unbearable, insupportable
δύσβατος impassable, inaccessible
δυσδιάκριτος indiscernible
δυσδιάλυτος insoluble
δυσεπίλυτος difficult to solve

δυσεύρετος difficult to find, rare
δύση sunset, setting, west
δύσθυμος depressed, sad
δύσκαμπτος stiff, hard to bend
δυσκαμψία stiffness, rigidness
δυσκίνητος hard to move, heavy, sluggish, slow
δυσκοίλιος constipated
δυσκοιλιότητα constipation
δυσκολεύομαι meet difficulties
δυσκολεύω impede, make difficult
δυσκολία difficulty, hardness, trouble
δύσκολος difficult, hard
δυσμένεια disfavour, ill-will
δυσμενής unfavourable, adverse
δύσμοιρος unfortunate
δύσμορφος ugly, deformed
δυσνόητος difficult to understand, unintelligible
δυσοίωνος ill-omened
δυσοσμία bad smell
δύσοσμος stinking, smelling badly
δύσπεπτος indigestible
δυσπεψία indigestion
δυσπιστία incredulity, distrust, mistrust
δύσπιστος incredulous
δυσπιστώ distrust, mistrust
δύσπνοια dyspnoea, difficult breathing
δυσπραγία adversity, misfortune
δυσπρόσιτος inaccessible
δύστροπος perverse, peevish
δυστύχημα accident, mishap
δυστυχής unhappy, unlucky
δυστυχία misfortune, ill-luck
δυστυχώ be unfortunate or unhappy
δυσφήμηση defamation, slander
δυσφημώ defame, slander
δυσφορία impatience, anxiety, uneasiness
δυσχεραίνω make difficult
δυσχέρεια difficulty, hardship
δυσχερής difficult, hard
δύσχρηστος inconvenient, difficult

to use
δυσωδία bad smell
δυσωπώ entreat, persuade
δύτης diver
δυτικός western, west, westerly
δύω set, sink, go down
δώδεκα twelve
δωδεκάδα dozen
δωδεκάμηνος of twelve months
δωδεκαπλάσιος twelvefold
δωδέκατος twelfth

δώμα terrace, roof
δωμάτιο room, chamber
δωρεά donation, gift
δωρεάν freely, gratis
δωρητής donor
δωρίζω offer, grant
δωρικός doric
δωροδοκία bribery, bribing
δωροδοκώ bribe
δώρο present, gift

E

E, ε the fifth letter of the Greek alphabet
εάν if, whether, in case
εαρινός of the spring, vernal
εαυτός self
εβδομαδιαίος weekly
εβδομάδα week
εβδομηκοστός seventieth
εβδομήντα seventy
έβδομος seventh
εβένινος of ebony
έβενος ebony
Εβραίος Jew, Hebrew
έγγαμος married
εγγαστρίμυθος ventriloquous
εγγίζω approach
εγγλέζικος english
Εγγλέζος Englishman
εγγονή granddaughter
εγγόνι grandchild
εγγονός grandson
εγγράμματος educated, literate
εγγραφή registration, registry
έγγραφο document, paper, deed
εγγράφω register, record

εγγύηση guarantee, security
εγγυητής guarantor, guaranty
εγγυούμαι guarantee
εγείρω raise, erect
έγερση rising, erection
εγερτήριο reveille
εγκάθειρκτος imprisoned
εγκαθίδρυση installation, establishing
εγκαθιδρύω install, establish
εγκαθιστώ establish
εγκαίνια inauguration, dedication
εγκαινιάζω inaugurate, dedicate
έγκαιρος timely, opportune
εγκάρδιος hearty, cordial
εγκάρσιος transversal, cross
εγκαρτερώ endure, persevere
εγκαταλείπω abandon, leave, quit
εγκατάλειψη abandonment, desertion
εγκατάσταση installation, establishment
έγκαυμα burn, scald
εγκεφαλικός cerebral
εγκεφαλίτιδα encephalitis

εγκέφαλος brain, cerebrum
εγκλείω enclose
έγκλημα crime, felony
εγκληματίας criminal, malefactor
εγκληματικός criminal
εγκληματικότητα criminality
εγκλιματίζω acclimatize, acclimate
εγκλιματισμός acclimation
έγκλιση mood
εγκλωβίζω put in a cage
εγκόλπιο amulet, talisman
εγκοπή cut, incision
εγκόσμιος wordly, earthly
εγκράτεια temperance
εγκρατής temperate, sober
εγκρίνω approve, sanction
έγκριση approval
εγκύκλιος circular
εγκυκλοπαίδεια encyclopaedia
εγκυκλοπαιδικός encyclopaedic
εγκυμονώ be pregnant
εγκυμοσύνη pregnancy
έγκυος pregnant
έγκυρος valid, well-grounded
εγκυρότητα validity
εγκωμιάζω praise
εγκώμιο praise, encomium
έγνοια care, concern, anxiety
εγρήγορση vigilance, wakefulness
εγχαράσσω engrave
εγχείρημα undertaking
εγχείρηση operation
εγχειρίδιο hand-knife, dagger, stiletto
εγχειρίζω operate
έγχορδος stringed
έγχρωμος coloured
εγχώριος domestic, native, local, indigenous
εγώ I
εγωισμός egoism, selfishness
εγωιστής egoist, selfish
εγωιστικός selfish, egotistic
εγωκεντρικός egocentric, self-centred
εγωπαθής egomaniac

εδαφικός territorial
εδάφιο paragraph, passage
έδαφος soil, ground, earth
έδεσμα meal, dish
έδρα seat, chair
εδραιώνω make firm, establish
εδραίωση strengthening
εδρεύω reside, sit
εδώ here, hither
εδώλιο bench, seat
εθελοντής volunteer
εθελοντικός voluntary
εθελοτυφλώ be wilfully blind
εθίζω accustom, familiarize
έθιμο custom, habit
εθιμοτυπία etiquette, ceremony
εθνάρχης national leader
εθνεγερσία national revolution
εθνικισμός nationalism
εθνικιστής nationalist
εθνικοποίηση nationalization
εθνικοποιώ nationalize
εθνικός national
εθνικότητα nationality
εθνολογία ethnology
εθνομάρτυρας national hero
έθνος nation
εθνόσημο national emblem
εθνοσυνέλευση national assembly
εθνότητα nationality
εθνοφρουρά national guard
εθνοφυλακή national guard, militia
εθνοφύλακας militiaman
ειδεμή otherwise
ειδήμονας expert, skilled
ειδησεογραφία news editing
είδηση news
ειδίκευση specialization
ειδικεύω specialize
ειδικός special, specific
ειδικότητα speciality
ειδοποίηση notice, advice, notification
ειδοποιητήριο notification
ειδοποιητικός informing, informative

ειδοποιώ notify, inform
είδος kind, sort, species
ειδυλλιακός idyllic
ειδύλλιο idyl
είδωλο idol, image
ειδωλολάτρης idolater, pagan
ειδωλολατρικός idolatrous
εικάζω conjecture, presume
εικασία conjecture
εικαστικός conjectural, pictorial
εικόνα image, picture, painting
εικονίζω represent, picture
εικονικός figurative, typical
εικόνισμα sacred image
εικονογραφημένος illustrated
εικονογράφηση illustration, painting
εικονογράφος illustrator, picture-drawer
εικονογραφώ illustrate, draw
εικονοκλαστικός iconoclastic
εικονολατρεία iconolatry
εικονομαχία iconoclasm
εικονοστάσιο shrine
εικοσαετία twenty years
εικοσαπλασιάζω multiply by twenty
εικοσαπλάσιος twentyfold
είκοσι twenty
εικοστός twentieth
ειλικρίνεια sincerity, frankness
ειλικρινής sincere, frank, candid
είμαι be, exist
είναι be, being, existence
ειρήνευση pacification
ειρηνευτής peacemaker
ειρηνεύω pacify, calm
ειρήνη peace, quiet
ειρηνικός peaceful, pacific
ειρηνιστής pacifist
ειρηνοδικείο magistrate's court
ειρηνοδίκης justice of the peace
ειρηνοποιός peacemaker
ειρηνοποιώ pacify
ειρηνόφιλος pacific
ειρμός series, train, coherence
ειρωνεία irony, sarcasm, mockery

ειρωνεύομαι speak ironically
ειρωνικός ironical, sarcastic, mocking
εις to, at, in, into, an, for
εισαγγελέας district attorney, public prosecutor
εισαγγελία public prosecutor's office
εισάγω introduce, import, insert
εισαγωγή introduction, import
εισαγωγικός introductory
εισακούω listen, accept
εισβολέας invader
εισβολή invasion, inroad
εισέρχομαι come in, go in, enter
εισήγηση suggestion, introduction, intimation
εισηγητής introducer, spokesman, instigator
εισηγούμαι suggest, introduce
εισητήριο ticket
εισιτήριος of entry
εισόδημα income, revenue
είσοδος entrance, admission, entry
εισορμώ rush in
εισπνέω inhale, breathe in, inspire
εισπνοή inhalation, inspiration
εισπράκτορας collector, receiver, conductor
είσπραξη collection, receipt, gathering
εισπράττω collect, gather, levy
εισφορά contribution, share
εισχώρηση penetration
εισχωρώ intrude, penetrate
είτε either, whether...or, either...or
εκατόμβη hecatomb
εκατό a hundred
εκατομμύριο million
εκατομμυριοστός millionth
εκατομμυριούχος millionaire
εκατονταετής centennial
εκατονταετία century
εκατόνταρχος centurion
εκατοντάδα a hundred
εκατοστό the hundredth part, cent

εκατοστός hundredth
εκβάθυνση deeping, deepening
εκβάλλω take off, take out, put out
έκβαση outcome, issue, result
εκβιάζω extort, blackmail, force, compel
εκβιασμός blackmail, forcing
εκβιαστής extortioner, blackmailer
εκβιομηχάνηση industrialization
εκβολή expulsion, discharge, ejection
εκγυμνάζω exercise, train, drill
εκγύμναση drilling, training
εκγυμνώνω strip
έκδηλος evident, obvious
εκδηλώνω manifest, display, express, show
εκδήλωση manifestation, expression
εκδηλωτικός declaratory
εκδίδω publish, issue
εκδικάζω try, judge
εκδίκαση trial, hearing, judgement
εκδίκηση revenge, retaliation
εκδικητής avenger, revenger
εκδικητικός avenging, revengeful
εκδικούμαι avenge, revenge
εκδορά excoriation
έκδοση edition, issue, publication
εκδότης publisher, issuer
εκδοτικός publishing, issuing, editorial
εκδοχή acceptance, acceptation
εκδρομή excursion, outing, trip
εκεί there, thither
εκείνος that
εκεχειρία armistice, cessation
έκζεμα eczema
εξεζητημένος far-fetched
έκθαμβος amazed, dazzled
εκθαμβώνω dazzle, amaze, astonish
εκθαμβωτικός dazzling, amazing
εκθειάζω extol, exalt
εκθειασμός exaltation, praising
έκθεμα exhibit
έκθεση exposition, exhibition, show
εκθέτης exhibitor, exposer

έκθετος exposed, helpless
εκθέτω expose, exhibit
εκθήλυνση effeminacy
εκθηλύνω effeminate
έκθλιψη elision, extraction
εκθρονίζω dethrone
εκθρόνιση dethronement
εκκαθαρίζω net, clean, clear, liquidate
εκκαθάριση cleaning, purification
εκκεντρικός eccentric
εκκεντρικότητα eccentricity
εκκενώνω empty, evacuate
εκκένωση emptying, clearing, evacuation
εκκίνηση starting out, departure
εκκλησία church
εκκλησιάζομαι go to church
εκκλησίασμα congregation
εκκλησιαστικός of the church
έκκληση appeal
έκκλιση deviation, declination
εκκοκκίζω stone, gin
εκκοκκιστικός of shelling, of ginning
εκκολαπτήριο incubator
εκκολάπτω hatch eggs
εκκόλαψη hatching, incubation
εκκρεμές pendulum
εκκρεμής pending
εκκρίνω secrete
έκκριση secresion
εκκριτικός secretory
εκκωφαντικός deafening
εκλαΐκευση popularization
εκλαΐκεύω popularize
εκλέγω choose, select, pick out, elect
εκλείπω vanish, disappear, become extinct
εκλεκτικός eclectic, eclectic, selecting
εκλεκτικότητα selectiveness, selectivity
εκλεκτός select, chosen
εκλεπτύνω make thin, slim

εκλεπτυσμένος civilized, refined
εκλιπαρώ entreat, implore, beg
εκλογέας voter, elector
εκλογή choice, selection, election, option
εκλογικός electoral
έκλυτος dissolute, dissipated
εκμάθηση thorough learning
εκμεταλλεύομαι exploit, work, profit
εκμετάλλευση exploitation
εκμεταλλευτής exploiter
εκμηδενίζω annihilate
εκμηδένιση annihilation
εκμισθώνω lease, rent
εκμίσθωση lease, renting
εκμισθωτής lessor, hirer
εκμυζώ suck out, drain
εκμυστηρεύομαι confide, confess
εκνευρίζω enervate, get on one's nerves
εκνευρισμός enervation
εκνευριστικός enervating, annoying
εκούσιος voluntary
εκπαίδευση education, instruction
εκπαιδευτήριο institute, school
εκπαιδευτής educator, instructor
εκπαιδευτικός educational, educative, instructive
εκπαιδεύω educate, instruct
εκπατρίζω expatriate
εκπατρισμός expatriation
εκπέμπω emit, send out, radiate
εκπηγάζω emanate, spring, flow out
εκπληκτικός astonishing, surprising, amazing
έκπληξη surprise, astonishment, amazement
εκπληρώνω fulfil, perform, accomplish
εκπλήρωση fulfilment, performance, accomplishment
εκπλήσσω surprise, astonish, amaze
εκπνοή expiration
εκποίηση sale, disposal
εκποιώ sell, dispose off

εκπολιτίζω civilize, refine
εκπολιτισμός civilization
εκπολιτιστικός civilizing
εκπομπή emission, broadcasting
εκπόνηση elaboration, finishing
εκπορεύομαι emanate, come from
εκπρόθεσμος overdue, out of date
εκπροσώπηση representation
εκπρόσωπος representative, delegate
εκπροσωπώ represent
έκπτωση discount, deduction
εκπυρσοκρότηση shot, detonation
εκπυρσοκροτώ detonate, fire
εκρήγνυμαι burst, break out, explode
εκρηκτικός explosive
έκρηξη explosion, outburst
εκριζώνω root out, eradicate
εκρίζωση eradication
έκρυθμος abnormal, irregular
εκσκαφή excavation, digging out
έκσταση ecstacy
εκστατικός ecstatic
εκστρατεία expedition, campaign
εκστρατεύω make an expedition, march against
εκσφενδονίζω hurl, sling, dart
έκτακτος extraordinary, exceptional
έκταση extent, area
εκτατός extensible, expansible
εκταφή exhumation
εκτεθειμένος exposed
εκτείνω stretch, extend
εκτέλεση performance, execution
εκτελεστής executor
εκτελεστικός executive
εκτελώ execute, perform
εκτελωνίζω clear through the customs
εκτελώνιση customs clearing
εκτενής extensive
εκτίμηση estimation, esteem, appreciation
εκτιμητής estimator
εκτιμώ estimate

εκτίναξη shaking off
εκτόνωση relaxion, expansion
εκτόξευση shooting, darting
εκτοξεύω dart, cast
εκτοπίζω remove, displace
εκτόπιση displacement, removing
εκτόπισμα displacement
εκτός except, besides, outside
έκτος sixth
εκτραχύνω make rough
εκτρέπω divert, deviate
εκτρέφω bring up
εκτροπή deviation
εκτροχιάζω derail
εκτροχιασμός derailment
έκτρωση abortion
εκτυπώνω print, impress
εκτύπωση printing
εκτυφλωτικός blinding, dazzling
έκφανση manifestation
εκφέρω express, utter
εκφοβίζω intimidate
εκφοβιστικός intimidating
εκφορτώνω unload
εκφορτωτής unloader
εκφράζω express, declare
έκφραση expression, aspect
εκφραστικός expressive
εκφραστικότητα expressiveness
εκφυλίζω extoliate
εκφυλισμός degeneration, corruption
εκφυλλίζω defoliate
έκφυλος degenerate
έκφυση excrescence
εκφωνητής announcer, speaker
εκφωνώ pronounce
εκχερσώνω clear
εκχέρσωση clearing
εκχυδαΐζω make vulgar
εκχυδαϊσμός vulgarization
εκχύλισμα extract, decoction
εκχώρηση cession
εκχωρώ cede, grant
ελαιογραφία oil-painting
ελαιόδεντρο olive tree

ελαιόλαδο olive oil
ελαιόχρωμα oil paint
ελαιοχρωματιστής painter
έλασμα plate, sheet of metal
ελαστικός elastic
ελαστικότητα elasticity
ελατήριο spring
ελάτινος of fir
ελάττωμα defect, fault
ελαττωματικός defective, faulty
ελαττώνω diminish, reduce, lessen, decrease
ελάφι deer
ελαφίνα hind
ελαφραίνω become lighter
ελαφρόμυαλος light-headed
ελαφρόπετρα pumice (stone)
ελαφρός light, nimble
ελαφρότητα lightness
ελάφρυνση alleviation, relief
ελαφρυντικός alleviating
ελαφρώνω lighten, ease
ελάχιστος least, smallest
ελεγκτής controller, auditor, inspector
έλεγχος control, checking
ελέγχω check up, test, verify
ελεεινός miserable, pitiful
ελεημοσύνη charity
έλεος mercy, pity
ελευθερία liberty, freedom
ελεύθερος free
ελευθεροστομία outspokenness
ελευθερόστομος outspoken
ελευθεροτυπία liberty of the press
ελευθερώνω free, deliver, set free
ελευθέρωση release
ελευθερωτής liberator, deliverer
ελεφάντινος ivory, elephantine
ελέφας elephant
ελιγμός winding, maneuvering
έλικας screw, spiral
ελικοειδής winding, spiral
ελικόπτερο helicopter
έλκηθρο sledge, sled
έλκος ulcer, fester, sore

ελκυστικός attractive
ελκύω attract, charm
έλκω draw, pull
ελλανοδίκης umpire
έλλειμμα deficit, shortage
ελλειπτικός elliptic, defective
έλλειψη deficiency, want, lack, shortage
Έλληνας Greek, Hellene
ελληνικός Hellenic, Greek
ελληνισμός hellenism
ελληνιστής hellenist
ελληνιστικός hellenistic
ελληνορρωμαϊκός Graeco-Roman
ελληνόφωνος speaking Greek
έλξη attraction
ελονοσία malaria, marsh fever
έλος marsh
ελπίδα hope, expectation
ελπίζω hope, expect
εμβαδόν area, surface
εμβαθύνω penetrate, deepen
εμβατήριο march
εμβέλεια range
έμβλημα emblem, badge
εμβολιάζω vaccinate, ingraft, graft
εμβολιασμός vaccination, grafting, ingrafting
εμβολιαστής vaccinator, grafter, ingrafter
εμβόλιο vaccine, graft
έμβολο ramrod, rammer
εμβρίθεια profundity
εμβριθής profound
εμβρόντητος dumfounded, amazed
έμβρυο embryo, fetus, foetus
εμετός vomiting, vomition
εμμένω abide by, adhere to
έμμεσος indirect, mediate
έμμετρος metrical
έμμηνα menses, menstruation
εμμηνόρροια menstruation
έμμισθος salaried, hired
εμμονή persistence
έμμονος persistent
εμπάθεια animosity, passion

εμπαθής passionate, violent
εμπαιγμός mockery, scoff
εμπαίζω mock, jeer
εμπεδώνω steady, consolidate
εμπέδωση consolidation
εμπειρία skill, experience
εμπειρικός empiric, practical
εμπειρισμός empiricism
εμπειριστής empiricist
εμπειρογνώμονας expert, specialist
εμπειροπόλεμος experienced in war
έμπειρος skilled, experienced
εμπεριέχω contain, comprise
εμπιστεύομαι trust, confide
εμπιστευτικός confidential
έμπιστος trusty, trustful, confident
εμπιστοσύνη trust, confidence, faith
έμπλαστρο plaster
εμπλέκω entangle, implicate, embroil
εμπλοκή interlacing, inweaving
εμπλουτίζω enrich
εμπλουτισμός enriching
έμπνευση inspiration
εμπνευστής inspirer
εμπνευσμένος inspired
εμπνέω inspire
εμποδίζω hinder, prevent, impede
εμπόδιο obstacle, hindrance
εμπόλεμος belligerent
εμπόρευμα merchandise
εμπορεύομαι trade, deal
εμπορευόμενος merchant, trader
εμπορικός commercial, merchantile, trading
εμπόριο commerce, trade
έμπορος merchant, dealer
εμποροϋπάλληλος store clerk
εμποτίζω imbue, soak
έμπρακτος real, actual, practical
εμπρησμός arson, burning
εμπρηστής incendiary, arsonist
εμπρός before, in front of, ahead, forward
εμπροσθοφυλακή advance guard
έμπυο pus

εμπύρετος feverish
εμφανής apparent, evident, obvious
εμφανίζω show, present, reveal
εμφάνιση appearance, presentation
έμφαση emphasis
έμφραγμα blocking, stopper, stopping
εμφύλιος civil, internal
εμφύσημα emphysema
εμφυσώ blow in, infuse
έμφυτος innate, inborn
έμψυχος animate, living
εμψυχώνω animate, enliven, encourage
εμψύχωση animation
εναγόμενος defendant
ενάγω sue
εναγώνιος anxious
εναέριος aerial, airy
εναλλαγή alternation, interchange
εναλλακτικός alternating
εναλλάξ alternately
εναλλάσσω alternate, interchange
εναντίον against
ενάντιος contrary, opposed, adverse
εναντιώνομαι oppose
εναντίωση opposition
ενάργεια clearness, clarity, obviousness
εναργής clear, obvious, evident
ενάρετος virtuous
έναρθρος articulate
εναρκτήριος opening, inaugural
εναρμονίζω harmonize
έναρξη commencement, beginning
ένας one, a, an
έναστρος starry
ενασχόληση occupation, employment
ένατος ninth
έναυσμα tinder, motive
ενδεής needy, poor
ένδεια poverty
ενδεικτικός indicative
ένδειξη indication, evidence, sign, token

ένδεκα eleven
ενδέκατος eleventh
ενδεχόμενος likely, possible, probable
ενδημικός endemic
ενδιάμεσος intermediate
ενδιαφερόμενος interested, concerned
ενδιαφέρον interest, concern
ενδιαφέρω interest, concern, matter
ενδίδω yield, give in
ενδοιασμός hesitation
ενδοκρινής endocrine
ενδόμυχος inward, intimate, inmost
ένδοξος glorious, famous, illustrious
ενδοσκόπηση introspection, endoscopy
ενδότατος inmost
ενδοχώρα hinterland
ένδυμα dress, garment
ενδυναμώνω strengthen
ενέδρα ambush, ambuscade
ενεδρεύω lurk
ενέργεια energy, action
ενεργητικός active, energetic
ενεργητικότητα activity, energy
ενεργός active
ενεργώ act, operate
ένεση injection
ενεστώτας present
ενεχυριάζω pawn, pledge
ενεχυροδανειστής pawnbroker
ενέχυρο pawn, pledge
ένζυμο enzyme
ενήλικος of age, adult
ενήμερος aware of, informed
ενημερώνω inform, acquaint with
ενημέρωση informing
ενθάρρυνση encouragement
ενθαρρυντικός encouraging
ενθαρρύνω encourage
ένθερμος ardent, burning
ενθουσιάζω make enthusiastic
ενθουσιασμός enthusiasm
ενθουσιώδης enthusiastic
ενθρονίζω enthrone

ενθρόνιση enthroning
ενθύμηση remembrance, memory
ενθυμίζω remind
ενθύμιο souvenir, memorial
ενθυμούμαι remember, recall
ενικός singular
ενίσχυση reinforcement, strengthening
ενισχυτής strengthener, amplifier
ενισχύω strengthen, reinforce
εννέα nine
έννοια sense, meaning
εννοώ understand, perceive, mean
ενοικιάζω let, rent, hire
ενοικίαση renting, letting, hiring
ενοικιαστήριο lease, lease-notice
ενοικιαστής tenant, lessee
ενοίκιο rent, hire
ένοικος tenant, lodger
ένοπλος armed
ενοποιημένος unified
ενοποίηση unification
ενοποιώ unify
ενόραση introspection
ενόργανος organic, instrumental
ενοργανώνω orchestrate
ενορία parish
ένορκος sworn, bound by oath
ενορχήστρωση orchestration
ενότητα unity, connection, union
ενοχή guilt
ενόχληση annoyance, trouble
ενοχλητικός annoying, troublesome
ενοχλώ annoy, bother, trouble
ενοχοποίηση incrimination, implication
ενοχοποιητικός culpable, incriminating
ενοχοποιώ incriminate
ένοχος guilty, culpable
ένσημο receipt-stamp
ένσταση objection, opposition
ενστερνίζομαι embrace, adopt
ένστικτο instinct
ενστικτώδης instinctive
ενσωματώνω embody, incorporate

ενσωμάτωση incorporation
ένταλμα warrant, writ
ένταξη enrollment
ένταση tension, strain
εντατικός intensive
εντερικός intestinal
εντερίτιδα enteritis
έντερο intestine, bowel
έντεχνος artistic
έντιμος honest, honourable, estimable
εντιμότητα honesty, honourableness
έντοκος at interest
εντολή order, commandment
εντολοδότης assignor
εντολοδόχος assignee, agent
έντομο insect
εντομοκτόνος insecticide
εντομολόγος entomologist
έντονος intense, vigorous
εντοπίζω localize, locate
εντόπιση localization
εντός in, into, inside, within
εντόσθια bowels, intestines, entrails
εντριβή friction, massage
έντρομος terrified, frightened
έντυπο print
εντυπώνω imprint, impress
εντυπωσιακός sensational, impressive
εντύπωση impression, sensation
ενυδρείο aquarium
ένυδρος aquatic
ενώνω unite, join
ενώπιον in the presence of, in front of
ένωση union, junction, compound
ενωτικός uniting, joining
έξ six
εξαγγελία announcement, declaration
εξαγγέλλω announce, declare
εξαγιάζω sanctify, purify
εξαγιασμός sanctification
εξαγνίζω purify
εξαγνισμός purification

εξαγοράζω ransom, redeem, buy off, purchase
εξαγριώνω enrage, infuriate
εξάγω lead out, take out, extract, export
εξαγωγή exportation, extraction
εξαγωγικός of exportation
εξάγωνο hexagon
εξαδέλφη cousin
εξάδελφος cousin
εξαερισμός ventilation, airing
εξαεριστήρας ventilator
εξαθλίωση making miserable
εξαίρεση exception, exemption
εξαιρετικός exceptional, extraordinal, excellent
εξαιρώ except, exempt
εξαίρω exalt, extol
εξαίσιος excellent, wonderful
εξακολουθώ continue, go on
εξακοντίζω dart, throw
εξακόσιοι six hundred
εξακριβώνω ascertain
εξακρίβωση verification, ascertainment
εξαλείφω efface, erase
εξάλειψη effacing, erasure
έξαλλος frantic, beside oneself
εξαναγκάζω compel, force
εξαναγκασμός compulsion, force
εξαναγκαστικός compulsory, compelling
εξανδραποδίζω enslave, subdue
εξανδραποδισμός enslaving
ξάνθημα pimple, rash
εξανθρωπίζω humanize
εξανθρωπισμός humanization
εξάντληση exhaustion, debility
εξαντλώ exhaust, fatigue
εξαπάτηση cheating, deceiving, deceit
εξαπατώ cheat, deceive
εξαπλώνω spread (out), stretch
εξάπλωση spreading, expansion
εξάπτω excite, irritate
εξαργυρώνω cash

εξαργύρωση cashing
εξαρθρώνω dislocate, sprain
εξάρθρωση dislocation, sprain
έξαρση exaltation, elevation, raising
εξάρτημα attachment
εξάρτηση dependence, hanging
εξάρτυση equipment
εξαρτώ suspend, attach, depend
εξασθένηση weakening
εξασθενίζω weaken, enfeeble
εξάσκηση exercise, practice
εξασκώ exercise, pactice, drill
εξασφαλίζω secure
εξασφάλιση securing, assuring
εξατμίζω evaporate, exhale
εξάτμιση evaporation, exhalation
εξαϋλώνω immaterialize
εξαΰλωση immaterialization
εξαφανίζομαι vanish, disappear
εξαφανίζω eliminate, destroy
εξαφάνιση disappearance
εξαχρειώνω deprave, degrade
εξαχρείωση depravity, corruption
εξαχρειωμένος corrupted, demoralised
έξαψη excitement, exaltation
εξεγείρω rouse, excite, stir up
εξέγερση uprising, rousing, revolt
εξέδρα platform, dais
εξεζητημένος far-fetched
εξελικτικός evolutionary
εξέλιξη evolution, development
εξελίσσω unfold, develop
εξελληνίζω hellenize
εξελληνισμός hellenization
εξεπίτηδες on purpose, intentionally
εξεργασία elaboration
εξερεύνηση exploration, investigation
εξερευνητής explorer, investigator
εξερευνώ explore, investigate
εξετάζω examine, investigate
εξέταση examination, scrutiny
εξεταστής examiner
εξέταστρα examination fees
εξευγενίζω ennoble, refine

εξευμενίζω appease, calm
εξεύρεση discovery, finding
εξευτελίζω debase, humiliate, degrade
εξευτελισμός humiliation
εξέχω stand out, protrude
εξήγηση explanation
εξηγητικός explanatory
εξηγώ explain
εξημερώνω tame, domesticate, calm
εξημέρωση taming, domestication
εξήντα sixty
εξιδανικεύω idealize
εξιλεώνω expiate, atone, pacify
εξιλέωση expiation, atonement
εξιστορώ narrate, relate
εξισώνω equalize
εξίσωση equalization
εξιχνιάζω trace out, track
εξιχνίαση tracing out, trackling
εξόγκωμα swelling, tumour
εξογκώνω swell out, puff, exaggerate
έξοδο expense, expenditure
έξοδος exit, outlet, opening
εξοικειώνω familiarize
εξοικείωση familiarity
εξοικονομώ accommodate, provide, save
εξολόθρευση extermination
εξολοθρευτής exterminator, destroyer
εξολοθρεύω exterminate, destroy
εξομάλυνση smoothing
εξομαλύνω smooth
εξομοιώνω liken, assimilate
εξομολόγηση confession
εξομολογητής confessor
εξομολογώ confess
εξοντώνω exterminate, annihilate
εξόντωση extermination, annihilation
εξοπλίζω arm
εξοπλισμός arming, armament
εξοργίζω vex, enrage, irritate
εξορία exile, banishment

εξορίζω banish, exile
εξορκίζω conjure, adjure
εξορκισμός conjuration, exorcism
εξορκιστής exorciser, exorcist
εξόρμηση rushing out, dash
εξορμώ rush out, dash
εξόρυξη excavation, digging out
εξορύσσω dig out, excavate
εξουδετερώνω neutralize
εξουδετέρωση neutralization
εξουσία authority, dominion
εξουσιάζω command, dominate
εξουσιοδότηση authorization, permission
εξόφληση acquittance
εξοφλώ acquit, pay off
εξοχή country, projection
εξοχικός country, rural
έξοχος excellent, prominent
εξοχότητα superiority
εξύβριση abuse, insult
εξυγίανση sanitation
εξυμνώ praise, extol
εξυπηρέτηση service, serving
εξυπηρετώ serve
εξυπνάδα cleverness, intelligence
έξυπνος clever, smart, intelligent
εξυψώνω raise, elevate
εξύψωση elevation, exaltation
έξω out, outside
εξώδικος extrajudicial
εξωκκλήσι country church
έξωμος low-necked
εξώπορτα gate, outside door
εξωραΐζω beautify, embellish
εξωραϊσμός embellishment, adornment
έξωση expulsion, ejection
εξώστης balcony
εξωσχολικός out of school
εξωτερίκευση expression
εξωτερικεύω express, exteriorize
εξωτερικό exterior, abroad
εξωτερικός outside, external, exterior
εξωτικός exotic

εξώφυλλο cover, fly-leaf
εορτάζω celebrate, feast
εορτασμός celebration
εορταστικός festive, festal
εορτή holiday, festival, celebration
επάγγελμα profession, business, occupation
επαγγελματίας craftsman, businessman
επαγγελματικός professional
επαγρύπνηση vigilance, watching, watchfulness
επαγρυπνώ watch over, be vigilant
έπαθλο prize, reward
έπαινος praise, laud
επαινώ praise, laud
επαίσχυντος disgraceful, shameful
επαιτεία beggary, begging
επαίτης beggar
επακόλουθος consequent
επακολουθώ follow, be the consequence of
επαλείφω coat, anoint
επάλειψη coating, anointing
επαλήθευση verification, confirmation
επαληθεύω verify
επάλληλος successive
επανάκτηση recovery
επανακτώ recover, regain
επαναλαμβάνω repeat
επανάληψη repetition, resumption
επαναπαύομαι rely on, rest on
επανάσταση revolution, revolt, rebellion
επαναστάτης revolutionist, rebel
επαναστατικός revolutionary, rebellious
επαναστατώ revolt, rebel
επανασυνδέω join again
επαναφέρω restore, bring back
επαναφορά restoration
επανεκδίδω republish, re-issue
επανέκδοση republication
επανεκλέγω reelect
επανέρχομαι return, come back

επανορθώνω set up again, restore
επανόρθωση restoration
επάνω up, upon, on, above, over, upper
επανωφόρι overcoat
επάξιος deserving, worthy
επάρκεια sufficiency, adequacy
επαρκής sufficient, adequate
επαρκώ be sufficient
έπαρση raising, arrogance
επαρχία province
επαρχιακός provincial
επαρχιώτης provincial
έπαυλη villa, mansion
επαφή contact, touch
επειγόντως urgently
επείγω press, urge, be urgent
επείγων urgent, pressing
επειδή because, for, as, since
επεισόδιο incident, episode
έπειτα afterwards, then, after
επέκταση extension, prolongation, expansion
επεκτατικός expansive
επεκτείνω extend, expand, prolong
επεμβαίνω interfere, intervene
επέμβαση intervention, interference
επένδυση lining, coating, investment
επενδύω invest, line, coat
επεξεργάζομαι work out, elaborate
επεξεργασία elaboration
επεξήγηση explanation
επεξηγώ explain
επέρχομαι come upon, befall
επερώτηση interpellation, question
επερωτώ interpellate, question
επέτειος anniversary
επευφημία applause, acclamation
επευφημώ applaud, acclaim
επηρεάζω affect, influence
επήρεια influence, effect
επιβάλλω impose
επιβάρυνση burdening, aggravation
επιβαρύνω aggravate, burden
επιβάτης passenger
επιβατικός transporting passengers

επιβεβαιώνω confirm, affirm
επιβεβαίωση confirmation, affirmation
επιβεβαιωτικός confirmatory
επιβιβάζω embark
επιβίβαση embarkation
επιβιώνω survive
επιβίωση survival
επιβλέπω oversee, supervise
επίβλεψη supervision
επιβλητικός imposing, commanding
επιβολή imposition
επιβουλεύομαι plot against, machinate
επιβουλή plot, intrigue
επιβράβευση rewarding, recompense
επιβράδυνση retardation, delay
επιβραδύνω retard, delay
επιγονατίδα knee-cap
επίγραμμα epigram
επιγραμματικός epigrammatic
επιγραφή inscription, address
επιδεικνύω display, show, exhibit
επιδεικτικός showy
επιδεινώνω aggravate, make worse
επιδείνωση aggravation
επίδειξη show, display
επιδέξιος skilful, dexterous
επιδεξιότητα dexterity, skill, skilfulness
επιδερμίδα skin, epidermis
επίδεσμος bandage, band
επιδημία epidemic, disease, epidemy
επιδιορθώνω mend, repair
επιδιόρθωση repair, mending
επιδιώκω pursue, seek
επιδίωξη pursuit, prosecution
επιδοκιμάζω approve, applaud
επιδοκιμασία approval
επίδομα allowance
επίδοξος presumptive, apparent
επιδόρπιο dessert
επίδοση delivery, presentation
επίδραση influence, effect

επιδρομή invasion, incursion
επιδρώ influence
επιείκεια leniency, clemency
επιεικής lenient, clement
επιζήμιος harmful, injurious, prejudicial
επιζώ survive
επίθεση attack, application
επιθετικός offensive, aggresive
επιθετικότητα aggresiveness
επίθετο adjective
επιθεώρηση inspection, review
επιθεωρητής inspector, examiner
επιθεωρώ inspect, examine, review
επιθυμία desire, wish
επιθυμώ desire, wish, long for
επίκαιρος opportune, timely, seasonable
επικαιρότητα opportuneness
επικαλούμαι invoke, appeal to
επικαλύπτω cover, veil
επικάλυψη covering
επίκεντρος central
επικερδής profitable, gainful
επικεφαλίδα headline, title, heading
επικήδειος funeral, mournful
επικήρυξη proclamation
επικηρύσσω proclaim
επικίνδυνος dangerous, perilous
επικοινωνία intercourse, communication
επικοινωνώ communicate
επικός epic
επικουρικός auxiliary, assistant
επίκουρος assistant
επικράτεια dominion
επικράτηση prevalence, predominance
επικρατώ predominate, prevail, dominate
επικρίνω criticize
επίκριση criticism
επικριτής criticizer, critic
επικυρώνω ratify, confirm
επικύρωση ratification, confirmation

επιλέγω choose, select
επίλεκτος select, chosen
επιληπτικός epileptic
επιληψία epilepsy
επιλογή selection, choice
επίλογος epilogue
επιλοχίας sergeant-major
επίλυση solution
επιμέλεια diligence, care
επιμελής diligent, industrious
επιμελητεία commissariat
επιμελητήριο chamber of commerce
επιμελητής commissary, trustee
επιμελούμαι take care of
επιμένω insist, persist
επιμήκης oblong, elongated
επιμήκυνση elongation, prolongation
επιμιξία intercourse, mixing, mingling
επιμονή persistence, insistence
επίμονος persistent
επινίκιος of victory, victorious
επινόηση invention
επινοητικός inventive
επινοητικότητα inventiveness
επινοώ invent
επίορκος perjurer
επιορκώ perjure
επιπεδομετρία planimetry
επίπεδος plane, even, level
επιπλέω float on the surface
επίπληξη reproach, scolding
επιλήττω reproach, scold
επιπλοκή complication
έπιπλο piece of furniture
επιπλοποιός cabinet maker
επιπλώνω furnish
επίπλωση furniture, furnishing
επιπόλαιος superficial, frivolous
επιπολαιότητα superficiality, frivolousness
επίπονος painful, laborious
επιρρεπής inclined, prone (to), apt to
επίρρημα adverb

επιρρηματικός adverbial
επιρροή influence, authority
επισημαίνω intimate, indicate, stamp, seal
επισήμανση stamping, sealing
επισημοποιώ make official, render solemn
επίσημος official, solemn, authentic
επισημότητα officiality
επίσης also, too, as well
επισιτισμός revictualing, provisiong
επισκεπτήριο visiting card
επισκέπτης visitor
επισκέπτομαι visit
επισκευάζω repair, mend
επισκευή repair, repairing
επίσκεψη visit
επισκιάζω overshadow, shade
επισκίαση overshadowing
επισκοπή bishopric
επισκόπηση inspection, survey
επίσκοπος bishop
επισκοπώ inspect
επισκοτίζω obscure, darken
επισπεύδω rush, hasten, hurry
επίσπευση rushing, hurrying
επιστασία supervision, surveillance
επιστάτης supervisor, overseer
επιστατώ supervise
επιστέγασμα roof, covering
επιστήμη science
επιστήμονας scientist
επιστημονικός scientific
επιστολή letter
επιστόμιο mouthpiece
επιστράτευση mobilization, call up
επιστρατεύω mobilize, call up
επιστρέφω return, come back
επιστροφή return, rendering
επιστρώνω cover
επίστρωση covering
επισυνάπτω attach, join
επισφαλής precarious, unsafe
επισφραγίζω seal, crown
επισφράγιση sealing
επιταγή order, command, check,

draft
επιτακτικός imperative, commanding
επίταξη requisition
επιτάφιος funeral
επιτάχυνση acceleration, speeding up
επιταχύνω accelerate, speed up
επιτείνω intensify
επιτελείο staff
επίτευξη attainment
επιτήδειος skilful, dexterous
επιτηδειότητα skilfulness, dexterity
επίτηδες on purpose, intentionally
επιτηδευμένος affected, feigned
επιτήρηση supervision, surveillance
επιτηρητής overseer, inspector
επιτηρώ oversee, supervise
επιτίθεμαι attack, assault
επίτιμος honorary
επιτόκιο compound interest
επιτόπιος local
επιτραπέζιος for the table
επιτρέπω permit, allow
επιτροπή commitee, commission
επίτροπος trustee, commissary
επιτυγχάνω succeed
επιτυχής successful
επιτυχία success
επιφάνεια surface, level
επιφανειακός of the surface, superficial
επιφέρω bring about, cause
επίφοβος dreadful, frightful
επιφυλακή reserve forces
επιφυλακτικός reserved, cautious
επιφύλαξη reserve, reservation
επιφυλάσσω reserve
επιφυλλίδα feuilleton
επιφώνημα interjection, exclamation
επιφωνηματικός exclamatory
επιχείρημα argument, proof
επιχειρηματίας entrepreneur, enterprising person, businessman
επιχείρηση undertaking, operation,

business
επιχειρώ undertake, attempt
επιχορήγηση allowance, grant, donation
επίχρισμα unguent, plaster
επίχρυσος gold-filled, gilded
επιχρυσώνω gild
επιχρύσωση gold-plating
επιχωμάτωση filling up with earth
επιχώριος local, indigenous
εποικίζω colonize
εποικισμός colonization
εποικοδομητικός edifying
επόμενος following, next
επονείδιστος ignominious, shameful
εποποιία epic, epopee
εποπτεία inspection, supervision, control
εποπτεύω oversee, supervise, inspect
επόπτης overseer, supervisor
επουλώνω heal, cure, cicatrize
επούλωση healing, cicatrization
επουράνιος heavenly, celestial
επουσιώδης unessential
εποχή season, epoch, era, time
επτά seven
επτακόσιοι seven hundred
επταπλασιάζω septuple
επτάψυχος robust, vigorous
επωάζω sit on, brood
επωνυμία surname, title
επώνυμο surname
έρανος contribution, collection
ερασιτέχνης amateur
ερασιτεχνικός amateurish
εραστής lover
εργάζομαι work
εργαλείο tool, instrument
εργασία work, job, occupation
εργαστήριο laboratory, workshop, workroom
εργάτης workman, worker
εργατικός industrious, laborious
εργατικότητα industry, assiduity
εργένης unmarried, single
έργο work, action

εργοστάσιο factory, workshop
εργόχειρο handwork
ερεθίζω irritate, incite, excite
ερεθισμός irritation, excitement
ερείπιο ruin
ερειπώνω ruin, demolish
έρευνα search, investigation
ερευνητής investigator, searcher
ερευνώ search, investigate
ερημιά desert, solitude
ερημοκκλήσι country chapel
ερημονήσι desert island
έρημος desert, deserted, solitary
ερημώνω desolate, devastate
ερήμωση devastation, desolation
έριδα dispute
εριστικός quarrelsome, disputatious
έρμαιο windfall, prey
ερμαφρόδιτος hermaphrodite
ερμηνεία interpretation, explanation
ερμηνευτής interpreter, explainer
ερμηνευτικός interpretative
ερμηνεύω interpret, explain
ερπετό reptile
έρρινος nasal
ερυθρόδερμος red-skinned
ερυθρός red
έρχομαι come, arrive
ερχομός coming, arrival
ερωμένη mistress
έρωτας love, passion
ερωτευμένος in love, amorous
ερωτεύομαι fall in love
ερώτημα question, query
ερωτηματικός interrogative
ερώτηση question, asking
ερωτοτροπία flirtation
ερωτοτροπώ flirt
ερωτώ ask, inquire
εσοχή notch, cavity
εσπεριδοειδής citrus
εσπερινός of the evening
εσταυρωμένος crucifix
εστία fireside, fireplace
εστιατόριο restaurant
εσφαλμένος erroneous, mistaken

εσώρουχα underwear, underclothes
εσωτερικός interior, inside
εταζιέρα shelf
εταιρεία company, association, society
εταίρος partner, associate
ετήσιος yearly, annual
ετικέτα etiquette, label
ετοιμάζω prepare, plan
ετοιμασία preparation
ετοιμοθάνατος moribund
ετοιμόλογος quick in reply, witty
ετοιμόρροπος ready to fall
έτοιμος ready, prepared
ετοιμότητα readiness
έτος year
έτσι so, thus, like that
ετυμηγορία verdict
ετυμολογία etymology
ετυμολογικός etymological
ευαγγέλιο Gospel
ευαγγελισμός annunciation
ευαγγελιστής evangelist
ευάγωγος docile, tractable
ευαισθησία sensitiveness, sensibility
ευαίσθητος sensitive, sensible
ευαρέσκεια satisfaction
ευαρεστώ please, gratify
ευγένεια nobility, politeness
ευγενικός polite, genteel
ευγλωττία eloquence
εύγλωττος eloquent
ευγνωμονώ be thankful, be grateful
ευγνωμοσύνη thankfulness
ευδαιμονία happiness, prosperity
ευδιάθετος good humoured
ευδιάκριτος discernible
ευδόκιμος successful
ευδοκιμώ prosper
ευέξαπτος irritable
ευεξία good health
ευεργεσία benevolent act, benefaction
ευεργέτης benefactor
ευεργετικός beneficent
ευεργετώ benefit

ευημερία prosperity
ευημερώ prosper
ευθανασία euthanasia
ευθεία straight line
ευθυγραμμίζω align
ευθύγραμμος rectilinear
ευθυμία gaiety, merriment, cheer-
fulness
ευθυμογράφημα humorous writting
εύθυμος cheerful, merry
ευθύνη responsibility, liability
ευθύνομαι be responsible
ευθύς straight, direct
ευκαιρία opportunity, occasion
ευκαιρώ be at leisure
ευκάλυπτος eucalyptus
εύκαμπτος flexible, pliable
ευκαμψία flexibility
ευκαταφρόνητος despicable
ευκινησία movableness, agility
ευκίνητος movable, agile
ευκοιλιότητα looseness
ευκολία facility, ease, easiness
ευκολόπιστος credulous
εύκολος easy, convenient, light
ευκολύνω facilitate
ευλάβεια devotion, piety
ευλαβής devout, pious
ευλογημένος blessed
ευλογία blessing
ευλογώ bless, glorify
ευλυγισία flexibility
ευλύγιστος flexible
ευμετάβλητος changeable
ευνόητος easily understood
ευνοϊκός favourable
ευνοώ favour
εύοσμος fragrant
εύπεπτος digestible
εύπιστος credulous, gullible
εύπλαστος easily moulded
ευπορία prosperity
εύπορος prosperous, well-off
ευπρέπεια decency, propriety
ευπρεπής decent
ευπρόσδεκτος acceptable, welcome

ευρεσιτέχνης inventor
ευρεσιτεχνία invention, inventive-
ness
ευρετήριο index, list
εύρημα finding, thing found
ευρύνω widen, enlarge
ευρύς wide, broad
ευρυχωρία spaciousness, roominess,
ampleroom
ευρύχωρος spacious, roomy
ευρωπαϊκός European
Ευρώπη Europe
εύρωστος robust, vigorous
ευσέβεια piety, devoutness
ευσεβής pious, devout
ευσπλαχνία compassion, pity
ευστροφία nimbleness, agitity
ευσυνειδησία conscientiousness
ευσυνείδητος conscientious
ευτύχημα lucky thing
ευτυχία happiness, good fortune
ευτυχισμένος happy, fortunate
ευηπόληπτος reputable, esteemed
εύφλεκτος inflammable
ευφορία fecundity, fertility, fruit-
fulness
εύφορος fertile, fruitful
ευφράδεια eloquence, fluency
ευφραίνω delight, rejoice
ευφυής witty, ingenious, clever, in-
telligent
ευφυΐα wit, intelligence, cleverness
ευχαριστημένος pleased, contented
ευχαριστήριος thanking, of thanks
ευχαρίστηση pleasure, delight,
satisfaction
ευχάριστος pleasant, enjoyable
ευχαριστώ thank, please, content
ευχείριστος manageable
ευχέρεια ease, facility
ευχετήριος of good wishes, wishing
ευχή wish, blessing, desire
ευχολόγιο prayer book
εύχρηστος us(e)able, handy
εύχυμος juicy
ευωδία fragrance, perfume

ευωδιάζω be fragrant, perfume
εφαπτομένη tangent
εφαρμογή application, adaptation
εφαρμόζω adapt, apply
εφαρμόσιμος adaptable, applicable
εφαρμοστής fitter
εφεδρεία reserve troops
εφεδρικός reserved
έφεδρος reservist
έφεση inclination
εφετείο court of appeal
εφέτης a judge of a court of appeal
εφεύρεση invention, discovery
εφευρέτης inventor, discoverer
εφευρετικότητα inventiveness
εφευρίσκω invent, discover
εφηβεία puberty, adolescence
εφηβικός of puberty, adolescent
έφηβος youth, adolescent
εφημερεύω officiate
εφημερία curacy, parish
εφημερίδα newspaper, paper
εφημεριδοπώλης news dealer,
newspaper seller

εφημέριος parish priest
εφιάλτης nightmare
εφιαλτικός nightmarish
εφικτός attainable, feasible, possible
εφοδιάζω equip, provide
εφοδιασμός equipping, providing
εφόδιο provision, supply
έφοδος assault, attack
εφοπλιστής shipowner
εφορεία inspection, survey
εφορειακός taxcollector
εφορευτικός supervisory
εχέμυθος reticent, discreet, secretive
έχθρα enmity, hatred
εχθρεύομαι hate, dislike
εχθρικός hostile, inimical
εχθροπραξία hostility, hostile action
εχθρός enemy, foe
εχθρότητα enmity, hostility
έχιδνα viper, adder, malicious
έχω have
έως until
εωσφόρος Lucifer

Z

Z

Z, z the sixth letter of the Greek alphabet
ζαβολιά trick, trickery, cheating
ζαβολιάρης cheat, trickster
ζαβομάρα stupidity, clumsiness
ζαβός stupid, clumsy
ζακέττα jacket
ζάλη dizziness, giddiness
ζαλίζω make dizzy, daze
ζαλισμένος dizzy, giddy, dazed
ζαμπόν ham
ζάμπλουτος very rich, opulent

ζάρα fold
ζάρι die
ζαρκάδι roe, roe-deer
ζαρωματιά wrinkle
ζαρώνω wrinkle, rumple, pucker
ζαφείρι sapphire-stone
ζάχαρη sugar
ζαχαροκάλαμο sugar cane
ζαχαροπλαστείο confectionery,
candy-store
ζαχαροπλάστης confectioner,
pastry-cook

ζαχαροπλαστική candy-making
ζαχαρώδης sugary
ζαχαρώνω sugar, sweeten with sugar
ζαχαρωτό candy
ζέβρα zebra
ζελατίνα gelati(e)
ζεματίζω scald
ζεμάτισμα scalding
ζεματιστός scalding, boiling
ζενίθ zenith, peak
ζέση warmth, boiling
ζεσταίνω warm, heat
ζέσταμα warming, heating
ζεστασιά warmth
ζέστη heat, warmth
ζεστός warm, hot
ζευγάρι pair, couple
ζευγάρωμα mating, matching, coupling
ζευγαρώνω match, couple, pair, put in pairs
ζευγαρωτός paired, coupled
ζευγάς ploughman
ζεύξη yoking, harnessing, joining
ζέφυρος zephyr
ζήλεια jealousy, envy
ζηλευτός enviable
ζηλεύω be jealous of, envy
ζηλιάρης jealous
ζήλος zeal, eagerness
ζηλότυπος jealous
ζηλόφθονος envious
ζημιά loss, damage, harm
ζημιάρης causing damage
ζημιώνω damage, cause a loss, harm
ζήτημα question, point, subject, issue, matter
ζήτηση demand, searching, enquiry
ζητιανιά beggary, begging
ζητιάνος beggar
ζητώ seek, look for, ask for
ζήτω hurrah!, long live
ζητωκραυγάζω cheer, cry long live
ζητωκραυγή cheer, hurrah
ζιγκολό gigolo
ζιζάνιο weed, darnel, tare

ζόρι force, violence
ζόρικος difficult, hard
ζουζούνι bug, insect
ζουλώ press, squeeze
ζουμερός juicy, succulent
ζουμί juice, sap
ζουμπούλι hyacinth
ζουρλαίνω drive mad
ζουρλομανδύας strait-jacket
ζουρλός crazy, mad
ζουρνάς clarinet
ζοφερός gloomy, dark, sombre
ζοφερότητα gloominess, darkness
ζυγά in pairs
ζυγαριά pair of scales, balance
ζύγι weight
ζυγίζω weigh
ζύγισμα weighing
ζυγός yoke, balance
ζυγός pair, even
ζύγωμα getting near, approach
ζυθοποιείο brewery
ζυθοποιός brewer
ζυθοπωλείο beer hall, beer saloon
ζύθος beer, ale
ζυμάρι dough, paste
ζυμαρικό pastry, pie
ζύμη dough, paste
ζύμωμα kneading
ζυμώνω knead, ferment
ζύμωση kneading, zymosis
ζυμωτήριο kneading-trough
ζυμωτής kneader, tough-maker
ζώ live
ζωγραφιά painting, picture, portrait
ζωγραφίζω paint, draw, sketch
ζωγραφική the art of painting
ζωγραφιστός painted, sketched
ζωγράφος painter
ζωδιακός zodiacal, zodiac
ζώδιο sign of the zodiac
ζωεμπορία dealing in livestock
ζωέμπορος cattle-dealer
ζωή life, lifetime
ζωηρεύω become lively, enliven, cheer up

ζωηρός lively, vivid
ζωηρότητα liveliness, vivacity
ζωικός animal, vital
ζωμός broth, soup, juice
ζώνη belt, girdle
ζωντανά cattle, livestock
ζωντάνεμα revival, reviving
ζωντανεύω revive, animate
ζωντανός alive, living
ζωντοχήρα grass widow
ζωντοχήρος divorced man
ζώνω gird, girdle
ζωογόνηση vivification, animation
ζωογόνος vivifying, life giving
ζωογονώ revive, vivify, recreate
ζωοδότης lifegiver
ζωοκλέπτης cattle thief

ζωοκλοπή cattle stealing
ζωοκτονία killing of animals
ζωολογία zoology
ζωολογικός zoological, -κήπος=zoo
ζωολόγος zoologist
ζώο animal
ζωοτόκος viviparous
ζωοτροφία feeding animals
ζωόφιλος fond of animals
ζωπυρώνω revive, rekindle
ζώσιμο girding
ζωστήρα girdle, sword-belt
ζωτικός vital, vivifying
ζωτικότητα vitality
ζωύφιο animalcule, insect
ζωώδης beastly, brutal, bestial

H

H, η the seventh letter of the Greek alphabet
η the, article of the feminine gender
ή or, either, than
ήβη puberty, youth
ηβικός adolescent, of puberty
ηγγυημένος guaranteed
ηγεμονεύω rule, reign, govern
ηγεμόνας prince, king, sovereign
ηγεμονία rule, sovereignty
ηγεμονικός princely, royal, sovereign
ηγεσία leadership
ηγέτης leader, chief
ηγουμένη abbess
ηγουμενία abbacy
ηγουμενικός of an abbot or abess
ηγούμενος abbot
ήδη already

ηδονή pleasure, delight
ηδονικός delicious, delightful
ηδυπάθεια voluptuousness, effemination
ηδυπαθής voluptuous
ηδύποτο liqueur
ήθη manners, customs
ηθική morality, morals, ethics
ηθικολογία moralization
ηθικολόγος moralist
ηθικολογώ moralize
ηθικός moral, ethical
ηθογραφία description of customs
ηθοπλαστικός uplifting the morals
ηθοποιία acting
ηθοποιός actor, (η)actress
ήθος character, manner
ηλεκτραγωγός electric conductor
ηλεκτρίζω electrify, electrize

ηλεκτρικός electrical
ηλέκτριση electrification
ηλεκτρισμός electricity
ήλεκτρο amber
ηλεκτρογεννήτρια dynamo
ηλεκτρόδιο electrode
ηλεκτροδυναμική electrodynamics
ηλεκτροκινητήρας electro-motor
ηλεκτροκίνητος driven by electric-
ity
ηλεκτρολογία electrology
ηλεκτρολόγος electrician
ηλεκτρόλυση electrolysis
ηλεκτρολύω electrolyze
ηλεκτρομαγνητικός electromagne-
tic
ηλεκτρονικός electronic
ηλεκτρόνιο electron
ηλεκτροπληξία electrocution, elec-
tric-shock
ηλεκτροστατική electrostatics
ηλεκτροτεχνίτης electrician
ηλεκτροφόρος electriferous
ηλιάζω sun, expose to the sun
ηλιακός solar, of the sun
ηλίαση sunstroke
ηλίθιος stupid, imbecile
ηλιθιότητα stupidity, imbecility,
idiocy
ηλικία age
ηλικιωμένος aged, old
ηλιοβασίλεμα sunset
ηλιοθεραπεία sunbathing
ηλιοκαμένος sunburnt, tanned
ηλιόλουστος sunny
ηλιόλουτρο sunbathe
ήλιο helium
ήλιος sun, sunflower
ηλιοστάσιο solstice
ηλιοτρόπιο sunflower
ηλιοφώτιστος sunlit, sunny
ημέρα day
ημέρευση taming
ημερεύω tame, domesticate, calm,
pacify
ημερήσιος daily

ημερόβιος ephemeral, daily, living
one day
ημεροδείκτης calendar
ημερολόγιο calendar, diary
ημερομηνία date
ημερομίσθιο day's wages, daily
wage
ημερονύκτιο a day and a night
ήμερος tame, domestic
ημερώνω tame, domesticate
ημέρωση taming, domestication
ημιάγριος half-wild, semisavage
ημιβάρβαρος semibarbarous
ημίγυμνος half-naked
ημιδιαφανής semitransparent
ημίθεος demi-god, half-god
ημικρανία megrim, migraine
ημικυκλικός semicircular
ημικύκλιο semicircle
ημικυλινδρικός semi-cylindrical
ημιμάθεια imperfect learning, sup-
erficial learning
ημιμαθής half-learned
ημιπληγία hemiplegia
ημίρρευστος semi-fluid
ημισέληνος half- moon
ημισφαιρικός hemispherical
ημισφαίριο hemisphere
ημιτελής incomplete
ημιτελικός semi-final
ημιτόνιο semitone
ημίτονο sine
ημίφως dim light
ημίωρο half an hour
ηνίο rein, bridle
ηνίοχος coachman, charioteer
Ηνωμένες Πολιτείες της Αμερικής
the United States of America
ηπατικός hepatic
ηπατίτιδα hepatitis
ήπειρος continent, mainland
ηπειρωτικός continental
ήπιος mild, gentle, soft, kind, meek
ηπιότητα mildness, gentleness
ηρεμία stillness, quiet, calm
ηρεμώ be calm, be quiet, keep still

ήρωας hero
ηρωίδα heroine
ηρωικός heroical
ηρωίνη heroin
ηρωισμός heroism
ηρώο a hero's monument
ησυχάζω calm, appease, quiet
ησυχία tranquillity, quietness, calmness
ήσυχος quiet, still, calm, peaceful

ήττα defeat, overthrow
ηττοπάθεια defeatism
ηττοπαθής defeatist
ηφαιστειογενής volcanic
ηφαίστειο volcano
ηφαιστειώδης volcanic
ηχηρός sounding, loud
ηχητικός of sound
ήχος sound, ring
ηχώ echo, resound, repercussion

Θ, θ the eighth letter of the Greek alphabet
θα shall, will
θάβω bury
θαλαμηγός yacht
θαλαμηπόλος valet, chamberlain
θαλαμίσκος cabin, small chamber
θάλαμος chamber, sleeping room
θαλαμοφύλακας billet-orderly
θάλασσα sea
θαλασσινός marine, maritime, of the sea
θαλάσσιος of the sea
θαλασσογραφία seascape
θαλασσοδαρμένος sea-beaten
θαλασσομάχος sea-warrior
θαλασσομαχώ fight against the sea
θαλασσόνερο sea-water
θαλασσπλοΐα navigation, sailing
θαλασσοπόρος navigator
θαλασσοπούλι sea-bird
θαλασσοταραχή sea-storm
θαλασσοφοβία fear of the sea
θαλάσσωμα disorder, mess
θαλασσώνω inundate
θαλερός flourishing, blooming

θαλερότητα bloom
θαλπωρή warmth, heat
θαμμένος buried
θάμνος shrub, bush
θαμνώδης bushy, shrubby
θαμπάδα dimness, obscurity
θαμπώνω dazzle, dim, cloud
θανάσιμος deadly, mortal, fatal
θανατικός of death, deadly
θάνατος death
θανατώνω kill
θανάτωση killing
θαρραλέος bold, courageous
θαρρεύω take courage, dare, venture
θάρρος courage, boldness
θαρρύνω encourage
θαρρώ think, believe, presume
θαύμα miracle, wonder
θαυμάζω admire, wonder
θαυμάσιος wonderful, admirable, marvellous
θαυμασμός admiration
θαυμαστής admirer
θαυμαστικός admiring
θαυμαστός admirable, wonderful, marvellous

θαυματοποιΐα jugglery, magic
θαυματοποιός juggler, magician
θαυματουργία wonder-working
θαυματουργός miraculous
θαυματουργώ work miracles, do wonders
θάψιμο burial, burying
θεά goddess
θέα view, sight
θέαμα spectacle, sight, view
θεαματικός spectacular
θεάνθρωπος god-man
θεάρεστος pleasing to God
θεατής spectator, on-looker
θεατρικός theatrical
θεατρινισμός pompous behaviour
θεατρίνος actor
θέατρο theater, theatre
θεατρόφιλος theatre-goer, theatre lover
θεατρώνης theatre-contractor
θεία aunt
θειάφι sulphur
θειαφίζω sprinkle with sulphur
θειάφισμα sulphuring
θειικός sulphuric
Θεϊκός divine, holy, sacred
θείος uncle
θέλγητρο charm, fascination, attraction
θέλγω charm, fascinate, attract
θέλημα will, wish
θεληματικός voluntary, willing
θέληση will, volition, wish, desire
θελκτικός charming, fascinating, attractive
θέλω will, wish, desire
θέμα subject, topic, matter, theme
θεμελιακός fundamental, basic
θεμέλιο foundation, basis
θεμελιώδης fundamental
θεμελιώνω lay a foundation
θεμελίωση founding, establishing, foundation
θεμελιωτής founder, establisher
θεμιτός lawful, legitimate, licit

θεογνωσία knowledge of God
θεογονία theogony
θεολογία theology
θεολογικός theological
θεολόγος theologist
θεομηνία calamity
θεομήτωρ mother of God
θεόπεμπτος sent by God
θεοποίηση deification
θεοποιώ deify
θεόρατος huge, enormous
Θεός God
θεοσέβεια piety
θεοσεβής pious, religious
θεότητα deity, divinity
Θεοτόκος the Virgin Mary
θεότρελος stark mad, quite mad
Θεοφάνεια the Epiphany
θεοφοβούμενος God-fearing
θεοφώτιστος enlightened by God
θεραπεία cure, treatment, therapy
θεραπευτήριο sanatorium
θεραπευτής healer, curer
θεραπευτικός curative
θεραπεύω cure, heal, treat, health
θέρετρο summer resort
θεριεύω get strong, become furious, enrage
θερίζω reap, mow
θερινός of summer, summery
θερισμός reaping, mowing
θεριστικός mowing, reaping
θερμαίνω heat, warm
θέρμανση heating, warming
θερμαντικός heating, warming
θερμαστής stoker, fireman
θερμάστρα stove, furnace
θέρμη fever, heat, ardour, zeal
θερμίδα calorie
θερμόαιμος hot-blooded
θερμοδυναμική thermodynamics
θερμοηλεκτρικός thermoelectric
θερμοκήπιο greenhouse
θερμοκρασία temperature
θερμόμετρο thermometer
θερμός warm, hot

θερμοσίφωνας water-heater
θερμοστάτης thermostat
θερμότητα heat, warmth
θέρος summer
θέση place, seat, position
θεσμοθεσία legislation, institution
θεσμοθέτης legislator, institutor
θεσμοθετώ legislate
θεσπέσιος divine, sublime, excellent
θεσπίζω decree, enact
θέσπισμα decree, edict
θετικισμός positivism
θετικιστής positivist
θετικός positive, real, certain
θετός adopted, foster
θέτω put, place, set, lay
θεώρατος enormous, immense
θεωρείο box, stand, gallery
θεώρημα theorem
θεώρηση visa, vise
θεωρητικός theoritical
θεωρία theory, view, aspect
θεωρώ regard, consider, think
θηκάρι sheath, case
θήκη box, case, chest
θηλάζω suckle, suck
θηλασμός suckling, sucking
θηλαστικά mammals, mammalia
θηλειά loop, slip-knot, noose
θηλή nipple, teat
θηλυκός female, feminine
θηλυκώνω button, clasp
θηλυπρέπεια effemination
θηλυπρεπής womanish, effeminate
θημωνιά stack, pile
θημωνιάζω stack
θήραμα game, prey, spoil
θηρευτικός hunting, for hunting
θηριοδαμαστής tamer of wild beasts
θηριομαχία a fight with wild beasts
θηρίο wild beast, wild animal
θηριοδαμαστής tamer of beasts
θηριοτροφείο menagerie
θηριωδία ferocity, cruelty, fierceness
θησαυρίζω treasure up, hoard, pile up

θησαύριση hoarding, piling, treasuring up
θησαυριστής hoarder
θησαυρός treasure, hoard, riches, wealth
θησαυροφυλάκιο treasury
θητεία service
θιασάρχης impressario
θίασος troupe, company of actors
θίγω touch, touch lightly upon, finger
θλάση fracture, breakage
θλιβερός grievous, sad, painful, doleful
θλίβω compress, squeeze, press
θλιμμένος afflicted, sad, grieved
θλίψη affliction, grief, sorrow
θνησιμότητα deathrate, mortality
θνητός mortal
θόλος dome, vault, cupola
θολός turbid, muddy, dim, dull
θολότητα dimness, muddiness
θολώνω muddle, dim
θολωτός vaulted
θορυβοποιός rowdy, agitator, noisy person
θόρυβος noise, uproar, tumult
θορυβώ make noise, make uproar
θορυβώδης noisy, bisterous
θούριο war song
θρανίο desk, bench
θράσος audacity, insolence
θρασυδειλία bragging, cowardice
θρασύδειλος bragging, cowardly
θρασύνομαι become audacious
θρασύς audacious, bold
θρασύτητα audacity, boldness
θραύση breaking, fracture, smashing
θραύσμα fragment, piece
θρεμμένος fed, well-fed, nourished
θρεπτικός nutritious, nourishing, nutrient
θρέψη nutrition, alimentation, feeding
θρηνητικός plaintive, mournful
θρήνος lamentation, mourning,

wailing
θρηνώ lament, mourn
θρησκεία religion
θρήσκευμα religious creed
θρησκευτικός religious
θρησκόληπτος overzealous in religion
θρησκοληψία overzealous devotion to religion
θρήσκος religious, pious
θριαμβευτής triumpher, triumphant
θριαμβευτικός triumphant, triumphal
θριαμβεύω triumph
θρίαμβος triumph, great victory
θρόμβος clot, clotted blood
θρομβώδης clotty, clotted
θρόμβωση clotting, thrombosis
θρονιάζω enthrone
θρόνος throne, seat, chair of state
θρυλικός legendary
θρύλος legend, myth
θρύμμα fragment
θρυμματίζω break to pieces
θρυμματισμός breaking to pieces
θρύψαλο fragment
θυγατέρα daughter
θύελλα storm, tempest
θυελλώδης stormy, tempestuous
θύμα victim, sacrifice
θυμάρι thyme

θυμιάζω perfume with incense
θυμίαμα incense
θυμιατήριο censer, perfume burner
θυμίζω remind of
θυμοειδής spirited, fiery, rash
θυμός anger, rage, fury
θυμοσοφία perceptiveness
θυμόσοφος perceptive, clever
θυμούμαι remember
θυμώνω get angry, make one angry
θύρα door, gate
θυροειδής thyroid
θυρεός shield
θυρίδα small window, opening
θυρόφυλλο shutter of a door
θυρωρείο door-keeper's lodge
θυρωρός porter, door-keeper
θυσία sacrifice, offering
θυσιάζω sacrifice, offer up
θυσιαστήριο sanctuary, altar
θυσιαστής sacrificer
θύτης sacrificer
θωπεία caress, petting
θωπευτικός caressing, affectionate
θωπεύω caress, pet
θωρακίζω furnish with armour
θωρακικός thoracid, pectoral
θώρακας cuirass, breastplate
θωρηκτό warship, battleship
θωριά look, appearance
θωρώ look at, see

I

I, ι the ninth letter of the Greek alphabet
ιαματικός curative, medicinal, healing
ιαμβικός iambic

ίαμβος iambus
Ιανουάριος January
Ιάπωνας Japanese
Ιαπωνία Japan
Ιαπωνικός Japanese

ίαση cure, healing
ιατρείο private hospital
ιατρική medicine, medical science
ιατροδικαστής medical examiner
ιατρός doctor, physician
ιαχή clamour, cry, shout
ιδανικός ideal, fictive
ιδέα idea, notion, conception
ιδεαλιστής idealist
ιδεογραφία ideography
ιδεολογία ideology
ιδεολογικός ideological
ιδεολόγος idealist, ideologist
ιδεώδης ideal
ιδιαίτερος special, private, particular
ιδιοκτησία property, ownership
ιδιοκτήτης owner, proprietor
ιδιόκτητος one's own
ιδιομορφία oddity, oddness, peculiarity
ιδιόμορφος odd, quaint, strange
ιδιοποίηση appropriation
ιδιοποιούμαι appropriate to myself
ιδιορρυθμία peculiarity, originality, oddity
ιδιόρρυθμος peculiar, original, odd
ίδιος same
ιδιοσυγκρασία temperament, disposition
ιδιοτέλεια self-interest, selfishness
ιδιοτελής selfish, self-interested
ιδιότητα quality, peculiarity
ιδιοτροπία caprice, whim
ιδιότροπος capricious, whimsical
ιδιοφυής of a peculiar nature, talented
ιδιοφυΐα talent, peculiar character
ιδίωμα peculiarity, idiom
ιδιωματικός idiomatic
ιδιώτης private citizen
ιδιωτικός private, particular
ίδρυμα establishment, institution
ίδρυση foundation, establishment
ιδρυτής founder, establisher
ιδρυτικός founding, establishing

ιδρύω found, establish
ίδρωμα sweating, perspiration
ιδρώνω sweat, perspire
ιδρώτας sweat, perspiration
ιεραποστολή mission
ιεραπόστολος missionary
ιεράρχης prelate, bishop
ιεραρχία prelacy, hierarchy
ιεραρχικός of a bishop, prelate
ιεραρχώ be a prelate
ιερατείο clergy
ιερατικός priestly
ιέρεια priestess
ιερεξεταστής inquisitor
ιερό sanctuary
ιερογλυφικός hieroglyphic
ιερόδουλος prostitute, whore
ιεροκήρυκας preacher
ιερομάρτυρας martyr
ιερομόναχος monk, monk-priest
ιερός sacred, holy
ιεροσυλία sacrilege
ιερόσυλος sacrilegious, impious
ιεροτελεστία sacred ceremony
ιερότητα sanctity, holiness
ιερουργία divine service, religious service
ιερουργικός ministerial, liturgical
ιερουργώ officiate
ιεροψάλτης chanter
ιερωσύνη priesthood
ίζημα dregs, sediment
Ιησούς Jesus
ιθαγένεια nationality, citizenship
ιθαγενής native, indigenous
ικανοποίηση satisfaction
ικανοποιητικός satisfactory
ικανοποιώ satisfy
ικανός able, capable
ικανότητα ability, capability
ικεσία supplication, entreaty
ικετευτικός supplicatory, entreating
ικετεύω supplicate
ικέτης suppliant, supplicant
ίκτερος jaundice
ιλαρά measles

ιλαρός cheerful, merry, gay
ιλαρότητα cheerfulness, hilarity
ιλιγγιώδης vertiginous
ίλιγγος vertigo
ιμάντας strap, thong
ιματιοθήκη wardrobe
ιμάτιο garment, dress
ιμπεριαλισμός imperialism
ιμπεριαλιστής imperialist
ιμπεριαλιστικός imperialistic
ιμπρεσσάριος impressario
ιμπρεσσιονισμός impressionism
ιμπρεσσιονιστής impressionist
ίνδαλμα image, apparition
ινδιάνος American indian
ινδικός indian
ινδοκάλαμος bamboo
ινιακός occipital
ινσουλίνη insulin
ινστιτούτο institute
ινώδης fibrous
ιξόβεργα limetwig
ιξός birdlime, lime
ιόν ion
ιονόσφαιρα ionosphere
ιός venum, virus
ιουδαϊκός Jewish
Ιούλιος July
Ιούνιος June
ιππασία horseback riding
ιππέας rider
ιππεύω ride on horseback, ride
ιππικό cavalry
ιππικός equestrian
ιπποδρομία horse race
ιπποδρόμιο race track, hippodrome
ιππόδρομος circus, hippodrome
ιπποδύναμη horsepower
ιππόκαμπος seahorse
ιπποκόμος groom, hostler
ιπποπόταμος hippopotamus
ίππος horse
ιππότης knight, cavalier
ιπποτικός knightly
ιπποτισμός knighthood, chivalry
ίριδα rainbow

ιριδίζω be iridiscent
ιριδισμός iridiscence
Ιρλανδία Ireland
Ιρλανδός, Ιρλανδικός Irish
ισημερία equinox
ισημερινός equator, equinoctial
ισθμός isthmus
ίσια straight
ίσιος straight, upright, direct
ισιώνω make straight, put right,
straighten
ίσκιος shade, shadow
ισοβάθμιος of the same rank
ισοβαρής of equal weight
ισόβιος life-long
ισοβιότητα lifelong duration
ισοβίτης condemned for life
ισόγειος level with the ground
ισογώνιος equiangular
ισοδύναμος equivalent to
ισοδυναμώ be equivalent
ισοζύγιο balance
ισολογίζω balance
ισολογισμός balancing of accounts
ισομεγέθης of equal size
ισομερής having equal parts
ισοπαλία draw
ισόπαλος of equal strength
ισόπεδος level
ισοπεδώνω level, make even
ισοπέδωση leveling, levelness
ισόπλευρος equilateral
ισορροπία balance, equilibrium
ισορροπώ balance, equilibrate
ίσος equal, even, straight
ισοσκελής isosceles
ισότητα equality, impartiality
ισοτιμία equality of value
ισότιμος equal in value
ισότοπο isotope
ισοφαρίζω equal, equalize
ισόχρονος of the same duration
ισοψηφία equality of votes
ισοψηφώ equal, balance
Ισπανία Spain
Ισπανικός Spanish

Ισπανός Spaniard
ιστιοδρομία sailboat race
ιστιοδρομώ sail
ιστιοφόρο sailing vessel, sail boat
ιστολογία histology
ιστορία history, story, narration, tale
ιστορικός historical, historian
ιστοριογραφία history-writing
ιστοριοδίφης historical researcher
ιστορώ relate, narrate
ιστός web, mast
ισχιακός ischial, sciatic
ισχιαλγία sciatica
ισχίο hip, thigh
ισχνός lean, thin, meager
ισχνότητα leanness, meagreness
ισχυρίζομαι maintain, allege
ισχυρισμός contention, assertion
ισχυρογνωμοσύνη obstinacy, stubborness
ισχυρογνώμονας stubborn, obstinate
ισχυροποίηση strengthening

ισχυροποιώ strengthen
ισχυρός strong, vigorous, powerful
ισχύς strength, power, force
ισχύω have power, be able, be strong
ίσως perhaps, probably
Ιταλία Italy
Ιταλός, Ιταλικός, Ιταλικά Italian
ιτιά willow-tree
ιχθυολογία ichthyology
ιχθυολογικός ichthyological
ιχθυολόγος ichthyologist
ιχθυοπωλείο fish-market
ιχθυοπώλης fish-dealer
ιχθυοτροφείο fish-pond, vivarium
ιχνηλασία tracing out
ιχνηλάτης tracker, searcher
ιχνογραφία drawing, sketching
ιχνογράφος drawer, sketcher
ιχνογραφώ draw, sketch
ίχνος trace, footprint, track
ιώδιο iodine
ιωδιούχος containing iodine
ιωνικός Ionian, Ionic

K

K, κ the tenth letter of the Greek alphabet
κάβα cellar, vault
καβάλα riding, on horseback
καβαλάρης horseman, rider
καβαλαρία cavalry
καβαλικεύω ride, mount a horse
καβαλιέρος cavalier, escort
καβαλισμός cabalism
καβαλιστής cabalist
καβαλιστικός cabalistic
καβαλίνα horse manure

κάβος cape, promontory end
καβούκι shell, carapace
κάβουρας crab
καβουρδίζω fry, frizzle, roast
καβούρδισμα roasting, frying
καβουρδιστός roasted, brown
καγκελαρία chancellorship, chancery, chancellery
καγκελάριος chancellor
κάγκελο rail, iron bar
καγκουρώ kangaroo
καγχάζω laugh loudly

καγχασμός loud laughter
καδένα chain
κάδος tub, bucket
κάδρο frame, portrait, picture-frame
καδρόνι beam
καζάκα cloak, cassock
καζαμίας almanac
καζάνι cauldron, boiler
καζίνο casino
καημένος unfortunate, miserable
καημός grief, heartache
καθαγιάζω consecrate, sanctify
καθαίρεση deposition, degradation
καθαιρώ degrade, depose
καθαρά clearly, purely
καθαρεύουσα literary language
καθαρίζω clean, cleanse
καθαριότητα cleanliness, clearness
καθάρισμα cleaning, cleansing
καθαρισμός purification, refining, purifying
καθαριστήριο cleaner's shop
καθαριστής cleaner
κάθαρμα riffraff, rogue
καθαρμός purification
καθαρός clear, pure
κάθαρση purification, expiation
καθάρσιο purgative, cathartic
καθαρτήριο purgatory
καθαρτήριος cleansing, expiatory
καθαρτικός purgative, cleansing
κάθε every, each
καθεδρικός cathedral
κάθειρξη imprisonment, incarceration
καθέκαστα particulars, details
καθένας each one, everyone, everybody
καθεξής so forth, so on
καθεστώς established, status quo
καθετή fishing line
καθετήρας probe, catheter
καθετί everything, anything
κάθετος perpendicular, upright, vertical
καθηγητής professor, teacher, master

καθηγητικός professorial
καθήκον duty, task
καθηκοντολογία deontology
καθηλώνω nail down, immobilize
καθήλωση nailing down
καθημερινός daily, of every day
καθησυχάζω compose, quiet, calm, appease
καθησύχαση quieting, calming, appeasing
καθησυχαστικός quieting, calming
καθιερώνω consecrate, sanction
καθιέρωση consecration, establishing
καθίζηση sinking, settling
κάθισμα seat, chair, stool
καθιστικός sedentary
καθιστός sitting, seated
καθιστώ render, make, establish
καθοδήγηση guidance, leading, conducting
καθοδηγητής leader, instructor
καθοδηγώ guide, conduct
κάθοδος descent, going down
καθολικός catholic, universal, general
καθόλου not at all, generally, throughout
κάθομαι sit down, sit
καθορίζω define, determine
καθορισμός fixing, determination
καθοσίωση consecration
καθρέπτης mirror, looking glass
καθυποβάλλω offer, present, submit
καθυποτάσσω subdue, subordinate
καθυστέρηση delay, retardation, lateness
καθυστερώ be behind, delay, be late, defer
καθώς as, like, as well as
και and
καΐκι small sailboat, caique
καϊμάκι cream
καινοτομία innovation
καινοτόμος innovator

καινοτομώ innovate
καινούριος new, fresh
καινοφανής new, new-fangled, novel
καίριος important, serious
καιρός time, season, weather
καιροσκοπία opportunism
καιροσκόπος opportunist
καιροσκοπικός opportunistic
καίω burn, burn down, set fire
κακαβιά fish-soup
κακάο cocoa, cacao
κακεντρέχεια malice, malevolence, wickedness
κακεντρεχής malicious, wicked
κακία malice, ill-will, wickedness
κακιώνω get angry, be cross
κακκαρίζω cackle, cluck
κακκάρισμα cackling, clucking
κακοαναθρεμμένος ill-bred, ill-mannered
κακοβουλία malevolence, illwill
κακόβουλος malevolent, malignant, malicious
κακογλωσσιά slander, gossip
κακόγλωσσος slanderous, scurrilous
κακόγνωμος ill-natured, ill-minded
κακογραφία scribbling, bad writing
κακογράφος scribbler
κακογράφω write badly, scrible
κακοδιάθετος indisposed, unwell
κακοδιοίκηση misrule, misadministration
κακοδιοικώ misrule, misgovern, misadministrate
κακοδοξία misbelief
κακόδοξος misbeliever
κακοήθεια depravity, dishonesty, immorality
κακοήθης dishonest, wicked, depraved, immoral
κακόηχος ill-sounding
κακοκαρδίζω grieve, displease
κακολογία slander, abuse, defamation
κακολογώ speak evil of, defame

κακομαθαίνω spoil, fondle
κακομαθημένος spoiled, ill-mannered
κακομεταχειρίζομαι ill-use, maltreat, abuse
κακομεταχείρηση ill-treatment, misuse
κακομιλώ speak rudely
κακομοιριά misery, misfortune
κακόμοιρος unfortunate, poor, miserable
κακό evil, wrong, bad
κακοπάθεια hardships, pain
κακοπέραση life of privations, hardships
κακοπερνώ lead a life of privations
κακόπιστος faithless, of bad faith
κακοπληρωτής bad payer, refractory
κακοποίηση ill-treatment
κακοποιός mischievous, maleficent
κακορρίζικος unlucky, unfortunate
κακός bad, wicked, evil
κακοτεχνία inelegance, clumsiness
κακότεχνος artless, unskilful
κακότροπος ill-mannered
κακοτυχία misfortune, bad luck, ill luck
κακότυχος unfortunate, unlucky
κακούργημα crime, felony
κακουργιοδικείο criminal court
κακούργος criminal, villainous
κακουχία hardship, privation, distress
κακόφημος of bad repute, infamous
κακοφημίζω speak ill of
κακοφτιαγμένος badly-made
κακόψυχος spiteful, malicious
κάκτος cactus
κακτοειδής cactaceous
κακωνυμία bad name, disrepute
κάκωση ill-treatment, hardship
καλά well, right
καλάθι basket
καλαθοσφαίριση basket-ball
καλαισθησία good taste, elegance

καλαίσθητος tasteful, elegant, aesthetic

καλαμάρι inkstand, inkwell

καλάμι cane, reed

καλαμοσάκχαρο cane-sugar

καλαμπόκι indian corn, maize

καλαμπούρι pun, play of words

καλαπόδι shoe-last

καλαφατίζω calk, caulk

καλαφάτισμα calking, caulking

καλέμι chisel

κάλεσμα invitation

καλεσμένος invited, guest

καληνέρα good morning

καλημερίζω wish good moring

καληνύχτα good night

καληνυχτίζω wish good night

καλησπέρα good evening

καλησπερίζω wish good evening

καλύτερα better

καλιακούδα jackdaw

καλλίγραμμος of beautiful lines, well-shaped

καλλιγραφία calligraphy, fine writing

καλλιγραφικός calligraphic

καλλιέργεια cultivation, culture

καλλιεργητής cultivator, tiller

καλλιεργώ cultivate, till

καλλιστεία beauty prize, beauty competition

κάλλιστος best, the best

καλλιτέχνημα a work of art

καλλιτέχνης artist

καλλιτεχνία art, fine arts

καλλιτεχνικός artistic, of art

καλλιφωνία beautiful voice

καλλίφωνος melodious

καλλονή beauty

κάλλος beauty

καλλυντικά cosmetics

καλλυντικός beautifying

καλλωπίζω beautify, embellish

καλλωπισμός embellishment, ornamentation

καλντερίμι narrow paved street, paved road

καλοαναθρεμμένος well-bred

καλογερεύω become a monk or a nun

καλογερική monastic life, monkhood

καλογερικός monkish, monastic

καλόγηρος monk, friar

καλόγνωμος good-natured

καλόγρια nun, sister

καλοδέχομαι welcome

καλοζώ live well

καλοζωία good living

καλοήθης virtuous, moral

καλοθελητής well-wisher

καλοθρεμμένος well-fed

καλοκάγαθος good, kind

καλοκαίρι summer

καλοκαιρία good weather

καλοκαιρινός of summer, summer

καλοκαμωμένος well-made, pretty

καλοκαρδίζω cheer up, content

καλόκαρδος kind-hearted, merry

καλομαγειρεμένος well-cooked

καλομαθαίνω spoil, pet

καλομαθημένος spoilt

καλομεταχειρίζομαι treat well

καλοπιάνω hold properly, coax, flatter

καλόπιστος of good faith, creasle

καλοπληρώνω pay well

καλοπληρωτής good payer

καλοπροαίρετος good-intentioned, well-disposed

καλοριφέρ central heating

καλορρίζικος fortunate, auspicious

καλός good, kind, fair, nice, right

καλοσυνεύω get better

καλοτυχία good luck

καλοτυχίζω consider happy

καλότυχος fortunate, lucky

καλούπι mould, cast, shape, form

καλουπώνω mould

καλούτσικος pretty good

καλοφαγάς gourmet, fond of good dishes

καλοφαγία good eating
καλοφτιαγμένος well-made
καλοψημένος well-roasted
καλόψυχος good-natured, kind-hearted
καλπάζω gallop
καλπασμός galloping, gallop
κάλπη ballot box
κάλπικος false
κάλτσα stocking
καλτσοδέτα garter
καλύβα hut, cottage
κάλυκας bud, calyx
κάλυμμα cover, covering, veil
καλύπτρα veil, covering
καλύπτω cover, veil, conceal
καλύτερα better
καλυτερεύω better, improve
καλύτερος better
κάλυψη covering
καλώ call, invite
καλεσμένος invited
καλώδιο cable, rope
καλώς well, right
καλωσορίζω welcome
καλωσύνη goodness, kindness
καλωσυνάτος kindly, affable
καμάκι harpoon
καμακώνω harpoon, spear
καμάρα arch, arcade
κάμαρα room, chamber
καμάρι pride, boast
καμαριέρα chamber-maid
καμαριέρης man-servant
καμαρότος steward, butler
καμαρίνι dressing room
καμάρωμα taking pride in
καμαρώνω take pride in
καμαρωτός proud, strutting, arched
κάματος fatigue, labour
καμβάς canvas
καμέλια camelia
καμήλα camel
καμηλάρης camel driver
καμηλοπάρδαλη giraffe
καμινάδα chimney

καμινέτο a spirit lamp stove
καμίνι furnace
καμιόνι truck, motor-lorry, dray
καμιτσίκι horsewhip, whip
κάμνω make, do
καμουφλάρισμα camouflage
καμουφλάρω camouflage, disguise
καμπάνα bell
καμπαναριό steeple, belfry
καμπανίζω ring
καμπαρέ cabaret, night-club
καμπαρντίνα gabardine
καμπή curve, bending, turn
κάμπια caterpillar
καμπίνα cabin
καμπίσιος of the plains, of the field
κάμπος plain, field
κάμποσος some, enough
καμπούρα hump, hunch
καμπούρης hunchback
καμπουριάζω become humpbacked
κάμπτω bend
καμπύλη curve, bend
καμπυλόγραμμος curvilinear
καμπύλος curved, crooked
καμπυλώνω curve, bend
καμτσίκι whip
καμφορά camphor
κάμψη bending, bend
κάμωμα doing
καμώνομαι feign, pretend, simulate
καν even, at all
Καναδάς Canada
Καναδός Canadian
κανακάρης spoiled, petted, darling
κανακεύω fondle, pet
κανάλι canal, channel
καναπές sofa, couch
καναρίνι canary
κανάτα pitcher, jug, pot, crock
κανατάς potter
κανείς, καμιά, κανένας nobody, no one, none, any, anybody
κανέλα cinnamon
κανελόλαδο oil of cinnamon
κανελογαρύφαλο clove, cinnamon

K

and clove
κάνιστρο basket, hamper
καναβάτσο canvas
κανναβινος hempen
καννναβούρι hemp-seed
καννιβαλισμός cannibalism
καννίβαλος cannibal
κανόνας penance, penitence, canon, rule
κανονάρχης prompter
κανονιά cannon shot
κανονίδι cannonry
κανονιέρης gunner, defaulter
κανονίζω regulate, settle, canonize, arrange
κανονικός regular, canonical, normal
κανονικότητα regularity, normality
κανονισμός regulation, rule
κανονιοβολισμός cannonade, cannon shot, bombardment
κανονιοβολώ cannonade, bombard
κανονιστής regulator
κάνουλα faucet, tap
καντάδα serenade
καντάρι quintal
κανταδόρος serenader
καντήλι oil candle
καντίνα canteen
καουτσούκ rubber
κάπα capote
καπάκι lid, cover, top
καπακώνω cover, hide, veil
καπαμάς pot roast
κάπελας tavern-keeper, taverner
καπελάδικο hat-shop
καπελάς hatter, hat-seller
καπελιέρα hat-box
καπέλο hat, bonnet
καπετάνιος captain
καπηλειό saloon, tavern
καπηλεύω traffic, pettle
καπίστρι halter, bridle
καπιταλισμός capitalism
καπιταλιστής capitalist
καπιταλιστικός capitalistic

καπναποθήκη tobacco ware-house
καπνεμπόριο tobacco business
καπνέμπορος tobacco merchant
καπνεργαστάσιο tobacco factory
καπνιά soot
καπνίζω smoke, fumigate
κάπνισμα smoking
καπνιστής smoker
καπνοβιομηχανία tobacco industry
καπνογόνος smoke-producing
καπνοδόχη chimney
καπνοδοχοκαθαριστής chimney-sweep
καπνοπαραγωγή tobacco production
καπνοπαραγωγός tobacco grower
καπνοπωλείο tobacconist's shop
καπνοπώλης tobacconist
καπνός smoke, tobacco, fume
καπνοσακκούλα tobacco pouch
καπνοφυτεία tobacco plantation
κάποιος somebody, someone, some
κάποτε sometimes, at times, occasionally
κάπου somewhere
καπούλια croup
καπρίτσιο caprice, whim
κάπρος boar
κάπως somehow, somewhat
καραβάκι small ship
καραβάνα soldier's mess pot
καραβανάς a rude officer
καραβάνι caravan
καράβι ship, boat, vessel
καραβίδα crawfish
καραβοκύρης skipper
καραβόπανο canvas, sailcloth
καραβόσχοινο cable, thick rope
καραβοτσακίζομαι be shipwrecked
καραβοτσακισμένος shipwrecked
καρακάξα magpie, hag
καραμέλα caramel, candy
καραμπίνα carbine
καράτι carat
καρατομώ behead, decapitate
καράφα decanter, water bottle, carafe

καρβέλι loaf, loaf of bread
καρβουνάδικο coal-store
καρβουναποθήκη coal bin, coal cellar
καρβουνιάρης coal dealer, charcoal dealer
καρβουνιάρικο coal-store
κάρβουνο coal, charcoal
κάρδαμο cress, watercress
καρδαμώνω strengthen, invigorate
καρδερίνα goldfinch
καρδιά heart
καρδιακός of the heart, hearty, cordial
καρδιαλγία heartache
καρδινάλιος cardinal
καρδιογράφημα cardiogram
καρδιοκτύπι heartbeat
καρδιολογία cardiology
καρδιολόγος heart specialist
καρδιοπάθεια heart trouble, heart disease
καρδιοπαθής suffering from heart trouble
καρδιόπονος heartache
καρέκλα chair, seat
καρεκλάς chair-maker
καρήκωμα darning
καρηκώνω darn
καρίνα keel
καριοφίλι long musket, rifle
καρκινοβατώ walk like a crab, retrograde
καρκινοειδής crab-like, cancerous
καρκίνος crab, cancer
καρκίνωμα cancerous growth
καρμανιόλα guillotine
καρμπόν carbon paper
καρναβάλι carnival
καρότο carrot
καρότσα carriage, coach
καροτσέρης coachman
καρούλι pulley, reel
καρπερός fruitful, fertile
καρπίζω yield fruit, fructify
καρπός fruit, wrist

καρπούζι watermelon
καρποφορία fruition, fructification
καρποφόρος bearing fruit, fruitful
κάρρο cart
κάρτα post-card
καρτέρι ambush
καρτερία perseverance, patience
καρτερικός patient, persevering
καρτερώ wait for, endure
καρύδα coconut
καρύδι walnut
καρυδιά walnut tree
καρύκευμα spice, relish
καρυκεύω season
καρυοθραύστης nutcracker
καρυοφύλλι an old musket
καρφί nail
καρφίτσα pin, brooch
καρφιτσώνω pin
καρφώνω nail
καρχαρίας shark
καρωτίδα carotid
κάσα box, case, coffin
κασέλλα chest, trunk, box
κάσκα casque, helmet
κασκέτο cap
κασμάς pick, spade
κασμίρι cashmere
κασόνι case, trunk
κασετίνα pencil-box, jewel-case
κασσίτερος tin, pewter
κάστα caste, social class
καστανάς chestnutman
καστανιά chestnut tree
κάστανο chestnut
καστανός chestnut brown, maroon, chestnut coloured
καστανόχρωμος chestnut coloured
καστανόχωμα leaf mould
κάστορας beaver, castor
καστόρι beaver-fur
κάστρο castle, citadel
κατά against, on, upon, according to, during
κατάβαθα deepy
καταβάλλω knock down, suppress,

put down
καταβεβλημένος exhausted, depressed
καταβόθρα cesspool, gulf
κατάβρεγμα sprinkling, watering
καταβρέχω sprinkle, spray
καταβροχθίζω devour, eat greedily
καταβυθίζω submerge, sink
καταβύθιση sinking, submersion
καταγάλανος blue all over
καταγγελία denunciation
καταγγέλω denounce
καταγής on the ground
καταγίνομαι be engaged in, be occupied with
κάταγμα fracture
καταγοητεύω enchant, charm, fascinate
κατάγομαι be from, descent, come from
καταγραφή registration
καταγράφω register, record
καταγωγή descent, origin
καταδεκτικός complaisant, condescending
καταδέχομαι condescend, deign
καταδίδω betray, denounce
καταδικάζω condemn, sentence
καταδικαστικός condemnatory
καταδίκη condemnation, sentence
κατάδικος convict, prisoner, detained
καταδιώκω persecute, pursue
καταδίωξη persecution, pursuit
κατάδοση betrayal, denunciation
καταδότης betrayer
καταδρομή persecution, inroad
καταδρομικός cruising
καταδρομικό cruiser
καταδυνάστευση oppression
καταδυναστευτικός oppressive, oppressing
καταδυναστεύω oppress, tyrannize over
κατάδυση immersion, plunge
καταδύω immerse, plunge

καταζητώ pursue, search, chase
κατάθεση deposition, deposit
καταθέτης depositor
καταθλίβω oppress, afflict
καταθλιπτικός oppressive, afflictive
κατάθλιψη oppression, affliction
καταιγίδα tempest, storm
καταισχύνω disgrace, shame, dishonour
κατακάθι sediment, deposit
κατακαθίζω settle, sink down
κατακαίω burn completely
κατάκαρδα to heart, heartily, deeply
κατακερματίζω cut into pieces, crumble
κατακερματισμός cutting into pieces
κατάκλειστος shut up, entirely shut
κατάκλιση going to bed
κατακλύζω flood, overflow, inundate
κατάκλυση inundation
κατακλυσμιαίος diluvial, cataclysmic, diluvian
κατακλυσμός deluge, flood
κατάκοιτος sick in bed
κατακόκκινος all red, blushed
κατακόμβη catacomb
κατάκοπος worn out, exhausted, tired out
κατακόρυφος vertical, perpendicular
κατακράτηση retention, detention
κατακρατώ detain
κατακραυγάζω raise an outcry, cry out against
κατακραυγή outcry, clamour
κατακρεούργηση massacre, mangling
κατακρεουργώ mangle, butcher, massacre
κατακρήμνιση precipitation, demolition
κατακρίνω blame, censure, criticize
κατάκριση censure, blame, criricism
κατακριτής condemner, censurer
κατακριτέος blamable

κατάκρυος quite cold
κατάκτηση conquest
κατακτητής conqueror
κατακτητικός conquering, of conquest
κατακτώ conquer, acquire
κατακύλισμα rolling down
κατακυλώ roll over, roll down
κατακυριεύω conquer, dominate
κατακρώνω adjudge
κατακύρωση adjudication
κατακυρωτικός adjudicative
καταλαβαίνω understand, comprehend, realize, perceive
καταλαγιάζω appease, calm, settle down
καταλαλιά clamour, slander, gossip
καταλαλώ slander, blackbite
καταλαμβάνω seize, overtake
καταλερώνω make filthy
κατάλευκος quite white
καταλήγω end in, terminate, result in
καταληκτικός ending, terminating
κατάληξη termination, ending, terminal, result
καταληπτικός cataleptic
καταληπτός comprehensible, conceivable, intelligible
καταληψία catalepsy
κατάληψη occupation, seizure, capture
κατάλληλος proper, fit, appropriate, suitable
καταλληλότητα fitness, propriety, suitability
καταλογίζω compute, count, charge
καταλογισμός reckoning
κατάλογος list, catalogue
κατάλοιπο remainder, remaining
κατάλυμα lodging, housing
κατάλυση abolition
καταλυτής abolisher
καταλύτης catalyst
καταλυτικός subversive, abolishing, catalytic

καταλύω overthrow, abolish
καταμαγεύω enchant, charm, fascinate
καταμαστίζω scourge, ravage
κατάματα into one's eyes, right in the eyes
καταματωμένος blood-stained, bloody
καταματώνω stain with blood
κατάμαυρος quite black
καταμερίζω apportion, divide, partition
καταμερισμός division, partition
κατάμεστος full to the limit, crowded
καταμέτρηση measurement, survey
καταμετρητής measurer, surveyor
καταμετρώ measure, survey
καταναγκάζω compel, force, constrain
καταναγκασμός compulsion
καταναγκαστικός compulsory
καταναλώσιμος consumable
κατανάλωση consumption
καταναλωτής consumer
καταναλωτικός of consumption, consuming
κατανέμω divide, apportion, share
κατανίκηση conquering
κατανικώ conquer, vanquish
κατανόηση comprehension, understanding
κατανοητός comprehensible, conceivable
κατανομή apportionment, distribution
κατανοώ comprehend
κατάντημα plight
καταντροπιάζω shame, dishonour
καταντώ render, come to a plight
κατανυκτικός touching, moving
κατάνυξη contrition, feeling of pity
καταξιώνω consider worthy, enable
καταπακτή trap-door
καταπάνω right upon
καταπάτηση violation, trampling on

καταπατώ trample upon, violate
κατάπαυση cessation, stoppage
καταπαύω cease, stop
καταπέτασμα curtain
καταπιάνομαι undertake
καταπιέζω oppress, harass
καταπίεση oppression
καταπιεστής oppressor
καταπιεστικός oppressive, tyrannical
καταπίνω swallow, gulp down
καταπλακώνω fall upon
κατάπλασμα poultice, cataplasm
καταπληκτικός astonishing, amazing
κατάπληξη astonishment, amazement
καταπλήσσω astonish, wonder, amaze
καταπνίγω suppress
κατάπνιξη choking up, suppression
καταπολέμηση fighting against
καταπολεμώ combat, wrestle, fight against
καταπόνηση tiring out
καταποντίζω sink, submerge
καταποντισμός sinking, submersion
καταπονώ fatigue, tire out
καταπραΰνω soothe, calm
κατάπτωση fall, downfall
κατάρα curse
καταραμένος cursed
κατάργηση abolition
καταργώ abolish
καταριέμαι curse
καταρράκτης waterfall
καταρρακτώδης torrential
κατάρρευση collapse, exhaustion
καταρρέω crumble
καταρρίπτω fell, knock down, throw down
κατάρριψη felling, throwing down
κατάρτι mast
καταρτίζω form, arrange, constitute
κατάρτιση formation
κατάσαρκα next to the skin

κατάσβεση extinction, putting out
κατασιγάζω silence, quiet
κατασκευάζω make, construct
κατασκεύασμα work, fabrication, construction
κατασκευαστής maker, manufacturer, constructor
κατσκευή construction, making
κατασκηνώνω camp, encamp
κατασκήνωση camping
κατασκοπεία espionage, spying
κατασκοπεύω spy
κατάσκοπος spy, secret agent
κατασπαράσσω tear to pieces, lacerate
καταστάλαγμα sediment
κατασταλάζω settle, distil, filter
κατασταλτικός repressive, suppressive
κατάσταση condition, state
καταστατικό statute
καταστατικός constitutional
καταστέλλω suppress, restrain
κατάστημα store, shop
καταστηματάρχης shopkeeper
κατάστιχο ledger, mercantile book
καταστολή repression, suppression
καταστρατηγώ circumvent, evade
καταστρεπτικός destructive
καταστρέφω destroy, ruin
καταστροφή destruction, ruin
κατάστρωμα deck
καταστρώνω lay out, draw up
κατάστρωση drawing
κατάσχεση seizure, distraint
κατάσχω seize, attach
κατάταξη classification
κατατάσσω arrange, enlist, classify
κατατοπίζω advise, orientate, guide
κατατόπιση guidance
κατατρεγμός persecution
κατατρέχω persecute
κατατρομάζω frighten, terrify
κατατροπώνω rout, defeat
κατατρόπωση rout, defeat, crushing
καταυλισμός bivouac

κατάφαση affirmation, assent
καταφάσκω affirm, agree
καταφατικός affirmative, positive
καταφέρνω succeed, accomplish
καταφεύγω take refuge in
καταφθάνω arrive, reach
κατάφορτος overloaded
καταφρονεμένος despised
καταφρόνηση contempt, despise, disdain
καταφρονητικός scornful, disdainful
καταφρονώ despise, scorn
καταφυγή refuge, retreat
καταφύγιο shelter, refuge, asylum
κατάφυτος covered with plants
κατάφωρος flagrant, manifest
καταχθόνιος infernal, hellish
καταχνιά fog, mist
καταχραστής embezzler, defaulter
κατάχρηση abuse, excess
καταχρηστικός improper, abusive
καταχωνιάζω hide deep
καταχωρίζω insert, enter
καταχώριση insertion, entry
καταψηφίζω vote against
καταψήφιση voting against
κατάψυξη freezing, cooling
καταψύχω freeze, cool, refrigerate
κατεβάζω bring down
κατέβασμα going down, descent
κατεδαφίζω demolish, raze
κατεδάφιση demolition, pulling down
κατειλημμένος ocupied, reserved
κατεργάζομαι work out, elaborate
κατεργάρης sly rogue, rascal
κατεργαριά roguish trick, roguery
κατεργασία working out, elaboration
κάτεργο galley, prison
κατεύθυνση direction, line
κατευθυντήριος directive, directing
κατευθύνομαι go, proceed, go towards
κατευθύνω direct, guide
κατευνάζω appease, calm

κατευνασμός appeasement, calming
κατευναστικός soothing, calming
κατευοδώνω escort
κατευόδωση wishing good-bye, escorting
κατέχω possess, occupy
κατεψυγμένος frigid, frozen
κατηγόρημα attribute, predicate
κατηγορηματικός positive, categorical
κατηγορητήριο indictment, charge, application
κατηγορία accusation, charge, category
κατηγορικός categorical
κατηγορούμενο attribute, predicate
κατηγορώ accuse, charge, blame
κατήφεια sulkiness, sadness
κατηφής sullen, sad, sulky
κατηφόρα declivity, slope
κατηφορίζω go downhill, descend
κατηφορικός downhill, descending
κατήφορος declivity, descent, slope
κατήχηση catechism
κατηχητικός of catechism
κατηχούμενος catechumen
κατηχώ catechize
κάτι something, some, anything
κατ'ιδίαν aside, privately
κάτισχνος very thin, emaciated
κατοικήσιμος habitable
κατοίκηση habitation
κατοικητήριο abode, dwelling
κατοικία residence, habitation
κατοικίδιος domestic, tame
κάτοικος inhabitant, resident
κατοικώ inhabit, stay, live
κατονομάζω name, denominate
κατονομασία naming, denomination
κατόπιν after, afterwards
κατοπινός following, next
κατοπτεύω watch, spy, observe
κατοπτρίζω reflect, mirror
κατοπτρισμός reflection, mirage
κάτοπτρο mirror
κατόρθωμα feat, achievement,

K

exploit
κατορθώνω succeed, achieve, manage
κατορθωτής achiever
κατορθωτός feasible, achievable
κάτουρο urine, piss
κατουρώ piss, urinate
κατοχή possession, occupation
κάτοχος possessor, owner, holder
κατοχυρώνω consolidate, secure, assure, safeguard
κατοχύρωση consolidation, securing
κάτοψη ground plan
κατρακύλημα rolling down, tumbling
κατρακυλώ roll down, tumble
κατράμι far, pitch
κατράμωμα tarring
κατσαβίδι screw-driver, turn-screw
κατσάδα harsh scolding, reprimand
κατσαδιάζω scold, reprimand
κατσαρίδα cockroach
κατσαρόλα saucepan
κατσαρομάλλης having curly hair
κατσαρός curly, curled
κατσαρώνω curl
κατσίκα goat
κατσικάκι kid, kiddy
κατσικίσιος goatish, kiddish
κατσούφης sulky, sullen, morose, surly
κατσουφιά sulkiness, sullenness
κατσουφιάζω sulk, frown, scowl
κάτω down, below, under
Κάτω Χώρες Low Countries
κατώγειο ground floor
κατώτατος undermost, lowest
κατωτερότητα inferiority
κατωφέρεια declivity, slope
κατωφερής sloping, inclining
κατώφλι threshold, door-step
κάτωχρος quite pale
καυγαδίζω dispute, quarrel, wrangle
καυγατζής brawler, wrangler
καυγάς quarrel, brawl, row
καύμα burn, heat

καύσιμο fuel, burning
καύση burning, combustion
καυσόξυλο firewood
καυστικός burning, flaming
καύσωνας burning heat
καυτερός burning, scorching
καυτηριάζω cauterize, sear
καυτηρίαση cauterization, searing
καυτός burning, boiling, hot
καύτρα snuff
καύχημα pride, glory, boast
καυχηματίας boaster, braggart
καυχησιάρικος vaunting, boastful
καυχησιολογία bragging, boasting
καυχησιολογώ boast, brag
καύχηση boasting, boast
καυχιέμαι boast, brag
καφάσι lattice, grating
καφασωτός latticed, grated
καφέ brown
καφεΐνη caffeine
καφεκοπτείο coffee-mill
καφενείο cafω, coffee-house
καφές coffee
καφετιέρα coffee-pot, coffee-box
καχεκτικός sickly, hectic
καχεξία sickliness
καχύποπτος suspicious, distrustful
καχυποψία mistrust, suspicion
καψαλίζω toast, singe
καψάλισμα toasting, singing, scorching
κάψιμο burning, combustion
κάψουλα capsule
κέδρινος cedar-wood, cedrine
κέδρος cedar-tree
κέϊκ cake
κείμενο text
κειμήλιο precious souvenir
κείτομαι lie, lie down
κεκλιμένος inclined
κελάηδημα singing (of birds), twittering
κελαηδώ sing, twitter, warble
κελάρι cellar
κελαρύζω murmur, purl

κελί cell
κέλυφος husk, rind, shell
κενό vacuum, void
κενοδοξία vanity
κενόδοξος vain, conceited
κενολογία idle chat
κενολογώ talk nonsense
κενός empty, void
κενοσοφία pedantry
κενόσοφος pedantic
κενοτάφιο cenotaph
κένταυρος centaur
κέντημα embroidery
κεντίζω prick, sting
κεντρί sting, goad
κεντρίζω sting, spur, goad
κεντρικός central, centric
κέντρισμα spurring, pricking
κέντρο center, middle
κεντρομόλος centripetal
κέντρωμα stinging
κεντρώος central
κεντώ prick, sting, spur, embroider
κένωμα emptying, evacuation
κενώνω empty, evacuate
κένωση emptying, evacuation
κεραία antenna, spar
κεράκι small candle
κεραμέας potter, tiler
κεραμευτική ceramics, pottery
κεραμευτικός ceramic, pottery
κεραμίδι tile, slate
κεραμοποιείο pottery, potter's shop
κεραμοπώλης dealer in tiles
κεράσι cherry
κερασιά cherry-tree
κέρασμα treating, treat
κεράτινος made of horn
κερατοειδής horn-shaped, (χιτώνας) cornea
κέρατο horn
κεραυνοβόλος striking with a thunderbolt, thunderstriking, sudden
κεραυνοβολώ fulminate, strike with a thunderbolt
κεραυνός thunderbolt, thunder

κερδίζω gain, earn, win, profit
κέρδος gain, profit
κερδοσκοπία speculation
κερδοσκοπικός speculating, speculative
κερδοσκόπος speculator
κερδοφόρος profit-bearing, gainful
κερένιος waxen
κερί wax, candle
κερκίδα stand of seats, weaver's rod
κέρμα change, coin
κερματίζω shatter
κερματισμός breaking into pieces
κερνώ treat
κέρωμα waxing
κερώνω wax
κεφάλαιο capital, funds
κεφαλαίο capital letter
κεφαλαιοκράτης capitalist
κεφαλαιοκρατία capitalism
κεφαλαιούχος fund holder, capitalist
κεφαλάρι bolster
κεφαλή head, chief, leader
κεφαλικός capital
κεφαλόδεσμος headband, head-dress
κεφαλόπονος headache
κέφαλος mullet
κεφάτος good humoured, merry, cheerful
κέφι disposition, good humour, cheerfulness
κεφτές fried meat ball
κεχρί millet
κεχριμπαρένιος graceful
κεχριμπάρι amber
κηδεία funeral, burial
κηδεμόνας guardian, tutor
κηδεμονεύω be a guardian of, be a tutor, tutor
κηδεμονία guardianship, tutorship
κηδεμονικός of a guardian, tutelary
κηδεύω perform a funeral, bury
κηλίδα stain, spot
κηλιδώνω stain, soil, dirty

K

κηπευτική gardening, horticulture
κήπος garden
κηπουρική gardening
κηπουρικός of gardening
κηπουρός gardener
κηρήθρα honey-comb, beeswax
κηροπήγιο candlestick
κηροποιός chandler
κηροπωλείο candle-shop
κηροπώλης dealer in candles
κήρυγμα preaching, sermon
κήρυκας herald, crier, preacher
κηρύττω declare, proclaim, preach, herald
κηρώνω wax
κήτος cetacean, sea-monster
κηφήνας drone-bee, drone
κιάλι field-glass, telescope, binocles
κιάλια binocles
κίβδηλος forged, false, counterfeit
κιβώτιο box, trunk
κιβωτός case, big chest, big crate
κιγκλίδωμα railing, latticework
κιγκλιδωτός grated, railed in
κιθάρα guitar
κιθαρίζω play on the guitar
κιθαριστής guitar player
κιλίμι carpet
κιλό kilogram, kilo
κιμάς minced meat, force-meat
κιμονό kimono
κιμωλία chalk
κινδυνεύω be in danger
κίνδυνος danger, peril, risk
κινέζικος Chinese
Κινέζος Chinese
κίνημα movement, move, motion, revolt
κινηματίας agitator, mutineer, revolutionist
κινηματογράφηση filming
κινηματογραφικός of motion pictures, cinematographic
κινηματογραφιστής cineast, film maker
κινηματογράφος cinema, moving

pictures, movies
κινηματογραφώ film
κίνηση motion, movement
κινητήριος motive, moving
κινητής mover
κινητικός moving
κινητοποίηση mobilization
κινητοποιώ mobilize
κινητός movable, mobile
κίνητρο motive, incentive
κινίνη quinine
κινώ move
κιόλας already
κιονόκρανο capital of a column
κιονοστοιχία colonnade
κιόσκι pavilion, kiosk
κιρσός varicose vein
κιρσώδης varicose
κισσός ivy
κιτρικός citric
κιτρινάδα yellow-colour, yelowness, paleness
κιτρινιάρης yellow-faced, pale
κιτρινίζω turn yellow or pale
κιτρίνισμα paleness
κιτρινοπράσινος greenish-yellow
κίτρινος yellow, pale
κίτρο citron
κίονας pillar, column
κλαγγή clash, clang, metallic sound
κλάδεμα pruning, lopping
κλαδευτήρι pruning-knife
κλαδευτής pruner, lopper
κλαδεύω prune, lop
κλάδος branch
κλαδωτός branched, branchy
κλαίω cry, weep, wail
κλάμα cry, weeping
κλαρί branch of a tree
κλαρινέτο clarinet
κλάση class, breaking, category
κλασικισμός classicism
κλασικιστής classicist
κλασικός classic, classical
κλάσμα fraction, fragment
κλασματικός fractional

κλαυθμός weeping, wailing, lamentation
κλαυθμυρίζω whine, whimper, weep
κλαυθμυρισμός whining, wailing, whimpering
κλάψα crying, weeping
κλαψιάρης weeper, whiner
κλέβω steal, rob
κλειδαράς locksmith, key-maker
κλειδαριά lock, padlock
κλειδαρότρυπα keyhole
κλειδί key
κλειδούχος switchman, pointsman
κλείδωμα locking
κλειδωνιά lock
κλειδώνω lock
κλείδωση joint, articulation
κλείνω shut, close
κλείσιμο closing, shutting up
κλειστός closed, shut
κλειτορίδα clitoris
κλέφτης thief, robber, pickpocket
κλεφτομανής kleptomaniac
κλεπτομανία kleptomania
κλεφτοπόλεμος guerrilla warfare
κλεφτοφάναρο torch, flash-light
κλεψιά theft, stealing, robbery
κλεψύδρα water-clock, clepsydra
κλήδονας fortune teller
κλήμα vine branch, vine
κληματαριά climbing vine
κληματόφυλλο vine-leaf
κληρικός clerical
κληροδοσία bequest, allotment
κληροδότημα legacy, bequest
κληροδότης testator, legator
κληροδοτώ bequeath
κληρονόμημα inheritance
κληρονομιά inheritance, heritage
κληρονομικός hereditary
κληρονομικότητα heredity
κληρονόμος heir, heiress
κληρονομώ inherit
κλήρος lot, clergy
κληρώνω draw lots, cast lots
κλήρωση drawing lots

κληρωτής orginizer of a raffle
κληρωτίδα ballot-box
κληρωτός drawn by lot
κλήση call, calling
κλητήρας bailiff, usher
κλητός called, invited
κλίβανος oven, furnace
κλίκα clique
κλίμα climate, clime
κλιμάκιο step, subdivision, group
κλιμακοστάσιο stair case
κλιμακτήριος climacteric
κλιμακώνω graduate
κλιμάκωση graduation
κλιμακωτός graduated
κλιματικός climatic
κλιματολογικός climatic, climatological
κλινική clinic, private hospital
κλινοσκέπασμα bed-covering
κλίνω bend, bow, curve
κλίση inclination, slope, declivity
κλοιός iron collar, encirclement
κλονίζω shake, concuss
κλονισμός shock, shaking, concussion
κλοπή stealing, theft, robbery
κλοπιμαίος stolen
κλουβί cage
κλούβιος addle, rotten
κλυδωνίζομαι be tossed
κλυδωνισμός tossing
κλώθω spin, twist
κλωνάρι small branch, shoot, twig
κλώσιμο spinning
κλώσσα brooding hen
κλωσσομηχανή incubator
κλωσσόπουλο chicken
κλωσσώ brood
κλωστή thread, cotton
κλωστικός spinning
κλωστοϋφαντουργείο textile mill
κλώτσημα kick, recoil
κλωτσιά kick
κλωτσώ kick, give a kick
κνήμη leg

K

κνισμός itching
κόβω cut, carve
κογκρέσσο congress
κόγχη cavity of the eye, shell
κοιλάδα valley
κοιλαίνω hollow
κοιλαράς big bellied
κοιλιά belly, abdomen
κοιλιακός of the belly, abdominal
κοιλιοδουλία gluttony
κοιλιόδουλος glutton, gourmand
κοιλόπονος belly-ache
κοιλοπονώ labour
κοίλος hollow, concave
κοιλότητα cavity, hollow
κοίμηση sleeping, sleep
κοιμητήριο cemetery, grave-yard
κοιμίζω put to sleep
κοιμάμαι sleep
κοινό the public, the community
κοινόβιο convent, monastery
κοινοβουλευτικός parliamentary
κοινοβουλευτισμός parliamentarism
κοινοβούλιο parliament
κοινοκτημοσύνη socialism
κοινοποίηση notification, notice
κοινοποιώ notify
κοινοπολιτεία commonwealth
κοινοπραξία co-operation
κοινός common, public
κοινότητα community
κοινοτικός of the community
κοινόχρηστος public, for public use
κοινωνία society, community
κοινωνικός social
κοινωνικότητα sociability
κοινωνιολογία sociology
κοινωνιολογικός sociological
κοινωνιολόγος sociologist
κοινωνός participant
κοινωνώ communicate, participate,
receive the Holy Communion
κοινωφελής useful to the public
κοίταγμα look, looking
κοιτάζω look at, look after
κοίτασμα layer, ore

κοίτη bed, couch
κοίτομαι lie down
κοιτώνας bedroom, dormitory
κοκαΐνη cocaine
κοκάρδα cockade, rosette
κοκεταρία coquetry
κοκκαλένιος of bone
κοκκαλιάρης bony, skinny
κοκκαλίζω crunch
κόκκαλο bone
κοκκαλώνω become stiff
κοκκινάδι rouge
κοκκινέλι red wine
κοκκινίζω redden, blush
κοκκινίλα redness, blush
κοκκινογούλι beet
κοκκινολαίμης robin
κόκκινος red
κοκκινόχωμα red clay
κόκκος grain, berry
κοκκύτης whooping-cough
κοκκωβιός goby
κοκκώδης grainy
κόκορας cock, rooster
κοκορέτσι liver, lung
κοκορεύομαι swagger, strut
κοκτέηλ cocktail
κολάζω chastise, punish, damn
κόλακας flatterer, adulator
κολακεία flattery, adulation
κολακεύω flatter, adulate
κόλαση hell
κολασμένος damned
κολασμός punishment
κολατσό snack
κόλαφος insult, slap
κολικός colic
κολιός mackerel
κόλλα glue, paste, gum
κολλαρίζω starch
κολλάρισμα starching
κολλαριστός starched
κολλάρο collar
κολλέγιο college
κολλεκτιβισμός collectivism
κολλήγας colleague

κόλλημα gluing, sticking
κολλητικός contagious, infectious
κολλητός united, glued
κολλιέ necklace
κολλύριο collyrium, eyewash
κολλώ stick, glue, paste, attach
κολλώδης glutinous, sticky
κολοβός maimed
κολοβώνω maim, mutilate
κολοιός jackdaw
κολοκύθα pumpkin, gourd
κολοκύθι pumpkin
κολοκυθιά pumpkin plant
κολοσσός colossus
κόλουρος docked, curtailed
κόλπο trick, artifice
κόλπος gulf, bay
κολυμβήθρα font
κολύμπημα swimming
κολυμβητής swimmer
κολυμβητική swimming
κολυμβητικός swimming
κολυμπώ swim
κολώνα pillar, column
κόμη hair
κόμης count, earl
κόμησσα countess
κομητεία county, earldom
κομήτης comet
κόμμα party, comma
κομματάρχης party leader
κομμάτι piece, bit
κομματιάζω cut to pieces
κομμάτιασμα cutting to pieces
κομματικός factional
κομματισμός factional spirit
κομμό commode
κομμοδίνο bed-side table
κομμουνισμός communism
κομμουνιστής communist
κόμμωση toilet, head-dress, coiffure
κομμωτήριο dressing room,
hair-dresser's
κομμωτής hair-dresser
κομπανία group, company
κομπάρσος actor of secondary acts

κομπασμός boasting, bragging
κομπαστής boaster, braggant
κομπαστικός boastful
κομπιάζω stop short, slutter
κόμπιασμα chocking, hesitation
κομπλιμέντο compliment
κομπογιανίτης quack, charlatan
κομπογιανίτικος quackish
κομπόδεμα hoard of money
κομπολόϊ string of beads
κόμπος knot, knob
κομποσκοίνι knotted cord
κομπόστα stewed fruit
κόμπρα cobra
κομπρέσσα compress
κομψευόμενος foppish, fop
κομψός elegant, dainty, smart,
graceful
κομψοτέχνημα knick-knack, trinket
κομψότητα elegance, grace
κονάκι inn
κονδυλιά dash
κόνδυλος knuckle, fist
κονιάκ cognac
κόνιδα nit
κονιορτός dust
κονίστρα arena
κονσέρβα preserve, conserve, tin-
ned food
κονσέρτο concert
κονσόλα console
κοντά near, beside
κονταίνω shorten, abbreviate
κοντάρι pike, pole, spear
κόντεμα shortening, reduction
κοντεύω come near, approach
κοντινός near
κοντολαίμης short-necked
κοντομάνικος short-sleeved
κοντός short, brief
κοντόσωμος short-bodied
κοντόφθαλμος short-sighted
κοντόχοντρος dumpy
κόντρα against
κοντύλι slate pencil
κοπάδι flock, herd

κοπάζω abate, calm down
κοπανίζω pound, beat, strike
κοπάνισμα pounding
κόπανος crusher, beater
κοπέλα girl, lass, maid
κοπή cutting, cut
κοπιάζω tire oneself, labour
κοπιαστικός laborious
κόπος toil, fatigue
κόπρανα excrements, stools, filth
κοπριά dung, manure
κοπρίζω manure, dung
κοπρόσκυλο cur, scamp, rascal
κοπρώδης dirty, miry
κόπωση fatigue, tiredness
κόρα crust (of bread)
κόρακας crow, raven
κοραλλένιος coralline
κοράλλι coral
κορδέλα ribbon, band
κορδόνι cord, lace
κορδώνομαι strut
κορεσμός satiation, saturation
κόρη girl, maid, daughter
κοριός bug
κορίτσι girl, maiden
κοριτσίστικος girlish
κορμί body, trunk
κορμός trunk, torso
κορμοστασιά stature
κορνιαχτός dust
κοροϊδευτικός derisive, scornful, mocking
κοροϊδεύω cheat, fool, mock
κοροϊδία mockery, derision
κορόιδο dupe, fool
κορόμηλο plum
κορσές corset
κορυδαλλός lark, sky-lark
κορυφαίος highest, uppermost
κορυφή summit, top, peak
κορυφογραμμή mountain crest, ridge
κορυφώνω lift to the top
κορύφωμα height
κορφοβούνι top of a mountain

κόρφος bosom
κορώνα crown
κορωνίδα cornice
κοσκινίζω sift, screen
κοσκίνισμα sifting
κόσκινο sieve, sifter, screen
κόσμημα decoration, ornament, jewel
κοσμηματοθήκη jewel-box, jewel-case
κοσμηματοπώλης jeweler
κοσμικός worldly, mundane
κόσμιος decent, modest
κοσμιότητα decency, modesty
κοσμογονία cosmogony, creation
κοσμογραφία cosmography
κοσμογυρισμένος having seen the world
κοσμοκρατορία cosmocracy
κοσμοκράτορας ruler of the world
κοσμοπλημμύρα a large crowd
κοσμοπολιτεία a world state
κοσμοπολίτης cosmopolitan
κόσμος world, people, crowd
κοσμοσυρροή large concourse of people
κοσμώ adorn, ornament
κοστίζω cost
κόστος cost
κοστούμι costume, suit, dress
κότα hen, chicken
κότερο cutter
κοτέτσι chicken-coop, henhouse
κοτολέτα cutlet
κοτόπουλο chicken
κοτσάνι stem, stalk
κότσος bun
κότσυφας blackbird
κουαρτέττο quartet
κουβάλημα carrying, transporting
κουβαλητής carrier, porter
κουβαλώ carry, transport
κουβάρι ball
κουβαριάζω wind into a ball
κουβαρίστρα bobbin, reel
κουβάς pail, bucket

κουβέντα chat, talk, conversation
κουβεντιάζω talk, converse
κουβέρτα blanket, coverlet
κουδούνι bell, doorbell
κουδουνίζω ring, jingle
κουδουνίστρα rattle
κουζίνα kitchen
κουκκί bean, grain
κουκκίδα dot, spot
κούκος cuckoo
κουκουβάγια owl
κουκούλα hood
κουκούλι cocoon
κουκουλώνω cover up, veil
κουκουνάρα pine-cone
κουκουνάρι pine-nut
κούκλα doll, puppet
κουκούτσι kernel, stone
κουλός one-handed
κουλούρα round bread
κουλούρι small round bread
κουλουριάζω coil, roll up, twist
κουμαντάρω rule, command, manage
κουμάντο ruling, direction, management
κουμπάρα godmother of one's child, bridesmaid
κουμπαράς coin bank
κουμπάρος godfather of one's child, bestman
κουμπί button
κουμπότρυπα buttonhole
κουμπούρα pistol
κουμπουριά pistol-shot
κουμπώνω button
κουνάβι marten, ferret
κουνέλι rabbit
κούνημα movement, shaking, rocking
κούνια cradle, swing
κουνιάδα sister-in-law
κουνιάδος brother-in-law
κουνιέμαι move, rock, swing
κουνούπι mosquito
κουνουπίδι cauliflower

κουνουπιέρα mosquito net
κουνώ shake, rock, stir, move, swing
κούπα cup, glass
κουπαστή gunwale
κουπί oar
κουπόνι coupon
κούρα cure, treatment
κουράγιο courage
κουράζω tire, fatigue
κουράρω nurse, treat
κούραση fatigue
κουρασμένος tired, fatigued
κουραστικός tiring, tiresome
κουραφέξαλα nonsense
κουρδίζω wind up, wind, tune
κούρδισμα winding, tuning
κουρέας barber
κουρείο barber's shop
κουρέλι rag, clout
κουρελιάζω tatter, tear into rags
κούρεμα haircut
κουρεύω cut the hair
κούρκος turkey
κουρκούτι gruel, oatmeal
κουρνιάζω roost, perch
κουρνιαχτός dust
κουρούνα crow
κούρσα automobile, race
κουρσάρος corsair, pirate
κουρσεύω pillage
κουρτίνα curtain
κουσούρι defect, fault
κουστωδία custody, guard
κουτάβι cub, puppy
κουτάλα ladle, dipper
κουτάλι spoon
κουταλιά spoonful
κουταμάρα stupidity
κούτελο forehead
κουτί box, case
κουτοπονηριά slyness, cunning
κουτοπόνηρος sly, cunning
κουτός stupid, foolish
κουτουλιά butting, butt
κουτουλώ butt
κουτουράδα foolhardiness**

κουτσαίνω lame, render
κουτσομπολεύω gossip
κουτσομπόλης gossiper
κουτσομπολιό gossip
κουτσός lame, crippled
κουτσούρεμα curtailment
κουτσουρεύω curtail, mutilate
κούτσουρο stump, log
κουφαίνω deafen, stun
κουφάλα cavity, hollow
κουφαμάρα deafness
κουφάρι carcass
κουφέτο sugar-coated almond
κούφιος hollow, empty
κουφός deaf
κούφωμα hollow, cavity
κοφίνι basket
κοφτερός acute, pointed
κόχη corner
κοχλάζω boil, bubble
κοχλασμός bubble, boiling
κοχλίας snail
κοχύλι shell, sea-shell
κόψη edge
κοψίδι thin piece
κόψιμο cut, cutting
κραγιόν lip-stick
κραδασμός vibration
κράζω cry out, croak
κραιπάλη revel, debauchery
κράμα mixture, alloy
κρανιακός cranial, of the skull
κρανίο skull
κράνος helmet, casque
κράξιμο calling
κρασί wine
κράση temperament, alloying,
mixture
κρασοβάρελο wine barrel
κρασοπωλείο tavern, wine-shop
κράσπεδο hem, border, fringe
κράτημα holding, detaining
κρατήρας crater
κράτηση detention, holding
κρατητήριο detention house,
lock-up

κρατητής seizer, holder
κρατίδιο little state
κρατικός of the state
κράτος empire, state, force
κρατούμενος detained, confined
κρατώ hold, keep, detain
κραυγάζω cry out, shout, scream
κραυγή shout, cry, scream
κράχτης caller, crier
κρέας meat, flesh
κρεατοελιά wart
κρεατόπιτα meat-pie
κρεβάτι bed
κρεβατίνα vine-arbour
κρεβατοκάμαρα bedroom
κρέμα cream
κρεμάλα gallows, gibbet
κρέμασμα hanging
κρεμασμένος hanged
κρεμαστάρι hanger, hook
κρεμαστός hanging suspended
κρεμάστρα cloak-stand, clothes
hanger
κρεματόριο crematorium
κρεμμύδι onion
κρέμομαι be suspended, hang
κρεμώ hang
κρεοπωλείο butcher's shop
κρεοπώλης butcher
κρεουργώ butcher, massacre
κρεοφαγία meat eating
κρήνη fountain
κρηπίδωμα foundation
κρησφύγετο hiding place
κριάρι ram
κριθάρι barley
κρίκος link, ring
κρίμα sin, crime, pity
κρίνο lily
κρίνω judge, think, reason, consider
κρίση crisis, judgment, opinion,
reasoning
κρίσιμος critical, decisive
κριτήριο criterion, test
κριτής judge
κριτική criticism

κριτικός critical, critic
κροκάδι yolk
κροκόδειλος crocodile
κρόκος safron, yolk
Κρόνος Saturn
κροταλίας rattlesnake
κροταλίζω rattle, clack
κροτάλισμα rattling
κρόταλο rattle
κρόταφος temple
κροτίδα petard, firecracker
κρότος noise, sound
κροτώ clap, crack, sound
κρούση knocking, knock, hitting
κρούσμα stroke, case
κρούστα crust
κρουσταλλιάζω freeze
κρούσταλλο ice, crystal
κρουστός of percussion
κρούω knock, rap, strike
κρυάδα chill, coldness
κρυαίνω get cold
κρύο cold, chill
κρυολόγημα cold, chill
κρυολογώ catch a cold
κρυοπάγημα chilblain
κρύος cold, chilly
κρύπτη hiding place, crypt
κρύσταλλο crystal
κρυφός secret, latent
κρυφτό hide and seek
κρύψιμο hiding
κρυψώνας hiding place
κρύωμα cold, cooling
κρυωμένος having a cold
κρυώνω get cold, make cold
κταπόδι octopus
κτένα large comb
κτένι comb
κτενίζω comb
κτένισμα combing, coiffure
κτήμα property, estate
κτηματίας landowner, proprietor
κτηματικός of property
κτηματομεσίτης real estate agent
κτηνιατρική veterinary

κτηνίατρος veterinarian
κτήνος beast, animal, brute
κτηνοτροφία cattle-raising
κτηνοτρόφος stock-breeder
κτηνώδης brutal, beastly
κτηνωδία brutality
κτήριο building
κτήση possession
κτητικός possessive
κτήτορας possessor
κτίζω build, construct
κτίσιμο building, construction
κτίσμα creation
κτίστης creator, mason, builder
κ.τ.λ etc.
κτύπημα blow, stroke, knock
κτύπος knock, stroke
κτυπώ beat, strike, knock, hit
κυανόλευκος blue and white
κυβέρνηση government
κυβερνήτης governor
κυβερνητικός governmental
κυβερνώ govern, rule, administer
κυβικός cubic
κυβισμός cubism
κύβος cube, die
κυδώνι quince
κύηση pregnancy
κυκεώνας confusion, jumble, mess
κυκλικός circular
κύκλος circle, cycle
κυκλοφορία circulation, currency, traffic
κυκλοφορώ circulate, go about
κύκλωμα circuit
κυκλώνας cyclone, hurricane
κυκλώνω surround, encircle
κύκνειος of a swan
κύκνος swan
κυλικείο buffet, bar
κυλινδρικός cylindrical
κύλινδρος cylinder
κύλισμα rolling
κυλώ roll, tumble
κύμα wave
κυμαίνομαι waver, fluctuate

K

κυματίζω wave, undulate, float
κυματισμός waving, undulation
κυματιστός waving, undulating
κυματοθραύστης breakwater
κυματώδης wavy, rough, agitated
κύμινο cumin
κυνηγετικός hunting
κυνηγητό chase, pursuit
κυνήγι hunt, chase
κυνηγός hunter, huntsman
κυνηγώ hunt, chase
κυνικός canine, cynical
κυνισμός cynicism
κυοφορία pregnancy
κυοφορώ be pregnant
κυπαρισσένιος made of cypress wood
κυπαρίσσι cypress, cypress-tree
κύπελλο cup, bowl, goblet
κυπρίνος carp
κυρία madam, lady
κυριακάτικος of Sunday
κυριαρχία sovereignty, dominion
κυριαρχικός sovereign
κυρίαρχος lord, sovereign, ruler
κυριαρχώ rule over, prevail, dominate
κυρίευση conquest, capture
κυριεύω capture, conquest
κυριολεκτικός literal, exact
κύριος chief, master, mister, main
κυριότητα ownership, possession
κύρος authority, validity
κυρτός bent, curved

κύρτωμα curvature, curving
κυρτώνω curve, bend
κυρώνω ratify, sanction, confirm
κύρωση ratification, sanction, confirmation
κύστη cyst
κυτταρικός cellular
κυτταρίνη cellulose
κύτταρο cell, cellule
κύφωση hump-back
κυψέλη beehive, hive
κώδικας code
κωδικοποίηση codification
κωδικοποιώ codify
κωδωνοστάσιο belfry, steeple
κωκ coke
κωλικός colic
κώλυμα hindrance, obstacle
κωλυσιεργία obstruction, hindering
κωλυσιεργώ obstruct
κώμα coma
κωμάρα fatigue
κωμόπολη small town
κωμωδία comedy
κωμωδός comedian
κώνειο hemlok
κωνικός conical
κωνοειδής coniform, conelike
κώνος cone
κωπηλασία rowing
κωπηλάτης rower
κωπηλατώ row
κωφάλαλος deaf-mute

Λ

Λ, λ the eleventh letter of the Greek alphabet
λάβα lava

λαβαίνω take, receive
λάβαρο banner, standard
λαβή handle, hold

λαβίδα pincers, nippers
λαβράκι see-wolf
λαβύρινθος labyrinth, maze
λάβωμα wounding
λαβωματιά wound
λαβώνω wound
λαγάνα flat-cake
λαγαρίζω refine, purify
λαγάρισμα refining
λαγήνι pitcher, jug
λαγκάδι gorge, ravine, defile
λαγνεία lewdness, lust
λάγνος lewd, lustful
λαγοκοιμάμαι sleep lightly
λαγός hare
λαγούμι mine, underground passage, sewer
λαγούτο lute
λαγωνικό greyhound, hound
λαδάς oil dealer
λαδέμπορος oil merchant
λαδερό oil cruet, oil-can
λαδερός oily
λάδι oil, olive-oil
λαδιά oil stain
λαδολέμονο oil and lemon juice
λαδομπογιά oil paint, oil colour
λαδόχαρτο oil paper
λάδωμα oiling, anointing with oil
λαδώνω lubricate, oil
λάθος mistake, error, fault
λάθρα secretly, in secret
λαθραίος furtive, clandestine
λαθρεμπόρευμα contraband, smuggled goods
λαθρεμπόριο contraband, smuggling
λαθρέμπορος smuggler
λαθροθήρας poacher
λαθροθηρία poaching
λαίδη lady
λαϊκοποίηση popularization
λαϊκοποιώ popularize
λαϊκός popular
λαϊκότητα popularity, secularity
λαιμαργία gluttony, greediness
λαίμαργος gluttonous, greedy

λαιμητόμος guillotine
λαιμοδέτης necktie, cravat
λαιμός throat, neck
λάκκος pit, hole, cavity, ditch
λακτίζω kick, boot
λάκτισμα kick
λακωνικός laconic, brief
λακωνικότητα laconicism, terseness
λάλημα warbling, singing
λαλιά voice, talk, speech
λαλώ speak, say, talk
λάμα knife blade
λαμαρίνα sheet-iron, tin-plate
λαμβάνω take, receive, get
λάμια ogress, hobgoblin
λάμπα lamp
λαμπάδα large candle, torch, wax taper
λαμπαδηφορία torch procession
λαμπαδηφόρος torch bearer
λαμπαδιάζω be inflamed, flame
λαμπάδιασμα burning in flames
λαμπερός shining, luminous
λαμπερότητα luminosity
λαμπιόνι little lamp
λαμποκοπώ glean, glitter, shine
Λαμπρή Easter
λαμπριάτικος of Easter
λαμπρός splendid, brilliant, bright
λαμπρότητα brightness, brilliancy
λαμπρύνω brighten, make brilliant
λάμπω shine, glitter
λάμψη brightness, splendour, lustre
λαναρίζω card
λανάρισμα carding
λανθάνων latent
λανθασμένος erroneous, mistaken, incorrect
λαξεύω carve
λαογραφία folklore
λαοκρατία rule of the people
λαομίσητος hated by the people
λαοπλάνος charlatan, demagogue
λαοπρόβλητος elected by the people
λαός people, populace, crowd

Λ

λαούτο lute
λαπάς pap, hastypudding
λαρδί lard, bacon
λάρυγγας larynx, throat
λαρυγγισμός trill, roulade
λαρυγγίτιδα laryngitis
λαρυγγολόγος throat specialist
λαρυγγόφωνος guttural
λασκάρω let go, loosen, slacken
λασπερός muddy, dirty
λάσπη mud, mire, dirt
λάσπωμα bemiring, muddying
λασπώνω soil with mud, bemire
λαστιχένιος made of rubber
λάστιχο rubber
λατέρνα street organ
Λατινικά Latin
λατινικός Latin
λατομείο quarry
λατόμος quarryman
λατομώ quarry (stones)
λάτρα housework
λατρεία worship, adoration
λατρευτής adorer, worshipper
λατρευτικός worshiping, adoring
λατρευτός adorable
λατρεύω adore, worship
λάτρης adorer, worshipper
λαφυραγωγία pillage, looting, sacking
λαφυραγωγώ pillage, plunder, sack, loot
λάφυρο plunder, loot
λαχαίνω occur
λαχαναγορά vegetable market
λαχανιάζω pant, gasp
λαχάνιασμα panting, gasping
λαχανικά vegetables
λάχανο cabbage, vegetable, herb
λαχανοπώλης green-grocer
λαχανόφυλλο cabbage-leaf
λαχείο lottery, raffle
λαχνός lot, chance
λαχτάρα anxiety, longing
λαχταριστός tempting, longing
λαχταρώ be very anxious, long for,

yearn
λέαινα lioness
λεβάντα lavender
λεβέντης manly built and brave man
λεβεντιά bravery, vigour
λεγεώνα legion
λεγεωνάριος legeonary
λέγω say, tell, speak
λεηλασία plunder, pillage
λεηλατώ plunder, pillage, sack
λεία prey, loot
λειαίνω gloss, polish, smooth
λείανση polishing, smoothing
λειβάδι meadow
λείος polished, smooth
λείπω be absent, be missing
λειρί cockscomb, comb
λειτούργημα functioning, function, service
λειτουργία function, operation, mass
λειτουργικός functional, liturgical
λειτουργός officer, functionary
λειτουργώ be in operation, act, work, function
λειχήνα tatter, scurf
λείψανο relic, remnant, remains
λειψός deficient, insufficient
λειψυδρία scarcity of water
λειώμα something crushed, mass
λειώνω melt, liquefy, smash
λειώσιμο melting, fusion
λεκάνη wash-bowl, pelvis
λεκανοπέδιο circular plain
λεκές stain, spot
λεκιάζω soil, stain
λεκτικός oratorical, speaking
λελέκι stork
λεμονάδα lemonade
λεμόνι lemon
λεμονιά lemon-tree
λεμονόφλουδα lemon-peel
λέμφος lymph
λέξη word
λεξικό dictionary, lexicon
λεξικογραφία lexicography

λεξικογράφος lexicographer
λεξιλόγιο vocabulary
λεοντάρι lion
λεοντόκαρδος lion-hearted
λεοπάρδαλη leopard
λέπι scale
λεπίδα blade
λεπιδωτός scaly, foliaceous
λέπρα leprosy
λεπρός leprous
λεπτά money
λεπταίνω make thin, refine
λεπτό minute, centime
λεπτοδείκτης the minute hand
λεπτοκαμωμένος delicate
λεπτολογία minuteness, subtleness, scrutiny
λεπτολόγος minute, particular
λεπτολογώ examine minutely, scrutinize
λεπτομέρεια detail, particularity
λεπτός thin, slender, delicate, fine
λεπτότητα thinness, fineness
λέρωμα dirtying, soiling
λερωμένος dirty, soiled, filthy
λερώνω dirt, stain, soil
λέσχη club, casino
λεύγα league
λεύκα poplar-tree
λευκαίνω whiten
λεύκανση bleaching
λευκαντικός whitening, bleaching
λευκός white, blank
λευκοσίδηρος tin
λευκόχρυσος platinum, platina
λεύκωμα albumen, glair, white
λευτεριά freedom, liberty
λευτέρωμα liberation, deliverance
λευχαιμία leukemia
λεφτά money
λεχώνα a woman in a childbed
λεωφορείο bus
λεωφόρος avenue, highway
λήγουσα final syllable
λήγω end, terminate, expire
λήθαργος lethargy, torpor

λήθη oblivion, forgetfulness
λημέρι hiding-place
λημεριάζω remain in a hiding place
ληξιαρχείο recording office
ληξιαρχικός of public records
ληξίαρχος registrar, recorder
ληξιπρόθεσμος due, expired
λήπτης receiver
λησμονιά oblivion, forgetfulness
λησμονώ forget
λησμοσύνη forgetfulness
λήσταρχος chief of brigands
ληστεία highway robbery
ληστής brigand, robber
ληστρικός predatory
λήψη receipt, taking, reception
λιάζω expose to the sun
λιακάδα sunshine
λιακωτό terrace
λιανίζω chop, cut to pieces
λιανικός at retail
λιάνισμα chopping
λιανοπωλώ sell by retail
λιβάδι meadow, pasture-land
λιβάνι incense
λιβανίζω incense
λιβάνισμα incensing, censing
λίβας hot southwest wind
λιβελλογράφημα libel
λιβελλογράφος libeller
λίβρα pound
λιγάκι a little, a bit
λίγδα grease, dirt, filth
λιγδερός dirty, filthy
λιγδιάζω grease, dirt
λιγνίτης lignite
λιγνιτωρυχείο lignite mine
λιγνός thin, slender
λίγο a little, a bit
λιγοθυμώ faint, swoon
λίγος little, some
λιγόστεμα lessening, diminution
λιγοστεύω become less
λιγοστός scarce, very little
λιγοψυχία faint-heartedness
λιγόψυχος faint-hearted

Λ

λυγοψυχώ loose heart
λίγωμα fainting, weakness
λιγώνω cause to faint, turn someone's stomach
λιθανθρακίτης coke
λιθαράκι pebble
λιθάρι stone
λίθινος made of stone, stone
λιθοβόλημα stoning, lapitation
λιθοβολώ stone, lapidate
λιθογραφείο lithographic establishment
λιθογράφος lithographer
λιθόκτιστος stone-built
λίθος stone
λιθόστρωτο pavement
λιθοστρώνω pave, pave with stones
λιθόσφαιρα lithosphere
λικνίζω rock, lull, dandle
λίκνο cradle
λίμα file, hunger
λιμάζω starve
λιμάνι port, harbour
λιμάρισμα filing
λιμάρω file
λιμεναρχείο port-office
λιμενάρχης harbour master
λιμενικός of a harbour
λιμενοβραχίονας jetty, break-water
λιμενοφύλακας harbour guard
λιμνάζω be stagnant, stagnate
λίμνασμα stagnation
λίμνη lake, pond
λιμνοθάλασσα lagoon
λιμνούλα pool, pond
λιμοκτονία starvation, famine
λιμοκτονώ starve
λιμός famine, starvation
λιμουζίνα limousine
λίμπιντο libido
λιμπρέττο libretto
λιμώδης starving, famishing
λινάρι flax, linex
λιναρίσιος flaxen
λιναρόσπορος linseed
λινός linen

λιόδεντρο olive tree
λιόκαμμα sunburning
λιόλαδο olive-oil
λιοντάρι lion
λιονταρίνα lioness
λιοπύρι burning heat
λιοστάσι olive grove
λιπαίνω manure, fertilize
λίπανση manuring, fertilizing
λιπαντικός fertilizing, greasing, lubricant
λιπαρός greasy, fatty
λιπαρότητα greasiness, fatness
λίπασμα manure, fertilizer
λιποβαρής underweight
λιποθυμία fainting fit
λιπόθυμος fainting
λιποθυμώ faint, swoon
λίπος fat, tallow
λιποσαρκία leanness, thinness
λιπόσαρκος lean, thin, skinny
λιποτάκτης deserter
λιποτακτώ desert
λιποταξία desertion
λιποψυχία loss of courage
λιπόψυχος lacking courage
λιποψυχώ lose courage
λίρα pound
λίστα list
λιτανεία litany
λιτοδίαιτος frugal in eating
λιτός frugal, plain, sparing
λιτότητα frugality, plainness
λίτρα pound, litre
λίτρο liter, litre
λιχνίζω winnow, fan
λίχνισμα winnowing, fanning
λιχούδης gluttonous, greedy
λιχουδιά greediness, gluttony
λοβός lobe
λογαριάζω calculate, count
λογαριασμός account, reckoning, bill
λογάριθμος logarithm
λογάς talkative
λόγγος forest, wild wood

λογή kind, species
λόγια words
λογιάζω consider, think, reckon
λογίζομαι consider, think
λογικεύομαι think logically, reason
λογική logic, reasoning
λόγιος learned, scholar, man of letters
λογισμός thought, reckoning, calculation
λογιστήριο counting office
λογιστής accountant
λογιστική accountancy, book-keeping
λογιστικός accounting
λογοδιάρροια garrulity, loquacity, prattle
λογοδοσία accounting, report
λογοδοτώ give a report or an account
λογοκρίνω censor
λογοκρισία censorship, censure
λογοκριτής censor
λογομαχία dispute, quarrel
λογομαχώ wrangle, quarrel, argue
λογοπαίγνιο pun
λόγος speech, word, saying
λογοτέχνημα literary work
λογοτέχνης literary man, writer
λογοτεχνία literature
λογοτεχνικός literary
λογοφέρνω wrangle, dispute
λογύδριο short speech
λόγχη lance, bayonet, spear
λογχίζω lance
λοιδορώ abuse
λοιμοκαθαρτήριο lazaretto
λοιμός pestilence
λοιμώδης pestilential, infectious
λοίμωξη infection, disease
λοιπόν well, then, so, therefore
λόξα whim, madness
λοξεύω slant, deviate, slope
λοξοδρομώ tack, deviate
λοξός oblique, slanting
λοξότητα obliqueness, slanting

λόξυγγας hiccup
λόρδος lord
λοστός lever
λοστρόμος boatswain
λοταρία lottery, raffle, loto
λούζω bath, wash
λουκάνικο sausage, frankfurter
λουκέτο padlock
λουκουμάς kind of doughnut
λουκούμι turkish delight
λουλάκι bluing, indigo
λουλούδι flower
λουλουδισμένος flowered
λουλουδίζω bloom, blossom, flourish
λουρί strap, strip
λουρίδα strap, belt, ribbon, tape
λούσιμο bathing, washing
λούσο decoration
λουστραδόρος polisher
λουστράρισμα polishing
λουστράρω polish, varnish, glaze
λουστρίνι patent leather
λούστρο lustre, polish
λούστρος shoeblack, bootblack
λουτρό bath, bathroom
λουτροθεραπεία bathing-cure
λουτρόπολη bathing resort
λουφάζω crouch, cower
λούω bathe, wash
λοφίο crest, tuft
λοφίσκος hillock
λόφος hill
λοφώδης hilly
λοχαγός captain
λοχίας sergeant
λόχος company
λυγαριά osier
λυγεράδα slimness, slenderness
λυγερός slim, graceful, slender
λυγίζω bend, fold up
λύγισμα bending, folding
λυγμός sob, sobbing
λυθρίνι red mullet, gurnet
λύκαινα she-wolf
λυκάνθρωπος lycanthrope

Λ

λυκειάρχης headmaster of a lyceum
λύκειο lyceum, college
λύκος wolf
λυκόφως twilight, dusk
λυμαίνομαι infest, ravage
λυντσάρισμα lynching
λυντσάρω lyntch
λύνω untie, loosen, solve, undo
λύπη sorrow, grief, sadness
λυπημένος sad, sorry
λυπηρός sad, sorrowful, painful
λυπητερός sad, doleful
λυπώ afflict, grieve
λύρα lyre
λυράρης rustic fiddle player
λυρικός lyric
λυρισμός lyricism
λύση solution, loosening
λύσιμο untying, loosening, solution
λύσσα rabies, rage

λυσσάζω rage
λυσσαλέος rabid, furious, enraged, frantic
λυσσιατρείο hospital for rabies
λυσσικός rabid
λυσσομανώ be enraged
λυτός untied, loose, free
λύτρα ransom
λυτρώνω deliver, release, free
λυτρωτής deliverer, liberator
λυχνία lamp
λυώνω melt
λωβός leper
λωποδυσία pilfering, theft
λωποδύτης thief, pilfer, pick-pocket
λωποδυτικός of a thief
λωποδυτώ thieve, steal
λώρος cord, string
λωτός lotus

M

M, μ the twelfth letter of the Greek alphabet
μα by, but
μαβής mauve, purple
μαγαζί store, shop
μαγγανεία sorcery, incantation
μαγγανίζω calender
μαγγάνι mangle, calender
μαγγανοπήγαδο wheel-well
μαγγώνω gripe, pinch
μαγεία sorcery, magic, spell
μαγειρείο kitchen, cookshop
μαγείρεμα cooking
μαγειρεύω cook
μαγειρική cooking, cookery
μαγειρικός culinary, of cooking

μαγείρισσα woman cook
μάγειρος cook
μάγεμα enchantment bewitchment
μαγευτικός enchanting, charming
μαγεύω bewitch, charm, fascinate
μάγια witchcraft, spell
μαγιά leaven, yeast
μαγιάτικος of May
μαγικός magic(al)
μαγιό bathing suit
μαγιονέζα mayonnaise
μάγισσα witch
μαγκάλι brazier
μάγκας urchin, rascal
μαγκούρα crook, staff, stick
μαγκώνω catch, grasp

μαγνησία magnesia
μαγνήσιο magnesium
μαγνήτης magnet
μαγνητίζω magnetize
μαγνητικός magnetic
μαγνητισμός magnetism, magnetizing
μαγνητόφωνο magnetophone
μάγος sorcerer, magician
μάγουλο cheek
μαδέρι thick plank
μάδημα plucking, depilation
μαδώ pluck, pull of
μαεστρία dexterity, masterliness
μαέστρος maestro
μάζα mass, paste, pulp
μάζεμα collecting, gathering, picking
μαζεύω gather, collect, pick
μαζί together, with
μαζικός massive, common, collective
μαζούρκα mazurka
μαζούτ fuel oil
μαζοχισμός masochism
μάζωξη concentration, meeting, assembly
Μάης May
μαθαίνω learn, teach, instruct
μάθημα lesson, teaching
μαθηματικά mathematics
μαθηματικός mathematical
μαθημένος used to
μάθηση learning, education, instruction
μαθητεία schooling
μαθητευόμενος apprentice, learner
μαθητής pupil, scholar
μαθητικός of a pupil
μαθητολόγιο school-register
μαία mid-wife
μαίανδρος meander, maze
μαϊδανός parsley
μαιευτήρας obstetrician
μαιευτήριο delivery room
μαιευτική obstetrics
μαϊμού monkey, ape

μαϊμουδίζω ape, mimic
μαίνομαι rage
Μάιος May
μαΐστρος north-west wind
μακάβριος macabre
μακάρι would to God
μακαρίζω regard happy
μακάριος happy
μακαριότητα blessedness, bliss
μακαρίτης late, of happy memory
μακαρονάδα macaroni dish
μακαρόνι macaroni
μακελλάρης butcher, slaughterer
μακελλειό slaughterhouse, massacre
μακραίνω lengthen, prolong, extend
μακρηγορία prolixity, verbosity
μακρηγορώ talk at length
μακριά far, away, far away
μακρινός distant, remote, far
μακρόβιος long-lived
μακροβιότητα longevity
μακροβούτι ducking, diving
μακροζωία long life, longevity
μακροημερεύω live long
μακροθυμία forbearance, patience
μακρόθυμος forbearing, patient
μακροθυμώ forbear
μακρόκοσμος macrocosm
μακρολογία verbosity, prolixity
μακρόλογος verbose, prolix
μακρολογώ talk at length
μακροπρόθεσμος of a long term
μάκρος length, longitude
μακρός long
μακροσκελής long, lengthy
μακροσκοπικός macroscopic
μακρουλός longish, oblong
μακροχέρης long-armed
μακροχρόνιος of long duration
μακρυά far, far away
μακρυνός distant, remote, far
μακρύνω lengthen, prolong, extend
μακρύς long, lengthy
μακρύτερος longer, farther
μάλαγμα handling, massage
μαλάζω touch, massage

M

μαλάκιο mollusk
μαλακά softly, feebly
μαλακός soft, mild
μαλακτικός softening, mollifying
μαλάκωμα softening, mollification
μαλακώνω soften, mollify
μάλαμα gold
μαλάσσω handle, massage
μαλθακός soft, delicate, smooth
μάλιστα yes, especially
μαλλί wool, hair
μαλλιάζω grow hair, become hairy
μαλλιαρός hairy
μάλλινος woollen, wool
μάλωμα quarrel, dispute
μαλώνω scold, quarrel, reprimand
μαμά mummy, mamma, mother
μαμμή midwife
μάμμος obstetrician, accoucheur
μαμμονάς mammon
μαμούδι, μαμούνι bug, insect, grub
μαμούθ mamooth
μάνα mother
μανάβης greengrocer
μανάβικο green grocer's shop
μανδύας cloak, mantle
μανία mania, rage, frenzy
μανιάζω get furious, rage
μανιακός maniacal, furious
μάνιασμα fury, anger
μάνικα water pipe
μανικέτι cuff
μανίκι sleeve
μανικιούρ manicure
μανιτάρι mushroom
μανιφέστο manifesto
μανιώδης furious, raging
μανόμετρο pressure-gauge
μανούβρα manoeuvre
μανουβράρω manoeuvre, manage
μάνταλο latch, bolt, bar
μανταλώνω bolt, bar, latch
μανταρίνι mandarin, tangerine
μανταρινιά mandarin tree
μαντάρω darn, mend
μαντάτα news

μαντάτο information, intelligence
μαντατοφόρος messenger
μαντεία divination, prediction
μαντείο oracle
μάντεμα divination, guessing
μαντέμι cast iron
μαντεύω guess, divine, predict
μαντζουράνα marjoram
μαντήλα kerchief, headdress
μαντήλι handkerchief
μάντης soothsayer, seer, prophet
μαντική divination, soothsaying
μαντικός divining, prophetic
μάντισσα prophetess
μαντολάτο nougat
μαντολίνο mandoline
μαντόννα madonna
μάντρα pen, fold
μαντρί pen, sheep-fold
μαντρόσκυλο sheep dog
μάντρωμα walling round, enclosing
μαντρώνω wall round, enclose
μαξιλάρα large pillow, bolster
μαξιλάρι pillow, cushion
μαξιλαροθήκη pillow-case
μαόνι mahogany
μαούνα barge
μαραγκός carpenter
μαραγκούδικο carpenter's shop
μαράζι pining, depression
μαραζώνω wither, fade
μάραθο fennel
μαραίνω wither, fade
μαρασμός marasmus, pining, decay
μαραφέτι trick
μαργαρίνη margarine
μαργαρίτα daisy
μαργαριταρένιος of pearl
μαργαριτάρι pearl
μαργαριταρόριζα mother-of-pearl
μαργαριτοφόρος containing pearls
μαρίδα small fry, anchovy
μαριονέττα marionette, puppet
μάρκα mark
μαρκάρισμα marking
μαρκάρω mark, note

μαρκησία marchioness
μαρκήσιος marquis
μάρκο mark
μαρμαράς marble-worker
μαρμαράδικο marble worker's shop
μαρμάρινος of marble, marble
μαρμαρογλύπτης marble-worker
μαρμαρογλύφος marble-worker
μάρμαρο marble
μαρμαρυγή glittering, sparkling
μαρμαρώνω turn into murble
μαρμελάδα marmelade
μαρξισμός marxism
μαρξιστής marxist
μαρξιστικός marxist
Μαροκινός Maroccan
Μαρόκο Marocco
μαρούλι lettuce
μαρς march
μάρσιπος bag
μαρσιποφόρος marsupial
μαρτιάτικος of March
Μάρτιος March
μάρτυρας martyr, witness
μαρτυρία witness, testimony
μαρτυριάρης tale-bearer
μαρτυρικός testimonial, of a martyr
μαρτύριο martyrdom, torment
μαρτυρώ bear witness, witness
μας us, our
μασέλα jaw
μάσημα chewing, mastication
μασιά fire shovel
μάσκα mask
μασκαριλίκι mean trick
μασκαράς masquerader, masker
μασκάρεμα masquerading, disguising
μασκαρεύω mask, disguise
μασόνος mason
μασουλίζω chew softly, chew
μασούλισμα chewing softly
μασάζ massage
μαστίγιο whip
μαστίγωμα whipping, lashing
μαστιγώνω whip, flog

μαστίζω plague, scourge
μαστίτιδα mastitis
μαστίχα mastich, chewing gum
μαστιχιά mastic-tree
μαστόδεσμος brassiere
μαστοειδής mastoid
μάστορας workman, master
μαστορεύω make, fix, repair
μαστοριά expert workmanship, skill
μαστορικός skilful
μαστός breast
μαστοφόρος mammalian
μαστραπάς pot, vase
μαστροπός pander, pimp
μασχάλη armpit, armhole
μασώ chew, masticate
ματαιοδοξία vanity
ματαιόδοξος vain, conceited
ματαιολογία idle talk
ματαιολογώ talk idly
ματαιοπονία vain labour
ματαιοπονώ work in vain
μάταιος vain, futile, useless
ματαιότητα vanity, futility
ματαιόφρονας vain, vainglorious
ματαιώνω frustrate, foil
ματαίωση frustration, foiling
μάτι eye
ματιά look, glance
ματιάζω have an eye on, envy
μάτιασμα evil eye
ματογυάλια eye glasses
ματόκλαδο eyelashes
ματόφυλλα eyelids
ματς match
μάτσο bundle, bunch, pack
ματσούκι club, thick stick
ματώνω bleed, bloody
μαυλίζω seduce
μαυράδι black spot
μαυρίζω blacken, darken
μαυρίλα blackness, darkness
μαύρισμα blackening, darkening
Μαυριτανός Moor
μαυροκίτρινος livid, black and yellow

μαυρομάλλης black-haired
μαυροπίνακας blackboard
μαυροπούλι starling
μαύρος black, negro
μαυροφόρος dressed in black
μαυσωλείο mausoleum
μαχαίρι knife, dagger
μαχαιράδικο a cutler's shop, cutlery
μαχαιράς knife maker
μαχαιριά stab
μαχαιροβγάλτης cutthroat, murderer
μαχαιροπήρουνα cutlery
μαχαιροποιός cutler
μαχαίρωμα stabbing
μαχαιρώνω stab
μαχαλάς quarter, ward
μάχη battle, fight, combat
μαχητής fighter, warrior, combatant
μαχητικός fighting, bellicose
μάχιμος warlike, combatant
μάχομαι fight, combat, battle, struggle
με with, by, through, by means of
μεγαθήριο megatherium, monster
μέγαιρα vixen, shrew
μεγαλαυχία boasting, vaunting
μεγαλαυχώ boast, vaunt
μεγαλείο grandeur, greatness
μεγαλειότατος of high dignity
μεγαλειότητα majesty, high dignity
μεγαλειώδης grand, grandiose, magnificent
μεγαλέμπορος big merchant
μεγαλόκαρδος magnanimous
μεγαλομανής conceited, megalomaniac
μεγαλομανία megalomania
μεγαλόπνευστος greatly inspired
μεγαλοποίηση exaggeration
μεγαλοποιώ exaggerate, magnify
μεγαλοπρέπεια magnificence, grandeur
μεγαλοπρεπής grand, magnificent
μεγαλορρημοσύνη boastfulness
μεγάλος great, big, large

μεγαλόστομος boastful, bombastic
μεγαλόσωμος large-bodied
μεγαλούργημα great deed
μεγαλουργώ achieve great things
μεγαλοφυής of great genius
μαγελοφυΐα genius
μεγαλοψυχία magnanimity
μεγαλόψυχος magnanimous
μεγαλύνω extol, exalt, magnify
μεγαλύτερος bigger, greater, larger
μεγάλωμα aggrandizement, growth, enlargement
μεγαλώνω make bigger, enlarge
μεγαλωσύνη grandeur, greatness
μέγαρο mansion, palace
μεγάφωνο megaphone
μέγεθος size, bulk, greatness
μεγέθυνση enlargement, aggrandizement
μεγεθυντικός magnifying, augmentative
μεγεθύνω enlarge, magnify
μεγιστάνας magnate, grandee
μέγιστος greatest, largest
μεδούλι marrow
μέδουσα medusa, jellyfish
μεζές tidbit, delicacy
μέθη drunkenness, intoxication
μεθοδεύω plan
μεθοδικός methodical
μέθοδος method, system
μεθοκοπώ get drunk
μεθόριο boundary, frontier
μεθύσι drunkenness
μεθυσμένος drunk, intoxicated
μεθύστακας drunkard, toper
μεθυστικός intoxicating
μεθώ intoxicate, get drunk
μειδίαμα smile, smiling
μειδιώ smile
μειοδότης the lowest bidder
μείον less, minus
μειονέκτημα disadvantage
μειονεκτικός disadvantageous
μειονεκτώ be inferior
μειονεξία inferiority

μειονότητα minority
μειοψηφία minority of votes
μειοψηφώ have the minority of votes
μειώνω lessen, diminish, decrease
μείωση diminution, lessening, reduction
μελαγχολία melancholy
μελαγχολικός melancholy, sad
μελαχγολώ be melancholy, be in low spirits
μελάνη ink
μελανιά ink spot
μελανιάζω make black
μελάνιασμα blackening
μελανοδοχείο inkpot, inkstand
μελανός black, blackish
μελανούρι blacktail
μελανώνω ink, blacken
μελάτος thickish
μελαχροινός dark-complexioned, brown
μελαψός swarthy, dark-skinned
μελένιος made of honey
μελέτη study, meditation
μελετώ study
μέλημα care, concern
μέλι honey
μελίγγι temple
μέλισσα bee
μελίσσι bee-hive
μελισσοκομείο apiary
μελισσοκομία apiculture, bee-keeping
μελισσοκόμος apiculturist
μελιτζάνα aubergine
μελλοθάνατος at death's door
μέλλον future
μελλοντικός of the future
μελλόνυμφος fiancω
μέλλω be about to, be going to
μέλλων future tense
μελόδραμα opera, melodrama
μελοποίηση setting to music
μελοποιώ set the music, compose
μέλος member, limb, part

μελτέμι north wind
μελωδία melody, tune
μελωδικός melodious
μελώνω smear with honey
μεμβράνη membrane
μεμβρανώδης membranous
μεμονωμένος isoleted, lonely
μέμφομαι blame, reproach
μεμψιμοιρία grumbling, murmuring
μεμψίμοιρος grumbling, murmuring
μεμψιμοιρώ grumble, murmur
μενεξές violet
μενού menu
μέντα mint, peppermint
μενταγιόν medallion, lacket
μέντιουμ medium
μένω remain, stay, rest
μέρα day
μεραρχία (army) division
μεροικό part, portion
μεριά side, part
μερίδα part, portion
μερίδιο share, portion
μερικός particular, partial, certain, some
μέριμνα care, concern
μεριμνώ care for, look after
μέρισμα division, partition
μεριστικός partitive, dividing
μερμήγκι ant
μεροδούλι day's labour
μεροκαματιάρης day laborer
μεροκάματο day's wage
μεροληπτικός partial, biased, unfair
μεροληπτώ be partial
μεροληψία partiality, favouritism
μερόνυχτο a day and night
μέρος part, division, place
μερτικό part, portion
μέσα in, into, inside
μέσατα)) means
μεσαίος middle
μεσαίωνας middle ages
μεσαιωνικός medieval
μεσάνυκτα midnight
μέση middle, center, waist

μεσήλικας middle-aged
μασημβρία midday
μεσημβρινός midday
μεσημέρι noon, midday
μεσημεριάτικος midday
μεσιανός middle
μεσιτεία brokerage, intercession, mediation
μεσιτεύω mediate, interpose
μεσίτης mediator
μεσιτικός of a mediator
μέσο middle, midst, means
μεσογειακός mediterranean
μεσόγειος inland, midland, mediterranean
μεσόκοπος middle-aged
μεσολάβηση intercession, interference
μεσολαβώ mediate, intercede, intervene
μεσονύκτιο midnight
μέσος meddle, medium
μεσούρανα midheaven
μεσουράνημα zenith
μεσουρανώ culminate, be at the zenith
μεσοφόρι petticoat
μεσόφωνος baritone
Μεσσίας Messiah
μεστός full, replete
μεστώνω mature, ripen
μετά after
μεταβάλλω change, transform
μετάβαση transition
μεταβατικός transitive
μεταβιβάζω transfer, transmit
μεταβλητός changeable, variable
μεταβολή change, alteration
μεταβολισμός metabolism
μεταγγίζω decant, pour from one vessel to another
μετάγγιση decanting
μεταγενέστερος posterior, later
μεταγλωττίζω translate
μεταγραφή transcription
μεταγράφω transcribe

μεταγωγικό transport
μεταδίδω impart, communicate
μετάδοση imparting, communication
μεταδοτικός communicative, expansive, contagious
μετάθεση removal, transposition
μεταθέτω remove, transpose
μετακίνηση removal, moving, removing
μετακινώ remove, transfer
μετακομίζω transfer, transport, remove
μετακόμιση transfer, transferring, transport, moving
μετάληψη participation, partaking
μεταλλαγή change, alteration
μεταλλάσσω change, alter, convert
μεταλλεία mining
μεταλλείο mine
μεταλλειολογία mining, metallurgy
μετάλλευμα ore
μετάλλευση mining, digging
μεταλλευτής miner
μεταλλεύω mine
μεταλλικός metallic
μετάλλιο medal
μεταλλοβιομηχανία metallurgy
μέταλλο metal
μεταλλουργείο metal work
μεταλλουργία metallurgy
μεταλλουργός metallurgist, miner
μεταλλωρυχείο mine
μεταλλωρύχος miner
μεταμέλεια repentance, regret
μεταμέλομαι repent, regret
μεταμεσονύκτιος after midnight
μεταμορφώνω transform, transfigure
μεταμόρφωση transformation, transfiguration
μεταμορφωτής transformer
μεταμόσχευση transplantation
μεταμοσχεύω transplant
μεταμφιέζω disguise
μεταμφίεση disguise
μεταμφιεσμένος disguised person

μετανάστευση immigration, emigration, migration
μεταναστεύω emigrate, migrate
μετανάστης emigrant
μετάνοια repentance, regret
μετανοώ repent, regret
μεταξένιος of silk, silken
μετάξι silk
μεταξοβιομηχανία silk industry
μεταξοσκωληκοτροφία sericulture
μεταξοσκώληκας silkworm
μεταξουργείο silkmill
μεταξουργία silk industry
μεταξουργός silk worker
μεταξοΰφαντος silk-woven
μεταξύ between, among
μεταξωτός of silk, silken
μεταπείθω dissuade
μετάπειση dissuasion
μεταπήδηση jumping over
μεταπηδώ jump from one place to another
μετάπλαση remodelling, transformation
μεταπλάθω remodel, transform
μεταποίηση transformation, alteration
μεταποιώ transform, alter
μεταπολεμικός postwar
μεταπολίτευση political change
μεταπράτης retailer, vender
μετάπτωση change
μεταπώληση resale
μεταπωλώ resell
μεταρρυθμίζω reform, rearrange
μεταρρύθμιση reformation, rearrangement
μεταρυθμιστής reformer
μεταρρυθμιστικός reformative
μεταρσίωση elevation, exaltation
μεταστρέφω turn, overturn
μεταστροφή turning
μετασχηματίζω reshape, transform
μετασχηματισμός transformation, rearrangement
μετασχηματιστής transformer

μετατάρσιο metatarsus
μετατοπίζω displace, transpose, remove
μετατόπιση transposition, removal
μετατρέπω revert, convert
μετατροπή reversion, change, conversion
μεταφέρω transfer, transport
μεταφορά transportation, conveyance
μεταφορικά metaphorically, figuratively
μεταφορικός transporting, metaphorical
μεταφράζω translate
μετάφραση translation
μεταφραστής translator
μεταφράστρια translatress
μεταφυσική metaphysics
μεταφυσικός metaphysical
μεταφύτευση transplantation
μεταφυτεύω transplant
μεταχειρίζομαι use, employ
μεταχειρισμένος used, second hand
μετεκδίδω re-edit
μετεμψυχώνομαι transmigrate
μετεμψύχωση transmigration of souls
μετενσάρκωση reincarnation
μετέπειτα afterwards, then
μετέχω participate in
μετεωρίτης meteorite
μετεωρολογία meteorology
μετεωρολογικός meteorological
μετεωρολόγος meteorologist
μετέωρος suspended in the air
μετοικίζω colonize
μετοικισμός colonization
μέτοικος immigrant
μετοικώ change residence, move
μετονομάζω change the name of
μετονομασία change of name
μετοχή participation, participle
μέτοχος participant
μέτρημα measuring, counting
μέτρια moderately, passably**

μετριοπάθεια moderation, temperance
μετριοπαθής moderate, temperate
μέτριος moderate
μετριότητα mediocrity, poorness
μετριόφρονας modest, unassuming
μετριοφροσύνη modesty
μέτρο measure, meter, metre
μετρώ measure, count
μετωνυμία metonymy
μετωπικός frontal, of the forehead
μέτωπο forehead, front
μέχρι till, until
μη don't, not, no
μηδαμινός worthless, trivial
μηδαμινότητα worthlessness
μηδέ not even, neither, nor
μηδέν naught, zero
μηδενίζω annihilate
μηδενικό zero, naught
μηδενισμός nihilism
μηδενιστής nihilist
μηδέποτε never
μήκος length
μηκύνω lengthen
μηλίγγι temple
μήλο apple
μηλόπιτα apple pie
μήνας month
μηνιαίος monthly
μηνιάτικο monthly salary
μηνιγγίτιδα meningitis
μηνίσκος crescend
μηνολόγιο calendar
μήνυμα message, mandate
μήνυση complaint, law-suit, charge
μηνυτής complainant, plaintiff
μηνύω bring a charge against
μηνώ send a message
μήπως perhaps, lest
μηριαίος of the thigh
μηρός thigh, leg
μηρυκάζω ruminate
μηρυκαστικός ruminating, ruminant
μήτε not even, neither, nor
μητέρα mother

μητράδελφος mother's brother
μητριαρχία matriarchy
μητρικός maternal, motherly
μητροκτονία matricide
μητροκτόνος matricidal
μητρόπολη mother country
μητροπολίτης archbishop
μητροπολιτικός metropolitan
μητρότητα maternity, motherhood
μητρυιά stepmother
μητρυιός stepfather
μητρώο register
μηχανεύομαι machinate, intrigue
μηχανή machine, engine
μηχάνημα machinery, apparatus
μηχανική mechanics, engineering
μηχανικός mechanic, mechanical
μηχανικός engineer, mechanician
μηχανισμός mechanism
μηχανοδηγός engineer
μηχανοκίνητος mechanized
μηχανολογία mechanics
μηχανολόγος mechanical engineer
μηχανοποίηση mechanization
μηχανορραφία machination, intrigue
μηχανορραφώ machinate, intrigue
μηχανοστάσιο engine-room
μηχανουργείο machine factory, machine works
μηχανουργός machinist
μηχανώμαι devise, plot
μιαίνω pollute, infect
μίανση pollution, contamination
μιασματικός miasmatic, infectious
μιγάδας half-breed, mulatto
μίγμα mixture, blend
μιγνύω mix, mingle
μιζέρια misery
μίζερος poor, miserable
μικραίνω lessen, shorten
μικροβιοκτόνος germicidal
μικροβιολογία microbiology
μικροβιολόγος microbiologist
μικρόβιο microbe, germ
μικρογραφία miniature writing

μικροέξοδα pitty expenses
μικροκαμωμένος small, short of stature
μικρόνους narrow-minded
μικροκλοπή pitty theft, pilfering
μικρόκοσμος microcosm
μικροοργανισμός microorganism
μικρόπραγμα trifle
μικροπρέπεια meanness, pettiness
μικροπρεπής mean, petty, base
μικρός small, little, short
μικροσκοπικός microscopic
μικροσκόπιο microscope
μικρόσωμος small-sized, little
μικροτέχνημα gewgaw, knick-knack
μικρότητα smallness, littleness
μικρούλης rather small, tiny
μικρούτσικος small, tiny
μικροψυχία pusillanimity
μικρόψυχος pusillanimous
μικρύνω make smaller
μικτός mixed, composite, inter-mingled
μίλημα speaking, speech
μίλι mile
μιλιά voice, speech
μιλιούνι a million
μιλιταρισμός militarism
μιλιταριστής militarist
μιλώ speak, talk
μίμηση imitation
μιμητής imitator
μιμητικός imitative
μιμική mimicry
μιμικός mimic
μίμος mimic
μιμούμαι imitate
μιναρές minaret
μινιατούρα miniature
μινόρε minor
μίξη mixing, mixture, blending
μισαλλοδοξία intolerance
μισαλλόδοξος intolerant
μισανθρωπία misanthropy
μισάνθρωπος misanthropic
μισανοίγω half-open

μισάνοικτος half-open
μισέλληνας hater of the Greeks
μισεμός departure
μισεύω depart, leave
μισητός hated, hatable, hateful
μισθοδοσία payment of wages
μισθοδοτικός paying wages
μισθοδοτώ pay wages
μισθολόγιο payroll, pay-list
μισθός salary, wages
μισθοφόρος mercenary, hired
μίσθωμα wages, hire
μισθώνω hire, let
μίσθωση hiring, hire, renting
μισογεμάτος half-full
μισόγυμνος half-naked
μισογύνης woman-hater, misogynist
μισοδρομίς half way
μισοκαμένος half-burned
μισοκαμωμένος half-done
μίσος hatred, hate
μισός half
μισοτιμής at half price
μισοφέγγαρο half-moon
μισοφόρι petticoat
μιστρί trowel
μίσχος leaf-stalk
μισώ hate, detest
μίτρα miter, mitre
μιτροειδής mitral
μνήμα tomb, grave
μνημείο monument
μνήμη memory, mind
μνημονεύω mention, commemorate
μνημόσυνο requiem, commemoration mass
μνησικακία resentment
μνησίκακος resentful
μνησικακώ resent
μνηστεύω betroth, affiance, engage
μνηστή fiancee, betrothed
μνηστήρας fiancο, suitor
μόδα fashion, mode
μοδίστρα dressmaker
μοιάζω be alike, resemble
μοίρα piece, bit

M

μοιράζω divide, distribute
μοιραίος fatal, inevitable
μοιραρχία division of gendarmery
μοίρασμα division, distribution
μοιρογνωμόνιο protractor
μοιρολατρία fatalism
μοιρολάτρης fatalist
μοιρολατρικός fatalistic
μοιρολόγι dirge, funeral song
μοιρολογώ sing dirges
μοιχεία adultery
μοιχεύω commit adultery
μοιχός adulterer
μόλις scarcely, just
μολονότι though, although
μολύβδινος leaden
μολύβι lead, pencil
μόλυνση infection, pollution, contamination
μολύνω contaminate, infect, pollute
μολυσματικός contagious, infectious
μομφή reproach, blame
μονάδα unit, monad
μοναδικός singular, unique
μοναδικότητα singularity
μονάζω live in solitude
μοναξιά solitude, loneliness
μονάρχης monarch, sovereign
μοναρχία monarchy
μοναρχικός monarchic(al)
μοναστηριακός monastic
μοναστήρι convent, monastery
μοναστικός monastic
μοναχά only
μοναχή nun
μοναχικός alone, lonely
μοναχογιός the only son
μοναχοκόρη the only daughter
μοναχοπαίδι the only child
μοναχός alone
μοναχός monk
μονήρης solitary, lonely
μονιμοποίηση stabilization, consolidation
μονιμοποιώ make permanent
μόνιμος permanent, stable

μονιμότητα permanence, stability
μονογαμία monogamy
μονόγαμος monogamous
μονογενής only-begotten
μονόγραμμα monogram, initials
μονογραφία monography
μονογράφω sign with the initials
μονόζυγο horizontal bar
μονοθεϊσμός monotheism
μονοθεϊστής monotheist
μονοθεϊστικός monotheistic
μονοθέσιος one-seater
μονοιάζω reconcile
μόνοιασμα reconciliation
μονοκατοικία one family house
μονοκόμματος of one piece
μονοκοτυλήδονος monocotyledonous
μονοκύτταρος one-celled
μονολεκτικός of one word
μονόλογος monologue
μονολογώ soliloquize, monologize
μονομανής monomaniac
μονομανία monomania
μονομαχία duel
μονομαχώ fight a duel
μονομέρεια one-sidedness, partiality
μονομερής one-sided, partial
μονομιάς all at once
μονοξείδιο monoxide
μονόξυλο canoe
μονοπάτι path, pathway
μονοπλάνο monoplane
μονόπλευρος one-sided, unilateral
μονόπρακτος of one act
μονοπώλιο monopoly
μονορρούφι in one draught
μόνος alone, single, sole
μονός single, odd, uneven
μονοσύλλαβος monosyllabic
μονοτάξιος having one class
μονοτονία monotony, dullness
μονότονος monotonous, dull
μονόφθαλμος one-eyed
μονοφωνία solo
μονόχρωμος of one colour, one-

coloured
μονοψήφιος of one figure
μοντέλο model, pattern
μοντερνίζω modernize
μοντερνισμός modernism
μοντέρνος modern, up-to-date
μονύελος monocle
μονωδία solo, monody
μονώνω isolate, insulate
μόνωση isolation, solitude, insulation
μονωτικός insulating
μοριακός molecular
μόριο particle, molecule
Μορμόνος Mormon
μομφάζω make faces
μορφασμός grimace
μορφή form, shape
μορφίνη morphine
μορφολογία morphology
μορφολογικός morphological
μορφώνω form, shape, educate
μόρφωση formation, education
μορφωτικός formative, educative, instructive
μοσχάρι calf
μόσχευμα sucker, layer
μοσχοβολιά fragrance, perfume
μοσχοβολώ be fragrant
μοσχοκάρυδο nutmeg
μοσχολίβανο frankincense
μοτέρ motor
μοτίβο motive
μοτοσακό motorbicycle
μοτοσυκλέττα motor-cycle
μου my, of me, mine
μουγγαμάρα dumbness, mutism
μουγγός dumb, mute
μουγγρίζω roar, groan
μούγγρισμα roaring
μουδιάζω numb, benumb
μούδιασμα numbness, benumbing
μουζίκος mouzik
μουλαράς muledriver
μουλαρήσιος of a mule
μουλάρι mule

μούμια mummy
μουνουχίζω castrate
μουντζούρα stain, blot
μουντζουρώνω stain, daub
μουντός darkish, dark
μουριά mulberry-tree
μουρλαίνω drive mad
μουρλός crazy, mad
μουρμούρα murmur
μουρμούρης murmurer
μουρμουρίζω murmur, mutter
μουρμούρισμα murmuring, murmur
μούρο berry
μουρουνόλαδο codliver-oil
μούσα muse
μουσακάς musakas
μουσαμάς waxcloth
μουσαφίρης guest, visitor
μουσείο museum
μουσελίνα muslin
μουσική music
μουσικοδιδάσκαλος music-teacher
μουσικός musical, musician, composer
μουσικοσυνθέτης composer
μούσκευμα wetting through, soaking
μουσκεύω soak, wet through
μουσμουλιά medlar-tree
μούσμουλο medlar
μουσούδα muzzle, nozzle
Μουσουλμάνος Moslem
μουσουργός composer
μουσουργώ compose
μουστάκι moustache
μουσταλευριά must-jelly
μουστάρδα mustard
μούστος must
μούτρο face, snout
μούτσος ship-boy
μούχλα mould, mouldiness
μουχλιάζω become mouldy
μούχλιασμα moldiness
μουχλιασμέος mouldy
μοχθηρία malice, wickedness, mischievousness
μοχθηρός wicked, mischievous,

malicious
μόχθος labour, pains, fatigue
μοχθώ toil, labour
μόχλευση prying, lifting
μοχλεύω move with a lever, pry
μοχλοβραχίονας lever-arm
μοχλός lever, bar
μπαγιατεύω become stale, grow rancid
μπαγιάτικος stale, rancid
μπαγκέτα baton
μπάγκος bench, counter
μπάζα profit
μπάζα debris
μπάζω introduce
μπαίγνιο laughing-stock
μπαινοβγαίνω go in and out
μπαίνω get in, go into, come in, enter
μπακάλης grocer
μπακαλιάρος stockfish
μπακάλικο grocery
μπακίρι copper
μπάλα ball
μπαλαίνα whale-bone
μπαλαρίνα ballet-dancer
μπαλάντα ballade
μπαλάσκα catridge-pouch
μπαλέτο ballet
μπαλιά balling
μπαλκόνι balcony
μπαλτάς hatchet, axe
μπάλωμα patch, darn
μπαλωματής cobbler
μπαλώνω repair, mend, patch
μπάμια gumbo
μπαμπάκι cotton
μπαμπάς daddy, papa, father
μπανάνα banana
μπανανιά banana-tree
μπανιερό bathing-suit
μπάνιο bathing, bath
μπάντα band
μπαξές garden
μπαούλο trunk, chest
μπαρκάρισμα embarkation

μπαρκάρω embark
μπάρμπας uncle
μπαρμπέρης barber
μπαρμπούνι red-mullet
μπαρούτι gunpowder
μπάρα bar, bolt
μπάσιμο entrance, introduction
μπάσταρδος bastard
μπαστούνι cane, walking-stick
μπαταρία battery
μπάτης sea-breeze
μπατσίζω slap in the face
μπάτσος slap
μπαχαρικά spices
μπέης bey
μπεκάτσα woodcock
μπεκρής drunkard
μπελάς trouble, nuisance
μπελτές marmalade
μπέμπης baby
μπέρδεμα entangling, complication, confusion
μπερδεύω entangle, confuse, tangle
μπέρτα cloak, wrap
μπετόν concrete
μπήγω thrust
μπιζέλι pea
μπίλια marble, ball
μπιλιάρδο pool, billiards
μπιμπίκι little pustule, pimple, acme
μπιμπίλα scallop, hem
μπίρα beer, ale
μπιραρία beer-house
μπισκότο biscuit
μπιφτέκι beef-steak
μπλέ blue
μπλέκω entangle, complicate
μπλέξιμο entanglement, complication
μπλιγούρι oat-meal
μπλόκ block
μπλοκάρω blockade, block
μπλούζα blouse
μπλόφα bluff
μπλοφάρω bluff
μπογιά paint, dye

μπόγιας executioner
μπογιατζής painter, dyer
μπογιατίζω paint, dye, colour
μπογιάτισμα painting
μπόγος bundle, bale, package
μποϊ stature, size
μπόλι vaccine
μπολιάζω vaccinate, ingraft
μπόλιασμα vaccination, grafting
μπόλικος plenty, abundant
μπολσεβίκος bolshevist, communist
μπόμπα bomb, shell
μπομπότα bread of Indian corn
μπόξ box, boxing
μπόρα heavy shower, storm
μπορετός possible, practicable
μπορώ can, may, be able
μποστάνι melon field
μπότα boot
μποτίλλια bottle
μπουγάδα wash
μπουγαδιάζω wash
μπουγάζι straits, channel
μπούζι ice, cold
μπουζί spark plug
μπουκάλα large bottle
μπουκάλι bottle
μπουκαπόρτα hatchway, hatch
μπουκάρω rush into
μπουκέτο bouquet
μπουκιά mouthful
μπούκλα lock of hair, curl
μποϋκοτάζ boycott
μποϋκοτάρω boycott
μπουκώνω stuff
μπουλούκι crowd
μπουλούκος fattish
μπουμπούκι bud
μπουμπουκιάζω bud, sprout
μπουμπούκιασμα budding
μπουμπουνητό thunder
μπουμπουνίζω thunder, rattle
μπούμπουρας bumble-bee
μπουνάτσα calm-sea
μπουνιά punch
μπουντρούμι prison

μπουρέκι small-pie
μπουρί chimney-flue
μπουρίνι gusty wind
μπουρλότο fire-ship
μπουρμπουλήθρα bubble
μπουρνέλλα plum, sloe
μπουρνούζι bath-gown
μπουσουλίζω crawl
μπούστος bodice, bust
μπούτι thigh, leg
μπούφος horn-owl, eagleowl
μπουχτίζω be satiated
μπούχτισμα satiety
μπράβο bravo
μπράβος body-guard
μπράτσο arm
μπριγιαντίνη brilliantine
μπριζόλα steak, cutlet, broiled meat
μπρίκι small coffee-pot
μπρός, μπροστά in front of, before
μπροστινός front, former
μπρούμυτα with face down
μπρούντζινος of bronze, of brass
μπρούντζος bronze, brass
μυάγρα mouse trap
μυαλό brain, brains
μυαλωμένος prudent, wise
μύγα fly
μυγδαλιά almond-tree
μύγδαλο almond
μιγιάγγιχτος touchy, pettish
μυγιάζομαι be offended
μύδι mussel
μυδράλλιο small bullet
μυελίτιδα myelitis
μυελός marrow, brain
μυελώδης marrowlike, medullary
μύζηση sucking
μυζητικός suctorial, sucking
μυζώ suck
μύηση initiation
μυητικός initiating, initiatory
μυθικός fabulous, legendary, mythical
μυθιστόρημα novel, fiction, romance

μυθιστορηματικός fictional
μυθιστοριογραφία novel-writing
μυθιστοριογράφος novelist
μυθολογία mythology
μυθολογικός mythological
μυθοπλάστης fabulist
μυθοποιώ mythicise
μύθος fable, tale, legend, myth
μυθώδης fictitious, fabulous, legendary
μυϊκός muscular
μυκηθμός bellowing, mooing
μυκηναϊκός mycenaean, mycenaic
μύκητας mushroom, fungus
μυκητοειδής fungous
μυκτηρίζω sneer, mock
μυκτηρισμός sneer, sneering, mockery
μυλόπετρα millstone
μύλος mill
μυλωνάς miller
μύξα snot, mucus
μυξομάντηλο handkerchief
μυοκάρδιο heartmuscle, myocardium
μυολογία myology
μυραλοιφή pomade
μυριάδα ten thousand, a myriad
μυριάκις ten thousand times
μυρίζω smell, scent
μύριοι ten thousand
μυριοπληθής countless, numberless
μυριοστός ten thousandth, innumerable
μυρμήγκι ant
μυρμηγκοφωλιά ant-hill
μυρμηκίαση formication
μυρμηγκοφάγος ant-eater
μυροδοχείο perfume-pot
μύρο myrrh, aromatic oil
μυροβόλος fragrant
μυροπωλείο perfumer's shop
μυροπώλης perfumer
μυρτιά myrtle

μυρωδάτος fragrant, aromatic
μυρωδιά odour, smell, perfume
μύρωμα annointing with the chrism
μυρώνω annoint with the chrism
μυς mouse, rat
μυσταγωγία initiation
μυσταγωγικός initiating
μυσταγωγός initiator
μυσταγωγώ initiate
μυστήριο mystery
μυστηριώδης mysterious, mystical
μύστης adept, initiator
μυστικισμός mysticism
μυστικιστής mystic
μυστικό secret
μυστικοποιώ mystify
μυστικός secret, private, mystic
μυστικότητα secrecy, secretness
μυστρί trowel
μυτερός sharp, pointed
μύτη nose, beak, point
μύχιος inward, inmost
μυώ initiate
μυώδης muscular
μύωπας shortsighted, myope
μυωπία nearsightedness, myopia
μυωπικός myopic, nearsighted
μωαμεθανισμός Mohammedanism
Μωαμεθανός Mohammedan
μώλος mole, jetty
μώλωπας bruise, contusion
μωλωπίζω bruise, contuse
μωραίνω make stupid, stupefy
μώρανση stupefaction
μωρία silliness, foolishness
μωρό baby, infant
μωρολογία nonsense, idle talk
μωρολογώ talk foolishly
μωροπιστία credulity
μωρόπιστος credulous
μωρός foolish, silly, stupid
μωσαϊκό mosaic work, mosaic
μωσαϊκός Mosaic
Μωυσής Moses

N

N, ν the thirteenth letter of the Greek alphabet
να to, in order to, that, so as to
ναδίρ nadir
νάζι affectation, mincing, manners
ναζιάρης mincing
ναι yes, yea
νάμα running water, spring
νανισμός dwarfishness
νάνος dwarf, shrimp
νανουρίζω lull
νανούρισμα lullaby
ναός church, temple
ναργιλές narghile
νάρθηκας narthex
νάρκη torpor, numbness
ναρκισσισμός narcissism, self-admiration
νάρκισσος narcissus, jonquil
ναρκώνω benumb, numb
νάρκωση numbness, narcosis, drowsiness, benumbing
ναρκωτικός benumbing
νάτριο natrium
ναυάγιο shipwreck, wreck
ναυαγός shipwrecked person, wrecked
ναυαγοσώστης salvager, salvor
ναυαγοσωστικός salvaging, lifesaving
ναυαγώ be ship wrecked
ναυαρχείο admiralty
ναυαρχία admiralty
ναυαρχίδα flagship
ναύαρχος admiral
ναύκληρος boatswain

ναύλος carriage, freight
ναύλωμα chartering, freighting
ναυλώνω freight, charter
ναύλωση chartering, freighting
ναυλωτής freighter, charterer
ναυμαχία sea-fight
ναυμαχώ fight at sea
ναυπηγείο shipyard, dockyard
ναυπηγική shipbuilding
ναυπηγός shipbuilder, ship-wright
ναυπηγώ build ships
ναυσιπλοΐα navigation, shipping
ναύσταθμος naval station, navy yard
ναυτασφάλεια ship insurance
ναύτης seaman, sailor
ναυτία seasickness, nausea
ναυτικό navy, marine
ναυτικός naval, marine, nautical
ναυτιλία navigation, sailing
ναυτιλιακός of navigation
ναυτίλος navigator
ναυτοδικείο admiralty court
ναυτοδίκης judge of an admiralty court
ναυτολογία establishment of sailors
ναυτολογώ enlist sailors
ναφθαλίνη naphthalene
νέα news
νέα(η) young lady, girl
Νέα Ζηλανδία New Zealand
νεανίας youth, young man
νεανικός youthful, juvenile
νεανικότητα youthfulness, juvenility
νεαρός young, youthful
νέγρος negro
νέκρα deadness, dead silence

νεκρανάσταση resurrection, revival
νεκρικός funeral, of death
νεκροθάπτης grave-digger
νεκροκεφαλή skull
νεκροκομείο mortuary
νεκροκρέββατο coffin, bier
νεκρολογία obituary, necrology
νεκρομαντεία necromancy
νεκρομάντης necromancer
νεκρός dead, lifeless
νεκροσυλία grave-robbing
νεκροταφείο cemetery, grave-yard
νεκροτομείο post-mortem examination office, morgue
νεκροτομία dissection of a dead body
νεκροφόρος coffin-bearer
νεκροψία autopsy, post mortem examination
νεκρώνω deaden, mortify
νεκρώσιμος funeral, mortuary
νέκρωση mortification, deadness
νέκταρ nectar
νέμεση divine vengeance
νεόγαμος newly married
νεογέννητος new-born baby
νεογνό new-born baby
νεοελληνικός modern Greek
νεοκαθολικός Neo-Catholic
νεόκτητος newly acquired
νεόκτιστος newly built
νεολαία youth
νεολιθικός neolithic
νεομάρτυρας new martyr
νέο neon
νέο piece of news
νεόνυμφος newly married
νεοπλατωνικός Neoplatonic
νεόπλουτος upstart, newly rich
νέος young, new, modern
νεοσσιά nest
νεοσσός chick, chicken, nestling
νεοσύλλεκτος recruit, conscript
νεοσύστατος newly established
νεότητα youth
νεοφανής new, novel

νεοφερμένος newcomer, recently arrived
νεόφυτος newly-planted, novice
νεοφώτιστος newly-baptized, newly converted
νεράίδα fairy, nymph
νεράντζι bitter orange
νεραντζιά bitter-orange tree
νερό water
νεροβάρελο water-cask
νερόβραστος boiled in water
νεροκάλαμο reed
νεροκουβάλημα water-carrying
νεροκουβαλητής water-carrier
νερομπογιά water-colour
νερόμυλος water-mill
νεροποντή shower of rain, heavy rain
νεροπότηρο water-glass
νεροπούλι water-fowl
νερουλάς water-carrier
νερουλιάζω become watery
νερουλός watery, waterish
νερόφιδο water-snake
νερόχιονο sleet, snow-water
νεροχύτης sink
νέρωμα watering
νερώνω water, add water
νέσιμο spinning
νεύμα sign, nod
νευραλγία neuralgia
νευραλγικός neuralgic
νευρασθένεια neurasthenia
νευρασθενικός neurasthenic
νευριάζω make nervous
νευρικός nervous
νευρικότητα nervousness, nerves
νεύρο nerve
νευρολογία neurology
νευρολογικός neurological
νευρολόγος neurologist
νευρώδης nervous
νεύρωση neurosis
νευρωτικός neurotic
νεύω nod
νεφέλη cloud

νεφελοειδής nebular
νεφελώδης cloudy
νεφέλωμα nebula
νέφος cloud
νεφρικός reneal, of the kidneys
νεφρίτιδα nephritis
νεφρός kidney
νέφτι turpantine, turps
νεωκόρος sexton, sacristan
νεωτερίζω innovate
νεωτερισμός innovation, novelty
νεωτεριστής innovator, modernist
νεωτεριστικός modern, fashionable
νεώτερος younger
νήμα thread, filament
νηματουργείο spinning-mill
νηματουργία spinning
νηνεμία calm, calmness
νηοπομπή convoy
νηοψία inspection of a ship
νηπιαγωγείο infant school
νηπιαγωγός infant-school teacher
νηπιακός of a baby, infantile
νήπιο baby, infant
νησάκι islet
νησί island
νησιώτης islander
νησιωτικός insular, of an island
νηστεία fast, fasting
νηστευτής faster
νηστεύω fast
νηστήσιμος fasting, lanten
νηστικός fasting
νηφάλιος sober
νηφαλιότητα soberness, sobriety
νιαουρίζω mew
νιαούρισμα mewing
νιάτα youth
νίβω wash
νικέλιο nickel
νικελώνω nickel-plate
νίκη victory, triumph
νικημένος defeated, beaten
νικητήριος victorious
νικητής victor, winner, conqueror
νικοτίνη nicotine

νικώ win, beat
νιόπαντρος newly-married
νιπτήρας washstand
νιρβάνα nirvana
νιτρικός nitric
νιτρογόνο nitrogen
νιτρώδης nitrous
νιφάδα flake
νίψιμο washing
Νοέμβριος November
νοερός spiritual, mental, intellectual
νόημα meaning, sense
νοημοσύνη intelligence, understanding
νοήμονας clever, intelligent
νόηση intellect, understanding
νοητικός intellectual
νοητός intelligible, conceivable
νοθεία bastardy, falsification, adulteration
νόθευση falsification, adulteration
νοθευτής falsifier, adulterater
νοθεύω falsify, adulterate
νόθος illegitimate child, bastard
νοιάζομαι care, mind, take care
νοικάρης tenant, hirer, lodger
νοίκι rent, hire
νοικιάζω rent, hire
νοίκιασμα renting, hiring
νοικοκυρά housewife, landlady
νοικοκυρεύω keep (up) a house
νοικοκύρης housekeeper, landlord, householder
νοικοκυριό household
νοικοκυρωσύνη housewifery
νοιώθω feel, understand, comprehend
νομάδας nomad, rover, errant
νομαδικός nomadic, wandering, roving
νομαρχείο prefecture
νομάρχης prefect, governor
νομαρχία prefectship
νομαρχιακός of a prefect
νομή pasturage, pasture
νομίζω think, believe, suppose

νομική law, jurisprudence
νομικός legal, lawyer, of law
νομιμοποίηση legitimation, legalization
νομιμοποιώ legalize, legitimate
νόμιμος lawful, legal, legitimate
νομιμότητα lawfulness, legitimacy, legality
νομιμοφροσύνη loyalty
νομιμόφρονας loyal
νόμισμα coin, money, specie
νομισματικός monetary
νομισματοκοπείο mint
νομισματοκοπία minting, coining
νομισματοκόπος minter, coiner
νομισματολογία numismatology
νομισματολόγος numismatologist
νομοδιδάσκαλος jurisconsult
νομοθεσία legislation
νομοθέτημα law-statute, enactment
νομοθέτης lawgiver, legislator
νομοθετικός legislative
νομοθετώ legislate, enact
νομολογία nomology
νομομάθεια jurisprudence
νομομαθής jurist, legist
νόμος law, rule
νομός province
νομοσχέδιο draft of law, bill
νομοταγής loyal, law-abiding
νομοτελεστικός executive
νονά godmother
νονός godfather
Νορβηγία Norway
Νορβηγικός Norwegian
νοσηλεία nursing, treatment
νοσηλευτήριο hospital
νοσηλεύω nurse the sick, treat
νοσήλια hospital fees
νόσημα illness, sickness, disease
νοσηρός weakly, sickly, unhealthy
νοσηρότητα unhealthiness, sickliness
νοσογόνος disease producing
νοσοκομείο hospital, infirmary
νοσοκόμος nurse

νοσολογία nosology
νοσολογικός nosological
νοσολόγος nosologist
νόσος disease, illness, sickness
νοσταλγία nostalgia
νοσταλγικός nostalgic
νοσταλγός nostalgic
νοσταλγώ be homesick, long to return home
νοστιμάδα savo(u)r, flavo(u)r
νοστιμεύω give relish to, flavo(u)r, season
νόστιμος savo(u)ry, tasty, delicious
νόστος repatriation
νοσώ be sick
νότα note
νοτερός wet, humid, moisty
νοτιάς south wind
νοτίζω wet, damp, moisten
νοτιοανατολικός southeast
νοτιοδυτικός southwest
νότιος south, southern
νότος south
νουβέλλα novel
νουθεσία advice, counsel
νουθετώ admonish, advise
νούμερο number
νουμηνία new moon
νους mind, intelligence, spirit
νούφαρο water-lily, nenuphar
νοώ understand, comprehend
ντάμα partner
νταμάρι quarry
νταμιντζάνα carboy
νταντά nursemaid, nanny
νταντεύω nurse, dandle
ντελάλης town crier
ντελικάτος frail, delicate, weak
ντεπόζιτο tank, cistern
ντεντέκτιβ detective
ντέφι tambourine
ντιβάνι couch, sofa
ντοκουμέντο document
ντομάτα tomato
ντοματιά tomato-plant
ντόμινο domino

ντόπιος native, local, indigenous
ντουβάρι wall
ντουζίνα dozen
ντουλάπι cupboard, closet
ντούζ shower
ντουφέκι rifle, gun
ντρέπομαι be ashamed of
ντροπαλός shy, bashful
ντροπή bashfulness, shame
ντροπιάζω shame, disgrace
ντρόπιασμα making ashamed, shaming
ντύμα cover
ντύνω dress, clothe
ντύσιμο clothing, dressing
νύκτα night
νυκτερίδα bat, flittermouse
νυκτικός nocturnal
νυκτοβάτης somnambulist
νυκτόβιος living by night
νυκτοπούλι screen-owl
νυκτοφύλακας night-guard
νυκτωδία nocturne
νυμφεύω wed, marry

νύξη prick, pricking
νύστα drowsiness, sleepiness
νυστάζω be sleepy
νυσταλέος drowsy, sleepy
νυστέρι lancet
νύφη bride
νυφικός bridal, nuptial
νυφίτσα weasel, mink, ferret
νύχι finger-nail
νυχιά scratch
νύχτα night
νυχτέρι vigil, night work
νυχτερινός nightly
νυχτώνει it's getting dark
νυχτώνομαι be overtaken by the night
νωθρός indolent, sluggish, lazy
νωπός fresh, recent
νωρίς soon, early
νώτα rear, back
νωτιαίος vertebral, dorsal
νωχέλεια indolence, sluggishness
νωχελικός indolent, lazy

Ξ, ξ the fourteenth letter of the Greek alphabet
ξαγκιστρώνω unhook
ξαγρυπνώ be awake, keep awake
ξαγρύπνια sleeplessness
ξαιμάτωμα bleeding
ξαιματώνω bleed
ξαίνω unweave
ξακουστός famous, renowned
ξαλατίζω unsalt
ξαλάφρωμα lightening, relief
ξαλαφρώνω lighten, relieve

ξαμολώ unchain, let go
ξανά again
ξαναβάζω replace, put again
ξαναβάφω repaint
ξαναβλέπω see again
ξαναβράζω reboil
ξαναβρίσκω find again, regain
ξανάβω light again, excite
ξαναγαπώ love again
ξαναγεννώ bear again
ξαναγεννιέμαι revive, be reborn
ξαναγίνομαι become again

ξαναγράφω write again
ξαναγυρίζω come back, return
ξαναδείχνω show again
ξαναδίνω give back
ξαναζυγίζω reweigh
ξαναζώ live again
ξαναθυμάμαι recall to mind, remember, recollect
ξαναθυμίζω remind
ξαναλέω repeat, say again
ξαναμασώ chew again, ruminate
ξαναμοιράζω redistribute
ξανανθίζω bloom again
ξανάνιωμα rejuvenation
ξανανιώνω be rejuvenated
ξαναπαίρνω take again, retake
ξαναποκτώ regain
ξαναρχίζω start anew, begin again
ξανάρχομαι return
ξανατυπώνω reprint
ξαναφιλιώνω reconcile
ξαναφορτώνω reload
ξανεμίζω ventilate, fan
ξανθαίνω make fair
ξανθοκόκκινος flame-coloured
ξανθόμαλλος blond, fair-haired
ξανθός fair-haired
ξανοίγω open up
ξάπλα lying indolently
ξάπλωμα stretching, spreading out
ξαπλώνω spread out, stretch, extend, lie down
ξαποστέλνω send off
ξαρματώνω disarm
ξαρμάτωτος disarmed
ξαρμυρίζω unsalt
ξάρτι shroud
ξασπρίζω whiten, fade
ξαστεριά starry sky
ξάστερος starry
ξαστερώνω become clear
ξαφνιάζω frighten
ξαφνικός sudden, unexpected
ξάφνιασμα surprise
ξάφνου suddenly
ξαφρίζω skim, scum

ξάφρισμα scumming, skimming
ξεβάφω fade, discolour
ξαβγάζω rinse
ξέβγαλμα rinsing
ξεβίδωμα unscrewing
ξεβιδώνω unscrew
ξεβούλωμα uncorking, unstopping
ξεβουλώνω uncork, unstopper
ξεβρωμίζω clean, remove the dirt from
ξεγαντζώνω unhook
ξεγάνωτος untinned
ξεγελώ deceive, cheat, seduce
ξεγεννώ assist at child birth
ξεγλίστρημα slip, false step
ξεγλιστρώ slip away, escape
ξεγνοιάζω become free from care
ξέγνοιαστος carefree, careless
ξεγράφω strike out
ξεγύμνωμα undressing
ξεγυμνώνω undress, strip, naked
ξεδιαλέγω choose out, pick out
ξεδιαλύνω explain
ξεδιαντροπιά impudence, shamelessness
ξεδιάντροπος impudent, shameless
ξεδίπλωμα unfolding, unrolling
ξεδιπλώνω unfold, unroll
ξεδιψώ quench the thirst of
ξεζεύω unharness, unyoke
ξεζουμίζω squeeze out the juice
ξεθάβω unbury, exhume, disinter
ξεθαρρεύω take courage
ξεθέωμα exhaustion, weariness
ξεθεώνω exhaust, wear
ξεθολώνω clarify
ξεθυμαίνω exhale, evaporate
ξεθωριάζω discolour, fade
ξεϊδρώνω cease perspiring
ξεκαθαρίζω clear out
ξεκαθάρισμα purifying, netting
ξεκάνω undo
ξεκαρδίζομαι burst with laughing
ξεκαρφώνω unnail
ξεκάρφωτος unnailed, detached
ξεκίνημα start, setting out

ξεκινώ start, set out
ξεκλειδώνω unlock
ξεκληρίζω exterminate, extirpate
ξακλήρισμα extermination, extirpation
ξεκόβω cut off
ξεκοιλιάζω gut
ξεκοίλιασμα gutting
ξεκοκκαλίζω bone
ξεκοκκάλισμα crunching
ξεκόλλημα ungluing, unsticking
ξεκολλώ unglue, unstick
ξεκομμένος cut off
ξεκουκουλώνω uncover
ξεκουμπίζω send away, put out
ξεκουμπώνω unbutton
ξεκουράζω rest, relieve
ξεκούραση relaxation, rest, recreation
ξεκουρδίζω unstring, unwind
ξεκούρδιστος unwound, unstrung
ξεκουφαίνω deafen
ξεκρέμασμα unhooking, unhanging
ξεκρεμώ unhook, unhang
ξελαρυγγιάζομαι get hoarse from shouting
ξελασπώνω scrape of the mud
ξελάφρωμα alleviation, lightening
ξελαφρώνω alleviate, lighten, relieve
ξελέγω unsay
ξελογιάζω cajole, seduce
ξελόγιασμα enticement, seduction
ξελογιασμένος fascinated, seduced, dissolute
ξελογιαστής(-τρα) charmer, enticer, seducer
ξεμαγεύω unbewitch
ξέμακρα far off
ξαμακραίνω move away, send away
ξεμαλλιάζω pull of the hair
ξεμανταλώνω unlatch, unbolt
ξεμέθυστος sober
ξεμεθώ make sober
ξεμοναχιάζω take apart, isolate
ξεμουδιάζω take the numbness out

of
ξεμπαρκάρω land, disembark
ξεμπέρδεμα disentanglement
ξεμπερδεύω disentangle, unravel
ξεμπλέκω disentangle, unravel
ξεμυαλίζω turn the brains of
ξεμυάλισμα infatuation
ξεμυαλισμένος hare-brained
ξεμωραμένος dotard
ξένα foreign country
ξεναγός cicerone, guide
ξεναγώ show the sights, guide
ξενητειά foreign country
ξενητεμένος expatriated
ξενητεμός expatriation
ξενητεύω expatriate, send abroad
ξενίζω look stranger
ξενικός strange, foreign
ξενόγλωσσος of a foreign language
ξενοδουλεύω work for another person
ξενοδοχείο hotel
ξενοδόχος host, hotel-keeper
ξενοικιάζω vacate, leave vacant
ξενοίκιασμα vacancy
ξενοίκιαστος unlet, free, vacant
ξενοκρατία foreign rule
ξενολατρία xenomania
ξενομανής obsessed by everything foreign
ξενομανία xenomania
ξένος strange, foreign
ξενόφιλος loving strangers
ξενοφοβία fear of strangers
ξενόφωνος of foreign language
ξεντύνω undress
ξενυστάζω shake off sleep
ξενύχτης nightbird
ξενύχτι wake, spending the night
ξενυχτώ spend the night
ξενώνας guest's room
ξεπαγιάζω get frozen, freeze
ξεπάγωμα defrosting, thaw
ξεπαγώνω thaw, defrost
ξεπαπουτσώνω unshoe
ξεπάστρεμα killing

ξεπαστρεύω wipe out, kill
ξεπατώνω stave, break the bottom of
ξεπεζεύω alight, dismount
ξεπερασμένος surpassed
ξεπερνώ unthread, unstring, surpass
ξεπεσμένος declining, decadent
ξεπεσμός decadence, decay, decline
ξεπεταλώνω unshoe
ξεπετιέμαι spring up
ξεπέφτω decline, degenerate
ξεπηδώ jump out, leap up
ξεπίτηδες on purpose, intentionally
ξεπλακώνω unburden
ξέπλεκος dishevelled, unbraided
ξεπλέκω unravel, disentangle, unbraid
ξεπλένω wash off
ξεπλήρωμα discharge
ξεπληρώνω pay off, discharge a debt
ξέπλυμα dishwater, rinsing
ξεπλύνω rinse, wash off
ξεπούλημα selling of
ξεπουλώ sell off
ξεπρήζω get down the swelling
ξεπρησμένος less swollen
ξεπροβοδώ escort
ξέρα dryness, drought, reef, rock
ξεραίνω dry up, drain
ξερακιανός skinny, thin
ξερόβηχας dry cough
ξερόκαμπος dry plain
ξερονήσι barren island
ξεροπόταμος dry river bed
ξερός dry, withered
ξεροτηγανίζω fry, grill, toast
ξεροτήγανο waffle
ξεροψήνω roast brown, grill
ξερίζωμα uprooting
ξεριζώνω uproot, deracinate
ξέρω know, be aware of
ξεσαμάρωτος unsaddled
ξεσελλώνω unsaddle
ξεσήκωμα arousing, exciting
ξεσηκωμός revolt, revolution, insurrection

ξεσηκώνω excite, rouse
ξεσκάβω dig up, excavate
ξέσκεπα openly
ξεσκεπάζω uncover, discover
ξεσκέπαστος uncovered, open
ξεσκίζω tear
ξεσκλαβώνω liberate, deliver
ξεσκονίζω dust
ξεσκόνισμα dusting
ξεσκονιστήρι duster
ξεσκουριάζω polish, get off the rust
ξεσκούφωτος uncovered, bareheaded
ξεσπαθώνω draw the sword
ξέσπασμα overflowing, bursting out
ξεσπιτώνω dislodge, evict, drive out of a house
ξεσπώ overflow, burst out
ξεστολίζω untrim
ξεστομίζω utter, launch
ξεστραβώνω open one's eyes
ξεστρατίζω go astray
ξεστρώνω take off the cover, undo, uncover
ξεσυνηθίζω disaccustom, wean
ξεσφίγγω relax, loosen, unscrew
ξεσφραγίζω unseal
ξεσχίζω tear up, lacerate
ξετινάζω shake, toss
ξετρελλαίνω make crazy
ξετρυπώνω discover, drive out of a hole
ξετσίπωτος impudent, shameless
ξετύλιγμα unrolling, unwinding
ξετυλίγω unwind, unrap, unroll
ξεφάντωμα amusement, feast, revelry
ξεφαντώνω feast, revel
ξεφεύγω run away, escape
ξεφλουδίζω peel, pare
ξεφλούδισμα peeling, paring
ξεφορτώνω discharge, unload
ξεφουρνίζω take out of the oven
ξεφουσκώνω let down, deflate, empty
ξέφραγος open, unclosed, unfenced

ξεφτέρι sparrow-hawk
ξέφτι fraying, ravelling
ξεφτίζω unweave, unravel
ξεφυλλίζω strip off leaves, turn over the pages
ξεφυσώ pant, gasp, snort
ξεφυτρώνω spring up, sprout
ξεφωνητό scream, cry
ξεφωνίζω scream
ξεχαρβαλωμένος dismembered, disjointed
ξεχαρβαλώνω disjoint, dislocate, derange
ξεχασμένος forgotten
ξεχειλίζω run over, overflow
ξέχειλος overflowing, brimful
ξεχειμωνιάζω winter, pass the winter
ξεχνώ forget, neglect
ξεχορταριάζω weed
ξεχρεώνω pay up
ξεχύνω shed, pour out
ξεχώνω dig up, disinter
ξεχωρίζω part, seperate, single out
ξεχώρισμα parting, sorting
ξεχωριστός separate, separated
ξεψυχώ expire, die
ξήλωμα unsewing, undoing
ξηλώνω rip, unsew, undo
ξημερώνει it is dawning, the day breaks
ξηρά land, mainland
ξηρασία drought, dryness
ξιδάτος pickled, sour
ξίδι vinegar
ξιδιάζω turn sour
ξινίλα sourness, acidity
ξινισμένος soured
ξινόγαλο butter-milk, sour milk
ξινόμηλο sour-apple
ξινός sour, acid
ξινούτσικος sourish
ξιππάζω astonish, frighten
ξιππασιά conceit, vanity
ξιππασμένος conceited, vain
ξιφασκία fencing

ξιφίας sword-fish
ξιφίδιο dagger
ξιφισμός sword-cut, stab
ξιφοειδής swordlike
ξιφολόγχη bayonet
ξιφομαχία fencing
ξιφομάχος fencer
ξιφομαχώ fence
ξίφος sword, foil
ξόβεργα lime-twing
ξοδεύω expend, spend
ξόμπλι pattern
ξόρκι conjuration
ξύγκι fat, grease
ξυλάδικο wood-yard
ξυλάνθρακας charcoal
ξυλαποθήκη wood-yard
ξυλάς wood-seller
ξυλεία lumber, timber
ξυλέμπορος lumber-merchant
ξυλεύομαι collect wood
ξυλιά blow with a stick
ξυλιάζω harden, stiffen
ξυλίζω beat with a stick
ξύλινος wooden
ξύλο wood, piece of wood, beating
ξυλογλυπτική wood carving
ξυλογλύφος wood carver
ξυλογραφία wood-engraving
ξυλογράφος wood cutter
ξυλογραφώ engrave on wood
ξυλοκάρβουνο charcoal
ξυλοκέρατο locust
ξυλοκόπημα beating
ξυλοκόπος wood-cutter
ξυλοκοπώ beat
ξυλοκρέβατο wooden bedstead
ξυλόπνευμα wood alcohol
ξυλοπόδαρο stilt
ξυλοπωλείο lumber yard
ξυλοπώλης lumber dealer
ξυλουργείο carpenter's shop
ξυλουργία carpentry, joinery
ξυλουργικός woodworking
ξυλουργός carpenter, joiner
ξυλουργώ carpenter, work in wood

Ξ

ξυλοφορτώνω beat soundly
ξυλόφωνο xylophone
ξυλώδης wood-like
ξυνάδα sourness
ξυνήθρα sorrel
ξύνω scratch, scrape
ξύπνημα waking up
ξυπνητήρι alarm clock
ξύπνιος awake, wakeful
ξυπόλητος unshod, barefooted
ξυράφι razor

ξυρίζω shave
ξύρισμα shaving
ξυριστικός shaving
ξύσιμο scratching, scraping
ξύσμα scrapings, grattings
ξυστά superficially, lightly
ξύστης scraper, grater
ξύστρα pencil-sharpener, scraper
ξώπορτα gate
ξωτικό spirit, ghost, fairy

O

O, o the fifteenth letter of the Greek alphabet
ο, η, το the
όαση oasis
οβελίας lamb roasted on a spit
οβίδα bomb, shell
οβολός obolus
ογδοηκοστός eightieth
ογδόντα eighty
ογδοντάρης octogenarian
ογδονταριά in number of eighty
όγδοος eighth
ογκόλιθος large stone
ογκόπαγος iceberg
όγκος bulk, volume
ογκώδης bulky, massive, voluminous
ογκώνω swell, inflate
οδεύω travel, go
οδηγητής guide, conductor
οδηγητικός guiding, directional
οδηγία guidance, direction
οδηγός guide, leader, conductor
οδηγώ guide, lead, direct
οδογέφυρα viaduct

οδοδείκτης milestone, signpost
οδοιπορία journey, travel, march, walk
οδοιπορικό itinerary
οδοιπορικός travelling
οδοιπόρος traveller, way-farer
οδοιπορώ travel, journey
οδοκαθαριστής street-cleaner
οδόμετρο odometer
οδοντιατρείο dentist's office
οδοντιατρική dentistry
οδοντιατρικός dental
οδοντιατρική dentistry
οδοντίατρος dentist
οδοντικός dental
οδοντίνη dentine
οδοντόβουρτσα toothbrush
οδοντογλυφίδα toothpick
οδοντόπαστα tooth-paste
οδοντόπονος toothache
οδοντοστοιχία set of teeth
οδοντοφυΐα teething
οδοντόφωνος dental
οδόντωμα cog, notch
οδοντωτός toothed, notched, in-

dented
οδοποιία road making
οδοποιός road-maker
οδός street, road
οδόστρωμα road surface, pavement
οδοστρωτήρας steam-roller
οδόφραγμα barricade, barrier
οδύνη pain, ache
οδυνηρός painful, distressing
οδυρμός lamentation, wailing
οδύρομαι bewail, lament, mourn
όζον ozone
οθόνη linen-sheet, linen-cloth
οθωμανικός ottoman, othoman
οίδημα tumour, swelling
οικειοθελής voluntary, willing
οικειοποίηση appropriation
οικειοποιούμαι appropriate to one-self
οικείος familiar, domestic, relative
οικειότητα familiarity, intimacy
οικείωση familiarization
οικέτης domestic, servant
οίκημα home, dwelling, lodging
οικήσιμος habitable
οικία house, home
οικιακός domestic, familiar
οικίζω settle
οικισμός peopling, settling
οικογένεια family
οικογενειακός of a family
οικογενειάρχης head of a family
οικοδέσποινα housewife
οικοδεσπότης householder
οικοδομή building, construction
οικοδόμημα building, edifice
οικοδόμηση building, construction
οικοδομικός of building, constructive
οικοδόμος builder, constructor
οικοδομώ construct, build, erect
οικοκυρικός of a household
οικονομία economy, saving
οικονομικά finances
οικονομικός economic(al), financial
οικονομολογία economics

οικονομολογικός financial
οικονομολόγος financier, economist
οικονόμος economical, saving
οικονομώ economize, save, spare
οικόπεδο building-ground
οικοπεδοφάγος landgrabber
οίκος house, home
οικόσημο coat of arms
οικοτροφείο boarding house
οικοτροφία board, boarding
οικοτρόφος boarder
οικουμένη world, universe
οικουμενικός universal
οικτ(ε)ίρω pity, have mercy
οικτιρμός pity, compassion
οικτίρμων merciful, pitiful
οίκτος mercy, pity, compassion
οικτρός pitiful, miserable, piteous
οικτρότητα pitifulness, misery
οικώ inhabit, live
οιναποθήκη wine cellar
οινέμπορος wine merchant
οινολογία oenology
οινολόγος wine expert
οινοπαραγωγός wine-producer
οινόπνευμα alcohol
οινοπνευματοποιία alcohol industry
οινοπνευματοποιός distiller
οινοπνευματώδης alcoholic, spirituous
οινοποιία wine-making
οινοποσία wine-drinking
οινοπότης wine-drinker
οινοπωλείο wine-shop
οισοφάγος gullet, esophagus
οιωνίζομαι augur, presage, foresee
οιωνός omen, augury
οιωνοσκοπία augury, soothsaying
οιωνοσκόπος augur
οκλαδόν squatting
οκνηρία laziness, indolence, idleness
οκνηρός lazy, indolent, sluggish
οκτάβα octave
οκτάγωνος octagonal
οκτάεδρος octahedral

O

οκτακόσια eight hundred
οκτάνιο octane
οκταπλάσιος eightfold
οκταφωνία octet
οκτώ eight
Οκτώβριος October
ολάκερος whole, entire, all
ολάνοιχτος wide open
ολέθριος fatal, disastrous
όλεθρος destruction, disaster, calamity
ολιγάριθμος few in numbers
ολιγάρκεια moderation, frugality
ολιγαρκής moderate, frugal
ολιγαρχία oligarchy
ολιγαρχικός oligarchical
ολιγοήμερος short-lived, lasting for a few days
ολιγολογία speaking little
ολιγόλογος speaking little
ολιγομάθεια little learning
ολιγοπιστία incredulity
ολιγόψυχος faint-hearted
ολιγοψυχώ lose courage
ολιγωρία negligence
ολικός whole, total, entire
ολκή caliber, pull, attraction
Ολλανδία Holland
Ολλανδός Dutch
όλμος mortar
ολόγεμος entirely full
ολόγραφος written in full
ολόγυμνος stark naked
ολόγυρα all round
ολόδροσος quite fresh
ολοένα incessantly, continually
ολοζώντανος alive
ολοκάθαρος quite clear
ολοκαίνουριος quite new
ολοκαύτωμα holocaust
ολόκληρος whole, entire
ολοκληρώνω finish up, complete
ολοκλήρωση completion
ολοκληρωτικός integral, total
ολόλαμπρος all resplended, bright
ολόλευκος quite white

ολομέλεια all the members, totality
ολομελής whole
ολομέταξος all silk
ολονυκτία vigil
ολόρθος erect, upright
όλος all, whole, entire
ολοστρόγγυλος quite round
ολοσχερής utter, complete, entire
ολοταχώς at full speed
ολότελα entirely
ολότητα entirety, totality
ολοτρίγυρα all round
ολούθε from all sides
ολοφάνερος quite manifest, obvious
ολόφωτος glowing up
ολόχαρος joyful
ολόχρυσος all of gold
ολόψυχος heartly, cheerful
Ολυμπιακοί αγώνες Olympic games
ολυμπιονίκης winner at the Olympic Games
ομάδα group, company
ομαδικός collective
ομαδικότητα collectiveness
ομαλός even, level, smooth
ομαλότητα smoothness, evenness
ομαλύνω level, smooth
ομελέτα omelet, omelette
ομήγυρη meeting, assembly
ομήλικος of the same age
ομηρικός Homeric
όμηρος hostage
ομιλητής speaker, lecturer
ομιλητικός talkative
ομιλία talk, conversation
όμιλος group, company
ομίχλη fog, mist
ομιχλώδης foggy, misty
ομοβροντία volley, salvo
ομογένεια homogeneity, uniformity
ομογενής homogeneous, uniform
ομόγλωσσος speaking the same language
ομογνωμία unanimity
ομογνωμοσύνη unanimity
ομοεθνής of the same nation

ομοειδής similar, alike, uniform
ομόθρησκος of the same religion
όμοια equally, similarly
ομοιογένεια homogeneity
ομοιογενής homogeneous, of the same kind
ομοιοκαταληκτώ rhyme
ομοιοκαταληξία rhyme, rime
ομοιομορφία uniformity, similarity
ομοιόμορφος uniform, same, similar
ομοιοπαθητική homeopathy
όμοιος similar, alike, like
ομοιότητα similarity, likeness
ομοίωμα image
ομόκεντρος concentric, homocentric
ομολογητής confessor
ομολογία confession, avowance, avowal
ομόλογος homologous
ομολογώ confess, avow
ομόνοια harmony, concord
ομοούσιος consubstantial
όμορφα nicely, finely
ομορφαίνω embellish, beautify
ομορφιά beauty, prettiness
όμορφος beautiful, pretty, nice
ομοσπονδία confederacy, federation
ομοσπονδιακός federal, federative
ομόσπονδος confederate, united
ομοταξία class, order
ομοφροσύνη harmony, concord
ομοφυλία homophily
ομοφυλοφιλία homosexualism
ομοφυλόφυλος homosexual
ομοφωνία accord, unanimity, harmony
ομόφωνος unanimous
ομόχρονος simultaneous
ομπρέλα umbrella
ομπρελοθήκη umbrella-stand
ομφάλιος unbilical
ομφαλός navel, umbilicus
ομώνυμος homonymous, having the same name
όμως but, yet, however
ον being, creature

ονειρεύομαι dream
ονειροκρίτης dream-book
όνειρο dream
ονειροπόληση reverie, revery, day-dream
ονειροπόλος dreamy, dreamer
ονειροπολώ dream
ονειρώδης dreamy, dreamlike
όνομα name, noun
ονομάζω name, call
ονομασία naming, nomination
ονομαστική nominative case
ονομαστικός nominal, titular
ονομαστός famous, renowned
ονοματεπώνυμο full name, name and surname
ονοματίζω name, denominate
ονοματολογικός terminological
ονοματολόγιο list of names
οντολογία ontology
οντολογικός ontological
οντότητα entity, being, essence
οξείδιο oxide
οξειδώνω oxidize
οξείδωση oxidization, rusting
οξικός acetic
όξινος sour, acid
οξυγονοκόλληση oxygen welding
οξυγονούχος oxygenated
οξυγόνωση oxygenation
οξυγώνιος acute-angled
οξυδέρκεια perspicacity, sharpness of sight
οξυδερκής keen sighted, perspicacious
οξυζενέ peroxide of hydrogen
οξύθυμος irascible, irritable
οξύμωρος inconsistent
οξύνοια sagacity, acumen
οξύνους sagacious, keen, acute
οξύνω sharpen
οξύς sharp, acute, keen, pointed
οξύτητα acidity, acuteness, sharpness
οξύτονος oxytone
οξύφωνος shrill-voiced, tenor

O

όξω out, outside
οπαδός follower, companion
όπερα opera
οπερέτα operetta
όπιο opium
οπιομανής opium addict
οπισθάγκωνα with the hands tied behind the back
όπισθεν behind, back, on the rear
οπίσθιος back, posterior, behind
οπισθογράφηση endorsement
οπισθογράφος endorser
οπισθογραφώ endorse
οπισθοδρόμηση retrogression, retreat
οπισθοδρομικός backward, retrogressive, moving backward
οπισθοδρομικότητα backwardness
οπισθοδρομώ go backward, retreat
οπισθοφυλακή rear guard
οπισθοφύλακας rear-guard
οπισθοχώρηση retreat, withdrawal
οπισθοχωρώ retreat, withdraw
οπλαρχηγός chieftain
οπλή hoof
οπλίζω arm, equip
οπλισμός arming, armament
οπλίτης soldier
όπλο weapon, arm, gun, rifle
οπλοδιορθωτής gunsmith
οπλοθήκη armory
ολπομαχία fencing
οπλομάχος fencer
οπλοποιία gun-making
οπλοποιός gunsmith
οπλοπωλείο arms store
οπλοστάσιο armory
οπλοφορία carrying weapons
οπλοφορώ carry weapons
όποιος whoever, whosoever
οποιοσδήποτε whoever
οπόταν when, whenever
οπότε when
όποτε whenever
οποτεδήποτε whenever
όπου where, wherever

οπουδήποτε wherever, wheresoever
οπτασία vision, apparition, hallucination
οπτική optics
οπτικός optical, optic, visual
οπτιμισμός optimism
οπτιμιστής optimist
οπωρικό fruit
οπωροπωλείο fruit market
οπωροπώλης fruiterer, fruit-seller
οπωροφόρος fruit-bearing
όπως as, like
οπωσδήποτε anyway, however, anyhow
οραγγοτάγγος orang-outang, orangutang
όραμα vision, apparition
οραματίζομαι visualize
οραματισμός hallucination, apparition
οραματιστής visualizer
όραση eyesight, sight, vision
ορατός visible
ορατότητα visibility
οργανικός organic
οργανισμός organization, organism
όργανο organ, instrument, tool, organ
οργανοπαίκτης organist, organ player
οργανώνω organize, constitute
οργάνωση organization
οργανωτής organizer
οργανωτικός organizing
οργασμός orgasm
οργή wrath, anger, ire, fury
όργια orgies, revels
οργιάζω give onself to orgies
οργιαστής reveller
οργίζω make angry
οργίλος angry, wrathful
οργυιά fathom
όργωμα plowing, tilling
οργώνω plow, till
ορδή horde, gang, troop
ορέγομαι relish, envy, desire, will

ορειβασία mountaineering, climbing
ορειβάτης mountaineer
ορειβατικός mount, mountaineering
ορεινός mountainous
ορειχάλκινος brazen, of bronze
ορείχαλκος bronze, brass
ορεκτικό appetizer
ορεκτικός appetizing
όρεξη appetite, wish, desire
ορθά upright, straight, rightly
ορθάνοικτος wide open
όρθιος upright, erect, straight up
ορθογραφία orthography, dictation, spelling
ορθογραφικός orthographic, of spelling
ορθογράφος orthographer
ορθογραφώ write correctly
ορθογώνιος rectangular
ορθοδοντικός orthodontic
ορθοδοξία orthodoxy
ορθόδοξος orthodox
ορθοκρισία good judgement
ορθολογικός rational
ορθολογισμός rationalism
ορθολογιστής rationalist
ορθολογιστικός rationalistic
ορθοπεδικός orthopaedic
ορθός erect, upright, standing
ορθοστασία standing
ορθοστάτης pilaster
ορθότητα correctness, rectitude
ορθοφωνία orthoepy
όρθριος matutinal
όρθρος daybreak, dawn
ορθώνω set up, erect, raise
ορίζοντας horizon
οριζόντιος horizontal, level
οριζοντιώνω make horizontal
οριζοντίωση making horizontal
ορίζω limit, mark
όριο limit, bound
οριοδείκτης landmark
οριοθετώ fix the boundaries
ορισμός definition, fixing
οριστική indicative

οριστικός definite, indicative
ορκίζω put an oath, -ομαι swear
ορκισμός swearing
ορκοδοτώ swear
όρκος oath, vow
ορκωμοσία swearing
ορκωτός sworn
ορμέμφυτο instinct
ορμέμφυτος instinctive
ορμή vehemence, violence, impulse
όρμημα impulse
ορμήνεια advice, guidance
ορμηνεύω advise, guide
ορμητήριο starting place
ορμητικός impetuous, violent, vehement
ορμητικότητα impetuosity
ορμίζω moor
ορμίσκος small bay
ορμόνη hormone
ορμονικός hormonal, hormonic
όρμος bay, roadstead, anchorage
ορμώ rush, dash
όρνεο bird of prey
όρνιθα hen, chicken
ορνιθοκομείο poultry farm
ορνιθοκομία chicken-raising
ορνιθοκόμος fowl-breeder
ορνιθολογία ornithology
ορνιθολόγος ornithologist
ορνιθοσκαλίσματα scrawl, scribblings
ορνιθοτροφείο poultry farm
ορνιθοτροφία fowl-breeding
ορνιθοτρόφος poultry raiser, fowl-breeder
ορνιθώνας hen-coop
οροθεσία fixing boundaries
οροθετώ fix the boundaries, delimit
ορολογία terminology
ορολογικός terminological
οροπέδιο plateau, tableland
όρος mountain, mount
όρος term, definition
ορός serum
οροσειρά mountain range**

O

ορόσημο landmark
οροφή ceiling, roof
όροφος storey, story
ορτανσία hydrangea
ορτύκι quail
όρυγμα trench, ditch
ορυζώνας rice-field
ορυκτέλαιο mineral oil
ορυκτολογία mineralogy
ορυκτολογικός mineralogical
ορυκτολόγος mineralogist
ορυκτός dug up, mineral
όρυξη digging, excavation
ορύσσω dig, excavate
ορυχείο mine, quarry
ορφανεύω orphan, make orphan
ορφάνια orphanhood
ορφανός orphan
ορφανοτροφείο orphan's home
ορχηστρικός of dancing, dancing
ορχήστρα orchestra, band
όσιος holy, sacred
οσιότητα holiness
οσμή odour, smell
όσο as much as, as far as, as long as, as
όσος as much as, as big as, as great as
οσοσδήποτε however great, however much
όσπριο pea, bean, pulse
οστεαλγία ostealgia
οστεολογία osteology
οστεοποίηση ossification
οστεοποιώ ossify
οστεοφυλάκιο charnel-house
οστεώδης bony
οστρακιά scarlatina
οστρακόδερμος crustecean
όστρακο shell
οστρακοφόρος crustaceous
οσφραίνομαι smell
όσφρηση smell, the sense of smell
οσφρητικός of smell
οσφυαλγία lumbago
οσφυαλγικός of the waist, lumbar

όταν when, whenever
ότι that
Ουγγαρία Hungary
Ούγγρος, Ουγγρικός Hungarian
ούγια edge, border, selvedge
ουδέ not even
ουδείς no, nobody, no one
ουδέποτε never
ουδέτερος neutral, neuter, neither
ουδετερότητα neutrality
ουδόλως not at all, by no means
ούζο ouzo
ουίσκι whiskey
ουλαμός platoon, squad
ουλή scar, gash
ουλίτιδα inflammation of the gums
ούλο gum
ουμανισμός humanism
ουμανιστής humanist
ουρά tail
ουραγός leader of the rear-guard
ουραιμία uremia
ουρεμικός uremic
ουραίος of the tail
ουράνιος heavenly, celestial
ουρανίσκος palate
ουρανοκατέβατος come down from heaven
ουρανοξύστης sky-scraper
ουρανός sky, heaven
ουρήθρα urethra
ούρηση urination, pissing
ουρητήριο urinal, lavatory
ουρία urea
ουρικός uric
ουρλιάζω howl, growl
ούρλιασμα roaring, yelling
ούρο urine, piss
ουροδοχείο chamber-pot
ουρολογία urology
ουρολογικός urologic(al)
ουρολόγος urologist
ουροποιητικός urine producing
ουρώ urinate, piss
ουσία substance, essence, gist
ουσιαστικός substantial, essential

ουσιώδης essential, important
ούτε..ούτε neither...nor
οφθαλμοφανής obvious, evident
ουτοπία utopia
ουτοπικός utopian
οφειλέτης debtor
οφειλή debt
οφειλόμενος due
οφείλω owe, be indebted
όφελος profit, benefit
οφθαλμαπάτη optical illusion
οφθαλμιατρείο eye-hospital
οφθαλμιατρική ophthalmology
οφθαλμίατρος oculist
οφθαλμολογία ophthalmology
οφθαλμολόγος ophthalmologist
οφθαλμός eye
οχεταγωγός drainer, canal
οχετός conduit, drain, pipe
όχημα vehicle, carriage

όχθη bank, shore
όχι no, not
οχιά viper, adder
οχλαγωγία hubbub, rout, riot
οχλαγωγικός turbulent, riotous
οχλαγωγός rioter
οχλαγωγώ raise a riot
οχληρός annoying, tedious, troublesome
οχλοβοή hubbub, uproar
οχλοκρατία mobrule, ochlocracy
όχλος crowd, mob, multitude
οχυρός fortified
οχύρωμα fortification, rampart
οχυρωματικός fortificating
οχυρώνω fortify, entrench
οχύρωση fortification, fortifying
όψη sight, view
όψιμος late, tardy

Π

Π, π the sixteenth letter of the Greek alphabet
παγανισμός paganism
παγανιστής paganist
παγερός icy, freezing, cold
παγετός frost, cold
παγετώδης frosty, icy
παγετώνας glacier
παγίδευση trapping
παγιδεύω trap, ensnare
πάγιος solid, firm
παγιώνω consolidate, stabilize
παγίωση consolidation
πάγκος bench, seat
παγκόσμιος universal
πάγκρεας pancreas

παγκρεατικός pancreatic
παγόβουνο iceberg
παγόδα pagoda
παγοδρομία skating
παγοδρόμιο skating rink
παγοδρόμος skater
παγοδρομώ skate
παγοθήκη ice box
παγοθραύστης ice-breaker
παγοθραυστικό(πλοίο) ice-ship
παγοπέδιλο skate
πάγος ice, frost
παγούρι flask
παγώδης icy
παγωμένος frozen, frigid
παγώνι peacock

παγωνιά frost
παγώνω freeze, cool
παγωτό ice-cream
παζάρεμα bargaining
παζαρεύω bargain
παζάρι market, bargaining, bazaar
παθαίνω suffer, endure, sustain
πάθημα suffering, misfortune, accident
πάθηση affection, malady, disease
παθητικός passive, pathetic, inactive
παθητικότητα passivity
παθογένεια pathogeny
παθογόνος pathogenic, causing disease
παθολογία pathology
παθολογικός pathological
παθολόγος pathologist
πάθος passion, disease
παιγνίδι game, play, toy
παιγνιδιάρης playful, frolicsome
παιγνιώδης playful
παιδαγώγηση education, training up
παιδαγωγία education of children, pedagogy
παιδαγωγικός pedagogical
παιδαγωγός tutor, pedagogue
παιδαγωγώ bring up, educate
παιδάκι little child
παϊδάκι small chop
παιδαριώδης childish
παιδεία education, instruction
παιδεμός torture, torment
παιδεραστής sodomite
παιδεραστία sodomy
παιδεύω educate, torment, torture
παιδί child, boy
παιδιαρίζω behave like a child
παιδιαρίσματα childish behaviour, childishness
παιδιάτικος childish
παιδιατρική child medicine
παιδίατρος pediatrician
παιδικός infantile, childish
παιδομάνι youngsters, nippers
παιδονόμος usher

παίζω play, sport, act
παίκτης player, gambler
παίξιμο playing, gambling
παινεύω praise, laud
παίρνω take, receive, get
πακετάρω pack
πακέτο pack, box
παλαβομάρα madness, silliness
παλαβός mad, silly
παλαίμαχος veteran
παλαιολιθικός paleolithic
παλαιοντολογία paleontology
παλαιοντολόγος paleontologist
παλαιοπωλείο second-hand store
παλαιοπώλης dealer in second-hand articles
παλαιός old, ancient
παλαιστής wrestler
παλαιστικός wrestling
παλαίστρα wrestling ring
παλαμάκια clapping of the hands
παλαμάρι cable
παλάμη palm of the hand
παλάτι palace, court, royal
παλεύω wrestle, struggle
πάλη wrestling, struggle
πάλι again
παλιάνθρωπος wretch, villain
παλιάτσος clown, buffon
παλιγγενεσία regenaration, renaissance
παλίνδρομος retrogressive
παλινόρθωση restoration
παλλίροια tide, flood-tide
παλληκαράς brave man
παλληκάρι brave man
παλληκαριά bravery, courage
παλληκαρίσιος brave, bold
πάλλω palpitate, throb
παλμικός of vibration, pulsating
παλμός palpitation, pulsation, beating
παλούκι stake, pole, post, pale
παλτό overcoat
παμπάλαιος very old
πάμπλουτος very rich

παμφάγος omnivorous
παμψηφεί unanimous
παν everything, all
Παναγία the Blessed Virgin Mary
πανάδα freckle, sunburn
πανάκεια panacea
πανδοχείο inn, hosterly
πανεπιστημιακός of a university
πανεπιστήμιο university
πανέρημος desolate
πανέρι pannier, basket
πανηγύρι public feast
πανηγυρίζω celebrate, solemnize
πανηγυρικός festive, triumphant
πανθεϊσμός pantheism
πανθεϊστής pantheist
πανθεϊστικός pantheistic
πάνθεο pantheon
πάνθηρας panther
πανί cloth, stuff
πανικός panic
πάνινος of cotton
πανίσχυρος very powerful
πανομοιότυπος copied, exactly
similar
πανοπλία panoply, armour
πάνοπλος fully armed
πανόραμα panorama
πανόσιος saintly, holy
πανούκλα plague, pest
πανουργία cunning, craft
πανούργος cunning, crafty
πανσέληνος full moon
πανσές pansy, heartsease
πανσοφία omniscience
πάνσοφος all wise, omniscient
πάντα always, for ever
πανταλόνι pair of trousers
παντελεήμων most merciful
παντελής complete, total, entire
παντζάρι beet-root
παντζούρι window-shutter
παντογνώστης all-knowing
παντοδύναμος omnipotent
παντοκρατορία world rule
παντομίμα pantomime

παντοπωλείο grocery
παντοπώλης grocer
παντοτινός perpetual, everlasting
παντού everywhere
παντόφλα slipper
πανύψηλος very tall
πανωλεθρία complete ruin
παξιμάδι cracker, biscuit
παπαγαλίζω repeat like a parrot
παπαγάλος parrot
παπαδιά priest's wife
παπάκι duckling
παπαρούνα poppy
παπάς priest
Πάπας Pope
πάπια duck
παπικός papal
παπισμός papistry
πάπλωμα quilt, coverlet, blanket
παπλωματάς quilt-maker
παπουτσής shoe-maker
παπούτσι shoe, boot
πάππος grandfather
παππούλης grandfather
παππούς grandfather
πάπυρος papyrus
παρά by, from, than, in spite of
παραβαίνω break, violate
παραβάλλω compare
παραβάν floor screen
παράβαση violation, breach, trans-
gression
παραβάτης transgressor, violator
παραβγαίνω compete with
παραβιάζω violate, force
παραβίαση violation, forcing, trans-
gression
παραβλέπω overlook
παράβλεψη oversight
παραβλητός comparable
παραβολή comparison
παραβολικός comparative
παράβολο deposit
παραγάδι fishing net
παραγγελία order, command, com-
mission

παραγγελιοδότης buyer
παραγγελιοδόχος agent, salesman, commissioner
παραγγέλλω order, command
παράγγελμα order, command
παραγεμίζω overfill, stuff
παραγέμισμα stuffing, overfilling
παραγίνομαι be overdone, become overripe
παράγκα shed, stall
παραγκωνίζω elbow, push aside
παραγκώνιση pushing aside, neglecting
παραγνωρίζω disregard
παραγνώριση disregard, ignoring
παραγραφή prescription, superannuation
παράγραφος paragraph
παραγράφω prescribe, superannulate
παραγυιός adopted son
παράγοντας factor
παράγω produce, bear
παραγωγή production
παραγωγικός productive, producing, fruitful
παραγωγικότητα productivity
παραγωγός producer
παράγωγος derivative, derived
παραδεδομένος given, addicted
παράδειγμα example, instance
παραδειγματίζω make an example
παραδειγματικός exemplary
παραδειγματισμός exemplary punishment
παραδείσιος of paradise, paradisiac
παράδεισος paradise, heaven
παραδεκτός acceptable, admissible
παραδέρνω beat hard
παραδέχομαι admit, accept
παραδίδω deliver, give up
παραδοξολογία strange talk, paradox
παραδοξολογώ tell strange things
παράδοξος strange, queer
παραδόπιστος stingy

παράδοση tradition, delivery
παραδοχή acceptance, admission, avowal
παραδρομή oversight, omission, inadvertence
παραέξω farther out
παραέχω have too much
παραζάλη giddiness, confusion, embarassment
παραζαλίζω bother too much
παραζαλισμένος confused
παραθαλάσσιος near the sea
παραθερίζω spend the summer in the country
παραθερμαίνω overheat
παραθέτω compare
παράθυρο window
παραθυρόφυλλο window-shutter
παραίνεση advice, admonition
παραινετικός admonitory, advising
παραινώ admonish, advise
παραίσθηση hallucination, illusion
παραίτηση resignation, demission, giving up
παραιτώ forsake, give up, quit
παράκαιρος unseasonable, untimely
παρακάλια entreaties
παρακαλώ beg, ask, request, entreat
παρακάμπτω get around
παρακάνω overdo
παρακαταθήκη deposit, stock
παρακατιανός following, lower, inferior
παρακάτω below
παρακεί further on
παρακείμενος adjacent, neighbouring, perfect tense
παρακέντηση exhortation, incitement
παρακίνηση incitement, urging
παρακινητής inciter
παρακινητικός inciting, exhorting
παρακινώ incite, urge
παρακλάδι branch
παράκληση request, entreaty
παρακλητικός supplicatory, suppli-

cating, beseeching
παρακμάζω decline, decay, fall
παρακμή decline, decay
παρακοή disobedience
παρακολούθηση following, attendance
παρακολουθώ attend, follow, accompany
παρακουράζω overtire, exhaust
παρακούω disobey
παρακράτηση withholding, retention
παρακρατώ retain, withhold, detain
παράκρουση discord
παράκτιος coastal
παραλαβή receipt
παραλαμβάνω receive, take
παραλείπω omit, skip
παράλειψη omission
παραλήγουσα penult
παραλήπτης receiver, recipient
παραλήρημα delirium, raving, frenzy
παραληρώ rave
παραλής rich, wealthy
παραλία beach, sea-shore
παραλιακός coastal, coasting
παραλίγο nearly, almost
παράλιος by the sea, coastal
παραλλαγή change, variation
παραλλάσσω vary, change
παραλληλεπίπεδο parallelepiped
παραλληλίζω compare
παραλληλισμός comparison, paralleling
παραλληλόγραμμο parallelogram
παράλληλος parallel
παραλογίζομαι talk irrationally
παραλογισμός absurdity, raving
παράλογος unreasonable, absurd, irrational
παράλυση paralysis
παραλυτικός paralytic
παράλυτος paralytic
παραλύω paralyze, slacken
παραμάνα nurse, wet-nurse

παραμεθόριος frontier, border
παραμέληση negligence, neglect
παραμελώ neglect, disregard
παραμένω remain, stay
παράμερα aside
παραμερίζω put aside
παράμερος out of the way, remote
παραμιλητό delirium
παραμιλώ be delirious, rave
παραμονεύω watch for
παραμονή eve, stay, sojourn
παραμορφώνω deform, disfigure
παραμόρφωση deformation, disfiguring
παραμορφωτικός distortional, deforming
παραμυθένιος fabulous, fairy-like, ideal
παραμύθι story, tale
παρανάλωμα thing consumed
παρανόηση misunderstanding, misconception
παράνοια insanity, madness
παράνομα surname, nickname
παρανομία illegality, unlawfulness
παράνομος illegal, unlawful
παρανομώ violate the law
παρανοώ misunderstand
παράνυμφος best man
παρανυχίδα hangnail
παράξενα strangely
παραξενεύομαι be surprised
παραξενιά strangeness, oddity
παράξενος strange, odd, queer
παραξηλώνω overdo, exaggerate
παραπαίω stagger, trip
παραπανίσιος superfluous, in addition
παραπάνω higher up, over, above, more
παραπάτημα staggering, slip
παραπατώ stumble
παραπέμπω refer, send
παραπέρα further on, beyond
παραπεταμένος thrown in the scrap heap

Π

παραπέτο parapet
παραπετώ reject, throw away
παραπέτασμα curtain, window-bind
παράπηγμα shed, booth
παραπλάνηση seducement, seduction
παραπλανητικός misleading, seductive
παραπλανώ seduce, mislead
παράπλευρος adjoining, nearby, lateral
παραπληγία paraplegia
παραπληγικός paraplegic
παραπληρωματικός supplementary
παραπλήσιος similar
παραποίηση counterfeiting, falsification
παραποιώ counterfeit, falsify
παραπομπή reference, quotation
παραπονιάρης murmurer, complainer
παραπονιάρικος plaintive
παράπονο complaint
παραπονούμαι complain, murmur
παραπόταμος affluent
παράπτωμα fault, error
παράρτημα supplement, appendix, branch
παρασαλεύω move, shake
παράσημο decoration, order
παρασημοφορία decoration
παρασημοφορώ decorate
παρασιτικός parasitic
παρασιτισμός parasitism
παράσιτος parasite
παρασιτώ be a parasite
παρασιωπώ pass over in silence
παρασκευάζω prepare
παρασκεύασμα anything prepared
παρασκευαστής preparer
παρασκευαστικός preparatory, preparative
παρασκευή preparation
Παρασκευή Friday
παρασκηνιακός in the side lines, backstage

παρασκήνιο side-line, side-scene
παρασπονδώ break a treaty
παράσταση representation
παραστάτης attendant, assistant
παραστέκω assist, support
παράστημα appearance, bearing
παραστράτημα going astray, deviation, misconduct
παραστρατώ deviate
παρασύνθημα pass word
παρασύρω carry away
παράταξη array, order
παράταση prolongation, protracting
παρατάσσω array, line up
παρατατικός prolonged, protracted, imperfect tense
παρατείνω prolong, protract
παρατεταμένος prolonged
παρατήρηση observation, remark
παρατηρητήριο observation post
παρατηρητής observer, looker
παρατηρητικός observant, observing
παρατηρητικότητα power of observation, keenness
παρατηρώ observe, notice, remark, look at
παράτολμος foolhardy, bold
παρατονία discord
παρατραβώ pull overmuch
παρατρώγω overeat
παρατσούκλι nickname
παραφέρνω carry more than necessary
παραφέρομαι get excited
παραφθορά corruption
παραφίνη paraffine
παραφορά excitement, rage
παράφορος furious, frantic, hot-headed
παραφορτώνω overload, overcharge
παραφράζω paraphrase
παράφραση paraphrase
παράφρονας mad, insane
παραφροσύνη madness, insanity
παραφυάδα shoot, sucker, sprout

παραφωνία dissonace, discord
παράφωνος dissonant, discordant
παραχαράκτης counterfeiter, forger
παραχάραξη counterfeiting, forgery
παραχώνω bury in the ground
παραχώρηση cession, granting, concession
παραχωρητής grantor
παραχωρώ cede, grant
παραψήνω overdo
παρδαλός spotty, spotted
παρέα company, party
παρεγκεφαλίδα cerebellum
πάρεδρος assessor
παρείσακτος intruding
παρεκβολή extension
παρεκκλήσι chapel
παρεκκλίνω deviate
παρεκτρέπω turn aside
παρεκτροπή loss of self control, deviation
παρέλαση parade
παρελαύνω parade, march
παρελθόν past
παρέμβαση intervention, intervening
παρεμβολή interposition, insertion
παρεμποδίζω hinder, impede, obstruct
παρεμπόδιση impeding, obstruction
παρεμφερής similar
παρενόχληση annoying, troubling
παρενοχλώ annoy, harass
παρεξήγηση misunderstanding, misinterpretation
παρεξηγώ misunderstand, misinterpret
πάρεργος unessential, secondary
παρερμηνεία misinterpretation, misconstruction
παρερμηνεύω misinterpret, misunderstand
παρέρχομαι pass, pass by
παρευρίσκομαι be present, attend
παρέχω give, supply, grant, furnish
παρηγορητής consoler, comforter

παρηγορώ console, comfort
παρηκμασμένος decayed
παρήχηση assonance
παρθεναγωγείο school of girls
παρθενικός virginal, maidenly
παρθένος virgin, virginal
Παρθενώνας Parthenon
Παρίσι Paris
παριστάνω represent, present
παρκέ parquet
πάρκο park
παροδικός transient, passing, temporary
πάροδος passing, passage, side street
παροικία colony, quarter
πάροικος colonist
παροικώ reside
παροιμία proverb, saying
παροιμιακός proverbial
παρομοιάζω liken, compare
παρόμοιος similar, like, alike
παρομοίωση likening, comparison
παρονομαστής denominator
παροξύνω excite, provoke
παροξυσμός paroxysm, excitement
παροπλίζω disarm
παροπλισμός disarming
παροργίζω anger, irritate
παρόρμηση urging, incitement
παρορμητικός urging, inciting, impulsive
παρότρυνση urging, exhortation
παροτρύνω urge, exhort, incite
παρουσία presence
παρουσιάζω present
παρουσίαση presentation
παρουσιαστικό appearance
παροχετεύω divert to another conduit
παροχή giving, granting, supply
παρρησία outspokenness, frankness
πάρσιμο taking, receiving
παρτέρι flower-bed
παρτίδα game, partion, part
παρυφή border, fringe
παρωδία parody

Π

παρών present
παρωνύμιο nickname
παρωπίδες blinkers
παρωτίτιδα mumps, parotitis
παρωχημένος past long, past
πασάλειμμα smearing
πασαλείφω daub, smear
πασάς pasha
πασίγνωστος well-known
πασπαλίζω sprinkle, powder
πασπατεύω grope, feel
πάσσαλος stake, pole
πάστα paste, pastry
παστέλι sesame cake
παστεριωμένος pasteurized
παστεριώνω pasteurize
παστερίωση pasteurization, sterilization
παστίλια lozenge, pastille
παστός salted
παστρεύω clean, cleanse
παστρικός clean, neat
πάστωμα curing, salting
παστώνω salt
Πάσχα Easter
πασχαλιά Easter day, lilac
πασχαλινός of easter
πασχίζω try hard, strive
πάσχω suffer, be ill
πάταγος loud noise
παταγώδης noisy, loud
πατάτα potato
πατέρας father
πατερίτσα bishop's staff, crosier
πατερολογία paterology
πατήκωμα compression, pressure
πατηκώνω squeeze in, press
πάτημα step, footstep
πατημασιά footprint, track
πατητήρι wine-press
πατινάδα serenade
πατινάζ skating
πατινάρω skate
πατίνι skate
πάτος bottom
πατούσα sole

πατριαρχείο patriarchate
πατριάρχης patriarch
πατριαρχία patriarchate
πατριαρχικός patriarchal
πατρίδα mother land
πατρίκιος patrician
πατρικός paternal, fatherly
πατριώτης patriot, compatriot
πατριωτικός patriotic
πατριωτισμός patriotism
πατρογονικός paternal
πατροκτονία patricide
πατροκτόνος patricide
πατρολογία patrology
πατροπαράδοτος traditional
πατρότητα paternity, fatherhood
πατρυιός step father
πατσάς tripe
πατσαβούρα rag, duster
πατώ tread on, set foot on, step on
πάτωμα floor, storey
πατώνω floor
πατωσιά floor, layer
παύλα dash
παύση cessation, stoppage
παυσίπονος stopping pain
παύω stop, cease
παφλάζω bubble up, bluster
παφλασμός bubbling up, rippling
παχαίνω grow fat, fatten
πάχνη hoar-frost
παχνί manger, crib
πάχος fat, fatness, thickness
παχουλός plump, fat
παχύδερμος thick-skinned
παχυντικός fattening, nutricious
παχύνω fatten, grow fat
παχύς fat, thick
παχυσαρκία fatness, corpulence
παχύσαρκος fat, stout, corpulent
πάω go
πεδιάδα plain
πέδιλο sandal, shoe
πεδινός level, flat, low
πεδίο field, plain
πεζεύω dismount

πεζικό infantry
πεζικός of infantry
πεζογραφία prose
πεζογραφικός of prose
πεζογράφος prose-writer
πεζογραφώ write prose
πεζοδρόμιο sidewalk, pavement
πεζομάχος fighter on foot
πεζοναύτης marine
πεζοπορία foot journey, hiking, march
πεζοπορικός of walking
πεζοπόρος walker, pedestrian
πεζοπορώ walk
πεζός on foot, pedestrian
πεζότητα banality
πεζούλι parapet
πεθαίνω die
πεθερός father-in-law
πεθερά mother-in-law
πειθαρχία discipline
πειθαρχικός obedient, disciplinary
πειθαρχώ be obedient
πειθήνιος docile, obedient
πειθώ persuasion
πείθω persuade, convince
πείνα hunger, famine, starvation
πειναλέος hungry
πεινώ be hungry
πείρα experience, practice
πείραγμα teasing
πειράζω tease, annoy
πειρακτήρι teaser
πείραμα experiment, test
πειραματίζομαι experiment, try, test
πειραματικός experimental
πειραματισμός experimentation, experimenting
πειραματιστής experimenter
πειρασμός temptation, devil
πειρατεία piracy
πειρατής pirate, corsair
πειρατικός piratical
πείσμα spite, obstinacy
πεισματάρης obstinate, stubborn
πεισματικός spiteful, obstinate

πεισματώνω spite, be obstinate
πειστήριο proof, evidence
πειστικός persuasive, convincing
πειστικότητα persuasiveness
πελαγοδρομώ sail on the open sea
πέλαγος open sea
πελαγώνω get bewildered
πελαργός stork
πελατεία customers, clients, clientage
πελάτης customer, patron
πελεκάνος pelican
πελέκημα chipping, hewing, chopping
πελεκητός hewn, carved
πελέκι hatchet
πελεκώ hew, cut
πελιδνός livid
πέλμα sole, foot
πελτές jelly
πελώριος huge, enormous
Πέμπτη Thursday
πέμπτος fifth
πεμπτουσία quintessence
πέμπω send
πενήντα fifty
πενηντάρης fifty years old
πενθήμερος of five days
πένθιμος mournful, funeral
πένθος mourning, grief
πενθώ mourn
πενία indigence, poverty
πενικιλλίνη penicillin
πενιχρός shabby, poor, meager
πενιχρότητα poorness, shabbiness, poverty
πέννα pen, penholder
πεντάγραμμο staff, stave
πεντάγωνος pentagonal
πεντάεδρο pentahedron
πενταετία five years
πένταθλο pentathlon
πεντακόσιοι five hundred
πεντάλφα pentagram
πεντάμορφος most beautiful
πενταπλασιάζω quintuple

Π

πενταπλάσιος five fold
πέντε five
Πεντηκοστή Pentecost
πεντηκοστός fiftieth
πεντόβολα jacks, jackstones
πέος penis
πεπειραμένος experienced in, skilled in
πεπιεσμένος pressed, compressed
πέπλο veil
πεποίθηση conviction, trust, confidence
πεπόνι melon
πεπρωμένο destiny, fate
πεπρωμένος fatal, destined
πεπτικός digestive, peptic
πέρα over, beyond, further
πέραμα passage, ford, pass
πέρασμα passage, crossing
περασμένος past, old
περαστικός transient, passing, transitory
περάτωση finishing
περβάζι frame, cornice
περγαμηνή parchment
περγαμότο bergamot
πέρδικα partridge
περήφανος proud
περί about, around
περιαυτολογία boasting, bragging
περιαυτολογώ brag, boast
περιβάλλον environment, surroundings
περιβάλλω surround, encircle
περίβλημα cover, wrapper
περιβόητος notorious, famous
περιβολή dress, garb
περιβόλι orchard, garden
περίβολος enclosure
περιβραχιόνιο bracelet
περιγελώ laugh at, mock
περιγιάλι seashore, beach, coast
περίγραμμα border, outline
περιγραφή description
περιγραφικός descriptive
περιγράφω describe

περιδεής fearful
περιδέραιο necklace
περίδρομος devil, a devil of a lot
περιεκτικός comprehensive, concise
περιεκτικότητα comprehensiveness, the contents
περιελίσσω wind around
περιεργάζομαι examine closely
περιέργεια curiosity
περίεργος curious, strange
περιεχόμενο content
περιέχω contain, comprise, include
περιζήτητος in great demand
περίζωμα girdle, belt
περιζώνω gird, encircle
περιήγηση travel, tour
περιηγητής traveller, tourist
περιήλιο perihelion
περιθάλπω take tender care of
περίθαλψη tender care
περιθώριο margin
περικάλυμμα wrapper, cover
περικαλύπτω wrap, cover
περικάρδιο pericardium
περικάρπιο pericarp
περικεφαλαία helmet, casque
περικλείω enclose
περικοπή retrenchment, curtailment
περικόπτω cut, clip
περικυκλώνω surround, encircle
περικύκλωση encirclement
περιλαίμιο collar, necklace
περιλαμβάνω comprise, embrace
περίλαμπρος resplended
περιληπτικός comprehensive, summary
περίληψη summary, brief
περίλυπος sorrowful
περιμένω wait for, expect
περίμετρος circumstance, perimeter
περιοδεία tour, travel
περιοδεύω tour, travel
περιοδικό magazine
περιοδικός periodical
περίοδος period, sentence, epoch, era

περίοπτος conspicious, notable
περιορίζω limit, confine
περιορισμένος limited, confined
περιορισμός limitation, confinement, restriction
περιοριστικός restrictive
περιόστεο periosteum
περιουσία property, fortune
περιουσιακός of property
περιοχή district, space, territory
περιπάθεια passion
περιπαθής passionate, pathetic
περιπαίζω mock, laugh at
περιπαικτικός derisive
περιπατητής walker, stroller
περίπατος walk, stroll
περιπατώ walk, stroll
περιπέτεια adventure, incident
περιπετειώδης adventurous, unsettled
περιπλάνηση wandering, roaming
περιπλανώμαι wander about
περιπλέκω interweave, entangle
περιπλέω circumnavigate
περιπλοκή complication
περίπλοκος complicated, intricate, complex
περιποίηση kind treatment, good care
περιποιητικός obliging, kind
περιποιούμαι treat kindly
περιπολία patrolling, patrol
περίπολος patrol
περιπολώ patrol
περίπου about, nearly, almost
περίπτερο kiosk, pavilion
περίπτωση case, instance
περίσκεπτος thoughtful, prudent
περίσκεψη circumspection, prudence
περισκόπιο periscope
περισπασμός trouble, distraction
περισπωμένη circumflex accent
περίσσευμα surplus, excess
περισσεύω be left over, be superfluous

περίσσιος abundant, superabundant
περισσότερος more
περισταλτικός restrictive
περίσταση circumstance, occasion, situation
περιστατικό incident, event
περιστέλλω restrain, reduce
περιστερώνας pigeon-house, dove-cot
περιστέρι pigeon, dove
περιστοιχίζω surround, encircle
περιστολή restriction, reduction
περιστρέφω rotate, turn round
περιστροφή turn, rotation
περίστροφο revolver
περισυλλέγω gather, collect
περισυλλογή gathering, collecting
περισώζω save, rescue
περιτειχίζω surround with a wall
περιτομή circumcision
περιτονίτιδα peritonitis
περιτριγυρίζω encircle, surround
περίτρομος terrified, frightened
περιττεύω be unnecessary
περιττολογία superfluous talk
περιττολογώ be verbose, chatter
περιττός superfluous, unnecessary
περιτύλιγμα wrapper, envelope
περιτυλίσσω wrap up
περιφέρεια circumference
περιφερειακός of a circumference, of a district
περιφέρω carry around
περίφημος famous, excellent
περιφορά turn, rotation
περίφραγμα fence, hedge
περίφραξη fencing, enclosing
περιφραστικός periphrastic
περιφράσσω enclose, fence
περιφρόνηση contempt, disdain
περιφρονητικός contemptuous, scornful
περιφρονώ contemn, disdain
περιφρούρηση protection, safeguard
περιφρουρώ safeguard, protect

Π

περιχαρής joyful, glad
περιχέω pour round
περίχωρα surroundings, environs
περιωπή high place, importance, eminence
πέρκα perch
περνώ pass, cross, surpass
περόνη brooch, pin
περονόσπορος peronosporous
περούκα wig, peruke
περπατώ walk
περσικός persian
πέρυσι last year
περυσινός of last year
πέσιμο fall, falling
πεσκέσι gift, present
πέστροφα trout
πέταγμα flight, casting, throwing
πετακτός lively, frisky, quick
πετάλι pedal
πεταλίδα limpet
πέταλο horse-shoe, pedal
πεταλούδα butterfly
πετάλωμα shoeing
πεταλώνω shoe
πεταλωτήριο farriery
πεταλωτής farrier
πέταμα throwing away
πετεινός cock
πετιμέζι must syrup
πετούγια springbolt
πετονιά fish-line
πέτρα stone, rock
πετράδι pebble
πετραχήλι stole
πετρέλαιο petroleum
πετρελαιοπηγή petroleum-well
πετρελαιοφόρο oil tanker
πέτρινος stone
πετροβόλημα stoning, lapidation
πετροβολώ stone, throw stones at
πετρογραφία petrography
πετροπόλεμος fight with stones
πετροχελίδονο martin
πετρόψαρο rock-fish
πετρώδης rocky, stony

πέτρωμα petrification, rock
πετρώνω petrify
πέτσα crust, skin
πετσέτα napkin, towel
πετσί leather, skin
πέτσινος of leather, leathern
πετσοκόβω cut to pieces
πετώ throw, fly, cast
πεύκο pine-tree
πευκόφυτος abounding with pines
πευκώνας pine wood
πέφτω fall
πέψη digestion
πηγάδι well, pit
πηγάζω spring, emanate, spring from
πηγαινοέρχομαι come and go, go to and fro
πηγαίνω go
πηγαίος of a spring, flowing
πηγή spring, fountain, source, origin
πηγούνι chin
πηδάλιο helm, rudder
πηδαλιούχος helmsman, steersman, pilot
πηδαλιουχώ steer
πήδημα jump, leap, hop
πηδώ jump, leap, spring, hop
πήζω coagulate, curdle
πήξη coagulation, curdling
πηκτή jelly
πηλός clay, mud
πηρούνι fork
πηρουνιά forkful
πηρουνιάζω pick up
πήχη ell
πιά more
πιανίστας pianist
πιάνο piano
πιάνω catch, seize, take
πιάσιμο catching, hold
πιασμένος stiff, caught, seized
πιατάκι saucer
πιατέλα platter
πιατικά dishes, crockery
πιάτο dish, plate

πιατοθήκη cupboard, dresser
πίδακας jet of water, fountain
πιέζω press, squeeze, oppress
πίεση pressure
πιεστήριο press
πιεστικός pressing
πιθαμή span
πιθανός probable, likely
πιθανότητα probability
πιθάρι large jar
πιθηκίζω ape, mimic
πίθηκος ape, monkey
πικνίκ picnic
πίκρα bitterness, grief
πικραίνω make bitter, embitter, grieve
πικρία bitterness
πικρίζω be bitter
πικροδάφνη oleander, rose-bay
πικρός bitter, harsh
πικρόχολος bilious
πιλατεύω torment, torture
πιλάφι pilau, pillaf
πιλότος pilot, helmsman
πίνακας blackboard, table
πινακίδα table, slate
πινακοθήκη picture gallery
πινελιά stroke (with a brash)
πινέλο painter's brash
πίνω drink
πιοτό drink
πίπα pipe
πιπέρι pepper
πιπεριά pepper-plant
πιπερώνω pepper
πιπιλίζω suck, sip
πιπίλισμα sucking
πισίνα swimming pool
πισινός behind
πίσσα pitch, tar
πισσάσφαλτος tar, asphalt
πισσώδης pitchy, tarry
πισσώνω tar, pitch
πίστα race-course
πιστευτός trustworthy, credible
πιστεύω believe

πίστη belief, faith, credit
πιστικός confidant
πιστόλι pistol
πιστολιά pistol-shot
πιστοποίηση certification, testimony
πιστοποιητικό certificate, testimonial
πιστοποιώ certify, testify
πιστός faithful, loyal, believer
πιστότητα faithfulness, fidelity
πιστώνω credit
πίστωση credit, crediting
πιστωτής creditor
πιστωτικός of credit
πίσω back
πιτζάμα pyjama
πιτσιλίζω splash, sprinkle
πιτσίλισμα splashing, sprinkling
πίττα pie, cake
πιτυρίδα dandruff, scurf
πίτυρο bran
πιτυρούχος containing bran
πιωμένος drunk, tipsy
πλάγι side
πλάγια sideways
πλαγιά slope
πλαγιάζω go to bed, lay
πλαγιαστός lying down
πλαγινός neighbouring
πλάγιος oblique, side, lateral, indirect
πλαδαρός flabby, loose, soft
πλαδαρότητα flabbiness
πλάθω mold, knead
πλαίσιο frame, border, framework
πλαισιώνω frame, border, surround
πλαισίωση framing
πλάκα slate
πλακάκι tile
πλακόστρωμα pavement
πλακοστρώνω pave with flagstones
πλακόστρωτος paved with flagstones
πλακούντας placenta
πλακώνω crush, squash, cover, press

Π

πλάνεμα seduction
πλανευτής seducer
πλανεύω seduce, entice
πλάνη jointer, error, delusion
πλανήτης planet
πλανητικός planetary
πλανίζω plane
πλανόδιος roving, wandering
πλάνος deceiver, cheat, seducer
πλάνταγμα vexation, torment
πλαντάζω burst
πλανώ mislead, delude, cheat
πλάση creation, formation, the universe
πλάσμα creature, work
πλάσμα(αίματος) plasma
πλασματικός fictitious, imaginary
πλαστήρι rolling pin
πλάστης creator, molder
πλάστιγγα balance, scales
πλαστική plastic art
πλαστικός plastic
πλαστικότητα plasticity
πλαστογραφία forgery, forging
πλαστογράφηση forgery, falsification
πλαστογράφος forger, falsifier
πλαστογραφώ forge, falsify
πλαστοπροσωπία false impersonation
πλαστός fictitious, false, artificial, faked
πλαστότητα falseness, falsification, forgery
πλαστουργία creation
πλαστουργός creator, maker
πλαταγίζω clap, clack
πλαταίνω widen, stretch
πλάτανος platan
πλατεία square
πλατειά broadly, largerly, widely
πλατειάζω speak broadly
πλατειασμός superfluous talk
πλάτη back
πλατίνα platinum
πλάτος width, breadth

πλατύγυρος broad-brimmed
πλατυποδία flat feet
πλατύς broad, wide
πλατύσκαλο landing of stairs, stairhead
πλατύφυλλος broad-leaved
πλατωνικός platonic, ideal
πλατωνισμός platonism
πλέγμα netting
πλειοψηφία majority, plurality
πλειοψηφώ have the majority of votes
πλειστηριάζω auction, sell at auction
πλειστηριασμός auction
πλειστηριαστής auctioneer
πλεκτάνη plot, snare
πλεκτήριο weaver, knitter
πλέκτης weaver, knitter
πλεκτός knitted, knit
πλέκω knit, braid
πλεμόνι lung
πλένω wash, clean
πλεξίδα braid, plait
πλέξιμο knitting, braiding
πλέον more, longer
πλεονάζω be superfluous, be superabound, abound
πλεόνασμα surplus, excess
πλεονασμός superabundance, redundancy
πλεονέκτημα advantage, benefit
πλεονέκτης greedy, grasping
πλεονεκτικός advantageous
πλεονεκτώ have the advantage
πλεονεξία greed, greediness
πλευρά rib, side
πλευρίζω dock, moor
πλευρικός of the side, flank
πλευρίτιδα pleurisy, pleuritis
πλευρό rib, side
πλεύση navigation, sailing
πλέω navigate, sail
πληβείος plebeian
πληγή wound, sore, injury, ulcer
πλήγμα blow, wound

πληγούρι gruel, meal
πληγώνω wound, hurt
πληθαίνω multiply
πλήθος multitude, crowd, plenty
πληθυντικός the plural number
πληθυσμός population
πληθώρα plenitude, plenty
πληθωρικός plethoric, replete
πληθωρισμός inflation
πληκτικός dull, tedious, boring
πλήκτρο key, plectrum
πλημμελειοδικείο magistrate's court
πλημμέλημα minor crime, mis-
demeanour
πλημμελής defective, faulty
πλημμύρα flood, inundation
πλημμυρίδα flood-tide
πλημμυρίζω overflow, inundate
πλήν but, except, minus
πλήξη tedium, dullness, boredom
πληρεξούσιο proxy
πληρεξούσιος proxy
πλήρης full, complete, entire
πληρότητα fulness, completeness
πληροφόρηση informing
πληροφορητής informer
πληροφορία information, report
πληροφορώ inform
πληρώ fill, fulfill
πλήρωμα filling, crew
πληρωμή payment, pay
πληρώνω pay
πλήρως fully, completely
πλήρωση filling, completion
πληρωτής payer
πλησιάζω approach, bring near
πλησίασμα approach
πλησμονή repletion, plenty
πλήττω strike, hit, be bored
πλοηγός pilot
πλοηγώ be a pilot
πλοιάριο small ship, boat
πλοίαρχος ship-master, captain
πλοιοκτήτης shipowner
πλοίο ship, vessel, boat
πλοκάμι hair-tress, tress

πλοκή twining, twisting
πλουμίζω ornament, embroider
πλουμιστός ornamented, em-
broidered
πλουσιοπάροχος bountiful, abudant
πλούσιος rich, wealthy, opulent
πλουτίζω enrich, make rich
πλουτισμός enrichment
πλουτοπαραγωγικός fecund, prolific
πλούτος wealth, riches
πλυντήριο laundry
πλύση washing, wash
πλυσταριό laundry, wash-house
πλύστρα washer woman
πλώρη prow of a ship
πλωτήρας float
πλωτός navigable, floating
πνεύμα spirit, mind
πνευματικός spiritual, intellectual
πνευματικότητα spirituality
πνευματισμός spiriutalism
πνευματιστής spiritualist, spiritist
πνευματώδης witty, ingenious,
clever
πνεύμονας lung
πνευμονία pneumonia
πνευστός blown
πνέω blow, exhale, breathe
πνιγηρός suffocating
πνιγμός drowing, suffocation
πνίγω choke, suffocate, drown
πνικτικός stifling, choking
πνίξιμο drowning, choking
πνοή breath, breathing
ποδάρι foot, leg
ποδαρόδρομος walk, foot journey
ποδηλασία cycling, bicycling
ποδηλάτης cyclist, bicyclist
ποδηλατικός of a bicycle
ποδήλατο bicycle
ποδηλατοδρομία cycling
ποδηλατοδρόμιο cycle race-course
πόδι foot, leg
ποδιά apron
ποδοβολητό trampling of a feet
ποδόγυρος hem

Π

ποδοκίνητος moved by foot-power
ποδόλουτρο foot-bath
ποδοπατώ trample under foot
ποδοσφαιριστής foot-ball player
ποδόσφαιρο foot-ball
πόζα pose
ποζάρω pose
ποθητός desired, desirable
πόθος desire, wish
ποθώ desire, wish
ποίημα poem
ποίηση poetry
ποιητής poet
ποιητικός poetical
ποιήτρια poetess
ποικιλία variety, diversity
ποικίλος various, varied
ποικίλω vary
ποιμαντικός pastoral
ποιμενικός pastoral
ποινή penalty, punishment
ποινικολόγος criminalist
ποινικός penal, criminal
ποιός who, which, what
ποιότητα quality, property
ποιοτικός qualitative
πολέμαρχος commander
πολεμικός war, martial
πολεμιστής warrior, fighter, combatant
πολεμίστρα loop-hole
πολεμοφόδια ammunition, munition
πολεμώ war, fight
πολεοδομία city planning
πολικός polar
πολικότητα polarity
πολιομυελίτιδα poliomyelitis
πολιορκητής besieger
πολιορκητικός of a siege
πολιορκία siege, investment
πολιορκώ besiege
πόλη city, town
πολιτεία state, republic
πολίτευμα regime
πολιτεύομαι be a politician
πολιτευτής statesman

πολίτης citizen, townsman
πολιτική politics, policy
πολιτικός political, civil
πολιτισμένος civilized, cultured
πολιτισμός civilization
πολιτιστικός civilizing
πολιτογράφηση naturalization
πολιτογραφώ naturalize
πολιτοφυλακή militia, state guard
πόλκα polka
πολλά much, many
πολλαπλασιάζω multiply, increase
πολλαπλασιασμός multiplication
πολλαπλασιαστέος multiplicand
πολλαπλασιαστής multiplier
πολλαπλάσιος multiple
πόλος pole
πολτοποιώ pulp
πολτοποίηση pulpefaction
πολτός pap, pulp
πολύ much, very
πολυάνθρωπος populous, crowded
πολυάριθμος numerous
πολυάσχολος very busy
πολυβόλο machine-gun
πολυγαμία polygamy
πολύγλωσσος polyglot
πολύγραφος polygraph, duplicator
πολύγωνο polygon
πολύγωνος polygonal
πολυδάπανος costly, extravagant
πολύεδρο polyhedron
πολυεκατομμυριούχος multimillionaire
πολυέλαιος chandalier, lustre
πολυέξοδος extravagant, expensive
πολυετής of many years
πολυθεϊστικός polytheistic
πολυθρόνα arm-chair
πολυθρύλητος famous
πολυκαιρίζω last long
πολύκαρπος fruitful, fertile
πολυκλινική polyclinic, dispensary
πολυκοσμία a large crowd
πολυκοτυλήδονος polycotyledonous
πολυλογάς talkative

πολυλογία chattering, talkativeness
πολυλογώ chatter, prattle
πολυμάθεια erudition
πολυμαθής erudite
πολυμελής of many members, numerous
πολυμήχανος artful, crafty
πολυμορφία multiplicity
πολύμορφος multiform
πολύπλευρος many-sided
πολύπλοκος complicated, intricate
πολυπόθητος much-desired
πολύποδας polypode, polype
πολυπραγμοσύνη officiousness, meddlesomeness
πολύς much
πολυσύλλαβος polysyllabic
πολύτεκνος having many children
πολυτέλεια luxury, sumptuousness
πολυτελής luxurious, sumptuous
πολυτεχνείο polytechnic school
πολυτεχνία knowledge of many arts
πολυτεχνίτης skilled in many trades
πολύτιμος valuable
πολύτροπος artful, versatile
πολυφαγία excessive eating, gluttony
πολυφυής multifarious
πολύφωτο chandelier
πολυχρωμία diversification
πολύχρωμος many-coloured
πολυώνυμος having many names
πολώνω polarize
πόλωση polarization, polarity
πόμολο handle, knob
πομπή procession, pomp
πομπός transmitter
πομπώδης pompous, bombastic
πονεμένος sore, painful
πονετικός compassionate
πονηράδα cunning
πονηρία cunning, perversity, ruse
πονηρός perverse, crafty
πονόδοντος toothache
πονοκέφαλος headache
πονοκεφαλιάζω bore, weary

πονόλαιμος sorethroat
πόνος pain, ache, grief
ποντάρισμα staking, punting
ποντάρω stake
ποντίκι mouse, muscle
ποντικοπαγίδα mouse-trap
ποντικοφάρμακο rat poison
ποντικοφωλιά rat-hole
ποντοπορία sailing
ποντοπόρος seafarer, seafaring
ποντοπορώ navigate
πόντος sea, centimeter
πονώ ache, hurt
πορεία march, journey, course
πορεύομαι go, proceed
πόρθηση conquest
πορθητής conqueror
πορθμείο ferry-boat
πορθμός straits, channel
πορίζω provide, furnish
πόρισμα deduction, conclusion
πορνεία prostitution, whoredom
πόρνη prostitute, whore
πορνογραφία pornography
πορνογραφικός pornographic
πορνογράφος pornographer
πόρος way, ford
πόρπη buckle, clasp
πορσελάνη porcelain, china
πόρτα door, gate
πορτιέρης door-keeper
Πορτογαλία Portugal
Πορτογάλος Portuguese
πορτοκαλάδα orangeade, orange juice
πορτοκάλι orange
πορτοφόλι wallet, purse
πορτραίτο portrait
πορφύρα purple
πορφυρός purple
πόσιμος drinkable
ποσό sum, amount
πόσος how much
ποσοστό fraction, percentage
ποσότητα quantity, amount
ποσοτικός quantitative

ποταμάκι rivulet, stream
ποτάμι river, stream
ποταπός base, mean
ποταπότητα baseness, meanness
ποτάσσα potash
πότε when
ποτέ never
ποτήρι glass
ποτίζω water, give to drink
ποτιστικός irrigated
ποτό drink, beverage
ποτοποιείο distillery
ποτοποιός distiller
πού where
που who, which, where
πουγγί purse
πούδρα face-powder
πουδράρω powder
πουθενά nowhere, anywhere, in no place
πουκαμίσα long shirt
πουκάμισο shirt
πουλάδα pullet
πουλάρι colt, young horse
πουλερικά poultry
πουλί bird, foul
πουλώ sell
πουντιάζω cool, chill
πουπουλένιος of feathers, downy
πούπουλο down, feather
πουρές mashed potatoes
πουρνάρι evergreen oak
πουριτανισμός puritanism
πουριτανός puritan
πουτίγκα pudding
πράγμα thing, matter, fact
πραγματεία treatise, essay
πραγματεύομαι treat, deal
πράγματι in fact, really, indeed
πραγματικός real, actual, true
πραγματικότητα reality, truth
πραγματοποίηση realization, fulfilment
πραγματοποιώ realize, fulfil, accomplish
πραγμάτωση realization

πρακτική practice
πρακτικό record, act, -ά minutes
πράκτορας agency
πρακτορείο agency
πραμματευτής merchant, mercer
πράξη act, action
πραξικόπημα coup d' etat, stroke of policy
πράος meek, mild
πραότητα meekness, mildness
πρασινάδα greenness
πράσινος green, verdant
πράσο leek
πρατήριο sale-room
πράττω act, do, perform
πραϋντικός soothing
πρεβάζι window-frame
πρεμιέρα premiere
πρέπει it must
πρεσβεία embassy, legation
πρεσβευτής ambassador, minister
πρεσβεύω profess, believe
πρέσσα press
πρήξιμο swelling, tumour
πρίγκηπας prince
πριγκηπάτο princedom, principate
πριγκίπισσα princess
πριν before
πριόνι saw
πρίσμα prism
πρισματικός prismatical
προάγγελος herald, foreteller
προάχω promote, advance
προαγωγή promotion
προαισθάνομαι have a presentiment, forebode
προαίσθημα presentiment
προανακρίνω make a preliminary inquiry
προανάκριση preliminary inquiry
προαποφασίζω predecide, predetermine
προάσκηση preparatory exercise
προασπίζω shield, protect, defend
προάσπιση defense, protection
προάστιο suburb

προάστιος suburban
προαύλιο front-yard
πρόβα trial, rehearsal
προβάδισμα precedence
προβάλλω propose, project
προβάρω make a trial of, rehearse
προβατίνα ewe, lamb
πρόβατο sheep
προβιβάζω promote
προβιβασμός promotion, advancement
προβλέπω foresee, anticipate
πρόβλεψη foresight, forecast
πρόβλημα problem, question
προβληματικός problematic
προβολέας searchlight
προβολή projection
προβοσκίδα trunk, proboscis
προγενέστερος born before, earlier, anterior
πρόγευμα breakfast
προγευματίζω take breakfast
πρόγνωση foreknowledge, foresight
προγνωστικός prognostic, foreseeing
προγονή step-daughter
προγονικός hereditary, ancestral
προγονολατρία worshipping one's ancestors
πρόγονος ancestor, forefather
πρόγραμμα programme, plan
προγραφή proscription
προγυμνάζω prepare, exercise
προγύμναση preparatory exercise
προγυμναστής trainer, tutor
προδιαγράφω prescribe, direct
προδιάθεση predisposition, liability
προδιαθέτω predispose, prepare
προδίδω betray
προδικάζω prejudge, foresee
προδοσία treachery, betrayal
προδότης traitor, betrayer
προδοτικός treacherous
πρόδρομος forerunner, precursor
προεδρείο president's office
προεδρεύω preside over, be president

προεδρία presidency, presidentship
πρόεδρος president, chairman
προειδοποίηση warning, notice, previous notice
προειδοποιώ warn, forewarn
προεκλογικός pre-electional
προέκταση prolongation, extension
προεκτείνω prolong, extend
προελαύνω advance
προέλευση coming, arrival
προεξέχω project
προεξόφληση discount, discounting
προεξοφλώ discount, cash
προεξοχή projection, prominence
προεόρτια celebration in advance
προεργασία preparatory work
προέρχομαι result from, come from
προεσκεμμένος premeditated
προετοιμάζω prepare
προετοιμασία preparation, preparing
προζύμι leaven, yeast
προηγούμαι precede, go ahead
προηγούμενος preceding, prior, previous
προθάλαμος anteroom, lobby, antechamber
πρόθεμα prefix
προθερμαίνω heat previously
προθέρμανση preliminary heating
πρόθεση intent, intention, aim, purpose
προθεσμία term, limit
προθετικός prepositional
προθυμία readiness, willingness
πρόθυμος willing, eager, ready
πρόθυρα vestibule
προϊδεάζω advise beforehand, warn
προίκα dowry
προικίζω dower, endow
προίκιση endowment
προικοδότηση giving a dowry
προικοθήρας dowry hunter, dower-seeker
προϊόν product

Π

προϊστάμενος employer, superior, supervisor
προϊστορία prehistoric times
προϊστορικός prehistoric
προκάλυμμα screen, curtain
προκαλύπτω cover, screen
προκάλυψη hiding, concealing
προκαλώ challenge, provoke
προκαταβάλλω pay in advance
προκαταβολή deposit, money paid in advance
προκαταβολικός in advance
προκαταλαμβάνω preoccupy, occupy
προκατάληψη preoccupation, prejudice, bias
προκαταρκτικός preliminary, preparatory
προκατειλημμένος prejudiced, biased, preoccupied
προκάτοχος predecessor
προκείμενος present
προκήρυξη proclamation, announcement
προκηρύσσω pre-announce
πρόκληση provocation, challenge
προκλητικός provocating, provocative
προκομμένος assiduous, intelligent, able
προκοπή progress, ability
προκόπτω progress, improve
προκριματικός preliminary, primary
προκρίνω predetermine, prefer
προκυμαία quay, pier
προκύπτω result, arise
προλαβαίνω prevent, impede, anticipate
προλεγόμενα preface, foreword, introduction
προλέγω foretell, predict
προλεταριάτο proletariate
προλετάριος proletarian
προληπτικός superstitious
πρόληψη prejudice, superstition, prevention, preventive

προλογίζω speak first, preface
πρόλογος preface, foreword
προμαντεύω presage, divine, foretell
πρόμαχος champion, defender
προμαχώνας rampart
προμελέτη preparatory study
προμελετώ premeditate
προμήθεια supply, provision
προμηθευτής supplier, provider
προμηθεύω provide, supply
προμήνυμα presage, foretoken
προμηνύω announce, presage, forebode
πρόναος church vestibule
προνοητικός provident, foreseeing
πρόνοια foresight, forethought
προνόμιο privilege, prerogative
προνομιούχος privileged, favoured
προνοώ foresee, provide
προξενειά match making
προξενείο consulate
προξενεύω bring about a marriage
προξενευτής match-maker
προξενικός consular
πρόξενος consul
προοδευτικός progressive, progressing
προοδεύω progress, advance
πρόοδος progress, improvement
προοίμιο preface, proem, prelude
προοιωνίζομαι presage
προοπτική perspective
προορατικός foreseeing, provident
προορίζω predestine, predestinate
προορισμός predestination, destiny
προπαγάνδα propaganda
προπαγανδίζω propagandize
προπαγανδιστικός propagandistic
προπαίδεια preparatory instruction
προπαιδεύω give a preparatory education
πρόπαππος great-grandfather
προπαραλήγουσα antepenultima, antepenult
προπαραμονή the day before the eve

προπαρασκευάζω prepare
προπαρασκευαστικός preparatory
προπατορικός ancestral, original
προπέρυσι two years ago
προπέτασμα curtain
προπίνω drink to one's health
πρόπλασμα model, cast
προπληρωμή prepayment
προπληρώνω prepay
πρόποδες foot of a mountain
προπόνηση training
προπονητής trainer
προπονώ train
προπορεύομαι precede, go first
πρόποση toast
προπύλαιο porch, portico
προπύργιο bastion, rampart
προς to, at, toward, for
προσαγορεύω address, call
προσάναμμα fuel, tinder
προσανατολίζω orientate, orient
προσανατολισμός orientation, orienting
προσάραξη grounding
προσαράσσω strand, run aground
προσαρμογή adaptation, adjustment
προσαρμόζω adapt, adjust
προσαρμοστής adapter, fitter, readjuster
προσάρτημα attachment, appendix, annex
προσάρτηση annexation, annexion
προσαύξηση augmentation, increase
πρόσαψη imputation
προσβάλλω offend, assail, attack
πρόσβαση access
προσβλητικός offensive
προσβολή offense, insult
προσγειώνω land
προσγείωση landing
προσδιορίζω fix, appoint
προσδιορισμός definition, designation
προσδοκία expectation, expectancy
προσδοκώ expect, hope

προσεγγίζω approach
προσέγγιση approach, nearing
προσεκτικός careful, attentive
προσέλευση coming, arrival
προσελκύω attract
προσευχή prayer, orison
προσευχητάριο prayer-book
προσεύχομαι pray
προσεχής next, coming, near
προσέχω be careful, pay attention
προσεχώς soon, shortly
προσηλυτίζω convert, proselytize
προσηλυτισμός proselytism, conversion
προσηλυτιστής converter
προσηλυτιστικός proselytizing
προσηλώνω fix, nail up
προσήλωση fixing, nailing
προσημείωση previous note
προσήνεια affability, kindness
προσηνής affable
πρόσθεση addition, adding
προσθετέος addable
προσθετικός additional
πρόσθετος additional
προσθέτω add
προσθήκη addition
πρόσθιος front, fore
προσιτός accessible
πρόσκαιρος temporary, ephemeral
προσκαλώ invite, call
προσκέφαλο pillow, cushion
προσκήνιο proscenium
πρόσκληση invitation, calling out
προσκλητήριο invitation card
προσκόλληση adhesion, adherence
προσκολλώ stick, glue, attach
προσκομιδή producing, bringing
προσκομίζω bring, carry
προσκοπικός scouting
πρόσκοπος scout
πρόσκρουση stumbling, collision
προσκρούω stumble, strike against, clash
προσκύνημα shrine, worship
προσκυνητής worshiper, pilgrim

Π

προσκυνώ worship, adore
προσλαμβάνω take, assume, receive in addition
πρόσληψη taking, engaging
προσμένω wait for, expect
πρόσμιξη mingling, mixing
πρόσοδος income, revenue
προσοδοφόρος bearing income
προσόν qualification, attribute
προσορμίζω moor
προσόρμηση mooring
προσοχή attention, care, notice
πρόσοψη facade, front view
προσόψι towel
προσπάθεια endeavour, effort, attempt
προσπαθώ try, endeavour, make an effort
προσπέλαση approach
προσπερνώ overtake, pass by
προσποίηση affectation, feint
προσποιητός affected, feigned
προσποιούμαι feign, affect
προσταγή order, command
πρόσταγμα command, order
προστάζω order, command
προστακτική imperative
προστακτικός imperative
προστασία protection, defence
προστατευτικός protective
προστατεύω protect, defend
προστάτης protector, patron
πραστάτρια protectress
πρόστιμο fine, penalty
προστριβή friction, rubbing
προστυχιά meanness, baseness
πρόστυχος mean, low, base
προσυμφωνία previous agreement
προσυνεννόηση preliminary agreement
προσυπογράφω countersign
πρόσφατος recent, fresh, new
προσφέρω offer, present, give
προσφεύγω seek refuge
προσφιλής dear, beloved
προσφορά offer

πρόσφορος proper, fitting, suitable
πρόσφυγας refugee
προσφυγή recourse, resort
προσφώνηση address, speech
προσφωνώ address
πρόσχαρος cheerful, jolly, gay
προσχεδιάζω plan in advance
προσχέδιο rough plan
πρόσχημα pretext, pretense
προσχώρηση accession, adhesion
προσχωρώ accede, adhere
προσωδία prosody
προσωπάρχης staff manager
προσωπείο mask
προσωπιδοφόρος masked
προσωπικό personnel, staff
προσωπικός personal, individual
προσωπικότητα personality, individuality
πρόσωπο face, visage
προσωπογραφία portrait
προσωποκράτηση arrest, detention
προσωπολατρία hero-worship
προσωποληψία partiality, favoritism
προσωποποίηση personification, impersonation
προσωποποιώ impersonate
προσωρινός temporary
προσωρινότητα temporariness
πρόταση proposal, offer, sentence, clause
προτείνω propose, suggest
προτεκτοράτο protectorate
προτεραιότητα priority, anteriority
προτέρημα advantage, superiority
προτεστάντης protestant
προτίμηση preference
προτιμότερος preferable, better
προτιμώ prefer
προτομή bust
προτού before, previously
προτρεπτικός exhortative, inciting
προτρέπω urge, exhort, incite
προτροπή exhortation, instigation
πρότυπο model, original
προϋπάντηση meeting

προϋπάρχω preexist
προϋπόθεση presupposition
προϋποθέτω presuppose, presume
προϋπολογισμός estimate, budget
πρόφαση pretext
προφασίζομαι set up as a pretext
προφέρω pronounce, utter
προφητεία prophecy, foretelling, prediction
προφητεύω predict, prophesy
προφήτης prophet, soothsayer, diviner
προφθάνω overtake, catch
προφορά pronunciation, accent
προφορικός oral, verbal
προφύλαγμα precaution
προφυλακή vanguard, outpost
προφυλακίζω arrest, detain in custody
προφυλάκιση detention
προφυλακτικός cautious, preventive
προφύλαξη precaution, circumspection
προφυλάσσω shelter, protect, preserve
πρόχειρος handy, ready
προχθές the day before yesterday
πρόχωμα earthwork, dike
προχωρώ advance, go on
προώθηση propulsion
προωθώ propel
πρόωρος premature, precocious
πρύμνη stern, poop
πρυτανεία rectorship
πρυτανείο rector's office
πρύτανης rector
πρώην formerly
πρωθυπουργία premiership
πρωθυπουργός prime minister
πρωί morning
πρώιμος early, premature
πρωινός of the morning
πρωκτός anus
πρώτα at first, firstly
πρωταγωνιστής first actor
πρωταγωνίστρια first actress

πρωταγωνιστώ play the principal role
πρωτάθλημα contest, championship
πρωταθλητής champion
πρωτάκουστος unheard of
πρωταρχικός the very first
πρωτεΐνη protein
πρωτεύουσα capital, metropolis
πρωτεύω be the first
πρωτήτερα earlier, formerly
πρωτοβουλία initiative
πρωτοβρόχια the first rains of autumn
πρωτόγονος first born, primitive
πρωτοετής of the first year
πρωτοκαθεδρία the first place
πρωτόκολλο protocol, register, record
πρωτομαγιά May-Day
πρωτομάρτυρας first martyr
πρωτομάστορας chief workman
πρωτόπειρος beginner, novice
πρωτόπλασμα protoplasm
πρωτοπορεία vanguard
πρωτοπόρος pioneer, vanguard, forerunner
πρώτος first, principal
πρωτοστάτης leader
πρωτοστατώ be the leader
πρωτοτόκια birthright
πρωτότοκος first-born, eldest
πρωτοτυπία originality
πρωτότυπος original, model
πρωτοφανής novel, new
πρωτοχρονιά New Year's Day
πρωτοψάλτης first chanter
πταίσμα fault, offense, error
πτέρνα heel
πτηνό bird, fowl
πτηνοτροφείο aviary
πτηνοτροφία breeding of birds
πτηνοτρόφος bird breeder
πτήση flight, flying
πτητικός flying, volatile
πτοώ frighten, scare
πτυχίο diploma, certificate

Π

πτυχιούχος graduate, certificated
πτυχώνω fold, cease
πτώμα corpse, carcass
πτωμαΐνη ptomaine
πτώση fall, falling
πτώχευση impoverishment
πτωχεύω become poor
πτωχοκομείο poorhouse
πτωχός poor, needy
πυγμαίος pygmy
πυγμαχία boxing, pugulism
πυγμάχος boxer, pugilist
πυγμαχώ box, spar
πυγμή fist, boxing
πυγολαμπίδα fire fly, glow-worm
πυθμένας bottom, trunk
πυκνός thick, dense
πυκνότητα density, thickness
πυκνόφυλλος bushy
πυκνώνω thicken, condense
πύκνωση thickening, condensation
πυκνωτής condenser
πύλη gate, door, gateway
πυξίδα compass
πύο pus, matter
πυρ fire
πυρά fire
πυρακτώνω heat in the fire
πυραμιδοειδής pyramidal
πυρασφάλεια fire insurance, fire-
proofing
πύραυλος rocket
πυργίσκος turret
πυργοδέσποινα lady of a manor
πυργοδεσπότης lord of a manor
πύργος tower, castle
πυρετικός febrile

πυρετός fever, temperature
πυρετώδης feverish, feverous
πυρήνας kernel, stone
πυρηνικός of the kernel, nuclear
πύρινος fiery, burning
πυρίτης pyrites, flint
πυριταποθήκη powder magazine
πυρκαϊά fire, conflagration
πυροβολαρχία battery
πυροβολείο battery
πυροβολητής gunner
πυροβολικό artillery
πυροβολισμός shot, gunshot, firing
πυροβόλο gun, firearm
πυροβολώ fire, shoot
πυροδοτώ set off
πυρομανία pyromania
πυρομαχικά ammunition, munitions
πυροσβέστης fireman
πυροτέχνημα firework, petard
πυρπόληση burning, setting on fire
πυρπολητής incendiary, burner
πυρπολικό fireship
περυπολώ set on fire
πυρσός beacon, torch
πυρώνω heat, warm
πυρωστιά trivet
πυώδης purulent, mattery
πώληση sale, selling
πωλητήριο bill of sale
πωλητής seller, vendor
πωλήτρια saleswoman
πωλώ sell, vend
πώμα cover, stopper
πωρώνω harden, petrify
πώρωση hardness, induration
πώς how?

P

P, ρ the seventeenth letter of the Greek alphabet
ραβανί kind of Turkish cake
ραβασάκι love-letter
ραββίνος rabbi, rabbin
ραβδί stick, cane
ραβδιά blow with a stick
ραβδίζω beat with a stick
ραβδισμός cudgelling, flogging
ράβδος stick, rod
ράβδωση fluting, flute, stripe
ραβδωτός fluted, striped, rifled
ράβω sew, stitch
ραγδαίος violent, heavy, vehement
ραγίζω crack, break
ράγισμα crack
ραδιενέργεια radioactivity
ραδιενεργός radioactive
ραδίκι succory, chicory
ραδιογράφημα radiogram
ραδιοθεραπεία radiotherapy
ράδιο radium, radio
ραδιοσκοπία radioscopy
ραδιοτηλεγράφημα radiotelegram
ραδιοτηλεγραφία radiotelegraphy
ραδιουργία intrigue, plot
ραδιούργος intriguing, scheming
ραδιουργώ intrigue
ραδιοφωνία radiophony, radio-craft
ραδιοφωνικός radiophonic
ραδιόφωνο radio, radiophone
ραθυμία indolence, sluggishness
ράθυμος indolent, sluggish, negligent
ραιβοσκελής bow-legged
ραίνω sprinkle, besprinkle

ρακένδυτος ragged, dressed in rags
ρακί brandy
ράκος rag, tatter
ρακοσυλλέκτης rag-picker, ragman
ράμμα stitch, thread
ραμφίζω peck with the beak
ραμφοειδής beak-like
ράμφος beak, bill
ρανίδα drop, blod
ραντίζω sprinkle, besprinkle
ράντισμα sprinkling, besprinkling
ραντιστήρι sprinkler, watering pot
ραπάνι radish
ραπίζω slap, smack
ράπισμα slap, stroke
ράπτης tailor
ραπτική tailor's trade
ραπτομηχανή sewing machine
ράπτρια dressmaker, lady's tailor
ράπτω sew, stitch
ράσο gown, cassock
ρασοφόρος frocked, priest
ράτσα race, generation
ραφείο tailor's shop
ραφή seam, stitch
ράφι shelf
ραφινάρισμα refinement
ράχη back, dorsal
ραχιαίος dorsal
ραχίτιδα rickets, rachitis
ραχιτικός rickety, rachitic
ραχοκόκκαλο backbone, spine
ραχούλα hillock
ράψιμο sewing, stitching
ραψωδία rhapsody
ραψωδός rhapsodist, bard

ρεαλισμός realism
ρεαλιστής realist
ρεαλιστικός realistic
ρεβύθι chick-pea
ρέγγα herring
ρεζέρβα spare part
ρεζιλεύω make ridiculous
ραζιλίκι shame, ridicule
ρεκλάμα advertisement, puff
ρεκόρ record
ρεμάλι worthless person
ρεματιά ravine, stream
ρεμβάζω muse
ρεμβασμός musing, reverie
ρεμπελεύω live recklessly
ρεμπελιό disorderly life
ρέμπελος disorderly, reckless
ρεπόρτερ reporter
ρέπω be inclined, be prone to
ρέστα balance, change
ρετάλι remnant
ρετσίνα resin
ρεύμα current, stream
ρευματισμός rheumatism
ρευστό liquid, fluid
ρευστοποίηση liquefaction, liquefying
ρευστοποιώ liquefy
ρευστός fluid, liquid
ρευστότητα liquidity, fluidity
ρεύω wane
ρέω flow, run
ρήγας king
ρηγάτο kingdom
ρήγισσα queen
ρήγμα gap, crevice
ρηγόπουλο prince
ρήγωμα ruling
ρηγώνω rule
ρηγωτός ruled
ρήμα verb, word, saying
ρήμαγμα devastation, ruin
ρημάδι wreck, ruins
ρημάζω ruin, devastate
ρηματικός verbal
ρήξη break, breach

ρηξικέλευθος pioneering
ρήση saying, word
ρητό saying
ρήτορας orator, speaker
ρητορεία rhetoric, oration
ρητορεύω make a speech, declaim
ρητορική oratory, rhetoric
ρητορικός oratorical
ρητός positive, express
ρήτρα clause
ρηχός shallow, flat
ρίγα ruler, stripe, line
ρίγανη origin, origanum
ριγηλός chilling, shivering
ρίγος chill, shivering
ριγώ shiver
ριγώνω rule
ρίζα root
ριζικός radical, fundamental
ριζοβολώ take root
ριζοβούνι foot of a mountain
ριζόγαλο rice pudding
ριζοσπάστης radical
ριζοσπαστικός radical
ριζοτομία eradication
ριζοτομώ eradicate
ρίζωμα taking root, rooting
ριζωμένος rooted
ριζώνω root, cause to take root
ρινικός nasal
ρίνισμα filing
ρινόκερως rhinoceros
ρίξιμο throw
ριπή rush, throwing
ρίχνω throw, cast
ρίψη throwing, casting
ριψοκινδυνεύω risk
ριψοκίνδυνος daring, rash
ροβίθι chick-pea
ροβολώ rush
ρόγα nipple
ρόγχος wheezing, blowing
ρόδα wheel
ροδακινιά peach-tree
ροδάκινο peach
ροδαλός rosy

ροδάνι spinning-wheel
ροδέλαιο rose-oil
ροδίζω grow rosy
ρόδινος rosy, pink
ρόδι pomegranate
ροδιά pomegranate-tree
ρόδισμα rosiness
ροδοκόκκινος rosy, roseate
ρόδο rose
ροδώνας rose-bed
ροζιάρικος knotty
ρόζος knot
ροή flow, flowing
ρόκα distaff
ροκανίδια shavings
ροκανίζω plane, shave, crunch
ροκάνισμα planing
ρόλος roll, role, part
ρομβοειδής rhomboid(al)
ρόμβος rhombus, rhomb
ρόμπα dressing-gown
ρομφαία large sword
ρόπαλο club, cudgel
ροπαλοφόρος club-bearer
ροπή inclination, tendency
ρούβλι rouble
ρουθούνι nostril
ρουθουνίζω breathe noisily
ρουθούνισμα noisy breathing, snorting
ρούμι rum
ρουμπίνι ruby
ρουσφέτι (political) favour, patronage
ρουτίνα routine
ρουφιάνος pimp, procurer
ρουφώ sip, gulp down
ρουχάλα phlegm
ρουχαλητό snoring, snore
ρουχαλίζω snore, snort

ρουχισμός clothes
ρούχο cloth, garment
ρόφημα sipping
ρυάκι rivulet, brooklet, streamlet
ρύγχος muzzle
ρυζάλευρο rice-flour
ρύζι rice
ρυζόγαλο rice-pudding
ρυθμίζω regulate, adjust, arrange
ρυθμικός rhythmical
ρύθμιση regulation, arrangement
ρυθμιστής regulator
ρυθμιστικός regulative
ρυθμός rhythm, order
ρύμη course, force
ρυμοτομία street plan
ρυμοτομώ make the street plan
ρυμούλκηση wing, tugging
ρυμουλκό tug-boat
ρυμουλκός towing, tow-boat
ρυπαίνω soil, sully, pollute
ρύπανση soiling, dirting
ρυπαρός dirty, unclean
ρυπαρότητα dirtiness
ρύπος dirt, filth
ρυτίδα wrinkle, seam
ρυτιδώνω wrinkle, line
ρωθολώ roll down
ρώγα berry, nippple
ρωγμή crevice, cleft
ρωμαίικος modern Greek
ρωμαλέος robust, vigorous
ρωμαλεότητα strength, robustness
ρωμαντικός romantic
ρωμαντισμός romantism
ρώμη vigo(u)r, strength, force
Ρωμιός modern Greek
ρωμιοσύνη the modern Greeks
ρώτημα question, query
ρωτώ ask, question

P

Σ

Σ, σ the eighteenth letter of the Greek alphabet
σάβανο shroud, pall
σαβάνωμα wrapping for burial, shrouding
σαβανώνω shroud
Σάββατο Saturday
Σαββατόβραδο the evening of Saturday
Σαββατοκύριακο weekend
σαβούρα ballast, dregs
σαγανάκι small frying pan
σαγηνευτικός alluring, enticing, charming
σαγηνεύω allure, entice
σαγήνη dragnet, seine
σαγίτα arrow
σαγόνι chin
σαδισμός sadism
σαδιστής sadist
σαδιστικός sadistic
σαθρός rotten
σαθρότητα rottenness
σαιζόν season
σαΐτα arrow
σαΐτεύω dart
σαϊτιά bowshot
σαϊτοθήκη quiver
σακαράκα wreck
σακάτεμα maiming, crippling
σακατεύω maim, cripple
σακάτης maimed, cripple
σάκκα bag, satchel
σακκάκι jacket, coat
σακκί sack, bag
σακκίδιο small bag, sack
σακκοράφα thick needle
σάκκος sack, bag
σακκούλα bag, sack
σακκουλιάζω bag, pocket
σάλα parlor, hall, saloon
σαλαμάνδρα salamander
σαλάμι salame
σαλαμούρα brine
σαλάτα salad
σαλάχι ray
σάλεμα stirring, moving
σαλεύω move, stir
σάλι shawl, raft
σάλιαγκας snail
σαλιάζω salivate, slaver
σαλιάρα baby's bib
σαλιάρης slavery
σαλιαρίζω babble, drivel
σαλιάρισμα drivel
σάλιο saliva, slaver
σαλιώνω lick
σαλόνι saloon
σάλος agitation, shaking
σαλπάρισμα weighing the anchor
σαλπάρω weigh anchor, leave
σαλπιγκτής trumpeter
σαλπίζω trumpet
σάλπισμα trumpet call
σαλτάρω leap, jump
σάλτο jump
σάλτσα sauce, gravy
σαμαράς saddlemaker
σαμάρι pack saddle
σαμάρωμα saddling
σαμαρώνω saddle
σαματάς noise, uproar

σαμιαμύδι lizard
σαμοβάρι samovar
σαμπάνια champagne
σαμποτάζ sabotage
σαμποτάρω commit acts of sabotage
σαμπρέλα inside tube
σάμπως as, as if
σα(ν) as, like
σανατόριο sanatorium
σανδάλι sandal
σανίδα board, plank
σανίδωμα planking
σανιδώνω plank
σανός hay, fodder
σανσκριτικός sanscritic
σαντάλι sandal
σάντουιτς sandwich
σαξόφωνο saxophone
σαπίζω rot, decay, decompose, putrify
σαπίλα rottenness, putridity
σάπιος rotten, putrid
σάπισμα rotting, decay, putrefaction
σαπουνάδα lather, suds
σαπούνι soap
σαπουνίζω soap
σαπούνισμα soaping
σαπουνόνερο soapy water
σαπουνόφουσκα soap bubble
σαπρός rotten, putrid
σάπφειρος sapphire
σαραβαλιάζω wreck, dislocate
σαράβαλο something broken down
σαράκι bore-worm
σαράκιασμα getting moth-eaten
σαρακοστή Lent
σαρακοστιανός lenten
σαρακοφάγωμα wormhole
σαρακοφαγωμένος eaten by moths
σαράντα forty
σαρανταποδαρούσα centipede
σαράντισμα churching
σαργός sargus
σαρδέλλα sardine
σαρδόνιος sardonic, bitter
σαρίκι turban

σάρκα flesh
σαρκάζω jeer
σαρκασμός sarcasm, jeer
σαρκαστικός sarcastic, jeering
σαρκικός carnal, of the flesh, fleshly
σαρκοβόρος carnivorous
σαρκοφάγος carnivorous
σαρκώδης fleshy
σάρπα scarf, shawl
σάρωμα sweeping
σαρώνω sweep
σας you
σασσί chassis
σαστίζω confuse, embarrass
σάστισμα confusion, astonishment
σατανάς satan, devil
σατανικός satanic, devilish
σατέν satin
σάτιρα satire
σατιρίζω satirize
σατιρικός satiric(al)
σατραπεία satrapy
σατραπεύω rule as a satrap
σατράπης satrap
σατραπικός satrapal
σατυρικός satiric, satirical
σάτυρος satyr
σαύρα lizard
σαφήνεια clearness, clarity
σαφηνίζω elucidate, explain
σαφήνιση elucidation, explanation
σαφηνιστικός elucidative, elucidatory, explanatory
σαφής clear, plain, explicit
σάχης shah
σαχλαμάρα flabbiness, twaddle
σαχλαμαρίζω twaddle
σαχλός insipid, dull, silly
σβάρνα harrow
σβάστικα swastica
σβελτάδα quickness
σβέλτος quick, slender
σβέρκος nape
σβήνω put out, turn out, extinguish
σβήσιμο extinguishing, extinction
σβηστός extinguished, put out

Σ

σβηστήρα extinguisher, rubber, eraser
σβούρα spinning top
σβουρίζω bugg, whiz
σβώλος lump, clod
σγουραίνω curl
σγουρός curly
σγούρωμα curling
σε to, at, in, you
σεβάσμιος venerable
σεβασμιότητα venerableness
σεβασμός respect, veneration
σεβαστός venerable, respectable
σεβντάς love
σέβομαι respect
σειρά row, file, series, order, succession
σειρήνα siren
σειρήτι lace, ribbon
σεισμικός seismic
σεισμογραφικός seismographic(al)
σεισμογράφος seismograph
σεισμολογία seismology
σεισμολόγος seismologist
σεισμοπαθής earthquake sufferer
σεισμόπληκτος hit by the earthquake
σεισμός earthquake
σεισμοσκόπιο seismoscope
σείστης shaker
σείω shake
σεκλέτι sorrow
σελαγίζω shire
σέλας light
σελάχι ray
σελήνη moon
σεληνιάζομαι be epileptic
σεληνιακός lunar, epileptic
σεληνιασμός epilepsy
σεληνοειδής moonlike
σεληνόφως moonlight
σεληνοφώτιστος moonlit
σελίδα page
σέλινο celery
σέλλα saddle
σελλάς saddler

σελλίνι shilling
σέλλωμα saddling σελλώνω saddle
σεμινάριο seminary
σεμνολογία grave speech
σεμνοπρέπεια dignity, decency, modesty
σεμνοπρεπής dignified, modest, decent
σεμνός modest, decent
σεμνότητα modesty, decency
σεμνοτυφία prudery
σεμνότυφος prudish, demure
σεμνύνομαι be proud
σεντόνι sheet
σεντούκι chest, box, trunk
σεξ-απήλ sex appeal
σεξουαλικός sexual
σεξουαλικότητα sexuality
σέπαλο sepal
Σεπτέμβριος September
σεπτός venerable
σεραφείμ seraphs
σερβίρισμα serving
σερβίρω serve
σερβιτόρα waitress
σερβιτόρος waiter
σερβίτσιο service
σεργιάνι promenade
σεργιανίζω promenade, take a walk
σερενάτα serenade
σέρνω drag
σέσουλα scoop, baler
σεφέρι expedition, war
σεφτές the first sale
σήκωμα raising, lifting
σηκώνω lift, raise, carry
σηκώτι liver
σήμα sign, mark
σημάδεμα marking
σημαδεμένος crippled, marked
σημαδεύω mark, aim
σημάδι mark, sign, aim
σημαδούρα buoy
σημαία flag
σημαίνω mean, mark
σημαιοστολίζω decorate with flags

σημαιοστολισμός dressing with flags
σημαιοφόρος standard-bearer
σήμανση stamping
σημαντικός significant, considerable, important
σημαντικότητα importance
σήμαντρο bell, stamp
σημασία meaning, significance, importance
σημείο sign, spot, point
σημειογραφία writing in ciphers
σημειογραφώ cipher
σημείωμα note
σημειωματάριο note-book
σημειώνω note, mark
σημείωση note
σήμερα today
σημερινός of today
σημύδα birch-tree
σήραγγα tunnel
σησαμέλαιο sesame oil
σησάμι sesame
σησαμόλαδο sesame oil
σηψαιμία blood poisoning
σηψαιμικός septicemic
σθεναρός vigorous, strong
σθένος strength
σιάζω straighten, accomodate, arrange, repair
σιάξιμο adjusting, arrangement, repair
σιβηρικός siberian
σιγά gently, slowly, quietly
σιγάζω silence
σιγαλιά calm
σιγανός silent, calm, quiet
σιγάρο cigarette, cigar
σιγαροθήκη cigarette case
σιγή silence, quiet, hush
σιγοβράζω simmer
σίγουρος sure, secure, safe
σιγώ be silent
σιδεράδικο forge
σιδεράς blacksmith, smith
σιδερένιος of iron

σίδερο iron
σιδέρωμα ironing
σιδερώνω iron
σιδερωτής ironer
σιδηροδρομικός of a railroad
σιδηρόδρομος railway, railroad
σιδηροτροχιά track
σιδηρουργείο forge
σιδηρουργός blacksmith
σιδηρούχος ferrous
σίκαλη rye
σιλουέτα silhouette, outline
σιμά near
σιμιγδάλι semolina
σιμώνω come near
σινάπι mustard
σινιάλο sign, signal
σινικός chinese
σιντριβάνι water-spout, fountain
σιρόπι sirup
σιτάλευρο wheaten flour
σιταποθήκη grenary
σιταρένιος of wheat
σιτάρι wheat, grain
σιταρόψειρα weevil
σιτεμπορία corn trade
σιτεμπόριο wheat-trade
σιτέμπορος grain dealer
σιτηρά cereals, grain
σίτηση feeding
σιτίζω feed
σιτισμός provisioning, feeding
σιτοπαραγωγή wheat crop
σιφόνι siphon
σιφονιέρα chest of drawers
σίφουνας wirlwind
σιχαίνομαι loathe, detest
σίχαμα abominating, detestable
σιχαμάρα disgust, loathing
σιχαμένος loathsome, disgusting
σιχαμερός disgusting, loathsome
σιχασιά disgust
σιχασιάρης squeamish
σιωπή silence
σιωπηλός silent, quiet
σιωπηρός tacit, implied

Σ

σιωπητήριο lights-out
σιωπώ keep silent
σκάβω dig, engrave
σκάγι small-shot
σκάζω burst, crack
σκαθάρι beetle, scarabee
σκαιός rude, impolite, brutal
σκαιότητα rudeness, impoliteness
σκάκι chess
σκακιέρα chess-board
σκάλα staircase, stairs, ladder
σκαληνός oblique
σκαλί step, stair
σκαλίζω hoe, dig, engrave
σκάλισμα hoeing, digging
σκαλιστήρι weeder, hoe
σκαλιστής digger, carver
σκαλιστός engraved, carved
σκαλμός thole
σκαλοπάτι step
σκάλωμα hitch, hindrance
σκαλώνω scale, climb
σκαλωσιά scaffold
σκάμμα digging
σκαμνί stool
σκαμπάζω understand
σκαμπανεβάζω pitch
σκαμπίλι slap in the face
σκαμπιλίζω slap
σκανδάλη trigger
σκανδαλιάρης mischievous, scandalous
σκανδαλίζω scandalize
σκανδαλιστής tempter
σκανδαλοθήρας scandal monger
σκάνδαλο scandal
σκανδαλώδης scandalous
σκανδιναυικός Scandinavian
σκαντζόχειρος hedgehog
σκαπάνη pick, spade
σκαπουλάρισμα escaping
σκαπουλάρω escape
σκάρα gridiron, grill
σκαραβαίος scarab
σκαρί frame, stops, slip
σκαρπέλλο scarpel

σκάρτος outcast, useless
σκαρφάλωμα climbing
σκαρφαλώνω climb
σκαρφίζομαι invent, devise
σκάρωμα contriving
σκαρώνω contrive
σκασίλα heartbreak, vexation
σκάσιμο bursting, cracking
σκασμός suffocation
σκαστός loud, noisy, escaped
σκάφανδρο diving-suit
σκάφη trough, tub
σκαφή digging
σκαφοειδής scaphoid
σκάφος vessel, ship, hull
σκαφτιάς digger
σκάψιμο digging
σκάω burst, crack
σκεβρός warping, crooked
σκέβρωμα warping, bending
σκεβρωμένος warped, bent
σκεβρώνω warp, bend
σκελετός skeleton
σκελετώδης skeleton-like
σκελίδα(σκόρδου) a clove of garlic
σκέλος leg
σκεπάζω cover, veil, screen
σκεπάρνι adz
σκέπασμα covering, cover, lid
σκεπαστός covered, roofed, veiled
σκεπή roof
σκεπτικισμός skepticism
σκεπτικιστής skeptic
σκεπτικός thoughtful, pensive
σκέπτομαι think
σκέπω cover, shield, shelter
σκέρτσο joke, jest
σκέτος plain, simple, pure
σκευάζω prepare, make, pack
σκευασία preparation, packing
σκευοθήκη cupboard, closet
σκεύος utensil, article
σκευοφυλάκιο store-room, vestry
σκευωρία machination, plot, intrigue
σκευωρώ plot, intrigue

σκέφτομαι think
σκέψη thought, meditation
σκηνή tent, booth, stage, scene
σκηνικός scenic(al)
σκηνογραφία scenery
σκηνογραφικός scenographic
σκηνογράφος scenographer
σκηνογραφώ paint scenes
σκηνοθεσία staging, direction
σκηνοθέτης director
σκηνοθετώ stage
σκηνοποιία tent-making
σκηνοποιός tent-maker
σκήνωμα lodge, tent
σκηνώνω camp, lodge
σκήπτρο sceptre
σκί ski
σκιά shade, shadow
σκιαγράφημα sketch, outline
σκιαγραφώ sketch, outline
σκιάζω frighten, overshadow, shade
σκιάχτρο scarecrow
σκιερός shady, shadowy
σκίζω tear
σκίουρος squirrel
σκιρόδερμα concrete
σκίρτημα leap, frisk
σκιρτώ leap
σκίτσο sketch
σκιτσογράφος sketcher
σκλαβιά bondage, slavery
σκλάβος slave
σκλάβωμα enslaving
σκλαβώνω enslave
σκληραγωγία inuring
σκληραγωγώ inure
σκληράδα hardness
σκληραίνω harden
σκληρόκαρδος hard-hearted
σκληρός hard, tough
σκληρότητα hardness, toughness, cruelty
σκληροτράχηλος stiff-necked, obstinate
σκλήρυνση hardening, stiffening
σκληρύνω harden

σκνίπα midge
σκοινί rope
σκολάζω repose
σκολειό school
σκόλη holiday
σκολίωση scoliosis
σκονάκι powder
σκόνη dust, powder
σκονίζω dust, powder
σκοντάβω stumble, trip
σκόνταμμα stumbling, tripping
σκόντο reduction
σκόπελος reef, rock
σκόπευση aiming
σκοπευτήριο shooting-place
σκοπευτής marksman, gunner, shooter
σκοπευτικός shooting
σκοπεύω aim, point
σκοπιά watchtower
σκόπιμος intentional
σκοπιμότητα expediency
σκοποβολή shooting
σκοπός purpose, intention, aim, goal
σκορβούτο scurvy
σκορδαλιά garlic sauce
σκόρδο garlic
σκορπίζω disperse, scatter
σκορπιός scorpion
σκόρπιος scattered, dispersed
σκόρπισμα scattering, dispersion
σκοτάδι dark, darkness
σκοταδισμός obscurantism
σκοταδιστής obscurantist
σκοτεινιά darkness
σκοτεινιάζω darken, get dark
σκοτείνιασμα darkening, obscuring
σκοτεινός dark, gloomy, obscure
σκοτίζω darken
σκοτοδίνη dizziness
σκότος darkness, dark
σκοτούρα dizziness, trouble
σκότωμα murder, killing
σκοτωμός murder, massacre, killing
σκοτώνω kill, murder, slay

Σ

σκούζω scream, shout
σκουλαρίκι earring
σκουλήκι worm
σκουληκιάζω get wormy
σκουληκιασμένος wormy
σκουληκοφαγωμένος worm-eaten
σκουμπρί mackerel
σκούνα schooner
σκούντημα push
σκουντούφλημα stumbling, tripping
σκουντουφλώ stumble
σκουντώ push
σκούξιμο screaming
σκούπα broom
σκουπίδι rubbish, sweepings
σκουπιδιάρης sweeper, street cleaner
σκουπίζω sweep, clean
σκούπισμα sweeping, wiping
σκουπόξυλο broom-stick
σκουραίνω darken
σκουριά rust
σκουριάζω rust
σκουρίασμα rusting
σκουριασμένος rusty
σκούρος dark, dark-coloured
σκουτάρι shield
σκουτέλλα bowl
σκουτούρα dizziness, trouble
σκούφια cap, bonnet
σκούφος bonnet, cap
σκρόφα sow
σκύβαλο rubbish, litter
σκύβω stoop, bow
σκυθρωπιάζω sulk, frown
σκυθρωπός sullen, gloomy, frown
σκυθρωπότητα sulkiness
σκύλα bitch
σκυλάκι puppy
σκυλί dog
σκυλιάζω enrage
σκυλόδοντο dogtooth
σκυλολόϊ a pack of dogs
σκυλόψαρο shark, dog fish
σκυρόδερμα concrete
σκυτάλη staff

σκυφτός stooping
σκύψιμο stooping
σκωληκοειδίτιδα appendicitis
σκωληκοφάγος vermivorous
σκωπτικός derisive
σκώρος moth
σκωροφαγωμένος moth-eaten
σκωτικός Scottish
σλαυικός slavic
σμάλτο enamel
σμαραγδένιος of emerald
σμαράγδι emerald
σμάρι swarm
σμέρνα seel-eel
σμηναγός squadron leader
σμήναρχος squadron commander
σμηνίτης member of the air force
σμήνος swarm, crowd
σμίγω mix, mingle
σμίκρυνση diminution, reduction
σμικρύνω lessen, diminish
σμιλευτός carved
σμιλεμένος chiselled
σμίλευση chiselling
σμιλεύω chisel, carve
σμίλη chisel, scalpel
σμίξιμο mixing, joining
σμόκιν dinner jacket
σμπάρος shot
σμύριδα emery
σμυριδόχαρτο sandpaper
σμύρνα myrrh
σνόμπ snob
σνομπισμός snobbism
σοβαρεύομαι look serious
σοβαρολογώ speak in earnest
σοβαρός serious
σοβαρότητα seriousness
σοβαροφανής serious-looking
σοβάς plaster
σοβατζής plasterer
σοβατίζω plaster
σοβάτισμα plastering
σοβιέτ soviet
σοβιετικός soviet
σόγια soya

σόδα soda
σοδειά crop
σοδειάζω gather
σόι race, kind, kin, family
σόκ shock
σοκάκι lane, alley
σοκάρω shock
σόκιν shocking
σοκολάτα chocolate
σοκολατένιος of chocolate
σόλα sole
σολιάζω sole
σόλο solo
σολομός salmon
σόμπα stove
σονάτα sonata
σονέτο sonnet
σοπράνο soprano
σοσιαλισμός socialism
σοσιαλιστής socialist
σούβλα spit
σουβλερός pointed
σουβλί awl, pricker
σουβλίζω spit
σούβλισμα roasting on a spit, spitting
σουγιάς clasp knife, penknife
Σουηδία Sweden
σουηδικός Swedish
Σουηδός Swede
σουίτα suite
σουλατσαδόρος lounger
σουλατσάρω walk about
σουλτάνα sultana
σουλτανάτο sultanate
σουλτάνος sultan
σουμάδα orgeat
σούμα sum, total
σούπα soup
σουπιά cuttlefish, sepia
σουπιέρα soup-bowl
σούρα fold, crease
σουραύλι flute, fife
σουρντίνα sordine
σούρουπο nightfall, dusk
σουρουπώνει it is getting dark

σούρωμα straining, filtering
σουρώνω strain, filter
συρωτήρι strainer
σουσάμι sesame
σουσαμόλαδο sesame-oil
σουσουράδα wagtail
σούσουρο commotion
σούστα spring
σούτ! hush!
σούτ shoot
σουτάρω shoot
σουτζούκι sausage
σούφρα fold, plait
σούφρωμα plaiting, folding
σουφρώνω plait, fold
σουφρωμένος wrinkled
σοφάς sofa
σοφέρ chauffeur
σοφία wisdom
σοφίζομαι devise, invent
σόφισμα sophism
σοφιστεία sophism
σοφιστής sophist
σοφιστικός fallacious, sophistic(al)
σοφιστική sophistry
σοφίτα attic
σοφός wise, sapient
σπαγγοραμμένος stingy
σπάγγος string, twine
σπάζω break, burst
σπάθα large sword
σπαθί sword
σπαθιά sword-cut
σπαθίζω sabre
σπαθισμός sword-stroke
σπαθιστής swordsman, fencer
σπάλα shoulder blade
σπανάκι spinach, spinage
σπανακόπιτα spinach-pie
σπανίζω be scarce, be rare
σπάνιος scarce, rare, scant
σπανιότητα rareness, scarceness
σπανός beardless
σπαράγγι asparagus
σπαραγμός tearing
σπαράζω wriggle

Σ

σπαρακτικός heart-rending, tearing
σπαραξικάρδιος distressing, heart-rending
σπαράσσω tear to pieces
σπάργανο swaddling cloth
σπαργάνωμα swaddling
σπαργανώνω dress in swaddling clothes
σπαρμένος sown
σπάρος sea-bream
σπαρτά standing corn
σπαρτάρισμα frisking
σπαρταριστός throbbing, exciting, frisky
σπαρταρώ frisk, wriggle
σπαρτό crop, grain
σπάσιμο breaking
σπασμένος broken
σπασμός convulsion, spasm
σπασμωδικός spasmodic
σπατάλη waste, prodigality
σπάταλος wasteful, prodigal
σπαταλώ waste, squander
σπάτουλα spatula
σπάω break
σπείρα spiral, band
σπειριάρης full of pimples
σπειρί grain, pimple
σπείρω sow, scatter
σπέρμα seed, sperm
σπερματικός seminal, spermatic
σπερματοζωάριο spermatozoon
σπέρνω sow
σπεύδω hurry, hasten
σπηλαιολογία speleology
σπήλαιο cave
σπηλιά cave
σπηρούνι spur
σπηρουνιά pricking with a spur
σπηρουνίζω spur
σπίθα spark, sparkle
σπιθαμή span
σπιθίζω sparkle
σπιλώνω stain, spot
σπίλωμα staining
σπινθήρας spark, sparkle

σπινθηρίζω sparkle, glitter
σπινθηρισμός sparkling
σπινθηροβόλημα sparkling
σπινθηροβολώ sparkle
σπίνος chaffinch
σπιουνάρω spy
σπιούνος spy
σπιρούνι spur
σπιρουνίζω spur
σπίρτο match
σπιτάκι small house
σπίτι house, home
σπιτικός of the house, home-made, domestic
σπιτονοικοκυρά landlady
σπιτονοικοκύρης house-holder, landlord
σπιτώνω house, lodge
σπλάχνα entrails, bowels, intestines
σπλαχνίζομαι pity
σπλαχνικός merciful
σπλήνα spleen
σπληνάντερο the thick intestine
σπογγαλιευτικός sponge-fishing
σπογγίζω sponge, wipe off
σπόγγος sponge
σπογγώδης spongy
σπονδή libation
σπονδυλικός vertebral
σπόνδυλος vertebra
σπονδυλωτός·vertebrate
σπορ sport
σπορά sowing
σποραδικός sporadic, dispersed, scattered
σπορέλαιο seed-oil
σπορέας sower
σποριάζω go to seed
σπόριασμα seeding
σπόρος seed
σπουδάζω study
σπουδαιολογώ speak seriously
σπουδαίος important, serious
σπουδαιότητα importance, serious-ness
σπουδαιοφανής important in ap-

pearance
σπούδασμα education
σπουδασμένος learned, educated
σπουδαστήριο study-room
σπουδαστής student
σπουδή study
σπουργίτης sparrow
σπρωξιά push, sove
σπρώξιμο push
σπρώχνω push, shove
σπυρί grain, pimple
σπυρωτός granular
σπώ break
σταβλίζω stable
σταβλισμός putting in a stable
στάβλος stable
στάγμα dropping
σταγόνα drop
σταγονόμετρο dropper
σταδιοδρομία career
σταδιοδρομώ have a career
στάδιο stadium, stage
στάζω drop, drip
σταθεροποίηση stabilization
σταθεροποιώ stabilize
σταθερός firm, steady, stable
σταθερότητα firmness, stability
σταθμά weights
σταθμάρχης station-chief
σταθμεύω stop, stand, park
στάθμη level
σταθμίζω weigh, level
στάθμιση weighing, levelling
σταθμοδείκτης water-gauge
σταθμός station, stop, stand
στάκτη asher, cinders
στακτοπούτα cinderella
στάλα drop
σταλαγματιά drop
σταλαγμίτης stalagmite
σταλάζω drip
σταλακτίτης stalactite
σταλιά drop
στάλσιμο sending
σταμάτημα stopping, stop
σταματώ stop, halt

στάμνα jug
στάμπα stamp, seal
σταμπάρω stamp, seal
στάνη sheepfold
στανιό unwillingly, by force
στάξιμο dripping, leaking
σταρ star, actress
στάρι wheat, grain
στάση stop, halt, station, rebellion, riot
στασιάζω revolt, rebel
στρασιαστής rebel, mutineer
στασίδι pew
στάσιμος stationary
στασιμότητα immobility
στατική statics
στατικός static
στατιστική statistics
στατιστικός statistical
στατιστικολόγος statistician
σταυλάρχης stable-master
σταυλίζω stable
σταυλίτης stable-man
σταύλος stable, stall
σαυροβελονιά cross-stitch
σταυροδρόμι crossway
σταυροειδής cross-shaped
σταυρόλεξο crossword puzzle
σταυροπόδι with crossed legs
σταυρός cross, crucifix
σταυροφορία crusade
σταυροφόρος crusader
σταύρωμα crucifixion, crossing
σταυρώνω crucify, cross
σταύρωση crucifixion, crucifixion
σταυρωτής crucifier
σταυρωτός crossed
σταφίδα raisin
σταφιδοπαραγωγός raisin grower
σταφιδόψωμο currant bread
σταφύλι grape
σταφυλόκοκκος staphylococcus
στάχι ear
στάχτη ashes, cinders
σταχτής ashy, gray
σταχτοπούτα cinderella

Σ

στάχυ ear
σταχυολογώ glean
στεατικός steatic
στεγάζω roof, cover
στεγανός water-proof, impervious
στεγανότητα imperviousness
στέγαση roofing, sheltering
στέγασμα roof, shelter
στεγαστικός housing
στέγη roof
στεγνός dry
στεγνότητα dryness
στέγνωμα drying
στεγνώνω dry
στεγνωτήριο drying-room
στειλιάρι handle, club, helve
στείρος barren
στειρώνω make barren
στείρωση sterility, barrennes
στέκα billiard-cue
στεκάμενος standing
στέκομαι stand
στέλεχος stem, stock, trunk
στέλνω send, transmit
στέμμα crown
στεναγμός sigh, groan, moan
στενάζω sigh, groan, moan
στένεμα tightening, narrowing
στενεύω narrow, straiten
στενογραφία shorthand, stenography
στενογράφος stenographer
στενοκέφαλος narrow-minded
στενόμακρος oblong
στενός narrow, strait
στενότητα narrowness
στενόχωρα in straits
στενόχωρος narrow
στενοχωρημένος embarrassed, distressed
στενοχωρία distress
στενοχωρώ worry, annoy
στένωμα narrowing
στέππα steppe
στέρεμα exhaustion
στερεογραφία stereography

στερεομετρία stereometry
στερεοποίηση solidification
στερεοποιώ solidify
στερεός solid, firm
στερεοσκοπικός stereoscopical
στερεότητα solidity, durability
στερεοτυπικός invariable
στερεότυπος invariable
στερεωτής fastener, securer
στερεύω dry up, make dry
στερέωμα fastening, fixing
στερεώνω fasten, fix
στερέωση fastening
στέρηση deprivation
στεριά land
στεριώνω get solid
στέρνα cistern, tank
στέρνο sternum, chest, breast
στερνός ultimate, last
στερώ deprive (of)
στεφάνι crown, wreath
στεφανιαίος coronary
στεφάνωμα crowning, wedding
στεφανώνω crown, marry, wreathe
στέφω crown
στέψη coronation, crowning
στηθάγχη angina, quinsy
στηθόδεσμος corset, stays
στηθόπονος pain in the chest
στήθος chest, breast
στηθοσκόπηση stethoscopy
στηθοσκόπιο stethoscope
στήλη column, pillar
στηλιτεύω stigmatize, brand
στηλώνω prop, support
στήλωμα prop, propping
στημόνι warp
στήνω put up, set up, raise
στήριγμα prop, support
στηρίζω support, prop up
στήριξη support
στήσιμο erection, raising, setting up
στιβάδα pile
στιβαρός robust, strong
στίβος track, arena
στίγμα spot, stain, dot

στιγματίζω stigmatize, brand
στιγμή point, moment, dot
στιγμιαίος instantaneous, momentary
στιγμιότυπο snap-shot
στικτός spotted, dotted
στίλβωμα polishing
στιλβώνω polish, shine
στιλβωτής polisher
στιλέτο dagger
στιλπνός shining, glossy
στιλπνότητα brilliancy, luster
στίξη punctuation, dotting
στιφάδο stew
στιχογράφος versifier
στιχουργία versification
στιχουργός versifier
στιχουργώ versify
στοά arcade, colonade, gallery
στοίβα pile, heap
στοίβαγμα packing, piling
στοιβάδα pile
στοιβάζω pile
στοιχειό ghost
στοιχείο element, natural, component
στοιχειώδης elementary
στοίχειωμα state of being haunted
στοιχειωμένος haunted
στοιχειώνω become a ghost
στοίχημα bet, wager
στοιχηματίζω bet, wager
στοιχίζω cost
στοίχος row, line, file
στοκ stock
στοκάρισμα puttying
στοκάρω putty
στόκος putty
στολή uniform, costume
στολίδι ornament, decoration
στολίζω ornament, decorate
στολισμός ornamenting, adorning
στολιστής decorator
στόλος fleet, navy
στόμα mouth, opening
στοματικός of the mouth

στοματίτιδα stomatitis
στομάχι stomach
στομαχικός of the stomach
στόμιο mouth, opening
στόμφος pomposity
στομφώδης bombastic, pompous
στομώνω temper, steel
στόρι window-blind
στοργή love, affection, tenderness
στοργικός affectionate
στούντιο studio
στουπί tow, oakum
στουπώνω stopple
στουρνάρι flint
στόφα stove, range
στοχάζομαι think, guess
στοχασμός thought, meditation
στοχαστικός reflective, thoughtful
στόχος target
στραβίζω squint, be cross-eyed
στραβισμός squint
στραβολαιμιάζω get a stiff neck
στραβομάρα blindness
στραβοπόδης bow-legged
στραβός crooked, oblique, blind
στράβωμα turning, curving, blinding
στραβώνω blind, bend, curve
στραγάλι roasted chick-peas
στραγγαλίζω strangle
στραγγάλισμα strangulation
στραγγαλιστής strangler
στραγγίζω strain, drain
στράγγισμα straining, draining
στραγγιστήρι strainer
στραμπουλίζω sprain
στραμπούλισμα spraining
στραπατσάρισμα maltreatment
στραπατσάρω deform, maltreat
στραπάτσο maltreatment
στράτα road, street
στρατάρχης field marshal
στράτευμα army
στρατεύομαι serve in the army
στράτευση military service
στρατεύω take the field, march against

Σ

στρατηγείο general quarters
στρατηγία generalship
στρατηγική strategy, tactics
στρατηγικός strategic
στρατηγός general
στρατιά army, troops
στρατιώτης soldier
στρατιωτικοποίηση militarization
στρατιωτικός military
στρατοδικείο court-martial
στρατοκράτης militarist
στρατοκρατικός militaristic
στρατολογία recruiting
στρατολογώ recruit
στρατονομία military police
στρατοπέδευση encampment, camping
στρατοπεδεύω camp, encamp
στρατόπεδο camp
στρατός army
στρατόσφαιρα stratosphere
στρατώνας barrack
στρεβλός crooked, distorted
στρεβλώνω distort, twist
στρέβλωμα distortion
στρείδι oyster
στρέμμα acre
στρεπτόκοκκος streptococcus
στρέφω turn, revolve
στρεψοδικία chicanery
στρεψόδικος distorting the truth
στρεψοδικώ quibbler
στρίβω turn, twist
στρίγγλα hag, vixen, witch
στριγγλιά scream, screech
στριγγλίζω scream, screech
στριμμένος twisted, perverse
στριμώχνω press together, jam, crowd
στριφογυρίζω twirl
στριφογύρισμα twirling
στριφτός twisted
στρίφωμα hemming, hem
στριφώνω hem
στρίψιμο turning, twisting
στροβιλίζω whirl

στροβιλισμός whirling
στρόβιλος whirl, tornado, spinning-top
στρογγυλεύω round
στρογγυλοκάθομαι install oneself comfortably
στρογγυλοπρόσωπος round-faced
στρογγυλός round, circular
στρουθοκάμηλος ostrich
στρουμπουλός dumpy
στροφή turn
στρόφιγγα hinge
στρύμωγμα pressing, jamming, crowding
στριμώνω crowd together, jam, press
στρυμωχτός crowded, jammed
στρυφνός rude, harsh, hard, acrid
στρυφνότητα harshness, roughness
στρυχνίνη strychnine
στρύχνος nightshade
στρώμα mattress, layer
στρώνω strew, spread, lay
στρώσιμο laying, spreading
στρωτός laid, spread, regular
στύβω press, squeeze
στυγερός atrocious, odious
στυγνός gloomy, dismal
στυλ style
στυλό fountain-pen
στυλοβάτης pedestal
στύλος pillar, column
στύλωμα propping up, support
στυλώνω support, prop up
στύλωση supporting
στυπόχαρτο blotting-paper
στύση erection
στυφάδο stewed meat
στυφάδα acerbity, acridity
στυφός acrid, bitter
στύψιμο squeezing
στωικός stoic(al)
συ you
συγγένεια relationship
συγγενεύω be related
συγγενής related, relative, akin

συγγενικός relative
συγγενολόι relations, kin
συγνώμη pardon, forgiveness
σύγγραμμα work, writting
συγγραφέας writer, author
συγγραφή writing
συγγράφω write
συγκαλύπτω cover, hide
συγκάλυψη covering
συγκαλώ convoke, assemble
σύγκαμα inflammation of the skin
συγκατάβαση condescension, consent
συγκατάθεση consent, assent
συγκαταλέγω include
συγκατανεύω consent
συγκατοικώ live together
συγκεκομμένος abbreviated
συγκεκριμένος concrete, exact
συγκεντρώνω concentrate, centralize, gather
συγκέντρωση concentration, collecting, meeting
συγκίνηση emotion, sensation
συγκινητικός moving, touching
συγκινώ move, touch
συγκλητικός senatorial
σύγκλητος senate
συγκλίνω converge, tend
συγκλονίζω shake
συγκοινωνία communication
συγκοινωνώ communicate, be connected
συγκόλληση soldering, gluing
συγκολλώ glue together
συγκομιδή crop, harvesting
συγκοπή syncope
συγκράτηση restraining, containing
συγκρατώ restrain
συγκρίνω compare
σύγκριση comparison
συγκρότημα group
συγκρότηση constitution, assembling
συγκροτώ constitute, assemble
σύγκρουση collision, clash, shock

συγκρούω strike together, -ομαι clash, collide
σύγκρυο chill
συγκυρία chance, coincidence
συγυρίζω tidy
συγύρισμα tidying
συγχαίρω congratulate
συγχαρητήρια congratulations
συγχέω confuse
συγχρονίζω synchronize
συγχρονισμός synchronism
σύγχρονος simultaneous, synchronous, contemporary
συγχύζω confuse
σύγχυση confusion
συγχώνευση fusion, blending
συγχώρηση pardon, forgiveness
συγχωρώ pardon, forgive, excuse
σύζευξη union, marriage
συζήτηση discussion debate
συζητώ discuss
συζυγικός conjugal, marital
σύζυγος consort, husband, wife
συκιά fig-tree
σύκο fig
συκοφάντης calumniator
συκοφαντία calumny
συκοφαντώ calumniate
συκώτι liver
συλλαβή syllable
συλλαβίζω syllabicate, spell
συλλαλητήριο demonstration
συλλαμβάνω catch, arrest
συλλέγω collect, gather
συλλέκτης collector
σύλληψη capture, arrest
συλλογή collection
συλλογίζομαι meditate, think
συλλογισμός meditation
σύλλογος society
συλλυπητήριος of condolence
συλλυπούμαι condole
συμβαδίζω keep pace with
συμβαίνω happen, occur
συμβάλλω contribute
συμβάν incident, even

Σ

σύμβαση treaty, convention
συμβατικός conventional
συμβιβάζω reconcile
συμβιβασμός reconciliation, compromise
συμβιβαστικός reconciliatory
συμβόλαιο contract
συμβολαιογραφείο notary's office
συμβολαιογράφος notary
συμβολή contribution
συμβολίζω symbolize
συμβολικός symbolic(al)
συμβολισμός symbolism
σύμβολο symbol
συμβουλευτής adviser, counsellor
συμβουλευτικός advisory
συμβουλεύω advise, counsel
συμβουλή advice, counsel
συμβούλιο council
σύμβουλος adviser, counsellor
συμμαζεύω collect, gather together
συμμαθητής schoolmate, fellowstudent
συμμαχία alliance
συμμαχικός allied
σύμμαχος ally
συμμαχώ form an alliance, ally
συμμερίζομαι share
συμμετέχω participate
συμμετοχή participation
συμμετρία symmetry, proportion
συμμετρικός symmetrical
σύμμικτος mixed
συμμορία gang, band
συμμορίτης gangster
συμμορφώνω conform, adjust
συμμόρφωση compliance, conformity
συμπαγής compact, solid
συμπάθεια sympathy
συμπαθητικός sympathetic
συμπαθώ sympathize
συμπαίκτης playmate
σύμπαν universe
συμπαράσταση assistance, help
συμπαραστάτης assistant

συμπάσχω suffer
συμπατριώτης compatriot
συμπεραίνω conclude
συμπέρασμα conclusion
συμπερασματικός resultant, conclusive
συμπεριλαμβάνω comprise, include
συμπεριφορά behaviour, conduct
συμπιέζω compress
συμπίεση compression
συμπιεστής compressor
συμπίπτω coincide
σύμπλεγμα group, interlacement
συμπλεκτικός copulative
συμπλέκω interlace
συμπλήρωμα complement
συμπληρώνω complete
συμπλήρωση completion
συμπλοκή fight, conflict
σύμπνοια accord, concord
συμπολίτης fellow-citizen
συμπονετικός compassionate
συμπόνοια compassion
συμπονώ sympathize with, compassionate
συμπόσιο banquet
σύμπτωμα symptom
συμπτωματικός accidental
σύμπτωση coincidence
συμπυκνώνω condense
συμπύκνωση condensation
συμφέρον interest
συμφεροντολόγος self-interested
συμφιλιώνω conciliate
συμφιλίωση reconciliation
συμφιλίωση reconciliation
συμφοιτητής fellow-student
συμφορά calamity, misfortune
συμφόρηση congestion
συμφυής innate
συμφωνία consent, agreement, accord
σύμφωνο consonant, pact
σύμφωνος agreeing
συμφωνώ agree
συμψηφίζω offset

συν with, to, plus
συναγερμός rally, alert
συναγρίδα gurnet
συνάγω gather
συναγωνίζομαι compete, fight
συναγωνισμός contest
συναγωνιστικός competitive
συνάδελφος colleague
συναθλητής fellow-contestant
συναθροίζω assemble, gather
συνάθροιση meeting, assemblage, gathering
συναινώ consent
συναισθάνομαι feel
συναίσθημα sentiment, feeling
συναισθηματικός sentimental
συναίτιος accomplice
συναλλαγή exchange, transaction
συνάλλαγμα exchange
συναλλαγματική draft
συναναστρέφομαι associate with
συναναστροφή company, association
συνάνθρωπος fellow-man
συνάντηση meeting
συναντώ meet
συναξάρι book of the lives of saints
σύναξη collection
συναπάντημα meeting
συνάπτω unite, join
συναρμόζω join, fit
συναρμολόγηση adjustment
συναρμολογώ adjust, fit
συνάρτηση connection
συνασπίζω ally
συνασπισμός coalition, alliance
συναυλία concert
συνάφεια connection, contact
συνάχι cold, catarrh
σύνδεσμος bond
συνδετήρας connecter, paper clip
συνδέω connect, join
συνδιάλεξη conversation
συνδιασκέπτομαι confer
συνδικαλισμός syndicalism
συνδικαλιστής syndicalist

συνδικάτο syndicate, trust
συνδρομή assistance, subscription
συνδρομητής contributor, subscriber
συνδυάζω combine
συνδιασμός combination
συνεδριάζω confer, meet
συνεδρίαση meeting
συνέδριο congress
σύνεδρος congressman
συνείδηση conscience
συνειδητός conscious
συνειρμός coherence
συνεισφέρω contribute
συνεισφορά contribution
συνεκτικός cohesive
συνέλευση assembly
συνεννόηση understanding
συνενοχή complicity
συνένοχος accomplice
συνέντευξη interview
συνενώνω unite, join
συνένωση uniting, union
συνεορτάζω celebrate together
συνεπάγομαι entail
συνέπεια consequence
συνεπής consequent
συνεπώς consequently
συνεργάζομαι cooperate, collaborate
συνεργασία cooperation, collaboration
συνεργάτης collaborator, coworker
συνέργεια cooperation
συνεργείο workshop, gang, factory
σύνεργο tool
συνέρχομαι assemble
σύνεση prudence
συνεσταλμένος shy, modest
συνεταιρίζομαι associate
συνέταιρος associate, partner
συνετός wise, prudent
συνεφαπτομένη cotangent
συνέχεια continuation, continuity
συνεχής continuous
συνεχίζω continue

Σ

συνήγορος advocate, defender
συνήθεια habit, custom
συνηθίζω accustom, get used
συνηθισμένος usual, habitual
συνήθως usually
σύνθεση composition
συνθέτης composer
συνθετικός component
σύνθετος compound, composite
συνθέτω compose
συνθήκη treaty
συνθηκολόγηση capitulation
συνθηκολογώ capitulate
σύνθημα signal, password
συνθηματικός symbolic
συνθλίβω squeeze, compress
συνίσταμαι consist of
συνιστώ recommend, introduce, constitute
συννεφιά cloudy weather
συννεφιάζω overcast, become cloudy
σύννεφο cloud
συνοδεία accompanying, escort
συνοδεύω accompany, escort
συνοδοιπόρος fellow-traveler
σύνοδος synod, congress
συνοδός escort
συνοικέσιο (marriage) match
συνοικία neighborhood, quarter
συνοικισμός a group of houses, peopling
συνολικός total
σύνολο total, entire
συνομήλικος of the same age
συνομιλία conversation
συνομιλώ converse
συνομοσπονδία confederation
συνομοταξία class
συνοθύλευμα jumble, mixture
συνοπτικός brief, summary
συνορεύω border
σύνορο border, frontier, boundary
συνοφρυώνομαι frown
συνοχή cohesion
συνοψίζω sum up

σύνοψη summary, synopsis
συνταγή prescription, recipe
σύνταγμα constitution
συνταγματάρχης colonel
συντάκτης editor, writer
συντακτικό (book of) syntax
συνταξιδιώτης fellow-traveler
συνταξιούχος pensioner
σύνταξη writing, syntax, pension
συνταράζω shock
συντάσσω edit, write
συνταυτίζω identify
σύντεκνος godfather
συντέλεια end
συντελεστής factor, contributor
συντελώ contribute
συντεχνία corporation
σύντηξη melting together
συντήρηση conservation
συντηρητικός conservative
συντηρώ conserve, maintain
σύντομα quickly, shortly
συντομία brevity
σύντομος short, brief
συντονίζω tune, harmonize, coordinate
συντονισμός coordination
συντριβάνι fountain
συντριβή crush
συντρίβω break, crush
σύντριμμα fragment
συντριπτικός crushing
συντροφεύω accompany
συντροφιά company
σύντροφος companion
συνύπαρξη coexistence
συνυπάρχω coexist
συνυφαίνω plot
συνωμοσία conspiracy, plot
συνωμότης conspirator
συνωμοτικός conspiratorial
συνωμοτώ conspire
συνωνυμία synonymy
συνώνυμος synonymous
συνωστίζομαι be crowded together
συνωστισμός crowding together

σύριγγα syrinx
συρίζω whistle
συρίκτρα whistle
σύρμα wire
συρματόπλεγμα wire netting, barbed wire
συρμός fashion, train
συρόπι syrup
συρρέω flow together, throng
συρροή confluence
σύρσιμο crawling, dragging
συρτάρι drawer
σύρτης blot, bar
συρφετός mob, rabble
σύρω pull, drag
συσκευάζω pack up, can
συσκευασία packing, canning
συσκευαστής packer
συσκευή apparatus
σύσκεψη deliberation, conference
συσκοτίζω darken
συσκότιση darkening
σύσπαση contraction, cramp
συσπειρώνω coil, curl
συσπείρωση gathering around
συσπώ contract
συσσίτιο mess
συσσωματώνω incorporate, unite
συσσώρευση accumulation
συσσωρευτής accumulator
συσσωρεύω accumulate
σύσταση recommendation, reference, consistence
συστατικός component
συστέλλω contract
σύστημα system
συστηματικός systematic
συστηματοποίηση systematization
συστηματοποιώ systematize
συστολή contraction
συστρέφω twist, wind
συσχετίζω correlate
συσχέτιση correlating
σύφιλη syphilis
συχνά often
συχνάζω frequent

συχνός frequent
συχνότητα frequency
συχνουρία frequent urination
σφαγέας butcher
σφαγή slaughter, butchery
σφαγιάζω slaughter, slay, butcher
σφαδάζω squirm
σφάζω kill, slaughter
σφαίρα sphere, globe, ball, bullet
σφαιρικός spherical, round
σφαιριστήριο billiards
σφαλίζω shut, lock, close
σφάλισμα shutting
σφαλιστός shut, locked
σφάλλω make a mistake, err
σφάλμα mistake
σφάξιμο slaying, slaughter
σφεντόνα sling
σφετερίζομαι usurp
σφετερισμός usurpation
σφετεριστής usurper
σφήγκα wasp
σφηγκοφωλιά hornets' nest
σφήνα wedge
σφηνώνω wedge
σφίγγω tighten
σφίξιμο tightening
σφικτός tight, compact
σφοδρός violent
σφοδρότητα violence
σφονδύλι spindle
σφουγγαράς sponge-fisher
σφουγγάρι sponge
σφουγγαρίζω scrub
σφουγγάρισμα mopping, scrubbing
σφουγγαρόπανο mop
σφουγγάτο omelet
σφουγγίζω wipe off, sponge
σφραγίζω seal
σφραγίδα seal, stamp
σφράγισμα sealing
σφραγιστός sealed
σφριγηλός full of vigor
σφρίγος vigour
σφυγμομέτρηση measuring the pulse

Σ

σφυγμομετρώ feel the pulse
σφυγμός pulse
σφύζω throb
σφυρί hammer, mallet
σφύριγμα whistling, hissing
σφυρίδα pike
σφυρίζω whistle, hiss
σφυρίκτρα whistle
σφυρό ankle
σφυροκοπώ hammer
σχάρα gridiron, grill
σχεδία raft, float
σχεδιάγραμμα sketch, plan
σχεδιάζω sketch, draw
σχεδιαστής draughtsman, designer
σχέδιο plan, design, sketch
σχεδόν almost, nearly
σχέση relation, connection
σχετίζω relate, associate
σχετικός relative
σχετικότητα relativity
σχήμα form, shape
σχηματίζω form, shape
σχηματισμός formation
σχηματογραφία drawing
σχιζοφρενής schizophrenic
σχιζοφρένεια schizophrenia
σχιζοφρενικός schizophrenic
σχίζω tear
σχίνος lentisk
σχίσιμο tearing
σχίσμα split, schism
σχισματικός schismatic, heretical
σχισμή fissure, cleft, crack
σχιστόλιθος schist
σχοινάκι small rope, jumping rope
σχοινί rope
σχοινοβάτης rope-walker
σχοινοβατώ walk on a rope
σχολάζω leave school, stop work

σχολαστικός pedantic, scholastic
σχολαστικότητα pedantry
σχολείο school
σχολή school
σχόλη holiday, day of rest
σχολιάζω comment, annotate
σχολιαστής commentator
σχολικός of school
σχόλιο comment
σώζω save, rescue
σωθικά entrails, bowels
σωλήνας pipe, tube
σωληνάριο fine tube
σωληνοειδής tubular
σωληνώνω pipe
σώμα body
σωματείο society, association
σωματεμπορία slave-trade
σωματέμπορος slave-trader
σωματικός bodily, corporal
σωματοφύλακας bodyguard
σωματοφυλακή bodyguard
σωματώδης stout, corpulent
σώος safe, sound
σωπαίνω keep silent
σωριάζω heap up
σωρός heap
σωσίας (oone') double
σωσίβιο lifebelt
σωσίβιος life-saving
σωστά correctly
σωστικός salutary
σωστός right, correct, true
σωτηρία salvation, rescue
σωτήριος salutary
σωφέρ chauffeur
σωφρονίζω render wise, correct, reform
σωφρονιστήριο reformatory
σωφροσύνη prudence, wisdom

T

T, τ the nineteenth lettter of the Greek alphabet
τα the
ταβάνι ceiling
ταβανώνω cover with a ceiling
ταβέρνα tavern
ταβερνιάρης tavern keeper
τάβλα plank
τάβλι backgammon
ταγάρι bag
ταγή feed
τάγμα battalion
ταγματάρχης major
τάζω promise
ταΐζω feed
ταινία ribbon, stripe, film
ταίρι match, mate
ταιριάζω match, suit, fit
ταίριασμα matching
ταιριαστός well-matched
τακούνι heel
τακτικά regularly
τακτική tactics, method
τακτικός regular
τακτοποίηση putting in order, arrangement
τακτοποιώ arrange, put in order
ταλαιπωρία hardship
ταλαίπωρος miserable, wretched
ταλαιπωρώ distress, torment
ταλανίζω pity, deplore
ταλάντευση balancing, wavering, oscillation
ταλαντεύω balance, oscillate
τάλαντο talent
ταλαντούχος talented

τάμα vow, promise
ταμείο treasury
ταμιακός fiscal
ταμίας cashier
ταμιευτήριο savings bank
ταμπακιέρα snuff-box
ταμπάκος snuff
ταμπούρλο drum
τανάλια pincers
τανύζω extend
τάξη class, order
ταξί taxi
ταξιαρχία brigade
ταξίαρχος brigade general
ταξιδεύω travel
ταξίδι travel, trip, journey
ταξιδιώτης traveler
ταξιδιωτικός traveling
ταξιθέτης theater usher
ταξικός of a class
ταξίμετρο taximeter
τάξιμο vow, promise
ταξινόμηση classification, sorting
ταξινομώ classify
τάπα stopper, plug
ταπεινός humble, modest
ταπεινότητα humility, modesty
ταπεινόφρονας humble
ταπεινοφροσύνη humility, modesty
ταπεινώνω humble, humiliate
ταπείνωση humiliation
ταπεινωτικός humiliating
ταπετσαρία upholstery
ταπετσιέρης upholsterer
τάπητας carpet
ταπητουργία carpet-making

ταπώνω plug, cork
τάραγμα stirring
ταράζω shake, stir
ταραμάς paste of salted fish roe
τάρανδος reindeer
ταραξίας agitator, disturber
ταράτσα roof, terrace
ταραχή agitation, trouble
ταραχοποιός agitator
ταραχώδης turbulent, riotous
ταρίχευση embalming
ταριχευτής embalmer
ταριχεύω embalm, preserve
ταρσός tarsus
τάση tendency, tension
τάσσω place, arrange
ταυρομαχία bullfight
ταυρομάχος bullfighter
ταύρος bull
Ταύρος Taurus
ταυτίζω identify
ταύτιση identification
ταυτόσημος of the same meaning, equivalent
ταυτότητα identity
τατόχρονος simultaneous
ταφή burial
τάφος grave, tomb
τάφρος ditch, trench
ταχυδακτυλουργία jugglery
ταχυδακτυλουργός juggler
ταχυδρομείο post-office
ταχυδρόμηση mailing, posting
ταχυδρομικός postal, mailing
ταχυδρόμος postman
ταχυδρομώ mail, post
ταχυκαρδία fast pulsation
ταχύμετρο speedometer
ταχύνους quick in thinking
ταχύς quick, rapid
ταχύτητα quickness, speediness
ταψί pan
τεζάρω stretch
τείνω stretch, tend
τειχίζω wall
τείχος wall

τεκμήριο token, sign, proof
τελάλης town crier
τελεία dot, full stop
τέλεια fully, perfectly
τελειοποίηση perfection
τελειοποιώ perfect
τέλειος perfect
τελειότητα perfection
τελειώνω finish, end
τελειωμός completion, end
τελειωτικός conclusive, final
τελεολογία teleology
τελεσίγραφο ultimatum
τελεσίδικος final
τελεσφορώ bring results, succeed
τελετή ceremony
τελετουργία celebration
τελετουργικό ritual
τελευταίος final, last
τελικός final
τέλμα swamp
τελματώνω bog down
τέλος end, close
τελώ perform, do
τελωνείο custom-house
τελωνοφύλακας custom-clerk
τεμαχίζω cut in pieces
τεμάχιο piece, fragment
τέμενος temple
τέμνω cut
τεμπέλης lazy
τεμπελιά laziness
τεμπελιάζω get lazy
τενεκεδένιος of tin
τενεκές tin, tin can
τένvις tennis
τένοντας tendon
τενόρος tenor
τέντα tent
τέντζερης kettle, pot
τέντωμα tension, stretching
τεντώνω stretch
τέρας monster
τεράστιος enormous, huge
τερατοειδής monstrous
τερατολογία absurdity

τερατολογώ rave
τερατόμορφος monstrous
τερατούργημα monstrosity
τερατώδης monstrous
τερατωδία monstrosity
τερετίζω twitter
τερέτισμα trill
τερηδόνα caries
τέρμα end, limit
τερματίζω end, finish
τερπνός delightful
τέρψη delight
τέσσαρα four
τεσσαρακοστή Lent
τεσσαρακοστός fortieth
τεταμένος stretched
τέτανος tetanus
Τετάρτη Wednesday
τέταρτο quarter
τέταρτος fourth
τέτοιος such, so
τετραγωνίζω square
τετραγωνικός quadrangular, square
τετράγωνο square, quadrangular
τετράγωνος quadrangular
τετράδιο note book, copy-book
τετρακόσιοι four hundred
τετραπέρατος very clever, cunning
τετραπλάσιος fourfold
τρετράπλευρος four-sided
τετράποδο quadruped, beast
τετράτροχος four-wheeled
τετραφωνία quartet
τετραψήφιος of four figures
τετριμμένος worn, trite
τεύτλο beet
τεύχος book, part
τέφρα ashes
τεφτέρι account-book
τέχνασμα artifice, trick
τέχνη art
τεχνητός artificial
τεχνικός technical, technician
τεχνίτης craftsman
τεχνοκρατία technocracy
τεχνολογία technology

τεχνολογικός technological
τεχνοτροπία technique
τζάκι fireplace
τζάμι window-pane, glass
τζαμί mosque
τζάμπα free of charge, gratis
τζίγγος zinc
τζίτζικας locust, grasshopper, cicada
τηγανητός fried
τηγάνι frying-pan
τηγανίζω fry
τηγάνισμα frying
τηγανίτα fritter
τηλεβόλο cannon
τηλεγράφημα telegram
τηλεγραφία telegraphy
τηλέγραφος telegraph
τηλεγραφώ telegraph, wire
τηλεόραση television
τηλεπάθεια telepathy
τηλεπικοινωνία telecommunication
τηλεσκόπιο telescope
τηλεφωνητής telephone operator
τηλεφωνικός telephonic
τηλέφωνο telephone
τηλεφωνώ telephone
τήξη melting
τήρηση keeping, observance
τηρητής keeper, observer
τηρώ keep, observe
τι what
τιάρα tiara, diadem
τίγρη tiger
τιθασεύω tame
τιμάριθμος price index
τιμή price, honour
τίμημα price
τιμητικός honorary
τίμιος honest
τιμιότητα honesty
τιμοκατάλογος price list
τιμολόγιο invoice
τιμόνι helm, steering wheel
τιμονιέρης helmsman
τιμώ honour
τιμωρημένος punished

τιμωρητικός punitive
τιμωρία punishment, penalty
τιμωρός punisher
τιμωρώ punish
τίναγμα shaking, jerk
τινάζω shake
τίποτε nothing
τιποτένιος worthless
τιράντες suspenders
τίτλος title
τιτλοφορώ title
τμήμα department, section
τμηματικός sectional
το the
τοιχίζω wall
τοιχογραφία fresco, wall painting
τοιχοκολλώ placard
τοίχος wall
τοκετός childbirth
τοκίζω lend(money) at interest
τοκογλυφία usury
τοκογλυφικός usurious
τοκογλύφος usurer
τόκος interest
τόλμη audacity, courage
τολμηρός bold, daring
τολμώ dare, risk
τομάρι skin
τομάτα tomato
τομέας cutter, section
τόμος volume
τονίζω accentuate, emphasize
τονικός tonic
τονισμός accentuation
τόννος tunny-fish
τόνος tone
τονώνω invigorate, strengthen
τόνωση strengthening
τονωτικός tonic, strengthening
τοξεύω dart, shoot with bow and arrow
τοξικός toxic
τόξο bow, arch
τοξοβολία archery
τοξότης archer, Sagitarious
τοπάζι topaz

τόπι ball
τοπικός local
τοπίο landscape
τοπογραφία topography
τοπογράφος topographer
τοποθεσία site, place, locality
τοποθέτηση placing
τοποθετώ place, put, lay, set
τόπος place, site, country
τοπωνυμία name of a place, toponymy
τόρνευση turning
τορνεύω turn
τόρνος turning-lathe
τορπίλλη torpedo
τορπιλλίζω torpedo
τόσος so, so much, so big
τότε then, at that time
τουαλέτα toilet
τούβλο brick
τουλάχιστο at least
τούλι tulle
τουλίπα tulip
τούμπα somersault
τούμπανο drum
τουμπάρω reverse
τουρισμός tourism
τουρίστας tourist
τουριστικός touristic
Τουρκία Turkey
Τουρκικός Turkish
τουρσί pickle
τούρτα tart, cake
τουρτουρίζω shiver with cold
τούτος this
τούφα tuft
τουφέκι gun, rifle
τουφεκιά rifle-shot
τουφεκίζω shoot
τράβηγμα pulling, drawing
τραβώ pull, draw
τραγανίζω crunch
τραγανός crunchy, gristly
τραγελαφικός grotesque
τραγικοκωμικός tragi-comical
τραγικός tragic(al)

τράγος he-goat
τραγούδι song
τραγουδιστής singer
τραγουδιστός sung
τραγουδώ sing
τραγωδία tragedy
τραγωδός tragedian
τρακάρισμα shock
τρακάρω strike, shock
τρακτέρ tractor
τραμπάλα swing
τραμπούκος scamp
τρανός great
τράνταγμα ratting, jarring, shake
τραντάζω shake, jolt, rattle
τράπεζα bank, table
τραπεζαρία dining-room
τραπέζι table
τραπεζίτης banker
τραπεζομάντηλο table-cloth
τραπεζώνω dine
τράπουλα pack of cards
τραυλίζω stammer
τραύλισμα stammering
τραυλός stammerer
τραύμα wound
τραυματίας wounded person
τραυματίζω wound
τραυματισμός wounding
τραχεία trachea
τραχηλιά collar
τράχηλος neck
τραχύνω make harsh
τραχύς rough, coarse, harsh
τραχύτητα roughness, rudeness
τρείς three
τρεκλίζω stagger
τρέλα madness, insanity, craziness
τρελά madly, crazily
τρελαίνω drive mad
τρελοκομείο insane asylum
τρελός mad, crazy, insane
τρεμούλα trembling, tremor
τρέμω tremble, shake
τρέξιμο running
τρέπω turn, change

τρέφω feed, nourish
τρεχούμενος running, current
τρέχω run
τρέχων current, running
τρία three
τριαδικός ternary
τρίαινα trident
τριακοστός thirtieth
τριάντα thirty
τρινταφυλλιά rosebush
τριαντάφυλλο rose
τριβή friction, rubbing
τρίβω rub, grind
τρίγλωσσος of three languages
τριγυρίζω surround
τριγύρω around, round
τριγωνικός triangular
τριγωνομετρία trigonometry
τρίγωνο triangle
τρίγωνος triangular
τρίδιπλος triple
τρίδυμα triplets
τρίζω creak
τριήρης trireme
τρικλίζω stagger, totter
τρίκλισμα tottering, staggering
τρικλοποδιά tripping-up
τρικυμία storm
τρικυμιώδης stormy, rough
τρίμμα rubbing, chip
τρίξιμο crackling, creaking
τριπλασιάζω triple
τριπλάσιος triple, threefold
τριπλός threefold
τρίποδο tripod
τρίπτυχο triptych
τρισεκατομμύριο trillion
Τρίτη Tuesday
τριτοβάθμιος of the third degree
τρίτος third
τρίφτης grater
τριφύλλι trefoil
τριφωνία trio
τρίχα hair
τριχιά rope
τριχόπτωση falling hair

τριχοφυΐα growth of hair
τρίχωμα hair
τριχωτός hairy
τρίψιμο rubbing
τρόμαγμα fright
τρομάζω frighten, scare
τρομακτικός terrible, frightful
τρομάρα terror, fright
τρομερά terribly
τρομερός terrible, dreadful
τρομοκράτης terrorist
τρομοκρατία terrorism
τρομοκρατικός terroristic
τρομοκρατώ terrorize
τρόμος terror, fright
τρόμπα pump
τρομπάρω pump up
τρομπέτα trumpet
τρομπόνι trombone
τρόπαιο trophy, triumph
τροπάρι hymne
τροπή turn, change, trend
τροπικός tropical
τροποποίηση modification
τροποποιώ modify
τρόπος manner, way, means
τρούλος dome
τροφή food
τρόφιμα aliments, provisions
τροφοδοσία provisioning
τροφοδότης provisioner, purveyor
τροφοδοτώ provision, supply food
τροχαλία pulley
τροχιά track, orbit
τροχίζω sharpen
τρόχισμα grinding, sharpening
τροχοπέδη brake
τροχός wheel
τροχοφόρος wheeled
τρύγημα vintage
τρυγητής vintager
τρυγόνι turtle-dove
τρύγος vintage
τρυγώ vintage, gather in the grapes
τρύπα hole
τρυπάνι drill

τρύπημα boring, drilling, piercing
τρύπιος bored, having holes, pierced
τρυπώ bore, pierce, make a hole
τρύπωμα perforation, stitching
τρυπώνω stitch
τρυφερός tender
τρυφερότητα tenderness
τρώγλη burrow, den, cavern
τρωγλοδύτης cave-dweller
τρώγω eat
τρωκτικός rodent
τρωτός vulnerable
τσαγγάρης shoemaker
τσαγιέρα tea pot
τσάϊ tea
τσακάλι jackal
τσακίζω break, crush
τσάκισμα breaking
τσακμακόπετρα flint
τσακωμός fight, quarrel
τσακώνω catch
τσακώνομαι quarrel, fight
τσαλαβουτώ splash, dabble
τσαλακώνω crumple, wrinkle
τσαλαπετεινός hoopoe
τσαμπί bunch
τσάντα bag, handbag
τσαντίρι tent
τσάπα spade, hoe
τσαρλατάνος charlatan
τσάρος tzar
τσατσάρα comb
τσεκούρι hatchet
τσεμπέρι kerchief
τσέπη pocket
τσεπώνω pocket
Τσέχος Chech
Τσεχοσλοβακία Chechoslovakia
τσιγάρο cigarette, cigar
τσιγγάνος gypsy
τσιγγέλι hook
τσίγγος zinc
τσιγγούνης stingy
τσιγγουνιά stinginess
τσιμέντο cement
τσιμουδιά silence

τσίμπημα pinch
τσιμπίδα nippers, pincers
τσίμπλα rheum
τσιμπούκι long tobacco pipe
τσιμπούρι tick
τσιμπώ pinch, sting, nip
τσίνορο eyelash
τσιπούρα porgy
τσιρίζω scream
τσίτωμα stretching
τσιτώνω stretch
τσιφλίκι estate
τσίχλα thrush
τσόκαρο wooden shoe
τσοπάνης shepherd
τσουβάλι sack
τσουγκρίζω clink
τσούγκρισμα clinking
τσούζω smart
τσουκάλι pot
τσουκνίδα nettle
τσουκτερός smarting
τσούξιμο smarting
τσόφλι shell, husk
τσόχα cloth
τύλιγμα winding up
τυλίγω wind up
τύμβος grave, tomb
τυμπανίζω beat a drum
τυμπανιστής drummer
τύμπανο drum
τυπικός typical, formal

τυπικότητα formality
τυπογραφείο printing office
τυπογράφος printer
τυποποίηση standardization
τυποποιώ standardize
τύπος type, model, form, the press
τύπωμα printing
τυπώνω print
τυραννία tyranny
τύραννος tyrant
τυραννώ tyrannize, torture
τυρί cheese
τυρόγαλα whey
τυροκομείο cheese-dairy
τυροκόμος cheese-maker
τύφλα blindness
τυφλοπόντικας mole
τυφλός blind
τυφλώνω blind
τύφλωση blinding
τυφοειδής typhoid
τύφος typhus
τυφώνας typhoon, cyclone
τυχαίνω chance, happen
τυχαίος accidental, casual
τυχερός lucky
τύχη luck, fortune
τυχοδιώκτης adventurer
τυχόν happening, by chance
τύψη remorse
τώρα now, at present, presently
τωρινός present

Y

Y, υ the twentieth letter of the
Greek alphabet
ύαινα hyena
υάκινθος hyacinth

υαλικά glassware
υαλογραφία painting on glass
υαλοπίνακας pane (of glas), window-pane

υαλοπωλείο glass-ware shop
υαλοπώλης glassware dealer
υαλουργείο glass-works
υαλουργία glass-making
υάρδα yard
υβρεολόγιο an outburst of insults
υβρίζω insult, abuse
υβριστής reviler, insulter
υβριστικός abusive, offensive
υγεία health
υγειονομικός sanitary
υγιαίνω be in good health
υγιεινή hygiene
υγιεινός healthful, healthy
υγραίνω wet, damp
υγρασία humidity, moisture
υγρό liquid, fluid
υγροποίηση liquefaction
υγροποιώ liquefy
υγρός moist, damp, wet, humid
υδαταγωγός water pipe
υδατάνθρακας hydrocarbon
υδάτινος watery, aquatic
υδατογραφία painting in water colours
υδατοφράκτης water-gate
υδραγωγείο aqueduct
υδραγωγός water-carrier
υδραντλία water-pump
υδράργυρος mercury
υδραυλικός hydraulic, plumber
υδρατμός vapor of water
ύδρευση drawing of water
υδρεύω irrigate, water
υδρόβιος aquatic
υδρόγειος terraqueous
υδρογονάνθρακας hydrocarbon
υδρογόνο hydrogen
υδροδυναμική hydrodynamics
υδροδυναμικός hydrodynamic
υδροθεραπεία water cure
υδροκέφαλος hydrocephalous
υδροκίνητος water-driven
υδροκυάνιο prussic acid
υδρόμυλος water-mill
υδροπλάνο hydroplane

υδροστατική hydrostatics
υδρόφιλος water-loving
υδροφράκτης floodgate, dam
υδροχλωρικός hydrochloric
υδροχόος water-pourer
Υδροχόος Aquarius
υιοθεσία adoption
υιοθετώ adopt
υιός son
ύλη matter, material
υλικό material, stuff
υλικός material
υλισμός materialism
υλιστής materialist
υλιστικός materialistic
υλοποίηση materialization
υλοποιώ materialize
υλοφροσύνη materialism
υμενώδης membranous
ύμνηση glorification
υμνητής one who praises
υμνογράφος writer of hymns
υμνολογία hymnology
υμνολόγιο hymn-book
ύμνος hymn, anthem
υμνώ praise in hymns
υνί ploughshare
υπαγόρευση dictation
υπαγορεύω dictate
υπαίθριος in the open air
ύπαιθρος open air, outdoor
υπαινιγμός hint, allusion
υπαινίσσομαι hint, allude
υπαίτιος responsible, guilty
υπακοή obedience
υπακούω obey
υπάλληλος employee, clerk
υπαναχώρηση withdrawal
υπαξιωματικός non-commissioned officer
υπαρκτός existing, subsisting
ύπαρξη existence, life
υπαρξισμός existentialism
υπαρξιστής existentialist
υπαρχηγός lieutenant
υπάρχω exist, be

υπασπιστής adjutant, aid-de-camp
υπέδαφος subsoil
υπεκφεύω evade, escape, elude
υπεκφυγή escape, evasion
υπενθυμίζω remind of
υπενθύμιση reminding
υπεξαίρεση stealing, taking away
υπεράνθρωπος superhuman
υπεράριθμος supernumerary
υπερασπίζω defend
υπεράσπιση defense
υπερασπιστής defender
υπεραστικός suburban
υπερατλαντικός transatlantic
υπερβάλλω exceed, surpass
υπερβολή excess, exaggeration
υπερβολικός excessive, exaggerated
υπέργειος superterrestrial
υπερένταση overstrain
υπερευαίσθητος oversensitive
υπερέχω excel, surpass, exceed
υπερήλικας very old
υπερηφάνεια pride, haughtiness
υπερηφανεύομαι be proud of
υπερήφανος proud, haughty
υπερηχητικός supersonic
υπερθέρμανση overheating
υπερθετικός superlative
υπερίσχυση predominancy
υπερισχύω predominate
υπερκόπωση overwork, overfatigue
υπερκόσμιος ultramundane
υπέρμαχος defending, defender
υπέρμετρος huge, excessive
υπερνικώ overcome, subdue
υπέρογκος enormous, colossal
υπεροξείδιο paroxide
υπεροπτικός presumptuous, haughty
υπεροχή superiority, predominance
υπέροχος excellent, superior, eminent
υπεροψία arrogance, haughtness
υπερπαραγωγή overproduction
υπερπέραν the world beyond the grave
υπερπόντιος overseas

υπερσυντέλικος pluperfect
υπέρταση high blood-pressure
υπερτέρηση surpassing
υπερτερώ surpass, exceed
υπερτίμηση rise in prices, overrate
υπερφυσικός pernatural, prodigious
υπερωκεάνιος transoceanic, transatlantic
υπερωρία overtime
υπεύθυνος responsible, answerable
υπήκοος obedient, subject
υπηκοότητα citizenship
υπηρεσία service, attendace
υπηρεσιακός of service
υπηρέτης servant
υπηρετικός of service
υπηρέτρια maid-servant
υπηρετώ serve
υπναράς sleepyhead
υπνηλία sleepiness, drowsiness
υπνοβασία somnambulism
υπνοβάτης sleep-walker, somnambulist
υπνοβατώ walk in my sleep
ύπνος sleep
ύπνωση hypnosis
υπνωτίζω hypnotize
υπνωτικός somniferous
υπνώτιση hypnotizing
υπνωτιστής hypnotizer, hypnotist
υπόβαθρο support, base
υποβάλλω submit, subject
υποβαστάζω support
υποβιβάζω lower
υποβίβαση abasement
υποβοηθώ help, assist, aid
υποβολέας prompter
υποβολείο prompter's box
υποβόσκω smolder
υποβρύχιο submarine
υπογάστριο abdomen
υπόγειο underground, subsoil
υπόγειος underground
υπογραμμίζω underline
υπογράμμιση underlining
υπογραφή signature, signing

υπογράφω sign
υποδαυλίζω stir up
υπόδειγμα example, model
υποδειγματικός exemplary
υποδεικνύω indicate, point out
υπόδειξη suggestion, indication
υποδεκάμετρο decimetre
υποδέχομαι welcome
υποδηλώνω indicate, suggest
υποδήλωση indication
υπόδημα shoe
υποδηματοποιείο shoemaker's shop
υποδηματοποιός shoemaker
υποδιαίρεση subdivision
υποδιαιρώ subdivide
υποδιεύθυνση sub-direction
υποδιευθυντής sub-director
υπόδικος accused, under trial
υποδιοίκηση sub-direction
υποδιοικητής sub-governor
υπόδουλος enslaved
υποδουλώνω enslave
υποδούλωση enslaving
υποδοχή reception, welcome
υποδύομαι play the part of
υποζύγιο beast of burden
υπόθεση affair, supposition
υποθετικός conditional, hypothetical, supposed
υποθέτω suppose, presume
υποθήκη mortgage, advice
υποθηκοφυλάκειο mortgage bureau
υποκατάστημα branch-office
υποκειμενικός subjective
υποκειμενικότητα subjectivity
υποκείμενο subject
υποκίνηση incitement, incitation
υποκινητής inciter, promoter
υποκινώ incite, excite
υποκλίνομαι bow
υπόκλιση bow
υποκόμης viscount
υποκοριστικός diminutive
υποκρίνομαι feign, pretend
υποκρισία hypocrisy, feint
υποκριτής actor, player

υποκριτικός hypocritical, feigned
υπόκρουση accompaniment
υποκύπτω submit, succumb
υπόλειμμα residue, rest
υπόληψη credit, reputation, esteem
υπολογίζω calculate, estimate
υπολογισμός calculation, estimate
υπολογιστής estimator, accountant
υπόλογος responsible, accountable
υπόλοιπος remaining
υπομένω support, endure, bear
υπόμνημα memorandum
υπομονή patience, endurance
υπομονητικός patient
υπομόχλιο fulcrum
υπόνοια suspicion
υπονόμευση undermining
υπονομεύω undermine
υπόνομος mine, sewer
υπονοώ understand, mean
ύποπτος suspect, suspicious
υποσημαίνω indicate, imply
υποσημείωση footnote
υποσιτίζομαι eat insufficiently
υποσιτισμός insufficient nourishment, under-nutrition
υποσμηναγός air force lieutenant
υπόσταση foundation, basis
υπόστεγο shed, pavilion
υποστήριγμα support
υποστηρίζω support
υποστήριξη prop, support
υπόστρωμα substratum
υποστρώνω underlay
υποσυνείδητο subconscious
υπόσχεση promise
υπόσχομαι promise
υποταγή submission, subjection
υποτακτική subjunctive
υποτακτικός subjective, dependent
υπόταση low blood presure
υποτάσσω subdue, subject
υποτείνουσα hypotenuse
υποτέλεια subjection, vassalage
υποτελής tributary, vassal
υποτίμηση fall in price

υποτιμῶ undervalue, underrate
υπότιτλος subtitle
υποτροπή relapse
υποτροφία scholarship
υπότροφος scholar stipendiary
υποτυπώδης primitive
ὕπουλος insidious, sly
υπουργείο ministry, cabinet
υπουργία ministry
υπουργικός ministerial
υπουργός minister
υποφαινόμενος undersigned
υποφερτός tolerable, bearable
υποχθόνιος infernal
υποχονδριακός hypochondriac
υπόχρεος obliged
υποχρεώνω oblige
υποχρεωτικός obliging, obligatory, compulsory
υποχώρηση retreat, yielding
υποχωρητικός yielding, retiring
υποχωρῶ retreat, withdraw
υποψήφιος candidate
υποψηφιότητα candidacy
υποψία suspicion, distrust
υποψιάζομαι suspect
ὕπτιος supine
ὕστερα afterwards
υστερία hysteria
υστερικός hysterical

υστεροβουλία ulterior motive, afterthought
υστερόγραφο post-scriptum
υστεροφημία fame after death
υστερῶ come behind
υστερώτερα later on
υφάδι woof
υφαίνω weave, spin
ὕφαλα beam
ὕφαλος reef
υφαντήριο cloth mill
υφαντουργείο weaving factory
υφαντουργός weaver
ὕφασμα cloth, tissue
υφασματέμπορος cloth-merchant
ὕφεση abatement, flat note
υφηγητής lecturer
υφήλιος earth, world
υφιστάμενος subaltern, inferior
ὕφος style, air
υψηλά high up
υψηλός high, tall
υψηλόφρονας high-minded, proud
υψηλοφροσύνη haughtiness, pride
υψικάμινος blast-furnace
υψίπεδο plateau
ὕψιστος highest
υψίφωνος soprano
ὕψος height, elevation
υψώνω raise

Φ

Φ, φ the twenty-first letter of the Greek alphabet
φάβα chick pea
φαβορίτες whiskers
φαγγρί kind of carp
φαγητό meal, food, dinner

φαγοπότι eating and drinking
φαγούρα itching
φάγωμα eating
φαγωμάρα quarelling
φαγώσιμος eatable, edible
φαεινός bright

φαιδρός gay, cheerful
φαιδρότητα cheerfulness
φαινόλη phenol
φαίνομαι appear, seem
φαινομενικός apparent, seeming
φαινόμενο phenomenon, appearance
φάκα trap
φάκελλος envelope
φακελλώνω put in an envelope
φακή lentil
φακίδα freckle
φακιδιάρης freckled
φακίρης fakir
φακός lens, opticlens
φάλαγγα phalanx, column
φαλαγγίτης legionnaire
φάλαινα whale
φαλαινοθήρας whaler
φαλάκρα bald head
φαλακρός bald-headed, bald
φαλλός penis
φάλτσο discordance
φαμελιά family
φάμπρικα factory
φανάρι lantern, lamp
φαναρτζής lentern-maker, glazier
φανατίζω make fanatical
φανατικός fanatic(al)
φανατισμός fanaticism
φανέλλα flannel
φανερά clearly
φανερός clear, evident, plain
φανερώνω reveal, manifest
φανέρωση revelation, manifestation
φανοποιός lantern-maker
φανοστάτης lamp-bracket
φαντάζομαι imagine, fancy
φαντάζω make a show, impress favorably
φαντάρος foot-soldier
φαντασία imagination, fancy
φαντασιολογία saying imaginary things
φαντασιόπληκτος an illusionist, fanciful

φαντασιοπληξία whim, fad, illusion
φαντασίωση illusion, vision
φάντασμα phantom, apparition, ghost
φαντασμαγορία phantasmagoria
φαντασμαγορικός phantasmagoric
φαντασμένος conceited, vain
φανταστικός imaginary, fantastic
φανταχτερός showy
φανφαρονισμός fanfaronade
φανφαρόνος fanfaron
φάπα slap in the face
φάρα race, progeny
φαράγγι ravine, gully
φαράσι dustpan
φαρδαίνω widen, stretch
φάρδος width, breadth
φαρδύς wide, large
φαρέτρα quiver
φαρίνα flour
φαρμακαποθήκη medicine store
φαρμακείο pharmacy
φαρμακέμπορος druggist
φαρμακερός poisonous, venomous
φαρμακευτική pharmacy
φαρμακευτικός medicinal
φαρμάκι poison, venom
φάρμακο medicine, drug
φαρμακοποιός druggist, chemist
φαρμάκωμα poisoning
φαρμακώνω poison
φαρμπαλάς furbelow
φάρος lighthouse
φάρσα farce, trick
φαρσέρ joker
φάρυγγας pharynx
φαρυγγίτιδα pharyngitis
φασαρία fuss, trouble, noise
φάση phase, aspect, stage
φασιανός pheasant
φασισμός fascism
φασιστής fascist
φασιστικός fascistic
φασκιά band, swaddling-band
φασκιώνω swaddle
φασκομηλιά sage

φάσκω κι αντιφάσκω contradict myself

φάσμα phantom, ghost

φασματοσκόπιο spectroscope

φασολάδα bean soup

φασόλι bean, kidneybean

φάτνη manger, crib, stall

φατρία faction, party

φατριαστής partisan

φατριαστικός factional

φαυλοκρατία rule of evil doers, government by villains

φαύλος vile

φαυλότητα depravity, villainy

φαφλατάς babbler, swaggerer

φαφούτης toothless

Φεβρουάριος February

φεγγάρι moon

φεγγίτης skylight

φεγγοβόλος luminous, bright

φεγγοβολώ shine, glitter

φέγγος light, gleam

φέγγω shine, gleam, light

φελλός cork

φεμινισμός feminism

φεμινιστής feminist

φεμινιστικός feministic

φενάκη wig, deception

φέξιμο lighting, dawn

φεουδαλισμός feudalism

φέουδο feud, fief

φέρετρο coffin, bier

φερετροποιός coffin-maker

φερέφωνο mouthpiece

φέρσιμο behaviour, conduct

φέρω bring, carry

φέσι fez

φέτα slice

φέτος this year

φευγάλα flight, escape

φευγάτος gone, fled

φεύγω flee, run away, leave

φήμη fame, renown

φημίζω make renowned

φημισμένος famous

φθάνω reach, arrive, overtake, attain

φθαρτός perishable

φθαρτότητα perishableness

φθειρίαση lousiness

φθείρω destroy, ruin, spoil

φθηναίνω cheapen

φθηνός cheap

φθινοπωρινός autumnal

φθινόπωρο Autumn

φθίνω wither

φθίση consumption, tuberculosis

φθισικός consumptive, tuberculous

φθόγγος sound, voice

φθονερός envious, invidious

φθόνος envy, malice

φθονώ envy

φθορά ruin, destruction

φθόριο fluor

φιάλη bottle

φιαλίδιο vial, phial, small bottle

φιγούρα figure, image

φίδι snake

φιδόχαρτο serpentaria

φιλάγαθος benevolent

φίλαθλος fond of athletics

φιλαλήθεια truthfulness, veracity

φιλαλήθης truthful, veracious

φιλαλληλία mutual love, altruism

φιλανθρωπία charity

φιλανθρωπικός charitable, philanthropic

φιλάνθρωπος charitable, philanthropist

φιλαργυρία avarice, avariciousness

φιλάργυρος avaricious, stingy

φιλαρέσκεια coquetry

φιλάρεσκος coquettish

φιλαρμονικός philharmonic

φιλαρχία love of power

φίλαρχος fond of power

φιλάσθενος sickly, unhealthy

φιλαυτία selfishness

φίλαυτος selfish

φιλειρηνικός peaceful, pacifist

φιλελεύθερος liberal

φιλέλληνας philhellene

Φ

φιλελληνικός philhellenic
φιλελληνισμός philhellenism
φιλενάδα girl friend
φίλεργος industrious, dilligent
φίλερις quarrelsome
φίλευμα treat
φιλεύω treat, regale
φίλη girl friend
φιλήδονος sensual
φίλημα kiss
φιλήσυχος peaceful, quiet
φιλί kiss
φιλία friendship, amity
φιλικός friendly, amicable
φιλικότητα friendliness
φιλιώνω reconcile, conciliate
φιλμ film
φιλντίσι ivory
φιλοβασιλικός fond of royalty
φιλοδίκαιος righteous
φιλοδοξία ambition
φιλόδοξος ambitious
φιλοδοξώ aspire, have the ambition
φιλοδώρημα tip
φιλοδωρώ tip
φιλοζωία love of life
φιλόζωος loving animals
φιλόθρησκος religious
φιλοκερδής greedy of gain
φιλοκτημοσύνη acquisitiveness
φιλολογία literature, philology
φιλολογικός literary, philological
φιλόλογος philologist
φιλομάθεια love of learning
φιλομαθής fond of learning
φιλόμουσος fond of music
φιλονικία quarrel, dispute
φιλόνικος quarrelsome
φιλονικώ quarrel, dispute
φιλοξενία hospitality
φιλόξενος hospitable
φιλοξενώ extend hospitality
φιλοπατρία patriotism
φιλόπατρις patriotic, patriot
φιλοπερίεργος curious
φιλοπόλεμος warlike

φιλοπονία love of work
φιλόπονος fond of work, industrious
φίλος friend
φιλοσοφία philosophy
φιλοσοφικός philosophical
φιλόσοφος philosopher
φιλοσοφώ philosophize
φιλόστοργος affectionate, loving
φιλοτέλεια philately
φιλοτελικός philatelic
φιλοτελισμός philately, stamp-collecting
φιλοτέχνημα work of art
φιλότεχνος an art lover
φιλοτεχνώ work out artistically
φιλοτιμία pride, sense of honor
φιλότιμο pride, ambition, propre
φιλότιμος loving honour
φιλοφρόνηση courtesy, civility
φιλοφρονώ receive kindly
φιλοφροσύνη courtesy
φιλοχρήματος fond of money
φιλόψογος censorious
φιλτράρω filter, strain
φίλτρο philter, philtre
φιλύποπτος suspicious
φιλώ kiss
φιμώνω gag, muzzle
φίμωση gagging, muzzling
φίμωτρο muzzle, gag
Φιλανδία Finland
φιόγκος bow, knot
φινάλε finale
φιστίκι pistachio nut
φιστικιά pistachio tree
φιτίλι wick
φλαμούρι lime-wood
φλαμουριά linden-tree, lime-tree
φλάμπουρο flag
φλάουτο flute
φλέβα vein
Φλεβάρης February
φλεβικός venous
φλεβίτιδα phlebitis
φλεβοτομία phlebotomy
φλέγμα phlegm, mucus

φλεγματικός phlegmatic, cool-blooded
φλεγμονή inflammation
φλέγω inflame
φλιτζάνι cup
φλόγα flame
φλογέρα flute
φλογερός burning, flaming
φλογίζω inflame, burn
φλόγισμα inflammation
φλογοβόλο flame-thrower
φλόγωση inflammation
φλοιός crust, peel, skin, bark, rind
φλοίσβος roaring
φλοκάτα mantle of floss
φλυαρία babbling, prattling
φλύαρος babbler
φλυαρώ prate, prattle, chatter
φλωρί gold coin
φλώρος greenfinch
φοβέρα threat, menace
φοβερά terribly
φοβερίζω threaten
φοβέρισμα threatening
φοβερός terrible, awful, dreadful
φόβητρο bugbear
φοβητσιάρης timid, coward
φοβία phobia
φοβίζω frighten, scare
φόβος fear, dread, terror, fright
φοβούμαι fear, be afraid of
φόδρα lining
φοδράρω line
φοίνικας palm-tree
φοίτηση attendance, frequenting
φοιτητής student
φοιτητικός of a student
φοιτώ attend
φόλα poison for animals
φολιδωτός scaly
φονεύω kill, murder
φονιάς murderer
φονικό murder
φονικός murderous
φόνος murder, killing
φόντο background

φορά time, course, trend
φόρα impetus, start
φοράδα mare
φορέας carrier, porter, bearer
φορείο stretcher
φόρεμα dress, garment
φορεσιά suit, dress
φορητός portable, bearable
φοροδιαφυγή tax evasion
φορολογία taxation, taxing
φορολογικός of taxation
φορολογούμενος tax payer
φορολογώ tax
φόρος tax, duty
φορτίζω load
φορτικός burdensome, wearisome
φορτίο burden, load
φόρτιση burdening, loading
φόρτος load, burden
φόρτωμα load, loading
φορτώνω load
φορτωτής loader
φορώ wear, put on
φουγάρο funnel, chimney
φουκαράς poor, needy
φουμάρω smoke
φούντα tuft, tassel
φουντούκι hazelnut, filbert
φουντουκιά filbert-tree
φουντώνω grow tufty
φούρναρης baker
φουρνιά batch
φουρνίζω bake
φούρνος bakery
φουρτούνα storm, tempest
φουρτουνιάζω become stormy
φουρτουνιασμένος storm-struck
φουσκάλα blister, bubble
φουσκαλιάζω blister
φουσκοθαλασσιά surge, surging, heavy sea
φούσκωμα swelling, puffing, blowing
φουσκώνω inflate
φούστα skirt
φουστανέλλα fustanella

Φ

φουστάνι dress
φούχτα handful
φουχτώνω grasp, gripe
φράγκο franc
φραγκοστάφυλο gooseberry
φραγκοσυκιά prickly-pear cactus
φραγκόσυκο prickly pear
φράγμα dam, fence
φραγμένος fenced
φραγμός barrier, bar
φράζω fence, block, enclose
φράντζα fringe
φραντζόλα roll of bread
φράξιμο fencing, enclosing
φράουλα strawberry
φραουλιά strawberry-bush
φρασεολογία phraseology
φράση phrase
φρεγάτα frigate
φρένα brakes
φρενιάζω become furious
φρένιασμα frenzy
φρένο brake
φρενοβλάβεια madness, insanity
φρενοβλαβής mad, insane
φρενοκομείο insane asylum
φρεσκάδα freshness
φρεσκάρισμα freshening
φρεσκάρω freshen, cool
φρέσκος fresh, green
φρικαλέος horrible
φρικαλεότητα autrocity
φρίκη horror
φρικιαστικός horrible
φρικτός horrible, horrid
φρίττω be horrified
φρόνημα spirit, mind, opinion
φρόνηση prudence, wisdom
φρονιμάδα wisdom, prudence
φρονιμεύω grow wise
φρονιμίτης wisdom tooth
φρόνιμος wise, prudent
φροντίδα care, occupation, concern
φροντίζω care, look after
φροντιστήριο preparatory school
φροντιστής guardian, commissary

φρονώ think, believe
φρουρά guard, garrison
φρούραρχος commander of a garrison
φρούρηση guarding
φρούριο fortress
φρουρός guard, watchman
φρουρώ guard, watch
φρούτο fruit
φρυγανιά toast, pancake
φρύδι eye-brow
φταίξιμο fault, error
φταίω do wrong
φταρνίζομαι sneeze
φτέρη fern
φτερό feather
φτερούγα wing
φτερουγίζω flap the wings
φτερώνω give wings
φτηνός cheap
φτυάρι shovel
φτυαρίζω shovel
φτύνω spit
φτύσιμο spitting
φτωχός poor
φυγαδεύω help one to escape
φυγάς fugitive, runaway
φυγή flight, escape
φυγοδικία contumacy, non-appearance for trial
φυγόδικος fugitive from justice
φυγόκεντρος centrifugal
φυγοπονία laziness, idleness
φυγόπονος lazy, idle
φύκι sea-weed
φυλακή prison, jail
φυλακίζω imprison, jail
φυλάκιο guardhouse
φυλάκιση imprisonment, incarceration
φυλακισμένος prisoner
φυλακτό amulet, talisman
φύλαξη guarding, keeping
φύλαρχος head of a tribe
φυλάζω keep, watch
φυλετικός racial, tribal

φυλή race, tribe
φυλλάδα pamphlet
φυλλάδιο pamphlet
φύλλο leaf
φυλλοκάρδια recesses of the heart
φυλλομετρώ turn over the leaves
φυλλοξήρα phylloxera
φύλλωμα foliation
φύλο sex
φυματικός tubercular, consumptive
φυματίωση tuberculosis, consumption
φυντάνι off-shoot, sprout
φύραμα mixture, jumble
φύρδην-μίγδην pell-mell
φυσαλίδα bubble
φυσαρμόνικα harmonica
φυσερό bellows
φύσημα blowing, blast
φυσίγγι cartridge
φυσικά naturally, of course
φυσική physics
φυσικός natural, physical
φυσικότητα naturalness
φυσιογνωμία physiognomy
φυσιογνωσία natural science
φυσιογνώστης naturalist
φυσιοδίφης naturalist
φυσιοθεραπεία physiotherapy
φυσιολάτρης lover of nature
φυσιολογία physiology
φυσιολογικός physiological, normal
φυσιολόγος physiologist
φύση nature
φυσώ blow
φυτεία plantation
φύτευμα panting
φυτεύω plant
φυτικός vegetable
φυτίλι wick
φυτό plant
φυτοζωώ live miserably

φυτοκομία horticulture
φυτολογία botany, phytology
φυτολόγος botanist, phytologist
φυτοφάγος vegetarian, herbivorous
φύτρωμα shooting up
φυτρώνω sprout, spring up
φυτώριο nursery
φώκια seal
φωλιά nest
φωλιάζω nestle
φωνάζω cry, cry out, scream
φωνακλάς shouter, bawler
φωναχτός said in a loud voice
φωνή voice, cry
φωνήεν vowel
φωνητικός vocal, phonetic
φωνογράφος phonograph
φως light
φωσφωρίζω phosphorise
φωσφορικός phosphoric
φωσφορισμός phosphorescence
φωσφόρος phosphor
φωσφορούχος phosphorated
φωταγωγός illuminator
φωταγωγώ illuminate
φωταέριο gas
φωτεινός luminous, bright
φωτιά fire
φωτίζω light, illuminate
φώτιση lighting
φωτιστικός lighting, illuminating
φωτοβολίδα burner of gaslight
φωτογραφείο photographic studio
φωτογράφηση photographing
φωτογραφία photography
φωτογραφικός photographic
φωτογράφος photographer
φωτογραφώ photograph
φωτομετρία photometry
φωτόμετρο photometer
φωτοστέφανος halo, gloriole
φωτοτυπία phototype

Φ

X

X, χ the twenty-second letter of the Greek alphabet
χαβιάρι caviar
χαζεύω idle about
χάζι pleasure
χαζομάρα dullness, stupidity
χαζός stupid
χάϊδεμα caress, caressing
χαϊδεμένος spoiled, pampered
χαϊδευτικά caressingly
χαϊδευτικός caressing
χαϊδεύω caress, pet, fondle
χάϊδι caress, affectation
χαϊδιάρης one who likes caress
χαϊμαλί amulet, talisman
χαιρεκακία malevolence, ill-will
χαιρέκακος malicious, malevolent
χαιρετίζω salute, greet
χαιρετίσματα greetings
χαιρετισμός salute, greeting, bowing
χαιρετώ greet, salute
χαίρομαι be glad
χαίτη mane
χαλάζι hail
χαλαζίας quartz
χαλαρός slack, loose
χαλαρότητα looseness, slackness
χαλαρώνω loose, relax
χαλάρωση loosening, slackening
χάλασμα ruin, destruction, demolishion
χαλασμένος destroyed, ruined
χαλασμός destruction
χαλαστής destroyer
χαλβάς halvah

χαλεπός hard, difficult
χάλι plight
χαλί rug, carpet
χαλίκι pebble
χαλικοστρώνω pave with gravel
χαλικόστρωση paving with gravel
χαλινάρι bridle, rein, bit
χαλκάς ring, link
χάλκευμα forging
χαλκεύω forge
χάλκινος of cooper
χαλκογραφία cooper engraving
χαλκογράφος engraver on cooper
χαλκομανία decalcomania
χαλκός cooper
χάλκωμα brass, copper
χαλκωρυχείο copper-mine
χαλώ spoil, destroy, ruin
χάλυβας steel
χαλυβουργία steel industry
χαλυβουργός steel worker
χαμαιλέων chameleon
χαμάλης porter, bearer
χαμαλίκι porter's work
χαμένος lost, disappeared
χαμερπής base, mean
χαμηλός low
χαμηλώνω lower, let down
χαμόγελο smile
χαμογελώ smile
χαμόδεντρο shrub, bush
χαμόκλαδο shrub, bush
χαμός loss, ruin
χάμουρα harness
χαμπάρι news
χάμω on the ground

χάνδρα bead
χάνι inn, hostelry
χαντάκι ditch, trench
χαντάκωμα destruction, ruin
χαντακώνω ruin
χάνω lose
χάος chaos
χάπι pill
χαρά joy, gladness
χάραγμα engraving, daybreak
χαραγματιά crack, incision, cut
χαράδρα ravine, gully
χαράζω incise, engrave
χάρακας ruler
χαρακιά rule, stripe, streak
χαρακτήρας character, nature
χαρακτηρίζω characterize
χαρακτηρισμός characterization
χαρακτηριστικό characteristic, feature
χαρακτηριστικός characterisitc
χαράκτης engraver, carver
χαράκωμα ruling, incision
χαρακωμάδα line, rule
χαραμάδα crack, cleft
χαράματα dawn
χαραμίζω waste
χάραξη engraving, carving
χαράσσω engrave, carve
χαράτσι head-tax
χαράτσωμα imposing a poll-tax
χαρατσώνω tax
χαραυγή daybreak, dawn
χάρβαλο ruin, wreck
χαρέμι harem
χάρη grace, charm, favor
χαριεντίζομαι speak pleasantly
χαρίζω present, make a present
χάρισμα present, gift, talent
χαριστικός gratuitous
χαριτολογία pleasantry, witticism
χαριτολόγος wit, amusing talker
χαριτολογώ talk wittily
χαριτωμένος charming, lovely
χάρμα delight
χαρμόσυνος joyful, gladsome

χαροποίηση gladdening
χαροποιώ gladden, bring joy
χάρος charon, death
χαρούμενος joyful, merry, cheerful
χαρούπι carob
χαρταετός kite
χαρτζιλίκι pocket-money, tip
χαρτζιλικώνω tip
χάρτης map
χαρτί paper
χάρτινος of paper
χαρτογραφία map-making
χαρτογράφος map-maker
χαρτοδένω bind in paper
χαρτόδετος paper-bound
χαρτομαντεία cartomancy
χαρτομάντης fortune-teller
χαρτόνι cardboard
χαρτονόμισμα paper money, banknote
χαρτοπαίγνιο card-playing, gambling
χαρτοπαίκτης gambler, card-player
χαρτοπαικτικός gambling
χαρτοπαιξία gambling
χαρτοπωλείο stationery store
χαρτοπώλης stationer
χαρτόσημο stamped paper, stamp
χαρτοφύλακας paper-case
χασάπης butcher
χασάπικο meat market
χασές cotton cloth
χάσιμο loss, waste
χασίς hashish
χάσκω gape
χάσμα gap, breach
χασμουρητό yawning, yawn
χασμωδία dissonance, hiatus
χασομέρης idler, loafer
χασομερώ lose time
χάσου get lost
χαστούκι slap, cuff
χατίρι favor
χατιρικός as a favor
χαυλιόδοντας tusk
χαύνωση indolence

χαυνωτικός enervating
χαχανίζω laugh loudly
χάχανο loud laughter
χαψιά mouthful
χαώδης chaotic
χειλεόφωνος labial
χείλι lip
χείλος edge, brink, brim
χειμάζω winter
χείμαρρος torrent
χειμερινός of the winter
χειμωνιάζω winter, -ει winter is coming
χειμώνιασμα wintering
χειμωνιάτικος of winter
χειραγώγηση guidance
χειραγωγώ guide, direct
χειράμαξα wheelbarrow
χειραφετώ emancipate
χειραψία handshaking
χειρίζομαι handle, manage
χειρισμός operation, handling
χειριστής operator
χειροβομβίδα grenade
χειρόγραφο manuscript
χειρόγραφος written by hand
χειροδύναμος strong, having strong hands
χειροκίνητος moved by the hand
χειροκρότημα clapping of the hands
χειροκροτώ clap the hands, applaud
χειρολαβή handle
χειρομαντεία palmistry
χειρομάντης palmist
χειρόμυλος hand-mill
χειρονομία gesture
χειρονομώ gesticulate
χειροπιαστός palpable, tangible
χειροποίητος hand-made
χειρότερα worse
χειροτέρευση deterioration
χειροτερεύω deteriorate, make worse
χειρότερος worse
χειροτέχνημα handiwork
χειροτεχνία handicraft

χειροτεχνικός of handicraft
χειροτονία ordination
χειροτονώ ordain
χειρουργείο operating room
χειρουργική surgery
χειρουργικός surgical
χειρούργος surgeon
χειρουργώ operate
χειροφίλημα kissing of hands
χειρονάκτης laborer
χειρωνακτικός of a laborer
χέλι eel
χελιδόνι swallow, martin
χελιδονόψαρο flying-fish
χελώνα tortoise, turtle
χέρι hand, arm
χεριά handful
χερούλι handle
χερσαίος of land, terrestrial
χερσόνησος peninsula
χέρσος uncultivated
χερσώνω lay waste, make barren
χημεία chemistry
χημείο chemical laboratory
χημικός chemical, chemist
χήνα goose
χήρα widow
χηρεία widowhood
χηρεύω become widow
χήρος widower
χθές yesterday
χθεσινός of yesterday
χίλια thousand
χιλιάδα a thousand
χιλιετηρίδα millennium
χιλιετής of a thousand years
χιλιόγραμμο kilogram, kilo
χίλιοι a thousand
χιλιόμετρο kilometer
χιλιοστόγραμμο milligram
χιλιοστόμετρο millimetre
χιλιοστός thousandth
χίμαιρα chimera, utopia
χιμπαντζής chimpanzee
χιονάτος white as snow
χιόνι snow

χιονιά snowy weather
χιονίζει it snows, it is snowing
χιονίστρα chilblain
χιονοδρομία skiing
χιονοδρόμος skier
χιονοθύελλα blizzard, snowstorm
χιονόνερο sleet
χιονοπέδιλο snowshoe
χιονοστιβάδα snowdrift, avalanche
χιονοστρόβιλος snow-whirl
χιονόσφαιρα snow-ball
χιονώδης snowy
χιούμορ humor
χιτώνας tunic, shirt
χλαμύδα mantle, cloak
χλευάζω jeer, sneer
χλευασμός sneer, derision
χλευαστής sneerer
χλιαρός tepid, lukewarm
χλιαρότητα tepidness, lukewarm-
ness
χλιδή luxury
χλιμιντρίζω neigh, whinny
χλιμίντρισμα neighing, whinnying
χλοερός green, verdant
χλόη grass
χλωμάδα paleness
χλωμιάζω become pale
χλωρίδα flora, greenfinch
χλωρικός chloric
χλώριο chlorine
χλωριούχος chloride
χλωροφύλλη chlorophyll
χνούδι down, nap
χνώτα breath
χοάνη crucible, funnel
χόβολη embers
χοιρινό pork
χοιρινός of pork
χοιροβοσκός swineherd
χοιρομέρι ham, bacon
χοίρος pig, swine, hog
χοιροστάσιο pigsty
χολέρα cholera
χολερικός choleric
χολή bile, gall

χολόλιθος gall-stone
χονδρικός wholesale
χονδροειδής coarse, rough
χόνδρος cartilage
χοντραίνω get fat, make thick
χοντροκομμένος coarsely cut
χοντροκοπιά rough work
χοντρός fat, thick, stout
χορδή string, cord
χορευτής dancer
χορευτικός of dancing
χορεύω dance
χορήγηση allowance
χορηγία granting
χορηγός provider, giver
χορηγώ provide, give, grant, furnish
χορογράφος choreographer
χοροδιδάσκαλος dancing master
χορόδραμα ballet
χοροεσπερίδα dancing party, dance
χοροπηδώ gambol
χορός dance
χορταίνω satisfy the hanger of
χορτάρι grass
χορταριάζω be covered with weeds
χορταρικό herb, vegetable
χορταστικός satiating, satisfying
χορτάτος satiated, full
χόρτο grass, herb, vegetable
χορτοφαγία vegetarianism
χορτοφάγος vegetarian
χορωδία chorus
χουρμαδιά date-tree
χουρμάς date
χούφτα handful
χουφτιάζω take a handful
χρειάζομαι need, want
χρεμετίζω neigh, whinny
χρεμέτισμα neighing
χρέος debt, duty
χρεόγραφο bond
χρεοκοπία bankruptcy, failure
χρεοκοπώ become bankrupt, fail
χρεώνω bring into debt
χρέωση debit, debiting
χρεωφειλέτης debtor

χρήμα money
χρηματιστήριο stock-exchange
χρηματιστής stock-broker, financier
χρηματοδότης one who finances
χρηματοδότηση financing
χρηματοδοτώ finance
χρηματοκιβώτιο safe
χρήση use, usage
χρησιμεύω be of use, be useful
χρησιμοποίηση utilization, employment
χρησιμοποιώ make use of, use, utilize
χρήσιμος useful
χρησιμότητα usefulness, utility, use
χρησμοδοσία divination
χρησμοδοτώ deliver an oracle, divine
χρησμός oracle, prediction
χριστιανικός christian
χριστιανισμός christianity
χριστιανός Christian
Χριστός Christ
Χριστούγεννα Christmas
χριστουγεννιάτικος of Christmas
χρονιά year
χρονίζω protract, last too long
χρονικό chronicle
χρονικός of time
χρονογράφημα chronicle, chronograph
χρονογράφος chronicler
χρονολογία date, chronology
χρονολογώ date
χρονόμετρο chronometer
χρόνος time, year, period, tense
χρονοτριβή delay
χρονοτριβώ lose time, delay
χρυσαλλίδα butterfly, chrysalis
χρυσάνθεμο chrysanthemum, marigold
χρυσάφι gold
χρυσαφικά jwellery
χρυσή jaundice
χρυσίζω gild
χρυσοθήρας gold-hunter

χρυσόμυιγα may-bug
χρυσός golden, gold
χρυσόστομος golden-mouthed
χρυσοχοείο goldsmith's shop
χρυσοχόος goldsmith, jeweller
χρυσόψαρο gold fish
χρυσώνω gild
χρυσωρυχείο gold mine
χρώμα colour
χρωματίζω colour, paint
χρωματισμός painting, colouring
χρωματιστός coloured
χρωματοπωλείο paint-store
χρωστώ owe, be indebted
χτένα comb
χτενίζω comb
χτίζω build, erect
χτίστης builder
χτικιάζω render consumptive
χτικιάρης tuberculous
χτικιό consumption
χυδαΐζω be vulgar, use slang
χυδαίος vulgar, rude
χυδαιότητα vulgarity
χυλόπιτα hasty-pudding
χυλός liquid-paste, pap
χυλώνω convert into pulp
χύμα affluently
χυμός juice
χυμώδης juicy
χύνω pour, spill, shed
χύσιμο pouring out, spilling
χυτήριο foundry
χυτός poured, molten
χύτρα pot
χωλαίνω limp
χωλός lame
χώμα earth, dust, soil
χωμάτινος earthen
χώνευση digestion, fusion
χωνευτήρι crucible, melting-pot
χωνευτικός digestive
χωνεύω digest
χωνί funnel
χώνω thrust, push in
χώρα country, land, place

χωρατατζής joker, jester
χωρατεύω jest, joke
χωρατό joke, joking
χωράφι field, farm
χωρητικότητα capacity, tonnage
χώρια aside, apart
χωριανός villager
χωριάτης peasant, rustic
χωριατιά rusticity, rudeness
χωριάτικος rustic, boorish, of a village
χωρίζω separate, part, divide
χωρικός peasant, villager

χωριό village
χωρίς without
χώρισμα partition, separation
χωρισμός separation, parting
χωριστά apart, separately
χωριστός separate, different
χωρίστρα parting of the hair
χώρος room, space, place, area
χωροφύλακας gendarme, constable
χωροφυλακή gendarmery, constabulary
χωρώ take in, hold, contain
χώσιμο pushing in

Ψ

Ψ, ψ twenty-third letter of the Greek alphabet
ψάθα mat, straw-hat
ψαθάκι straw-hat
ψάθινος made of straw
ψαλίδι scissors
ψαλιδιά a cut with scissors
ψαλιδίζω cut with scissors
ψαλίδισμα cutting with scissors
ψάλλω sing, chant
ψαλμογράφος psalmist
ψαλμός psalm, chant, hymn
ψαλμωδία psalmody
ψαλμωδός psalmist
ψάλσιμο chanting
ψαλτήρι psalm-book
ψάλτης singer, chanter
ψάξιμο search, searching
ψαράδικο fish-market
ψαράδικος of a fisherman
ψαράς fisherman, fisher
ψαρόβαρκα fishing boat
ψαροκόκκαλο fish-bone

ψαρομάλλης gray-haired
ψαροπούλι kingfisher
ψαρός gray
ψαροφάγος piscivorous, fisheater
ψαύω feel, touch
ψαχνό lean
ψάχνω search, seek, look for
ψεγάδι defect, fault
ψέγω blame
ψείρα louse
ψειριάρης infested with lice
ψεκάζω drizzle, spray
ψεκασμός spraying
ψεκαστής sprinkler, sprayer
ψελλίζω stammer, stutter
ψέλλισμα lisping
ψέμμα lie
ψευδαίσθηση hallucination
ψευδάργυρος zinc
ψευδής false
ψευδίζω lisp, stammer
ψευδομάρτυρας false witness
ψευδομαρτυρία false testimony

ψευδομαρτυρώ give false testimony
ψευδοπροφήτης false prophet
ψευδορκία perjury
ψευδορκώ commit perjury
ψεύδος lie
ψευδωνυμία pseudonymity
ψευδώνυμος pseudonymous
ψεύτης liar
ψευτιά lie
ψευτίζω falsify
ψεύτικος false
ψηλά high, high up
ψηλάφηση touching, feeling
ψηλαφίζω touch, feel
ψηλαφητός palpable
ψηλαφώ feel, touch
ψηλομύτης haughty
ψηλός high
ψήλωμα elevation, eminence
ψηλώνω make tall, rise
ψημένος cooked, baked
ψήνω cook, bake
ψήσιμο baking, roasting
ψητό roast, roast meat
ψηφιδωτό mosaic
ψηφίζω vote, pass
ψηφίο figure, character, letter
ψήφισμα resolution, decree
ψηφοδέλτιο ballot
ψηφοθήρας canvasser
ψηφοθηρία canvassing
ψηφοθηρώ canvass
ψήφος vote
ψηφοφορία voting, vote
ψηφοφόρος voter
ψηφοφορώ vote
ψιθυρίζω whisper, murmur
ψιθύρισμα whispering, whisper
ψιθυριστής whisperer
ψίθυρος murmur, whisper
ψιλά change
ψιλικά mercery, small articles
ψιλοδουλειά delicate work
ψιλολογώ examine minutely
ψιλός thin, fine
ψίχα crumb

ψιχάλα light rain, drizzle
ψιχάλισμα drizzling
ψίχουλο crumb
ψόγος blame
ψοφίμι carrion, carcass
ψόφιος dead
ψόφος noise, tulmut, death
ψοφώ die
ψυγείο refrigerator
ψυκτικός cooling, freezing
ψύλλος flea
ψύξη cooling, freezing
ψυχαγωγία recreation
ψυχαγωγικός recreative, amusing
ψυχαγωγώ recreate, divert, enter-
tain
ψυχανάλυση psychoanalysis
ψυχαναλυτής psychoanalyst
ψυχαναλυτικός psychoanalytical
ψυχή soul
ψυχιατρείο sanitarium
ψυχιατρική psychiatry
ψυχιατρικός psychiatric(al)
ψυχίατρος psychiatrist
ψυχικός psychical, of the soul
ψυχοανάλυση psychoanalysis
ψυχογιός adopted son
ψυχοθεραπεία psychotherapy
ψυχοκόρη adopted daughter
ψυχολογία psychology
ψυχολογικός psychological
ψυχολόγος psychologist
ψυχολογώ analyze psychologically
ψυχομαχώ I am dying
ψυχοπάθεια psychosis, insanity
ψυχοπαθής insane, psychopathist
ψυχοπαίδι adopted child
ψυχοσύνθεση mental make-up of a
person
ψυχοφθόρος soul-destroying
ψύχρα chill, cold
ψυχραιμία coolness
ψύχραιμος cool, calm
ψυχραίνω cool, chill
ψυχρολουσία cold bath
ψυχρός cold, cool

ψυχρότητα coldness, coolness
ψύχω cool, chill
ψύχωση psychosis
ψωμάκι roll
ψωμί bread
ψώνια purchases, provisions
ψωνίζω go shopping, buy, purchase

ψώνισμα purchase, shopping
ψώρα itch, scabies
ψωριάζω have the itch
ψωριάρης itchy, scabby
ψορίαση psoriasis
ψωροπερήφανος foolishly proud

Ω

Ω, ω the twenty-fourth letter of the Greek alphabet
ωάριο ovum, ovule
ωδείο conservatory
ωδή ode, song
ωδικός singing
ωδίνη labor, pang of childbirth
ώθηση push, impulse
ωθώ push, urge
ωκεάνιος oceanic
ωκεανός ocean
ωλένη ulna, forearm
ωμοπλάτη shoulder-blade
ώμος shoulder
ωμός raw, crude
ωμότητα rawness, crudeness
ωοθήκη ovary
ωοτοκία laying of eggs
ώρα hour
ωραία fine
ωραίος beautiful, handsome
ωραιότητα beauty
ωράριο orarium
ωριαίος hourly, lasting one hour

ωριμάζω ripen, mature
ώριμος ripe, mature
ωριμότητα maturity
ωροδείκτης hour hand
ωρολόγιο watch, clock
ωρολογοποιείο watch maker's shop
ωροσκόπιο horoscope
ωροσκόπος horoscoper
ωρύομαι howl, roar
ώστε so that, as, then
ωστόσο nevertheless
ωταλγία earache
ωτίτιδα otitis
ωφέλεια utility, usefulness, profit, benefit
ωφελιμιστής utilitarian
ωφέλιμος useful
ωφελιμότητα usefulness
ωφελώ do good, benefit, be useful
ώχρα ocher, ochre
ωχραίνω make pale, turn pale
ωχρός pale, pallid
ωχρότητα paleness, pallor

Ω

ΑΝΩΜΑΛΑ ΡΗΜΑΤΑ (IRREGULAR VERBS)

VERB	PAST TENSE	PAST PARTICIPLE
abide	abode, abided	abided
arise	arose	arisen
awake	awoke	awoken
be	was	been
bear	bore	borne
beat	beat	beaten
become	became	become
befall	befell	befallen
beget	begot	begotten
begin	began	begun
behold	beheld	beheld
bend	bent	bent
bereave	bereaved, bereft	bereaved, bereft
beseech	besought	besought
bestride	bestrode	bestridden
bet	bet	bet
betake	betook	betaken
bethink	bethought	bethought
bid	bade, bid	bidden, bid
bite	bit	bitten
bleed	bled	bled
blow	blew	blown
break	broke	broken
breed	bred	bred
bring	brought	brought
broadcast	broadcast	broadcast
build	built	built
burn	burnt	burnt

burst	burst	burst
buy	bought	bought
can	could	–
cast	cast	cast
catch	caught	caught
chide	chided, chid	chid, chidden
choose	chose	chosen
cleave	cleft, clove	cleft, cloven
cling	clung	clung
come	came	come
cost	cost	cost
creep	crept	crept
cut	cut	cut
deal	dealt	dealt
dig	dug	dug
dive	dived, dove	dived
do	did	done
draw	drew	drawn
dream	dreamed, dreamt	dreamed, dreamt
drink	drank	drunk
drive	drove	driven
dwell	dwelt, dwelled	dwelt, dwelled
eat	ate	eaten
fall	fell	fallen
feed	fed	fed
feel	felt	felt
fight	fought	fought
find	found	found
flee	fled	fled
fling	flung	flung
fly	flew	flown
forbear	forbore	forborne
forbid	forbade	forbidden
forecast	forecast	forecast

foresee	foresaw	foreseen
foretell	foretold	foretold
forget	forgot	forgotten
forgive	forgave	forgiven
forgo	forwent	forgone
forsake	forsook	forsaken
forswear	forswore	forsworn
freeze	froze	frozen
gainsay	gainsaid	gainsaid
get	got	got
gird	girded, girt	girded, girt
give	gave	given
go	went	gone
grind	ground	ground
grow	grew	grown
hamstring	hamstrung	humstrung
hang	hung	hung
have	had	had
hear	heard	heard
heave	heaved, hove	heaved, hove
hew	hewed	hewed, hewn
hide	hid	hidden
hit	hit	hit
hold	held	held
hurt	hurt	hurt
keep	kept	kept
kneel	knelt, kneeled	knelt, kneeled
knit	knitted, knit	knitted, knit
know	knew	known
lay	laid	laid
lead	led	led
leap	leapt, leaped	leapt, leaped
learn	learnt	learnt
leave	left	left
lend	lent	lent

let	let	let
lie	lay	lain
light	lit, lighted	lit, lighted
lose	lost	lost
make	made	made
may	might	–
mean	meant	meant
meet	met	met
miscast	miscast	miscast
mislay	mislaid	mislaid
misleed	misled	misled
misspell	misspelt	misspelt
mistake	mistook	mistaken
misunderstand	misunderstood	misunderstood
outbid	outbid	outbid
outdo	outdid	outdone
outgrow	outgrew	outgrown
outrun	outran	outrun
overcast	overcast	overcast
overcome	overcame	overcome
overdo	overdid	overdone
overrun	overran	overrun
oversee	oversaw	overseen
oversleep	overslept	overslept
overtake	overtook	overtaken
overthrow	overthrew	overthrown
partake	partook	partaken
pay	paid	paid
prove	proved	proved, proven
put	put	put
read	read	read
rebind	rebound	rebound
rebuild	rebuilt	rebuilt
rend	rent	rent
reset	reset	reset

ride	rode	ridden
ring	rang	rung
rise	rose	risen
run	ran	run
saw	sawed	sawn, sawed
say	said	said
see	saw	seen
seek	sought	saught
sell	sold	sold
send	sent	sent
set	set	set
sew	sewed	sewn, sewed
shake	shook	shaken
shall	should	–
shed	shed	shed
shine	shone	shone
shoot	shot	shot
show	showed	shown, showed
shrink	shrank, shrunk	shrunk
shut	shut	shut
sing	sang	sung
sit	sat	sat
slay	slew	slain
sleep	slept	slept
slide	slid	slid
sling	slung	slung
slink	slunk	slunk
slit	slit	slit
smell	smelt, smelled	smelt, smelled
smite	smote	smitten
sow	sowed	sown, sowed
speak	spoke	spoken
speed	sped, speeded	sped, speeded
spell	spelt, spelled	spelt, spelled
spend	spent	spent

spill	spilt, spilled	spilt, spilled
spin	spun, span	spun
spit	spat	spat
split	split	split
spoil	spoiled, spoilt	spoiled, spoilt
spring	sprang	sprung
stand	stood	stood
steal	stole	stolen
stick	stuck	stuck
sting	stung	stung
stink	stank, stunk	stunk
strew	strewed	strewn, strewed
stride	strode	stridden
strike	struck	struck
string	strung	strung
strive	strove	striven
swear	swore	sworn
sweep	swept	swept
swell	swelled	swollen, swelled
swim	swam	swum
swing	swung	swung
take	took	taken
teach	taught	taught
tear	tore	torn
tell	told	told
think	thought	thought
thrive	throve, thrived	thrived
throw	threw	thrown
thrust	thrust	thrust
tread	trod	trodden, trod
unbend	unbent	unbent
unbind	unbound	unbound
undergo	underwent	undergone
understand	understood	understood
undertake	undertook	undertaken

undo	undid	undone
unwind	unwound	unwound
upset	upset	upset
wake	woke	woken
wear	wore	worn
weave	wove	woven
wed	wedded, wed	wedded, wed
weep	wept	wept
wet	wetted, wet	wetted, wet
will	would	–
win	won	won
wind	wound	wound
withdraw	withdrew	withdrawn
withhold	withheld	withheld
withstand	withstood	withstood
wring	wrung	wrung
write	wrote	written